www.bragelonne.fr

Terry Goodkind

La Foi des Réprouvés

L'Épée de Vérité - livre six

Traduit de l'anglais (États-Unis) par Jean Claude Mallé

Bragelonne

Collection dirigée par Stéphane Marsan et Alain Névant

Titre original : *Faith of the Fallen*
Copyright © 2000 by Terry Goodkind
Publié avec l'accord de l'auteur,
c/o BAROR INTERNATIONAL, INC.,
Armonk, New York, U.S.A.

Illustration de couverture :
© Keith Parkinson

ISBN : 2-35294-017-6
ISBN13 : 978-2-35294-017-3

Bragelonne
35, rue de la Bienfaisance – 75008 Paris

E-mail : info@bragelonne.fr
Site Internet : http://www.bragelonne.fr

*À Russel Galen, mon premier véritable fan,
pour la foi qu'il me témoigne depuis le début.*

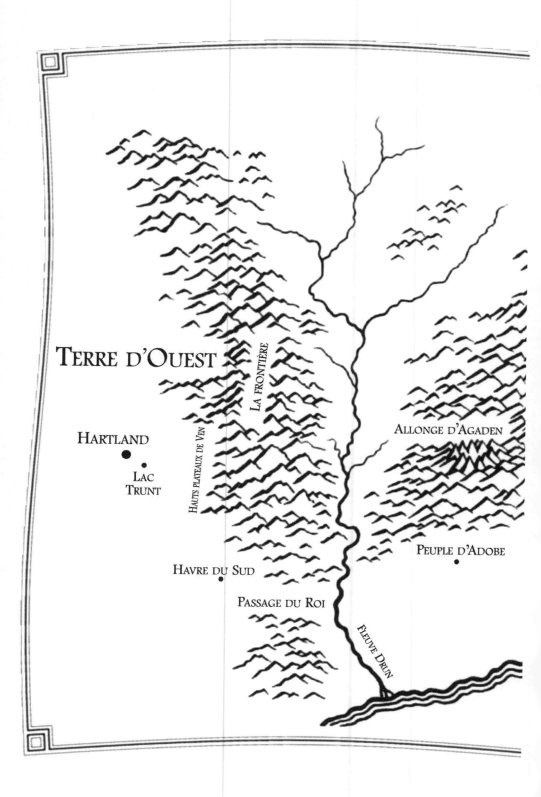

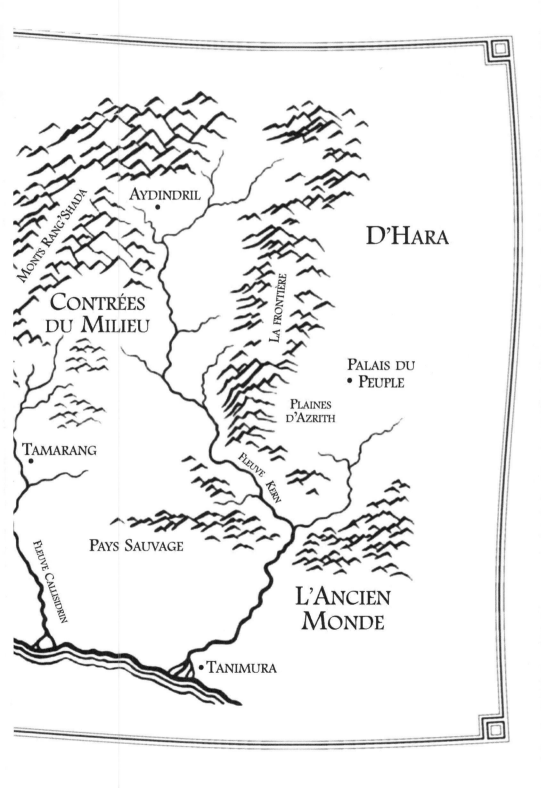

Chapitre premier

Elle ne se souvenait pas de sa mort.

Avec une angoisse diffuse, elle se demanda si les voix furieuses qu'elle entendait à peine – comme si elles venaient de très loin – signifiaient qu'elle allait de nouveau connaître l'expérience la plus ultime qui soit : sombrer dans le néant.

Si c'était le cas, elle ne pouvait absolument rien faire.

Alors qu'elle ne se rappelait pas sa fin, elle gardait une vague réminiscence de murmures solennels affirmant qu'elle avait cessé de vivre et dérivait désormais vers les ténèbres du royaume des morts. Puis un homme avait posé ses lèvres sur les siennes et empli ses poumons inertes du souffle de la vie. Par cet acte en apparence très simple, il l'avait ramenée dans le monde des vivants. Mais qui avait tristement déclaré qu'elle venait de mourir ? Et qui était son sauveur ? Elle ignorait la réponse à ces deux questions…

Cette première nuit, quand elle avait recommencé à mieux percevoir les voix désincarnées, au point de saisir quelques mots, elle avait compris que les personnes qui l'entouraient ne croyaient pas en ses chances de voir le soleil se lever. Malgré sa résurrection, on continuait à penser qu'elle était condamnée. Une erreur, à l'évidence, puisqu'elle avait d'abord survécu jusqu'au matin, puis revu plusieurs fois l'obscurité céder la place aux premières lueurs de l'aube.

S'était-elle accrochée à la vie grâce aux mots d'amour et aux encouragements vibrants de tendresse désespérée qu'un homme lui avait chuchotés à l'oreille, cette première nuit ? Cela se pouvait, mais là non plus, elle n'était sûre de rien…

S'il ne lui restait aucun souvenir de sa mort, la douleur précédant son passage dans l'oubli éternel était gravée comme au fer rouge dans sa mémoire. Et cette souffrance, elle le savait, la hanterait jusqu'à son dernier souffle.

Seule dans la campagne, elle avait sauvagement lutté contre des hommes qui l'entouraient comme une meute de chiens de chasse acharnés à déchiqueter un lièvre. Dans l'obscurité, leurs rictus mauvais révélant des dents semblables à des crocs, ils l'avaient frappée jusqu'à ce qu'elle s'écroule, puis achevée à coups de pieds dans les côtes.

Le craquement de ses os brisés… Le sang qui maculait les mains et les bottes de ses bourreaux… La stupéfiante terreur de sentir ses poumons se vider à jamais de leur air… L'angoisse de ne même plus pouvoir hurler de douleur… Le sentiment que sa chute dans les profondeurs de la mort durerait une éternité contenue dans une unique seconde…

Quelque temps plus tard – des heures ou des jours, c'était impossible à dire –, alors qu'elle reposait entre des draps propres, dans un lit inconnu, elle avait ouvert les yeux pour les plonger dans le regard gris d'un homme. Et découvert à cet instant que le monde réservait à certains êtres un calvaire bien pire que celui qu'elle avait enduré.

Elle ignorait le nom de son sauveur. Voyant l'angoisse qui voilait son regard, il lui était apparu sans l'ombre d'un doute qu'elle aurait dû le connaître. L'identité de cet homme comptait plus que la sienne – que la vie elle-même, en réalité. Mais ce prénom refusait de lui revenir, et rien, tout au long de son existence, ne l'avait jamais autant emplie de honte.

Depuis, chaque fois qu'elle baissait les paupières, elle revoyait ce regard dévasté où brillait pourtant, au cœur de l'angoisse, une espérance dont la source ne pouvait être qu'un amour infini. Cette lumière ne devait pas s'éteindre. Elle n'avait pas le droit de la laisser mourir. Même quand les ténèbres menaçaient d'engloutir son esprit encore détaché de la vie, elle devait lutter. Pas pour elle, mais pour lui.

Le prénom de l'homme était enfin remonté des profondeurs de sa mémoire. La plupart du temps, il restait à la surface, sauf quand la douleur revenait, presque aussi insupportable que la nuit de sa mort. À ces moments-là, elle oubliait jusqu'à son propre nom…

Aujourd'hui, alors qu'elle entendait des hommes en colère prononcer le prénom de son sauveur, elle savait qui elle était – et qui *il* était. Avec une détermination inébranlable, elle s'accrochait à ce prénom – Richard –, aux souvenirs qu'elle gardait de lui et à tout ce qu'il signifiait pour elle.

Depuis qu'elle avait repris conscience, et malgré les angoisses de tous ceux qui l'entouraient, encore inquiets qu'elle ne se remette pas, Kahlan savait qu'elle survivrait. Il le fallait! Pour Richard, son mari, et pour l'enfant qui grandissait dans son ventre. Leur enfant…

Les voix devenant de plus en plus furieuses, elle se força à ouvrir les yeux et les plissa aussitôt, tétanisée par la douleur qui l'avait laissée en paix – oh! très relativement – pendant qu'elle dormait.

Une pâle lumière éclairait à peine les contours de la petite pièce où elle reposait. Parce que la nuit tombait, ou parce que quelqu'un avait tiré les rideaux ? À chaque réveil, depuis ce terrible soir, elle était incapable d'estimer combien de temps elle avait dormi. Des heures, des jours, des mois… La durée n'avait plus de sens pour elle.

La bouche sèche et pâteuse, les membres lourds comme si elle n'était pas vraiment réveillée, Kahlan avait envie de vomir comme ce lointain après-midi, dans son enfance, où elle avait mangé trois pommes vertes au sucre avant une traversée en bateau, par une journée chaude et venteuse. Aujourd'hui, il faisait aussi étouffant que cet été-là…

Kahlan tenta de se relever, mais sa conscience lui sembla être un minuscule îlot battu par les flots déchaînés d'un océan obscur. Les entrailles retournées, elle renonça à bouger et mobilisa toute sa volonté pour ne pas vomir. Dans son état actuel, elle le savait, vider ainsi son estomac était une torture – une manière de petite mort, en quelque sorte…

Elle referma les yeux, s'immergea un moment dans une paisible obscurité, puis se força à remonter à la surface et à relever les paupières. Un peu plus tôt, se souvint-elle, elle avait bu une décoction censée calmer la douleur et l'aider à dormir. En matière d'herbes médicinales, Richard était un expert. Et ses préparations permettaient au moins à Kahlan de sombrer dans un sommeil profond où la souffrance l'atteignait encore, mais ne lui donnait plus envie de hurler.

Très lentement, afin de ne pas faire bouger les dagues qui semblaient enfoncées entre ses côtes, Kahlan prit une profonde inspiration. L'odeur d'épicéa et de pin qui monta à ses narines contribua à calmer ses nausées. Ce n'était pas une senteur telle qu'on la captait dans la forêt, en même temps que celle de la terre humide, des champignons et des fougères, mais un parfum d'arbres récemment abattus et élagués. Au prix d'un gros effort, Kahlan parvint à focaliser sa vision, et elle aperçut, en face du pied de son lit, un mur composé de rondins dont les « blessures » – provoquées par le tranchant d'une hache – laissaient encore suinter de la sève. La coupe et la taille paraissaient approximatives – sans doute à cause de trop de précipitation –, mais l'assemblage très précis des rondins témoignait du savoir-faire et de l'expérience du charpentier.

La pièce était très petite. Au Palais des Inquisitrices, où elle avait grandi, un endroit pareil n'aurait même pas mérité le nom de « placard ». De plus, les murs auraient été en pierre, voire en marbre. Séduite par cette petite chambre aux cloisons de bois, Kahlan espéra que Richard l'avait construite spécialement pour elle. Une façon de la protéger – et quasiment de l'envelopper de ses bras. Avec sa dignité pompeuse, le marbre ne l'avait jamais réconfortée ainsi.

Sur le mur, la jeune femme vit une petite sculpture. Un oiseau en plein vol à peine plus grand que sa paume et taillé dans un rondin en quelques coups de couteau – mais d'une main très sûre. Richard avait voulu lui offrir quelque chose à contempler… Plus d'une fois, autour d'un feu de camp, elle l'avait vu travailler distraitement un petit morceau de bois.

Avec ses ailes écartées, comme s'il volait autour d'elle pour la protéger, l'oiseau symbolisait à la fois l'amour et la liberté.

Tournant la tête vers la droite, Kahlan constata qu'une couverture de laine beige obstruait ce qui devait être l'encadrement d'une porte. Les voix furieuses et menaçantes retentissaient derrière cette dérisoire protection.

— Ce n'est pas de gaieté de cœur, Richard… Mais nous devons penser à nos familles.

Désireuse de savoir ce qui se passait, Kahlan tenta de se redresser sur un coude. Hélas, son bras gauche ne réagit pas comme elle l'attendait. Tel un éclair qui déchire le ciel, la douleur explosa dans la moelle de ses os et remonta jusqu'à son épaule.

Avec un gémissement – à cause d'un mouvement qu'elle avait à peine esquissé – Kahlan se laissa retomber dans son lit. Rien de bien extraordinaire, puisque son épaule ne s'était pas écartée de plus d'un pouce du matelas… Pourtant, elle haleta sous le « choc », ravivant la souffrance due aux dizaines de lames qui lui semblaient toujours plantées entre ses côtes.

Se forçant à respirer lentement, Kahlan parvint à contrôler la douleur. Après s'être autorisée un soupir de soulagement, elle tourna la tête, regarda son bras gauche et vit qu'il était serré dans une attelle. Comment avait-elle pu l'oublier et tenter de se redresser sur ce coude-là ? Les herbes médicinales, bien sûr… Elles la calmaient, mais lui embrumaient l'esprit. Eh bien, puisqu'il lui était impossible de s'asseoir dans son lit, elle essaierait au moins de mettre un peu d'ordre dans ses pensées.

Tendant prudemment la main droite, elle essuya la pellicule de sueur qui couvrait son front – une réaction classique à une forte souffrance. Son épaule droite lui faisait également mal, mais l'articulation fonctionnait à peu près bien. Ravie par cette dérisoire bonne nouvelle, Kahlan passa les doigts sur ses yeux gonflés et comprit pourquoi le simple fait de lever les paupières l'avait mise à la torture. La chair était boursouflée et elle devait avoir une immonde teinte violacée.

Passant à sa joue, Kahlan y sentit des coupures profondes qui l'élancèrent comme si on enfonçait de minuscules aiguilles dans tous les nerfs de son visage.

Pour savoir à quoi elle ressemblait, elle n'avait pas besoin d'un miroir, car il lui suffisait de sonder le regard de Richard. À chaque fois, elle aurait tout donné pour cesser de voir tant de souffrance dans ses yeux. Oui, guérir enfin, et ne plus le savoir si malheureux !

— Je vais bien, disait toujours Richard à ces moments-là, comme s'il avait lu ses pensées. Cesse de t'inquiéter pour moi et concentre-toi sur ta convalescence.

Avec un douloureux mélange de désir et de désespoir, Kahlan se revit nue dans les bras de Richard et crut de nouveau sentir la chaleur de sa peau contre la sienne. À ces instants-là, le souffle court – un délicieux épuisement –, ils avaient le sentiment d'être seuls au monde. Y repenser sans pouvoir serrer contre elle son bien-aimé était une ignoble torture. Pour se calmer, elle se redit que ce serait de nouveau possible dès qu'elle irait mieux. Ils étaient ensemble, et rien d'autre ne comptait. Par sa seule présence, Richard l'aidait à guérir.

Derrière la couverture, elle l'entendit parler d'une voix mesurée. Le connaissant, elle devina que chaque mot, alors qu'il bouillait intérieurement, lui coûtait un effort inhumain.

—Nous avons simplement besoin d'un peu de tranquillité…

De plus en plus énervés, tous les interlocuteurs de Richard crièrent en même temps.

—Voyons, tu nous connais ! Si nous pouvions faire autrement…

—Et si ça nous attirait de graves ennuis ?

—Oui, nous savons, au sujet de la guerre… Et tu nous as dit que cette femme vient des Contrées du Milieu…

—Le risque est trop grand. Nous refusons de…

Kahlan tendit l'oreille, certaine d'entendre bientôt une note métallique reconnaissable entre toutes. Le Sourcier ne tarderait pas à dégainer l'Épée de Vérité. Doté d'une infinie compassion, il n'était cependant pas connu pour sa patience. Sa fidèle garde du corps, Cara, devait être près de lui. Comme toutes les Mord-Sith, elle ignorait la compassion *et* la patience…

—Je ne vous demande rien, dit Richard sans tirer au clair son arme. Laissez-moi simplement rester ici et m'occuper d'elle. Au cas où elle aurait besoin de quelque chose, je tiens à ne pas être trop loin de Hartland. Dès qu'elle ira mieux, nous en reparlerons… Je vous en prie, un peu de compréhension !

Non ! aurait voulu lancer Kahlan. *Ne t'abaisse pas à les supplier ! Rien ne les autorise à te voir t'humilier devant eux. Comment peuvent-ils imaginer les sacrifices que tu as consentis ?*

Incapable de crier, elle put seulement murmurer le prénom de son mari.

—Ne nous défie pas ! S'il le faut, nous brûlerons cette cabane ! Contre nous tous, tu ne gagneras pas, et nous sommes dans notre droit.

Tous les hommes soutinrent cette tirade agressive.

Certaine que Richard allait dégainer sa lame, Kahlan, stupéfaite, l'entendit répondre d'une voix si douce qu'elle ne comprit pas ses paroles.

—Nous détestons agir ainsi, Richard, dit un des hommes après un long silence. Mais nous n'avons pas le choix. La survie de nos familles et de nos amis passe avant tout.

— Et pour qui te prends-tu, enchaîna un autre type, avec tes drôles de vêtements et ton épée ? Tu ne ressembles plus au guide forestier que nous connaissions…

— C'est vrai, renchérit une nouvelle voix. D'accord, tu as vu un peu de pays, depuis ton départ, mais ce n'est pas une raison pour te croire supérieur à nous !

— Si je comprends bien, résuma Richard, j'ai osé m'élever davantage que vous l'auriez cru possible. C'est bien ça que vous voulez dire ?

— Tu as tourné le dos à ta communauté et oublié tes racines. Désormais, nos femmes ne sont plus assez bonnes pour le grand Richard Cypher, et il a préféré une étrangère. En plus de tout, il vient parader devant nous !

— Parader ? Parce que j'ai épousé la femme que j'aime ? C'est ça que vous tenez pour de la vanité ? Et ça me retirerait le droit de vivre en paix ? Parce que vous êtes vexés, je devrais priver ma compagne de toute chance de se rétablir ?

Ces hommes avaient connu Richard avant qu'il ait découvert sa véritable personnalité – en quelque sorte, avant qu'il soit devenu lui-même. Fondamentalement, il restait la même personne, mais les anciens amis qui le rejetaient n'avaient jamais vu de lui qu'une façade…

— Tu devrais t'agenouiller et implorer le Créateur de sauver ta femme, dit une nouvelle voix. L'humanité est une engeance perverse qui mérite de souffrir. Demande au Créateur de te pardonner tes péchés et tes actes impies, car ce sont eux qui ont attiré le malheur sur la tête de ton épouse. De quel droit nous ferais-tu payer tes turpitudes ? Ce n'est pas la volonté du Créateur. Sois humble, pense aux autres, et Il te prendra peut-être sous Son aile. S'Il a frappé ta femme, c'est pour vous donner une bonne leçon à tous les deux.

— Te l'a-t-Il dit en personne, Albert ? demanda Richard. Ton cher Créateur te tient-Il au courant de Ses intentions et fait-Il de toi le dépositaire de Sa volonté ?

— Bien sûr ! Il s'adresse à tous ceux qui ont assez d'humilité pour L'écouter !

— Ce n'est pas tout, intervint un nouvel homme. L'Ordre Impérial que tu critiques tant ne semble pas si démoniaque que ça… Et si tu étais moins borné, Richard, tu t'en apercevrais ! Quel mal y a-t-il à vouloir que tous les hommes soient dignement traités ? C'est une position juste et respectable. Le Créateur nous enseigne la même chose, aie l'honnêteté de le reconnaître. Si tu refuses de voir les aspects positifs de l'Ordre, tu ferais mieux de partir, et sans tarder !

Kahlan retint son souffle dans l'attente de la réponse du Sourcier.

— C'est vous qui l'aurez voulu…, lâcha-t-il simplement.

Ces hommes étaient des « amis » qu'il fréquentait depuis son enfance et qu'il appelait tous par leur prénom. À cause de ce passé commun, il s'était montré inhabituellement patient avec eux. Mais ses réserves d'indulgence étaient épuisées…

Entendant les chevaux renâcler, Kahlan devina que les «visiteurs» venaient de remonter en selle.

— Demain matin, nous reviendrons et nous brûlerons cette cabane. Si vous êtes encore ici, tes compagnes et toi, vous vous consumerez avec elle!

Après avoir lâché quelques ultimes insultes, les cavaliers partirent au galop. Le bruit des sabots qui martelaient la terre se répercuta tout au long de l'échine de Kahlan. La douleur se réveillait à la moindre occasion…

Même si elle ne pouvait pas le voir, la jeune femme eut un petit sourire destiné à Richard. À cause d'elle, il s'était humilié devant ces hommes. Pour lui-même, il n'aurait jamais rien demandé, elle le savait…

La couverture accrochée à la porte s'écarta, laissant filtrer une lumière pâlichonne. À l'inclinaison des rayons de soleil, Kahlan devina qu'on devait être quelque part au milieu d'une journée couverte…

Richard approcha du lit, sa grande silhouette occultant la lumière.

Vêtu d'un simple tricot de corps noir qui mettait en valeur ses bras à l'impressionnante musculature, le pommeau de l'Épée de Vérité brillant sur sa hanche gauche, il était si massif que la chambre paraissait encore plus petite. Mais plus que sa grâce athlétique et son incontestable beauté, c'était son regard qui attirait immédiatement l'attention. Dès leur rencontre, Kahlan avait été frappée par l'intelligence qui y brillait. Les yeux curieux de tout et toujours aux aguets d'un authentique Sourcier de Vérité…

— Richard, je ne veux pas que tu t'humilies pour moi devant ces gens…

— Si j'ai décidé de le faire, personne ne peut m'en empêcher…

Avec un petit sourire, sans doute pour tempérer ses propos, Richard se pencha et tira la couverture jusque sous le menton de Kahlan.

— Si j'avais su que tu étais réveillée, je n'aurais pas parlé avec ces types devant la porte.

— Combien de temps ai-je dormi?

— Un bon moment…

Un touchant euphémisme. Kahlan ne se souvenait pas de son arrivée ici, ni d'avoir vu Richard bâtir la cabane… Et s'il lui avait dit qu'elle sortait d'un sommeil long de soixante ans, elle l'aurait cru, car elle ne se sentait guère plus en forme qu'une octogénaire. De sa vie, elle n'avait jamais été blessée assez grièvement pour frôler la mort puis rester pendant des semaines allongée sans pouvoir esquisser un geste. Contraindre les autres à s'occuper d'elle en permanence la désespérait. En un sens, c'était pis que la douleur.

Découvrir sa propre fragilité – et pis encore, qu'elle était mortelle –, la plongeait dans une stupéfaction comme elle n'en avait jamais connu. Jusqu'à cette funeste nuit, elle avait pourtant risqué sa vie plus d'une fois et bravé le danger quasiment à chaque détour de son chemin. Mais avait-elle jamais eu conscience de ce qui pouvait lui arriver ? Elle en doutait, et affronter la réalité en face était une expérience dévastatrice.

Ce soir-là, quelque chose s'était brisé en elle. Sa confiance, son insouciance, l'absurde certitude d'être immortelle... Elle était passée si près du gouffre. Et si elle y avait sombré, son enfant – leur enfant ! – aurait disparu avec elle avant même d'avoir eu une chance de vivre.

— Tu vas de mieux en mieux, dit Richard comme s'il avait lu ses pensées. Je ne le dis pas pour te réconforter, mais parce que je te vois récupérer un peu plus chaque jour.

Kahlan regarda Richard dans les yeux, mobilisa tout son courage et parvint à poser la question qui lui brûlait les lèvres.

— Comment ces hommes pouvaient-ils savoir, pour l'Ordre Impérial ?

— Des malheureux qui fuyaient les combats se sont réfugiés en Terre d'Ouest... Puis des agents de Jagang sont venus prêcher la bonne parole. Chez moi, dans le pays où j'ai grandi ! Quand on ne réfléchit pas, leurs discours peuvent paraître séduisants. Lorsqu'on se laisse guider par ses sentiments, qu'importe la vérité ! Mais ne t'inquiète pas, les sbires de l'empereur sont partis. Les idiots avec qui je parlais répètent comme des perroquets les mensonges qu'ils ont entendus, c'est tout...

— Mais ils veulent nous voir filer, et ils semblent prêts à tout pour nous chasser d'ici.

Richard acquiesça, puis il eut de nouveau un petit sourire.

— Sais-tu que nous sommes très près de l'endroit où je t'ai vue pour la première fois ? Tu t'en souviens ?

— Bien sûr... Comment pourrais-je oublier le jour de notre rencontre ?

— Nos vies étaient menacées, et nous avons dû partir. Je n'ai jamais regretté d'avoir quitté mon pays, puisque nous étions ensemble. Et tant qu'il en sera ainsi, le reste n'aura aucune importance.

Cara se glissa dans la chambre et vint se placer à côté de Richard. Dans son uniforme de cuir rouge moulant, la Mord-Sith évoquait irrésistiblement un rapace prêt à bondir sur sa proie. Comme toutes ses collègues, elle revêtait cette tenue dès qu'elle sentait venir des ennuis. Le reste du temps, son épaisse tresse blonde – l'emblème de sa profession – suffisait à rappeler qu'elle appartenait au corps d'élite chargé de veiller sur le seigneur Rahl.

Héritier légitime de la couronne de D'Hara – un pays dont il avait longtemps ignoré jusqu'à l'existence – Richard était devenu à son corps défendant le maître absolu des Mord-Sith. À vrai dire, il s'en serait bien passé, tout comme du pouvoir, d'ailleurs, mais les événements ne lui avaient pas laissé le choix. Désormais, le destin du Nouveau Monde dépendait de lui. Terre d'Ouest, les Contrées du Milieu, D'Hara... Trois pays, et tant de millions d'âmes...

— Comment allez-vous ? demanda Cara avec une sincère inquiétude.

— Mieux..., parvint à croasser Kahlan.

— Dans ce cas, vous ne voudriez pas dire au seigneur Rahl de me laisser faire mon travail ? Il est temps que quelqu'un inculque le respect à ces rustres. (La Mord-Sith tourna la tête vers la porte, ses yeux bleus plissés comme si elle parvenait encore à voir les cavaliers, dans le lointain.) Enfin, à ceux que je ne tuerai pas...

— Cara, si tu réfléchissais, pour une fois, dit Richard. Nous ne pouvons pas transformer cet endroit en place forte et monter la garde vingt-quatre heures sur vingt-quatre. Ces hommes ont peur. Ils redoutent que nous soyons un danger pour leurs proches, et même si c'est faux, on peut les comprendre. Pourquoi se battre quand c'est évitable et qu'on n'a rien à y gagner ?

— Richard, souffla Kahlan, tu as bâti cette cabane, et...

— Et quoi ? Je voulais que tu aies un abri, et ça ne m'a pas pris longtemps. Bien sûr, j'envisageais de l'agrandir, mais s'il faut verser le sang pour ça, je préfère renoncer.

Agacée par l'étonnante sérénité de son seigneur, Cara semblait d'humeur à faire un massacre.

— Mère Inquisitrice, par pitié, dites à votre tête de mule de mari de me laisser tuer quelqu'un ! Sinon, je vais devenir folle ! Vous me voyez rester les bras ballants pendant qu'une bande d'abrutis vous menace tous les deux ? Bon sang, je suis une Mord-Sith !

Protéger Richard et Kahlan était la raison de vivre de Cara. Dès qu'on s'en prenait à son seigneur, elle ne voyait aucun inconvénient à tuer aveuglément et à se poser des questions ensuite. Exactement le genre de réaction que le Sourcier ne supportait pas...

Kahlan, en revanche, se contenta de sourire.

— Mère Inquisitrice, vous ne pouvez pas tolérer que le seigneur Rahl plie l'échine devant des crétins de cet acabit ! Parlez-lui, je vous en prie...

Kahlan pouvait compter sur les doigts d'une main les personnes qui l'appelaient par son prénom sans le faire précéder au minimum du mot « Inquisitrice ». Son titre complet – Mère Inquisitrice – était en général prononcé d'une voix vibrante de vénération ou d'angoisse. Très souvent, les gens qui s'agenouillaient devant elle tremblaient trop pour être en état de parler. D'autres personnes – et parfois les mêmes – le crachaient haineusement dès qu'elles n'étaient plus devant elle...

Kahlan avait accédé à son poste peu après son vingtième anniversaire – la plus jeune Inquisitrice jamais gratifiée de cet honneur. Quelques années avaient passé, et elle était la dernière survivante de son ordre...

Depuis sa nomination, elle supportait la vénération, la flagornerie, l'effroi mêlé d'admiration, la peur viscérale et la haine parce qu'elle n'avait pas le choix. Mais il y avait plus que cela, même si elle répugnait à l'admettre. Elle était la Mère Inquisitrice, fière d'avoir été choisie, certaine que c'était à bon escient, et plus attachée à son devoir qu'à sa propre vie…

Cara s'adressait toujours à elle en utilisant son titre. Mais quand ils sortaient de ses lèvres, ces deux mots perdaient leur sens coutumier, comme si la Mord-Sith, à chaque occasion, lançait un défi discret à la femme de son seigneur. Une subtile manifestation d'insubordination, sans nul doute, mais tempéré par une affectueuse ironie. Au point que Kahlan, au fil du temps, et presque sans s'en apercevoir, en était venue à entendre « sœur » plutôt que « Mère Inquisitrice ».

Élevée en D'Hara, un pays lointain et très particulier, la Mord-Sith, comme toutes ses collègues, ne se reconnaissait aucun supérieur hormis le seigneur Rahl. Au mieux, elle pouvait considérer Kahlan – elle aussi au service de Richard – comme son égale. Apparemment, elle voyait les choses ainsi, et c'était déjà un sacré honneur !

Les mots « seigneur Rahl », par contre, n'avaient aucun sens caché, et surtout pas celui de « frère ». Ils disaient ce qu'ils voulaient dire, et rien de plus.

Pour les hommes qui avaient insulté Richard, le seigneur Rahl ne signifiait rien, et ils venaient à peine d'apprendre l'existence de D'Hara. Originaire des Contrées du Milieu, qui s'étendaient entre Terre d'Ouest et D'Hara, Kahlan non plus ne représentait rien pour ces hommes. Des décennies durant, les trois composantes du Nouveau Monde avaient été séparées par des frontières infranchissables. Et trop peu de temps s'était écoulé, depuis leur disparition, pour que les trois peuples aient pu réapprendre à se connaître.

Peu après, une autre frontière infranchissable, au sud de D'Hara et des Contrées, s'était évanouie. Neutralisé pendant trois mille ans, l'Ancien Monde était redevenu menaçant, et les hordes de l'Ordre Impérial n'avaient pas tardé à déferler sur le Nouveau Monde. En un peu plus d'un an, un antique mais fragile équilibre avait été balayé par les vents de la guerre et du chaos.

—Cara, dit Richard, je ne t'autoriserai pas à tuer des gens simplement parce qu'ils refusent de nous aider. Ça ne résoudrait rien, et au bout du compte, nous aurions plus de problèmes encore. Bâtir cette cabane ne nous a pas demandé beaucoup d'efforts. Je pensais que nous serions en sécurité, mais je me trompais. Nous allons partir, voilà tout ! (Richard se tourna vers Kahlan :) En te conduisant ici, j'espérais t'offrir un refuge sûr et paisible. Mais on ne veut plus de moi, dirait-on. Je suis désolé, d'autant plus que ça semble devenir une habitude…

—Richard, ce n'était qu'une poignée d'hommes…

En Anderith, un peu avant que Kahlan soit battue à mort, le peuple avait refusé de se joindre à l'empire d'haran et de combattre pour la liberté à ses côtés. Bouleversé par cette victoire inattendue de l'Ordre Impérial, le Sourcier avait fui en emmenant Kahlan avec lui. Apparemment, il avait décidé de ne plus se mêler des affaires du monde…

—Mais tu as de véritables amis ici, continua Kahlan. Qu'en disent-ils ?

—Je n'ai pas eu le temps de les contacter… Bâtir un refuge était une priorité, et pour le moment, il y a d'autres urgences. Plus tard, peut-être…

Kahlan tendit un bras pour prendre la main de son mari, mais celle-ci pendait à son côté, inaccessible…

—Richard, il faut…

—Rester ici est trop dangereux, et il n'y a rien à ajouter ! Je croyais que tu serais en sécurité pendant ta convalescence. Une fois de plus, c'était une grossière erreur ! Nous devons partir. Tu comprends ce que je veux dire ?

—Oui, Richard.

—Et le plus tôt sera le mieux !

—Si tu le dis…

Comme souvent, il y avait davantage derrière les propos du Sourcier que ce qu'ils semblaient exprimer. Une vérité cachée, bien plus importante que les enjeux immédiats – comme par exemple le calvaire que serait un voyage pour Kahlan.

Quand elle croisa le regard de Richard, la jeune femme n'eut plus le moindre doute. Ce voile, devant ses yeux, comme s'il venait de s'absenter de son corps, levait ses dernières interrogations.

—Et la guerre ? Tout dépend de nous, Richard. De toi, en réalité… Avant d'aller mieux, je ne pourrai pas faire grand-chose, mais toi… Tu es le seigneur Rahl, et l'empire d'haran a besoin de son chef. Que faisons-nous ici ? Pourquoi fuyons-nous alors que le destin du Nouveau Monde est entre nos mains ?

—J'agis comme je dois agir.

—Que veux-tu dire ?

Alors qu'il détournait la tête, une ombre passa sur le visage du Sourcier.

—J'ai… Eh bien, j'ai eu une vision.

Chapitre 2

— Une vision ? répéta Kahlan sans dissimuler sa stupéfaction. Richard abominait tout ce qui ressemblait de près ou de loin à une prophétie. Car jusque-là, les prédictions de tout poil ne lui avaient valu que des ennuis. Par nature, et même si elles semblaient limpides au premier coup d'œil, les prophéties étaient immanquablement ambiguës. Un profane risquait de tomber dans le piège : abusé par l'apparente simplicité des mots, il pouvait très bien, à cause d'une interprétation trop littérale, provoquer des catastrophes en série susceptibles de détruire le monde. Conscients de ce danger, les initiés ne reculaient devant rien pour garder secrets leurs textes prétendument révélés.

De plus, la notion de « prophétie » était synonyme de « prédestination », et Richard croyait dur comme fer que les êtres humains se forgeaient leur avenir. Selon lui, les prédictions se contentaient d'affirmer que le soleil se levait le matin, mais elles ne savaient rien de ce qu'une personne ferait de sa journée. Cela n'avait rien à voir avec les oracles, puisque chaque être pensant était doté d'une volonté propre et du libre arbitre.

La voyante Shota avait prédit que Richard et Kahlan engendreraient un fils monstrueux. Plus d'une fois, le Sourcier avait démontré que ces divinations n'étaient pas fiables. Shota ne se trompait jamais totalement, certes, mais sa vision du futur, toujours fragmentaire, la poussait à tirer des conclusions erronées. Comme son mari, la Mère Inquisitrice ne leur accordait pas la moindre valeur.

Très souvent, dédaigner les prophéties avait aidé Richard à triompher d'épreuves qui semblaient insurmontables. Ignorant les oracles, il avait agi selon ses convictions, et évité bien des pièges. Au bout du chemin, il fallait le reconnaître, une prophétie finissait souvent par se réaliser, mais presque toujours d'une manière surprenante. Étant à la fois confirmée et réfutée – le comble du paradoxe ! –, la prévision se révélait d'une parfaite inutilité, puisqu'elle ne servait strictement à rien tant que les événements concernés n'étaient pas arrivés à leur terme.

L'homme avec qui Richard avait grandi sans savoir qu'il s'agissait de son grand-père – Zedd –, ne s'était pas contenté de garder secrète sa véritable identité. Pour le protéger, le Premier Sorcier avait caché à tout le monde que son petit-fils n'était pas l'enfant de George Cypher, le beau-père qui l'avait élevé, mais de Darken Rahl, le maître violent, cruel et tyrannique de D'Hara. Héritier des pouvoirs de deux lignées de sorciers, Richard avait dû affronter son véritable géniteur. Après l'avoir tué, il lui avait succédé sur le trône de D'Hara, un pays au moins aussi mystérieux pour lui que le pouvoir magique dont il était le dépositaire.

Dans les Contrées du Milieu, Kahlan avait grandi en compagnie de sorciers. Les pouvoirs de Richard dépassaient largement ceux de tous ses collègues qu'elle avait connus. Capable de contrôler les deux facettes de la magie, il était en outre un sorcier de guerre. Il avait trouvé certaines composantes de sa tenue dans l'enclave privée du Premier Sorcier, le cœur même de la Forteresse d'Aydindril. Et ces vêtements n'avaient plus été portés par personne depuis trois mille ans, car aucun sorcier de guerre, entre-temps, n'avait arpenté le monde…

Avec l'inexorable déclin du don, les « simples » sorciers devenaient de plus en plus rares. Dans son enfance, Kahlan en avait connu moins d'une dizaine. Les prophètes, eux, étaient une espèce en voie de disparition. Selon ce que savait la Mère Inquisitrice, il n'en restait plus que deux. L'un d'eux, Nathan, était un des ancêtres de Richard – une bonne raison de supposer que le Sourcier disposait aussi du pouvoir de divination. Mais avec son profond mépris des oracles, il semblait étonnant qu'il se soit lancé dans cette activité à haut risque d'erreur…

Très tendrement, comme s'il n'existait rien au monde de plus précieux, Richard prit la main de Kahlan.

— Tu te souviens des merveilleux endroits dont je t'ai si souvent parlé ? Ces petits coins de paradis que je suis seul à connaître, à l'ouest de la ville où j'ai grandi. Il y a si longtemps que je rêve de te les montrer. Eh bien, le moment est venu, et nous y serons en sécurité.

— N'oubliez pas le lien, seigneur Rahl, intervint Cara. Les D'Harans vous retrouveront n'importe où grâce à cette connexion magique…

— Peut-être, mais nos ennemis ne sont pas liés à moi, et eux ne me retrouveront pas !

La Mord-Sith parut peu convaincue par la logique pourtant irréfutable de cet argument.

— Si personne ne va dans vos « coins de paradis », il n'existe sûrement aucune route digne de ce nom. Comment ferons-nous, avec la calèche ? La Mère Inquisitrice ne peut pas marcher.

—Je fabriquerai une litière… Ensemble, nous n'aurons aucun mal à porter Kahlan.

—C'est faisable, oui… Et si votre terre d'exil est vraiment déserte, la Mère Inquisitrice et vous serez hors de danger.

—En tout cas, nous serons moins menacés qu'ici. J'espérais que les gens du coin ne nous feraient pas d'ennui, mais l'Ordre Impérial est arrivé avant nous, et ça, je ne l'avais pas prévu. Les hommes avec qui je parlais ne sont pas de mauvais bougres, mais ils jouent avec le feu, et ils finiront par se brûler…

—Ces lâches sont retournés se cacher sous les jupons de leurs femmes. Ils ne reviendront pas avant demain, c'est certain. Nous devrions laisser la Mère Inquisitrice se reposer. Partir à l'aube suffira…

—Ce n'est pas si simple, Cara… Albert a un fils nommé Lester. Un jour, avec son copain Tommy Lancaster, ce garçon a tenté de me cribler de flèches parce que j'avais gâché une «petite fête» qu'ils trouvaient très amusante. À mes yeux, c'était un viol, et je n'ai pas apprécié. Depuis, Tommy et Lester sont obligés de manger de la purée, parce qu'il ne leur reste pas beaucoup de dents. Albert parlera de nous à son rejeton, qui ira informer Tommy.

»Maintenant que l'Ordre leur a farci la tête avec des histoires de «noble guerre au nom du bien», tous ces hommes doivent rêver de devenir des héros. En général, ils ne sont pas violents, mais je ne les ai jamais vus dans un tel état de surexcitation. Pour se donner du courage, ils boiront toute la nuit. Tommy et Lester raconteront comment je les ai «injustement» traités, et ça fera encore monter la tension. Ayant l'avantage du nombre, ces imbéciles trouveront séduisante l'idée de nous tuer pour protéger leurs proches, servir la communauté et accomplir la volonté du Créateur. Pleins d'alcool, certains de se couvrir de gloire, ils n'attendront pas jusqu'à demain. Donc, nous devons partir le plus vite possible.

—Qu'ils viennent, si ça les amuse, lâcha froidement Cara. À nous deux, nous n'en ferons qu'une bouchée…

—Ils auront rameuté des amis, et les vaincre ne sera pas si facile que ça. Cara, nous devons veiller sur Kahlan. Je refuse que l'un de nous deux soit blessé. Nous battre ne servirait à rien…

Richard retira son vieux baudrier de cuir et suspendit l'Épée de Vérité au moignon de branche qui saillait encore d'un des rondins, au-dessus de sa tête.

Très mécontente, Cara croisa les bras, l'air têtu. Elle détestait laisser derrière elle des ennemis vivants…

Le Sourcier s'empara de sa chemise noire, posée sur le sol au pied du lit, la déplia et entreprit de l'enfiler.

—Une vision? répéta de nouveau Kahlan.

Même si Albert et sa clique étaient une menace non négligeable, ils restaient pour l'instant le cadet de ses soucis.

— Quelque chose qui y ressemblait, répondit Richard. Mais « révélation » serait plus précis.

— Une… révélation… Et comment se présentait ce curieux mélange entre un oracle et une illumination ?

— C'était un moyen de comprendre…

— Certes, mais comprendre quoi ?

— Eh bien, que je devais avoir une vision plus large des choses. Désormais, je sais ce que je dois faire.

— Mère Inquisitrice, marmonna Cara, vous n'avez encore rien entendu… Allez, seigneur Rahl, dites-lui tout !

Richard foudroya du regard la Mord-Sith, qui ne tressaillit pas et lui rendit fièrement la pareille.

— Kahlan, dit le Sourcier en se tournant de nouveau vers sa femme, si je nous lance dans ce conflit, nous perdrons. Beaucoup d'innocents mourront pour rien, et le monde finira sous le joug de l'Ordre Impérial. Si je refuse la bataille, l'Ordre gagnera aussi, mais il y aura moins de victimes. C'est notre seul espoir de conserver une chance de victoire…

— En perdant ? Tu veux commencer par être vaincu, puis te battre ? Mais comment pouvons-nous seulement envisager de renoncer à lutter pour la liberté ?

— Les Anderiens m'ont donné une bonne leçon, dit Richard, la voix peu assurée, comme s'il regrettait de proférer de telles énormités. Imposer la guerre ne mènera à rien. Pour gagner sa liberté, il ne faut reculer devant aucun effort, et pour la conserver, on ne doit jamais relâcher sa vigilance. Mais les gens n'accordent aucune importance à la liberté, tant qu'on ne les en a pas privés.

— Tous ne réagissent pas ainsi, objecta Kahlan.

— Il y a des exceptions, c'est vrai, mais j'ai raison pour la majorité des hommes et des femmes. C'est pareil avec la magie. Tout le monde la craint et refuse de la voir telle qu'elle est. L'Ordre fait miroiter un avenir sans magie, et il propose des réponses toutes faites aux questions essentielles. La servitude est reposante pour l'esprit ! J'ai cru pouvoir convaincre les gens de la valeur de leur existence et de la liberté. En Anderith, ils m'ont montré à quel point j'étais stupide…

— Ce n'est qu'un pays, et…

— Il n'est en rien différent des autres ! Nous avons eu des problèmes partout, et regarde ce qui se passe ici, dans mon pays natal ! Vouloir *forcer* les hommes à se battre pour la liberté est une contradiction en soi ! La pire de toutes, à mon avis… Rien de ce que je pourrais dire ne persuadera ceux qui se fichent de la liberté. Les autres devront s'enfuir, se cacher et subir les horreurs qui adviendront à coup sûr. Les empêcher n'est pas en mon pouvoir, et je ne peux pas aider les malheureux qui partagent mes convictions. Je le sais, maintenant…

—Richard, comment peux-tu songer…

—Mon devoir est de penser à nous! Il me faut être égoïste parce que la vie est un bien trop précieux pour être mis au service d'une cause perdue. Se sacrifier inutilement est le pire crime qui soit. Pour échapper à la servitude qui les guette, les gens n'ont qu'une solution : prendre conscience que rien n'est plus important que la liberté et décider d'agir pour défendre leurs intérêts. En attendant que ça arrive, nous devons essayer de rester en vie, et rien de plus.

—Richard, nous pouvons vaincre. Et nous le ferons, parce qu'il le faut!

—Tu crois qu'il me suffira d'envoyer des soldats au combat, et qu'ils gagneront simplement parce que j'en ai envie? Eh bien, tu te trompes! Il faudrait beaucoup plus que ça. Nous avons besoin de multitudes de combattants dévoués corps et âme à notre cause. Où les vois-tu, ces héros? Si nous affrontons l'Ordre, il nous écrasera et la liberté n'aura plus aucune chance de vaincre dans l'avenir. (Richard se passa une main dans les cheveux.) Nos forces ne doivent pas opposer de résistance à l'armée de Jagang.

Ayant fini de boutonner sa chemise, le Sourcier prit sa tunique et l'enfila.

Kahlan mobilisa toute son énergie pour parler avec une vigueur à la mesure de son angoisse.

—Et que fais-tu de tous les hommes prêts à se battre? Ces armées qui attendent sur le champ de bataille… Ces braves soldats guettent le moment d'en découdre avec les hordes de Jagang et de les repousser dans l'Ancien Monde. Qui les commandera?

—Pour quoi faire? Les entraîner vers leur mort? Ils ne peuvent pas gagner.

Horrifiée, Kahlan parvint à tendre le bras et à saisir Richard par la manche de sa tunique.

—Tu as décidé de renoncer à cause de ce qui m'est arrivé! s'écria-t-elle.

—Non. J'ai pris ma décision cette nuit-là, c'est vrai, mais avant que ces brutes t'aient attaquée. Après le scrutin, je suis allé marcher seul dans la campagne, et j'ai beaucoup réfléchi. C'est là que tout est devenu clair dans mon esprit. Ton agression m'a simplement démontré que j'avais raison, et que j'aurais dû en arriver plus tôt à cette conclusion. Si je n'avais pas tant tardé, tu ne serais pas dans cet état…

—Sans les malheurs de la Mère Inquisitrice, marmonna Cara, vous auriez changé d'avis le lendemain matin…

S'infiltrant par la porte, un rayon de soleil fit briller les antiques broderies d'or qui ornaient la tunique du Sourcier.

— Cara, si j'avais été avec Kahlan, ce soir-là, et qu'on nous ait tués tous les deux ? Qu'auriez-vous fait, toi et tous ceux qui se fient à nous ?

— Je n'en sais rien…

— C'est pour ça que je me retire du jeu. Vous ne combattez pas pour votre avenir, mais parce que vous m'êtes fidèles. Sinon, tu aurais répondu : « Nous nous serions battus sans vous ! » Je me trompe depuis le début, comprends-tu ? Si les choses sont ainsi, nous n'avons aucune chance de vaincre. L'Ordre est un adversaire trop puissant.

Le père de Kahlan, le roi Wyborn, lui avait souvent parlé de ce genre de combat désespéré, et elle en avait livré quelques-uns ces derniers temps.

— Le nombre joue en faveur de Jagang, mais ça n'est pas une raison pour baisser les bras, dit l'Inquisitrice. Nous devons être plus intelligents que nos ennemis, c'est tout. Richard, je serai là pour t'aider, et nous disposons d'officiers aguerris. Il faut continuer !

— Les mensonges de l'Ordre se répandent trop vite, jusque dans des endroits reculés comme ici ! Nous savons que Jagang est un tyran, et pourtant, les gens se rangent sous sa bannière et gobent tout ce qu'il raconte.

— Richard, j'ai lancé de jeunes recrues de Galea contre des soldats expérimentés de l'Ordre, et nous avons vaincu.

— C'est vrai, et ça étaye mon raisonnement. Ces gamins avaient vu leur ville natale dévastée après le passage des soudards de Jagang. Ils s'étaient penchés sur les cadavres mutilés de leurs proches. Même si tu n'avais pas été là, ils auraient combattu, parce qu'ils savaient pourquoi c'était nécessaire. Dans nos rangs, personne d'autre n'est dans cette situation. Et victoire ou pas, presque tous ces hommes ont péri dans la bataille.

— Si je te comprends bien, tu veux laisser l'Ordre perpétrer d'autres massacres, histoire de motiver nos partisans ? Les bras ballants, tu attendras que des centaines de milliers d'innocents gisent dans la poussière ? Richard, tu veux renoncer parce que j'ai failli mourir. Les esprits du bien savent à quel point je t'aime, mais n'ose pas me faire une chose pareille ! Je suis la Mère Inquisitrice, responsable du destin de tous les peuples des Contrées. Ne te détourne pas de ta mission à cause de moi.

— Tu n'as rien à voir là-dedans, je te l'ai déjà dit ! (Richard ramassa ses serre-poignets rembourrés de cuir.) J'agis ainsi pour sauver des vies, et je n'ai pas d'autre solution.

— Vous prenez le chemin le plus facile…, souffla Cara.

Richard se tourna vers la Mord-Sith et soutint son regard.

— Mon amie, je n'ai jamais rien fait de plus dur, bien au contraire…

Kahlan comprit que la décision des Anderiens – un terrible camouflet – avait touché Richard plus gravement qu'elle le pensait. Bouleversée, elle lui prit la main et la serra tendrement. Il s'était engagé corps et âme pour que ces gens ne courbent pas l'échine sous le joug de l'Ordre Impérial. Les laissant libres de décider de leur sort, il avait tout misé sur eux… et couru au désastre.

Cette écrasante défaite lui avait brisé le cœur.

Mais avec un peu de temps, il finirait par se remettre. En somme, ils étaient deux convalescents. Des vaincus en exil…

— Tu n'es pas responsable de la chute d'Anderith, Richard. Tu as fait de ton mieux, mais cette bataille-là était perdue d'avance. Ce n'est pas ta faute.

— Un chef ne peut jamais dire ça, tu le sais très bien.

Consciente que son mari avait raison sur ce point, Kahlan changea d'angle d'approche.

— Comment se présentait ta vision ?

— Vision, révélation, prophétie, augure, hypothèse, analyse… Choisis le nom que tu préfères, parce que tout ça revient au même. Je ne peux rien te décrire, mais il m'a semblé que j'aurais dû savoir depuis toujours. Et c'était peut-être en moi dès le début… Il ne s'agissait pas de mots, mais d'un concept achevé – une vérité qui m'est apparue avec une clarté évidente.

Visiblement, Richard espérait que Kahlan en resterait là. Mais pas question qu'elle se contente de ce bla-bla !

— Si c'est si limpide que ça, tu devrais pouvoir l'exprimer clairement.

Richard remit son baudrier. Alors qu'il ajustait la position du fourreau sur sa hanche gauche, un rayon de soleil fit briller les six lettres du mot « Vérité » inscrit en fil d'or sur la garde de l'arme.

Le voyant parfaitement calme, Kahlan comprit qu'elle avait au moins réussi à convaincre son mari d'aller sereinement au fond des choses. Puisqu'il était si sûr de lui, quelles raisons aurait-il pu invoquer pour lui dissimuler l'entière vérité, à partir du moment où elle voulait la connaître ?

— Je suis devenu un chef bien trop tôt, dit Richard, la voix calme et puissante comme si une prophétie parlait par sa bouche. Ce n'est pas moi qui dois prouver ma valeur aux autres, mais les autres qui doivent me démontrer la leur. Tant que ça ne sera pas fait, je ne devrai pas les diriger, car tout espoir serait perdu…

Vêtu de sa tenue noire de sorcier de guerre, il semblait avoir pris la pause pour qu'un sculpteur l'immortalise dans toute la gloire de sa véritable nature. Le Sourcier de Vérité, légitimement nommé par Zeddicus Zu'l Zorander, le Premier Sorcier en personne.

Des larmes aux yeux, Kahlan se souvint que Zedd avait eu le cœur brisé en remettant l'Épée de Vérité à son petit-fils. En général, les Sourciers mouraient jeunes – et rarement de maladie…

Un authentique Sourcier incarnait la loi. Soutenu par l'extraordinaire magie de son arme, il pouvait renverser des souverains et mettre à genoux des royaumes. Dans ces conditions, il était essentiel de nommer une personne digne de confiance. Selon Zedd, le Sourcier se désignait en quelque sorte lui-même par sa façon d'agir et de penser. Le rôle du Premier Sorcier se bornait à identifier le candidat et à lui remettre l'arme qui le servirait jusqu'à la fin de ses jours.

Richard avait tant de talents, et il assumait tant de responsabilités… Souvent, Kahlan se demandait comment il parvenait à concilier tout cela.

— Richard, tu es sûr de ce que tu dis ?

Dès sa nomination, Kahlan et Zedd avaient juré de défendre le Sourcier, au prix de leur vie si nécessaire. À l'époque, les deux jeunes gens venaient à peine de se rencontrer. Assumant son nouveau titre, Richard avait peu à peu accepté toutes les responsabilités qu'il impliquait. Depuis, d'autres fardeaux étaient venus peser sur ses épaules, et il avait multiplié les exploits pour se montrer à la hauteur de la confiance et de l'admiration de ses partisans.

— Le seul souverain dont j'accepte le joug, c'est ma raison, répondit le Sourcier sans l'ombre d'une hésitation. La première loi de mon unique maître est la suivante : ce qui existe, existe, et ce qui est, est. Toute la pyramide de la connaissance repose sur ces fondations. C'est la base même de la vie.

» On *choisit* de s'inféoder à la raison, Kahlan ! Les désirs et les caprices ne sont pas des faits, et ce n'est pas grâce à eux qu'on découvre la vérité. Pour rester en prise avec la réalité, il n'y a que la raison. Le seul outil qui nous aidera à survivre… Un être humain peut se dispenser de penser, mais dans ce cas, il sombrera tôt ou tard dans l'abîme dont il refuse de reconnaître l'existence.

» Dans ce combat, si je ferme les yeux pour ne pas voir la réalité, cédant ainsi à mes désirs, nous mourrons tous les deux, et ça ne servira à rien. Deux cadavres de plus parmi les millions de dépouilles laissées à pourrir sur place alors que le crépuscule tombera sur l'humanité. Et dans l'obscurité qui suivra, nos os redeviendront poussière sans que nul ne s'en soucie.

» Dans mille ans, peut-être plus, la lumière de la liberté brillera de nouveau sur le monde. Jusque-là, des multitudes d'enfants naîtront dans un univers sans espoir et devront se résoudre à courber l'échine sous le joug de l'Ordre Impérial. Si nous nous détournons de la raison, nous aggraverons encore les choses. En un sens, nous deviendrons complices des crimes de Jagang et de tous les tyrans qui lui succéderont.

Kahlan n'eut pas le courage d'avancer d'autres arguments. Pouvait-elle demander à Richard d'aller contre ses convictions et de provoquer ce qu'il tenait pour une inutile boucherie ? Mais en se détournant du champ de bataille, n'allait-il pas condamner des millions d'innocents à une mort atroce ?

—Cara, dit Richard, va atteler les chevaux à la calèche. Je pars en reconnaissance, pour m'assurer que nous n'aurons pas de mauvaises surprises.

—Occupez-vous des chevaux, seigneur. Patrouiller est le travail d'un garde du corps.

—Peut-être, mais tu es aussi mon amie, et je connais le coin bien mieux que toi. Alors, pour une fois, obéis sans me forcer à discutailler pendant des heures…

La Mord-Sith roula de gros yeux et grogna de dépit, mais elle n'insista pas et sortit.

Alors que Richard approchait de la porte, Kahlan parvint à lui murmurer qu'elle l'aimait. Se retournant, il la regarda, les épaules voûtées comme si le poids de ses fardeaux était devenu intolérable.

—J'aurais voulu apprendre aux gens la valeur de la liberté, mais j'ai échoué… Désolé…

—Ce n'est peut-être pas si difficile que ça… (Avec un sourire venu d'elle ne savait quels tréfonds de son âme, Kahlan désigna la sculpture, sur le rondin.) Montre-leur cet oiseau, et ils comprendront le message : être libre, c'est voler de ses propres ailes…

Avant de sortir, Richard fit à sa femme un sourire qui semblait exprimer une profonde gratitude.

Chapitre 3

Avec les idées angoissantes qui tourbillonnaient dans son cerveau, Kahlan ne parvint pas à trouver le sommeil. Elle réussit à ne pas trop penser à la vision de l'avenir exposée par Richard. Même dans son état, vidée de ses forces par la douleur, envisager qu'un pareil cauchemar se réalise lui donnait envie de hurler. Alors, à quoi bon se torturer, puisqu'elle ne pouvait rien faire pour le moment ? En revanche, elle se promit d'aider Richard à surmonter son « traumatisme anderien ». Si elle réussissait, il reviendrait sûrement sur sa décision de ne plus se mêler des affaires du monde.

Cesser de penser aux hommes qui avaient menacé Richard s'avéra beaucoup plus difficile. Parce qu'ils étaient ses anciens amis, bien entendu… Dans des circonstances spéciales, elle le savait, des citoyens ordinaires et habituellement inoffensifs pouvaient se transformer en bourreaux. Quand on considérait l'humanité comme un ramassis de pécheurs pervertis depuis l'aube des temps, il n'était pas difficile de passer de la théorie à la pratique. Lorsqu'on commettait des actes ignobles, les gloses sur la « nature humaine foncièrement mauvaise » devenaient un moyen commode de s'exonérer de toute responsabilité.

Kahlan bouillait surtout de rage parce qu'elle gisait impuissante dans un lit au moment où des brutes préméditaient de la tuer. Dès qu'elle fermait les yeux, elle voyait Tommy Lancaster, édenté et ricanant, se pencher sur elle pour lui couper la gorge. Au cœur des batailles, il lui était souvent arrivé d'avoir peur, mais elle avait toujours trouvé les ressources pour lutter. Et dans le feu de l'action, ses entrailles avaient fini par se dénouer. Se sentir dans la peau d'un agneau sacrificiel était très différent. Et cette peur-là ne se laissait pas conjurer.

Si les choses tournaient mal, il lui resterait encore son pouvoir d'Inquisitrice, mais l'utiliser dans son état de faiblesse actuel ne semblait pas une très bonne idée.

Pour se consoler, elle se rappela que Richard, Cara et elle seraient partis bien avant le retour de ces sales types. Et de toute façon, le Sourcier et la Mord-Sith ne les auraient jamais laissés approcher de son lit.

Pour l'instant, une autre angoisse lui nouait l'estomac, et celle-là n'avait rien d'imaginaire. Mais elle ne durerait pas, c'était certain. Enfin, presque…

Afin de la chasser de son esprit, elle posa une main sur son ventre, où grandissait l'enfant que lui avait donné Richard.

Dehors, un petit cours d'eau gazouillait en serpentant entre des rochers. Ce bruit rappela à Kahlan qu'elle mourait d'envie de prendre un bain. Sur ses côtes, les pansements empestaient très vite, car ses plaies exsudaient encore du pus. Il fallait les changer très souvent, sinon, l'odeur lui donnait la nausée. Pour ne rien arranger, ses draps étaient moites de sueur, son cuir chevelu la démangeait et la paillasse qui tenait lieu de matelas au lit de fortune lui irritait la peau. Pressé par le temps, Richard avait certainement prévu d'améliorer la couche plus tard…

Par une journée étouffante, l'eau fraîche du ruisseau lui aurait fait un bien fou. Propre et parfumée, Kahlan se serait aussitôt sentie un peu mieux. Mais il était encore trop tôt pour cela. Avec le temps, ses blessures guériraient – comme les plaies invisibles de Richard, pouvait-on espérer.

Cara revint enfin, d'humeur bougonne parce que les chevaux, annonça-t-elle, étaient particulièrement indisciplinés aujourd'hui.

— Je vais voir où en est le seigneur Rahl, dit-elle dès qu'elle s'aperçut que Richard n'était toujours pas de retour.

— Cara, il sait ce qu'il fait, et il ne lui arrivera rien. Reste ici, sinon, c'est lui qui devra partir à ta recherche, quand tu te seras perdue.

Cara capitula à contrecœur. Saisissant un carré de tissu propre, elle le trempa dans une cuvette et tamponna le front et les tempes de Kahlan. Comme elle détestait se plaindre quand ses amis faisaient de leur mieux pour elle, la Mère Inquisitrice ne mentionna pas que les muscles de son cou lui faisaient atrocement mal chaque fois que la Mord-Sith lui tournait la tête d'un côté ou de l'autre.

Cara ne s'en douta pas une seconde, parce que la douleur était sa compagne de toujours. Kahlan ne l'avait jamais entendue se plaindre, sauf quand Richard ou elle étaient en danger. Et surtout lorsque son seigneur lui interdisait d'éliminer ceux qui les menaçaient !

Dehors, un oiseau poussait des trilles qui devenaient lancinants, à force de se répéter. Non loin de là, un écureuil ronchonnait depuis ce qui semblait une petite éternité. Sans doute pour défendre son territoire – ou peut-être parce qu'il était aussi mal embouché que la Mord-Sith.

C'était ça, un coin tranquille, selon Richard.

— Je déteste tout ça…, marmonna Kahlan.

— Pourquoi donc ? Vous devriez être ravie de rester au lit à ne rien faire.

— Tu veux ma place ? Si ça te tente, n'hésite pas.

— Je suis une Mord-Sith, Mère Inquisitrice. Pour nous, rien n'est pire que de mourir dans un lit… (Cara riva ses yeux bleus sur Kahlan.) Vieille et édentée, je veux dire… N'allez pas croire que…

— J'avais compris, mon amie…

— De toute façon, vous ne mourrez pas, parce que ça serait trop facile. Et vous n'optez jamais pour la facilité.

— J'ai épousé Richard…

— Donc, vous comprenez parfaitement de quoi je parle !

Kahlan eut un petit sourire.

Cara plongea le carré de tissu dans un seau, l'en sortit et l'essora.

— Cela dit, se reposer un peu ne doit pas être désagréable…

— Tu aimerais que quelqu'un glisse une cuvette sous tes fesses chaque fois que ta vessie demande à être vidée ?

La Mord-Sith se pencha pour tamponner le cou de la convalescente.

— Faire ça pour une Sœur de l'Agiel ne me dérange pas…

Cara et ses collègues ne se séparaient jamais de leur Agiel. Pendue à leur poignet par une chaînette, pour qu'elle puisse se loger dans leur paume en une fraction de seconde, cette arme terrifiante ressemblait à une courte tige de cuir rouge, et elle tirait son pouvoir du lien magique qui unissait les Mord-Sith au seigneur Rahl.

Par l'intermédiaire de Richard, Kahlan avait un jour eu un aperçu très adouci de la douleur qu'infligeait cet instrument de torture. En une seconde, la victime pouvait être aussi mal en point que la Mère Inquisitrice après l'attaque d'une bande de brutes. Et bien entendu, cette arme était également capable de donner la mort en un éclair.

Richard avait offert à Kahlan l'Agiel de Denna, la Mord-Sith qui l'avait capturé sur l'ordre de Darken Rahl. Cas unique dans les annales, le Sourcier était parvenu à comprendre – et à déplorer – la douleur qu'éprouvaient ces femmes chaque fois qu'elles maniaient leur Agiel. Avant qu'il soit contraint de la tuer pour fuir le Palais du Peuple, Denna lui avait confié son arme et demandé de se souvenir d'elle comme d'un être humain, pas comme d'une tortionnaire. En somme, la femme semblable à toutes les autres qu'il était le seul à connaître et à comprendre.

Depuis, Kahlan portait l'Agiel autour du cou. Une marque de respect pour des malheureuses dressées depuis l'enfance à devenir des bourreaux – et à supporter sans broncher d'abominables souffrances.

Touchée par cette compassion où n'entrait pas une once de pitié, et pour d'autres raisons encore, Cara avait promu Kahlan au rang de Sœur de l'Agiel. Un titre tout ce qu'il y avait d'officieux, mais décerné du fond du cœur.

— Des messagers sont venus voir le seigneur Rahl, dit la Mord-Sith. Vous dormiez, et il n'a pas jugé bon de vous réveiller.

Ces messagers devaient être des D'Harans, pensa Kahlan.

À coup sûr, ils avaient retrouvé Richard grâce au lien. Incapable de sentir ainsi la présence de Richard, la Mère Inquisitrice trouvait cette magie dérangeante. Et pour être franche, elle éveillait en elle une certaine jalousie.

— Qu'ont dit ces hommes ?

— Pas grand-chose de nouveau… L'armée de l'Ordre est toujours en Anderith, et les forces de Reibisch campent en sécurité, au nord, pour la surveiller et intervenir si elle décide d'attaquer d'autres royaumes des Contrées. Pour l'instant, nous ne savons rien sur ce qui se passe en Anderith, désormais occupé par les troupes de Jagang. Au sujet du poison charrié par l'eau, nous attendons de plus amples informations. Les quelques Anderiens qui ont réussi à fuir disent qu'il y a eu des morts, mais ils ignorent combien. Le général Reibisch a envoyé des espions enquêter sur cette affaire…

— Quels ordres Richard a-t-il donnés à ces hommes pour qu'ils les transmettent au général ?

— Il n'en a pas donné, Mère Inquisitrice.

— Quoi ?

Cara trempa de nouveau le morceau de tissu dans l'eau.

— Mais il leur a remis une lettre pour Reibisch.

La Mord-Sith écarta la couverture, inspecta les pansements poisseux de sang et de pus de Kahlan, les défit et entreprit de nettoyer délicatement les plaies.

— Tu as lu cette lettre ? demanda l'Inquisitrice dès que la douleur lui en laissa l'occasion.

— Oui. C'est un résumé du discours que le seigneur Rahl nous a tenu. Il parle de sa vision, expose sa décision de se retirer du conflit, et assure que c'est le seul moyen de laisser une chance à notre cause.

— Le général a-t-il répondu ?

— Reibisch est un D'Haran, Mère Inquisitrice. Le seigneur Rahl dit avoir eu une vision, et il le croira sur parole. Nous savons que le seigneur doit se débattre seul contre les terrifiants mystères de la magie. Aucun d'entre nous ne peut le comprendre, et personne n'oserait mettre en doute ses décisions. Le général ne s'est pas permis de commentaires. Il a simplement fait savoir qu'il se fierait à son propre jugement.

Richard avait bien joué sa partie. En parlant d'une vision, pas d'une simple analyse, il savait qu'il éviterait toute remise en question de ses actes.

— Enfin une bonne nouvelle, soupira Kahlan. Reibisch est un officier de valeur, et il n'agira pas à la légère. Je serai remise très bientôt, et avec un peu de chance, Richard aussi ira mieux.

Cara jeta le carré de tissu dans le seau et se pencha vers Kahlan.

— Mère Inquisitrice, il a dit qu'il ne bougerait plus le petit doigt tant que les gens ne lui auront pas prouvé leur valeur.

— Je sais, mais je l'aiderai à surmonter le choc, et il comprendra qu'il doit se battre.

— Ce n'est pas si simple… La magie est impliquée dans cette affaire. Le seigneur Rahl a parlé d'une vision, ne l'oubliez pas. Dans ce domaine, il sait ce qu'il dit, et nous devons le laisser agir comme il l'entend.

— Pense quand même qu'il a beaucoup souffert à cause de l'Ordre Impérial, comme nous tous, et que ça a pu altérer son jugement. De plus, Richard est encore un novice en magie, et il ne dirige pas des armées depuis très longtemps…

La Mord-Sith se pencha, récupéra la compresse, l'essora et recommença à nettoyer les plaies.

— C'est vrai, mais il est le seigneur Rahl, et il nous a prouvé plusieurs fois qu'il maîtrisait à la perfection la magie.

Kahlan ne pouvait pas contester cette affirmation. Cela dit, Richard manquait encore d'expérience, et c'était une donnée non négligeable. Terrorisée par la magie, Cara se laissait facilement impressionner par tous ceux qui la contrôlaient. Comme la plupart des gens, elle ne faisait pas la différence entre un sort très simple et le type de pouvoir nécessaire pour modifier la nature même du monde.

L'Inquisitrice, à présent, aurait parié que son mari n'avait pas eu de vision. Plus simplement, une conclusion s'était imposée à lui au terme d'un raisonnement. Son discours n'avait rien de délirant, mais ce qu'il pensait être sa « raison » était parasité par une foule d'émotions.

Cara releva les yeux, où brillait… oui… quelque chose qui ressemblait à de la détresse.

— Mère Inquisitrice, comment les gens pourront-ils prouver leur valeur au seigneur Rahl ?

— Je n'en sais rien…

La Mord-Sith posa son carré de tissu et hésita longtemps avant de dire ce qu'elle avait sur le cœur.

— Mère Inquisitrice, j'ai peur que le seigneur Rahl ait… perdu la tête.

Aussitôt, Kahlan se demanda si le général Reibisch s'était posé la même question.

— Ne viens-tu pas de dire que les D'Harans ne doutent jamais de lui, même quand ils ne comprennent pas ses actes ?

— C'est vrai, mais il me conseille toujours de penser par moi-même…

— Mon amie, combien de fois n'avons-nous pas cru ce qu'il disait ?

Tu te souviens du poulet qui n'en était pas un ? Nous pensions qu'il racontait n'importe quoi, et nous nous trompions…

— Il ne s'agit pas d'un monstre, cette fois. C'est bien plus important !

— Cara, obéis-tu toujours aux ordres de Richard ?

— Bien sûr que non ! Il a besoin de protection, et je ne peux pas céder à ses fantaisies et cesser de veiller sur lui. J'obéis quand ça ne risque pas de le mettre en danger, ou lorsque j'aurais agi ainsi de toute façon. Il y a aussi les cas où je ménage sa vanité masculine.

— Et les ordres de Darken Rahl, les exécutais-tu tous ?

Cara frémit en entendant ce nom, comme si son ancien maître pouvait encore revenir du royaume des morts.

— Il fallait obéir, même quand c'était absurde. Sinon, il nous faisait torturer à mort.

— Quel seigneur Rahl respectes-tu vraiment ?

— Je donnerais ma vie pour n'importe lequel d'entre eux… (Cara hésita, puis elle tapota le cuir rouge de son uniforme, sous son sein gauche.) Mais dans mon cœur… Eh bien, personne ne pourrait occuper la place de votre mari. J'aime le seigneur Rahl. Pas comme une épouse, ni comme une amoureuse délaissée, mais c'est quand même de l'amour. Parfois, dans mes rêves, je suis fière de le servir et de le protéger. D'autres nuits, je m'éveille en sursaut d'un cauchemar où je n'ai pas réussi à le défendre… (La Mord-Sith se rembrunit soudain.) Vous ne lui répéterez pas que je l'aime, n'est-ce pas ? Il ne doit pas le savoir.

— Cara, je parierais qu'il s'en doute, parce qu'il éprouve la même chose pour toi. Mais si tu y tiens, je serais muette comme une tombe.

— Me voilà soulagée…

— Et pourquoi l'aimes-tu, d'après toi ?

— Il y a plusieurs raisons… D'abord, parce qu'il incite les Mord-Sith à être indépendantes. Nous le servons par choix, pas parce qu'il nous l'impose. Aucun seigneur Rahl n'a jamais agi ainsi. Si je voulais le quitter, il ne me ferait pas tuer. Au contraire, il me laisserait partir et me souhaiterait bonne chance.

— C'est ce que tu apprécies en lui : il ne prétend jamais que les autres lui appartiennent. Pour lui, il est inconcevable qu'un être humain en possède un autre. Depuis qu'on t'a enlevée aux tiens pour faire de toi une Mord-Sith, c'est la première fois que tu te sens libre. Eh bien, mon amie, c'est l'ambition qu'il a pour toute l'humanité.

La Mord-Sith eut un vague geste de la main, comme pour exprimer que tout cela ne lui semblait pas très sérieux.

— Si je lui demandais ma liberté, il serait idiot de me l'accorder, parce qu'il a trop besoin de moi.

— Tu n'aurais pas à la lui demander, et tu le sais. Tu es libre, et grâce à lui, tu en as pris conscience. Voilà pourquoi tu es fière de le servir. Et pourquoi tu l'aimes… Il a su se gagner ta loyauté.

— Peut-être, mais je crois quand même qu'il a perdu la tête.

Richard disait souvent que les gens agissaient presque toujours de la bonne façon quand on leur en donnait l'occasion. Il l'avait offerte aux Mord-Sith, et cela avait marché. En Anderith, par contre…

— Pas la tête, Cara… Mais j'ai peur que son cœur soit très malade.

— Eh bien, nous devrons le guérir, puis le remettre sur le droit chemin. À nous deux, ça ne devrait pas être trop difficile.

Du bout d'un index, Cara écrasa la larme qui roulait sur la joue de Kahlan.

— Avant le retour de Richard, tu ne voudrais pas m'aider avec cette fichue cuvette ?

Cara hocha la tête et se mit en quête du maudit objet. Kahlan frissonna à l'idée de la souffrance qui l'attendait, mais il n'y avait pas moyen de faire autrement.

— Avant l'arrivée de ces types, dit la Mord-Sith en revenant près du lit, je pensais faire chauffer de l'eau et vous donner un « bain de malade ». Vous savez, avec un morceau de tissu, du savon et un seau d'eau bien chaude. Si ça vous dit, nous le ferons dès que nous serons arrivés à destination.

Les yeux mi-clos, Kahlan rêvait déjà au moment où elle serait de nouveau propre.

— Si tu fais ça pour moi, je te baiserai les pieds dès que j'irai mieux, et je te ferai obtenir la plus haute position qu'on puisse imaginer.

— Je suis déjà une Mord-Sith, répondit Cara. (Elle écarta doucement la couverture.) Il n'y a pas de poste plus important, à part peut-être celui d'épouse du seigneur Rahl. Comme il est déjà marié, et qu'il n'est pas mon genre, de toute façon, me baiser les pieds devra bien suffire…

Kahlan eut un petit rire, mais la douleur qui lui déchira la poitrine y mit très vite un terme.

Richard tarda à revenir. Cara lui ayant fait boire deux tasses d'une infusion anesthésiante, Kahlan sombrerait bientôt dans une bienfaisante stupeur.

Alors qu'elle allait inciter la Mord-Sith à partir à la recherche de son seigneur, le Sourcier entra dans la pièce.

— Vous avez vu ces types ? lui demanda aussitôt Cara.

D'un index tendu, Richard essuya la sueur qui ruisselait sur son front. Ses cheveux humides collaient à sa nuque.

— Non. Ils sont rentrés à Hartland pour boire et gémir sur leur triste sort. Quand ils reviendront, nous aurons levé le camp depuis longtemps.

—Je pense toujours que nous devrions les attendre et en finir avec eux.

Richard ignora cette remarque de la Mord-Sith.

—J'ai fabriqué une litière avec des branches mortes et de la toile. (Il se pencha sur Kahlan et lui tapota doucement le menton pour l'encourager.) Nous t'installerons dessus, comme ça, nous pourrons te déposer dans la calèche et t'en sortir sans te… (Une terrible tristesse passa dans son regard.) Ce sera plus facile pour Cara et moi.

—Donc, nous sommes prêts au départ ?

—Oui…

—Parfait ! J'ai très envie d'une petite promenade. Le paysage doit être très joli.

—Magnifique, oui ! Et l'endroit où nous allons est un petit paradis. Il faudra un moment pour arriver, surtout en voyageant lentement, mais ça vaut le coup, tu verras !

L'esprit déjà embrumé, Kahlan tenta de respirer lentement. Elle se répéta mentalement le nom de son bien-aimé, se jurant de ne pas l'oublier cette fois. Et tant qu'à faire, elle se rappellerait aussi du sien ! Ses trous de mémoire l'horripilaient. Quand elle devait réapprendre des choses qu'elle savait depuis toujours, elle se sentait complètement idiote.

—Dois-je me lever et marcher jusqu'à la litière, ou auras-tu l'obligeance de me porter ?

Richard se pencha et l'embrassa sur le front – le seul endroit, sur son visage, où le contact de ses lèvres ne risquait pas d'être douloureux. Puis il fit signe à Cara de soulever les jambes de Kahlan.

—Ils boiront pendant longtemps, ces hommes ?

—Il n'est que midi… Ne t'inquiète pas, nous serons loin quand ils arriveront.

—Richard, je suis navrée. Tu pensais que les gens d'ici seraient…

—Ils ne sont pas différents des autres, c'est tout…

—Cara m'a fait boire une de tes décoctions. Je vais dormir un bon moment, alors, ne traînez pas à cause de moi, parce que je ne sentirai rien. Je ne veux pas que tu sois obligé d'affronter ces brutes.

—Je n'ai pas l'intention de me battre, mais simplement de traverser ma forêt.

—C'est parfait… (Kahlan sursauta de douleur parce qu'elle respirait trop vite.) Je t'aime, tu sais. Au cas où j'aurais oublié de te le dire, je t'aime !

—Moi aussi, Kahlan… Essaie de te détendre. Nous ne te brusquerons pas, ne t'en fais pas. Rien ne nous presse, sais-tu ? Ne tente pas de nous aider, laisse-toi faire, c'est tout. Comme tu vas déjà mieux, ça sera moins pénible…

Ayant déjà été blessée, Kahlan savait qu'il était préférable de bouger par soi-même, parce qu'on savait mieux gérer son corps. Hélas, elle n'était pas en état de le faire. Et depuis quelque temps, elle avait payé pour apprendre qu'être déplacée par une autre personne était une terrifiante épreuve.

Richard se pencha un peu plus. Alors qu'elle lui passait son bras droit autour du cou, il glissa la main gauche sous ses épaules. Être soulevée ainsi faisait un mal de chien! Régulant sa respiration, Kahlan tenta d'ignorer la souffrance et se concentra sur le prénom qu'elle ne devait surtout pas oublier.

Richard, Richard, Richard...

Soudain, quelque chose de très important lui revint à l'esprit.

— Richard, surtout, fais attention au bébé...

Le Sourcier sursauta, se pétrifia, puis tourna très lentement la tête vers sa compagne.

— Kahlan, dit-il, blanc comme un linge, tu te souviens, n'est-ce pas?

— De quoi?

— Tu as perdu l'enfant... Lors de l'attaque...

Le souvenir revint, coupant le souffle de la jeune femme comme une gifle.

— Oh!...

— Tu vas bien?

— Oui, oui... J'ai oublié un court moment... Mais ça y est, je me souviens de ce que tu m'as dit...

Le bébé qu'elle portait n'existait plus. Ses bourreaux lui avaient également volé ça.

Le monde n'était-il donc qu'un enfer gris et désolé?

— Je suis navré, Kahlan...

— Non, Richard, j'aurais dû me souvenir. C'est moi qui m'excuse d'avoir oublié. Je ne voulais pas...

— Je sais...

Kahlan sentit une larme s'écraser au creux de sa gorge, tout près du collier à la pierre noire que Shota lui avait donné le jour de son mariage. Ce cadeau était une offre de paix. Ou en tout cas, il proposait une trêve. Grâce au collier, Kahlan et Richard pourraient s'aimer, comme ils le désiraient depuis toujours, et leur union ne donnerait pas de fruit.

Déjà accablés d'ennuis, les deux jeunes gens, à contrecœur, avaient provisoirement accepté le marché. Mais à cause des Carillons, qui neutralisaient la magie, la pierre noire n'avait pas rempli son office. Comme pour compenser l'horreur que les Carillons avaient déchaînée sur le monde, un enfant avait commencé à grandir dans le ventre de Kahlan. Mais l'univers n'était décidément pas clément avec les miracles, si petits soient-ils...

— Richard, je t'en prie, allons-y!

Le Sourcier hocha de nouveau la tête.

— Esprits du bien, murmura-t-il, pardonnez-moi ce que je vais être obligé de faire.

Kahlan s'accrocha au cou de son mari. À présent, elle désirait avoir mal, parce que cela lui apporterait l'oubli.

Quand Richard la souleva délicatement, elle eut le sentiment que quatre chevaux attachés à ses membres se lançaient au galop pour l'écarteler. Folle de douleur, elle écarquilla les yeux et haleta comme si ses poumons refusaient d'aspirer de l'air.

Puis elle hurla à s'en casser les cordes vocales.

Une seconde plus tard, elle sombra dans un néant miséricordieux.

Chapitre 4

Un bruit tira Kahlan du sommeil. Étendue sur le dos, encore incapable de bouger à cause des herbes anesthésiantes, elle écarquilla les yeux et tendit l'oreille. Le son n'avait pas été si fort que ça, mais il lui était étrangement familier, comme si... En tout cas, il ne promettait rien de bon.

À mesure que se dissipait l'effet de la décoction médicinale, Kahlan s'avisa qu'elle se sentait beaucoup plus éveillée que d'habitude. Elle souffrait atrocement, mais était assez lucide pour se souvenir que tenter de se redresser serait une grossière erreur. À part son bras droit, quasiment indemne, tout son corps lui faisait mal.

À cet instant, un des chevaux hennit nerveusement et racla la terre avec ses sabots. La calèche bougea un peu – assez pour rappeler ses multiples côtes cassées à la jeune femme.

Une humidité annonciatrice d'un orage imminent planait dans l'air. Pour l'instant, des bourrasques soulevaient encore des colonnes de poussière, et les branches des arbres oscillaient en craquant sinistrement. Dans le ciel, des nuages pourpres dérivaient lentement. De temps en temps, ils se déchiraient pour laisser apercevoir l'étoile solitaire qui brillait juste au-dessus de la calèche. Rien n'indiquait si on était à l'aube ou au crépuscule, mais Kahlan eut le sentiment qu'il s'agissait plutôt d'une fin de journée.

Elle continua d'écouter, à l'affût du bruit qui l'avait arrachée au sommeil, sans doute parce que son inconscient l'avait identifié. Apparemment, il n'appartenait pas au fond sonore normal de la forêt, même avant un orage, mais il y avait peut-être une explication rassurante.

Cela dit, où étaient Cara et Richard? Aucun son ne trahissait leur présence, alors qu'ils devaient être à proximité. Ils ne l'auraient laissée seule pour rien au monde, elle le savait. Sauf si... Non, il ne fallait pas penser à ça! Il ne pouvait pas leur être arrivé malheur...

Kahlan brûlait d'envie d'appeler Richard aussi fort que le lui permettraient ses cordes vocales. Mais son instinct lui hurlait de n'en rien faire.

Dans le lointain, elle entendit un son métallique suivi d'un cri. Peut-être un animal, tout simplement… Parfois, les corbeaux poussaient des hurlements si semblables à ceux des humains qu'on pouvait s'y tromper. Mais en principe, ils n'émettaient jamais de son métallique…

La calèche s'inclina soudain vers la droite. Ce mouvement brusque arracha un gémissement de douleur à Kahlan. Quelqu'un venait de sauter sur le marchepied – sans se soucier le moins du monde de sa passagère, donc, ce n'était sûrement pas Cara et encore moins Richard. Dans ce cas, qui était-ce ?

Des doigts boudinés aux ongles sales et rongés s'accrochèrent au flanc de la calèche, puis un visage apparut, et des yeux noirs se rivèrent sur la Mère Inquisitrice. L'homme avait perdu ses quatre dents de devant supérieures. Du coup, quand il ricanait, comme à présent, ses canines ressemblaient à des crocs.

— Eh bien, mais on dirait la femme de feu Richard Cypher !

Kahlan se pétrifia. Tout se passait comme dans ses pires cauchemars. Un instant, elle se demanda si elle ne rêvait pas…

L'homme portait une chemise tellement amidonnée par la crasse qu'elle aurait pu tenir debout toute seule. Sur ses joues et son menton marqués par la petite vérole, des poils épars mal taillés tentaient en vain de se faire passer pour un début de barbe. La lippe brillante d'humidité parce que son nez coulait en permanence, sa mâchoire inférieure était également dépourvue de dents de devant, et on apercevait le bout de sa langue grisâtre dès qu'il desserrait les lèvres.

Il brandit un couteau devant les yeux de Kahlan, le faisant tourner lentement comme s'il montrait un bijou de prix à une conquête potentielle un peu effarouchée. Apparemment, la lame avait été affûtée sur un vulgaire morceau de granit, pas sur une pierre à aiguiser. Sinon, elle n'aurait pas été tellement émoussée et tachetée de rouille. Même ainsi, elle restait efficace, quand il s'agissait de trancher une gorge.

Voyant que Kahlan suivait du regard les lentes évolutions du couteau, le type eut un sourire mauvais.

La jeune femme se força à ne plus fixer la lame. Si elle devait mourir, au moins, elle n'aurait pas fait à ce salaud le plaisir de la voir hypnotisée par la peur.

— Où est Richard ? demanda-t-elle d'une voix qui ne tremblait pas.

L'homme plongea dans ceux de Kahlan ses petits yeux noirs aux paupières tombantes.

— Il danse avec les esprits dans le royaume des morts. Mais où est la putain blonde dont mes amis m'ont parlé ? Celle qui a une grande gueule ?

Moi, je m'en fiche, parce que je lui couperai la langue avant de la vider comme une vulgaire volaille.

Kahlan foudroya l'homme du regard pour lui signifier qu'elle n'avait aucune intention de répondre. Quand il se pencha vers elle, le couteau en avant, la puanteur faillit la faire vomir.

— Tommy Lancaster, je suppose ?

Le couteau cessa de plonger vers la jugulaire de la Mère Inquisitrice.

— Comment sais-tu ça ?

— Richard m'a beaucoup parlé de toi…, lâcha Kahlan, les entrailles nouées par la fureur.

— Sans blague ? Et que t'a-t-il raconté ?

— Il m'a décrit un sale porc édenté qui se pisse dessus chaque fois qu'il sourit. À en juger par la puanteur qui monte à mes narines, il n'a pas exagéré.

Son rictus tournant à la grimace, Tommy se pencha davantage, sa lame toujours brandie. Exactement ce que voulait Kahlan. S'il approchait encore un peu, elle pourrait le toucher…

Avec la maîtrise de toute une vie d'entraînement, elle étouffa sa colère et invoqua le calme absolu dont avait besoin une Inquisitrice avant de passer à l'action. Lorsqu'une femme comme elle était sur le point de libérer son pouvoir, la nature même du temps semblait s'altérer.

Il ne lui restait plus qu'à toucher sa victime.

Mais la magie d'une Inquisitrice dépendait en partie de son état physique. Dans sa condition actuelle, Kahlan ignorait si elle disposerait de la puissance requise. Et si c'était le cas, survivrait-elle à l'effort ? Là aussi, elle n'en savait rien. Mais elle n'avait pas le choix. Tommy Lancaster serait bientôt mort. Ou elle-même, si elle avait présumé de ses forces.

Ou encore les deux !

Accoudé à la portière de la calèche, Tommy tendit le bras qui tenait le couteau. Refusant de regarder la lame, Kahlan se força à fixer les cicatrices blanchâtres qui zébraient les phalanges de son assassin potentiel.

Quand la main de l'homme fut assez près, elle voulut tendre la main droite pour lui saisir au vol le poignet.

Mais rien ne se passa, parce que ses bras étaient coincés par la couverture bleue qui l'enveloppait. Richard l'avait installée dans la calèche alors qu'elle était couchée sur sa litière – encore un détail qu'elle avait oublié –, et il avait enroulé les coins de la couverture autour des montants. Une attention délicate visant à éviter que la passagère soit secouée par les cahots de la route. Du coup, les bras de Kahlan étaient emprisonnés dans ce qui n'allait pas tarder à devenir son suaire.

Paniquée, elle tenta de dégager sa main droite. Une course perdue d'avance contre la lame qui fondait sur sa gorge… Alors qu'elle se débattait, ses côtes cassées la firent souffrir comme jamais. Consciente qu'elle n'avait pas de temps à perdre, Kahlan parvint à ne pas hurler ni maudire le destin qui s'acharnait contre elle. Refermant la main sur la couverture, elle tira de toutes ses forces avec l'espoir futile de se libérer.

Pour se sauver, il lui aurait suffi de toucher Tommy, mais c'était impossible. La lame qu'il brandissait serait le seul contact qu'elle aurait avec lui – indirect et… définitif.

À moins que ses doigts l'effleurent tandis qu'il lui trancherait la gorge. Ou qu'elle puisse baisser suffisamment le menton pour qu'il touche le dos de sa main. Si le couteau ne s'était pas enfoncé trop profondément, à ce moment-là, elle pourrait libérer son pouvoir…

Une chance sur combien de milliers ?

La lame semblait avancer au ralenti, laissant à Kahlan une petite éternité pour contempler la certitude de sa mort. Un instant qui durerait jusqu'à la fin du monde ? Non, en réalité, il s'agissait à peine d'une seconde, et ce qu'il y avait au bout de ce minuscule fragment de temps la terrorisait d'autant plus qu'elle avait déjà fait l'expérience de l'ultime plongée dans le néant.

Curieusement, rien ne se passa comme Kahlan l'avait prévu.

Avec un cri inhumain, Tommy Lancaster bascula en arrière. Alors que la jeune femme reprenait le fil de sa vie, qu'elle croyait sur le point d'être coupé, d'horribles sons et des mouvements flous saturèrent un instant ses sens. Puis sa vision se rétablit, et elle reconnut Cara, debout derrière Tommy. Les dents serrées, le front plissé par la concentration, la Mord-Sith, dans son uniforme rouge, ressemblait à un rubis soudain révélé par la disparition d'un nuage de poussière.

L'Agiel de Cara plaqué dans le dos, Tommy avait aussi peu de chances de se dégager que s'il était accroché à un croc de boucher. Et il souffrait autant que si dix pouces de fer avaient été enfoncés entre ses omoplates.

Non, beaucoup plus !

Quand il tomba à genoux, la Mord-Sith lui passa son arme le long des côtes, qui se brisèrent l'une après l'autre avec un atroce bruit de bois mort. Du sang gicla sur les mains de Cara, le couteau tomba sur le sol, et les cris de Tommy s'étranglèrent dans sa gorge.

Impassible comme tous les exécuteurs des hautes œuvres, la Mord-Sith le regarda implorer muettement grâce. Loin de l'épargner à la dernière minute, elle lui plaqua son Agiel sur la gorge et se laissa glisser vers le sol avec lui. Les yeux révulsés, Tommy Lancaster luttait en vain pour remplir d'air ses poumons.

Une lente et terrifiante descente vers la mort… Se souvenant qu'elle avait parcouru ce chemin avant lui – et jusqu'au bout ! –, Kahlan eut une extraordinaire envie de vomir. Quand finiraient ces ignobles tueries censées rapprocher l'humanité du bonheur et de la béatitude éternelle ? Le soleil se coucherait-il un jour sans qu'un être humain se soit transformé en boucher avec les meilleures raisons du monde ? Tous ces gens qui n'étaient jamais morts – contrairement à elle – finiraient-ils par comprendre qu'il n'y avait rien de plus atroce que les derniers instants d'un être conscient ?

Cara aurait au moins pu abréger cette horreur, mais elle n'en avait pas la moindre intention. Tommy avait voulu égorger la femme qu'elle était chargée de protéger. Même s'il n'y était pas parvenu, elle entendait lui faire payer chèrement ce meurtre virtuel.

— Cara ! cria Kahlan, surprise que sa voix soit si puissante. Ça suffit ! Ne vois-tu pas qu'il est en train de s'étouffer avec son sang ! Laisse-le, maintenant ! Pense à Richard, qui a peut-être besoin de ton aide.

La Mord-Sith se pencha sur sa victime, plaqua l'Agiel sur sa poitrine, à l'endroit du cœur, et leva le poignet d'un coup sec.

Foudroyé, Tommy Lancaster s'écroula, lança deux ou trois coups de pied dans le vide – un simple réflexe physiologique – et ne bougea plus.

Épée au poing, Richard apparut dans le champ de vision de Kahlan. À peine essoufflé alors qu'il arrivait au pas de course, il n'était plus simplement l'homme que l'Inquisitrice aimait, mais le Sourcier de Vérité investi par la fureur meurtrière de son arme.

Dès qu'elle vit l'Épée de Vérité, dont la lame était empoissée d'un liquide noir et visqueux, Kahlan sut ce qui l'avait réveillée. Chaque fois que Richard la dégainait, l'arme émettait une note métallique qui ne ressemblait à aucune autre. Dans son sommeil, la Mère Inquisitrice – ou son subconscient – l'avait captée et aussitôt interprétée comme un signal de danger.

En approchant de sa femme, Richard jeta à peine un regard à la dépouille de Tommy Lancaster.

— Tu vas bien ? demanda-t-il.

— Parfaitement, oui…

Un peu tard, mais quand même très fière de son exploit, Kahlan parvint enfin à dégager son bras droit.

— Cara, demanda Richard, tu as vu d'autres hommes sur le chemin ?

— Non, seulement ce type-là… (La Mord-Sith désigna le couteau, sur le sol.) Il voulait égorger la Mère Inquisitrice.

S'il n'avait pas été déjà mort, le regard que le Sourcier jeta à Tommy aurait suffi à le foudroyer sur place.

— J'espère qu'il n'a pas eu une fin paisible.

— Ne vous inquiétez pas, seigneur, j'ai fait en sorte qu'il regrette sa dernière mauvaise intention.

— Reste ici et ne relâche pas ta vigilance. Je suis sûr que nous les avons tous éliminés, mais je vais quand même patrouiller, au cas où un autre groupe aurait eu la même idée que celui-là…

— Personne n'approchera de la Mère Inquisitrice, seigneur.

— Nous repartirons dès que je reviendrai, dit le Sourcier en tapotant gentiment l'encolure d'un des deux chevaux de l'attelage. À la lumière de la lune, nous devrions pouvoir avancer sans problème. À quatre heures de marche, je connais un endroit idéal pour camper. Et nous serons assez loin d'ici pour ne rien risquer…

» Jette le cadavre de Tommy dans le ravin, au milieu des broussailles. J'ai dissimulé les autres corps, pour qu'on ne les découvre pas avant que nous soyons hors d'atteinte. Très peu de gens s'aventurent jusqu'ici, mais il vaut mieux ne pas prendre de risques.

— Me débarrasser de cette charogne sera un plaisir, dit Cara en saisissant Tommy par les cheveux.

Le mort n'était pas un poids plume, mais pour une Mord-Sith, le manipuler ne posait pas de problème.

Richard repartit au pas de course et disparut dans les ténèbres. Tandis que Cara tirait le cadavre, Kahlan entendit des brindilles craquer et des pierres rouler. Puis il y eut un bruit sourd, beaucoup plus fort. Tommy Lancaster faisait son dernier voyage vers le fond du ravin, et, à en juger par les sons, il fallut un long moment pour qu'il arrive à destination.

La Mord-Sith revint à grandes enjambées près de la calèche.

— Tout va bien, Mère Inquisitrice? demanda-t-elle en retirant nonchalamment ses gants renforcés de fer.

— Cara, cet homme a failli me tuer!

— Pas du tout! J'étais derrière lui depuis le début, et il aurait dû sentir mon souffle sur sa nuque. Je n'ai jamais quitté son couteau des yeux. Croyez-moi, il n'avait pas une chance de vous faire du mal. Mais vous m'aviez vue, n'est-ce pas?

— Non.

— Vraiment? Pourtant, j'aurais cru que…

Un peu penaude, Cara accrocha les gants pliés à son ceinturon.

— Vous deviez être trop bas pour m'apercevoir…, continua-t-elle. Je contrôlais la situation, et je pensais que vous vous en étiez aperçue. Sinon, je ne lui aurais pas permis de vous effrayer…

— Si tu étais là, pourquoi n'es-tu pas intervenue plus tôt? Il aurait pu me tuer!

— Il n'a jamais eu sa chance, Mère Inquisitrice. Mais je le lui ai laissé croire. La fin est plus brutale et plus horrible quand un ennemi pense qu'il a triomphé. En une fraction de seconde, son esprit est comme brisé, parce qu'il se supposait hors de danger. Vous voyez ce que je veux dire?

Encore désorientée, Kahlan décida de ne pas insister sur ce sujet.

— Que s'est-il passé? Et pour commencer, combien de temps ai-je dormi?

— Nous sommes partis depuis deux jours. Vous vous êtes réveillée plusieurs fois, mais sans vraiment reprendre conscience. Le seigneur Rahl craignait que les cahots de la route vous fassent mal, et il était bouleversé de vous avoir dit... eh bien, ce que vous aviez oublié...

La Mord-Sith faisait allusion à la perte de son bébé, comprit Kahlan.

— Et nos agresseurs?

— Ils nous avaient suivis... Cette fois, le seigneur Rahl n'a pas envisagé de parlementer avec eux. (Une décision dont Cara semblait se féliciter.) Comme il les a entendus venir de loin, nous leur avons organisé une petite réception. Quand ils ont déboulé, certains avec un arc, d'autres armés d'une épée ou d'une hache, il leur a crié quelques mots – une seule fois, pour leur donner une chance de changer d'avis.

— Il a tenté de les raisonner, même à ce moment-là?

— «Raisonner» est un bien grand mot. Il leur a dit de rentrer chez eux, s'ils ne voulaient pas finir les tripes à l'air.

— Et que s'est-il passé?

— Ces idiots ont éclaté de rire, comme s'ils trouvaient ça très drôle. Ensuite, les archers ont tiré, et les autres sont passés à l'attaque. Mais le seigneur Rahl s'est enfui dans la forêt.

— Il s'est *enfui*?

— C'est une façon de parler... Avant l'assaut, il m'avait prévenu qu'il inciterait ces types à le poursuivre dans les bois. Celui qui espérait vous trancher la gorge a crié à ses amis de «rattraper Richard et d'en finir avec lui». Le seigneur Rahl espérait qu'ils se lanceraient tous à ses trousses. Quand il a vu que ce n'était pas le cas, il m'a simplement regardée, et j'ai compris ce que je devais faire.

Les mains croisées dans le dos, Cara pivota sur elle-même en sondant les ténèbres, au cas où quelqu'un tenterait de les attaquer par surprise.

Kahlan pensa à Richard, seul contre une meute de poursuivants.

— Combien d'hommes y avait-il?

— Je ne les ai pas comptés... Une bonne vingtaine.

— Et tu as laissé Richard se débrouiller seul? Alors que vingt hommes armés en voulaient à sa vie?

— Qu'aurais-je dû faire, selon vous? demanda Cara, stupéfaite. La brute édentée approchait de vous... Si j'étais partie, le seigneur Rahl m'aurait écorchée vive!

Le torse bombé et le menton bien droit, la Mord-Sith semblait fière comme un chat qui vient d'attraper une souris.

Et c'était justifié, comprit soudain Kahlan. Richard l'avait chargée d'une mission de confiance – protéger sa femme –, et elle l'avait brillamment accomplie.

—Je regrette simplement de ne t'avoir pas vue, Cara. Enfin, grâce à toi, je n'aurai pas besoin de la maudite cuvette avant un bon moment…

La Mord-Sith n'eut pas l'ombre d'un sourire.

—Mère Inquisitrice, vous devriez savoir que je veille sans cesse sur le seigneur Rahl et vous. Moi vivante, rien de mal ne vous arrivera jamais.

Richard émergea soudain des ombres. Après avoir flatté l'encolure des chevaux pour les rassurer, il vérifia rapidement leur harnais afin de s'assurer qu'ils ne risquaient pas de se dételer accidentellement.

—Du nouveau? demanda-t-il à Cara?

—Non, seigneur Rahl. Rien à signaler.

Le Sourcier se pencha vers Kahlan et sourit.

—Puisque tu es réveillée, que dirais-tu d'une petite balade romantique au clair de lune?

Kahlan posa la main droite sur le bras de son mari.

—Tu vas bien?

—Impeccable! Pas une égratignure…

—Ce n'est pas ça que je veux savoir.

Le sourire de Richard s'effaça.

—Ces types ont tenté de nous tuer. Terre d'Ouest vient de connaître ses premières pertes humaines dues à la propagande de l'Ordre Impérial.

—Tu connaissais tous ces hommes…

—C'est vrai, mais ça ne les autorisait pas à choisir l'autre camp. Combien de cadavres ai-je vus, depuis que j'ai quitté Hartland? Ce soir, je n'ai pas pu convaincre des hommes avec qui j'ai grandi. En réalité, ils n'ont même pas écouté mes arguments. Tous les massacres et toutes les horreurs dont nous avons été témoins sont la faute de gens comme ceux-là. Des imbéciles qui refusent d'ouvrir les yeux…

» Leur aveuglement volontaire ne leur donne pas le droit de verser mon sang ou de prendre ma vie. Ils ont choisi leur chemin et, pour une fois, ils en ont payé le prix!

Des propos assez étranges pour un homme qui prétendait vouloir abandonner le combat, pensa Kahlan.

Voyant qu'il serrait toujours son épée à s'en faire blanchir les phalanges, elle lui caressa le bras pour signifier qu'elle le comprenait à demi-mot. Même s'il avait agi en état de légitime défense, et alors que la magie de l'arme l'emplissait encore de rage, Richard regrettait ce qu'il avait été contraint de faire. Ses adversaires, s'ils avaient triomphé, n'auraient pas eu de remords. Au contraire, ils auraient célébré leur victoire en faisant ripaille…

—Ton plan n'était-il pas un peu risqué?

—Non. En les attirant dans la forêt, je les ai obligés à descendre de cheval. Et sur un terrain accidenté, ils ne pouvaient pas tous me rattraper en même temps.

» Ils ont cru que le crépuscule les avantagerait. Une grossière erreur! Dans les bois, il faisait encore plus sombre, et j'étais presque entièrement vêtu de noir, puisque je ne portais pas ma cape couleur or. Les autres ornements dorés de ma tenue ne permettent pas d'identifier la silhouette d'un homme dans l'obscurité. Au contraire, ces lueurs fugitives leur ont compliqué les choses…

» Quand j'ai tué Albert, ils ont cessé de réfléchir et se sont battus comme des bêtes sauvages. Enfin, au début… Ces hommes étaient des ivrognes vantards, pas des guerriers. Quand ils ont vu du sang et des cadavres, leur courage les a abandonnés. Ils s'attendaient à nous massacrer, pas à devoir lutter pour leur vie. Lorsqu'ils ont compris que ça tournait mal, les survivants ont fui comme des lapins. Mais j'ai grandi dans cette forêt. Paniqués comme ils l'étaient, ils se sont perdus parmi les arbres. Alors, le gibier est devenu le chasseur…

— Vous les avez tous tués, seigneur? demanda Cara.

S'il y avait un survivant, il rameuterait d'autres idiots comme lui, et la traque n'aurait pas de fin.

— Jusqu'au dernier… Je les connaissais presque tous, et j'ai eu le temps de les compter, avant l'attaque. Il y avait le bon nombre de cadavres…

— Combien? voulut savoir la Mord-Sith.

— Pas assez pour ce qu'ils avaient l'intention de faire…, éluda Richard.

Il saisit les rênes et, d'un claquement de langue, mit les chevaux en mouvement.

ait perdu sa combativité, ou qu'il se désintéresse de cette guerre. À moins que… Hum… Aurait-il peur de se battre, désormais ?

À sa soudaine pâleur, Kahlan comprit que l'officier craignait d'être puni pour avoir dit des choses pareilles. Mais il avait besoin de savoir, et il était prêt à courir tous les risques. C'était probablement pour ça qu'il était venu en personne au lieu d'envoyer un messager.

— Environ six heures avant de préparer ce délicieux repas, dit Cara d'un ton neutre, le seigneur Rahl a tué une vingtaine d'hommes. Tout seul, et je peux vous dire qu'il a fait un massacre ! Il était si furieux qu'il ne m'a laissé qu'un malheureux crétin à abattre. Pas très galant, non ?

Meiffert soupira de soulagement.

— Cette nouvelle fera plaisir à beaucoup de monde. Merci, maîtresse Cara.

Sur ces mots, le capitaine s'attaqua de nouveau à son assiette.

— Il ne peut pas donner d'ordres, dit Kahlan, parce qu'il est sûr de provoquer notre défaite s'il prend la tête de nos forces pour les lancer contre l'Ordre Impérial. S'il entre trop tôt dans la bataille, il condamnera notre camp à une défaite écrasante et définitive. En conséquence, il attend le bon moment pour agir, et il n'y a rien de plus logique…

Défendre la position de Richard alors qu'elle n'y adhérait pas vraiment mit l'Inquisitrice mal à l'aise. D'instinct, elle pensait qu'il fallait arrêter l'Ordre dès à présent, sans lui laisser l'occasion de massacrer les peuples du Nouveau Monde.

Le capitaine réfléchit à ces informations en dégustant sa tranche de bannock.

— Cette stratégie est bien connue des militaires… Quand on a la possibilité de choisir, il faut attaquer dans les conditions qu'on détermine, et ne pas accepter celles de l'ennemi. (Visiblement requinqué, Meiffert développa sa théorie.) Il vaut mieux attendre l'instant idéal, même si l'adversaire, entre-temps, risque de faire pas mal de dégâts. Déclencher les hostilités au mauvais moment, c'est être un mauvais chef !

— Exactement ! approuva Kahlan. Vous devriez expliquer les choses ainsi aux autres officiers. Richard juge prématuré de donner des ordres, et il attend que sonne l'heure d'agir. Devant nous, il n'a pas exactement exprimé les choses ainsi, mais c'est une excellente traduction de sa pensée.

— Mère Inquisitrice, je donnerais ma vie pour le seigneur Rahl. Les autres officiers aussi, mais je crois quand même que cette explication les rassurera. Maintenant, je comprends pourquoi il nous a quittés. Il ne veut pas céder à la tentation de se jeter trop tôt dans la mêlée…

Kahlan aurait donné cher pour partager le bel enthousiasme du capitaine. Mais la question de Cara tournait sans cesse dans son esprit. Comment les gens s'y prendraient-ils pour prouver leur valeur à Richard ?

Un nouveau scrutin était hors de question, elle le savait. Alors, quel autre moyen y avait-il ?

— Si j'étais vous, je ne tiendrais pas ce discours devant Richard... Ne pas donner d'ordres le tourmente beaucoup. Il tente de faire ce qu'il estime juste, mais ça n'est pas toujours facile.

— Je comprends, Mère Inquisitrice. « Maître Rahl nous guide ! récit-t-il. Devant sa sagesse, nous nous inclinons. Nous existons pour le servir, et nos vies lui appartiennent. »

Exactement ce que Richard ne voulait plus entendre... Et pour la première fois, Kahlan commençait à comprendre pourquoi.

— Il ne pense pas que votre vie ou celle de quiconque lui appartienne, capitaine... Pour lui, chaque existence est unique, et personne ne peut revendiquer le moindre droit sur un autre être pensant. C'est pour cette idée qu'il se bat.

Meiffert pesa soigneusement les paroles qu'il allait prononcer. N'ayant pas grandi dans les Contrées du Milieu, il n'avait jamais appris à redouter le pouvoir et l'autorité de la Mère Inquisitrice. Mais il était quand même en train de parler avec l'épouse du seigneur Rahl...

— Nous sommes presque tous conscients que le seigneur est différent de son prédécesseur. Bien entendu, nous ne prétendons pas tout savoir de lui, ni le comprendre entièrement, mais il se bat pour défendre, jamais pour conquérir. Mère Inquisitrice, je suis un soldat, et croire en la cause pour laquelle on lutte fait une énorme différence...

Meiffert détourna la tête afin de ne plus croiser le regard de Kahlan. Après avoir ramassé un bâton et tapoté le sol deux ou trois fois avec, il continua, la voix vibrante d'émotion :

— Tuer des gens qui ne vous ont jamais rien fait de mal est une expérience atroce. À chaque fois, on y perd un peu de soi-même.

Meiffert attisa le feu avec son bâton, faisant crépiter les flammes.

— Vous avez connu ça aussi..., souffla Cara, les yeux baissés sur son Agiel.

— Pendant longtemps, je ne m'étais pas aperçu de ce qui se passait en moi. Le seigneur Rahl m'a rendu fier d'être un D'Haran. Grâce à lui, je combats pour une juste cause... Avant, je ne me posais pas la question. Les choses me semblaient immuables, et je souffrais sans le savoir.

Cara acquiesça gravement.

Kahlan frémit en imaginant ce que devait être la vie sous le joug d'un tyran comme Darken Rahl.

— Je suis contente que vous compreniez, capitaine, dit-elle. C'est pour ça que Richard s'inquiète tant pour vous tous. Il aimerait vous voir mener des vies dont vous soyez fiers et qui n'appartiennent qu'à vous.

Meiffert laissa tomber son bâton dans le feu.

—Il désirait la même chose pour les Anderiens, je sais… Ce scrutin n'était pas pour lui, mais à leur bénéfice. C'est à cause de ça que la défaite l'a tellement touché.

—Exactement…, souffla Kahlan, craignant d'éclater en sanglots si elle en disait plus.

Meiffert remua longuement son riz, alors qu'il devait être froid depuis longtemps. Une manière comme une autre de cacher son trouble…

—Mère Inquisitrice, en Anderith, j'ai souvent entendu dire que Richard Rahl, parce qu'il était le fils de Darken Rahl, devait être un cruel tyran. Son père étant un monstre, il pouvait faire de bonnes choses à l'occasion, mais pas être un homme de bien.

—J'ai entendu ça aussi, dit Cara. Et pas qu'en Anderith.

—C'est un mensonge ! Au nom de quoi un enfant serait-il responsable ou complice des crimes de ses parents ? Et pourquoi devrait-il passer sa vie à les expier ? Si un jour j'ai la chance d'avoir des enfants, je détesterais savoir qu'ils souffrent, et leurs descendants après eux, des mauvaises actions que j'ai commises quand je servais Darken Rahl. Il est injuste d'avoir des préjugés pareils !

Les yeux toujours baissés, Cara contemplait à présent les flammes.

—J'ai connu le père du seigneur Rahl, continua Meiffert, et je sais qu'il ne lui ressemble pas. Les gens ont tort de l'accuser de crimes qu'il n'a pas commis.

—Vous avez raison sur tous les plans, murmura Cara. Physiquement, il y a un air de famille, c'est vrai. Mais tous ceux qui ont regardé ces deux hommes dans les yeux, comme moi, savent qu'ils ne sont pas faits du même bois…

Chapitre 6

Quand le capitaine eut fini de manger son riz et ses haricots, Cara lui proposa son outre d'eau, qu'il accepta avec un petit sourire.

La Mord-Sith lui remplit une deuxième assiette et coupa un autre morceau de bannock. À son grand amusement, l'officier parut à peine moins gêné d'être servi par une Mord-Sith que par le seigneur Rahl. Taquine, elle le traita de « gamin galonné » et lui ordonna de manger jusqu'au dernier grain de riz.

Il obéit de bon cœur et finit son repas dans un silence uniquement troublé par le crépitement des flammes et le bruit des gouttes d'eau qui dégoulinaient le long des branches de pin pour s'écraser sur le tapis de feuilles mortes qui couvrait le sol.

Richard revint avec le sac de couchage et les sacoches de selle de Meiffert. Après les avoir posés aux pieds du militaire, il s'ébroua comme un chien mouillé, s'assit à côté de Kahlan et lui tendit l'outre d'eau qu'il avait également rapportée. L'Inquisitrice but une minuscule gorgée, mais profita de l'occasion pour poser la main droite sur la cuisse de son bien-aimé.

—Capitaine Meiffert, dit le Sourcier, si nous en venions à votre rapport ?

—À vos ordres, seigneur.

L'officier décrivit longuement la situation de l'armée cantonnée au sud. Il parla du campement, dans les plaines, précisa quels cols les éclaireurs surveillaient et annonça que le général Reibisch entendait tirer parti du terrain si les troupes de l'Ordre sortaient d'Anderith pour déferler sur les autres royaumes des Contrées du Milieu.

Les hommes étaient en bonne forme, et l'approvisionnement ne manquait pas. Une moitié de l'armée de Reibisch était repartie vers le nord et assurerait la défense d'Aydindril.

Kahlan fut ravie d'apprendre que tout, pour le moment, se passait bien dans sa ville natale.

Le capitaine résuma les messages que Reibisch avait reçu des quatre coins des Contrées, y compris de Kelton et Galea, deux puissants pays désormais alliés avec l'empire d'haran. En plus d'envoyer des renforts, tous les royaumes de l'alliance participaient sans rechigner à l'approvisionnement des soldats.

Un message d'Harold, le demi-frère de Kahlan, indiquait que Cyrilla allait beaucoup mieux. Ancienne reine de Galea, la demi-sœur de l'Inquisitrice avait été brutalisée par ses ennemis au point d'être dans l'incapacité d'assumer ses fonctions. À demi folle après avoir été livrée à une bande de violeurs, elle ne supportait plus d'avoir des hommes autour d'elle. Lors d'un de ses rares moments de lucidité, inquiète pour son peuple, elle avait imploré Kahlan de porter la couronne de Galea. L'Inquisitrice avait accepté à contrecœur – et en précisant qu'elle rendrait le pouvoir à Cyrilla dès qu'elle serait remise. Peu de gens pensaient que ça arriverait un jour, mais le miracle semblait pourtant s'être produit.

Dans le même temps, afin de ramener le calme à Kelton, le turbulent voisin de Galea, Richard avait bombardé Kahlan reine de cet important royaume. Au début, la jeune femme avait trouvé l'idée farfelue. Mais cet arrangement, si étrange qu'il fût, convenait aux deux pays. Il avait rétabli la paix entre eux, les incitant à se rallier aux royaumes qui combattaient l'Ordre Impérial aux côtés de D'Hara.

Cara fut ravie d'apprendre que plusieurs Mord-Sith avaient élu domicile au Palais des Inquisitrices, au cas où le seigneur Rahl aurait besoin d'elles. Sans nul doute, Berdine serait contente d'avoir des collègues près d'elle en Aydindril.

Kahlan se languissait de sa contrée natale. L'endroit où un être avait grandi gardait à jamais une place spéciale dans son cœur…

À cette idée, elle eut les larmes aux yeux en pensant à ce qui venait d'arriver à Richard.

— Rikka doit être dans le lot, dit Cara avec un petit sourire. Attendez de voir les étincelles, quand elle rencontrera le nouveau seigneur Rahl !

D'humeur moins joyeuse, Kahlan pensa aux gens qu'ils avaient laissés entre les mains de l'Ordre Impérial. Ou plutôt, qui avaient choisi de se jeter dans ses bras…

— Vous avez des nouvelles d'Anderith ?

— Plusieurs rapports, oui… Beaucoup d'éclaireurs ne sont pas revenus, mais les survivants affirment que les eaux empoisonnées ont tué moins d'ennemis que nous l'espérions. Dès que les officiers ont découvert que leurs hommes étaient malades ou mourants, ils ont utilisé les Anderiens comme « goûteurs ». Beaucoup de civils ont péri, mais ça n'a pas été une hécatombe. Avec leur méthode, les sbires de Jagang ont pu tester l'eau et la nourriture. Ensuite, il leur a suffi d'interdire de boire à certaines sources et de détruire les stocks infectés. L'armée réquisitionne tout, et les Anderiens meurent de faim…

On disait que les forces de Jagang étaient plus importantes que toutes les armées levées dans l'histoire. Kahlan savait que c'était exact. L'avantage numérique de l'Ordre devait être de dix contre un, voire vingt, et peut-être même plus que ça. Selon certains rapports, le Nouveau Monde devrait lutter à un contre cent. Là, c'était inutilement alarmiste…

Mais combien de temps l'armée adverse pillerait-elle Anderith avant de se remettre en mouvement ? Comptait-elle uniquement sur la rapine pour survivre, ou était-elle réapprovisionnée par l'Ancien Monde ? La deuxième hypothèse semblait plus probable…

— Combien d'éclaireurs avons-nous perdu ? demanda Richard.

Le capitaine sursauta, car c'était la première question qu'il posait.

— Certains peuvent encore revenir, mais je dirais entre cinquante et soixante…

— Le général Reibisch pense que des informations pareilles valent la vie de tant d'hommes ?

— Avant qu'ils y aillent, seigneur, nous ne savions pas ce qu'il y avait à découvrir, et c'est pour ça que nous les avons envoyés. Vous voulez que je dise au général de ne plus le faire ?

Occupé à sculpter un morceau de bois, le Sourcier eut un petit soupir.

— Non, c'est à lui de décider… Dans ma lettre, je lui ai expliqué pourquoi il ne recevrait plus d'ordres de moi.

Voyant que Richard ramassait les copeaux de bois, sur ses genoux, et les jetait dans les flammes, le capitaine fit de même avec une poignée d'aiguilles de pin qui flambèrent joyeusement.

Dans le morceau de bois, le Sourcier avait gravé un buste très ressemblant de son interlocuteur.

L'ayant souvent vu sculpter de petites merveilles, Kahlan avait un jour avancé que son habileté hors du commun était due à son don. Il avait éclaté de rire, arguant qu'il se livrait à cet anodin passe-temps depuis sa plus tendre enfance.

Kahlan avait insisté. L'art, avait-elle dit, pouvait être utilisé pour jeter des sorts, et il avait lui-même été capturé à cause d'un sortilège dessiné par un peintre.

Richard n'avait rien voulu entendre. Quand il était guide forestier, il avait passé des soirées entières seul devant un feu de camp, à sculpter tout ce qui lui tombait sous la main. Pour ne pas s'alourdir, il jetait ensuite ses œuvres dans les flammes. Quand on aimait sculpter, recommencer n'était jamais un problème.

Trouvant ses miniatures très réussies, Kahlan se désolait qu'il en ait détruit des dizaines…

— Seigneur Rahl, demanda Meiffert, qu'avez-vous l'intention de faire ? Si je peux me permettre de poser la question…

Richard peaufina la courbure d'une oreille, étudia son travail, puis leva les yeux et sonda la pénombre.

— Nous allons dans un endroit, au cœur des montagnes, où personne ne s'aventure jamais. La Mère Inquisitrice pourra s'y rétablir en paix, et tant que nous y resterons, j'obligerai peut-être Cara à porter une robe.

— Quoi ? s'écria la Mord-Sith en se levant d'un bond.

Voyant le sourire de Richard, elle comprit qu'il plaisantait. Cela posé, elle ne trouva pas ça drôle du tout…

— Si j'étais vous, capitaine, dit Richard, je ne mentionnerais pas cet incident dans mon rapport au général Reibisch.

— Surtout si notre cher gamin galonné tient à ses côtes, marmonna la Mord-Sith en se rasseyant.

Sachant que ça lui ferait un mal de chien, Kahlan parvint par miracle à ne pas éclater de rire. Ces derniers temps, avec les dagues plantées en permanence entre ses côtes, elle avait le sentiment de comprendre ce qu'éprouvait le morceau de bois que sculptait son mari…

Elle se réjouit donc intérieurement d'avoir vu Richard prendre pour une fois le dessus sur Cara. D'habitude, c'était lui qui devenait tout rouge à cause des plaisanteries douteuses de la Mord-Sith.

— Pour l'instant, capitaine, je ne peux rien pour vous, dit Richard, redevenu sérieux. (Il recommença à travailler son morceau de bois.) J'espère que tous les hommes le comprendront…

— Bien sûr, seigneur Rahl ! Nous savons que vous nous conduirez à la bataille quand l'heure aura sonné.

— J'aimerais que ce jour arrive, capitaine, croyez-moi ! Pas parce que j'ai envie de me battre, mais parce que j'espère qu'il y aura dans l'avenir quelque chose qui mérite d'être défendu. (Richard baissa sur les flammes des yeux qui exprimaient un désespoir infini.) Pour l'instant, ce n'est pas le cas…

— Oui, seigneur Rahl, souffla Meiffert après un long silence tendu. Nous agirons au mieux jusqu'à ce que la Mère Inquisitrice aille bien et que vous puissiez nous rejoindre.

Richard ne contredit pas l'officier, dont l'analyse était pourtant exagérément optimiste. Kahlan aurait aimé que les choses se passent comme il les décrivait, mais son mari ne lui avait jamais laissé entendre qu'il en irait ainsi. Bien au contraire, il avait souvent répété que l'heure de se battre, pour lui, ne sonnerait peut-être plus jamais.

Pour le moment, il admirait sa sculpture, posée sur ses genoux.

—Les éclaireurs ont-ils dit ce qu'il advenait des Anderiens sous l'occupation de l'Ordre ? demanda-t-il en passant le pouce le long du nez de sa miniature.

En abordant ce sujet, comprit Kahlan, il se mettait inutilement à la torture. Quand la réponse menaçait d'être un crève-cœur, il valait mieux s'abstenir de poser une question…

—Eh bien, oui, nous avons eu des nouvelles des Anderiens…

—Mais encore ?

L'officier se lança dans un rapport froidement circonstancié.

—Jagang a installé son quartier général à Fairfield, la capitale. Comme résidence personnelle, il a choisi le domaine du ministère de la Civilisation. L'armée de l'Ordre est si grande qu'elle campe en ville et dans toute la campagne environnante. Les forces anderiennes ont opposé une résistance symbolique. Tous les officiers et les soldats qui se sont battus ont été sommairement exécutés. Quelques heures après l'arrivée de Jagang, le gouvernement local a cessé d'exister. Il n'y a plus de lois, et les soudards de l'Ordre ont fêté leur « victoire » pendant une longue semaine de viols, de meurtres et de pillages.

» Beaucoup d'habitants de Fairfield ont été déportés, perdant tout ce qu'ils possédaient. Certains ont tenté de fuir, mais ils sont tombés entre les mains des soldats cantonnés hors de la ville. Il y a très peu de survivants, et il s'agit surtout de vieillards et de malades.

La façade d'indifférence de Meiffert se craquela. Lui aussi avait passé pas mal de temps avec ces gens…

—Seigneur Rahl, c'est une catastrophe… Dix mille hommes au moins ont été froidement abattus. Des civils sans défense…

—Ils ont bien mérité leur sort, lâcha Cara d'une voix glaciale. Quand on choisit son destin, on l'assume…

Kahlan était d'accord, mais elle le garda pour elle. Richard devait penser la même chose… Cela dit, aucun d'eux ne se réjouissait de ce désastre.

—Et hors de la capitale ? demanda le Sourcier. On sait comment ça se passe ?

—C'est tout aussi affreux, seigneur Rahl. L'Ordre a décidé de « pacifier » le pays. Et les soldats sont accompagnés par des sorciers. Si vous saviez les horreurs qu'on raconte sur une femme surnommée la « Maîtresse de la Mort ».

—Une femme ? s'étonna Cara.

—Une des sœurs prisonnières, dit Richard.

—Oui, mais de quel bord ?

—Jagang détient des Sœurs de la Lumière et de l'Obscurité, souffla le Sourcier tout en commençant à sculpter la bouche de sa figurine. Avec son pouvoir, il les force à exécuter ses ordres. Cette femme est son instrument, et son identité originelle n'importe pas.

— Je n'en suis pas si sûr, seigneur…, fit Meiffert. Nous savons que les sœurs sont très dangereuses, mais comme vous dites, Jagang en a fait des outils. Il ne les laisse pas penser par elles-mêmes et encore moins prendre des initiatives. La femme dont je parle est très différente. Elle sert Jagang, bien sûr, mais elle prend des décisions et agit comme si elle n'avait de compte à rendre à personne. Selon nos espions, elle est plus redoutée que l'empereur lui-même.

» Apprenant qu'elle serait bientôt chez eux, les habitants d'un village se sont réunis sur la place principale. Ils ont fait boire du poison aux enfants, puis en ont pris à leur tour. Quand la Maîtresse de la Mort est arrivée, elle a trouvé cinq cents cadavres.

Richard s'était arrêté de sculpter. Lors d'une guerre, Kahlan le savait, l'intimidation était une arme redoutable. Que la réputation de cette femme soit fondée ou non, des malheureux avaient préféré mourir plutôt que de tomber entre ses mains.

Tenant le couteau par le bout de la lame, Richard se remit au travail et s'attaqua aux yeux de son personnage.

— Personne ne connaît le véritable nom de cette femme, je suppose ?

— Tout le monde l'appelle « la Maîtresse de la Mort », et on n'en sait pas plus.

— Sûrement une vieille sorcière hideuse…, marmonna Cara.

— Pas du tout, maîtresse ! Elle a de magnifiques cheveux blonds et de beaux yeux bleus. On prétend qu'elle est une des plus belles femmes qui aient jamais arpenté ce monde. Certains disent qu'elle ressemble à une vision envoyée par les esprits du bien.

Kahlan remarqua le coup d'œil furtif que le capitaine jeta à Cara. Elle aussi était une superbe blonde aux yeux bleus. Et elle pouvait se montrer plus cruelle encore que la Maîtresse de la Mort.

— Blonde… les yeux bleus…, murmura Richard. Il y a plusieurs possibilités… Il me faudrait plus d'informations.

— Désolé, seigneur, mais nous n'en avons pas… Attendez une minute ! Si, il y a autre chose : elle est toujours vêtue de noir.

— Par les esprits du bien… ! soupira Richard en se redressant, la gorge de sa sculpture serrée entre le pouce et l'index.

— D'après ce que j'ai entendu dire, seigneur, bien qu'elle puisse passer pour leur envoyée, les esprits du bien eux-mêmes trembleraient devant elle.

— Et pas sans raison…, dit Richard, le regard perdu dans le lointain.

— Vous savez qui elle est, seigneur ?

Comme ses compagnons, Kahlan attendit la réponse de Richard, qui semblait avoir du mal à trouver ses mots.

—Oui, je la connais, dit-il enfin. Et même trop bien, à mon goût…
Au Palais des Prophètes, elle était un de mes professeurs. (Il jeta la sculpture
dans les flammes.) Capitaine, implorez le Créateur de ne jamais devoir
regarder Nicci dans les yeux !

Chapitre 7

— **R**egarde-moi dans les yeux, mon enfant, dit Nicci d'une voix très douce en prenant entre le pouce et l'index le menton de la fille.

La Sœur de l'Obscurité étudia le visage osseux de la gamine, s'attardant sur ses grands yeux noirs écarquillés de terreur. Un regard où il n'y avait pas grand-chose d'autre à lire : cette fille n'avait aucun mystère.

La Maîtresse de la Mort se redressa, bizarrement déçue. Il lui arrivait souvent de sonder le regard des gens, puis de se demander pourquoi elle avait agi ainsi. On eût dit qu'elle cherchait quelque chose, sans savoir quoi…

Elle continua à inspecter les rangs de villageois alignés d'un côté de la place principale. Les fermiers et les habitants des petites communautés environnantes devaient aller au village plusieurs fois par mois, les jours de marché, et même y passer la nuit quand ils venaient de trop loin. On n'était pas un jour de marché, mais elle se contenterait de ce qu'elle avait sous la main…

Quelques-uns des bâtiments serrés les uns contre les autres avaient un étage – une pièce ou deux où loger la famille propriétaire de la boutique du rez-de-chaussée. Nicci identifia une boulangerie, l'échoppe d'un cordonnier, un magasin de poterie, une herboristerie, un marchand d'articles en cuir et un forgeron. Rien d'inhabituel, en somme. Tous ces villages se ressemblaient, et leurs habitants, en général, travaillaient dans les champs de céréales et de sorgho. Ils avaient quelques animaux et entretenaient soigneusement d'assez grands jardins potagers. Le fumier, la paille et l'argile ne manquant pas, ils vivaient dans des maisons en torchis. Certaines boutiques à un étage arboraient fièrement une charpente et des bardeaux, mais c'était l'exception qui confirmait la règle.

Derrière Nicci, des soldats armés jusqu'aux dents emplissaient la place. Épuisés par une longue chevauchée sous un soleil de plomb, ils s'ennuyaient à mourir et devaient bouillir d'envie de passer à l'action. Une mise à sac, même pour un butin minable, était toujours un moyen séduisant de se distraire. Plus que piller, ces hommes adoraient détruire. Sauf quand il s'agissait des femmes… Les villageoises le sentaient, et elles n'osaient pratiquement pas tourner la tête vers les soudards.

En passant en revue cette assemblée de miteux, Nicci les regarda tous dans les yeux. Ils crevaient de peur à cause d'elle, comme si les soldats étaient moins dangereux. Et pour tout dire, ils avaient raison !

La Maîtresse de la Mort… Ce surnom la laissait indifférente, même s'il lui semblait bien choisi. Quand on s'adressait à elle en l'utilisant, ça ne lui faisait pas plus d'effet que lorsqu'une servante annonçait qu'elle avait reprisé une de ses paires de bas.

Quelques-uns de ces crétins fixaient l'anneau d'or que Nicci portait à la lèvre inférieure. Ils devaient avoir entendu dire qu'une femme ainsi marquée était l'esclave privée de l'empereur Jagang. Soit un être encore inférieur à un ramassis de minables paysans… Mais ce qu'ils pensaient d'elle la laissait autant de marbre que le surnom dont ils l'avaient affublée.

Dans ce monde, Jagang possédait uniquement son corps, et le Gardien prendrait à jamais possession de son âme quand elle résiderait dans le royaume des morts. Ici, son existence physique était un calvaire. Là-bas, sa survie spirituelle serait une épreuve mille fois plus terrible. La vie et la douleur étaient les deux faces d'une pièce de monnaie, et il fallait s'y résigner.

Une colonne de fumée noire montait dans le ciel d'un bleu parfait. Sur le feu de cuisson communal, une énorme broche permettait de faire rôtir deux ou trois cochons en même temps. Avec des cloisons et un toit amovibles, il était sûrement possible de transformer en fumoir cette rôtisserie en plein air.

Pour d'autres activités, au moment de l'abattage des bêtes, mieux valait travailler à l'air libre. La fabrication du savon, par exemple… Près du feu, Nicci aperçut une fosse à cendres de bois qui servait à la préparation de la lessive. À côté reposait un grand chaudron en fer parfait pour le traitement de la graisse animale. La lessive et la graisse étaient les deux composants indispensables pour obtenir du savon. Bien entendu, certaines femmes aimaient le parfumer en y ajoutant des herbes aromatiques – par exemple de la lavande ou du romarin – mais ça n'avait rien d'obligatoire.

Quand elle était enfant, la mère de Nicci, chaque automne au moment de l'abattage, l'envoyait aider les gens à fabriquer du savon. Assister les autres, affirmait-elle, était un excellent moyen de se forger le caractère. La Maîtresse de la Mort gardait encore des cicatrices, sur le dos des mains et les avant-bras, aux endroits où elle avait été brûlée par des projections de graisse chaude. Ces jours-là, sa mère l'obligeait toujours à mettre une jolie robe – pas pour impressionner les villageois, tous mal attifés, mais afin que sa fille soit mal à l'aise de se faire remarquer ainsi. De fait, sa coquette robe rose ne lui avait jamais attiré l'admiration de personne. Alors qu'elle remuait la graisse bouillante avec une longue louche en bois – pendant que quelqu'un d'autre y versait de la lessive – certains enfants, désireux de brûler sa robe, s'arrangeaient pour qu'elle soit aspergée d'éclaboussures. Au passage, ils blessaient Nicci, mais sa mère assurait que ces brûlures étaient le châtiment du Créateur.

Dans un silence de mort uniquement troublé par les hennissements lointains des chevaux – attachés derrière les bâtiments –, les toussotements nerveux de quelques hommes et le crépitement des flammes, Nicci continua son inspection. Les soldats ayant englouti les deux cochons que les villageois s'étaient fait rôtir, l'odeur de viande cuite, chassée par le vent, avait été remplacée par les relents âcres de la sueur et la puanteur typique des lieux où cohabitaient trop d'êtres humains.

— Vous savez tous pourquoi je suis ici, dit Nicci. Mais pour quelle raison m'avez-vous forcée à faire un si long voyage ?

Elle regarda la foule – quelque deux cents personnes –, alignée en rangs devant elle. Les soldats qui avaient forcé les villageois à sortir de leurs maisons ou à revenir des champs étaient beaucoup plus nombreux.

Nicci s'arrêta devant un homme que beaucoup de gens, avait-elle remarqué, regardaient furtivement, comme s'il était leur chef.

— Alors, pourquoi ? demanda-t-elle.

Quand il baissa humblement la tête, le vent fit voleter les rares cheveux gris de l'homme.

— Maîtresse, nous n'avons rien à vous donner. Ce village est très pauvre, et…

— Menteur ! Vous aviez deux cochons, mais vous préfériez faire ripaille plutôt que d'aider les gens dans le besoin !

— Il faut bien que nous mangions…

Ce n'était pas un argument, mais un plaidoyer…

— Comme tout le monde, pourtant, certains n'ont pas votre chance ! Ceux-là s'endorment tous les soirs en crevant de faim. Quelle tragédie ! Chaque jour, des milliers d'enfants meurent d'inanition et des millions d'autres crient famine. Et pendant ce temps, des égoïstes comme vous, dans un pays prospère, se remplissent la panse sans remords. Ces enfants ont le droit de vivre, et ceux qui vivent dans l'opulence doivent leur tendre la main.

» Nos soldats aussi ont besoin de manger. Crois-tu que lutter pour le bien commun soit facile ? Tous les jours, ces braves risquent leur vie afin que des hommes comme toi puissent élever leurs enfants dans un monde civilisé et digne. Comment oses-tu regarder ces héros dans les yeux ? Si chacun ne consent pas un sacrifice, les combattants mourront de faim, et nous serons vaincus.

Tremblant de tous ses membres, le villageois ne dit plus rien.

— Que dois-je faire pour que vous compreniez tous votre devoir envers les autres ? Assister plus malheureux que soit est une obligation morale, et le seul moyen d'obtenir le bonheur pour tous.

La vision de Nicci se troubla soudain. La torturant comme si on lui enfonçait des aiguilles chauffées au rouge dans les oreilles, la voix de Jagang retentit sous son crâne.

— *Tu es obligée de discourir comme ça ? Désigne des otages, et fais un exemple avec eux. Apprends à ces chiens ce qu'il en coûte de m'ignorer !*

Nicci tituba, aveuglée par la souffrance. Au lieu de résister, elle laissa la douleur l'envahir, et observa le phénomène comme s'il frappait quelqu'un d'autre. Ses abdominaux se tétanisèrent, et elle eut le sentiment qu'une lance à pointe barbelée lui déchirait les entrailles. Les bras le long du corps, elle attendit que le courroux de Jagang s'apaise – ou qu'il décide de la tuer.

Elle perdit toute notion du temps, comme chaque fois qu'il lui infligeait ça. Grâce au témoignage de tierces personnes – et pour avoir vu l'empereur torturer ainsi d'autres victimes – elle savait que la « séance » durait parfois quelques secondes. En d'autres occasions, cela se prolongeait pendant des heures.

Un gaspillage d'énergie pour l'empereur, car l'objet de sa colère n'était plus en état de faire la différence…

Soudain incapable de respirer, Nicci eut le sentiment qu'une main invisible lui serrait le cœur pour le forcer à s'arrêter de battre. Les poumons en feu, elle sentit ses genoux se dérober.

— *Ne me désobéis plus jamais !*

L'air circula de nouveau dans la trachée-artère de la Maîtresse de la Mort. Comme toujours, le châtiment de Jagang lui laissa un atroce goût dans la bouche, les muscles de sa mâchoire lui firent un mal de chien, ses oreilles bourdonnèrent et elle eut l'impression que ses dents allaient se déchausser. Quand sa vision se rétablit, elle fut étonnée, comme chaque fois, de ne pas voir une flaque de sang s'étaler à ses pieds. Se tâtant la bouche et une oreille, elle ne ramena pas de fluide vital au bout de ses doigts.

Pourquoi Jagang avait-il pu s'introduire dans son esprit à cet instant précis ? Il n'y avait pas accès en permanence, alors qu'il pénétrait à volonté dans celui des autres sœurs…

Ignorant pourquoi elle s'était interrompue, certains villageois regardaient fixement Nicci. Les jeunes hommes – et quelques vieux aussi – lorgnaient furtivement ses charmes. Habitués à voir des femmes engoncées dans des sacs qu'elles appelaient des robes, ils n'avaient jamais posé les yeux sur une beauté comme elle. Et même déshabillées, leurs compagnes, usées par le labeur et les grossesses à répétition, ne devaient pas être très jolies à voir. Grande, jeune et en pleine santé, Nicci portait une fine robe noire qui mettait ses courbes en valeur et dont le décolleté devait paraître vertigineux à ces bouseux.

Nicci se fichait comme d'une guigne d'éveiller le désir des hommes, sauf quand cela servait ses intérêts. Et aujourd'hui, ce n'était pas le cas.

Négligeant les ordres de Jagang, elle continua de passer les villageois en revue. Obéir n'était pas dans sa nature, et les punitions la laissaient de marbre.

Encore que... En un sens, elle en tirait plutôt une certaine satisfaction.

— *Nicci, pardonne-moi. Tu sais que je ne veux pas te faire de mal...*

Ignorant la voix de son maître, Nicci dévisagea les villageois qui osaient la regarder. Elle adorait sonder le regard des gens assez courageux pour le braquer sur elle, surtout quand il brillait de terreur.

Et bientôt, ces minables trembleraient de peur pour d'excellentes raisons!

— *Nicci, il faut m'obéir. Sinon, tu me forceras à te blesser grièvement. Aucun de nous deux ne veut que ça arrive. Mais si tu me défies, je risque de finir par te tuer...*

— *Si ça vous amuse, n'hésitez pas!* répondit mentalement Nicci.

Ce n'était pas de la provocation, simplement l'expression d'un profond désintérêt pour son sort.

— *Tu sais que je n'en ai pas envie, Nicci...*

Sans la douleur, la voix de Jagang ne gênait pas plus la Maîtresse de la Mort qu'une mouche qui voletait autour d'elle. L'ignorant, elle reprit son discours:

— Avez-vous idée des efforts que nous consentons pour vous assurer un avenir radieux? Ou rêvez-vous de bénéficier de nos sacrifices sans y contribuer? Beaucoup de soldats ont donné leur vie en affrontant vos oppresseurs. Nous luttons pour que tous les peuples profitent de la prospérité à venir. Dans votre propre intérêt, vous devez nous aider. C'est une obligation morale, comme de voler au secours des déshérités.

L'air agacé, le commandant Kardeef vint se camper devant Nicci, qui ne fut pas émue le moins du monde par son mécontentement. Cet homme n'était jamais satisfait de rien.

Enfin, de presque rien, pour être honnête...

— Les peuples apprennent la vertu à force de sacrifices et de discipline, déclara-t-il. L'Ordre t'a chargée de leur enseigner l'obéissance. Pas de leur prodiguer des cours d'éducation civique.

Le commandant était certain de dominer Nicci, car lui aussi l'avait torturée. Mais elle avait supporté les outrages de Kadar Kardeef avec le détachement souverain qui interdisait à Jagang d'avoir une réelle emprise sur elle.

Pour éprouver quelque chose, Nicci devait souffrir atrocement. Et c'était toujours mieux que le vide qui l'habitait le reste du temps.

Kadar ne s'était sûrement pas aperçu que l'empereur venait de la punir, et il ne savait rien de ses ordres, car Jagang ne s'introduisait pas dans son esprit. Manipuler mentalement des êtres dépourvus de dons magiques ne lui était pas aisé. Il pouvait le faire, mais pourquoi gaspiller son énergie, puisqu'il avait des intermédiaires à sa disposition ? Avec les sujets dotés d'un pouvoir, il disposait d'une sorte de levier qui lui facilitait la tâche. En somme, ses victimes, dans ce cas précis, devenaient des complices involontaires.

Kardeef baissa son visage ridé vers Nicci, qui leva les yeux pour soutenir son regard. Très grand, l'officier avait de quoi impressionner avec les bandes de cuir qui se croisaient sur sa poitrine, sur un plastron étincelant, et les armes qui pendaient à sa ceinture, au moins aussi brillantes que sa cotte de mailles. À l'occasion, Nicci l'avait vu broyer la gorge d'un homme d'une seule main. En guise de médailles, il arborait sur tout le corps des cicatrices récoltées lors de ses nombreuses batailles.

Et Nicci les connaissait *toutes*…

Peu d'officiers pouvaient se vanter d'avoir à ce point la confiance de l'empereur. Engagé dans l'Ordre dès son adolescence, Kadar était sorti des rangs au mérite, et il avait aidé Jagang à étendre son empire au-delà d'Altur'Rang, son pays natal. Au bout du compte, l'Ancien Monde tout entier était tombé entre les mains de celui qui marche dans les rêves.

Kardeef était le héros de la campagne de la Petite Brèche. Inversant presque tout seul le cours de la bataille, il avait traversé les lignes ennemies et tué de sa main les trois grands rois qui avaient uni leurs forces pour écraser l'Ordre Impérial avant que ses discours généreux ne puissent enflammer l'imagination de millions d'hommes isolés dans une multitude de royaumes, de baronnies, de clans, de cités États et d'immenses régions contrôlés par des seigneurs de la guerre aux alliances de circonstance.

L'Ancien Monde était à l'époque une poudrière qui attendait l'étincelle de la révolution. La bonne parole de l'Ordre l'avait enfin fait exploser ! Si les hauts prêtres étaient l'âme de l'Ordre, Jagang restait ses os et ses muscles. Fort peu de gens mesuraient le génie de l'empereur. En lui, ils voyaient un féroce guerrier, ou un magicien capable de marcher dans les rêves. Mais il était beaucoup plus que cela.

Il lui avait fallu des décennies pour mettre l'Ancien Monde à genoux et propulser l'Ordre vers les sommets de la gloire. Durant ces années de guerre, il avait pris le temps d'imaginer et de faire construire le réseau de routes qui lui permettait de déplacer très vite des troupes et du matériel militaire. Dans chaque pays annexé, il avait mis des hommes au travail pour participer à l'élaboration de cette gigantesque toile d'araignée. Aujourd'hui, il était en mesure de maintenir les communications en toutes circonstances, et de réagir aux situations imprévues plus vite que n'importe qui. Des royaumes jadis coupés du reste de l'Ancien Monde lui étaient désormais reliés. Avec ses voies de communication, Jagang les avait réunis, et des dizaines de peuples étaient prêts à marcher avec lui sur le chemin du triomphe.

Kadar Kardeef avait participé à cette grande œuvre. Plus d'une fois, il avait été blessé pour sauver la vie de Jagang, qui avait lui-même reçu un carreau d'arbalète destiné à son compagnon. Si l'empereur avait un ami – une éventualité peu probable –, ça ne pouvait être que l'irascible commandant.

Nicci avait rencontré Kadar lorsqu'il était venu prier au Palais des Prophètes, à Tanimura. Le vieux roi Gregory, jusque-là maître du royaume, avait disparu sans laisser de trace. Profondément dévot, Kadar, avant chaque bataille, implorait le Créateur de lui accorder la victoire. Après, il lui recommandait l'âme des hommes qu'il avait tués.

Le jour de sa rencontre avec Nicci, on prétendait qu'il voulait prier pour le salut éternel du roi Gregory. Du jour au lendemain, l'Ordre Impérial avait pris le pouvoir à Tanimura, et la population avait festoyé pendant des jours dans les rues.

Trois mille ans durant, installées dans le Palais des Prophètes, les Sœurs de la Lumière avaient vu les gouvernements se succéder. Sous l'influence de leur Dame Abbesse, elles tenaient la politique pour une futilité qu'il convenait d'ignorer. Leur mission, pensaient-elles, les mettait au-dessus de ces contingences. Habituées aux révolutions, elles avaient cru dur comme fer qu'elles seraient toujours là quand l'Ordre Impérial aurait depuis longtemps sombré dans l'oubli. Une grossière erreur !

De vingt ans plus jeune, à l'époque, Kadar Kardeef était un beau et fier conquérant qui venait prendre de force la capitale du royaume. Beaucoup de sœurs l'avaient trouvé fascinant. Pas Nicci, mais lui s'était passionnément intéressé à elle.

Bien entendu, l'empereur ne chargeait pas des hommes de l'envergure du commandant de pacifier les royaumes conquis. Kadar avait une mission bien plus importante : veiller sur Nicci, que Jagang tenait pour un de ses biens les plus précieux…

La Maîtresse de la Mort cessa de s'intéresser à Kardeef et sonda de nouveau la foule.

Puis elle riva les yeux sur le type aux cheveux gris.

—Nous ne pouvons pas permettre que ce village se dérobe à ses responsabilités envers les déshérités et refuse de participer à la renaissance de l'humanité.

—Par pitié, maîtresse… Nous n'avons rien !

—Négliger la cause est une trahison !

L'homme jugea plus prudent de ne pas contredire son interlocutrice sur ce point.

— Vous ne semblez pas comprendre que cet officier, derrière moi, veut vous prouver que l'Ordre Impérial est sans pitié envers ceux qui ne s'acquittent pas de leur devoir. Vous avez tous entendu des histoires à ce sujet, mais cet homme à l'intention de vous faire découvrir la triste réalité. Et croyez-moi, elle dépasse toujours l'imagination…

Nicci dévisagea l'homme, attendant sa réponse.

— Maîtresse, il nous faut un peu de temps… Nos récoltes sont prometteuses, et quand viendra la moisson nous contribuerons volontiers au combat pour… hum… pour…

— La renaissance de l'humanité et son nouveau départ.

— Oui, maîtresse, la renaissance et le nouveau départ…

Dès que l'homme eut rebaissé la tête, Nicci avança vers les villageois. Elle n'était pas venue récolter un butin, mais semer la terreur.

Et l'heure d'agir avait sonné.

La Maîtresse de la Mort s'arrêta, distraite par le regard plein d'innocence et d'émerveillement que venait de lui jeter une jeune fille. Pour elle, tout était nouveau, et elle voulait tout voir. Dans ses yeux noirs, Nicci vit briller la flamme la plus rare, fragile et périssable qui soit. Celle d'une âme candide que la douleur et le mal n'avaient pas encore affectée.

Elle prit le menton de la gamine et sonda son regard.

C'était un de ses plus vieux souvenirs : sa mère, debout devant elle, la tenant ainsi et la dévisageant de la même façon.

Elle aussi avait le don, mais elle le considérait comme une malédiction et un défi moral. Une malédiction parce qu'il conférait à une personne des pouvoirs que les autres n'avaient pas. Et un défi moral, parce que la dignité imposait de ne jamais utiliser en mal cette supériorité.

La mère de la Maîtresse de la Mort ne recourait presque jamais à son don. Tandis que des serviteurs s'acquittaient des tâches quotidiennes, elle passait le plus clair de son temps avec son petit groupe d'amis, se consacrant à des quêtes spirituelles.

— Au nom du Créateur, disait-elle souvent en se tordant les mains, le père de Nicci est un monstre ! (À cet instant, quelques-unes de ses compagnes lui murmuraient immanquablement toute leur sympathie.) Pourquoi m'a-t-il chargée d'un pareil fardeau ? Je crains que son âme immortelle soit hors de portée de nos prières et de la rédemption.

Cette déclaration lui valait à chaque fois des hochements de tête entendus…

Les yeux de cette femme étaient aussi noirs que la carapace d'un cafard. Nicci les trouvait trop rapprochés, et elle détestait ses lèvres perpétuellement pincées, comme pour exprimer une éternelle désapprobation. Bref, elle n'avait rien d'aimable et, aux yeux de sa fille, en tout cas, était totalement dépourvue de beauté. Bien entendu, ses amis pensaient le contraire, et ils ne manquaient jamais une occasion de le claironner.

Selon la mère de Nicci, la beauté était une malédiction pour une femme honnête, car seule les filles de joie pouvaient en tirer un quelconque bénéfice.

Intriguée par les sempiternelles tirades visant son père, Nicci avait fini par oser demander de quoi il était coupable.

Bien sûr, sa mère lui avait pris le menton avant de répondre.

— Nicci, tu as des yeux magnifiques, mais tu ne vois rien ! Tous les êtres humains sont de misérables pécheurs, c'est le fardeau qu'ils doivent porter sur les épaules. Imagines-tu combien souffrent les gens moins gâtés par la nature que toi lorsqu'ils voient ton visage ? Voilà ce que tu apportes aux autres : un peu plus de souffrance ! Le Créateur t'a donné la vie pour que tu soulages les tourments de ton prochain, mais tu fais exactement le contraire !

En buvant leur thé, les terribles amis avaient échangé des murmures attristés, mais qui abondaient néanmoins en ce sens.

Ce jour-là, Nicci avait compris qu'elle était indélébilement souillée par le mal. Plus tard, s'était-elle dit, elle comprendrait sa nature, qui lui demeurait pour l'instant énigmatique.

Elle plongea le regard dans les yeux noirs de la jeune innocente. Aujourd'hui, cette petite verrait des choses qu'elle n'était même pas en mesure d'imaginer. Alors, elle cesserait d'être aveugle…

Pour l'instant, elle ne se doutait pas de ce qui allait arriver.

Mais de toute façon, quelle misérable existence aurait-elle eu ? Oui, mieux valait que les choses se passent ainsi.

Pour l'adolescente aussi, l'heure avait sonné.

Chapitre 8

Alors qu'elle allait passer à l'action, Nicci remarqua un détail qui l'indigna. Folle de rage, elle se tourna vers la villageoise la plus proche.

— Où peut-on trouver une bassine, dans ce trou infect ?

Surprise par cette question, la femme hésita puis tendit un doigt tremblant vers une maison à un étage, non loin de là.

— Dans la cour, derrière le marchand de poteries, il y a un lavoir, et…

Nicci prit la villageoise par la gorge.

— Ne me raconte pas ta vie ! Va chercher une paire de ciseaux et attends-moi là-bas ! (Les yeux écarquillés, la femme ne bougea pas, et la Maîtresse de la Mort dut la pousser violemment.) Dépêche-toi ! Tu préférerais mourir sur-le-champ ?

Nicci tira sur une des lanières de cuir clouté que Kardeef portait en permanence sur l'épaule. L'homme ne fit rien pour l'en empêcher, mais tandis qu'elle s'emparait de la lanière, il lui prit le poignet au vol.

— J'espère que tu prévois de noyer cette petite garce, ou de lui découper des morceaux de peau avec les ciseaux, puis de lui crever les yeux. (L'haleine de Kadar empestant l'oignon et la bière, Nicci plissa les narines de dégoût.) Voilà comment nous allons procéder : pendant que tu t'occuperas de la gamine, et qu'elle suppliera que tu l'épargnes, je sélectionnerai quelques jeunes types, ou peut-être des femmes, histoire de faire un exemple. Que préfères-tu, cette fois ? Des otages masculins ou féminins ?

Nicci baissa un regard noir sur les doigts qui enserraient son poignet. Avec un grognement menaçant, Kardeef les retira très lentement.

La Maîtresse de la Mort se tourna vers la gamine, lui enroula la lanière autour du cou – un collier improvisé – et fit une boucle autour de sa main avec les deux extrémités de la « laisse ». La fille en couina de surprise.

Depuis sa naissance, on ne l'avait sans doute jamais traitée si brutalement. Impitoyable, Nicci la tira avec elle en direction du bâtiment indiqué par la villageoise.

Voyant que la Maîtresse de la Mort était furieuse, personne n'osa la suivre. Dans la foule, une femme – sans doute la mère de la gamine – cria d'indignation, mais elle se tut dès que tous les regards des soldats se braquèrent sur elle.

Derrière la boutique, dans une petite cour, une série de haillons plus miteux les uns que les autres se balançaient au vent sur des cordes à linge. À les voir osciller ainsi, on aurait pu croire qu'ils tentaient de se libérer pour fuir le plus loin possible de cet infect village.

Une paire de ciseaux à la main, la villageoise attendait, blanche comme un linge.

Nicci tira sa prisonnière jusqu'à une énorme bassine, la força à s'agenouiller et lui plongea la tête dans l'eau. Tandis que la gamine se débattait, la Maîtresse de la Mort arracha les ciseaux à la villageoise.

Refusant d'assister au meurtre d'une adolescente, la femme releva ses jupons et s'enfuit à toutes jambes malgré les larmes qui brouillaient sa vision.

Nicci sortit de l'eau la tête de la fille, qui lutta désespérément pour reprendre son souffle, et entreprit de couper très court ses cheveux noirs mouillés.

Quand elle eut terminé, Nicci replongea la tête de la petite dans la bassine. Elle l'en ressortit assez vite, s'empara d'un morceau de savon grisâtre qui traînait par là et frotta vigoureusement le cuir chevelu de sa victime.

La fille se débattit de plus belle, les mains refermées sur la lanière de cuir qui permettait à Nicci de la manipuler comme une marionnette. Cette idiote se faisait sans doute mal, mais dans sa fureur, la Maîtresse de la Mort s'en fichait comme d'une guigne.

—Quel genre de souillon es-tu ? cria-t-elle en secouant comme un prunier la pauvre enfant. Ne sais-tu pas que tu es infestée de poux ?

—Mais, je…

Le savon était aussi rugueux qu'une râpe. Alors que Nicci frottait de plus en plus vigoureusement, la gamine hurla à la mort.

—Tu aimes avoir la tête pleine de poux ?

—Non…

—Menteuse! Sinon, pourquoi serais-tu dans cet état de crasse ?

—Par pitié, arrêtez! J'essaierai de m'améliorer. Je me laverai tous les jours, c'est promis.

Dans son enfance, Nicci détestait revenir avec des poux des endroits où l'envoyait sa mère. Choisissant le savon le plus râpeux disponible, elle se frottait pendant des heures… juste avant d'être expédiée dans un autre lieu où elle récolterait encore de la vermine.

Quand elle eut savonné et plongé plusieurs fois dans la bassine la tête de la gamine, Nicci la tira sous une fontaine et procéda à une ultime purification à l'eau claire. Les yeux pleins de mousse piquante, l'adolescente battit furieusement des paupières, et des larmes roulèrent sur ses joues.

Nicci lui prit le menton et la foudroya du regard.

— Tes frusques doivent être truffées de lentes ! Il faudra les brosser chaque jour, surtout les sous-vêtements, sinon, les poux reviendront. Tu mérites mieux que d'être une petite pouilleuse ! N'en as-tu donc pas conscience ?

La gamine tenta de hocher la tête, mais la poigne de la Maîtresse de la Mort l'en empêcha. Ses grands yeux noirs brillants d'intelligence exprimaient toujours le même émerveillement enfantin. Si effrayante et pénible qu'ait été l'expérience qu'elle venait de vivre, son innocence y avait survécu.

— Brûle ta literie et procure-t'en une nouvelle. (Considérant la misère qui régnait dans le village, ce ne serait pas un jeu d'enfant.) Toute ta famille doit le faire aussi, et il faudra laver tous vos vêtements…

La gamine esquissa de nouveau un hochement de tête.

Sa mission accomplie, Nicci revint sur la place avec sa « protégée ». La tirer ainsi par une laisse lui rappela une scène qu'elle n'était pas près d'oublier.

La première fois qu'elle avait vu Richard !

Ce jour-là, presque toutes les sœurs étaient réunies dans le grand hall du Palais des Prophètes pour découvrir le nouveau garçon que Verna ramenait de son très long voyage. Penchée à la balustrade en chêne de la galerie, Nicci jouait distraitement avec les lacets de son corset quand les lourdes portes en noyer s'étaient ouvertes. Les murmures s'étaient tus instantanément lorsqu'un petit groupe, conduit par sœur Phoebe, s'était avancé dans la salle au dôme majestueux.

Depuis très longtemps, fort peu de garçons naissaient avec le don, et leur arrivée au palais, après qu'on les eut péniblement localisés, était toujours un grand événement. Le soir même, un grand banquet souhaiterait la bienvenue au jeune Richard.

La majorité des sœurs, parées de leurs plus beaux atours, s'étaient massées dans la salle. Nicci avait préféré prendre place dans la galerie, histoire de voir les choses de haut. De toute façon, la venue de Richard ne l'intéressait guère…

Elle avait pourtant sursauté en voyant combien Verna avait vieilli pendant son absence. En général, les voyages de « récupération » duraient tout au plus un an. Celui de Verna, qui l'avait contrainte à s'aventurer dans le Nouveau Monde, lui avait pris deux décennies. Les événements qui se déroulaient de l'autre côté de la vallée des Âmes Perdues – la barrière qui séparait l'Ancien Monde du Nouveau – étant difficiles à connaître, Verna avait été envoyée en mission beaucoup trop tôt.

Au Palais des Prophètes, la vie ressemblait à un – très – long fleuve tranquille. Protégés par le sort qui ralentissait le temps, aucun de ses habitants n'avait vieilli pendant ces vingt ans. Ne bénéficiant plus de cette magie, Verna avait subi l'irréparable outrage des ans. Alors qu'elle devait approcher de son cent soixantième anniversaire – soit une bonne vingtaine d'années de moins que Nicci – elle paraissait deux fois plus vieille qu'elle. Hors du palais, le temps reprenait ses droits, bien entendu, mais voir une telle décrépitude chez une sœur était choquant...

Alors que les sœurs applaudissaient, des larmes de joie aux yeux, Nicci avait bâillé d'ennui.

Campée au milieu de la salle, sœur Phoebe avait levé les bras pour demander le silence.

— Mes sœurs, veuillez saluer sœur Verna, enfin de retour dans son foyer. (De nouveaux applaudissements avaient forcé Phoebe à lever de nouveau les bras.) Puis-je aussi vous présenter le nouvel élève que le Créateur nous envoie ? (Elle avait fait signe à Richard d'approcher. Il avait obéi, suivi comme son ombre par Verna.) As-tu un nom, en plus d'un prénom ?

Richard avait hésité un moment avant de répondre :

— Cypher...

— Veuillez accueillir Richard Cypher, le nouveau pensionnaire du Palais des Prophètes !

Quand le garçon avait avancé d'un pas, plusieurs femmes s'étaient jetées en arrière en poussant un petit cri. Nicci avait également sursauté, les yeux ronds. Ce n'était pas du tout un « garçon », mais un homme adulte !

Malgré sa surprise, l'assistance avait de nouveau applaudi et crié de joie. Pas Nicci, qui n'avait pu détourner le regard des yeux gris de Richard pendant qu'on lui présentait quelques sœurs et Pasha, la novice chargée de s'occuper de lui.

— J'ai une déclaration à faire, avait-il annoncé en écartant la pauvre Pasha comme un cerf qui se débarrasse d'un vulgaire campagnol.

Chacun de ses gestes, avait noté Nicci, exprimait la même autorité tranquille que ses yeux. Fascinée, l'assemblée s'était tue pendant qu'il la balayait du regard.

Au moment où leurs yeux s'étaient croisés, à peine une fraction de seconde, Nicci avait serré plus fort la rampe de la galerie. Dès cet instant, elle s'était juré de tout faire pour être une des formatrices de Richard...

Le nouveau pensionnaire avait tapoté son Rada'Han du bout des doigts.

— Tant que je porterai ce collier, vous serez mes geôlières et moi, votre prisonnier. Puisque je ne vous ai jamais causé de tort, cela fait de nous des ennemis. Nous sommes en guerre.

Cette tirade avait scandalisé les sœurs. Le collier qu'on mettait autour du cou des garçons servait moins à les contrôler qu'à les protéger. Les pensionnaires du palais n'étaient pas des prisonniers, mais des invités qu'il convenait de choyer, de défendre et de former. À l'évidence, Richard ne voyait pas les choses ainsi…

Quant à sa déclaration de guerre, c'était inouï! Dans la salle, la moitié des femmes s'étaient empourprées et les autres avaient blêmi. L'attitude de cet homme sortait décidément de l'ordinaire. De peur de rater un détail, Nicci n'osait plus battre des paupières et respirait le plus doucement possible afin de ne pas manquer un seul de ses mots. Hélas, empêcher son cœur de battre la chamade n'était pas dans ses possibilités.

—Sœur Verna m'a promis qu'on m'apprendrait à contrôler le don, et que je pourrais partir dès que ce serait fait. Si vous respectez ce serment, je veux bien signer une trêve. Mais il y a des conditions.

Richard avait levé à hauteur de ses yeux l'étrange lanière de cuir rouge qui pendait à son cou au bout d'une chaîne en or. À l'époque, Nicci ignorait qu'il s'agissait d'un Agiel, l'arme de prédilection des Mord-Sith.

—J'ai déjà porté un collier. La personne qui me l'a imposé l'a utilisé pour me punir, me dresser et me briser. C'est à cela que sert cet instrument. On le met à une bête ou à un ennemi…

Le seul destin possible pour un homme pareil, avait pensé Nicci.

—J'ai fait à cette personne la même offre qu'à vous. Je l'ai suppliée de me relâcher, et elle a refusé. Alors, j'ai dû la tuer. Aucune de vous ne lui arrivera à la cheville en matière de cruauté. Elle agissait ainsi parce qu'on l'avait torturée et brisée, pour qu'elle s'acharne sur les autres. Ce n'était pas dans sa nature, et ça la rendait plus redoutable encore.

» Vous pensez faire le bien en réduisant des innocents en esclavage au nom du Créateur. Je ne connais pas votre Créateur. Le seul être étranger à ce monde qui se comporterait ainsi, à mes yeux, est le Gardien. (La foule avait glapi d'indignation.) Pour ce que j'en sais, vous pouvez tout aussi bien être ses disciples!

Le pauvre Richard ne savait pas, en ce temps-là, à quel point il avait raison.

—Alors, si vous me faites souffrir avec le collier, comme la personne dont je parlais, notre trêve sera rompue. Et si vous croyez me tenir en laisse, vous découvrirez, en cas de problème, que vous serez la foudre dans vos poings.

Un silence de mort était tombé sur la salle.

Seul au milieu de centaines de magiciennes qui contrôlaient parfaitement leur pouvoir, ignorant tout de son don et un Rada'Han autour du cou, Richard avait osé lancer un défi et proféré des menaces. Cet homme était bien un cerf, mais dans ce cas précis, il s'opposait ouvertement à une bande de lionnes affamées.

Richard avait relevé sa manche gauche et dégainé l'Épée de Vérité, dont la note métallique avait longuement résonné dans l'air.

Fascinée, Nicci l'avait écouté énumérer ses conditions.

Ensuite, il avait désigné sœur Verna de la pointe de son épée.

— Cette femme m'a capturé, et je l'ai combattue tout au long de notre voyage. Pour me conduire ici, elle a tout fait, à part me tuer et attacher mon cadavre sur le dos d'un cheval. Bien qu'elle soit aussi mon ennemie, j'ai une certaine dette envers elle. Si quelqu'un touche à un de ses cheveux à cause de moi, je tuerai le coupable, et la trêve sera également rompue.

Pour Nicci, avoir un tel sens de l'honneur était tout simplement inimaginable. Mais ça allait parfaitement bien avec ce qu'elle avait vu dans les yeux de Richard…

L'assistance avait crié de terreur quand il s'était entaillé l'intérieur du bras gauche avec son arme. Tandis que le sang ruisselait le long de la lame, qu'il avait longuement passée sur la plaie, Nicci, contrairement aux autres sœurs, avait compris que cette épée était liée à la magie de Richard.

Serrant si fort la garde que ses phalanges en étaient toutes blanches, il avait brandi l'arme au-dessus de sa tête.

— Je le jure sur mon sang! Si vous faites du mal aux Baka Ban Mana, à Verna ou à moi, la trêve n'existera plus et vous saurez ce que veut dire le mot « guerre ». Car je raserai le Palais des Prophètes!

— À toi tout seul? avait lancé Jedidiah d'une voix moqueuse.

Dissimulé dans la foule, au milieu de la galerie, le sorcier encore en formation savait que Richard ne le repérerait pas.

— Doutez-en à vos risques et périls. Je suis prisonnier et je n'ai plus aucune raison de vivre. Mais je suis aussi la chair et le sang de la prophétie: le messager de la mort!

Personne n'avait osé reprendre la parole. Même si aucune n'aurait pu jurer la comprendre vraiment, toutes les femmes présentes dans la salle connaissaient la prophétie du messager de la mort. Cette prédiction, comme toutes les autres, était conservée dans les catacombes du palais. Découvrir que Richard la connaissait aussi – et osait en parler à haute voix devant une telle assemblée – n'était pas de très bon augure. Par prudence, toutes les lionnes qui entouraient le cerf avaient rétracté leurs griffes.

Son discours terminé, Richard avait rengainé son épée – un geste qu'il parvenait à rendre menaçant…

Dès cet instant, Nicci avait compris que ce qu'elle venait de voir dans les yeux de cet homme, et dans sa prestance même, la hanterait jusqu'à la fin de ses jours.

Une autre vérité s'était imposée à elle: tôt ou tard, elle devrait tuer Richard Cypher!

Pour devenir une de ses six formatrices, elle avait dû multiplier les promesses de faveurs et jurer de s'acquitter d'obligations qui heurtaient profondément sa vision d'elle-même. Mais le jeu en valait la chandelle! Assise à une petite table en face de lui, dans sa chambre, lui serrant légèrement les mains – en admettant qu'on puisse saisir légèrement la foudre –, elle s'était acharnée à lui apprendre à toucher son Han, l'essence même de la vie et de la magie chez les êtres nés avec le don.

Malgré des efforts méritoires, Richard ne sentait rien. Un phénomène étonnant en soi… Mais la minuscule étincelle que Nicci captait en lui suffisait à lui couper le souffle, la laissant souvent incapable de parler. Pour les avoir interrogées, l'air innocent, elle savait que les cinq autres formatrices n'avaient rien remarqué.

Même si elle ne parvenait pas à identifier ce que l'esprit et le corps de Richard avaient de si particulier, Nicci avait conscience que cela la troublait, traversant le bouclier d'habitude impénétrable de son indifférence. Avant de tuer cet homme, s'était-elle juré, il fallait qu'elle sache de quoi il s'agissait.

Bizarrement, il lui arrivait souvent d'avoir envie de le détruire avant d'avoir découvert la vérité…

Chaque fois qu'elle pensait avoir soulevé un morceau du voile – et donc être en mesure de prédire ce qu'il ferait dans une situation donnée –, Richard la prenait à contre-pied en agissant d'une façon totalement inattendue, voire contraire à tout ce qu'elle aurait pu postuler. Régulièrement, il réduisait en cendres le savoir qu'elle croyait avoir accumulé sur son étrange personnalité.

Désespérée, Nicci passait des heures seule dans sa chambre, persuadée que la réponse lui crevait les yeux, mais qu'elle ne parvenait pas à la voir. Une certitude l'habitait : la clé de l'énigme était un principe moral d'une importance démesurée. Mais bien qu'elle sût quoi chercher, elle tournait toujours en rond…

Toujours mécontent d'être prisonnier, Richard était devenu de plus en plus distant avec elle. À bout de nerfs, Nicci avait décidé de l'assassiner…

Un jour, alors qu'elle venait dans sa chambre pour ce qui aurait dû être leur dernière séance, il l'avait stupéfiée en lui offrant une rose très rare. Pis que tout, il lui avait fait ce présent avec un doux sourire, et sans daigner lui offrir l'ombre d'une explication.

La fleur dans la main, elle avait seulement pu lâcher un : « Merci, Richard » du plus parfait ridicule. Ces roses venaient de parties du palais interdites à tous les étudiants, et où il n'aurait pas dû pouvoir s'introduire. Apparemment, il avait trouvé un moyen, et il ne craignait pas de le faire savoir à une de ses formatrices. Un comportement étonnant…

Tenant la fleur entre le pouce et l'index, Nicci s'était demandé s'il entendait lui rappeler, en lui offrant une rose interdite, qu'il était le messager de la mort, toujours plus menaçant qu'on pouvait le croire. Ou s'agissait-il d'un simple geste d'amitié, si aberrant que cela semblât ?

En tout cas, elle avait décidé de ne pas mettre son projet à exécution. Une fois encore, la nature même de Richard l'avait prise au dépourvu et contrainte à la prudence.

Les autres Sœurs de la Lumière avaient également des vues sur le nouvel étudiant. Pour Nicci, le don de Richard était de très loin sa caractéristique la moins remarquable et importante. Ce n'était pas l'avis de Liliana, une autre formatrice – une femme aux appétits dévorants et à l'intelligence limitée – qui avait décidé de voler le Han du jeune homme.

Une confrontation mortelle s'était ensuivie, et Liliana avait perdu. Les cinq formatrices survivantes et Ulicia, la chef des Sœurs de l'Obscurité, avaient été démasquées. Contraintes de fuir le palais, elles avaient fini par tomber entre les mains de Jagang.

À ce jour, Nicci ne savait toujours pas quelle vertu si particulière elle avait vu briller dans les yeux de Richard Cypher.

Pour elle, tout avait très mal tourné…

Dès que Nicci lâcha la « laisse », la gamine fraîchement débarrassée de ses poux courut se réfugier dans les bras de sa mère.

— Eh bien ? lança Kardeef, les poings plaqués sur les hanches. Tu en as fini avec tes petits jeux ? Il est temps que ces gens découvrent le véritable sens du mot « brutalité ».

Nicci sonda les yeux noirs de l'officier. Elle y lut du défi, de la colère et de la détermination – mais rien de commun avec ce qui brillait dans ceux de Richard.

La Maîtresse de la Mort se tourna vers les soldats.

— Vous deux, lança-t-elle à un duo de colosses, emparez-vous du commandant !

Les hommes écarquillèrent les yeux, et Kardeef s'empourpra de colère.

— Enfin, voilà le moment que j'attendais ! s'écria-t-il. Tu es allée trop loin, garce vêtue de noir !

Il se tourna vers ses hommes – deux mille guerriers aguerris – et désigna Nicci, dans son dos.

— Finissons-en avec cette sorcière folle !

Les six soldats les plus proches de Nicci dégainèrent leur arme. Comme tous les combattants de l'Ordre, ils étaient forts, très grands et terriblement rapides.

Nicci tendit simplement un poing vers le colosse qui s'apprêtait à propulser sur elle la lanière de son fouet – sans doute pour lui entraver les bras. Aussitôt, les magies Additive et Soustractive se combinèrent pour générer un éclair blanc si aveuglant que la lumière du soleil, en comparaison, parut soudain pâlichonne.

L'éclair fora dans la poitrine du soldat un trou du diamètre d'un melon. Un instant, avant que les organes du type se déversent par cet orifice, Nicci aperçut à travers les hommes qui se tenaient derrière le moribond.

L'odeur âcre de la fumée acide lui faisant picoter les yeux, la Maîtresse de la Mort entendit l'écho de sa foudre magique se répercuter jusque dans les champs de céréales environnants. Avant que sa première victime ait touché le sol, elle frappa trois autres soldats, arrachant à l'un d'eux un bras et une épaule qui allèrent s'écraser au milieu de la foule. Un autre fut coupé en deux, et la tête du dernier explosa dans une gerbe de sang et d'éclats d'os.

Alors que l'onde de choc du sortilège lui donnait le sentiment qu'une main invisible déchirait sa poitrine de l'intérieur, Nicci jeta un regard d'avertissement aux deux agresseurs survivants, qui continuaient d'avancer vers elle, couteau au poing. Comprenant qu'ils n'avaient aucune chance de s'en tirer, les soldats s'immobilisèrent.

Dans les rangs, des dizaines d'hommes reculèrent d'instinct alors que l'écho des quatre détonations – parfaitement distinctes pour Nicci, mais si rapprochées qu'elles n'en formaient qu'une aux oreilles de tous les témoins – faisait encore trembler les bâtiments.

— Et maintenant, dit Nicci aux soldats d'une voix étrangement douce (et de ce fait d'autant plus menaçante), si vous ne m'obéissez pas, je m'emparerai seule du commandant Kardeef. Mais bien entendu, j'aurais pris la précaution de vous tuer tous avant…

Pas un homme n'osa répondre.

— Exécutez mon ordre ou préparez-vous à mourir ! Je n'attendrai pas très longtemps…

Les soldats n'hésitèrent plus. Connaissant la Maîtresse de la Mort, ils savaient qu'elle ne se vantait pas.

Des dizaines d'hommes se jetèrent sur Kardeef, qui réussit de justesse à dégainer son épée. Familier des batailles rangées, il parvint à crier des ordres tout en ferraillant. Sans l'écouter, ses soldats l'encerclèrent. Plus d'un tomba raide mort, le cœur transpercé, mais deux hommes parvinrent à sauter sur le dos du commandant et à immobiliser son bras droit.

D'autres vinrent les aider, et Kardeef, submergé par le nombre, fut bientôt désarmé, jeté à terre et solidement maintenu par des dizaines de mains.

— Que crois-tu faire, sorcière ? cria-t-il tandis que les soldats le remettaient debout.

Nicci approcha du commandant, qui avait les bras retournés dans le dos par deux hommes, et sonda calmement ses yeux écarquillés de fureur.

— Eh bien, j'exécute vos ordres, tout simplement.

— Que veux-tu dire, espèce de folle ?

La Maîtresse de la Mort sourit – pas parce qu'elle en avait envie, mais pour énerver encore plus l'officier.

—Que devons-nous faire de lui ? demanda un des soldats.

—Surtout, ne le frappez pas, parce que je veux qu'il soit conscient jusqu'au bout. Déshabillez-le et attachez-le sur la broche.

—La broche ? répéta l'homme, désorienté.

—Celle où rôtissaient les cochons que vous avez dévorés !

Nicci claqua des doigts, et les soldats commencèrent à dévêtir leur chef. Impassible, la Maîtresse de la Mort ne rata pas une miette du spectacle…

Devenus un butin comme les autres, l'uniforme et les précieuses armes de Kardeef disparurent prestement dans les rangs, où les soldats les plus féroces se les approprieraient, comme toujours dans ce genre de cas. Grognant sous l'effort, une dizaine d'hommes attachèrent Kardeef à la broche, que d'autres étaient allés chercher et qu'ils tenaient plaquée contre son dos.

Quand ce fut fait, Nicci se tourna vers les villageois.

—Le commandant Kardeef tenait à vous montrer à quel point nous pouvons être brutaux. Je vais exécuter ses ordres et vous faire voir un spectacle que vous n'oublierez jamais. (Elle se retourna vers les soldats.) Posez-le sur les flammes, qu'il rôtisse comme le porc qu'il est !

Les hommes obéirent, portant jusqu'au feu de cuisson le héros de la Petite Brèche et compagnon de longue date de Jagang.

Mais l'empereur, croyaient-ils savoir, les regardait à travers les yeux de Nicci, et il serait intervenu s'il avait désapprouvé la mise à mort du commandant. Celui qui marche dans les rêves était capable de forcer toutes les sœurs, y compris la Maîtresse de la Mort, à exécuter ses volontés, si dégradantes qu'elles fussent en certaines occasions…

Bien entendu, ils ignoraient que Jagang, pour une raison inconnue, n'avait pas accès à l'esprit de Nicci en ce moment.

Quand elle fut mise en place dans ses supports de pierre, des deux côtés de la fosse à feu, la broche oscilla un moment à cause du poids de Kadar. Puis elle se stabilisa, et le commandant, saucissonné comme un vulgaire quartier de viande, bénéficia d'une vision privilégiée sur les bûches et les boulets de charbon chauffés au rouge disposés sous son ventre.

Bien que les flammes ne fussent pas très vives, sa chair ne tarda pas à roussir. Sous le regard incrédule des villageois, Kadar se tortilla entre ses liens et cria à ses hommes de le détacher. Voyant qu'ils ne bronchaient pas, il les menaça de punitions qu'il ne serait plus jamais en mesure de leur infliger.

Enfin conscient qu'il était perdu, il se tut et mobilisa son énergie sur une tâche impossible : tenter de contrôler la terreur qui l'envahissait.

Campée devant les villageois, Nicci tendit nonchalamment un pouce dans son dos.

—Voilà une belle illustration de la cruauté de l'Ordre Impérial, dit-elle d'un ton neutre. Pour prouver à d'insignifiants paysans comme vous qu'ils n'ont pas de pitié à attendre de l'empereur, nous faisons aujourd'hui rôtir vif un héros de guerre qui a maintes fois prouvé sa valeur et qui a consacré sa vie à servir loyalement la cause de son maître. Comprenez-vous, à présent, que rien ne nous arrête ? Nous luttons pour le bien de tous, et cet idéal est plus important que n'importe quel individu, fût-il l'un des meilleurs d'entre nous. Maintenant, mes bonnes gens, pensez-vous encore que nous vous épargnerons si vous refusez de contribuer au glorieux effort commun ?

—Non, maîtresse, murmurèrent presque tous les villageois.

Dans le dos de Nicci, Kardeef hurla de douleur. Jouant en vain sa dernière carte, il cria ensuite à ses hommes de le détacher et de tuer la sorcière démente.

Pas un soldat ne broncha. À voir les visages de ces soudards, on eût même pu douter qu'ils aient entendu leur ancien chef. Pour eux, la compassion n'existait pas. Il n'y avait que la vie et la mort, et pour qu'ils continuent à vivre, Kadar Kardeef devait mourir.

Alors que les minutes passaient lentement, Nicci garda les yeux rivés sur la foule. Le commandant était assez haut au-dessus des flammes, mais elles reprenaient de la vigueur, car un soldat se chargeait de les attiser. De temps en temps, une bourrasque venait chasser leur chaleur, offrant au supplicié un répit illusoire. Son calvaire serait plus long, mais l'issue restait inévitable.

Nicci ne demanda pas qu'on ajoute du bois et du charbon dans la fosse. Elle avait tout son temps…

Bientôt, les villageois et certains soldats plissèrent le nez, car l'odeur de poils brûlés devenait insupportable. La peau de la poitrine et du ventre de Kadar, d'abord rouge vif, commença à noircir. Au bout d'un quart d'heure, elle se craquela puis explosa. Et tout ce temps, le commandant avait crié de douleur…

La puanteur, bizarrement, fut remplacée par une appétissante odeur de viande rôtie.

Quand il sentit que la fin approchait, Kadar implora sa tortionnaire. Criant son nom, il la supplia d'en finir en l'achevant ou en le libérant. Alors qu'il pleurnichait comme un enfant, Nicci caressa l'anneau d'or qui transperçait sa lèvre inférieure. La voix du moribond la dérangeait à peine plus que le bourdonnement d'une mouche.

La fine couche de graisse qui couvrait les muscles de Kadar commença à fondre. Ravivées par ce combustible, les flammes crépitèrent et lui léchèrent le visage.

—Nicci ! hurla Kadar. (Sachant que ses suppliques tombaient dans l'oreille d'une sourde, il ne tenta plus de dissimuler ses véritables sentiments.) Immonde salope ! Tu méritais toutes les horreurs que je t'ai infligées !

La Maîtresse de la Mort se tourna vers le commandant et croisa froidement son regard voilé par la douleur et la terreur.

— C'est vrai, je les méritais… Dites bonjour pour moi au Gardien, Kadar.

— Tu lui diras bientôt toi-même ! Quand Jagang saura ce que tu as fait, il te taillera en pièces de ses mains. Tu seras bientôt dans le royaume des morts, en face du Gardien !

Une fois encore, les paroles de Kadar n'eurent pas plus d'importance, pour Nicci, que le bourdonnement d'un insecte.

Le front ruisselant de sueur, les villageois continuaient d'assister à l'atroce spectacle. Sans que la Maîtresse de la Mort ait eu besoin de le leur dire, ils savaient qu'elle ne les autoriserait pas à s'en détourner. Ainsi, s'ils envisageaient un jour de désobéir à l'Ordre, leur imagination leur infligerait un châtiment dix fois pire que tout ce que Nicci pouvait leur faire.

Seuls les jeunes garçons semblaient plus fascinés que révulsés. Nicci remarqua qu'ils échangeaient sans cesse des regards appréciateurs. Les tortures de ce genre étaient une vraie petite fête pour un esprit enfantin. Un jour, ces gamins feraient de très bons combattants pour l'Ordre – si leur cerveau ne se développait pas trop.

Nicci croisa le regard de la petite pouilleuse, et la haine qu'elle lut dans ses yeux lui coupa le souffle. Même si elle avait détesté qu'on lui plonge la tête dans l'eau et qu'on la lui savonne sans douceur, cette expérience ne l'avait pas privée de la certitude de vivre dans un monde merveilleux et d'être quelqu'un de très spécial. À présent, elle avait perdu sa candeur.

Très droite, le torse bombé, Nicci reçut de plein fouet la haine de l'adolescente. Événement rare pour elle, elle eut le sentiment de vivre une expérience très forte…

Cette petite idiote ne se doutait pas que le commandant Kardeef rôtissait à sa place sur les flammes !

Quand il cessa enfin de crier, Nicci détourna les yeux de la gamine et s'adressa à la foule :

— Le passé est mort. Désormais, votre destin est lié à celui de l'Ordre Impérial. Si vous ne vous rachetez pas en contribuant à la cause commune, je reviendrai…

Personne ne douta qu'elle disait vrai. Et tous n'avaient plus qu'un désir : ne jamais la revoir !

Un soldat, les bras le long du corps et les mains tremblantes, approcha de Nicci d'un pas d'automate. À l'évidence, il souffrait atrocement.

— Je veux que tu rentres, ma petite chérie, dit-il d'une voix qui n'était pas vraiment la sienne. Et sans tarder !

Jagang !

Contrôler l'esprit des gens dépourvus de pouvoir lui coûtait beaucoup, pourtant il tenait fermement le soldat sous son emprise. S'il avait pu s'introduire dans la tête de Nicci et lui imposer sa volonté, il n'aurait pas trahi son impuissance en recourant à un intermédiaire.

La Maîtresse de la Mort ignorait pourquoi il ne pouvait soudain plus l'atteindre. Mais ce n'était pas la première fois que ça arrivait, et elle savait que ça ne durerait pas. Tôt ou tard, il la reprendrait entre ses griffes.

— Vous êtes en colère contre moi, Excellence ?

— À ton avis ?

— Eh bien, puisque Kadar était meilleur que vous au lit, j'ai pensé que vous seriez content d'en être débarrassé.

— Reviens immédiatement auprès de moi ! C'est compris ? Immédiatement !

— Comme il vous plaira, Excellence…

Nicci tendit la main, dégaina le coutelas que l'homme portait à la ceinture et le lui enfonça dans le ventre. Grognant sous l'effort, elle fit remonter lentement la lame, coupant en deux tous les organes vitaux de sa victime.

En attendant que sa calèche ait fait le tour de la place pour la reprendre, Nicci regarda le soldat agoniser à ses pieds. À son avis, le véritable propriétaire de ce corps ne saurait jamais ce qui lui était arrivé, car le rictus de Jagang flotta jusqu'au bout sur les lèvres de la future charogne.

Celui qui marche dans les rêves ayant besoin d'un esprit *vivant* pour se manifester, la Maîtresse de la Mort aurait la paix pendant un bon moment.

Quand la calèche fut arrivée, un soldat se précipita pour ouvrir la portière. Montant sur le marchepied, Nicci se retourna vers les villageois et se redressa de toute sa taille pour que tout le monde la voie bien.

— N'oubliez jamais cette journée où Jagang le Juste épargna vos misérables vies. Le commandant vous aurait massacré. À travers moi, l'empereur vous a montré l'étendue de sa compassion. Parlez autour de vous de la sagesse et de la bonté de Jagang le Juste, et je ne serai jamais contrainte de revenir.

Tous les villageois murmurèrent qu'ils chanteraient les louanges de l'empereur.

— Devons-nous ramener avec nous la dépouille du commandant ? demanda un capitaine.

Ce fidèle second de Kardeef portait à présent son épée au côté. Comme pour les légumes, le destin de la loyauté était de se faner, puis de pourrir et de puer insupportablement.

— Alors qu'il n'a pas fini de rôtir ? Non, laissez-le ici, à titre d'exemple. À part lui, tout le monde rentre avec moi à Fairfield.

— À vos ordres, répondit l'homme.

Il fit signe aux soldats d'aller récupérer leurs montures.

Nicci se pencha en avant et s'adressa au cocher.

— L'empereur veut me voir. Bien qu'il n'ait rien précisé à ce sujet, je suppose qu'il aimerait que tu ne traînes pas en chemin.

La Maîtresse de la Mort s'assit sur la banquette, le dos bien droit. Quand la calèche s'ébranla, elle se retint à l'encadrement de la fenêtre pour ne pas être trop secouée tant que le véhicule n'aurait pas fini de traverser la place au sol dur et irrégulier.

Dès que l'attelage eut rejoint la route, les choses s'arrangèrent assez pour que la passagère se détende un peu. Filtrant par la fenêtre, un rayon de soleil venait caresser la place vide, en face d'elle. Quand la calèche négocia un virage serré, il changea de place, sautant sur ses genoux comme un chat désireux de recevoir son content de caresses.

Des soldats en uniforme noir chevauchaient devant, derrière et sur les flancs de la calèche, soulevant une impressionnante colonne de poussière.

Pour l'instant, Nicci n'avait rien à craindre de Jagang. Et bien qu'elle voyageât avec deux mille hommes, elle se sentait seule, comme d'habitude. Mais bientôt, la douleur viendrait remplir son terrible vide intérieur.

Elle n'éprouvait ni joie ni angoisse. Parfois, elle se demandait pourquoi elle ne ressentait rien, à part le besoin de souffrir.

Alors que la calèche la conduisait vers Jagang, elle pensa à un autre homme, tentant de se rappeler toutes les occasions où elle l'avait croisé.

Elle revit chacune de ses rencontres avec Richard Cypher. Ou plutôt Richard Rahl, puisqu'il était maintenant connu sous ce nom, y compris par l'empereur.

Elle se souvint de ses yeux gris.

Jusqu'à ce fameux jour, elle n'avait jamais cru qu'un être pareil pût exister. Depuis, chaque fois qu'elle pensait à lui, comme à présent, un désir obsédant la torturait.

L'irrépressible envie de le détruire.

Chapitre 9

De grandes tentes aux couleurs criardes couvraient les collines tout autour de Fairfield. Pourtant, malgré les rires, les cris, les échos des chansons et les beuglements paillards, il ne s'agissait pas du campement d'une fête foraine géante, mais du cantonnement d'une armée d'occupation. Le pavillon de l'empereur et ceux de sa suite imitaient le style très particulier des habitations d'un peuple de nomades d'Altur'Rang, le pays natal de Jagang – mais leur beauté et leur luxe allaient très au-delà des antiques traditions. Bien plus imaginatif que n'importe quel chef tribal, le maître de l'Ordre Impérial créait chaque jour son propre héritage culturel, et rien n'imposait de limites à sa fantaisie.

Tout autour de la ville, aussi loin que Nicci pouvait voir, se dressaient les tentes beaucoup plus petites (et ô combien plus crasseuses !) des soldats. Très souvent en peau de bête, mais parfois en toile huilée, elles n'avaient qu'un point commun : une totale absence d'uniformité.

Après la mise à sac, les soudards avaient disposé tout autour de leurs « résidences » de magnifiques fauteuils revêtus de velours dérobés dans les maisons huppées de la capitale. Le contraste était si frappant qu'on aurait pu croire à de l'humour volontaire, mais les subtilités de ce genre, Nicci avait payé pour le savoir, passaient bien au-dessus de la tête des guerriers de l'Ordre. Quand l'armée lèverait le camp, ces remarquables pièces d'ameublement, trop encombrantes pour être emportées, seraient transformées en petit bois ou laissées à pourrir sur place.

Les chevaux étaient attachés à des piquets un peu partout dans le campement. Quelques-uns, plus chanceux, avaient droit à des enclos de fortune. Le bétail, en revanche, était systématiquement parqué dans des zones clôturées.

Les chariots stationnaient au hasard, comme si on les avait simplement laissés là où on avait trouvé de la place. Si une partie de ces véhicules appartenait aux civils qui suivaient l'armée en campagne, la majorité transportait du matériel militaire ou des vivres. En revanche, l'Ordre ne voyageait avec pratiquement aucune machine de guerre, car les sorciers ralliés à sa cause remplaçaient avantageusement les balistes et autres catapultes.

Alors que des nuages bas accentuaient la pénombre du crépuscule, l'air charriait une épouvantable odeur d'excréments humains et animaux. Les champs naguère luxuriants qui entouraient Fairfield n'étaient désormais plus que des latrines géantes.

Les deux mille hommes revenus avec Nicci s'étaient déjà volatilisés, avalés en quelques minutes par le campement tentaculaire.

Malgré le vacarme insupportable et l'anarchie apparente, il régnait un certain ordre dans les camps de l'armée impériale. Il existait bel et bien une chaîne de commandement, et les officiers, comme tous les militaires, attribuaient des missions et distribuaient des corvées. Tandis que certains hommes s'occupaient de leurs armes et de leur équipement – par exemple en plongeant leurs cottes de mailles dans des tonneaux remplis d'un mélange de sable et de vinaigre qui les débarrasserait de la rouille –, d'autres s'affairaient autour des feux de cuisson. Une petite armée d'artisans réparaient les armes ou découpaient du cuir pour fabriquer de nouvelles bottes. Dans tous les coins, des médecins soignaient les petites misères des soldats, et des arracheurs de dents les faisaient hurler de douleur. Des mystiques de tout poil déclamaient des litanies censées conjurer les démons et proposaient leurs douteux services à toutes les âmes tourmentées.

Leur service achevé, des soldats se réunissaient par petits groupes pour jouer aux dés et se soûler. Les civils qui les accompagnaient se mêlaient parfois à ces divertissements. Les prisonniers aussi, mais jamais de leur plein gré…

Même au cœur de cette multitude, Nicci se sentait seule, et l'absence de Jagang dans son esprit accentuait cette impression. Elle ne se plaignait pas d'être abandonnée, car elle n'accueillait jamais avec plaisir ce «visiteur», mais être *totalement* isolée avait quand même quelque chose de déconcertant.

Quand celui qui marche dans les rêves investissait ses pensées, elle ne pouvait rien lui dissimuler, y compris les détails les plus intimes de sa vie. Tapi dans un coin de sa tête, il voyait et entendait tout : chaque parole prononcée, la moindre idée fugitive et le plus petit désir secret. Il savait ce qu'elle mangeait, combien de fois par jour elle s'éclaircissait la gorge ou toussait, et la suivait même dans les toilettes. Avec lui, on était jamais seul ! Une intrusion totale et sans limites…

La plupart des sœurs n'avaient pas résisté à ce harcèlement. Pis que tout, si Jagang plantait en permanence ses griffes dans le cerveau de ses proies, on ne savait jamais quand il était concentré sur soi. Parfois, on pouvait l'insulter copieusement et ne pas recevoir de châtiment, parce que son attention était ailleurs. En d'autres occasions, une simple mauvaise pensée à son sujet suffisait à s'attirer de terribles représailles.

Comme ses compagnes, Nicci souffrait de sentir les griffes de Jagang fouailler son âme. Chez elle, cependant, il arrivait qu'elles se retirent, et aucune autre sœur captive n'avait cette chance. Bien sûr, cela ne durait pas, et la Maîtresse de la Mort ignorait pourquoi elle avait ce privilège, mais le plus infime répit était toujours bon à prendre…

Slalomer en calèche entre les tentes et les feux de camp étant impossible, Nicci sortit du véhicule et entreprit de gravir la colline à pied. Bien entendu, les soldats se firent un devoir de multiplier sur son passage les regards lubriques et les remarques paillardes. Très bientôt, supposa-t-elle, ces soudards pourraient disposer d'elle comme ils l'entendaient. Car après ce qu'elle avait fait, l'empereur devait bouillir d'impatience de lui infliger une punition mémorable.

Jagang envoyait régulièrement les sœurs « servir sous les tentes », comme il disait. Parfois pour les châtier, mais plus souvent encore afin de leur montrer qu'elles étaient des esclaves soumises à ses moindres caprices.

Là encore, Nicci était une exception. L'empereur la réservait pour son seul amusement et celui des rares officiers – comme Kadar Kardeef – qu'il jugeait dignes de la partager avec lui. Les autres sœurs enviaient ce privilège à la Maîtresse de la Mort. Les imbéciles ! Malgré ce qu'elles pensaient, être l'esclave personnelle de Jagang n'avait rien d'une sinécure. Servir sous les tentes non plus, mais ça durait en moyenne une ou deux semaines, et on était relativement tranquille après. Si cruel qu'il fût, l'empereur restait un chef lucide, et il mesurait trop la valeur des sœurs – ou plutôt, de leur pouvoir – pour ne pas les ménager un peu.

Nicci ne bénéficiait pas de ce régime de faveur. Assez récemment, elle avait été séquestrée pendant deux mois dans la chambre de Jagang, qui désirait l'avoir à sa disposition à toute heure du jour ou de la nuit. Les soldats du rang brutalisaient les sœurs, mais ils prenaient garde à ne pas dépasser certaines limites. Jagang et ses amis, eux, ne s'imposaient aucune restriction.

De temps en temps, fou de rage contre elle – avec ou sans raison –, l'empereur condamnait Nicci à un mois de service sous les tentes. « Pour te donner une leçon, ma petite chérie », disait-il invariablement à ces moments-là. Imperturbable, la Maîtresse de la Mort inclinait la tête et acceptait avec grâce une punition qu'elle trouvait moins pénible, tout compte fait, que son lot quotidien d'humiliation et de souffrance. Alors qu'elle s'apprêtait à sortir, Jagang la rappelait et, à contrecœur, annulait le châtiment.

Dès le début, Nicci avait bénéficié d'un statut et d'une autonomie que les autres sœurs lui enviaient. Sans jamais avoir rien fait pour cela, elle était sortie des rangs de l'infâme troupeau de prisonnières.

Selon Jagang, qui lisait leurs pensées, les sœurs l'avaient surnommée la « reine esclave ». Cette confidence était sans doute censée faire plaisir à Nicci – à la manière très particulière de l'empereur, bien entendu. Mais pour être honnête, ce titre douteux la laissait aussi indifférente que de se savoir appelée « Maîtresse de la Mort. »

Pour l'instant, elle flottait tel un grand lys dans une mare d'hommes crasseux et puants. Cherchant à être le moins désirables possible, certaines sœurs se négligeaient et finissaient par empester autant que les soldats. Une tactique dégradante qui ne leur apportait pas grand-chose. À quoi servait de vivre en permanence dans la terreur, puisqu'elles n'avaient aucune influence sur ce que décidait Jagang ? Prendre les choses comme elles venaient, voilà ce qu'il fallait faire !

Nicci continuait à porter ses fins chemisiers noirs suggestifs et elle ne cachait jamais ses longs cheveux blonds sous un châle. Autant que cela se pouvait, elle agissait comme une femme libre. Les mauvais traitements de Jagang l'indifféraient, et il le savait. Du coup, comme Richard pour elle, Nicci était une énigme aux yeux de l'empereur.

De plus, elle le fascinait. Si cruel qu'il se montrât avec elle, il gardait en permanence une sorte de… quant-à-soi. Quand il la tourmentait, elle s'abandonnait à sa brutalité, comme si elle pensait la mériter. Et lorsque la souffrance éveillait quelque chose dans les profondeurs de son âme déserte, il reculait en sursaut et cessait de la torturer.

Pareillement, quand il menaçait de la tuer, Nicci attendait calmement qu'il le fasse, parce qu'elle se savait indigne de vivre. Devant cette réaction, Jagang levait aussitôt la sentence.

La profonde sincérité des réactions de Nicci garantissait sa sécurité – tout en la mettant en permanence en danger. En quelque sorte, elle était une biche perdue parmi des loups et protégée par le manteau de son indifférence. Dans la nature, la biche s'attirait des malheurs parce qu'elle tentait de fuir. Sur ce plan, Nicci ne risquait rien, puisqu'elle ne voyait pas sa captivité comme une atteinte à ses intérêts. Rien de plus logique, en vérité, considérant qu'elle n'en avait aucun ! En plusieurs occasions, elle avait eu la possibilité de s'évader, mais n'en avait rien fait. Plus que tout le reste, cette apparente résignation fascinait Jagang…

Parfois, il semblait même la courtiser dans toutes les règles de l'art. Qu'éprouvait-il exactement pour elle ? Elle n'en savait rien, et n'avait jamais cherché à le découvrir. À certains moments, l'empereur semblait se soucier d'elle, et il lui arrivait même – très rarement – de lui témoigner quelque chose qui ressemblait à de l'affection. D'autres fois, lorsqu'elle partait en mission, il semblait heureux à l'idée d'être débarrassé d'elle pour un moment.

Intriguée par le comportement paradoxal de Jagang, Nicci se demandait de temps en temps s'il ne se croyait pas amoureux d'elle. Si grotesque que parût cette idée, elle ne lui faisait ni chaud ni froid, même dans le cas improbable où elle aurait été exacte.

Cela dit, elle doutait que Jagang fût capable d'aimer. Très probablement, il ignorait jusqu'au sens de ce mot, et le concept qu'il recouvrait devait lui passer largement au-dessus de la tête.

Nicci, en revanche, en savait bien trop long sur le sujet…

Alors qu'elle approchait du pavillon de Jagang, un soldat barra le chemin de la Maîtresse de la Mort. Un sourire idiot sur les lèvres, il la regarda, sûrement convaincu d'être trop impressionnant et menaçant pour qu'elle refuse son « invitation ». Nicci aurait pu s'en débarrasser en mentionnant que Jagang l'attendait impatiemment. Ou utiliser son pouvoir pour le foudroyer sur place. Sans broncher, elle se contenta de regarder le crétin aviné. Comme elle le prévoyait, cette réaction le déconcerta. En général, les hommes mordaient à l'hameçon uniquement quand l'appât se tortillait. La voyant rester de marbre, le type se rembrunit, marmonna des insultes puis s'en alla d'un pas traînant.

Nicci continua son chemin vers le pavillon de l'empereur.

Les tentes en peau de mouton des nomades d'Altur'Rang, avant tout fonctionnelles, étaient en général assez petites. La version imaginée par Jagang, ovale plutôt que ronde, était considérablement plus grande. Doté de trois poteaux centraux pour soutenir son toit à faîtes multiples, le pavillon – car c'était bien ainsi qu'il fallait l'appeler – était composé de panneaux de peau de bête ornés de riches broderies. Sur toute la circonférence, à l'endroit de la jointure entre les cloisons et le toit, pendaient des banderoles multicolores qui permettaient d'identifier de loin le palais ambulant de l'empereur. Et bien entendu, sur chaque faîte, des bannières rouges et des fanions jaunes battaient fièrement au vent – quand il y en avait, ce qui n'était pas le cas ce soir-là.

À l'extérieur, une femme battait des petits tapis enrichis de fils d'or accrochés à un des filins du pavillon.

D'une main qui ne tremblait pas, Nicci écarta le lourd rabat orné d'écussons d'or et de médaillons d'argent. Sous le pavillon, des esclaves s'affairaient. En silence, ils nettoyaient les tapis qui couvraient le sol, époussetaient les précieuses céramiques exposées sur les meubles coûteux et s'assuraient fébrilement du bon état des centaines de coussins colorés disposés sur toute la circonférence de la fastueuse résidence.

Des tentures brodées de motifs traditionnels d'Altur'Rang divisaient l'espace en « pièces » toutes assez grandes pour qu'on y organise un petit banquet. Dans le toit, quelques ouvertures couvertes d'un tissu vaporeux laissaient filtrer juste ce qu'il fallait de lumière pour qu'on y voie sans devoir plisser les yeux. Partout, des lampes et des candélabres attendaient de prendre le relais quand la nuit serait tombée.

Nicci ne se soucia pas des regards que lui jetèrent les deux gardes postés à l'entrée et les esclaves dérangés en plein travail. Dans cette première salle, exactement au centre, se dressait le trône de Jagang tendu de velours rouge. L'empereur donnait parfois ses audiences ici, mais aujourd'hui, le siège était vide. Sans hésiter ni blêmir, à l'inverse des autres femmes invitées par Jagang dans ses quartiers privés, Nicci traversa le pavillon pour gagner la chambre à coucher impériale.

Un jeune esclave de seize ou dix-sept ans, agenouillé devant la tenture de séparation, brossait frénétiquement le tapis posé devant l'entrée de la pièce. Sans croiser le regard de Nicci, il l'informa que Son Excellence n'était pas ici pour l'instant.

Ce jeune homme appelé Irwin avait le don et il résidait naguère au Palais des Prophètes, où on le préparait à devenir un sorcier. Désormais, il faisait le ménage et vidait les pots de chambre. La mère de Nicci aurait trouvé cela très moral…

Jagang pouvait être n'importe où… En train de boire et de jouer avec ses hommes, en pleine inspection des troupes, occupé à étudier les nouveaux prisonniers, pour choisir ceux et celles qui le serviraient…

… Ou en grande conversation avec le second de Kadar Kardeef !

Nicci aperçut trois sœurs recroquevillées dans un coin de la chambre. Comme elle, ces femmes étaient les esclaves de l'empereur. En approchant, la Maîtresse de la Mort vit qu'elles s'échinaient à réparer une longue entaille, dans la cloison.

— Sœur Nicci ! s'écria Georgia en se levant d'un bond, l'air soulagé. Nous nous demandions si vous étiez encore vivante. Après si longtemps sans vous voir, nous redoutions que… eh bien…

Nicci étant une Sœur de l'Obscurité dévouée au Gardien, le maître du royaume des morts, elle s'étonna que trois Sœurs de la Lumière se soient inquiétées pour elle. À vrai dire, elle avait quelques doutes sur leur sincérité, mais ces idiotes pensaient peut-être que la captivité rapprochait toutes les sœurs, quelle que soit leur obédience. De plus, informées que Nicci bénéficiait d'un « régime de faveur », elles brûlaient sans doute d'envie d'être dans ses petits papiers.

— J'étais en mission pour Son Excellence.

— Bien sûr…, souffla Georgia en baissant la tête.

Ses deux compagnes, Rochelle et Aubrey, poussèrent sur le côté un sac plein d'ornements en os, se dégagèrent des longueurs de fil de lin enroulées autour de leurs chevilles et se levèrent à leur tour. Comme Georgia, elles inclinèrent humblement la tête. À l'évidence, ces trois crétines tremblaient de peur devant ce qu'elles croyaient être la favorite de Jagang.

— Sœur Nicci, dit Rochelle, Son Excellence est très en colère.

— Il est même fou de rage, renchérit Aubrey. Il a frappé les cloisons à grands coups de couteau en hurlant que vous étiez allée trop loin, cette fois !

Nicci se contenta de foudroyer du regard les trois pleurnicheuses.

— Nous voulions vous avertir, ajouta Aubrey, pour que vous soyez prudente.

Comme s'il n'était pas déjà bien trop tard pour ça ! pensa la Maîtresse de la Mort, pleine de mépris.

Voir des femmes plusieurs fois centenaires dans un tel état de frayeur la révulsait.

— Où est Jagang ? demanda-t-elle simplement.

— Il a transféré ses quartiers dans un grand domaine, un peu à l'extérieur de la ville, répondit Aubrey.

— L'ancien ministère de la Civilisation, précisa Rochelle.

— Pourquoi a-t-il fait ça ? Son pavillon ne lui plaisait plus ?

— Pendant votre absence, il a décidé qu'un empereur avait besoin d'une résidence appropriée.

— Appropriée à quoi ?

— Eh bien, un lieu qui montre son importance au monde entier…

— Oui, dit Aubrey, c'est exactement ça. Il a également ordonné qu'on lui construise un immense palais en Altur'Rang.

— Il voulait s'installer au Palais des Prophètes, rappela Rochelle, mais il a été détruit. Ça lui a probablement donné envie de se faire bâtir la résidence la plus somptueuse qui ait jamais existé.

— Foutaises ! lâcha Nicci. Il désirait vivre au Palais des Prophètes à cause du sortilège qui empêchait de vieillir. Le reste ne l'intéressait pas.

Les trois Sœurs de la Lumière haussèrent les épaules pour signifier qu'elles n'en savaient pas plus. Nicci, elle, commençait à deviner ce que Son Excellence mijotait.

— Donc, il est là-bas ? Que peut-il y faire ? Apprendre enfin à manger avec des couverts ? Apprécier la douceur de la vie entre des murs douillets ?

— Il nous a simplement dit qu'il changeait de résidence, répondit Georgia. Et il a emmené avec lui toutes les sœurs assez jeunes et belles pour… Enfin, vous me comprenez… Nous sommes chargées d'entretenir le pavillon, au cas où il aurait envie d'y revenir.

Apparemment, rien n'avait changé dans la vie de l'empereur, à part le décor…

Nicci soupira d'agacement. N'ayant plus sa calèche, elle serait obligée de faire le chemin à pied.

— Bien, comment va-t-on à ce domaine ?

Quand Aubrey lui eut donné les informations idoines, la Maîtresse de la Mort remercia les trois idiotes et fit mine de partir.

— Sœur Alessandra a disparu, dit Georgia d'un ton dégagé qui sonnait atrocement faux.

Nicci s'arrêta et se retourna.

Elle étudia attentivement sœur Georgia. D'âge moyen – en apparence –, cette femme se dégradait un peu plus chaque fois qu'elle la voyait. En guise de vêtements, elle portait des haillons dont elle semblait se rengorger, comme s'il s'était agi d'un glorieux uniforme. Ses cheveux grisonnants auraient pu lui conférer une certaine dignité, mais ils n'avaient à l'évidence pas vu une brosse, et encore moins un morceau de savon, depuis des semaines. Selon toute probabilité, eux aussi grouillaient de poux.

Certaines femmes, sous le prétexte qu'elles vieillissaient, prenaient plaisir à devenir les souillons qu'elles avaient secrètement rêvé d'être pendant toute leur vie. Oui, sœur Georgia semblait se réjouir de sa décrépitude…

— Comment ça, disparu ? Vous voulez dire qu'elle est morte ?

Georgia écarta les mains en signe d'impuissance, mais Nicci devina qu'elle jubilait intérieurement.

— Nous ne savons pas ce qui est arrivé. Elle s'est volatilisée, c'est tout.

— Je vois…

— Exactement au moment où la Dame Abbesse aussi a disparu, ajouta Georgia avec une innocence ridiculement mal feinte.

Nicci ne gratifia même pas les trois imbéciles d'un froncement de sourcils étonné.

— Que fichait Verna ici ?

— Pas Verna, sœur Nicci, dit Rochelle. Annalina…

Georgia foudroya la pauvre fille du regard, car elle venait de lui gâcher tous ses effets. C'était vraiment dommage, quand il s'agissait d'une surprise de taille. Comme tout le monde, jusqu'à très récemment, Nicci devait penser que la précédente Dame Abbesse était morte…

De fait, après son départ précipité du Palais des Prophètes, elle avait entendu parler des funérailles d'Anna et de Nathan célébrées une nuit durant par les sœurs, les novices et les apprentis sorciers.

Connaissant Anna, Nicci se douta immédiatement qu'il devait s'agir d'une de ces mystifications dont elle était friande. Cela dit, celle-là restait quand même hors du commun…

Les trois Sœurs de la Lumière souriaient d'aise, ravies de jouer au petit jeu des ragots à rallonge.

— Donnez-moi les détails importants, dit Nicci, leur gâtant le plaisir. Pour la version longue, je n'ai pas le temps. Sauf si vous avez envie de voir revenir Jagang, parce qu'il se sera lancé à ma recherche.

Rochelle et Aubrey blêmirent.

Georgia décida que ce n'était plus l'heure de jouer.

—Anna est venue dans le camp pendant votre absence. Et elle a été capturée.

—Pourquoi s'est-elle jetée entre les griffes de l'empereur?

—Pour nous convaincre de fuir avec elle, dit Rochelle d'une voix qui tremblait un peu. Elle nous a raconté des histoires absurdes au sujet des Carillons, qui arpentaient prétendument le monde et neutralisaient la magie. Des fadaises! Comment a-t-elle pu penser que nous les goberions?

—Ainsi, c'est ce qui est arrivé…, murmura Nicci.

Ce n'étaient pas des fadaises, bien au contraire! Dans son esprit, les pièces du puzzle se mettaient enfin en place. Les autres sœurs, contrairement à elle, n'avaient pas le droit d'utiliser leur pouvoir. Du coup, elles ne s'étaient pas aperçues que la magie fonctionnait mal pendant un moment.

—Selon elle, en tout cas, dit Georgia.

Distraite, Nicci ne se rendit même pas compte que cette phrase faisait écho à sa dernière remarque.

—Une défaillance de la magie, raisonna-t-elle tout haut. Et Anna avait compris que ça empêcherait celui qui marche dans les rêves de contrôler vos esprits.

C'était sans doute pour ça que Jagang, par moments, ne parvenait pas à entrer dans sa tête.

—Mais si les Carillons sont dans notre monde…

—*Étaient*, corrigea Georgia. Même si Anna ne nous a pas raconté n'importe quoi, ils ont été bannis depuis. Son Excellence nous contrôle à sa guise, j'ai le plaisir de le dire, et tout ce qui concerne la magie est redevenu normal.

Nicci lut dans le regard des trois femmes qu'elles se demandaient si Jagang les écoutait à l'instant même. Mais si tout était redevenu comme avant, il aurait dû être dans son esprit. Donc, ce qu'elle venait de prendre pour une explication n'en était pas une.

—Si je comprends bien, la Dame Abbesse a commis une erreur, et Jagang en a profité pour la capturer?

—Pas exactement…, fit Rochelle, un peu mal à l'aise. Sœur Georgia est allée prévenir les gardes. Nous avons livré Anna à l'empereur, comme notre devoir nous l'imposait.

Nicci éclata de rire.

—Ses chères Sœurs de la Lumière? Comme c'est amusant! Alors que les Carillons la privaient de son pouvoir, elle a risqué sa vie pour sauver vos misérables existences, et vous l'avez trahie? C'est bien de vous, vraiment…

—Il le fallait! se défendit Georgia. Son Excellence aurait voulu que nous agissions ainsi. Nous sommes destinées à servir. Fuir aurait été stupide. Nous savons où est notre place.

— Pour ça, oui, lâcha Nicci.

Elle dévisagea les trois fausses saintes qui avaient pendant des siècles prétendu servir le Créateur et se dévouer à Sa Lumière.

— Vous auriez fait comme nous, dit Aubrey. Si nous n'avions pas agi, Son Excellence se serait vengé sur nos compagnes. Nous avons fait ce qu'il fallait pour protéger les autres sœurs, et vous êtes dans le lot, soit dit en passant. Il était impossible de ne penser qu'à nous ou à Anna.

Nicci sentit sa bonne vieille indifférence reprendre le dessus.

— Bon! vous avez trahi la Dame Abbesse… Mais pour commencer, pourquoi pensait-elle pouvoir vous libérer? Elle devait savoir que les Carillons finiraient par être bannis. Qu'avait-elle prévu pour le moment où Jagang aurait de nouveau accès à vos esprits?

— Il l'a toujours eu, dit Aubrey. Anna voulait nous farcir la tête d'idées ridicules. Mais nous ne sommes pas idiotes, et la suite de son histoire était encore plus absurde!

— Quelle suite?

— Elle a tenté de nous faire gober des idioties au sujet d'un lien avec Richard Rahl, lâcha Georgia, rouge d'indignation à cette seule idée.

Nicci dut faire un effort pour continuer à respirer régulièrement.

— Un lien? Quelle est cette nouvelle folie?

— Selon elle, jurer allégeance à Richard aurait suffi à nous protéger des intrusions mentales de Jagang.

— Comment?

— Eh bien, ce lien est censé interdire à l'empereur de s'introduire dans l'esprit des gens. Mais nous ne sommes pas candides au point de croire une chose pareille.

— Comment fonctionne ce lien? demanda Nicci. Je n'y comprends rien…

Pour empêcher ses mains de trembler, elle les plaqua sur ses hanches.

— Richard l'aurait hérité d'un de ses ancêtres. Pour en bénéficier, disait Anna, il suffit de jurer fidélité à Richard du fond du cœur. C'était si ridicule que je n'ai pas vraiment écouté…

Nicci en eut le tournis. Bien sûr, maintenant, tout était clair!

Depuis des mois, elle se demandait pourquoi Jagang n'avait pas capturé toutes les sœurs. Maintenant, elle connaissait la réponse : parce que ce lien les protégeait.

Mais Ulicia et les autres formatrices, à part elle, étaient toujours libres. Tout ça n'avait pas de sens. Pourquoi des Sœurs de l'Obscurité auraient-elles juré d'être fidèles au Sourcier? C'était inimaginable…

Pourtant, Jagang était incapable, à certains moments, d'entrer dans son esprit…

— Tout à l'heure, vous avez dit que sœur Alessandra a disparu?

— Oui, en même temps qu'Anna.

— L'empereur ne vous informe pas de tout, loin de là. Il les a peut-être fait exécuter.

— Eh bien, c'est possible, mais Alessandra était une Sœur de l'Obscurité, comme vous, et elle prenait soin d'Anna…

— Pourquoi elle ? C'était votre mission.

— La Dame Abbesse refusait de nous voir, alors, l'empereur a désigné Alessandra.

Nicci devina qu'Anna avait dû semer une sacrée pagaille. Mais après avoir été trahie par ses propres protégées, c'était compréhensible. Jugeant la prisonnière très précieuse, l'empereur avait fait ce qu'il fallait pour la maintenir en vie.

— Quand nous sommes entrés dans Fairfield, continua Georgia, le chariot qui transportait Anna ne s'est jamais montré. Un des cochers est finalement arrivé, la tête en sang. Avant de sombrer dans l'inconscience, a-t-il dit, il avait aperçu sœur Alessandra.

Nicci sentit qu'elle s'enfonçait les ongles dans les paumes et se força à rouvrir les poings.

— En clair, Anna vous a offert la liberté, mais vous avez opté pour l'esclavage.

Les trois traîtresses levèrent fièrement le menton.

— Nous avons agi pour le bien commun, dit Georgia. Les Sœurs de la Lumière ne pensent jamais à elles-mêmes, car leur devoir est de soulager les souffrances des autres. Pas d'en ajouter.

— De plus, ajouta Aubrey, vous ne vous êtes pas enfuie non plus. Pourtant, de temps en temps, Son Excellence perd son emprise sur vous.

— Comment savez-vous ça ? demanda Nicci.

— Eh bien, je… nous…

La Maîtresse de la Mort saisit la sœur à la gorge.

— Je t'ai posé une question, petite dinde ! Réponds-moi !

Aubrey devint rouge comme une pivoine. Impitoyable, Nicci serra plus fort et libéra son pouvoir. Les yeux révulsés, la Sœur de la Lumière n'en avait plus pour longtemps. Pour se sauver, elle ne pouvait pas recourir à sa magie, parce que Jagang le lui interdisait, comme à toutes les autres, sauf quand cela servait ses intérêts.

Georgia posa doucement une main sur l'avant-bras de Nicci.

— Lâchez-la, je vous en supplie. L'empereur nous a interrogées à ce sujet, voilà pourquoi nous sommes au courant.

Nicci libéra Aubrey et se tourna vers Georgia.

— Il vous a interrogées ? Qu'a-t-il dit ?

— Simplement qu'il ne pouvait pas toujours entrer dans votre esprit, et qu'il se demandait si nous savions pourquoi.

—Il nous a torturées, gémit Rochelle, mais nous n'avons pas pu lui répondre, parce que nous ne comprenons pas ce phénomène.

Pour la première fois, Nicci, elle, entrevoyait une réponse…

—Qu'avez-vous de si spécial, sœur Nicci? demanda Aubrey en se massant la gorge. Pourquoi l'empereur s'intéresse-t-il autant à vous? Et pour quelle raison êtes-vous en mesure de lui résister?

Nicci ne daigna pas répondre.

—Merci de votre aide, mes sœurs, dit-elle en se détournant.

—S'il ne vous contrôle pas en permanence, cria Georgia, pourquoi ne vous évadez-vous pas?

Arrivée devant la tenture, Nicci se retourna.

—Parce que j'aime voir Jagang torturer des sales Sorcières de la Lumière comme vous! C'est un si beau spectacle que je ne voudrais pas en manquer une miette.

Habituées aux provocations de Nicci, les trois sœurs ne s'en formalisèrent pas.

—Sœur Nicci, dit Rochelle, qu'avez-vous fait pour que l'empereur soit furieux à ce point?

—Pardon? Oh! cette histoire sans importance… Ne vous inquiétez pas, ce n'est rien: j'ai simplement ordonné qu'on attache le commandant Kardeef à une broche, pour le faire rôtir comme un cochon.

Les trois fausses saintes sursautèrent. On eût dit un trio de chouettes perchées sur une branche.

Georgia riva sur Nicci un regard mauvais où brillait une étincelle d'autorité – un des rares privilèges de l'âge.

—Vous méritez toutes les horreurs que Jagang vous a infligées, sœur Nicci. Et toutes celles que le Gardien a en réserve pour vous.

—Je sais, on me l'a déjà dit…, répondit simplement la Maîtresse de la Mort avant de sortir de la chambre impériale.

Chapitre 10

L'ordre était revenu à Fairfield, mais il s'agissait de la discipline d'un poste militaire, et il ne restait rien des caractéristiques habituellement associées à une ville. Si la plupart des bâtiments n'avaient pas été rasés, presque tous leurs habitants avaient disparu. Et bien entendu, après les pillages, tout ce qui avait de la valeur s'était également volatilisé. Devenus des coquilles vides, ces édifices n'étaient guère plus que les souvenirs fantomatiques d'une vie jadis foisonnante.

Sous quelques porches, des vieillards édentés, assis sur les marches, regardaient tristement passer les colonnes d'hommes en armes qui allaient et venaient dans les rues. Dans les allées étroites, de pauvres petits orphelins erraient à la recherche de quelques détritus qui leur permettraient de survivre un jour de plus.

Comme dans les autres cités qu'elle avait «visitées» avec l'Ordre Impérial, Nicci s'étonna de la fragilité de ce qu'on nommait la «civilisation». Pour qu'elle disparaisse, quelques jours à peine suffisaient…

En traversant la ville, la Maîtresse de la Mort n'eut aucun mal à imaginer ce qu'auraient éprouvé les bâtiments déserts, s'ils avaient été dotés d'une sensibilité. Une impression de vide et de mort, parce qu'ils ne servaient plus à rien. Pour exister, ils avaient besoin d'être utiles à des êtres vivants, même si nul ne leur en était reconnaissant.

Avec les soldats aux visages fermés qui les arpentaient, accordant à peine un regard aux mendiants émaciés, aux vieillards, aux malades et aux enfants perdus, les rues de Fairfield, envahies par les gravats et les ordures, ressemblaient à celles que Nicci avait connues dans son enfance. De sinistres endroits où sa mère l'envoyait souvent secourir les déshérités.

—C'est la faute des hommes comme ton père, avait-elle dit un jour. Le mien était pareil : aucune compassion pour les autres, et un cœur de pierre dans la poitrine…

Vêtue d'une robe bleue à fanfreluches toute propre, les cheveux soigneusement brossés et tirés en arrière, Nicci avait écouté un long sermon sur le bien, le mal, le péché et la rédemption. Cette première fois, elle n'y avait pas compris grand-chose. Au fil des ans, à force de l'entendre, elle avait fini par le connaître par cœur, intégrant chaque concept moral et chaque profonde et déprimante vérité.

Son père était riche. Pis encore, selon sa mère, il en était fier et n'en concevait pas la moindre honte. L'égoïsme et la cupidité, répétait-elle sans cesse, étaient comme les énormes yeux d'un monstre affamé de pouvoir et d'or.

— La mission d'un être humain digne de ce nom, ma fille, est d'aider les autres, pas de penser à lui-même. L'argent ne permet pas d'acheter la bénédiction du Créateur.

— Mais comment pouvons-nous Lui montrer que nous sommes bons ?

— L'humanité est pervertie, rongée par la jalousie, déloyale et ravagée par des passions immorales. À chaque instant, nous devons lutter contre notre tendance à la dépravation. S'occuper des autres est le seul moyen de prouver que notre âme vaut quand même quelque chose. C'est l'unique bonne action qu'une personne convenable puisse accomplir.

De noble naissance, le père de Nicci avait pourtant exercé toute sa vie la profession d'armurier. Certaine qu'il avait hérité d'une fortune considérable, son épouse pensait que l'appât du gain seul l'avait poussé à accumuler encore plus de biens. Et pour cela, affirmait-elle, il avait sans remords exploité et détroussé de pauvres gens.

La majorité des nobles, comme la mère de Nicci et ses amis, tiraient une grande fierté de ne pas s'adonner à des pratiques honteuses de ce genre.

La méchanceté de son père et sa fortune mal acquise emplissaient Nicci de culpabilité. Par bonheur, sa mère faisait tout pour essayer au moins de sauver l'âme égarée du pauvre pécheur.

En revanche, Nicci ne s'inquiétait jamais pour l'âme de sa mère. Tant de gens vantaient sa gentillesse, sa générosité, sa charité et sa piété ! Mais la nuit, la petite fille qu'était alors la Maîtresse de la Mort avait du mal à s'endormir, angoissée à l'idée du châtiment que le Créateur infligerait à son père s'il ne se rachetait pas avant qu'il soit trop tard.

Pendant que sa mère allait voir ses éminents amis, la gouvernante de la maison familiale faisait souvent un détour, sur le chemin du marché, par l'armurerie, afin de demander à maître Howard ce qu'il désirait pour le dîner. Nicci adorait ce moment de la journée ! Tandis que la domestique s'entretenait avec son employeur, elle faisait le tour de la fabrique, les yeux ronds d'émerveillement. Toute petite, elle était persuadée de pouvoir prendre un jour la succession de son père. Assise dans un coin du salon, elle passait des heures à marteler un morceau de tissu placé sur une chaussure posée à l'envers. Ce qu'elle avait trouvé de mieux pour imiter une armure et une enclume...

Ces moments de solitude comptaient parmi les meilleurs souvenirs de son enfance.

Beaucoup d'hommes et de femmes travaillaient pour son père. Presque chaque jour, des chariots venus de très loin apportaient à la fabrique d'énormes quantités de barres de fer et d'autres matières premières. Plus rarement, de lourdes lingotières flambant neuves arrivaient par le fleuve sur des barges.

Le matin, des chariots escortés par des hommes en armes partaient livrer des clients aux quatre coins du pays. Dans la fabrique elle-même, des hommes s'affairaient jusqu'à la tombée de la nuit devant les forges pendant que d'autres martelaient les pièces qu'ils venaient de chauffer au rouge. Des spécialistes très respectés les transformaient ensuite en de magnifiques armes. Certaines lames, disait-on, étaient composées d'un alliage rare appelé « acier empoisonné » et elles tuaient à tous les coups, même si la blessure était superficielle.

D'autres ouvriers aiguisaient les épées, polissaient les armures ou ajoutaient sur les boucliers, les plastrons et les lames de merveilleuses gravures qui représentaient des scènes de chasse ou de guerre.

Les femmes se consacraient surtout aux travaux de précision. Assises sur des bancs, devant de longs établis, elles bavardaient joyeusement – de délicieux ragots ! – tout en insérant avec des pinces spéciales de minuscules rivets dans la partie aplatie des milliers de petits maillons de fer nécessaires à la confection d'une cotte de mailles. Nicci adorait les écouter et les regarder, éblouie par l'inventivité de l'esprit humain – quel génie avait eu un jour l'idée qu'un matériau aussi dur que le fer puisse servir à la confection d'une sorte très particulière de vêtement ?

Des clients venaient de très loin pour acheter une des célèbres armures de maître Howard – les meilleures du monde, affirmait-il, ses yeux bleus brillants de passion comme chaque fois qu'il parlait de son métier. Et ce n'était pas de la vantardise, car des rois traversaient parfois d'incroyables distances pour se faire fabriquer sur mesure une de ces merveilles d'artisanat – parfois tellement sophistiquées qu'une équipe hautement qualifiée devait s'échiner dessus pendant des mois.

Venant d'un peu partout, des forgerons, des maîtres de forge, des fondeurs, des fraiseurs, des graveurs, des polisseurs, des couturières – pour les rembourrages des armures – et des légions d'apprentis proposaient quotidiennement leurs services au père de Nicci. Toujours prêt à les écouter, et éventuellement à admirer les échantillons de leur travail qu'ils apportaient avec eux, maître Howard en déboutait beaucoup plus qu'il n'en engageait.

Droit comme un « i », les traits anguleux, Howard était un homme impressionnant de compétence et de sérieux. Quand elle le regardait travailler, Nicci aurait juré qu'il voyait en permanence des détails qui échappaient aux meilleurs de ses employés, comme si le métal lui parlait dès qu'il posait une main dessus. Économe de ses mouvements, un peu comme un joaillier qui a toujours peur de faire un geste malheureux, il incarnait aux yeux de sa fille la force, le pouvoir et la détermination.

Des officiers, des nobles et d'autres hauts personnages venaient sans cesse à la fabrique pour lui parler. Quand elle passait le voir, Nicci s'étonnait toujours qu'il soit tellement sollicité, d'autant plus que ses fournisseurs et ses employés le bombardaient continuellement de questions.

— C'est tout simplement à cause de sa vanité, lui avait un jour expliqué sa mère. Il oblige de pauvres travailleurs à le flatter du matin au soir…

Même s'il en était ainsi, ce dont elle doutait un peu, Nicci aimait beaucoup regarder le complexe ballet des hommes et des femmes en plein labeur. Souvent, les ouvriers s'interrompaient, lui souriaient, répondaient à ses questions et – plus rarement – lui permettaient de marteler une petite pièce de métal.

Vaniteux ou non, son père paraissait sincèrement heureux de converser avec toutes ces personnes. À la maison, le visage fermé, il ne desserrait pratiquement jamais les lèvres pendant que son épouse lui débitait d'interminables discours.

Et quand il se montrait volubile, une fois de temps en temps, il parlait presque exclusivement de son travail. Ces soirs-là, Nicci buvait ses propos, parce qu'elle brûlait d'envie de tout connaître sur lui et sur son métier.

— Ne t'y trompe pas, ma fille, lui avait confié un jour sa mère, au fond de son être, sa cupidité et son arrogance grignotent inexorablement son âme invisible.

Dès cet instant, Nicci avait prié pour être en mesure, quand elle serait grande, d'aider l'âme de son père à se racheter, afin qu'elle soit aussi belle et saine que son enveloppe corporelle.

Howard adorait sa fille, mais aider à l'élever lui semblait une tâche trop sacrée pour un être fruste comme lui. Se pliant à la volonté de sa femme, il ne la contredisait jamais – même quand il en bouillait visiblement d'envie – et assurait qu'elle en savait à coup sûr beaucoup plus long que lui sur l'éducation d'une fillette.

De toute façon, la fabrique lui prenait presque tout son temps. Un désir de s'enrichir, selon sa femme, qui trahissait l'indigence de son âme, car il préférait voler les pauvres plutôt que consacrer sa vie à les secourir, comme le Créateur le prescrivait. Presque tous les soirs, alors qu'il revenait pour le dîner – et pendant que les domestiques faisaient le service –, elle tenait de longs monologues plaintifs sur tout ce qui n'allait pas dans le monde.

Sa dernière bouchée avalée, Howard se levait et repartait au travail, souvent sans avoir dit un mot de tout le repas.

Son épouse s'en empourprait de colère, car elle avait encore beaucoup de choses à lui révéler sur son âme – mais il était trop occupé pour écouter, bien sûr !

Nicci entendait souvent les gens couvrir sa mère de louanges parce qu'ils n'avaient jamais rencontré une femme si généreuse et compatissante. «Une vraie sainte», concluaient-ils toujours, le regard admiratif.

Certains soirs, peu fréquents, Howard restait à la maison. Alors que sa femme, campée devant une fenêtre, contemplait la cité obscure en pensant à tous les drames qui s'y déroulaient, il se glissait derrière elle et posait tendrement une main sur son dos, comme si elle était une délicate porcelaine. Toujours très doux et souriant, à ces instants-là, il laissait glisser ses doigts jusqu'à la naissance des reins de son épouse et lui murmurait quelques mots à l'oreille.

La mère de Nicci tournait la tête, pleine d'espoir, et l'implorait de contribuer aux louables efforts de sa confrérie. D'humeur conciliante, Howard lui demandait combien d'argent il lui fallait.

Sondant le regard de son mari comme si elle y cherchait une ultime trace de dignité humaine, la sainte murmurait un chiffre. Non sans soupirer, Howard donnait son accord, puis il passait un bras autour de la taille de sa femme et annonçait qu'il était l'heure pour tout le monde d'aller au lit.

Un soir, alors qu'il venait de poser la question rituelle au sujet de la somme requise, la mère de Nicci avait haussé les épaules puis lâché :

—Je n'en sais rien, Howard… Que te dit ta conscience ? Un vrai fidèle du Créateur, dans ta position, serait beaucoup plus généreux. Dire que tu accumules une fortune pendant que tant d'autres crèvent la faim…

—Combien vous faut-il, à tes amis et à toi ?

—Mes amis et moi n'avons besoin de rien, Howard ! Mais des milliers de gens appellent au secours, et ma confrérie lutte inlassablement pour soulager leur misère.

—Combien ?

—Cinq cents couronnes d'or…

On eût dit que ce chiffre était une massue qu'elle cachait dans son dos, guettant le moment propice de la brandir pour assommer son adversaire.

Stupéfait, Howard avait reculé d'un pas.

—Tu sais combien de temps je dois travailler pour gagner une somme pareille ?

—Tu ne travailles pas, Howard ! Tes esclaves s'en chargent à ta place…

—Des esclaves ? Ce sont les ouvriers les plus qualifiés de ma branche.

—Bien sûr, puisque tu les voles à tous tes concurrents !

— Personne ne paie mieux que moi. Ces hommes et ces femmes ont fait des pieds et des mains pour que je les engage.

— Parce qu'ils sont les innocentes victimes de tes malversations ! Tu les exploites – la preuve, c'est que tes prix sont les plus élevés du marché. Grâce à tes relations, tu complotes pour ruiner les autres armuriers. Afin de te remplir les poches, tu enlèves le pain de la bouche à de pauvres ouvriers.

— Mes armes et mes armures sont les meilleures du pays ! Les clients s'adressent à moi parce qu'ils cherchent la qualité. Mes prix sont équitables, tout simplement.

— Personne ne pratique les mêmes, tu ne peux pas le nier. « Toujours plus ! », voilà ta devise. L'or est ta seule raison de vivre.

— Les clients me choisissent parce que je suis le meilleur. C'est ça, ma raison de vivre. Les autres armuriers proposent des produits beaucoup moins fiables. Sais-tu pourquoi ? Parce que ma technique de trempe est supérieure à la leur ! Mais tu ne sais pas de quoi je parle, évidemment… Les armes et les armures qui sortent de chez moi sont garanties à vie. Je ne vends pas de la camelote. On me fait confiance parce que mes créations sont uniques.

— Les créations de tes employés… Toi, tu te contentes d'encaisser les bénéfices !

— Presque tous passent dans les salaires et les investissements. Le nouveau laminoir m'a coûté une fortune.

— Les affaires, les affaires, toujours les affaires ! Quand je te demande de contribuer modestement au bien-être de la communauté – celui des pauvres, pour être précise –, on dirait que j'ai l'intention de t'arracher le cœur. Préfères-tu vraiment que les gens meurent de faim, si ça peut t'épargner d'ouvrir ta bourse ? Howard, l'argent compte-t-il plus pour toi que la vie des autres ? Serais-tu cruel et insensible à ce point ?

Le père de Nicci s'était tu un moment, puis il avait soupiré :

— Très bien… Tu auras cet argent. Je ne souhaite la mort de personne, et j'espère que cette somme aidera vraiment des malheureux… À présent, très chère, si nous allions nous coucher ?

— Ta mesquinerie m'a dégoûtée, Howard ! Donner de ta propre initiative ne te viendrait jamais à l'idée. Il faut te supplier, alors que la charité est une vertu capitale. Ce soir, tu as accepté parce que tu espérais, en échange, satisfaire tes bas instincts. Crois-tu que je n'ai aucun principe ?

Howard s'était détourné, dirigé vers la porte et immobilisé en découvrant sa fille, assise dans un coin, les yeux écarquillés.

Nicci avait été terrorisée par l'expression de son père. Pas parce qu'il était furieux, mais à cause de ce qu'exprimait son regard. Un univers entier de sentiments déchirants qu'il souffrait de ne jamais extérioriser.

Mais éduquer Nicci était la mission de sa femme, et il avait juré de ne pas s'en mêler.

Après avoir caressé les cheveux de sa fille, il était sorti en marmonnant qu'il devait aller vérifier quelque chose à la fabrique.

Une fois seule, la mère de Nicci s'était également aperçue que la petite était là, jouant à fabriquer une cotte de mailles avec des perles et de la ficelle.

— Ton père est allé voir les filles de joie, avait-elle dit, les poings plaqués sur les hanches. J'en suis certaine ! Tu es trop petite pour comprendre, mais je veux que tu le saches, pour ne plus jamais lui faire confiance. C'est un mauvais homme, et je ne serai pas sa putain !

» Maintenant, laisse tes jouets et viens avec moi. Je vais voir mes amis, et il est temps que tu apprennes à te soucier des autres, au lieu de ne penser qu'à toi.

Chez une des amies de la mère de Nicci, deux ou trois hommes et une dizaine de femmes assis en rond parlaient de choses sérieuses en buvant du thé. Quand ils avaient demandé poliment des nouvelles d'Howard, la réponse avait été sans ambiguïté :

— Messire est sorti, ce soir. Pour travailler ou aller chez ces dames… Je n'en sais rien, et je ne peux pas vérifier.

Une des femmes avait tapoté le bras de l'épouse délaissée pour la réconforter.

Au fond de la pièce était assis un homme tout de noir vêtu que Nicci avait trouvé plus effrayant que la mort en personne.

Entraînée dans une conversation sur l'épouvantable misère du peuple, la mère de la fillette avait très vite oublié ses déboires conjugaux.

En ville, beaucoup de gens souffraient. Affamés, malades ou blessés, ils n'avaient pas de travail – par manque de qualifications –, et ne parvenaient plus à nourrir leurs enfants et leurs vieux parents. Expulsés de leur domicile, vêtus de haillons, ils étaient frappés par tous les malheurs du monde – et plus encore, si c'était possible.

Nicci s'impatientait toujours quand sa mère déclarait que les choses ne pouvaient plus durer comme ça et qu'il fallait agir. Au lieu de parler, pourquoi quelqu'un ne se décidait-il pas à changer le monde ?

Un des hommes avait assuré que tout ça était la faute des gens intolérants qui prêchaient la haine. Exactement ce que Nicci redoutait de devenir… Si elle avait un cœur de pierre, le Créateur la punirait, et elle ne voulait surtout pas que ça arrive.

Sa mère et les autres avaient affirmé que les problèmes des déshérités les concernaient au plus haut point. Après avoir énoncé ses convictions, chaque orateur s'était autorisé un bref coup d'œil à l'homme assis dans un fauteuil, tout près du mur, le front plissé par la concentration.

— Les prix augmentent chaque jour, et ça étrangle les plus faibles, avait marmonné un homme aux paupières tombantes affalé sur sa chaise comme un tas de vieux chiffons. Ce n'est pas juste ! Les commerçants ne devraient pas avoir le droit de faire fluctuer le marché à leur guise. Le duc devrait intervenir. Avec l'influence qu'il a sur le roi…

— Oui, avait dit la mère de Nicci après avoir bu une gorgée de thé, j'ai toujours eu le sentiment qu'il s'intéressait aux justes causes. À mon avis, on devrait pouvoir le convaincre de proposer des lois équitables…

Par-dessus le bord à liseré d'or de sa tasse, elle aussi avait jeté un regard furtif à l'homme sinistre.

Une des femmes avait assuré qu'elle encouragerait son mari à soutenir les initiatives du duc. Une autre avait proposé qu'on rédige une pétition au sujet de la politique des prix.

— Des gens meurent de faim, avait dit une femme au visage ridé, comblant un long silence. J'en vois tous les jours… Si nous pouvions au moins en aider quelques-uns.

Reconnaissants qu'elle ait relancé le débat, tous les participants avaient souscrit à ce programme théorique.

Une autre femme s'était tortillée un moment sur sa chaise comme une poule sur le point de pondre un œuf.

— Je suis révoltée que personne ne veuille donner du travail à ces malheureux. Pourtant, ce n'est pas l'ouvrage qui manque !

— Je sais, avait soupiré la mère de Nicci. J'en ai parlé avec Howard, et j'ai failli exploser de colère. Il embauche des gens qui le flattent, plutôt que des pères de famille dans le besoin. C'est une honte !

Le petit groupe avait compati. Vivre avec un tel mari devait être un calvaire…

— Il est injuste que quelques hommes aient tout alors que tant d'autres n'ont rien, avait dit l'homme aux paupières tombantes. C'est même immoral !

— L'égoïsme est un péché capital ! avait lancé la mère de Nicci. (Oubliant le morceau de gâteau qu'elle allait mordre, elle avait jeté un coup d'œil à l'homme taciturne.) Je répète tous les jours à Howard que se sacrifier pour les autres est l'acte le plus noble que puisse accomplir un être humain. Si nous sommes en ce monde, c'est pour ça, et pour aucune autre raison.

» Voilà pourquoi j'ai décidé de verser cinq cents couronnes d'or pour la cause !

Tout le monde avait été impressionné, félicitant l'épouse d'Howard d'être si généreuse. Non sans regarder l'homme qui n'avait toujours rien dit, chacun des participants s'était écrié que le Créateur la récompenserait dans sa prochaine vie. Grâce à cet argent, tant de souffrance pourrait être soulagée…

Très fière, la mère de Nicci avait poussé son avantage.

—Je crois que ma fille est assez grande pour apprendre à aider les autres.

Nicci s'était avancée sur sa chaise, très excitée à l'idée de participer enfin à ce que sa mère et ses amis appelaient une «mission sacrée». On eût dit que le Créateur en personne venait de lui ouvrir le chemin du salut.

—J'ai très envie d'être une bonne personne, maman.

—Qu'en pensez-vous, frère Narev? avait demandé la mère de Nicci en regardant l'homme assis à l'écart.

Sous son chapeau froissé, le frère Narev avait plissé le front, puis il s'était autorisé un demi-sourire énigmatique.

—Ainsi, mon enfant, tu voudrais devenir un petit soldat? avait-il demandé d'une voix presque assez puissante et grinçante pour faire trembler les tasses sur les soucoupes.

—Euh, non, messire…, avait soufflé Nicci.

Quel rapport y avait-il entre l'armée et le désir de faire le bien? Selon sa mère, les soldats n'étaient que des brutes assoiffées de sang.

—En fait, je veux aider les malheureux.

—C'est notre objectif à tous, mon enfant. Nous sommes les soldats de la Confrérie de l'Ordre. Des combattants qui luttent pour la justice.

Dans la pièce, personne n'avait jusque-là eu l'audace de regarder franchement frère Narev. On lui jetait uniquement des coups d'œil à la dérobée, comme si son visage avait été un médicament miracle qu'il ne fallait pas boire d'un coup mais siroter par petites gorgées.

La mère de Nicci avait regardé nerveusement autour d'elle, comme un cafard qui cherche une fissure où disparaître.

—Vous avez raison, bien entendu, frère Narev. Les soldats du bien sont les seuls qui méritent de la considération. (Elle avait tiré sur la manche de Nicci, pour qu'elle se penche en avant.) Ma petite, le frère Narev est un grand homme. Tu as devant toi le haut prêtre de la Confrérie de l'Ordre, une antique congrégation qui s'est juré d'accomplir la volonté du Créateur en ce monde. Il est aussi un grand sorcier. Frère Narev, je vous présente Nicci, ma fille.

Poussée vers l'homme comme si elle était un cadeau du Créateur en personne, Nicci, contrairement aux autres, n'avait pas pu détourner le regard des yeux tombants de l'homme.

Ils étaient vides et froids comme la mort.

—Ravi de te connaître, Nicci.

—Incline-toi et baise-lui la main, avait soufflé la mère de la fillette.

Nicci s'était agenouillée et avait embrassé une des phalanges du frère pour ne pas devoir poser les lèvres sur le réseau de veines bleues qui zébrait le dos de sa main tavelée.

—Bienvenue dans notre mouvement, Nicci. Guidée par la main ferme de ta mère, je sais que tu accompliras la volonté du Créateur.

À cet instant, Nicci avait pensé que le Créateur devait être le frère jumeau de cet homme.

À cause des sermons de sa mère, elle redoutait plus que tout la colère du Créateur. Pour obtenir le salut, elle devait sans tarder s'engager sur la voie de la charité et devenir une personne débordante de compassion.

Mais faire le bien semblait tellement ennuyeux, comparé à la joyeuse ambiance qui régnait dans la fabrique de son père.

— Merci, frère Narev, avait-elle dit. Je m'efforcerai d'être irréprochable dans cette vie.

— Un jour, avec l'aide de jeunes gens comme toi, nous changerons le monde. Mais je ne me berce pas d'illusions. Les hommes sont mauvais, et nous ne les gagnerons pas vite à notre cause. Heureusement, les braves gens qui sont ici, et d'autres, qui pensent comme eux, sèment chaque jour les graines de l'espoir.

— La confrérie est secrète? avait demandé Nicci, soudain plus enthousiaste.

Alors que sa mère et ses amis gloussaient, le frère Narev s'était contenté d'un demi-sourire.

— Non, mon enfant, bien au contraire! Notre désir le plus fervent – et notre mission la plus sacrée – est de dévoiler à la face du monde la corruption consubstantielle de l'humanité. Le Créateur est parfait. Les mortels sont de pauvres êtres pervertis. Pour échapper à Son courroux, et recevoir notre récompense dans l'autre monde, il faut regarder en face notre imperfection et nos péchés.

» Se sacrifier pour le bien de tous est le seul chemin vers la rédemption. Notre confrérie accueille tous ceux qui sont prêts à s'oublier eux-mêmes et à vivre selon de stricts principes moraux. Aujourd'hui, beaucoup de gens ne nous prennent pas au sérieux. Un jour, ils changeront d'avis.

» Les temps approchent où les flammes du changement crépiteront partout dans le monde et détruiront les anciens mensonges. Quand auront disparu les méchants et les prévaricateurs, un ordre nouveau naîtra des cendres encore fumantes du mal. Lorsque nous aurons purifié la terre des hommes, il n'y aura plus de rois ni de princes. Pourtant, l'ordre régnera, parce que le peuple gouvernera au nom du peuple. Ce jour-là, nul ne tremblera plus de froid, ne mourra plus de faim ni ne souffrira sans que se tende une main secourable. Car le bien commun, en ces temps bénis, primera sur les désirs égoïstes des individus.

Nicci voulait vraiment faire le bien. Mais cette voix puissante et grinçante l'avait fait penser au bruit de la porte d'une cellule qui se refermait lentement.

Sa cellule!

Tous les yeux étaient rivés sur elle, comme pour deviner si elle pourrait un jour être aussi charitable que sa mère.

— J'ai hâte que ces temps arrivent, frère Narev.

— Et tu as bien raison ! N'aie crainte, tu contribueras à leur avènement. Laisse-toi guider par tes sentiments et, comme un brave soldat, avance sur le chemin qui conduit vers un ordre nouveau. Mais cette route sera longue et difficile, mon enfant, et tu devras garder la foi. À part toi, tous ceux qui sont dans cette pièce ne vivront sûrement pas assez longtemps pour voir germer les graines qu'ils ont plantées. Avec un peu de chance, tu vivras un jour dans le monde merveilleux que je viens de décrire.

— Je prierai pour avoir ce bonheur, frère Narev, avait coassé Nicci, la gorge serrée.

Chapitre 11

Dès le lendemain, un panier rempli de miches de pain dans les bras, Nicci avait accompli sa première mission pour la cause. En compagnie d'autres membres de la confrérie, elle était chargée de distribuer une pitance inespérée aux indigents d'un des quartiers les plus pauvres de la ville.

Pour l'occasion, sa mère l'avait forcée à mettre une jolie robe rouge plissée et des bas blancs ornés de broderies écarlates. Très fière d'œuvrer enfin pour le bien, la fillette avait arpenté les rues jonchées de détritus en pensant au jour merveilleux où l'apparition d'un ordre nouveau mettrait à tout jamais fin à la misère et au désespoir.

Quelques personnes avaient accepté son pain avec un sourire et de sincères remerciements. D'autres s'en étaient emparées sans un mot ni un geste de gratitude. La majorité des déshérités, à sa grande surprise, avaient grogné que le pain était rassis, sûrement pas très bon et insuffisant pour nourrir toute une famille.

Refusant de se laisser décourager par ces réactions, Nicci avait débité le petit discours que sa mère lui avait fait apprendre par cœur. Tout cela était la faute du boulanger! Travaillant uniquement pour se remplir les poches, il bâclait les fournées que lui achetait la confrérie parce qu'il était obligé d'appliquer une ristourne.

Il était injuste d'agir ainsi, avait expliqué Nicci, mais ça changerait dès que la Confrérie de l'Ordre aurait pris le pouvoir pour le bien du peuple.

Alors que Nicci remontait une rue, un homme l'avait prise par le bras et tirée dans un passage latéral qui puait autant qu'une décharge publique. Refusant la miche qu'elle lui proposait, il lui avait réclamé des couronnes d'or ou d'argent.

N'ayant pas un sou sur elle, Nicci s'était excusée de ne rien pouvoir faire pour le malheureux. Rouge de colère, il avait profité de sa force pour la fouiller, glissant les mains jusque sous sa culotte dans l'espoir d'y trouver une bourse. Très mécontent de ne rien découvrir, il lui avait enlevé ses chaussures. Comme elles ne contenaient pas l'ombre d'une pièce de monnaie, il s'était vengé en les jetant sur un tas d'immondices.

Avant de partir, il avait frappé deux fois Nicci au ventre, puis s'était éloigné en la laissant gémir de douleur sur les pavés où elle s'était écroulée.

Nicci était parvenue à se traîner jusqu'au caniveau pour restituer le contenu de son estomac. À l'entrée de la ruelle, quelques passants s'étaient arrêtés afin de la regarder vomir. Sans esquisser un geste pour l'aider, ils avaient continué leur chemin en accélérant le pas.

Deux ou trois hommes étaient entrés dans le passage pour récupérer des miches de pain avant de détaler sans demander leur reste. Des larmes aux yeux, le souffle coupé, Nicci avait tristement baissé les yeux sur sa jolie robe constellée d'ignobles taches.

Quand elle était rentrée chez elle, les yeux encore rouges, sa mère lui avait souri.

— Parfois, la détresse de ces pauvres gens m'arrache aussi des larmes, avait-elle fièrement déclaré.

Nicci n'avait pas pu taire la vérité. Un méchant homme s'en était pris à elle pour la détrousser, et il avait même été jusqu'à la frapper.

— N'aie plus jamais l'outrecuidance de juger les gens ! avait crié sa mère en la giflant. (Sur la bouche, là où ça faisait le plus mal.) À ton âge, comment peut-on être présomptueux à ce point ?

Nicci s'était pétrifiée, blessée par la rebuffade plus que par la violence du coup.

— Maman, il a été très cruel… Il m'a touchée partout, puis frappée très fort…

Une nouvelle gifle, plus violente que la première, avait coupé le souffle à Nicci.

— Je ne permettrai pas que tu m'humilies devant frère Narev et mes amis en tenant des discours pareils ! Tu m'entends ? Tu ne sais pas pourquoi ce pauvre homme s'est comporté ainsi. Ses enfants sont peut-être malades, et il cherche de l'argent pour les faire soigner. En voyant une sale petite gosse de riche, il a dû craquer, furieux parce que les siens sont dans la misère alors que d'autres s'exhibent dans des robes hors de prix.

» Tu ne sais rien du fardeau que porte cet homme. Quand cesseras-tu de juger les gens sur leurs actes au lieu de prendre le temps de connaître leurs motivations ?

— Mais je pense…

Une troisième gifle – presque un coup de poing – avait forcé Nicci à ravaler ses paroles.

— Tu *penses* ? La réflexion est l'acide qui ronge insidieusement la foi.

Ton devoir est de croire, pas de penser, car l'esprit d'un être humain est inférieur à celui du Créateur. Tes idées et toutes celles qui tournent dans le cerveau des gens n'ont aucune valeur. L'humanité est méprisable, quand le comprendras-tu enfin ? Une seule chose compte : l'amour et la bonté que le Créateur a quand même instillés dans l'âme des pécheurs.

» Tu dois te laisser guider par ton cœur, pas par ta raison. La foi est le seul chemin qui mène au salut.

— Alors, que dois-je faire ? avait demandé Nicci en ravalant ses larmes.

— Avoir honte que l'injustice de ce monde pousse de pauvres innocents à mal se comporter. À l'avenir, tu devras tenter d'aider les gens qui te rudoient, comme cet homme, parce que tu en as les moyens, alors qu'eux sont désarmés. N'as-tu pas saisi que c'était ton devoir ?

Ce soir-là, quand son père était entré dans sa chambre sur la pointe des pieds pour voir si elle était douillettement couchée, Nicci lui avait pris la main pour la serrer contre sa joue. Même s'il était un pécheur, comme le disait sa mère, elle ne se sentait jamais mieux que lorsqu'il venait s'asseoir au bord de son lit pour lui caresser les cheveux…

Les semaines suivantes, Nicci avait continué à œuvrer pour la confrérie, et commencé à mieux comprendre les problèmes des pauvres. À première vue, la situation était désespérée, et tout ce qu'elle faisait ne l'améliorait pas d'un iota.

Selon frère Narev, ça prouvait simplement qu'elle ne s'investissait pas assez dans sa mission. À chaque échec, avait-il dit, elle devait se jurer de produire encore plus d'efforts la prochaine fois, comme le lui conseillait sa mère.

Après quelques années passées à militer pour la confrérie, Nicci avait osé demander de l'aide à son père.

— Papa, avait-elle dit un soir à table, j'essaie de secourir un homme qui a dix enfants et pas de travail. Tu voudrais bien l'embaucher ?

— Pourquoi ferais-je ça ?

— Eh bien, parce qu'il a dix bouches à nourrir.

— Peut-être, mais quel est son métier ? Pourquoi devrais-je lui proposer un poste ?

— Parce qu'il en a besoin !

— Ma chérie, j'emploie des ouvriers spécialisés. Avoir dix enfants ne veut pas dire qu'on sait travailler les métaux. Quelle est sa qualification ?

— S'il en avait une, papa, il ne serait pas sans emploi. Est-il juste que ses enfants meurent de faim parce que personne ne veut lui donner une chance ?

—Une chance? Laquelle, puisqu'il ne sait rien faire?

—Dans une entreprise comme la tienne, il doit bien y avoir du travail pour lui.

Impressionné par la détermination de sa fille, Howard avait réfléchi en tapotant du bout de l'index le manche de sa cuiller.

—Eh bien, j'aurais besoin d'un homme de plus pour décharger les chariots…

—C'est impossible, parce qu'il a très mal au dos. Depuis des années, ce handicap l'empêche de gagner sa vie.

—Mais pas de faire dix enfants? avait demandé Howard, le front soudain plissé.

Décidée à œuvrer pour le bien, Nicci avait courageusement soutenu le regard désapprobateur de son père.

—Pourquoi es-tu si intransigeant, papa? Cet homme a besoin d'un travail, et tu peux lui en donner un. Ses enfants doivent manger et porter des vêtements convenables. Veux-tu priver un père de famille des moyens de survivre parce que personne ne lui a jamais tendu une main secourable? Ton or t'empêche-t-il de voir le malheur, tout autour de toi?

—Mais je…

—Faut-il toujours que tu penses à toi, et jamais aux autres? Le monde tourne-t-il autour de ta seule personne?

—J'ai une entreprise, et…

—À quoi sert une entreprise, sinon à faire travailler ceux qui en ont besoin? Ne vaudrait-il pas mieux que cet homme ait un emploi, plutôt que de s'humilier en tendant la main dans les rues? C'est ce que tu veux? Qu'il y ait plus de mendiants que d'ouvriers? Pourtant, tu parles sans arrêt de la valeur du labeur, dans la vie d'un homme.

Nicci bombardait son père d'arguments sans lui laisser une seconde pour répondre. Sa mère avait souri en la voyant réciter des mots qu'elle avait appris par cœur et employer la méthode que prônait frère Narev : prendre un exemple – même discutable –, le développer sans laisser le temps à son interlocuteur d'émettre des objections, et dégager des principes généraux à partir d'une situation si particulière qu'elle n'était représentative de rien.

—Pourquoi es-tu cruel avec les plus faibles? avait continué Nicci, impitoyable. Ne peux-tu pas songer à aider les autres, au lieu de ne penser qu'à l'argent? Si tu engages cet homme, cela t'acculera-t-il à la ruine?

Howard avait regardé Nicci comme s'il la voyait pour la première fois. Le souffle coupé par cet assaut en règle, il avait ouvert la bouche, mais sans réussir à émettre un son.

Sa femme buvait du petit-lait, bien entendu…

—Eh bien…, avait enfin dit Howard, je suppose que… (Reprenant sa cuiller, il avait baissé les yeux sur sa soupe.) Qu'il vienne me voir, je lui trouverai quelque chose...

Nicci avait rayonné, le cœur gonflé de fierté et d'un tout nouveau sentiment de puissance. Elle n'avait jamais supposé que déstabiliser son père pût être si facile. Avec un peu de bonté, simplement, elle avait réussi à lui faire oublier son égoïsme fondamental...

Sans finir son dîner, Howard s'était levé pour quitter la table.

— Il faut que... j'aille voir quelque chose, au travail... (En évitant de regarder sa fille ou sa femme, il s'était dirigé vers la porte.) Je viens de me souvenir... une tâche urgente à terminer...

Dès qu'elle avait été seule avec Nicci, sa mère s'était empressée de la féliciter.

— Je suis contente que tu aies choisi le chemin du bien, au lieu de suivre ton père sur celui de la perdition. Tu ne regretteras jamais de laisser l'amour des autres te dicter tes actes, parce que le Créateur te sourira jusqu'à la fin de tes jours.

Nicci était sûre d'avoir bien agi. Pourtant, un souvenir la hantait : cette fameuse nuit, des années plus tôt, où elle avait serré si fort la main de son père contre sa joue...

Howard avait fini par engager le protégé de sa fille, et le sujet n'était plus jamais revenu dans la conversation. Très prise par sa croisade pour le bien, Nicci s'était éloignée de son père, trop absorbé par ses affaires pour passer de longs moments à la maison.

Nicci aurait aimé revoir de la tendresse dans les yeux d'Howard, mais il fallait bien renoncer à certaines choses, quand on grandissait...

Le printemps suivant, alors que Nicci venait de fêter son treizième anniversaire, une étrange visiteuse était passée voir sa mère. Revenant d'une de ses missions pour la confrérie, la jeune fille avait eu des frissons glacés dès que la femme avait posé les yeux sur elle.

— Nicci, ma chérie, je te présente sœur Alessandra. Elle vient du Palais des Prophètes, à Tanimura.

Plus vieille que la mère de Nicci, la femme portait ses cheveux châtains en chignon. Ordinaire sans être laide, elle avait cependant un nez un peu trop grand qui jurait avec le reste de son visage.

— Avez-vous fait bon voyage, sœur Alessandra ? avait demandé Nicci après avoir esquissé une révérence. Tanimura est assez loin d'ici...

— Trois jours de cheval ne sont pas une affaire... Je t'imaginais moins fluette, ma petite. Si jeune, et déjà accablée de tant de responsabilités... Tu veux bien t'asseoir un moment avec nous ?

— Vous êtes une sœur de la confrérie ? avait demandé Nicci, un peu perdue.

— De quoi parles-tu donc ?

— Nicci, ma chérie, Alessandra est une Sœur de la Lumière !

Stupéfaite, Nicci s'était laissée tomber sur une chaise. Les Sœurs de la Lumière avaient le don, comme sa mère et elle. À part ça, elle ne savait pas grand-chose d'elles, sinon qu'elles servaient le Créateur. Mais il y avait déjà de quoi la bouleverser : qu'une femme comme elle leur rende visite était presque aussi impressionnant que de se tenir devant frère Narev. Sans savoir pourquoi, Nicci se sentait en danger, comme si…

En plus de tout, elle avait du pain sur la planche, et pas de temps à perdre ! Il y avait des dons à collecter, comme presque tous les jours. Parfois, des bénévoles plus âgés l'accompagnaient. En d'autres occasions, ils la laissaient y aller seule, parce qu'une jeune fille obtenait de meilleurs résultats, quand il s'agissait de faire honte à des nantis égoïstes. Ces hommes et ces femmes-là, qui dirigeaient tous des affaires, savaient qui elle était. Très gênés, ils lui demandaient invariablement des nouvelles de son père. Appliquant la stratégie mise au point par la confrérie, Nicci répondait qu'il serait ravi d'apprendre que des confrères à lui se montraient généreux avec les déshérités. Peu à peu, la plupart de ces capitaines d'industrie avaient acquis un certain sens civique.

Ce jour-là, Nicci devait également faire une tournée de distribution de médicaments. Dans les quartiers pauvres, les enfants étaient sans cesse malades. Et la question des vêtements se reposait tout le temps, puisqu'ils grandissaient à toute vitesse. Les dons ne suffisant plus, Nicci tentait de recruter des couturières bénévoles…

Il y avait aussi la question du logement. Un vrai casse-tête ! Certaines familles étaient à la rue, et d'autres s'entassaient dans des trous à rats. Mais comment convaincre les riches de mettre des bâtiments à leur disposition ? Nicci s'y efforçait – sans grand succès, jusque-là.

Elle s'occupait également de fournir des cruches aux femmes contraintes d'aller chercher de l'eau à la fontaine. Ce jour-là, elle avait prévu de passer voir le potier…

Enfin, son pire souci, il y avait la délinquance… Beaucoup d'enfants d'une dizaine d'années ou plus volaient pour survivre, et ils se faisaient régulièrement attraper. D'autres formaient des bandes qui se battaient entre elles. Et une infime minorité maltraitaient les gamins plus jeunes, les battant parfois à mort.

Nicci plaidait en faveur de ces gamins, parce que leur comportement, assurait-elle, avait pour cause la misère et le sentiment de n'avoir pas d'avenir. Si son père consentait à en engager quelques-uns, la situation avait une chance de s'améliorer.

Les problèmes s'accumulaient, et il n'y avait aucun espoir que ça cesse. Plus la confrérie aidait de gens, et plus il semblait y avoir de nouveaux candidats à l'assistance. Au début, Nicci avait pensé pouvoir en finir avec tous les malheurs du monde. Ces derniers temps, elle ne se sentait plus à la hauteur de la tâche. C'était sa faute, elle le savait, et devrait simplement travailler davantage.

— Sais-tu lire et écrire, ma petite ? avait demandé sœur Alessandra.

— Pas vraiment… Quelques noms, seulement. J'ai tant à faire pour ceux qui ont eu moins de chance que moi dans la vie. Leurs besoins passent avant mes désirs égoïstes.

La mère de Nicci avait souri de fierté.

— On raconte que tu es un esprit du bien incarné, avait dit sœur Alessandra, très émue. J'ai beaucoup entendu parler de ton dévouement.

— Vraiment ?

D'abord très fière, Nicci s'était vite rembrunie. Si méritoires que fussent ses efforts, ils ne servaient quasiment à rien ! Et de toute façon, comme disait sa mère, l'orgueil était un péché.

— Mais vous savez, sœur Alessandra, ça n'a rien d'extraordinaire. Les gens qui souffrent sont dignes d'intérêt, pas moi ! Ce sont eux qui me donnent la force d'agir.

Une fois encore, la mère de Nicci avait souri d'aise.

— As-tu appris à utiliser ton don, mon enfant ? avait demandé la sœur.

— Maman m'a enseigné quelques petites choses, comme soigner des affections bénignes. Mais il serait indigne d'étaler mes pouvoirs devant ceux qui en sont dépourvus, donc je m'efforce d'y recourir le moins souvent possible.

— En t'attendant, j'ai un peu parlé avec ta mère. Elle t'a très bien élevée, sais-tu ? Mais nous pensons que tu donnerais le meilleur de toi-même si tu te consacrais à une mission plus élevée.

— Eh bien… S'il le faut, je pourrais me lever un peu plus tôt… Mais je dois d'abord aider les pauvres, et j'aurai peu de temps à consacrer à cette nouvelle tâche. Ne croyez surtout pas que je cherche à me faire plaindre, mais j'espère que votre mission n'est pas trop urgente, parce que je suis très occupée.

Sœur Alessandra avait eu un étrange petit sourire désabusé.

— Tu m'as mal comprise, Nicci. Nous voudrions que tu viennes continuer ton œuvre avec nous, au Palais des Prophètes. Au début, en tant que novice, bien entendu. Mais un jour, tu deviendras une Sœur de la Lumière, et tu pourras mener à son terme la mission que tu t'es assignée.

Nicci avait senti son sang se glacer. Elle s'occupait de tant de gens dont la vie ne tenait qu'à un fil ! Il y avait aussi, dans la confrérie, des amis qu'elle aimait de tout son cœur. De plus, elle refusait de quitter sa mère – et son père, même s'il n'était pas un homme de bien. Il se comportait mal, il fallait l'admettre, mais jamais avec elle. Si insensible et cupide qu'il soit, il venait encore de temps en temps la border dans son lit, le soir, et lui tapoter gentiment l'épaule. Si on lui en laissait le temps, elle était sûre de revoir un jour ces étincelles d'amour et de mélancolie, dans ses yeux. Pour une raison qui la dépassait, elle en avait désespérément besoin. C'était égoïste, elle le savait, mais...

— Sœur Alessandra, j'ai des responsabilités, ici. Désolée, mais je ne peux pas abandonner mes protégés.

À cet instant, le père de Nicci était entré dans la pièce. Stupéfait, il avait regardé sœur Alessandra avec des yeux ronds.

— Que se passe-t-il encore?

— Howard, avait dit la mère de Nicci en se levant, je te présente la Sœur de la Lumière Alessandra. Elle est venue pour...

— Non, je ne permettrai pas ça, tu m'entends? Nicci est notre fille, et les sœurs ne l'auront pas.

Sœur Alessandra s'était levée aussi.

— Je vous en prie, dites à votre mari de sortir. Cette affaire ne le concerne pas.

— Pardon? C'est ma fille! Vous ne me l'enlèverez pas!

Howard avait avancé d'un pas pour saisir la main que la jeune fille lui tendait. Alessandra avait simplement braqué un index sur lui. Un éclair avait jailli, le frappant et le propulsant en arrière jusqu'à ce qu'il percute le mur.

Le souffle coupé, Howard s'était affaissé, une main pressée sur son cœur. Nicci avait voulu courir vers lui, mais la sœur l'en avait empêchée en la retenant par un bras.

— Howard, avait lâché la mère de Nicci, l'éducation de notre fille ne regarde que moi. Souviens-toi: quand notre mariage fut arrangé par nos familles, tu as juré de me laisser toute l'autorité parentale si le Créateur nous donnait une fille née avec le don, comme moi. Aujourd'hui, je suis sûre qu'Il veut que Nicci aille vivre au Palais des Prophètes. Avec les sœurs, elle apprendra à lire, à écrire et à utiliser son don pour le bien des autres. Tu dois tenir ta parole, Howard! D'ailleurs, je suis sûre qu'un travail urgent t'attend à la fabrique ou au magasin...

Le père de Nicci s'était relevé, puis il avait massé le point douloureux, sur sa poitrine. Les bras retombant le long du corps, il s'était dirigé vers la porte. Avant de sortir, il avait croisé le regard de sa fille.

À travers un rideau de larmes, Nicci avait vu briller dans ses yeux les étincelles dont elle regrettait la disparition depuis tant d'années. Mais il était sorti, refermant la porte derrière lui...

Sœur Alessandra avait déclaré que Nicci et elle feraient mieux de partir au plus vite, et qu'il était préférable que la jeune fille ne revoie pas son père pour le moment. Mais si elle se montrait obéissante, quand elle aurait appris à lire, à écrire et à maîtriser son don, elle pourrait de nouveau lui rendre de courtes visites.

Au Palais des Prophètes, Nicci avait appris à lire, à écrire, à utiliser son don et à maîtriser tout ce qu'on lui demandait de maîtriser. Bref, elle avait fait tout ce qu'on attendait d'elle, se révélant une novice extraordinairement studieuse et altruiste. Bien entendu, sœur Alessandra avait oublié sa promesse. Très mécontente quand Nicci la lui avait rappelée, elle s'était empressée de trouver d'autres conditions à remplir avant que la future Sœur de la Lumière puisse retrouver sa famille.

Des années après son arrivée au palais, Nicci avait revu le frère Narev par hasard, car il y travaillait désormais comme garçon d'écurie. Avec un petit sourire, le regard rivé sur elle, il lui avait confié être venu au palais en s'inspirant de son exemple. Parce qu'il voulait vivre assez longtemps pour voir le nouvel ordre régner sur le monde…

Nicci s'était étonnée qu'il se contente d'une occupation subalterne. Travailler pour les sœurs, avait-il répondu, lui semblait plus moral que de louer ses bras à un exploiteur du peuple.

Si Nicci voulait parler de lui et de la confrérie aux sœurs, avait-il ajouté, il n'y voyait aucun inconvénient. En revanche, pouvait-elle ne pas mentionner qu'il avait le don, afin qu'il reste tranquille dans son coin, aux écuries ? Désireux de servir le Créateur à sa façon, il serait obligé de partir si les sœurs découvraient la vérité et voulaient qu'il collabore à leurs activités magiques.

Nicci avait gardé le secret. Moins par loyauté que parce qu'elle était trop occupée pour se soucier encore du frère Narev et de sa confrérie. Le voyant très rarement, puisqu'elle ne fréquentait pas beaucoup les écuries, elle n'avait guère repensé à lui. Désormais, il n'avait plus à ses yeux l'importance qu'elle lui accordait dans son enfance. Et au palais, on la chargeait de missions qui l'accaparaient – des tâches honorables semblables à celles dont elle s'acquittait jadis pour la confrérie.

Bien des années plus tard, elle avait découvert les véritables raisons qui motivaient l'installation du frère Narev au palais…

Sœur Alessandra l'accablant de travail, vingt-sept ans étaient passés sans que Nicci – toujours en apprentissage – ait trouvé le temps de retourner chez elle.

Elle avait quand même fini par le faire – pour les funérailles de son père.

Une lettre de sa mère l'ayant informée que sa santé déclinait, elle était aussitôt partie en compagnie de sœur Alessandra. Mais à son arrivée, Howard avait cessé de vivre.

Depuis des semaines, avait expliqué son épouse, il la suppliait de prévenir Nicci. Certaine qu'il se rétablirait, elle n'en avait rien fait. Pourquoi aurait-elle dérangé une future Sœur de la Lumière pour de banales avanies de santé ? Jusqu'à la fin, Howard n'avait eu qu'une requête : revoir sa fille avant de quitter ce monde. Une étrange lubie, pour un homme qui ne s'était jamais intéressé aux autres. À se demander ce qui lui avait pris...

Il était mort seul, pendant que sa femme se consacrait à secourir les victimes d'un univers impitoyable.

À l'époque, Nicci avait quarante ans, mais elle en paraissait quinze ou seize grâce au sort qui ralentissait le temps pour les résidents du Palais des Prophètes. Abusée par son apparence, sa mère avait insisté pour qu'elle porte une robe bariolée. Après tout, leurs retrouvailles n'avaient pas lieu en une occasion si triste que ça...

Nicci était restée très longtemps debout devant le cadavre, le cœur serré parce qu'elle ne reverrait plus jamais les yeux si mélancoliques de son père. Pour la première fois depuis des années, le chagrin avait réveillé son âme anesthésiée. Ressentir de nouveau quelque chose lui avait fait du bien, même si ça n'avait rien de joyeux.

Alors qu'elle regardait le visage cireux d'Howard, sœur Alessandra avait soufflé qu'elle était désolée de l'avoir arrachée à sa famille. Mais au cours de sa longue existence, elle n'avait jamais rencontré une femme dotée d'un si grand pouvoir. Et ce présent du Créateur ne devait pas être gaspillé.

Nicci avait acquiescé. Puisqu'elle avait le don, il fallait qu'elle le mette au service des nécessiteux.

Au Palais des Prophètes, elle avait la réputation d'être la novice la plus dévouée qu'on eût jamais vue. Tout le monde la louangeait, et on conseillait aux étudiantes plus jeunes de prendre exemple sur elle. La Dame Abbesse en personne l'avait félicitée.

Nicci entendait à peine ces compliments. Être meilleure que les autres revenait à commettre une injustice. Hélas, elle ne parvenait pas à se débarrasser du perfectionnisme hérité de son père. Le poison qu'il lui avait légué coulait dans ses veines et influençait tous ses actes. Plus elle se montrait modeste, altruiste et pleine de compassion, plus cela confirmait sa supériorité – et donc, sa perversité fondamentale. Bref, elle était une mauvaise personne et ne pouvait rien y changer.

— Essaie de ne pas te souvenir de lui tel qu'il est aujourd'hui, avait dit sœur Alessandra tandis qu'elles veillaient le corps. Pense à lui quand il était vivant.

— C'est impossible, avait répondu Nicci, parce que je ne l'ai jamais connu, lorsqu'il était de ce monde...

La mère de Nicci avait géré les affaires d'Howard avec ses amis de la confrérie. Dans des lettres au ton enjoué, elle annonçait qu'elle avait engagé beaucoup de pères de famille depuis longtemps privés d'emploi. Avec la puissance financière de l'entreprise, ce n'était pas gênant, même si ces hommes manquaient un peu d'expérience. Enfin, l'argent mal acquis allait profiter à la communauté! Au fond, la mort d'Howard était une sorte de bénédiction, puisqu'elle permettait à des déshérités d'obtenir enfin l'aide qu'ils méritaient. À l'évidence, cela faisait partie des voies impénétrables du Créateur...

Pour verser des salaires à une pléthore d'employés, la nouvelle direction avait dû augmenter considérablement le prix des produits. Inquiets, beaucoup de collaborateurs d'Howard avaient quitté l'affaire. La mère de Nicci s'en était réjouie, parce qu'ils s'étaient surtout acharnés à lui mettre des bâtons dans les roues.

Très vite, les commandes prenant du retard, les fournisseurs avaient demandé à être payés avant de livrer les matières premières. Ses nouveaux employés jugeant que les critères de qualité étaient impossibles à tenir, leur patronne avait résolu de ne plus garantir les armes et les armures. Après tout, les ouvriers faisaient de leur mieux, et cela seul comptait.

Pour équilibrer les comptes, il avait fallu revendre le laminoir. Voyant que l'affaire battait de l'aile, de gros clients avaient cessé de passer commande. Plutôt contente d'être débarrassée de pareils rustres, la mère de Nicci était allée implorer le duc de faire promulguer une loi qui rendrait obligatoire une répartition équitable du marché entre toutes les armureries. Mais avec la nonchalance administrative bien connue, la législation salvatrice était restée coincée sous une pile de documents, dans un bureau anonyme.

Les rares clients encore fidèles omettaient de payer leurs factures – mais ils promettaient de le faire un jour ou l'autre. Avec de plus en plus de retard, on leur expédiait quand même leurs produits.

Six mois après la mort d'Howard, la mère de Nicci avait dû fermer l'affaire. Le patrimoine que son mari avait mis une vie entière à se constituer était parti en fumée.

Les ouvriers spécialisés jadis engagés par Howard – car il en restait quelques-uns – avaient quitté la ville pour tenter de trouver de l'ouvrage ailleurs. Ceux qui étaient restés avaient trouvé des postes bien au-dessous de leurs qualifications.

Les pères de famille engagés par la mère de Nicci s'étaient de nouveau retrouvés à la rue. Toujours compatissante, elle avait fait avec ses amis de la confrérie le tour de toutes les entreprises locales en demandant qu'on les embauche. Certains patrons avaient fait des efforts, mais la plupart n'étaient pas en mesure d'augmenter sérieusement leurs effectifs.

Depuis des décennies, l'armurerie était le plus gros donneur d'ouvrage de la région, et elle faisait également vivre un grand nombre de sous-traitants. Beaucoup de transporteurs, fournisseurs ou revendeurs, qui dépendaient de ses commandes, avaient été condamnés à mort par sa faillite. Par ricochet, tous les commerçants de la ville avaient perdu de la clientèle. Eux aussi s'étaient résignés à licencier leurs employés.

La mère de Nicci était allée voir le duc pour lui demander d'intervenir auprès du roi. Quelques jours plus tard, on lui avait fait savoir que le souverain « réfléchissait au problème ».

Après le départ d'un grand nombre de gens vers d'autres villes – où ils espéraient trouver du travail –, beaucoup de bâtiments étaient vides. Encouragés par la confrérie, les sans-abris les avaient investis. Très vite, ces quartiers étaient devenus des coupe-gorge, et les femmes qui s'y aventuraient le regrettaient toujours. Disposant d'un stock d'armes qu'elle ne pouvait plus vendre, la mère de Nicci les avait fait distribuer aux pauvres, pour qu'ils se défendent. Malgré ses efforts, la criminalité avait continué d'augmenter.

Parce qu'elle était une bienfaitrice réputée, et en hommage aux services que son mari avait rendus au gouvernement, le roi avait autorisé la veuve d'Howard à rester dans sa maison, avec une équipe de serviteurs réduite. Elle avait continué à œuvrer avec la confrérie, acharnée à réparer toutes les injustices responsables de la faillite de l'armurerie. Refusant de baisser les bras, elle espérait toujours rouvrir l'affaire et embaucher de braves gens.

Impressionné par son sens moral, le roi lui avait décerné une médaille d'argent. Dans ses lettres, la mère de Nicci répétait souvent qu'il la tenait pour la seule incarnation d'un esprit du bien qu'il ait eu l'occasion de rencontrer en ce monde.

D'autres honneurs et récompenses avaient au fil des années renforcé la réputation de sainte de la veuve d'Howard.

Dix-huit ans après la disparition de son père, quand sa mère avait à son tour quitté le monde, Nicci ressemblait toujours à une jeune femme de moins de vingt ans. Pour assister aux funérailles, elle voulait porter une magnifique robe noire, mais la Dame Abbesse avait refusé d'accéder à sa requête, qu'elle jugeait insensée pour une novice.

De retour chez elle, Nicci était allée voir le tailleur du roi. D'accord pour lui confectionner la plus belle robe noire qui eût jamais existé, il s'était rembruni quand elle lui avait annoncé que sa bourse était vide.

Puis cet homme au double menton, aux oreilles souillées de cérumen, aux longs ongles jaunâtres et au rictus lubrique avait déclaré qu'on pouvait toujours « trouver des arrangements, quand on était de bonne volonté ».

Nicci avait compris le message et fait ce qu'il fallait. Aux obsèques de sa mère, elle portait une superbe robe noire.

Jusqu'à son dernier souffle, la défunte s'était consacrée à aider les autres. Pourtant, sa fille n'avait pas regretté un instant de ne plus jamais pouvoir la regarder dans les yeux. Et son âme était restée aussi vide et insensible que d'habitude.

Décidément, elle était une mauvaise personne !

Pour la première fois de sa vie, avait-elle découvert, cette idée ne la dérangeait plus.

À partir de ce jour, elle n'avait plus porté que du noir…

Cent trente-trois ans plus tard, accoudée à la balustrade d'une galerie, au cœur du Palais des Prophètes, Nicci avait plongé le regard dans des yeux où brillaient des étincelles semblables à celles qui dansaient dans ceux de son père. Mais chez Richard Cypher, c'étaient plutôt des étoiles dont la lueur aurait pu l'aveugler.

Nicci ignorait toujours de quoi il s'agissait. Pourtant une chose était certaine : cela faisait toute la différence entre la vie et la mort, et elle devait absolument détruire Richard. Et maintenant, elle savait comment s'y prendre. Quand elle était enfant, pourquoi nul n'avait-il jamais songé à faire montre d'une telle compassion avec son père ?

Chapitre 12

Alors qu'elle remontait la route qui conduisait de la ville au domaine où Jagang s'était installé, selon les trois crétines de la Lumière, Nicci regarda autour d'elle, en quête de quelques tentes bien particulières. Si étendu que fût le campement, la Maîtresse de la Mort savait qu'elles devaient se dresser dans les environs, car l'empereur insistait pour qu'elles ne soient jamais très loin de lui.

Partout autour d'elle, et à perte de vue, des feux de camp brillaient comme des étoiles dans un ciel nocturne. La nuit tombait, et les nuages noirs qui s'accumulaient au-dessus de la région accéléraient encore le processus. Charriée par le vent, l'odeur âcre de la fumée occultait miséricordieusement la puanteur des excréments humains et animaux. De temps en temps, de délicieuses senteurs de viande rôtie venaient caresser les narines de Nicci, mais cela ne durait jamais longtemps, car les miasmes les plus répugnants reprenaient vite le dessus.

Si l'armée restait encore cantonnée ici des semaines, voire des mois, il deviendrait difficile de respirer sans se plaquer un mouchoir sur le nez et la bouche.

Loin devant elle, Nicci apercevait déjà les contours sombres des bâtiments du ministère de la Civilisation. Ayant accès aux esprits des trois idiotes, Jagang devait savoir qu'elle était là, et il l'attendait sûrement en bouillant d'impatience.

Eh bien, il devrait s'énerver encore un peu ! Avant de le voir, elle avait quelque chose à faire, et comme il ne pouvait pas s'introduire dans sa tête, son maître ne serait pas en mesure de l'en empêcher.

Apercevant enfin ce qu'elle cherchait, Nicci quitta la route et slaloma entre les tentes et les feux de camp. Même d'assez loin, elle reconnut les sons qui montaient presque en permanence de l'endroit qu'elle cherchait. Oui, malgré les éclats de rire, les chansons paillardes, le crépitement de la viande dans les poêles et le grincement du métal sur les pierres à aiguiser, on reconnaissait ces bruits-là, quand on avait l'habitude…

Des soldats surexcités s'accrochèrent aux bras, aux jambes et à la robe de la Maîtresse de la Mort tandis qu'elle avançait. Les privautés de ces brutes ne la dérangeant pas, elle les écarta comme on chasse du revers de la main des mouches importunes. Et quand un soudard, plus audacieux que les autres, lui barra le chemin et osa lui saisir un poignet, elle s'arrêta juste le temps qu'il fallait pour libérer son pouvoir et faire éclater le cœur de l'ivrogne dans sa poitrine.

Ignorant qu'il était mort sur le coup, les compagnons du type éclatèrent de rire en le voyant s'écrouler. Cela dit, aucun ne tenta d'attraper la proie qu'il venait de laisser filer.

—C'est la Maîtresse de la Mort…, soufflèrent quelques voix alors que Nicci s'éloignait déjà.

Des hommes mangeaient, jouaient aux dés ou ronflaient sous leur couverture quand elle arriva devant les tentes «spéciales» sous lesquelles des prisonniers torturés hurlaient à la mort. Tirant un cadavre par les pieds, deux hommes à l'air impassible le jetèrent ensuite dans un chariot où s'entassaient des dizaines de dépouilles mutilées.

Nicci claqua des doigts pour attirer l'attention d'un soldat mal rasé aux cheveux en bataille.

—Faites-moi voir la liste, capitaine, demanda-t-elle.

Elle avait reconnu l'officier à la couverture bleue du registre qu'il portait sous un bras.

L'homme la foudroya du regard un moment. L'identifiant enfin, grâce à la robe noire, il lui tendit le registre crasseux et plié en deux au milieu comme si quelqu'un s'était assis dessus par mégarde.

—Il n'y a rien de particulier à signaler, maîtresse, mais dites à l'empereur que nous avons tout essayé en vain. Cette garce refuse de parler!

Nicci ouvrit le registre et étudia la liste des noms récemment ajoutés – avec quelques informations complémentaires, lorsqu'il y en avait.

—De qui parlez-vous, capitaine? demanda-t-elle tout en lisant.

—De la Mord-Sith, bien sûr!

—Évidemment, où avais-je la tête? fit Nicci, comme si cette nouvelle ne la surprenait pas. Et où est-elle détenue?

L'homme désigna une tente.

—Son Excellence ne pensait pas qu'une sorcière si puissante nous donnerait des informations sur Richard Rahl, mais j'espérais lui faire une bonne surprise. Hélas, c'est raté!

Nicci regarda la tente, d'où ne montait pas de cri. Elle n'avait jamais rencontré de Mord-Sith. Mais elle en savait assez sur ces femmes pour ne pas tenter d'utiliser sa magie contre elles. Une grossière erreur dont on n'avait en général pas le temps de se repentir…

Sur le registre, elle ne trouva aucun nom qui puisse éveiller son intérêt. Les nouveaux prisonniers étaient tous des Anderiens qui ne détiendraient pas les informations qu'elle cherchait.

Encore que… Au bas d'une page, au lieu d'un nom, figurait simplement le mot « messager ».

— Où est cet homme-là ?

— Dans cette tente, derrière moi. Je l'ai confié à un de mes meilleurs tortionnaires, mais la dernière fois que je suis allé voir, ce matin, il n'en avait rien tiré.

En douze heures de torture, beaucoup de choses pouvaient changer. Nicci décida d'aller jeter un coup d'œil à ce type.

— Merci, capitaine, dit-elle en rendant le registre à l'officier. Ce sera tout…

— Vous transmettrez mon rapport à l'empereur ? Surtout, dites-lui bien qu'il n'y a pas grand-chose à espérer de ces vermines…

Dans l'armée de l'Ordre, personne n'avait envie de se présenter devant l'empereur pour annoncer un échec – même quand la mission était impossible. Jagang n'aimait pas les excuses, et il prenait rarement la peine de les écouter.

— Je lui dirai tout ça, ne vous inquiétez pas, assura Nicci en se dirigeant vers la tente où le messager devait continuer à regretter d'être né.

Dès qu'elle fut entrée, elle comprit qu'elle arrivait trop tard. La charogne ensanglantée attachée sur une table de bois poisseuse de sang ne parlerait plus jamais à personne.

— Que tiens-tu là ? demanda Nicci quand elle vit que le tortionnaire serrait fièrement une feuille de parchemin.

— Quelque chose qui fera très plaisir à l'empereur ! J'ai une carte à lui offrir.

— Une carte de quoi ?

— De l'endroit d'où venait ce type. Je l'ai dessinée grâce aux indications qu'il m'a fort courtoisement fournies.

Le soldat rit de son humour, qu'il devait trouver très subtil.

Pas Nicci !

— Vraiment ? dit-elle.

La bonne humeur du tortionnaire avait éveillé son attention. En général, les hommes de ce genre souriaient exclusivement quand ils sentaient que leurs supérieurs seraient très contents d'eux.

— Et d'où venait-il, ce messager ?

— D'une rencontre avec son chef…

Fatiguée de ce petit jeu, Nicci arracha sa précieuse carte au soldat, la déplia et vit du premier coup d'œil que le prisonnier n'avait pas roulé son bourreau dans la farine.

Il s'agissait bien d'une région du Nouveau Monde, et tous les détails géographiques collaient.

Quand elle vivait au Palais des Prophètes, les rares sœurs qui s'aventuraient de l'autre côté de la vallée des Âmes Perdues rapportaient toujours des relevés topographiques qu'on intégrait aux archives. Au cours de leur formation, toutes les novices – entre bien d'autres choses – devaient mémoriser ces cartes. Même si elle n'aurait jamais cru y aller un jour, Nicci connaissait très bien la géographie du Nouveau Monde.

Le soldat désigna du bout de l'index une empreinte sanglante, sur la feuille de parchemin.

— Le seigneur Rahl se cache là, dans les montagnes.

Toujours très calme, Nicci grava dans sa mémoire tous les détails qui lui permettraient de se repérer.

— Que t'a dit le prisonnier avant de mourir ? L'empereur m'attend, et je lui transmettrai ton rapport. Allez, parle, si tu ne veux pas que je me fâche !

L'homme se grattouilla la barbe, encore hésitant.

— Vous lui direz que c'est moi, le sergent Wetzel, qui ai obtenu ces informations ?

— Bien sûr, répondit Nicci. Tout le crédit sera pour toi, car je me fiche des honneurs. (Elle tapota l'anneau d'or passé à sa lèvre inférieure.) De toute façon, l'empereur est toujours dans ma tête. En ce moment même, il voit sans doute que c'est toi, pas moi, qui as fait parler cet homme. À présent, je t'écoute.

Wetzel hésita encore, incertain de pouvoir se fier à la Maîtresse de la Mort. Dans l'armée de l'Ordre, la confiance ne régnait pas, et il y avait de bonnes raisons pour cela.

— Si tu ne me dis pas tout, sergent Wetzel, tu seras le prochain occupant de cette table de torture, et je me chargerai en personne de ton cas. Ensuite, tes camarades n'auront plus qu'à te jeter dans le chariot…

— Ne vous énervez pas, maîtresse ! Je voulais simplement être sûr que Son Excellence saura que j'ai fait du bon travail. Voici toute l'histoire… Une petite unité de six hommes était partie vers le nord, en contournant les lignes ennemies. Une des magiciennes accompagnait ces espions, pour les aider à ne pas se faire repérer. Au nord-ouest de la position adverse, ils ont intercepté cet homme. Après l'avoir capturé, ils l'ont ramené au camp, et j'ai découvert qu'il était un des nombreux messagers qui assurent la liaison entre Rahl et ses troupes.

Nicci désigna un grand rond, sur la carte.

— Si je ne me trompe pas, ça représente l'armée ennemie. Veux-tu dire que Rich… le seigneur Rahl n'est pas avec ses hommes ?

— C'est ça, oui, et le messager ignorait pourquoi. Sa mission se bornait à transmettre des informations à son maître. En tout cas, voilà l'endroit où Rahl se cache avec son épouse.

— Son épouse ?

— Selon le messager, il s'est marié avec une... attendez... Mère Inquisitrice. Elle est blessée, et ils se sont réfugiés dans les montagnes.

Nicci se souvint du nom de la femme que Richard affirmait aimer : Kahlan... Son mariage risquait de ruiner le plan qu'elle venait juste d'imaginer. Encore que...

— Il y a autre chose, sergent ?

— Rahl et sa femme auraient une sorte de garde du corps avec eux. Une Mord-Sith.

— Mais que fichent-ils dans les montagnes ? Pourquoi ne sont-ils pas avec leurs troupes, ou en Aydindril ? Voire en D'Hara ?

— Maîtresse, ce messager n'était qu'un soldat du rang capable de s'orienter, de chevaucher vite et de ne pas se perdre. Il ne savait rien de plus.

— Tu es sûr qu'il n'a rien dit d'autre ?

Wetzel secoua la tête.

— Merci, sergent, fit Nicci en posant une main dans le dos de son interlocuteur. Tu n'imagines pas à quel point tu m'as aidée.

Sans cesser de sourire, la Maîtresse de la Mort libéra ce qu'il fallait de pouvoir pour carboniser instantanément la moelle épinière puis le cerveau du sergent, qui s'écroula comme une masse.

Toujours avec son pouvoir, Nicci fit s'embraser la carte qu'elle avait mémorisée, la regarda brûler un moment entre ses doigts puis la laissa tomber sur le cadavre, où elle finit de se consumer.

Elle sortit, approcha de la tente où était gardée la Mord-Sith, regarda autour d'elle pour s'assurer que personne ne la verrait et entra.

Une femme nue était ligotée sur la table de torture. Un soldat, les mains rouges de sang, jeta un regard noir à l'intruse.

— Rapport, dit simplement Nicci – d'un ton assez ferme pour que l'homme la salue d'instinct.

— Elle n'a pas dit un mot...

Nicci avança et tapota le dos du type. Prudent, il tenta de s'écarter, mais c'était trop tard. Avant d'avoir compris ce qui lui arrivait, il tomba à la renverse, raide mort.

Si elle avait été moins pressée, Nicci l'aurait volontiers fait un peu souffrir avant de l'expédier dans l'autre monde.

Elle approcha de la table et sonda les yeux bleus de la Mord-Sith.

— Sers-toi de ton pouvoir pour me faire mal, sorcière ! souffla la prisonnière.

— Tu lutteras jusqu'au bout, n'est-ce pas ? dit la Maîtresse de la Mort avec un petit sourire admiratif.

— Déchaîne ta magie, chienne!

— Désolée, mais je crois que je m'en abstiendrai. Vois-tu, j'en sais long sur les femmes comme toi…

— Menteuse!

— Pas du tout! Richard m'a parlé de vous. Aujourd'hui, c'est le seigneur Rahl, mais il a été mon élève, il n'y a pas si longtemps. Je sais que les Mord-Sith peuvent s'emparer du pouvoir d'un magicien, s'il s'en sert contre elles. Ensuite, elles le retournent contre lui… Alors, navrée, mais je ne tomberai pas dans le piège.

— Si tu me torturais, au lieu de bavasser? Mais je te préviens, tu ne tireras rien de moi.

— Je ne suis pas là pour te maltraiter…

— Dans ce cas, que veux-tu?

— Avant tout, me présenter. On m'appelle la Maîtresse de la Mort.

— Donc, tu es là pour me tuer, souffla la Mord-Sith, une lueur d'espoir dans le regard.

— Pas avant que tu m'aies dit certaines choses.

— Tu ne sauras rien… Pas un mot. Allons, finissons-en!

Nicci ramassa un couteau ensanglanté, sur la table, et le brandit devant les yeux de la prisonnière.

— Tu en es sûre?

— Charcute-moi, si ça t'amuse! Comme ça, je crèverai plus vite! Je sais reconnaître un corps qui agonise. Bientôt, je serai dans le royaume des morts. Mais je ne dirai rien, tu peux me croire.

— Tu me comprends mal… Je ne te demande pas de trahir le seigneur Rahl. N'as-tu pas entendu que ton bourreau s'était écroulé? Si tu parviens à tourner la tête, tu verras qu'il est mort avant toi. Je ne veux pas que tu me livres des secrets…

La Mord-Sith réussit à apercevoir le cadavre, sur le sol.

— Que fais-tu ici, alors? lança-t-elle.

Nicci nota qu'elle ne demandait pas à être libérée. Consciente qu'elle était fichue, elle pouvait seulement espérer qu'on abrège son agonie.

— Richard m'a raconté qu'il a été prisonnier d'une Mord-Sith. Ce n'est pas un secret, pas vrai?

— Non.

— C'est sur ce sujet que je veux des informations. Comment t'appelles-tu?

La femme détourna péniblement la tête. Nicci lui prit le menton et la força à la regarder.

— J'ai une proposition à te faire. Tu n'auras pas à trahir le seigneur Rahl, ni à livrer des secrets militaires. De toute façon, ces choses-là ne m'intéressent pas. Si tu coopères, je t'achèverai avec ce couteau. C'est promis! Plus de douleur ni de torture. Simplement l'ultime coup de tonnerre de la mort.

— Par pitié, gémit la Mord-Sith, tue-moi… Je t'en prie…

— Dis-moi ton nom…

En général, les scènes de torture laissaient de marbre la Maîtresse de la Mort. Mais celle-ci avait quelque chose de perturbant. Gardant les yeux rivés sur le visage de la prisonnière, elle s'efforçait de ne pas apercevoir son corps, charcuté au-delà de l'imaginable. Dans cet état, comment cette femme pouvait-elle s'empêcher de hurler?

— Je suis Hania… Maintenant, tu veux bien me tuer?

— Je le ferai, c'est promis. Vite et bien, tu peux te fier à moi. Mais d'abord, tu dois répondre à mes questions.

— Je ne peux pas…, souffla Hania, désespérée parce que son calvaire allait continuer.

— Je veux simplement avoir des informations sur l'époque où Richard était prisonnier d'une de tes collègues. Tu es au courant, je suppose?

— Bien sûr.

— Je veux que tu me parles de ce moment-là…

— Pourquoi?

— Parce que je désire comprendre Richard.

Si incroyable que ce fût, Hania eut un petit sourire.

— Aucune de nous n'a compris le seigneur Rahl. Nous l'avons torturé, et il ne s'est jamais vengé. Une énigme…

— Je ne le comprends pas non plus, mais j'espère y parvenir. Mon vrai nom est Nicci, je veux que tu le saches, Hania. S'il te plaît, parle-moi! Connais-tu le nom de la femme qui l'a capturé?

La Mord-Sith réfléchit avant de répondre. Même à l'agonie, elle tenait à s'assurer de ne pas trahir un secret par inadvertance.

— Denna… Elle s'appelait Denna.

— Denna… Richard l'a tuée pour pouvoir s'évader – oui, il m'en a parlé. As-tu connu Denna?

— Oui…

— Penses-tu qu'il s'agisse d'un secret militaire capital?

Hania hésita, puis secoua la tête.

— Tu as donc connu Denna. Et Richard, l'as-tu rencontré, à cette époque? Savais-tu qu'il était le prisonnier de Denna?

— Tout le monde était au courant.

— Pourquoi?

— Parce que le seigneur Rahl – enfin, le précédent…

— Le père de Richard?

— Oui. Il voulait que Denna soit la seule à dresser son fils, afin qu'il réponde à toutes ses questions. C'était la meilleure d'entre nous, tu sais…

— Je comprends, oui… À présent, raconte-moi tout.

Hania eut un spasme et ne parla pas avant un long moment.

— Je ne le trahirai pas! Nicci, je suis une experte des méthodes que tu es en train d'employer. Tu ne me piégeras pas. Je ne vendrai pas le seigneur Rahl pour écourter mon agonie. Je n'ai pas tenu jusqu'à maintenant pour craquer à quelques heures de la fin.

— Je jure de ne pas t'interroger sur le présent, sur la guerre, ni sur rien qui pourrait être utile à Jagang.

— Si je te parle de sa captivité, tu promets de me tuer?

— Je t'en donne ma parole, Hania. Je connais ton seigneur Rahl, et j'ai trop de respect pour lui – et pour toi – pour t'inciter à le trahir. Je veux le comprendre pour des raisons personnelles. Au Palais des Prophètes, je lui ai appris à utiliser son don, et j'aimerais le connaître, parce que je pense pouvoir l'aider…

— Ensuite, tu me donneras le coup de grâce? C'est sûr?

La mort était désormais l'ultime espoir de cette femme. Un coup de couteau, et elle aurait fini de souffrir.

— Dès que tu m'auras raconté ton histoire, je t'achèverai, tu peux me croire.

— Tu le jures sur ton espoir de baigner à tout jamais dans la Lumière du Créateur, quand tu auras quitté ce monde?

Nicci sentit son cœur se serrer – pour la première fois depuis si longtemps! Près de cent soixante-dix ans plus tôt, elle s'était juré de consacrer sa vie à aider les autres, mais elle n'avait pas pu échapper à sa nature foncièrement perverse. Et maintenant, elle était la Maîtresse de la Mort.

Une femme déchue… Pis, une réprouvée…

Du bout d'un index, elle caressa la joue d'Hania, et échangea avec elle un long regard presque… amical.

— Je te tuerai, c'est promis! Vite et bien, et tu ne souffriras plus.

Des larmes aux yeux, Hania hocha imperceptiblement la tête.

Chapitre 13

L e domaine devait être luxueux, se dit Nicci alors qu'elle en approchait. Mais ça ne l'impressionnait pas, car elle avait l'habitude de la grandeur. À dire vrai, elle avait sûrement déjà vu mieux. Pendant plus d'un siècle et demi, n'avait-elle pas vécu dans un lieu extraordinaire ? Les colonnes, les arches, les sculptures majestueuses, les lambris en chêne, les lits aux édredons bourrés de plumes et aux draps de soie, les tapis moelleux, les riches tentures, les ornements en or et en argent, la chaude lumière filtrant de somptueux vitraux… Tout cela avait fait partie de son lot quotidien.

Sans parler des Sœurs de la Lumière, de leurs sourires chaleureux et de leur conversation toujours spirituelle.

Pour Nicci, l'opulence n'avait pas plus d'intérêt qu'un tas de détritus dans une rue. Et elle ne voyait pas de différence non plus entre les couches douillettes et les caniveaux où de pauvres hères dormaient enroulés dans des couvertures miteuses. Ceux-là ne souriaient jamais, et leur « conversation » se réduisait à quelques borborygmes. Les yeux ronds, la bouche ouverte, ils regardaient les passants comme des pigeons avides qu'on leur jette quelques miettes de pain.

Nicci avait passé une partie de sa vie dans la soie, et l'autre au milieu des ordures. La plupart des gens ne connaissaient qu'une des deux facettes du monde. Pas elle…

Arrivée devant la porte du palais anderien, la Maîtresse de la Mort saisit la poignée d'argent d'une porte à double battant aux panneaux sculptés et dorés à l'or fin. S'avisant que sa main était rouge de sang, elle l'essuya avec mépris sur la tunique d'un des deux gardes postés de chaque côté de la porte. Crasseux comme s'ils avaient grandi dans une porcherie, les deux soldats ne devaient pas en être à ça près. Pourtant, le colosse qu'elle prenait pour un vulgaire torchon la foudroya du regard – sans esquisser un mouvement pour s'écarter, cependant.

Hania s'était acquittée de sa part du marché. Habituée à utiliser son pouvoir, pas une arme, Nicci avait dû s'adapter, car recourir à la magie, dans ce cas particulier, aurait été une grossière erreur. Lorsqu'elle avait plaqué la lame sur sa gorge, Hania lui avait soufflé un « merci » vibrant de sincérité. La première fois qu'une de ses victimes lui était reconnaissante… Jadis, quand elle aidait les gens, fort peu avaient daigné la remercier. Elle avait les moyens de donner, pas eux, et il était normal qu'elle subvienne à leurs besoins.

Quand elle eut fini de s'essuyer la main sur le garde, elle lui sourit froidement, passa la porte et se retrouva dans un grand hall d'entrée. D'un côté, une rangée de hautes fenêtres protégées par des rideaux jaune pâle rehaussés de liserés en fils d'or laissaient filtrer la chiche lumière du crépuscule. Dehors, une pluie de fin d'été martelait les pavés. Devant Nicci, les tapis ornés de fleurs laborieusement brodées à la main étaient maculés de boue.

Des messagers allaient et venaient partout, suivis ou précédés par des soldats contraints de faire leur rapport à des officiers qui ne pouvaient pas s'empêcher de beugler dès qu'ils ouvraient la bouche.

Dans un coin, sur une table basse, Nicci remarqua une carte déroulée et tenue aux quatre coins par des livres de prix tachés d'immondices. En passant, elle jeta un coup d'œil et constata, non sans satisfaction, qu'il manquait la majeure partie des éléments indiqués par le messager que le sergent Wetzel avait si efficacement torturé. Sur ce document-là, le nord-ouest était représenté par un grand vide souillé de quelques taches de bière. Sur la carte mémorisée par Nicci, on voyait des montagnes, des cours d'eau, des défilés, des cols et… l'endroit exact où Richard se cachait avec la Mère Inquisitrice et une Mord-Sith.

Debout, assis sur de délicats guéridons ou vautrés dans de luxueux fauteuils, des officiers conversaient en se goinfrant de délicieux petits-fours que des serviteurs tremblants de peur leur présentaient sur des plateaux d'argent. Peu familiers du luxe, les soudards de l'Ordre semblaient prendre un malin plaisir à se comporter comme des porcs. Quand on savait regarder au-delà des apparences, comme Nicci, on devinait que cette attitude dissimulait – fort mal – la gêne instinctive qu'éprouvaient ces rustres dans un environnement raffiné.

Du coin de l'œil, la Maîtresse de la Mort repéra une sœur qu'elle connaissait bien. Plaquée contre le mur, près d'une tenture, la pauvre vieille Lidmila faisait de son mieux pour passer inaperçue. Quand elle vit Nicci, elle se redressa, tira sur ses haillons – une initiative louable, mais qui n'apporta aucune amélioration visible – et trouva le courage de sortir de son trou.

Lidmila avait dit un jour à Nicci qu'on n'oubliait jamais les choses apprises dans sa jeunesse. À son âge, avait-elle ajouté, on s'en souvenait même plus facilement que du menu du dîner de la veille. Selon les rumeurs, la très vieille Lidmila, capable de jeter des sorts uniquement accessibles aux sorcières les plus puissantes, devait avoir de très intéressants souvenirs de jeunesse.

Avec sa peau parcheminée tendue à craquer sur ses os, Lidmila ressemblait à un cadavre ambulant. Pourtant, elle avançait d'un bon pas, et avec un vestige de grâce féline.

À dix pas de Nicci, elle agita un bras, comme si elle redoutait que la Maîtresse de la Mort ne l'ait pas vue, tant on devenait transparent avec l'âge.

—Vous voilà enfin ! Suivez-moi, très chère ! L'empereur vous attend.

Lidmila prit Nicci par le poignet.

—Conduisez-moi, sœur Lidmila, dit la Maîtresse de la Mort en serrant la main de la vieille femme. Je vous emboîterai le pas…

La vieille sœur sourit par-dessus son épaule. Pas de contentement, mais parce qu'elle était soulagée d'avoir rempli sa mission. Jagang punissait tous ses serviteurs défaillants, même quand ils n'étaient pour rien dans leur échec.

—Qu'est-ce qui vous a pris si longtemps, sœur Nicci ? L'empereur est furieux à cause de vous. Où étiez-vous donc ?

—Un travail qui ne pouvait pas attendre…

—Un travail, vraiment ? répéta Lidmila. (Elle accéléra le pas, afin que Nicci ne la percute pas.) Si ça ne tenait qu'à moi, vous seriez condamnée à faire la plonge, aux cuisines, pour vous punir d'aller en vadrouille alors que vous êtes attendue.

Décrépite et un rien gâteuse, Lidmila oubliait parfois qu'elle ne vivait plus au Palais des Prophètes. Jagang l'utilisait essentiellement pour recevoir les gens à qui il accordait une audience et les guider jusqu'à lui. Si elle se perdait en route, il pouvait toujours intervenir, puisqu'il la contrôlait mentalement. À l'évidence, il trouvait amusant qu'une vénérable Sœur de la Lumière – versée en antique magie, qui plus est – soit réduite à jouer les hôtesses pour lui.

Depuis qu'elle n'était plus sous la protection du sort temporel, au palais, Lidmila avançait vers sa tombe à la vitesse d'un cheval au galop. Comme toutes les autres sœurs, à vrai dire…

La tenant toujours par la main, la vieille sœur au dos voûté guida Nicci à travers une enfilade de grandes salles et de couloirs. Arrivée devant une porte ornée de dorures, elle s'arrêta, et se tapota pensivement la lèvre inférieure.

Les soldats au visage fermé qui patrouillaient dans ce corridor jetèrent à Nicci des regards aussi noirs que sa robe. Des hommes de la garde impériale, moins crasseux et débraillés que les soudards moyens, mais encore plus dangereux…

—Son Excellence est dans cette pièce, dit Lidmila. Dépêchez-vous d'entrer ! Allons, ne traînez pas, sinon, c'est moi qui paierai les pots cassés !

Avant de passer la porte, Nicci se tourna vers la vieille femme.

— Sœur Lidmila, vous m'avez dit un jour que j'étais la mieux qualifiée pour devenir la dépositaire de vos connaissances les plus… eh bien… particulières.

La vieille sœur eut un petit sourire rusé.

— La vraie magie vous intéresse enfin ?

Jusque-là, Nicci n'avait jamais accepté les propositions de Lidmila. Pour elle, la magie était une quête par trop individualiste. Elle avait appris quelques sorts de base, parce qu'il le fallait, et n'avait jamais cherché à aller plus loin.

— Eh bien, je pense être prête, oui…

— J'ai toujours dit à la Dame Abbesse que vous étiez la seule, au palais, digne de recevoir mon héritage. Mais ce sont des connaissances dangereuses…

— Elles ne doivent pas disparaître avec vous, ma sœur. Transmettez-les-moi tant que vous le pouvez encore.

— Vous avez l'air d'avoir assez mûri pour ça, c'est vrai. Quand voulez-vous me voir ?

— Demain, au plus tôt… (Nicci jeta un coup d'œil entendu à la porte.) Je doute d'être très réceptive, ce soir…

— Rendez-vous demain, dans ce cas.

— Si je… peux… venir vous voir, un grand désir d'apprendre m'animera. Je suis surtout avide d'en savoir plus sur le sort de maternité…

Si étrange que fût son nom, ce sortilège pouvait très bien être ce qu'il lui fallait. De plus, il avait un énorme avantage : une fois lancé, plus rien ne pouvait l'arrêter.

Lidmila se tapota une nouvelle fois la lèvre inférieure.

— Rien que ça ? soupira-t-elle. Je suis en mesure de vous l'enseigner, et contrairement aux autres sœurs, vous avez les compétences requises pour l'utiliser. Le don doit être très puissant chez une personne pour qu'elle manipule de telles forces. C'est votre cas. Si vous mesurez ce que cela vous coûtera, et si vous acceptez de payer ce prix, je suis prête à vous former.

— S'il en est ainsi, je viendrai vous voir dès que je le pourrai…

Lidmila s'éloigna à petits pas, la tête rentrée dans les épaules comme si elle réfléchissait déjà à la leçon à venir.

Nicci la regarda un moment, se demandant si elle serait encore vivante, le lendemain, pour se faire dispenser les lumières de la vieille magicienne.

Puis elle entra dans une grande pièce éclairée par une myriade de chandelles et de lampes. Entouré de moulures qui représentaient des feuilles et des glands, le très haut plafond ajoutait encore à la paisible majesté de la salle où des sofas et des fauteuils moelleux, trônant sur des tapis aux couleurs pastel, semblaient inviter au calme et à la méditation. Fermées par de riches tentures, les nombreuses fenêtres ne laissaient filtrer aucune lumière et étouffaient tous les sons venus de l'extérieur.

Les deux sœurs assises sur un canapé se levèrent d'un bond.

— Sœur Nicci ! souffla la première, visiblement soulagée.

L'autre courut jusqu'à une porte, à l'autre bout de la pièce, et l'ouvrit sans frapper – sans nul doute parce que Jagang lui en avait donné l'ordre. Passant la tête dans la salle d'à côté, elle murmura quelques mots que la Maîtresse de la Mort ne comprit pas.

— Dehors ! rugit une voix masculine. Sortez tous ! À part elle, que tout le monde fiche le camp !

La sœur recula, et deux de ses collègues – des « assistantes » personnelles de l'empereur – franchirent la porte en courant de toutes leurs jambes. Nicci dut s'écarter pour laisser passer les quatre Sœurs de la Lumière, qui se précipitèrent vers la porte de la suite en compagnie d'un jeune homme jusque-là recroquevillé dans un coin sombre. En fuyant le courroux de leur maître, les cinq serviteurs de Jagang ne jetèrent pas un coup d'œil à la Maîtresse de la Mort.

Quand Son Excellence donnait un ordre, il fallait obéir sur-le-champ, car rien ne l'énervait plus que les traînards.

Une autre femme, que Nicci ne connaissait pas, sortit en courant de la pièce où l'empereur attendait. Jeune et belle, avec de magnifiques cheveux noirs, c'était sans doute une prisonnière capturée quelque part en chemin par l'armée et offerte à Jagang pour son divertissement. Dans ses yeux, Nicci eut le temps de lire une incroyable stupeur, comme si elle trouvait que le monde était devenu fou.

Les dégâts collatéraux de ce genre étaient inévitables quand on entendait modifier radicalement l'ordre des choses. Comme n'importe qui, les grands chefs avaient des défauts qu'ils tendaient à considérer comme véniels. Le bien que Jagang ferait à toute l'humanité compensait largement les actes contestables qu'il s'autorisait et le chaos – si ce n'était pas un trop grand mot – qu'il semait dans la vie de quelques êtres insignifiants. D'ailleurs, Nicci était souvent la victime de ces anodines transgressions, et elle n'en faisait pas une affaire. Pour que s'améliore le sort des déshérités, n'était-ce pas un prix acceptable ? Car au bout du compte, seul l'objectif final de toute cette affaire importait…

Une fois la porte d'entrée fermée, Nicci se retrouva seule dans la suite avec le maître de l'Ordre Impérial. Les bras le long du corps, elle savoura un moment la quiétude des lieux. Le luxe ne l'impressionnait pas, mais la tranquillité – une denrée rare pour elle – figurait parmi les petites satisfactions égoïstes qu'elle ne s'interdisait pas.

Faisant du regard le tour de la première pièce, elle se demanda d'où Jagang tirait ce goût soudain pour la splendeur. À moins que lui aussi ait eu envie d'un peu de calme…

Nicci se tourna vers la porte communicante. Derrière, un colosse furieux l'attendait…

Elle entra d'un pas décidé et se dirigea bravement vers l'empereur.

— Vous désiriez me voir, Excellence ?

La main de Jagang vola dans les airs et s'écrasa sur la joue de Nicci – une gifle d'une incroyable violence, décochée du dos de la main. Le souffle coupé, la Maîtresse de la Mort tomba à genoux, mais Jagang la releva par les cheveux et frappa de nouveau. Cette fois, Nicci alla s'écraser contre un mur, puis glissa lentement sur le sol. La douleur était inimaginable…

Dès qu'elle eut un peu récupéré, Nicci se redressa et vint se camper devant l'empereur. Propulsée en arrière par le troisième coup, elle renversa un candélabre dont les bougies s'éparpillèrent autour d'elle. Essayant de s'accrocher à une tenture, elle l'arracha à son support et s'écroula sur une table basse qui ne résista pas au choc. Des éclats de verre volèrent dans les airs en même temps que les bibelots exhibés sur la table.

Sonnée, la vision brouillée, la mâchoire et les muscles du cou lui faisant un mal de chien, Nicci resta étendue sur le dos. Qu'il était bon d'éprouver quelque chose, même quand il s'agissait d'une atroce souffrance !

Du sang maculait le tapis où elle gisait en savourant le bonheur paradoxal de n'être plus – pour un instant – indifférente à tout. Jagang lui cria quelque chose qu'elle ne comprit pas, parce que ses oreilles bourdonnaient trop. S'appuyant sur un bras, elle parvint à s'asseoir, se tâta la bouche et découvrit qu'elle était poisseuse de sang. Depuis combien de temps ne s'était-elle plus sentie si vivante, à part durant quelques minutes, en compagnie de la Mord-Sith ? La brutalité de Jagang parvenait à réveiller son âme, et c'était déjà ça. Parce qu'il était plus cruel que n'importe qui ? Pas vraiment… Nicci n'aurait pas été obligée de se livrer ainsi à lui, et toute la différence était là. L'empereur savait qu'il en était ainsi, et cela le rendait plus furieux encore.

Ce soir, une rage meurtrière l'animait. Certaine à présent qu'elle ne serait plus là, le lendemain, pour apprendre la magie de Lidmila, Nicci n'en fut pas plus émue que cela. Avec une certaine curiosité, elle se demanda comment Jagang en finirait avec elle.

Dès que sa tête consentit à tourner un peu moins, Nicci se releva et, comme un bon petit soldat, revint se placer devant Jagang.

La tête rasée, ce colosse arborait une petite moustache et un embryon de bouc qui accentuaient ses traits bestiaux. À sa narine gauche était passé un anneau d'or qu'une fine chaîne du même métal reliait à la boucle d'oreille qu'il portait du même côté. Bien qu'il eût une énorme chevalière à chaque doigt, il n'avait pas jugé bon, ce soir, de mettre autour de son cou les colliers et les chaînes d'or qui symbolisaient d'habitude sa royale autorité.

Il était torse nu, comme souvent. Sous sa poitrine velue, ses pectoraux saillaient, aussi tendus que les muscles de son cou de taureau.

D'une bonne demi-tête plus petite que lui, Nicci se tint bien droite et leva le regard vers les yeux sombres apparemment dépourvus d'iris et de pupille qui hantaient régulièrement ses cauchemars. Les yeux d'un homme capable de marcher dans les rêves et qui bouillait de rage parce que l'accès à un esprit lui était interdit.

À présent, Nicci savait pourquoi il en était ainsi.

— Bon sang! crie, pleure, hurle, implore, présente ta défense ou confonds-toi en excuses! Mais ne reste pas comme ça!

Sans broncher, Nicci avala péniblement un mélange de salive et de sang.

— Pourriez-vous être plus spécifique, Excellence? Quelles options dois-je choisir, et pendant combien de temps faut-il que je me donne en spectacle? Jusqu'à ce que vous m'ayez battue à mort, peut-être?

Jagang bondit, saisit Nicci à la gorge et serra de toutes ses forces. Très vite, les genoux de la Sœur de l'Obscurité se dérobèrent, mais il l'empêcha de s'écrouler, la tenant debout d'une seule main. Puis il la lâcha et la repoussa d'une paume méprisante.

— Je veux savoir pourquoi tu as fait ça à Kadar!

Nicci sourit malgré ses lèvres éclatées.

Jagang la prit par le poignet, lui retourna le bras dans le dos et la tira vers lui.

— Au nom de quoi as-tu agi ainsi? Je dois le savoir!

Consciente de danser avec l'empereur un ballet mortel, Nicci se demanda vaguement si elle s'en sortirait vivante, cette fois.

Jagang avait tué des dizaines de sœurs parce qu'elles ne s'étaient pas montrées assez dociles. La garantie – relative – de Nicci, en face de lui, était de ne pas se soucier de sa propre survie. Ce mépris de la vie fascinait l'empereur parce qu'il le savait sincère.

— Parfois, vous êtes idiot, Excellence. Comment peut-on être arrogant au point de ne pas voir ce qui crève pourtant les yeux?

L'empereur exerça une telle traction sur le bras de Nicci qu'elle crut que son épaule allait se déboîter.

— J'ai tué des gens pour des insultes bien moins graves…

— Mais ce soir, vous semblez plutôt décidé à me faire mourir d'ennui. Si vous voulez en finir, étranglez-moi, qu'on n'en parle plus! Ou taillez-moi en pièces, si vous préférez. Mais par pitié, n'espérez pas m'étouffer sous le poids de ridicules menaces! Ça ne marchera pas, et je n'ai pas de temps à perdre en enfantillages. Alors, étripez-moi ou fermez-la!

Face à Jagang, la plupart des gens commettaient une erreur grossière: le prendre pour un imbécile à cause de sa bestialité. En réalité, il était un des hommes les plus intelligents que Nicci ait connus, et sa brutalité, bien réelle, lui servait d'écran de fumée. Capable de s'introduire dans l'esprit de gens très différents, il avait découvert de l'intérieur leurs idées, leurs connaissances et leur philosophie, et cela avait encore développé son intellect.

Si Nicci redoutait quelque chose en lui, ce n'était pas sa violence, mais son intelligence supérieure. Parce que la vivacité d'esprit, elle était bien placée pour le savoir, se révélait une inépuisable source d'inspiration pour tout être qui entendait s'illustrer dans le domaine de la perversité.

— Pourquoi as-tu tué Kadar, Nicci ? demanda Jagang, la voix vibrant un peu moins de fureur.

Comme une barricade, l'image de Richard se dressait dans l'esprit de Nicci, empêchant l'empereur d'y pénétrer. Elle se savait hors d'atteinte, il le lisait dans ses yeux, et cela le rendait encore plus furieux.

— J'ai pris plaisir à entendre le grand Kadar Kardeef implorer ma pitié, puis m'insulter quand il a compris que ça ne marcherait pas.

Jagang rugit et frappa de nouveau. Basculant en arrière, Nicci se prépara à un atterrissage douloureux sur le sol. Allait-elle se briser la nuque, cette fois ?

À sa grande surprise, elle s'écrasa sur une surface moelleuse. Le lit, comprit-elle aussitôt. Par un incroyable coup de chance – ou de malchance –, sa tête n'avait pas percuté les montants de bois et de marbre, un choc qui lui aurait probablement fait exploser le crâne comme une noix.

Jagang se jeta sur elle. Bizarrement, il ne leva plus la main pour la frapper, mais sonda longuement son regard. Puis il se redressa un peu, et entreprit d'arracher les lacets de sa robe. Déchirant le tissu, il posa les mains sur ses seins et les pétrit jusqu'à ce qu'elle en ait les larmes aux yeux de douleur.

Nicci ne tenta pas de résister quand il la troussa comme une vulgaire catin. Inerte comme une morte, elle laissa dériver son esprit vers des contrées qu'elle seule pouvait atteindre.

Jagang se laissa retomber sur elle.

Les bras le long du corps, les mains ouvertes et les yeux rivés au plafond, la Maîtresse de la Mort assista de très loin à la scène qui suivit. La douleur elle-même lui semblait très distante, et elle trouvait un peu ridicule la façon dont elle haletait.

Tandis que l'empereur la besognait, elle se concentra sur le plan qui se précisait de plus en plus dans son esprit. Elle n'aurait jamais cru que cette possibilité se présenterait à elle, et c'était une erreur. À présent, elle n'avait plus qu'à décider de passer à l'action.

Jagang la gifla, la ramenant au présent.

— Tu es trop stupide pour pleurer ?

Nicci s'avisa qu'il en avait terminé. Apparemment, il n'était pas ravi qu'elle ne s'en soit pas aperçue plus tôt. La mâchoire en feu, la Maîtresse de la Mort dut faire un effort pour ne pas se la masser. Ce que Jagang tenait pour une gifle était en réalité un coup capable de fracturer le crâne de quelqu'un.

Du sang – celui de Nicci – coulait du menton de l'empereur et s'écrasait sur les joues de sa victime. Tout le corps luisant de sueur, Jagang le taureau savourait le calme fugitif que lui apportait la satisfaction de ses instincts.

Quand elle croisa son regard, Nicci y reconnut de la colère. Mais il y avait aussi autre chose : une pointe de regret, d'angoisse ou peut-être même de souffrance.

— C'est ce que vous voulez, Excellence, que je pleure ?

Jagang se laissa tomber sur le côté, le long du flanc de Nicci.

— Non, je voudrais que tu réagisses.

— Mais je réagis, Excellence. Pas comme vous l'aimeriez, c'est tout…

L'empereur s'assit au bord du lit.

— Qu'as-tu donc dans la tête, femme ? grogna-t-il.

Nicci le dévisagea un moment, et il finit par détourner le regard.

— Je n'en sais rien, répondit la Maîtresse de la Mort avec une scrupuleuse sincérité. Mais il faudra bien que je finisse par le découvrir.

Chapitre 14

— **D**éshabille-toi, marmonna Jagang. Tu vas passer la nuit avec moi. Tout ce temps sans t'avoir dans mon lit… Tu m'as manqué, Nicci.

La Maîtresse de la Mort ne répondit pas. Au lit ou ailleurs, personne ne pouvait manquer à Jagang. Cette notion elle-même lui passait au-dessus de la tête. Mais il lui arrivait peut-être parfois de regretter d'être incapable de se languir de quelqu'un.

Nicci s'assit au bord du lit, se débarrassa de sa robe en lambeaux et la plia soigneusement sur le dossier d'une chaise. Après avoir fait de même avec ses sous-vêtements, elle retira ses bas, les lissa et les posa également sur le dossier.

Jagang la regarda, fasciné de la voir se comporter comme une femme normale.

Quand elle eut fini, Nicci se tourna vers lui, le dos bien droit, pour lui montrer qu'il ne pourrait jamais la prendre autrement que par la force. Non sans satisfaction, elle lut de la frustration dans les yeux de l'empereur. La seule victoire qu'elle pouvait s'offrir contre lui! Plus il la violait, plus il comprenait qu'elle ne se donnerait jamais à lui, et plus il était furieux. Plutôt que s'offrir à ses étreintes, elle aurait préféré mourir, et il en était douloureusement conscient.

S'arrachant à une mélancolie mêlée d'amertume, il leva les yeux et croisa le regard de Nicci.

— Pourquoi as-tu tué Kadar?

Nicci s'assit de l'autre côté du lit, trop loin pour qu'il la touche en tendant le bras, mais pas assez pour qu'il ne puisse pas lui sauter dessus en une fraction de seconde.

— Vous n'êtes pas l'Ordre Impérial, Excellence. L'Ordre n'est pas un homme, si puissant fût-il, mais un idéal de justice et de paix. Comme tous les idéaux, il survivra à la disparition de ceux qui le servent. Pour l'instant, c'est d'une brute comme vous qu'il a besoin, mais n'importe quel autre guerrier dans votre genre ferait l'affaire. Kadar, par exemple. Je l'ai éliminé pour qu'il ne vous menace pas avant que vous ayez pu accéder à un statut plus élevé que celui de boucher.

— Tu veux me faire gober que c'était pour mon bien ? Là, tu me prends pour un crétin…

— S'il vous plaît de le penser, ne vous gênez pas, Excellence…

Jagang s'étendit, la tête reposant sur une petite montagne d'oreillers, et écarta un peu les jambes pour exposer sans pudeur sa virilité au repos.

— Et ces histoires, au sujet de « Jagang le Juste » ? Que signifient-elles ?

— C'est votre nouveau titre, Excellence. L'idée qui vous sauvera, vous vaudra la victoire et vous gagnera plus de gloire que vous n'en avez jamais rêvé. Pourtant, pour me récompenser d'avoir éliminé un rival potentiel – et de vous avoir conféré la stature d'un héros populaire –, vous avez fait couler mon sang…

— Parfois, je me demande si les gens qui te jugent folle à lier n'ont pas raison !

— Que se passerait-il si vous faisiez tuer tout le monde, Excellence ?

— Eh bien, il y aurait un sacré tas de cadavres !

— Récemment, je suis passée par des villes qui ont reçu la visite de vos soldats. Vos hommes n'ont pas maltraité leur population. En tout cas, ils se sont abstenus de massacrer tous les habitants, contrairement à ce qu'ils faisaient au début de l'invasion du Nouveau Monde.

Jagang se propulsa en avant, saisit Nicci par les cheveux et la força à s'allonger près de lui. Se redressant sur un coude, il plongea dans ses yeux son regard faussement aveugle.

— Ton travail est de faire des exemples, femmes. De montrer aux gens qu'ils doivent coopérer avec l'Ordre, s'ils tiennent à la vie. Ce sont mes instructions, et tu dois t'en tenir là.

— Vraiment ? Dans ce cas, pourquoi vos troupes laissent-elles tant de survivants, depuis quelque temps ? S'il faut effrayer les peuples, piller les villes et les brûler n'est-il pas le moyen le plus efficace ?

— Si nous tuons tout le monde, sur qui régnerai-je, à part mes soldats ? Qui travaillera à leur place ? Qui assurera leur subsistance et versera un tribut à la cause ? Veux-tu que l'Ordre apporte un nouvel espoir à des cadavres ? S'il n'y a plus que des morts, qui se prosternera devant le grand empereur Jagang ?

» Je sais qu'on te surnomme « la Maîtresse de la Mort », mais nous ne pouvons pas tuer à tort et à travers, comme toi. Jusqu'à ton départ pour le royaume des morts, tu seras contrainte de servir l'Ordre… Si les gens pensent que notre arrivée les condamne à finir dans une fosse commune, ils se battront jusqu'à leur dernier souffle. Il faut leur faire comprendre que toute résistance signera leur perte, mais aussi les convaincre que nous leur proposons une existence digne, sous l'aile du Créateur, qui souhaite le bonheur de l'humanité. Si nous y arrivons, les peuples se rallieront à nous les uns après les autres.

— Vous aviez un accord avec ce pays, dit Nicci, entraînant Jagang sur un terrain glissant qui le forcerait à reconnaître qu'elle avait bien agi. Pourtant, il y a eu des massacres.

— J'ai ordonné que tous les citadins de Fairfield survivants soient autorisés à rentrer chez eux. La mise à sac est terminée. Les Anderiens n'ont pas tenu leurs engagements, et nous avons dû les punir. Aujourd'hui, ils ont compris, et il est temps qu'un nouvel ordre s'établisse. La notion même de nation indépendante est obsolète, comme dans l'Ancien Monde. Tous les peuples seront unis et connaîtront une ère de prospérité sous l'aile bienveillante de l'Ordre Impérial. Seuls ceux qui s'opposent à nous périront. Pas parce qu'ils osent résister, mais parce que ce sont des traîtres. Oui, des traîtres à la seule cause qui importe : le bonheur de l'humanité tout entière.

» En Anderith, notre combat a changé de nature. Richard Rahl a été rejeté par le peuple, qui a pris conscience de la valeur de notre idéal. Désormais, Rahl ne pourra plus prétendre qu'il représente les masses.

— Pourtant, il y a eu des massacres…

— Les dirigeants d'Anderith n'ont pas été honnêtes avec moi, et on doit supposer qu'une partie de la population était complice de cette trahison. Un châtiment s'imposait, mais les survivants ont gagné le droit de faire partie de l'Ordre, parce qu'ils ont eu la sagesse de refuser la morale bêtifiante et égoïste que leur prêchait Rahl.

» Les vents ont tourné, Nicci. Les peuples n'ont plus confiance en cet homme, et il ne peut plus se fier à eux. Richard Rahl est un chef déchu. Un réprouvé…

Nicci sourit intérieurement – un sourire triste, bien entendu. Elle était une réprouvée, et Richard aussi. Leur destin semblait scellé…

— C'est vrai dans ce petit pays, dit-elle, mais la défaite de Rahl est loin d'être consommée. Il reste dangereux, Excellence. Après tout, c'est à cause de lui que la conquête d'Anderith n'est pas un franc succès. Il a terni votre victoire en détruisant d'énormes quantités de vivres et en vous laissant sur les bras une économie totalement désorganisée. De plus, il a réussi à vous glisser entre les doigts.

— Je l'aurai bientôt !

— Vraiment ? Permettez-moi d'en douter… (Nicci vit que Jagang serrait les poings. Prudente, elle attendit qu'il les rouvre avant de continuer :) Quand lancerez-vous vos forces à l'assaut du reste des Contrées du Milieu ?

—Bientôt… Mais d'abord, je veux que nos ennemis relâchent leur vigilance. Dès qu'ils se sentiront moins menacés, je passerai à l'action.

» Un grand chef doit adapter sa tactique à l'évolution du conflit. Quand nous irons vers le nord, nous serons des libérateurs qui apportent aux peuples la Lumière du Créateur. Nous devons gagner le cœur et l'esprit des infidèles.

—Et vous avez décidé ça tout seul ? Sans tenir compte de la volonté du Créateur ?

Jagang foudroya Nicci du regard pour qu'elle mesure la dangereuse stupidité d'une telle question.

—Je suis l'empereur ! Rien ne m'oblige à consulter nos guides spirituels. Mais comme leurs avis sont toujours judicieux, j'ai parlé aux hauts prêtres, et ils approuvent ma stratégie. Le frère Narev lui-même la juge brillante. Réfléchis moins, Nicci, et contente-toi de m'obéir. Ta mission est de décourager toutes les velléités de résistance. Si tu refuses de la remplir, personne ne pleurera une sœur de plus ou de moins. Et j'en ai d'autres à ma disposition.

Nicci ne fut pas remuée par ces menaces, si sérieuses qu'elles fussent. Mais à voir son expression, Jagang commençait à comprendre ce qu'elle avait voulu dire, un peu plus tôt.

—Votre plan est excellent, mais il doit être découpé en petits morceaux, pour que les gens puissent l'avaler sans s'étouffer. La populace est rarement capable de voir ce qui est bon pour elle, car elle n'a pas une once de la sagesse de l'Ordre. Si entêté que vous soyez, Excellence, vous devez comprendre que j'ai anticipé vos intentions en convainquant des gens que vous les avez épargnés par amour de la justice, et non parce que vous ne pouvez pas vous offrir le luxe de les massacrer. De tels actes nous vaudront bien des ralliements.

Jagang coula à Nicci un long regard perplexe.

—Je suis le feu purificateur de l'Ordre. Les flammes sont nécessaires, mais elles ne doivent pas être une fin en soi. Des cendres que je laisse sur mon passage émergeront un nouveau monde et un ordre parfait. C'est le but – la renaissance de l'humanité – qui justifie les moyens. Il est de ma responsabilité, pas de la tienne, de décider ce qu'est la justice, et de dire quand et à qui il convient de la dispenser.

Agacée par la vanité de l'empereur, Nicci ne fit plus l'effort de lui dissimuler son dédain.

—J'ai donné un nom à votre idée – Jagang le Juste – et saisi une occasion de la faire connaître. Kadar est mort pour servir les objectifs que vous venez de citer. Il fallait agir maintenant et marquer les esprits, pour que votre philosophie ait le temps de se répandre et de s'enraciner partout dans le Nouveau Monde. Sinon, tous ses peuples se dresseront contre l'Ordre. J'ai choisi le moment et le lieu, et en exécutant un héros de guerre, j'ai montré que votre dévotion à la cause passait avant tout, même de vieilles amitiés. Votre gloire en bénéficiera!

» N'importe quel soudard peut jouer le rôle du feu purificateur. Ce nouveau nom, Jagang le Juste, est garant de votre vision morale du monde, et il prouve votre valeur bien au-delà de vos brutales victoires. Excellence, j'ai semé la graine qui fera de vous un héros aux yeux des peuples, et plus important encore, de tous les prêtres. Aurez-vous l'arrogance de prétendre que mon initiative était déplacée? Ou que ce nouveau nom ne militera pas en faveur de votre grandeur?

» Ce que j'ai fait vous apportera ce que l'armée est incapable de gagner: la loyauté des gens! Et cela sans livrer la moindre bataille. En prenant la vie de Kadar, j'ai réussi à faire ce que vous n'auriez pas pu réaliser seul, si redoutable que vous soyez. Excellence, je vous ai permis d'avoir la réputation d'être un homme d'honneur. Grâce à moi, vous voilà devenu un chef que les gens aimeront et auquel ils se fieront parce qu'ils le croiront doté du sens de la justice.

Jagang détourna la tête et resta un moment silencieux. Puis il tendit un bras, main ouverte, et laissa doucement courir ses doigts sur la cuisse de Nicci. Ce geste était un aveu: il reconnaissait qu'elle avait raison, même s'il ne l'aurait jamais dit à haute voix.

L'empereur bâilla, s'étira, ferma les yeux et sombra dans un profond sommeil. Bien entendu, il pensait que Nicci serait toujours là à son réveil, disponible comme d'habitude.

La Maîtresse de la Mort aurait pu partir sans courir de risques. En tout cas, elle le supposait. Mais l'heure n'avait pas encore sonné.

Quand Jagang se réveilla, une heure plus tard, Nicci contemplait toujours le plafond en réfléchissant à Richard. Il manquait encore un élément à son plan, lui semblait-il. Une pièce du puzzle qu'elle devait absolument mettre en place.

Dans son sommeil, l'empereur lui avait tourné le dos, mais il roula sur le flanc et riva sur Nicci un regard brillant de lubricité. Quand il se plaqua contre elle, son corps était aussi chaud qu'un rocher bombardé par le soleil… et presque aussi dur.

— Donne-moi du plaisir, dit-il d'un ton menaçant qui aurait convaincu une autre femme d'accéder à ses désirs.

— Et si je refuse, vous me tuerez? La mort ne me fait pas peur, sinon, je ne serais pas ici. Vous me prenez par la force, et il n'en ira jamais autrement. Ne vous bercez pas d'illusions en imaginant que j'ai envie de vous.

— Tu mens! cria Jagang. (D'un revers de la main, il poussa Nicci au bord du lit.) Tu es ici parce que ça te plaît! (Il la prit par le poignet et la tira de nouveau près de lui.) S'il n'en était pas ainsi, pourquoi serais-tu là?

— Parce que vous me l'avez ordonné…

— Mais tu es venue alors que tu aurais pu fuir.

Nicci voulut répondre, mais elle ne trouva pas ses mots – en tout cas, ceux qu'il aurait pu comprendre.

Avec un sourire triomphant, Jagang se redressa sur les coudes, pivota sur lui-même, se laissa tomber sur elle et plaqua ses lèvres contre les siennes. Si brutal que fût ce comportement, il exprimait une certaine tendresse. Nicci, disait-il souvent, était la seule femme qu'il avait jamais eu envie d'embrasser. En lui exprimant ainsi ses «sentiments», il semblait croire qu'elle serait obligée de les lui rendre, comme si la «tendresse» était une monnaie permettant d'acheter à volonté de l'affection.

Une longue nuit commençait, et Nicci ne se faisait pas d'illusions : durant cette épreuve, elle devrait subir plusieurs fois les assauts amoureux d'un homme qui la répugnait.

Mais pourquoi était-elle là, puisqu'elle avait eu la possibilité de s'enfuir ?

Cette question de l'empereur se répéta à l'infini dans son esprit, et son écho atteignit jusqu'à l'endroit lointain et isolé où elle se réfugiait pour échapper au monde.

Au matin, Nicci se réveilla avec de terribles maux de tête consécutifs à la correction que lui avait infligée Jagang. Elle avait également mal à d'autres endroits – ceux où il l'avait frappée pour se venger d'avoir pu posséder son corps mais jamais son âme, totalement absente de ces bestiales étreintes.

Les draps étaient tachés de sang : le témoignage d'une longue séance où la Maîtresse de la Mort avait connu des sensations inédites qu'elle ne souhaitait à personne.

Étant un être maléfique, elle méritait d'être violée ainsi, et elle ne trouvait aucun argument moral qui pût stigmatiser le comportement de l'empereur. Même quand il la traitait comme une catin, il restait moins corrompu qu'elle. Comme tous les hommes, Jagang s'adonnait à la luxure, et ça n'avait rien d'extraordinaire. En étant indifférente à la souffrance des autres – et à la sienne aussi –, Nicci prouvait que son âme même était corrompue. En matière de péché, il n'y avait rien de plus ignoble. Pour cela, elle méritait de subir tout ce que Jagang lui infligeait.

Et ce matin, le lieu obscur, au plus profond d'elle-même, qui aspirait à souffrir n'était pas loin de se sentir rassasié d'horreur.

Portant une main à sa bouche, Nicci constata que ses lèvres étaient toujours douloureuses, même si les plaies se refermaient déjà. Ce type de souffrance n'ayant rien de satisfaisant pour une femme comme elle, elle demanderait à une des sœurs de la faire bénéficier de sa magie de guérison.

Après s'être donné tant de mal pour la blesser, Jagang serait furieux de savoir qu'elle n'avait pas gardé longtemps le cuisant souvenir de sa brutalité.

Dans quelques heures, elle verrait sœur Lidmila, qui serait sûrement à même de la soulager… avant de lui confier ses secrets.

S'apercevant soudain que Jagang n'était pas étendu à côté d'elle, Nicci s'assit dans le lit en sursaut et le découvrit lové dans un fauteuil, les yeux rivés sur elle.

—Vous êtes un porc, dit-elle simplement.

—Peut-être, mais tu ne peux pas te passer de moi. Malgré tes dénégations, Nicci, tu aimes partager ma couche. Sinon, pourquoi le ferais-tu?

Le regard cauchemardesque de Jagang la sondait, tentant de trouver une brèche pour s'introduire dans son esprit. Mais il n'y en avait pas. Celui qui marche dans les rêves ne la violerait plus mentalement, parce que Richard la protégeait de ses intrusions.

—Vous vous méprenez sur mes motivations, Excellence. Je reste parce que l'objectif ultime de l'Ordre Impérial est hautement moral. Je désire votre victoire pour que les pauvres et les déshérités cessent de souffrir. J'aspire à l'égalité et à la justice. Depuis mon enfance, je lutte pour l'équité, et l'Ordre est en mesure de l'apporter au monde. S'il faut subir votre présence – voire vous aider – pour atteindre mon but, c'est un prix insignifiant à payer.

—De nobles paroles, mais ne crois pas un instant que je les gobe! Si tu pouvais me fuir, tu le ferais! À condition d'en avoir envie… Mais tu ne le désires pas vraiment, n'est-ce pas?

Sa tête lui faisant trop mal, Nicci n'eut aucune envie de réfléchir à ce sujet si complexe.

—Il paraît que vous voulez vous faire bâtir un palais? lança-t-elle pour changer de sujet.

—Tu en as entendu parler? Ce sera la plus somptueuse résidence jamais conçue. Un lieu adapté au maître de l'Ordre Impérial, un géant qui règne sur l'Ancien et le Nouveau Monde.

—Le géant qui *aimerait* régner! Richard Rahl se dresse toujours sur votre chemin. Combien d'humiliations vous a-t-il infligées, depuis le début de cette guerre?

Un éclair de fureur passa dans les yeux monstrueux de Jagang. Même si Richard ne l'avait pas vaincu, il était parvenu à ruiner la plupart des plans de l'empereur. Une série d'exploits impressionnants pour le moustique qu'il était, comparé à la puissance de l'Ordre Impérial. Et les hommes comme Jagang détestaient au moins autant les piqûres d'insecte que les coups de poignard dans le cœur…

—Je tuerai Rahl, n'en doute pas!

Nicci réorienta la conversation sur le sujet qui l'intéressait vraiment.

— Depuis quand Jagang le Conquérant s'est-il ramolli au point de vouloir vivre dans le luxe ?

— As-tu oublié que je suis Jagang le Juste, désormais ? (L'empereur se leva, approcha du lit et se laissa tomber à côté de Nicci.) Désolé de t'avoir fait du mal… Je n'en avais pas l'intention, mais tu m'y as obligé. Tu sais que je me soucie beaucoup de toi…

— Et pour le prouver, vous me tapez dessus ? Je compte pour vous, paraît-il, mais vous ne jugez pas utile de m'informer de vos projets les plus importants, comme la construction de ce palais ? En réalité, je n'ai pas la moindre importance pour vous !

— Je suis navré de t'avoir maltraitée, mais c'était ta faute, et tu le sais. Quant au palais… (Jagang prit une expression rêveuse.) Eh bien, il est normal que j'aie enfin la jouissance d'une résidence prestigieuse.

— L'homme qui adorait vivre sous un pavillon, en pleine campagne, rêve maintenant du faste d'un palais ? Pour quelle raison ?

— Quand le Nouveau Monde aura accepté la bienveillante autorité de l'Ordre, les peuples auront bien mérité de savoir que leur chef suprême vit dans un cadre digne de lui. Mais ce n'est pas qu'une affaire de majesté…

— Ben voyons ! railla Nicci.

À sa grande surprise, Jagang lui prit la main.

— Nicci, je porterai fièrement le surnom de Jagang « le Juste ». Tu as raison, il est temps que je change. J'étais furieux parce que tu as pris une initiative sans m'en parler. Mais oublions ça, si tu veux bien…

La Maîtresse de la Mort ne dit rien. Sans doute pour lui prouver sa sincérité, Jagang lui serra plus fort la main.

— Tu adoreras mon palais… (De sa main libre, il caressa la joue de la Sœur de l'Obscurité.) Ensemble, nous y vivrons très longtemps…

— Très longtemps ? répéta Nicci.

Elle avait enfin compris ! Jagang ne voulait pas une somptueuse résidence simplement pour remplacer le Palais des Prophètes, dont Richard l'avait privé. Il aspirait à autre chose, dont le Sourcier pensait également l'avoir privé…

Elle dévisagea Jagang, qui eut un petit sourire complice.

— Le chantier est déjà en route, dit-il, éludant la question implicite de Nicci. Tous les architectes de l'Ancien Monde se sont mis à l'œuvre, avides de contribuer à un projet grandiose.

— Et qu'en pense le frère Narev ? Est-il content que vous vous consacriez à des frivolités alors que tant de malheureux ont besoin d'aide ?

— Narev et ses disciples sont enchantés… Bien entendu, tous vivront au palais avec nous.

Cette fois, c'était limpide.

— Il va jeter un sort sur votre nouvelle demeure !

Jagang sourit de nouveau.

Le frère Narev avait vécu au Palais des Prophètes presque aussi longtemps que Nicci, soit environ cent soixante-dix ans. Comme elle, il semblait avoir vieilli d'à peine dix ou quinze ans. Et pendant tout ce temps, à part la Maîtresse de la Mort, nul ne s'était douté qu'il était bien plus qu'un simple garçon d'écurie.

Protégé par son insignifiance, il avait eu tout le loisir d'étudier le sortilège temporel. Ses disciples étant presque tous de jeunes sorciers en formation au palais, ils avaient eu accès aux catacombes, où étaient conservées des informations cruciales. Mais cela suffirait-il pour que Narev accomplisse un exploit pareil ?

— Parlez-moi du palais…, souffla Nicci.

Jagang crut judicieux de l'embrasser d'abord – avec tendresse, comme un homme amoureux, pas comme un violeur désireux d'asseoir sa domination sur une victime.

Nicci n'aima pas plus cela que le reste, mais il ne parut pas s'en apercevoir, et la gratifia ensuite d'un sourire satisfait.

— Les couloirs seuls feront près d'une lieue de long… (D'une main, Jagang dessina dans l'air les contours de son extravagante résidence.) Nul n'aura jamais rien vu de pareil, Nicci ! Et pendant que je continuerai à prêcher la bonne parole dans le Nouveau Monde, cette merveille prendra forme pierre après pierre dans mon pays natal.

» Il faudra des années pour extraire des carrières tous les blocs qui seront nécessaires. Je veux les meilleurs marbres et les bois les plus rares ! Dans ce palais, tous les matériaux seront exceptionnels. Les meilleurs artisans les travailleront, afin que tout soit parfait.

— Certes, mais même si d'autres y résideront, ce palais sera un monument pompeux à la gloire d'un seul homme : le fabuleux empereur Jagang.

— Détrompe-toi, il sera dédié à la gloire du Créateur !

— Parce qu'il y habitera aussi ? lâcha Nicci.

Jagang la foudroya du regard, indigné par ce blasphème.

— Le frère Narev veut que ce bâtiment contribue à l'édification du peuple. Pendant que j'établirai la domination de l'Ordre partout dans le monde, il surveillera en personne les travaux.

C'était ce que Nicci voulait savoir.

— Le frère Narev partage ma vision de l'avenir, continua Jagang. Pour moi, il a toujours été un père, et c'est lui qui a allumé la flamme qui brûle dans mon cœur. Il me permet de me mettre en avant et d'avoir tout le crédit de nos victoires, mais je ne serais rien sans son enseignement. Je suis le bras armé de l'Ordre, Nicci, pas son âme ! Tu as raison, d'autres guerriers pourraient jouer mon rôle, mais c'est à moi qu'il est revenu. Je ne ferai jamais rien pour décevoir le frère Narev, car cela reviendrait à trahir le Créateur en personne.

» Mon seul but est de construire un palais pour nous tous, d'où nous gouvernerons au nom de l'intérêt du peuple. Le frère Narev, lui, a imaginé le grand idéal qui nous motive tous. Sans lui, comment saurions-nous que l'individu n'est rien, face au Créateur, et qu'il lui faut aider les autres pour accéder un tant soit peu à la grandeur ? Ne t'y trompe pas : ce palais sera aussi un moyen de montrer leur insignifiance aux hommes, afin qu'ils prennent conscience de leur imperfection et de leur dépravation. Car c'est le premier pas qui mène sur le chemin de la Lumière.

Nicci crut voir le fabuleux édifice se matérialiser devant ses yeux. Oui, ce serait une saine inspiration pour l'humanité. Comme le frère Narev dans son enfance, Jagang parvenait presque à l'entraîner dans sa vision prophétique.

— C'est pour ça que je suis restée…, souffla-t-elle. Parce que la cause de l'Ordre est juste !

Incidemment, elle venait de trouver la pièce du puzzle qui lui manquait.

Jagang embrassa de nouveau Nicci, qui le laissa faire un moment, puis le repoussa, se leva et commença à s'habiller.

— Tu aimeras cet endroit, Nicci. Parce qu'il sera fait pour toi…

— Une cage dorée pour une reine esclave ?

— Pour une reine tout court, si tu le désires… J'ai prévu de te conférer une autorité qui dépasse tout ce que tu peux imaginer. Dans ma demeure, nous serons heureux ensemble pendant très longtemps.

Nicci entreprit d'enfiler ses bas.

— Quand sœur Ulicia et les quatre autres ont trouvé un moyen de vous fuir, je ne les ai pas suivies parce que je savais que l'Ordre est le seul avenir possible pour l'humanité. Mais à présent, je…

— Tu es restée parce que tu ne serais rien sans l'Ordre Impérial ! coupa Jagang.

Nicci détourna le regard et commença à enfiler sa robe.

— Je ne suis rien sans l'Ordre, c'est vrai, mais je ne suis pas davantage avec lui ! Comme tout le monde… Nous sommes tous de misérables créatures sans valeur. C'est le lot des hommes, ainsi que nous l'enseigne le Créateur. Mais l'Ordre offre la rédemption, parce qu'il permet de lutter pour le bien de tous.

— Et moi, je suis l'empereur ! rugit Jagang, rouge de colère. Que tu le veuilles ou non, le monde sera uni sous le règne de l'Ordre, et quand ce conflit sera terminé, nous vivrons heureux dans mon palais. Toi et moi, Nicci, sous l'aile bienveillante de nos prêtres. Tu verras, bientôt…

— Je vais partir, lâcha la Maîtresse de la Mort.

— Pas tant que je serai vivant !

Nicci finit de mettre ses bottes, puis elle défia Jagang du regard, tendit un index vers un vase posé sur une table et le désintégra d'une simple pichenette de pouvoir qui suffit à faire trembler les vitres de toutes les fenêtres.

— Vous croyez pouvoir me retenir? demanda-t-elle quand le calme fut revenu.

Jagang approcha de la table et fit couler entre ses doigts la fine poussière qui était un superbe vase quelques instants plus tôt.

— Tu me menaces? lança-t-il, se tournant vers Nicci dans toute sa mâle nudité. Tu crois vraiment pouvoir utiliser ta magie contre moi?

— Je suis sûre d'en être capable, Excellence, mais je ne le ferai pas…

— Et pourquoi ça?

— Parce que l'Ordre a besoin d'une brute telle que vous. Son bras armé, comme vous dites. Quand il s'agit de purifier par le feu, vous faites montre d'un talent hors du commun.

» Vous êtes aussi Jagang le Juste, et maintenant que vous acceptez ce surnom, vous le mettrez au service de la cause. C'est pour ça que je ne vous frapperai pas avec mon pouvoir. Ça reviendrait à détruire l'Ordre et à hypothéquer l'avenir de l'humanité.

— Dans ce cas, pourquoi me quittes-tu?

— Parce qu'il le faut… Avant mon départ, je passerai un peu de temps avec sœur Lidmila. En conséquence, j'exige que vous vous retiriez de son esprit et n'y pénétriez pas tant que je serai avec elle. Nous nous installerons dans votre pavillon, puisqu'il est libre. Veuillez vous assurer qu'on ne nous dérange pas. Quiconque entrera sans ma permission mourra dans les dix secondes, vous compris. Et c'est une Sœur de l'Obscurité qui vous en fait le serment! Après mon départ, disposez de Lidmila comme ça vous chantera. Tuez-la si ça vous amuse, mais ce serait stupide, parce qu'elle vous aura rendu un grand service…

— Je vois…, marmonna Jagang. Et combien de temps seras-tu absente, cette fois?

— Cette mission-là ne ressemblera pas aux autres.

— Combien de temps?

— Quelques jours ou des années, je n'en sais rien… Laissez-moi agir, et si je le peux, je vous reviendrai un jour.

Jagang sonda le regard de Nicci, mais il ne put pas pénétrer dans son esprit, car un autre homme la protégeait.

Lorsqu'elle fréquentait Richard, Nicci n'était jamais parvenue à découvrir ce qu'elle brûlait de savoir, mais elle avait appris beaucoup de choses – et même trop, en un certain sens. La plupart du temps, elle était en mesure d'enfouir sous une épaisse couche d'indifférence une certaine révélation des plus inopportunes. De temps en temps, comme en ce moment, elle s'exhumait toute seule et envahissait sa conscience. Prise au piège, il ne lui restait plus qu'à attendre le retour du grand vide qui l'habitait le plus souvent.

Soutenant le regard de Jagang – ces yeux qui ne révélaient rien, sinon la profonde désolation de son âme –, Nicci tapota l'anneau d'argent qui symbolisait son statut d'esclave.

Un léger souffle de Magie Soustractive suffit à le désintégrer, comme s'il n'avait jamais existé.

— Et où iras-tu, Nicci ? demanda l'empereur.

— Je vais détruire Richard Rahl. Pour vous, Excellence !

Chapitre 15

Jusque-là, Zeddicus Zu'l Zorander s'était forcé un passage à travers les postes de garde à grand renfort de sourires et de persuasion. Hélas, ces deux soldats-là semblaient se ficher totalement qu'il soit le grand-père de Richard. Entrer dans le camp de jour aurait sûrement été plus simple, mais il était fatigué, et il n'aurait jamais cru se heurter à de telles têtes de mule.

À vrai dire, la méfiance de ces hommes était plutôt rassurante, et il s'en félicitait secrètement. Hélas, il avait vraiment besoin de s'asseoir un peu, et perdre son temps à répondre à des questions – alors qu'il brûlait d'en poser – commençait à lui taper sur les nerfs.

— Pourquoi voulez-vous lui parler ? demanda de nouveau le plus grand des gardes.

— Je vous l'ai dit, je suis le grand-père de Richard.

— Richard Cypher ? Celui qui est censé être…

— Oui, oui et oui ! On l'appelait comme ça jusqu'à très récemment, et j'ai gardé cette habitude. Mais je parle bien de Richard Rahl. Vous savez, votre chef à tous, le seigneur Rahl ? J'aurais cru que son grand-père recevrait un accueil respectueux. Et qu'on lui offrirait peut-être même un repas chaud.

— Je peux prétendre être le frère du seigneur Rahl, dit l'homme sans lâcher le mors du cheval de Zedd, qu'est-ce qui vous prouverait que c'est vrai ?

— Bien raisonné, admit le vieux sorcier.

Si vexante qu'elle fût, la réaction de ce soldat montrait qu'il n'était pas un crétin facile à duper. Une constatation plutôt rassurante…

— Mais je suis aussi un sorcier, ajouta le vieil homme en plissant le front – simplement pour l'effet dramatique. Si j'avais des intentions hostiles, il me suffirait de vous carboniser tous les deux, puis de continuer mon chemin.

—Et si je m'énervais, répondit l'homme, il me suffirait de donner le signal pour que les dix archers qui vous visent en ce moment même vous transforment en pelote d'épingles. Pourquoi vous a-t-on laissé avancer jusqu'ici, selon vous ? Vous êtes encerclé, mon ami. Incidemment, des archers vous ont à l'œil depuis le début.

—Tout ça est excellent, fit Zedd en brandissant un index décharné, mais...

—Encore un détail : si je devais périr foudroyé au service du seigneur Rahl, les archers se passeraient de mon signal pour vous cribler de flèches.

Zedd baissa promptement le doigt. Intérieurement, il eut un petit sourire. Le Premier Sorcier en personne venait de se faire rabattre le caquet par un vulgaire soldat. Et s'il n'avait pas été dans un camp ami, l'affaire aurait pu très mal tourner.

Encore qu'il n'était pas à bout de ressources...

—C'est fort intéressant, sergent, mais je suis un sorcier, comme il me semble l'avoir déjà mentionné. En tant que tel, j'ai repéré vos archers et éliminé la menace en jetant un sort sur leurs projectiles pour qu'ils ne me fassent pas plus de mal qu'une volée de torchons humides. Bref, je n'ai rien à craindre. Et même si je vous mens, n'ayant en réalité rien remarqué – avouez que cette idée vient de vous traverser la tête –, vous avez commis une erreur en m'avertissant de la menace. Prévenu, un grand sorcier comme moi se fiche comme de sa première tunique d'une banale bande d'archers !

Le sergent eut un demi-sourire.

—Remarquable..., fit-il en se grattant la tête. (Il jeta un coup d'œil à l'autre garde, puis dévisagea Zedd.) Comment avez-vous deviné mes pensées ? Je me disais justement que vous bluffiez.

—Vous voyez, jeune homme, on est toujours moins malin qu'on le pense.

—C'est tristement exact, messire... En fait, je suis un abruti ! Tout heureux de m'écouter parler, et un peu impressionné par vos fabuleux pouvoirs, j'ai oublié de vous dire qu'il n'y a pas que des archers tapis dans l'ombre. Et les personnes qui vous surveillent peuvent vous valoir plus d'ennuis qu'une volée de flèches, croyez-moi !

Zedd foudroya le sergent du regard.

—Je commence à...

—Pourquoi n'avancez-vous pas dans la lumière, comme on vous l'a demandé, afin de répondre à quelques questions ?

Résigné, Zedd mit pied à terre et tapota gentiment l'encolure d'Araignée, son adorable jument qui avait vécu avec lui des aventures échevelées – le tirant en une occasion d'une situation délicate où il aurait pu perdre des plumes.

Zedd avança dans le cercle de lumière. Sous le regard effaré des deux soldats, il fit apparaître dans sa paume gauche une flamme à la lueur inhabituellement vive.

—J'ai mon propre éclairage, si vous avez la vue basse. Ma lumière vous aide un peu, sergent?

—Eh bien… hum… oui, messire.

—Elle est même très utile! lança une femme en sortant de l'ombre. Pourquoi n'avez-vous pas commencé par une petite démonstration du pouvoir de votre Han? (Elle fit un signe discret de la main, comme pour signaler à quelqu'un de ne pas encore se montrer.) Bienvenue, messire le sorcier.

Zedd se fendit d'une belle révérence.

—Zeddicus Zu'l Zorander, Premier Sorcier, et à votre service, ma dame… À qui ai-je l'honneur, si je puis me permettre?

—Sœur Philippa, sorcier Zorander. Une assistante de la Dame Abbesse.

Sur un geste de la sœur, le sergent s'empara des rênes d'Araignée, que Zedd tenait toujours, et s'éloigna avec la jument. Le vieil homme tapota l'épaule du soldat – une façon de lui dire «sans rancune» – puis la croupe de sa monture, afin qu'elle ne s'inquiète pas et sache qu'elle était entre de bonnes mains.

—Prenez soin d'Araignée, sergent, c'est une amie très chère.

—Elle aura droit à tous les égards, messire, assura l'homme avant de se taper du poing sur le cœur – le salut d'haran traditionnel.

—Sœur Philippa, dit Zedd, vous avez parlé d'une Dame Abbesse. Laquelle?

—Verna, évidemment!

—Bien entendu, où avais-je la tête?

Les Sœurs de la Lumière qui avaient suivi Richard, après la destruction du Palais des Prophètes, ne savaient pas qu'Anna était vivante. Enfin, la dernière fois que le vieil homme l'avait vue, quelques mois plus tôt… Anna avait averti Verna grâce au livre de voyage, mais en lui demandant de garder cette information pour elle.

Zedd avait espéré retrouver ici la Dame Abbesse prétendument à la retraite et les Sœurs de la Lumière qu'elle était partie libérer – en s'introduisant dans le camp de Jagang, rien que ça! Si elle n'avait pas rejoint l'armée de Richard, il devait lui être arrivé malheur…

Si Zedd ne portait pas dans son cœur les Sœurs de la Lumière – une vie entière de ressentiment ne s'oubliait pas comme ça –, il avait appris à respecter Anna, une femme courageuse, disciplinée et (relativement) loyale. Même s'il restait plus que dubitatif sur les convictions de son amie – et sur ses actes et objectifs passés –, les valeurs qu'ils partageaient les avaient rapprochés. Cela dit, ça ne signifiait pas qu'il en irait de même avec les autres sœurs.

Philippa semblait approcher de la quarantaine, mais avec ces femmes-là, il ne fallait surtout pas se fier aux apparences. Elle pouvait avoir vécu un an au Palais des Prophètes, ou y être restée plusieurs siècles… Avec ses yeux noirs et ses pommettes hautes, elle avait en tout cas un charme exotique frappant. Dans l'Ancien Monde comme dans les Contrées du Milieu, les natifs de certaines régions arboraient des caractéristiques physiques bien particulières. À part ça, comme toutes les femmes d'une grande noblesse d'esprit, elle avait tendance à se déplacer avec la grâce d'un cygne qui aurait pris forme humaine.

—Que puis-je pour vous, sorcier Zorander? demanda-t-elle.

—Appelez-moi Zedd, ça suffira… Votre Dame Abbesse est encore réveillée?

—Oui. Suivez-moi, je vous en prie…

Le vieil homme emboîta le pas à la Sœur de la Lumière.

—On peut trouver quelque chose à manger, dans ce camp?

—Au milieu de la nuit? lança Philippa par-dessus son épaule.

—Eh bien, j'ai chevauché comme un fou, et il n'est pas si tard que ça, n'est-ce pas?

Philippa se retourna et dévisagea le vieil homme dans la pénombre.

—Selon les enseignements du Créateur, il n'est jamais trop tard pour nourrir ceux qui ont faim. Vous me semblez très émacié, sans doute à cause de ce pénible voyage… (La sœur eut un sourire un peu moins crispé.) De bons petits plats attendent en permanence les soldats qui reviennent de missions nocturnes. Je pense qu'on pourra vous trouver quelque chose…

—Ce serait très gentil à vous, marmonna Zedd. Cela dit, je ne suis pas émacié, mais svelte, et beaucoup de femmes sont attirées par les hommes minces.

—Vraiment? C'est la première fois que j'entends ça…

Les Sœurs de la Lumière ont toujours été des enquiquineuses…, pensa Zedd, de fort mauvaise humeur.

Pendant des millénaires, s'aventurer dans le Nouveau Monde suffisait à leur valoir une condamnation à mort. Zedd militait depuis toujours pour qu'on soit un peu plus clément avec elles – en les laissant croupir au fond d'une oubliette, par exemple! Jusque-là, les sœurs étaient toujours venues dans le Nouveau Monde pour enlever de jeunes garçons dotés de pouvoirs magiques. Pour les sauver, prétendaient-elles. Mais seul un sorcier pouvait en former un autre, et ces séquestrations, au Palais des Prophètes, étaient à ses yeux un crime capital.

Richard avait été capturé par une de ces femmes – la fameuse Verna, justement. Avec le sort qui ralentissait le temps, au palais, le pauvre garçon aurait pu y moisir pendant des siècles, contraint de faire ami-ami avec ces insupportables matrones, faute de mieux…

Cela posé, les sœurs n'avaient guère de raisons non plus d'adorer Zedd. Après tout, il était à l'origine du sortilège qui avait permis à Richard de détruire le Palais des Prophètes. Avec l'aide d'Anna, parce qu'elle avait compris qu'il fallait à tout prix empêcher Jagang de mettre la main sur les prophéties conservées dans les catacombes…

Des gardes patrouillaient partout dans le camp. Une multitude de colosses en cuirasse et cotte de mailles. Rien n'échappait à leurs yeux d'aigle, et c'était très bien comme ça.

Malgré sa taille, le campement était relativement silencieux. Une bonne chose, parce que le bruit donnait toujours des informations précieuses à l'ennemi. Mais réussir à obtenir une telle discrétion d'un si grand nombre de soldats ne devait pas être un jeu d'enfant…

— Je suis soulagée que notre premier visiteur apte à contrôler la magie soit un ami, dit Philippa.

— Moi, j'ai plaisir à voir que des magiciennes montent la garde avec les soldats… Mais si l'Ordre tentait un raid surnaturel, les sentinelles normales n'y verraient que du feu.

Inquiet, Zedd se demanda si cette armée était vraiment préparée à affronter ce genre de problème.

— Si ça devait arriver, nous serions là pour donner l'alarme.

— Je suppose que vous m'aviez à l'œil depuis le début.

— Je vous ai repéré au moment où vous franchissiez les collines, bien avant le camp.

— Si tôt que ça?

— Eh oui!

— Votre collègue aussi? Au même moment?

Philippa s'arrêta et se tourna vers le vieil homme.

— Comment ça, ma collègue? Comment savez-vous que nous étions deux?

— Élémentaire, ma chère amie! Vous me surveilliez, et l'autre, tapie dans l'ombre, préparait un petit sortilège, au cas où j'aurais eu de mauvaises intentions.

— Surprenant! Vous l'avez sentie toucher son Han, à cette distance?

— On ne m'a pas nommé Premier Sorcier *simplement* parce que je suis svelte!

Philippa eut enfin un sourire sincère.

— Je me félicite que vous ne fassiez pas partie de l'autre camp…

La sœur ignorait à quel point elle parlait d'or. En matière de magie appliquée aux arts de la guerre, Zedd avait accumulé des expériences plus désagréables les unes que les autres. En approchant du camp, il avait remarqué les trous, dans ses défenses, et de graves faiblesses dans la manière d'utiliser le don des Sœurs de la Lumière. Ces gens ne prenaient pas la peine de se mettre à la place de l'ennemi, histoire de réfléchir comme lui. S'il avait été hostile, le camp aurait été sens dessus dessous malgré toutes les précautions prises par ses défenseurs.

Philippa se détourna et recommença à guider Zedd à travers les amas de tentes. Traverser ainsi un camp d'haran perturbait le vieil homme, même si le jeu des alliances avait modifié la donne, ces derniers temps. Durant la majeure partie de sa vie, il avait tenu les D'Harans pour ses ennemis mortels. En un clin d'œil, Richard avait changé tout ça. Ce sacré garçon aurait été capable de fraterniser avec le tonnerre et la foudre et de les inviter à dîner...

Il y avait des tentes et des chariots partout. Près de leurs armes posées sur des râteliers de campagne, histoire d'être faciles à récupérer, en cas d'urgence, des soldats enroulés dans leur couverture ronflaient comme des sonneurs. À bonne distance des dormeurs, d'autres conversaient à voix basse, étouffant au maximum leurs exclamations et leurs éclats de rire.

D'autres encore patrouillaient inlassablement. Parfois, ils passaient assez près du sorcier pour qu'il les entende respirer. Mais dans l'obscurité, il ne parvenait pas à voir leurs visages.

Des sentinelles très bien dissimulées gardaient toutes les voies d'accès. Fort judicieusement, très peu de feux brûlaient dans le camp, et il s'agissait surtout de «feux de garde», disposés sur le périmètre extérieur. Ainsi, le cœur du campement était plongé dans une profonde obscurité. D'autres armées profitaient de la nuit pour laisser les soldats se détendre un peu ou se charger de diverses corvées. Les D'Harans, eux, réduisaient au maximum l'activité pour ne pas fournir d'indices à d'éventuels agresseurs. Ces hommes étaient décidément de grands professionnels. De loin, évaluer la taille du camp s'avérait pratiquement impossible.

Sœur Philippa s'arrêta devant une tente un peu plus haute que les autres, écarta le rabat et passa la tête à l'intérieur.

—Un sorcier désire voir la Dame Abbesse, annonça-t-elle.

Des cris de surprise montèrent de sous la tente.

—Allez-y, dit Philippa, en poussant doucement le vieillard. Je vais vous chercher quelque chose à manger...

—Zedd, espèce de vieux fou! cria une femme dès que le sorcier fut entré. Tu es vivant!

Zedd sourit à Adie, connue sous le nom de «dame des ossements» en Terre d'Ouest, où ils s'étaient jadis exilés tous les deux.

La vieille magicienne se jeta dans ses bras et le serra assez fort pour lui couper le souffle. Il l'étreignit en retour, puis caressa ses cheveux grisonnants coupés au carré à la hauteur de la mâchoire.

—Je t'avais promis qu'on se reverrait, pas vrai?

—C'est vrai…, soupira Adie, toujours blottie contre la poitrine du sorcier.

Elle s'écarta à contrecœur, prit Zedd par les poignets, l'étudia longuement, puis le lâcha d'une main et ébouriffa sa tignasse blanche déjà en bataille.

—Tu es toujours aussi belle…, souffla le vieil homme.

Adie riva sur le crâne du sorcier ses yeux complètement blancs. Lorsqu'elle était jeune, des brutes l'avaient rendue aveugle, et elle y voyait maintenant grâce à son don. En un certain sens, son acuité visuelle n'en était que meilleure.

—Où est ton chapeau ?

—Pardon ?

—Je t'avais acheté un joli couvre-chef, et tu l'as perdu. Apparemment, tu as omis de le remplacer. Pourtant, il me semble que tu avais juré d'en acquérir un autre.

Zedd abominait le chapeau à plume dont Adie l'avait affublé lorsqu'ils s'étaient procuré son déguisement de « Ruben Rybnik ». Il aurait préféré remettre sa tunique toute simple – paradoxalement, c'était ce qui convenait le mieux à un sorcier de son rang et de sa compétence –, mais Adie l'avait prétendument perdue après qu'ils eurent acheté la ridicule tunique bordeaux aux manches noires et aux innombrables broderies qu'il était toujours obligé de porter – sans parler de la foutue ceinture en satin rouge (et à boucle d'or) qui complétait la tenue. Une telle ostentation vestimentaire était en principe l'apanage des sorciers débutants. Ou des hommes d'affaires prospères… Même s'il détestait cet accoutrement, Zedd devait reconnaître qu'il l'avait bien aidé à passer pour un autre, à une époque. Cerise sur le gâteau, Adie le trouvait très séduisant, ainsi attifé. Mais le chapeau, il ne fallait pas exagérer ! Heureusement, c'était un accessoire assez facile à égarer…

Non sans une pointe d'envie, le vieil homme nota qu'Adie, en revanche, n'avait pas perdu la robe toute simple qu'elle aimait porter. Un modèle de sobriété, y compris les discrets ornements, au niveau du col – des runes qui symbolisaient sa profession, en tout cas pour un initié…

—Si je n'avais pas été occupé, marmonna Zedd avec un geste négligent de la main, comme si ce sujet était trop trivial pour lui, j'aurais bien entendu remplacé ce magnifique chapeau.

—Toujours aussi menteur, à ce que je vois !

—Adie, j'ai vraiment…

—Tais-toi, maintenant ! (Prenant le sorcier par le poignet, Adie tendit son bras libre vers une femme qui attendait un peu à l'écart.) Zedd, je te présente Verna, la Dame Abbesse des Sœurs de la Lumière.

Verna semblait tout juste approcher de la quarantaine. Le sorcier ne se laissa pas abuser par son apparence, car Anna lui avait dit son âge véritable. Il avait oublié le chiffre exact, mais il devait tourner autour des cent soixante printemps. La prime jeunesse, pour une Sœur de la Lumière… Agréable à regarder, même si elle n'était pas d'une beauté sophistiquée, la Dame Abbesse en exercice arborait de fort jolis cheveux bruns bouclés, et ses yeux marron, très vifs, semblaient capables de faire fondre de la roche, quand elle le décidait. Bref, pour quelqu'un qui connaissait la vie, il s'agissait du genre de femme dotée d'une carapace aussi solide et impénétrable que celle d'un scarabée.

— Je vous salue, Dame Abbesse, dit Zedd en inclinant la tête. Je suis le Premier Sorcier Zeddicus Zu'l Zorander, à votre service, bien sûr !

Une politesse de pure forme, à entendre le ton du vieil homme…

Cette femme avait capturé Richard pour le conduire dans l'Ancien Monde. Même si elle pensait lui sauver la vie, cet acte, aux yeux du vieux sorcier, était une pure abomination. Persuadées d'être des formatrices idéales pour les jeunes pratiquants de la magie, les Sœurs de la Lumière se trompaient lourdement. Seul un sorcier expérimenté pouvait aider un confrère débutant, et il lui fallait cent fois moins de temps qu'à ces pimbêches de Tanimura !

Verna lui tendit la main pour qu'il embrasse la bague symbolique de son titre. Zedd s'exécuta, convaincu depuis longtemps que toutes les coutumes, si bizarres fussent-elles, étaient respectables. Quand il se fut acquitté de cet hommage un rien curieux, la Dame Abbesse lui prit la main gauche, la porta à ses lèvres et la baisa.

— Je suis très émue de me trouver devant l'homme qui a contribué à élever notre Richard. Vous devez être un individu extraordinaire, sorcier Zorander. Du même genre que votre petit-fils, au moment où je l'ai rencontré… (Verna eut un petit rire visiblement forcé.) Essayer de le former ne fut pas un jeu d'enfant, je vous prie de le croire !

Zedd révisa aussitôt son opinion sur Verna. Cette femme était encore plus redoutable qu'elle le paraissait, et il devrait s'en méfier…

— Voilà ce qui arrive quand un bœuf essaie d'apprendre à un cheval l'art de galoper ! Les Sœurs de la Lumière devraient se consacrer à des tâches qui ne dépassent pas de très loin leurs compétences !

— Zedd, on sait que tu es un homme fabuleusement brillant, intervint Adie. Un vrai génie ! Un de ces jours, je finirai par te croire, quand tu le répéteras pour la millième fois. (Elle tira sur la manche du vieil homme, le détournant de Verna, présentement rouge comme une pivoine.) Maintenant, permets-moi de te présenter Warren.

Zedd regarda le jeune homme qui venait de se jeter à genoux, sa tête blonde humblement baissée.

— Sorcier Zorander, vous rencontrer est un tel honneur !

Warren se releva, prit à deux mains le bras du sorcier et le secoua assez fort pour le lui arracher de l'épaule.

— Je suis si content de vous connaître ! Richard m'a tellement parlé de vous ! Si vous me faisiez la grâce d'être mon professeur, je serais fou de joie !

Verna vira carrément à l'écarlate.

— Eh bien, mon garçon, je suis également ravi de te connaître…

Zedd préféra ne pas mentionner que son petit-fils ne lui avait jamais rien dit au sujet d'un certain Warren. D'abord parce qu'il était courtois, mais surtout parce que ça ne prouvait rien. Depuis un bon moment, Richard et lui n'avaient pas vraiment eu l'occasion de se parler… En tout cas, le simple contact des mains de Warren laissait deviner qu'il était un sorcier incroyablement doué.

Un colosse à la barbe rousse sortit de l'ombre. La joue gauche barrée par une cicatrice, les sourcils broussailleux et le regard aussi acéré que celui d'un oiseau de proie, ce militaire aurait fait peur à sa propre mère, si elle l'avait croisé dans une ruelle sombre. Et pourtant, il souriait comme un soldat qui aperçoit un tonneau de bière après une très longue marche forcée…

— Je suis le général Reibisch, dit-il, chef des forces d'haranes dans cette région. (Pendant qu'il serrait la main à Zedd, Warren alla se camper près de Verna.) Le grand-père du seigneur Rahl ! Messire, vous avoir ici est une chance pour nous ! Une extraordinaire chance, dirais-je même…

— Sans doute, sans doute, marmonna Zedd, même si nous nous rencontrons dans des circonstances malheureuses, général.

— Que voulez-vous dire, sorcier Zorander ?

— Oublions ça, pour le moment, si vous le voulez bien… Dites-moi, général, avez-vous commencé à faire creuser les fosses communes ? Ou les rares survivants abandonneront-ils sans remords les cadavres ?

— Quels cadavres ?

— Eh bien, ceux des milliers de vos soldats qui sont condamnés.

Chapitre 16

—J'espère que vous aimez les œufs? lança Philippa en entrant sous la tente, une assiette fumante dans les mains.

—J'en raffole! s'exclama Zedd.

À part le vieil homme, tout le monde était bouche bée de stupéfaction – rien de plus normal, après ce qu'il venait de déclarer. Bizarrement, Philippa sembla n'avoir rien remarqué.

—J'ai demandé au cuisinier d'ajouter du jambon et quelques autres choses qu'il avait sous la main. (Elle jeta un regard critique au vieillard.) Vous auriez besoin de vous étoffer…

—Merveilleux! approuva le sorcier en s'emparant de l'assiette remplie à ras bord.

Le général Reibisch se racla la gorge.

—Sorcier Zorander… hum… que vouliez-vous dire, il y a un instant?

—Appelez-moi Zedd…, marmonna le vieil homme en humant à pleins poumons la délicieuse odeur de son repas. Je parlais des morts… (Il se passa la fourchette sur la gorge comme s'il s'agissait d'une lame.) Presque tous vos hommes vont mourir… Philippa, ça sent merveilleusement bon! Pour avoir pensé à donner des consignes pareilles au cuisinier, vous devez être une femme de cœur et d'esprit! Encore bravo!

La Sœur de la Lumière rayonna de fierté.

—Sorcier Zorander, dit Reibisch, si je peux me permettre d'insister…

—Tant qu'il n'aura pas mangé, intervint Adie, il ne vous écoutera pas. On voit bien que vous ne le connaissez pas!

Zedd prit une première fourchetée et la savoura en véritable gastronome. Alors qu'il allait en enfourner une deuxième, Adie le guida vers une table munie d'un banc, pour qu'il soit plus à l'aise.

Malgré le sage conseil de la dame des ossements, tout le monde parla en même temps – un véritable bombardement de questions. Concentré sur la nourriture, Zedd continua imperturbablement à manger. Séduit par un morceau de jambon particulièrement bien grillé, il le piqua au bout de sa fourchette et le montra comme un trophée à ses compagnons, qui n'en crurent pas leurs yeux. Le mélange d'oignons, d'épices, de poivrons et de fromage, en plus de la viande, était un enchantement pour le palais. Les yeux mi-clos, le vieil homme semblait près d'entrer dans une transe extatique.

Il n'avait rien mangé de si bon depuis des jours, contraint d'avaler des rations de voyage insipides et vite ennuyeuses à force de répétitivité. Plus d'une fois, il avait marmonné qu'Araignée se régalait plus que lui. La jument avait semblé s'en réjouir – avec un rien de suffisance –, et il s'était inquiété de cette réaction. Les chevaux qui se montraient arrogants avec leur maître pouvaient devenir très assommants…

— Philippa, marmonna Verna, pourquoi souris-tu si stupidement à cause de vulgaires œufs brouillés ?

— Ce pauvre homme est si maigre… Vous avez vu ses bras rachitiques ? Je suis heureuse qu'il mange à sa faim, pour une fois – et ravie d'avoir aidé un homme auquel le Créateur a accordé le don.

Après avoir englouti les trois quarts de la portion, Zedd ralentit le rythme pour se ménager le plaisir. À dire vrai, il aurait pu dévorer une autre assiette pareillement garnie, mais il n'était pas homme à abuser de l'hospitalité des gens…

Assis lui aussi sur un banc, du côté opposé de la tente, Reibisch jouait nerveusement avec sa barbe. N'y tenant plus, il se pencha en avant, les yeux rivés sur le vieil homme.

— Sorcier Zorander, il me faut…

— Zedd ! Appelez-moi Zedd…

— Zedd, si vous voulez… Ces hommes sont sous ma responsabilité. Auriez-vous l'obligeance de me dire pourquoi ils sont en danger ?

— Parce qu'ils vont mourir !

— Certes, mais quelle est la nature de la menace ?

— Les sorcières… Vous savez, cette chose qu'on appelle la magie ?

— Les sorcières ? répéta Reibisch, soudain très pâle.

— Oui, l'ennemi en a dans ses rangs. Vous l'ignoriez ?

Le général battit plusieurs fois des paupières, comme s'il tentait de bien faire pénétrer dans son crâne les propos sibyllins du vieillard.

— Bien sûr que non !

— Et vous n'avez pas fait creuser de fosses communes ?

— Au nom du Créateur ! explosa Verna en se levant. Pour qui nous prenez-vous ? Des servantes tout juste bonnes à vous apporter un dîner ? Les

Sœurs de la Lumière sont là pour défendre l'armée contre leurs collègues capturées par Jagang.

D'un geste discret, Adie signifia à la Dame Abbesse de se rasseoir et de le prendre sur un autre ton.

— Zedd, pourquoi ne nous dis-tu pas ce que tu as découvert ? demanda-t-elle de sa voix râpeuse. Je suis sûre que le général et Verna seront ravis d'entendre tes suggestions au sujet de nos défenses…

Le vieillard racla le fond de son assiette – une bien grande dépense d'énergie, pour la misérable fourchetée qu'il obtint.

— Dame Abbesse, je ne voulais pas vous accuser d'incompétence…

— Pourtant, on aurait bien dit que…

— Vous êtes trop gentilles, c'est ça le problème.

— Pardon ?

— Trop gentilles, je persiste et signe. Depuis toujours, vos sœurs et vous tentez d'aider les gens.

— Eh bien, c'est notre vocation, et…

— Et le meurtre n'en fait pas partie ! Jagang, lui, a l'intention de faire un massacre.

— Nous le savons, Zedd, dit le général. La Dame Abbesse et les sœurs nous ont déjà permis de repérer des espions ennemis. Comme l'a fait Philippa, lors de votre arrivée. Mais ces visiteurs-là avaient des intentions hostiles. Ces femmes font leur travail, et elles ne se plaignent jamais. Tous les soldats sont contents de les savoir ici.

— Tout ça est formidable, mais quand Jagang attaquera, la donne ne sera plus la même. La magie ne servira plus à épier, mais à détruire !

— À *essayer* de détruire, corrigea Verna. (Malgré son envie de hurler, elle faisait de touchants efforts pour être convaincante sans élever la voix.) Mais nous attendons l'ennemi de pied ferme.

— C'est exact, dit Warren. Des sœurs sont en permanence prêtes à réagir.

— Parfait, parfait…, fit Zedd comme s'il était en train de réviser son jugement. Donc, vous ne craignez rien des menaces toutes simples, comme les moustiques albinos, par exemple…

— Les quoi ? demanda Reibisch.

— Dans ce cas, histoire de satisfaire ma curiosité, expliquez-moi ce que les sœurs pensent faire quand l'Ordre se lancera à l'assaut ? Imaginons par exemple une charge de cavalerie…

— Nous ferons apparaître une muraille de flammes devant les chevaux, répondit Warren sans hésiter. Avant même d'avoir pu lancer un javelot, nos agresseurs partiront en fumée.

— Du feu…, souffla Zedd avant d'enfourner sa dernière fourchetée.

(Tout le monde le regarda mâcher lentement.) Un incendie formidable, je présume ? Des flammes très hautes et ce genre de choses ?

— De quels moustiques parlait-il ? souffla Reibisch à l'attention de Verna et Warren, assis à côté de lui.

— C'est exactement ça, répondit Verna au sorcier, ignorant l'intervention du général, qui croisa les bras en soupirant d'agacement. Une formidable ligne de feu ! Vous y voyez un inconvénient, Premier Sorcier ?

— Eh bien… (Zedd s'interrompit, pensif, puis se pencha vers Reibisch, un index doctement brandi.) Puisqu'on parlait de moustiques, général, j'en vois un qui est sur le point de vous piquer.

— Quoi ? (Reibisch écrasa l'insecte d'une chiquenaude.) Cet été, ces sales bestioles étaient grosses et vigoureuses, mais leur saison touche à sa fin. En être débarrassés ne nous chagrinera pas, vous pouvez me croire !

— Ils étaient tous comme celui-là ?

Reibisch leva le bras et étudia l'insecte écrabouillé non loin de son poignet.

— Oui, ces immondes salo…

Il se tut, fronça les sourcils, saisit le moustique mort par une aile et l'étudia de plus près.

— Mais ce… ce moustique est… blanc. Que disiez-vous, tout à l'heure ?

— Albinos…, lâcha Zedd en posant son assiette sur la table. Avez-vous déjà vu une épidémie de fièvre albinique, général ? Ce n'est pas très agréable, je vous l'affirme.

— La fièvre albinique ? répéta Warren. Je n'en ai jamais entendu parler, j'en suis sûr et certain !

— Vraiment ? Ce doit être une maladie spécifique des Contrées du Milieu.

Le général examina attentivement le moustique mort.

— Et quels sont ses effets ?

— Pour commencer, la peau du malade devient d'un blanc fantomatique… (Il s'interrompit, comme si quelque chose, sur le plafond de la tente, avait attiré son attention.) Savez-vous, Dame Abbesse que j'ai vu jadis un sorcier utiliser une fantastique muraille de flammes contre une charge de cavalerie ?

— Dans ce cas, vous savez que c'est efficace !

— Oh ! ça, je n'en doute pas… Sauf quand l'ennemi s'est préparé à une tactique si grossière.

— Grossière ? s'indigna Verna. (Elle se leva de nouveau.) Comment pouvez-vous…

— Ce jour-là, les sorciers adverses avaient invoqué des boucliers incurvés, à tout hasard…

— Des boucliers incurvés ? s'étonna Warren. Là encore, je n'ai jamais...

— Le sorcier qui a utilisé le feu s'attendait à ce qu'on lui oppose des boucliers, bien entendu. Ses flammes étaient conçues pour se jouer d'une défense de ce type ; hélas, un détail lui avait échappé : les boucliers ne devaient pas étouffer le feu, mais le retourner à l'expéditeur.

— Et cette fièvre albinique ? s'impatienta le général en agitant nerveusement le cadavre du moustique. J'aimerais bien en savoir plus...

— Que voulez-vous dire ? demanda Warren.

— Ce que j'ai dit ! Le feu a été poussé en direction des défenseurs, qui se sont retrouvés face à deux menaces mortelles au lieu d'une.

— Créateur bien-aimé..., souffla Warren, c'est diabolique ! Mais les boucliers ont bien dû finir par éteindre les flammes ?

— Pas du tout, puisque notre sorcier avait jeté un sort spécial pour qu'elles leur résistent. Mais il y a pis encore ! Quand ce malheureux a lui-même érigé une barrière magique, le feu l'a traversée sans difficulté, puisqu'il était prévu pour ça !

— Pourquoi n'a-t-il pas simplement neutralisé son sort ? demanda Warren, paniqué comme s'il voyait la muraille de flammes débouler sur lui. Quand un sorcier invoque des flammes, il peut les faire disparaître à sa guise !

— Tu en es sûr, jeune homme ? lança Zedd avec un sourire triomphant. Il le pensait aussi, mais il n'avait pas tenu compte de la nature très particulière des boucliers adverses. Tu ne vois toujours pas ? En poussant les flammes magiques devant eux, ils ont allumé des centaines d'incendies qui n'avaient rien de surnaturel !

— Bien entendu..., soupira Warren.

— Les boucliers étaient également animés par un sort de localisation destiné à remonter jusqu'au sorcier qui avait invoqué les flammes. Après avoir vu des milliers de soldats mourir carbonisés, lui aussi a brûlé vif.

Un lourd silence tomba sur la tente. Le général lui-même en avait oublié son moustique.

— Moralité, conclut Zedd, utiliser la magie en temps de guerre est beaucoup moins une affaire de don que d'intelligence. (Il désigna Reibisch.) Prenons par exemple le moustique que tient le général. Au milieu de la nuit, des dizaines de milliers d'insectes semblables, invoqués par nos ennemis, pourraient envahir le camp et piquer nos soldats. Personne ne s'en apercevrait jusqu'au matin, quand nos hommes, malades comme des chiens, devraient faire face à un assaut massif.

Sœur Philippa, qui s'était assise à côté d'Adie, sur le même banc que Zedd, désigna nerveusement un moustique bien vivant qui voletait au plafond.

—Avec le don, nous pourrions détecter ces insectes spéciaux...

—Vous croyez? Repérer une si petite quantité de pouvoir n'est pas facile. Y étiez-vous parvenues, jusque-là?

—Eh bien, non, mais...

—La nuit, ces moustiques ressemblent à tous leurs détestables congénères. Le général n'a pas fait la différence, Adie non plus, et idem pour les sœurs. Et n'espérez pas limiter les dégâts en vous concentrant sur l'infection qu'ils charrient, parce qu'elle aussi est investie d'une quantité infinitésimale de magie. On redoute des attaques massives et terrifiantes, et on ne prête pas attention aux menaces moins... spectaculaires.

» La plupart de vos sœurs, Dame Abbesse, se feraient piquer dans leur sommeil sans s'en apercevoir. Puis elles se réveilleraient dans l'obscurité, tremblantes de fièvre et affligées du premier symptôme – et pas le plus grave! – de cette maladie: une terrible cécité! Parce que ce n'était pas l'obscurité de la nuit dont je parlais, mais celle qui interdit à tout jamais de voir l'aube se lever. Très peu de temps après, leurs jambes refuseront de bouger et leurs oreilles commenceront à bourdonner comme si des milliers de personnes criaient à côté d'elles.

Le général plissa les yeux pour tester son acuité visuelle, puis il s'enfonça un petit doigt dans l'oreille, comme pour la déboucher.

—À ce jour, aucun des malheureux qui ont été piqués ne s'en est jamais remis. Les malades perdent très vite le contrôle de leur corps, et ils restent alités, croupissant dans leurs excréments, jusqu'à ce que la mort les emporte, quelques heures plus tard. Mais cette agonie, pour eux, semble durer des années...

—Que peut-on faire? demanda Warren, de plus en plus nerveux. Il existe un traitement?

—Bien entendu que non! Mais laisse-moi décrire la suite des événements... Après l'attaque des moustiques, un brouillard magique tueur dérivera lentement vers le camp. Les rares sœurs encore vivantes sentiront la menace et avertiront tout le monde. Les agonisantes ne verront rien, mais elles entendront les cris lointains de l'ennemi prêt à attaquer. Terrorisés, tous les malades tenteront de se lever, et certains réussiront – en rampant – à s'éloigner provisoirement du danger. Les hommes encore valides, eux, courront pour échapper au brouillard. Et ce sera la dernière erreur qu'ils commettront, parce qu'un piège mortel les attendra en chemin...

Zedd balaya l'assistance du regard et fut satisfait de son pouvoir d'évocation: son auditoire se décomposait à vue d'œil.

—Alors, général, ces fosses communes? lança-t-il d'un ton presque badin. Ou préférez-vous que les survivants laissent les cadavres à pourrir sur le terrain? Une idée pas si idiote que ça, tout bien pesé. Ces pauvres gens auront assez d'ennuis comme ça, pourquoi les obliger à traîner les malades – de toute façon condamnés – et à enterrer des montagnes de morts ? D'autant plus que j'oubliais un détail : toucher les dépouilles est un moyen très sûr d'attraper une autre maladie, différente de la fièvre albinique, mais tout aussi mortelle.

— Que pouvons-nous faire ? s'écria Verna en bondissant de nouveau sur ses pieds. Comment s'opposer à une sorcellerie si maléfique ? Répondez-moi, sorcier Zorander !

— Zedd… Pourquoi cette question, Dame Abbesse ? Je croyais que vous aviez tout prévu, comme de grandes filles ? (D'un geste nonchalant, il désigna le sud, où se trouvait l'ennemi.) N'avez-vous pas la situation bien en main ?

Sonnée, Verna se rassit à côté de Warren.

— Zedd… euh… hum…, souffla Reibisch, son moustique mort toujours serré entre le pouce et l'index. Je ne me sens pas très bien… Vous pouvez faire quelque chose ?

— À quel sujet ?

— La fièvre albinique… Ma vision se trouble, et… Vous êtes en mesure de m'aider ?

— Pas du tout.

— Vraiment ?

— Absolument, oui, parce que vous n'avez rien ! J'ai fait apparaître quelques moustiques albinos pour étayer ma démonstration. Parce que ce que j'ai vu dans ce camp, en arrivant, m'a terrorisé ! Si les sœurs et les divers magiciens capturés par Jagang ne sont pas des abrutis, ce qui est hélas peu probable, cette armée est terriblement mal préparée à ce qui l'attend.

Philippa leva un doigt pour intervenir, comme une écolière devant sa maîtresse.

— Mais grâce au don, nous ne serions pas désarmés…

— Bien sûr que si ! Dans votre état d'esprit actuel, vous courez au désastre. Vous devez redouter les choses que vous ne connaissez pas et dont vous n'avez jamais entendu parler, pas la magie conventionnelle. Vos adversaires l'utiliseront aussi, mais le vrai danger viendra des moustiques albinos, ou de monstruosités de ce genre.

— Vous avez invoqué ces insectes pour le bien de votre démonstration, rappela Warren. Si l'ennemi est moins malin que vous, il ne pensera pas à ce type d'« armes ».

— Pour conquérir l'Ancien Monde, l'Ordre Impérial s'est montré brutal, mais sûrement pas stupide ! (Zedd agita un index décharné.) De plus, tu oublies quelque chose, jeune homme ! Au printemps, une des sœurs passées dans l'autre camp a utilisé la magie pour déclencher une épidémie de peste qui a fait des ravages. Des milliers d'innocents, enfants et vieillards compris, sont morts dans d'atroces souffrances.

Les sœurs prisonnières de Jagang étaient une menace terrifiante et omniprésente. Anna était partie seule en mission pour les sauver ou les éliminer. D'après ce que Zedd avait vu en passant par Anderith, elle avait échoué. Même si elle s'en était tirée vivante, Jagang avait toujours ses captives…

— Nous avons enrayé la peste…, osa avancer Warren.

— Richard l'a fait, et lui seul en était capable ! Sais-tu, mon jeune ami, qu'il a dû pour cela entrer dans le Temple des Vents, au-delà du voile qui nous sépare du royaume des morts ? Pas plus que toi, je ne peux imaginer ce que lui a coûté cette terrible expérience. Mais j'ai vu des ombres passer dans ses yeux, quand je lui ai parlé.

» Il avait une chance sur mille de réussir, et s'il n'avait pas triomphé en dépit de ces statistiques, nous serions tous morts à l'heure qu'il est. Je refuse de miser une nouvelle fois notre salut sur un pareil miracle !

Personne ne se hasarda à contredire le sorcier.

— L'orgueil ne fait aucun bien à des mortes, dit soudain Verna. Alors, je veux bien l'admettre : mes sœurs et moi ne sommes pas instruites en matière d'utilisation guerrière de la magie. Nous savons nous battre, ça ne fait aucun doute, mais notre culture sur le sujet est… lacunaire.

» Prenez-nous pour des idiotes si ça vous chante, Zedd, mais ne nous traitez pas comme des ennemies. Nous sommes tous dans le même camp, et si vous consentez à nous aider, nous vous en serons très reconnaissantes.

— Bien entendu qu'il nous aidera…, siffla Adie en foudroyant le vieil homme du regard.

— Eh bien, j'avoue que vous abordez les choses comme il faut… Reconnaître son ignorance est le premier pas vers le savoir. (Zedd se gratta le menton.) Chaque jour, je suis époustouflé par l'étendue de mes propres lacunes.

— Ce serait merveilleux ! s'exclama Warren. Que vous nous aidiez, je veux dire… (Il hésita un peu, mais se jeta à l'eau, et tant pis pour ce que Verna en penserait.) J'aimerais beaucoup bénéficier de l'expérience d'un sorcier aguerri.

Accablé par le poids de ses multiples responsabilités, Zedd secoua la tête.

— J'adorerais t'en faire profiter, mon garçon… Mais pour l'instant, ça semble difficile. Cela dit, je vous donnerai à tous des conseils sur la défense du camp. Hélas, mon voyage est loin d'être terminé, et je ne pourrai pas rester longtemps ici…

Chapitre 17

— **D**e quel voyage parlez-vous, Zedd? demanda Warren en passant une main dans ses cheveux blonds bouclés.

Le vieux sorcier tendit un index vers Reibisch.

— Il n'est plus utile de brandir cet insecte écrabouillé, général.

L'officier s'avisa soudain qu'il tenait toujours son « trophée ». Le jetant au loin, l'air dégoûté, il attendit la réponse de Zedd, comme tous les autres.

— Après m'être un peu remis d'une rencontre avec une puissante magie dont j'ignorais jusqu'à l'existence, j'ai fait beaucoup de chemin, cherchant inlassablement. En Anderith, j'ai vu ce qui s'est passé après l'arrivée de l'Ordre Impérial. Le peuple a beaucoup souffert. Pas seulement à cause des soudards, mais sous le joug d'une de vos sœurs, Verna. Elle porte le joli surnom de « Maîtresse de la Mort ».

— En savez-vous davantage sur elle?

— Non, je l'ai vue une seule fois, et de très loin. Si j'avais été en possession de tous mes moyens, j'aurais tenté… Eh bien, de la neutraliser, mais dans mon état de faiblesse, je n'ai pas osé l'affronter. Ajoutons quand même qu'il y avait quelques milliers de soldats avec elle… Tout ce que je peux dire, c'est qu'elle est blonde, d'apparence fort jeune, et qu'elle porte une robe noire.

— Créateur bien-aimé…, soupira Verna. Ce n'est pas une de mes sœurs, mais une adepte du Gardien. Peu de femmes au monde disposent d'un pouvoir égal au sien. C'est une Sœur de l'Obscurité, Zedd!

— J'ai reçu des rapports sur Anderith, dit Reibisch. C'était terrible, là-bas, mais il paraît que ça s'est calmé.

— Au début, l'Ordre n'a pas fait de quartier. Mais Jagang le Juste, son nouveau surnom, a découvert l'efficacité de la clémence. À part à Fairfield, où les massacres ont fait rage, les Anderiens considèrent à présent l'empereur comme un libérateur. Désormais, ils dénoncent ceux de leurs voisins – et les simples voyageurs – qui ne souscrivent pas au noble idéal de l'Ordre.

» J'ai traversé tout Anderith, derrière les lignes ennemies, à la recherche de Richard. Puis je suis allé dans le Pays Sauvage, et ensuite au nord, sans plus de succès, je dois l'avouer. Mes pouvoirs ont mis longtemps à revenir, et j'ai découvert très récemment où vous étiez tous. Permettez-moi de vous féliciter, général ! Vous savez dissimuler vos hommes, et il m'a fallu une éternité pour les trouver. Le garçon, lui, semble s'être volatilisé sans laisser de traces. (Le vieil homme serra les poings.) Il faut absolument que je le trouve !

— Tu parles de Richard, bien entendu ? demanda Adie.

— De lui et de Kahlan, oui… Mais personne n'a pu me dire où ils étaient. Et mes pouvoirs ne m'ont pas aidé ! Si je ne savais pas que c'est impossible, je dirais qu'ils sont morts.

Les interlocuteurs du sorcier échangèrent des regards gênés. Pour la première fois depuis des mois, Zedd eut un regain d'espoir.

— Vous savez quelque chose ? demanda-t-il.

— Montrez-lui, général…, dit Verna.

Reibisch tira une carte de sous le banc, la déroula, la posa sur le sol – orientée vers Zedd, qui s'était levé – et désigna les montagnes, à l'ouest de Hartland.

— C'est là, Zedd.

— Là, quoi ?

— Que sont Richard et Kahlan, dit Verna.

Zedd fronça les sourcils. Il connaissait bien ces montagnes, réputées peu hospitalières.

— Vraiment ? Par les esprits du bien ! que sont-ils allés faire là-haut ? C'est un trou perdu…

— Kahlan a été blessée, souffla Adie.

— Grièvement ?

— Elle n'a pas été loin de partir pour le royaume des morts… D'après ce qu'on nous a dit, elle avait même commencé à traverser le voile. Richard l'a conduite dans les montagnes pour qu'elle se rétablisse.

— Mais pourquoi s'y est-il pris comme ça ? Je n'y comprends rien… Il aurait pu la guérir…

— Non ! On lui a jeté un sort. Toute magie thérapeutique déclencherait un piège qui la tuerait à tout coup.

— Bon sang ! heureusement que le garçon s'en est aperçu à temps…

Avant que des horreurs venues de son passé aient pu remonter à sa mémoire, Zedd leur claqua violemment la porte au nez. Chaque fois qu'il repensait à ça, sa raison vacillait…

— Mais pourquoi Richard est-il parti ? On a besoin de lui ici !

— C'est exact…, lâcha Verna.

À son ton sinistre, c'était un sujet sensible.

— Il ne peut pas venir nous rejoindre, dit Warren. Nous supposons que Richard obéit à une prophétie…

— Une prophétie ? Impossible ! Richard déteste les prédictions, et il s'en fiche comme de sa première chemise. Parfois, j'aimerais qu'il en soit autrement, mais c'est une vraie tête de mule !

— Eh bien, il a fait une exception pour cette prophétie-là, sûrement parce que c'est la sienne…

— La sienne ? Que racontes-tu ?

— Sa prophétie à lui…

— Richard ? C'est ridicule !

— Il est un sorcier de guerre, rappela Verna.

Zedd foudroya la Dame Abbesse du regard, haussa les épaules et alla se rasseoir près d'Adie.

— Et que dit-elle, cette prophétie ? marmonna-t-il.

Reibisch sortit plusieurs feuilles de sa poche.

— Tenez, il m'a écrit… Nous avons tous pris connaissance de ses messages.

Zedd se releva, s'empara des missives, et les lut en silence.

Avec plus d'autorité que jamais, Richard annonçait qu'il se détournait du… pouvoir. Après une mûre réflexion, il avait conclu – avec une clarté semblable à celle d'une vision – que son implication dans le conflit entraînerait la défaite de son camp.

Dans les lettres suivantes, il donnait des (bonnes) nouvelles de Kahlan et demandait qu'on ne s'inquiète pas pour lui. De toute façon, Cara était là aussi…

Aux messages envoyés par Reibisch et d'autres personnes, il répondait courtoisement, mais en opposant une fin de non-recevoir. S'il s'écartait de son nouveau chemin, affirmait-il, la cause de la liberté serait définitivement vaincue. En conséquence, il ne contredirait ni ne critiquerait les décisions du général et des autres chefs de son camp. S'il restait de tout cœur avec eux, ils devraient se débrouiller seuls pendant assez longtemps, et peut-être même pour toujours.

En réalité, ses lettres ne livraient pas de véritables informations. Mais Zedd était capable de lire entre les lignes…

Sa lecture terminée, il resta un long moment silencieux, la tête basse. N'y tenant plus, Verna l'arracha à sa méditation.

— Vous irez le voir, Zedd, pour le faire changer d'avis ?

— Ce serait inutile… Pour la première fois, je suis incapable de l'aider.

— Mais il est notre chef ! Sans lui, nous sommes perdus !

Zedd ne dit rien. Accablé, il préférait ne pas imaginer comment Anna aurait réagi à ces derniers développements. Des siècles durant, elle avait étudié les prophéties afin de trouver un indice au sujet de la naissance du sorcier de guerre qui livrerait l'ultime bataille pour la survie même de la magie. Puis Richard était venu – et voilà qu'il se retirait du jeu.

—Quel est le problème, selon toi ? demanda Adie.

Zedd jeta un dernier coup d'œil aux lettres de Richard. Puis il redressa enfin la tête. Tout le monde le regardait comme s'il était en mesure, d'un simple claquement de doigts, de modifier l'avenir. Un futur que ces gens ne comprenaient pas, mais qui les terrorisait.

—L'heure est venue, pour l'âme de Richard, de subir une épreuve, dit-il en glissant les mains dans les manches ridiculement décorées de sa tunique. Un rite de passage, en somme… Obligatoire à cause de sa profonde compréhension de quelque chose qu'il est seul à voir.

—Quel genre d'épreuve, Zedd ? demanda Warren d'une voix tremblante. Pouvez-vous la décrire ?

Alors que les souvenirs de temps terrifiants lui revenaient à l'esprit, le vieil homme eut un vague geste de la main.

—Un combat… une réconciliation…

—Quelle réconciliation ? insista Warren.

Zedd regarda dans les yeux l'énervant jeune homme qui posait beaucoup trop de questions à son goût.

—Quelle est la finalité de ton don, d'après toi ?

—Eh bien… Il existe, voilà tout. C'est simplement une compétence…

—Sa finalité est d'aider les autres, déclara Verna, catégorique.

Elle resserra sur ses épaules sa cape bleue, comme si elle avait pu lui tenir lieu d'arme contre la probable réponse coupante du sorcier.

—Vraiment ? Que faites-vous ici, dans ce cas ?

—Je… je…

—Oui, ici ! (Zedd fit un grand geste circulaire.) Si ce que vous dites est exact, pourquoi ne sortez-vous pas faire le bien ? Il y a partout des malades à soigner, des ignorants à éduquer et des miséreux à nourrir. Et vous êtes là, en pleine santé, notoirement intelligente et l'estomac bien rempli ?

Bombant le torse, Verna décida de passer à la contre-offensive.

—Dans un combat, un soldat qui abandonne son poste pour secourir un camarade fait montre de faiblesse. Incapable de s'endurcir assez pour supporter de voir la souffrance près de lui, il trahit son camp et provoquera des malheurs bien plus terribles. Si je quittais cette armée pour aller soulager une poignée de gens – car je n'ai pas les moyens de faire plus –, nos ennemis auraient une grande chance de déborder nos défenses et d'envahir les Contrées du Milieu.

L'opinion de Zedd sur la Dame Abbesse s'améliora un peu. À quelques approximations près, elle venait d'exprimer une vérité fondamentale. Beau joueur, il la gratifia d'un hochement de tête respectueux – surprise, elle se tortilla sur son banc, puis se ressaisit.

— En vous écoutant, on comprend pourquoi les Sœurs de la Lumière sont tenues pour de très efficaces bienfaitrices de l'humanité… Donc, si je récapitule, vous estimez que le don existe pour se mettre au service des nécessiteux ?

— Non, mais… en cas de grand malheur…

— … Il faut que le pouvoir devienne l'esclave de ceux qui le subissent. C'est ce que vous voulez dire ? En conséquence, tous les gens qui ont des besoins légitimes, à diverses échelles, sont nos maîtres ? Notre destin est de combattre pour une cause, et nous avons seulement le droit de négliger les petites pour mieux défendre les grandes ?

Verna préféra ne pas s'engager plus loin sur ce terrain glissant. Une retenue qui ne l'empêcha pas de foudroyer le vieil homme du regard.

Le sorcier savait très bien qu'il n'existait qu'une réponse philosophiquement valable à ces questions. Verna la connaissait, mais elle ne lui ferait pas le plaisir de lui faciliter la tâche.

— Richard est allé dans un endroit paisible où il aura tout le loisir de réfléchir aux options qui s'offrent à lui, puis de déterminer ce que sera la suite de sa vie. On peut supposer que les événements l'ont incité à s'interroger sur la meilleure utilisation possible de ses pouvoirs. Comme c'est un garçon intelligent, il s'est sûrement aussi posé des questions sur sa propre valeur et celle de la cause qu'il défend.

— Que pourrait-il faire de mieux qu'être ici pour nous aider à combattre l'Ordre Impérial ? demanda Verna. La menace vise tous les êtres humains libres…

— Vous ne connaissez pas la réponse, et moi non plus ! Richard, lui, sait où il va.

— Ça n'implique pas automatiquement qu'il ait raison, dit Warren.

Zedd le dévisagea longuement. Si ses traits étaient juvéniles, la sagesse qu'on lisait dans son regard ne collait pas avec son apparence. Quel âge pouvait-il bien avoir ?

— C'est exact, mon garçon… Richard commet peut-être une monumentale erreur qui nous condamnera tous à mort.

— Kahlan se demande s'il ne se trompe pas, révéla Adie, l'air gêné comme si elle aurait préféré ne pas mentionner cette information. Elle m'a écrit un petit mot – en cachette de Richard, je pense, parce que c'est Cara qui lui a servi d'écrivain public. Selon la Mère Inquisitrice, Richard agit ainsi parce qu'elle a failli mourir. Elle craint aussi qu'il n'ait plus confiance en personne après la déroute qu'il a subie en Anderith. Depuis, il se voit comme un chef réprouvé…

— Foutaises ! s'exclama Zedd. Un chef ne peut pas marcher à la traîne des gens, la queue entre les jambes, et changer de chemin chaque fois qu'ils s'égarent! Les peuples qui attendent ce comportement de leurs dirigeants ne méritent pas d'avoir un chef, mais un maître. Et tôt ou tard, ils en rencontrent un…

» Un vrai chef ouvre dans ce monde en folie un chemin assez large pour que tous ceux qui désirent le suivre puissent s'y engager. C'est parce qu'il a ça dans le sang que Richard était un guide forestier, avant de rencontrer Kahlan. À présent, il est égaré dans une forêt très sombre, et il doit trouver seul le moyen d'en sortir. Sinon, il ne serait pas fait pour commander!

Tout le monde médita cette déclaration. Habitué à obéir aveuglément au seigneur Rahl, Reibisch semblait désorienté. Les sœurs avaient une vision du monde bien différente de celle de Zedd, et Adie, comme lui, savait que l'avenir réservait très souvent d'énormes surprises.

—C'est exactement ce qu'il a fait pour moi, dit Warren, visiblement plongé dans ses souvenirs. Il m'a montré le chemin en me donnant envie de le suivre hors des catacombes. J'y étais très bien, avec mes chers grimoires, mais il s'agissait quand même d'une prison, et je vivais ma vie par procuration à travers les combats et les exploits des autres. Pour être franc, je n'ai jamais compris comment il s'y est pris pour me tirer hors de mon trou. Aujourd'hui, il a peut-être besoin qu'on fasse la même chose pour lui. Pouvez-vous lui montrer la voie, Zedd?

—Il vit une période très sombre pour n'importe quel homme, et plus encore pour un sorcier. S'il ne s'en sort pas seul, ça n'aura servi à rien. Imaginez que je le prenne par la main pour le guider – métaphoriquement parlant, bien entendu. Et que je l'entraîne sur une voie qu'il n'aurait pas suivie de lui-même? Mon intervention le handicaperait à jamais…

» Mais ce n'est pas tout! Et s'il avait raison, tout simplement? En le forçant à reprendre le combat, je risquerais d'assurer la victoire définitive de l'Ordre Impérial. Pas question de courir ce risque! J'ai une certitude: il faut le laisser en paix! S'il est vraiment le chef destiné à mener la bataille pour la survie de l'humanité et de la magie, il reviendra, parce que cela fait partie du voyage qu'il doit accomplir en ce monde.

Toute l'assistance acquiesça à contrecœur… à part Warren.

—Il reste une possibilité que nous n'avons pas envisagée, dit-il.

Alors que les deux sœurs, Adie et le général étaient suspendus aux lèvres du «garçon», Zedd croisa son regard et fut frappé par sa sereine vivacité. Les yeux d'un homme qui savait voir les choses en profondeur, alors que tant de gens se laissaient fasciner par leur surface…

—Richard a le don, continua Warren, et il est un sorcier de guerre. Pourquoi ne serait-il pas tout simplement l'interprète d'une authentique prophétie? Les sorciers de guerre sont différents de tous leurs confrères. En particulier, ils n'ont pas des pouvoirs «spécialisés», comme moi, par exemple.

Être le dépositaire d'une prophétie est dans les cordes de Richard, au moins en théorie. De plus, il contrôle les deux facettes de la magie, et il est le premier dans ce cas depuis trois mille ans. Malgré les allusions qui figurent dans quelques grimoires, nous ne pouvons pas vraiment imaginer à quel point il est puissant…

» Il peut avoir énoncé lui-même une prédiction et la comprendre très clairement. Dans ce cas, il a raison dans tout ce qu'il fait. Et comme c'est un homme de cœur, il s'abstient peut-être de nous en révéler plus parce que la prophétie en question est terrifiante.

Verna prit tendrement la main de Warren entre les siennes.

— Tu ne parles pas sérieusement, j'espère ?

Zedd avait déjà remarqué que la Dame Abbesse accordait un très grand intérêt aux propos du jeune homme.

Anna l'avait informé que Warren était un prophète… débutant. Les sorciers de ce type étaient si rares qu'il en naissait un ou deux par millénaire. Warren pouvait jouer un rôle capital dans l'histoire du monde – et dans le conflit en cours –, mais Zedd ignorait où il en était exactement de sa très longue maturation, en terme de pouvoir. Et le pauvre garçon ne le savait probablement pas plus que lui !

— Les prophéties sont souvent un terrible fardeau, sorcier Zor… Zedd ! Richard a peut-être vu qu'il ne devait pas mourir à nos côtés en combattant l'Ordre Impérial, parce que sa victoire viendrait seulement après notre défaite.

Muet comme une carpe dès qu'il était question de magie, le général avait néanmoins écouté avec une grande attention. Un peu dépassée, Philippa jouait nerveusement avec un bouton de sa robe. Et même alors que Verna lui tenait la main, Warren semblait malheureux comme les pierres.

Avant de reprendre la parole, Zedd attendit de pouvoir croiser le regard du jeune prophète.

— Warren, il nous arrive à tous d'envisager le pire parce que c'est ce que nous redoutons. Ne pars pas sur une fausse piste, au sujet de Richard, en te laissant influencer par tes plus terribles angoisses. Mon petit-fils lutte pour savoir où est sa place dans le monde, et c'est tout ! N'oublie pas qu'il était un banal guide forestier, il n'y a pas si longtemps. Il doit s'accommoder de son pouvoir, pour commencer, mais aussi apprendre à accepter le fardeau du commandement.

— Oui, mais…

— Il n'y a pas de « mais » ! Neuf fois sur dix, l'explication la plus simple est la meilleure !

Warren réfléchit un moment puis eut un sourire rayonnant.

— J'avais oublié cette élémentaire leçon de sagesse, Zedd. Merci beaucoup.

—De plus, intervint Reibisch, content de revenir sur des rivages plus familiers, les D'Harans ne se laisseront pas écraser comme des moustiques ! Nous avons encore des réserves, et nos alliés des Contrées du Milieu combattront avec nous. L'armée de l'Ordre est puissante, je le sais, mais elle reste composée de soldats, pas de démons. Quant à la magie, nous en disposons aussi. L'empire d'haran est loin d'avoir dit son dernier mot.

Warren ramassa une petite pierre et la garda dans sa paume tandis qu'il parlait.

—Je ne vous sous-estime pas, général, et il n'est pas dans mon intention de vous décourager. Mais l'Ordre m'a toujours autant fasciné qu'effrayé, et j'ai passé presque tout mon temps libre à l'étudier. N'oubliez pas que je suis également originaire de l'Ancien Monde…

—Je ne perds pas cet élément de vue… Qu'avez-vous à dire ?

—Eh bien, imaginez que cette table est l'Ancien Monde, la région où Jagang recrute ses guerriers. Il existe de vastes zones très peu peuplées, et d'autres où la densité d'êtres humains est très élevée.

—Comme dans le Nouveau Monde, dit le général. En D'Hara, nous avons également des déserts et d'immenses cités.

Warren hocha tristement la tête.

—Disons que tout le plateau de la table représente l'Ancien Monde. (Il montra sa pierre au général, puis alla la poser au bord de la table.) Voici le Nouveau Monde ! La différence de taille ne vous convainc pas ?

—Mais ce caillou, c'est le Nouveau Monde sans D'Hara, n'est-ce pas ? Sûrement que…

—Non, *avec* D'Hara, général !

—J'ai peur que Warren ait raison, souffla Verna.

—Moi aussi, renchérit Philippa. Et il a peut-être vu juste sur le reste. Certain que nous perdrons, Richard se tient à l'écart pour ne pas périr avec nous.

—Je suis sûr que c'est faux, dit Zedd d'un ton rassurant. Je connais ce garçon depuis toujours. S'il nous pensait condamnés à la défaite, il le dirait pour que nous envisagions de ne pas combattre.

Très gêné, Reibisch s'éclaircit la gorge.

—Zedd, je ne vous ai pas fait lire toutes les lettres… Il manque la première, où le seigneur Rahl me parlait de sa vision. Il disait aussi que nous n'avions aucune chance de gagner.

Zedd crut qu'il allait défaillir, mais il parvint à ne pas le montrer.

—Vraiment ? Et où est cette lettre ?

Le général coula un regard de biais à Verna.

—Eh bien, dit la Dame Abbesse, quand je l'ai lue, ça m'a tellement énervée…

—… Qu'elle l'a roulée en boule puis embrasée avec son Han, acheva Warren.

Rouge d'embarras, Verna ne tenta pas de se justifier. Zedd comprenait sa réaction, mais il aurait aimé lire ce texte capital.

—Ce sont ses mots exacts ? demanda-t-il avec un sourire forcé. Nous n'avons aucune chance de vaincre ?

Le vieil homme frissonna à cause de la sueur glacée qui ruisselait le long de son échine.

—Non, répondit Reibisch. Le seigneur Rahl nous conseillait de ne pas affronter directement l'Ordre Impérial, parce que nous serions écrasés, compromettant toutes nos chances de victoire future.

Respirant un peu mieux, Zedd s'essuya le front d'un revers de la manche.

—Eh bien, c'est assez sensé. Face à un ennemi si puissant, si nous en croyons Warren, toute confrontation massive conduirait à un désastre.

Oui, c'était logique… Mais pourquoi Richard avait-il cru bon d'insister sur ce point auprès d'un officier aussi expérimenté que Reibisch ? Par prudence, tout simplement ? Eh bien, il valait mieux prendre trop de précautions plutôt qu'aucune…

—Si tu penses que Richard n'a pas besoin d'aide, souffla Adie, resteras-tu avec nous ? Les sœurs et moi avons besoin de tes lumières.

Dans un silence tendu, le vieux sorcier réfléchit quelques instants. À l'évidence, il hésitait encore un peu…

—Bien sûr que je resterai ! dit-il enfin. (Il sourit et passa un bras autour des épaules de la dame des ossements.) Tu ne crois pas que je t'abandonnerais ?

Warren, le général et Philippa soupirèrent de soulagement. On eût dit que le bourreau, à quelques secondes de leur exécution, venait de desserrer le nœud coulant qu'ils avaient autour du cou.

Zedd leur jeta un regard sinistre.

—La guerre est un jeu atroce dont la seule règle est : tuer avant d'être tué. La magie est une arme parmi d'autres, mais une des plus dévastatrices. Elle aussi, dans un conflit, sert exclusivement à tuer.

—Que devons-nous faire ? demanda Verna.

Elle semblait contente de la décision du sorcier, mais beaucoup moins que ses trois compagnons.

Avant de répondre, Zedd tira sur les plis de sa tunique. Ce n'était pas le type de leçon qu'il préférait dispenser…

—Nous commencerons dès demain matin. Pour s'opposer à une magie de guerre, il faut savoir beaucoup de choses. Avec moi, tous ceux qui ont le don apprendront à utiliser pour faire le mal un pouvoir qu'ils espéraient garder au service du bien. Ces « cours » n'ont rien d'agréable, mais nous n'avons pas le choix.

Consciente que cette formation serait aussi déplaisante pour le professeur que pour ses élèves, Adie tapota gentiment le dos du vieil homme.

Zedd tira de nouveau sur les plis de sa tunique. Ce vêtement trop lourd lui collait à la peau. Bon sang! il aurait donné cher pour qu'on lui rende son ancienne tenue!

— Nous ne reculerons devant rien pour neutraliser la magie monstrueuse de l'Ordre Impérial, déclara Verna. La Dame Abbesse vous en donne sa parole.

— Alors, rendez-vous demain matin…

— Je n'aime pas penser aux ravages que provoquera la magie, combinée à des armes classiques, soupira Reibisch en se levant.

— Général, dit Zedd, son objectif principal, dans un conflit, est de neutraliser la sorcellerie adverse. Si nous nous y prenons bien, nous obtiendrons un parfait équilibre, et les soldats pourront s'entre-tuer comme d'habitude, avec des épées et des flèches. Vous serez l'acier qui affronte l'acier, et nous nous chargerons de nos confrères du camp adverse.

— Dois-je comprendre que vous ne nous aiderez pas directement?

— Nous essaierons, mais les sorciers ennemis nous en empêcheront. C'est paradoxal, je sais, mais quand les pouvoirs sont équilibrés, l'influence de la magie lors d'une bataille est… inexistante.

» En revanche, si nous ne relevons pas le défi, les forces qui déferleront sur vos hommes les réduiront en bouillie. Pareillement, si nous prenons le dessus, l'Ordre subira d'épouvantables dommages. Selon mon expérience, les magies se neutralisent dans la plupart des cas, et on assiste rarement aux horreurs que je viens d'évoquer.

— Notre but est donc d'obtenir le *statu quo*? demanda Philippa.

Zedd leva les mains, paumes vers le haut, et les fit osciller de haut en bas, comme si elles étaient les plateaux lourdement chargés d'une balance.

— Les magiciens des deux camps devront travailler comme ils ne l'ont jamais fait, et c'est épuisant, croyez-moi. Le plus étrange, si nous établissons l'équilibre souhaité, c'est que nous donnerons l'impression de ne rien faire pour mériter notre pitance! (Le vieil homme laissa retomber ses mains.) De temps en temps, quand un des camps aura pris un léger avantage, des événements très ponctuels, mais d'une horreur sans bornes, laisseront penser que le monde a sombré dans la folie et qu'il est proche de sa fin.

Le général eut un sourire mélancolique.

— Quand on est au milieu d'une bataille, une arme à la main, c'est exactement ce qu'on ressent. Cela dit, j'aime mieux ça que devoir ferrailler contre une légion de moustiques magiques! Je suis un homme d'épée, et le seigneur Rahl se charge de la magie. En son absence, c'est une chance d'avoir son grand-père à nos côtés. Merci, Zedd. Si vous avez besoin de quelque chose, n'hésitez pas à demander.

Tandis que le général sortait, Verna et Warren approuvèrent sa dernière phrase d'un hochement de tête.

— Vous envoyez toujours des messagers à Richard? lança Zedd.

Reibisch se retourna.

— Oui, bien entendu… Le capitaine Meiffert a vu récemment le seigneur Rahl. Si vous voulez lui parler, il sera à votre disposition.

— Tous vos messagers sont revenus sains et saufs?

— La majorité… En fait, nous n'en avons perdu que deux. Le premier s'est tué en tombant dans un précipice. Nous n'avons pas trouvé le cadavre du second, mais ça n'a rien d'étonnant. C'est un chemin très accidenté, et un petit pourcentage de pertes est inévitable.

— J'aimerais que vous n'envoyiez plus personne.

— Zedd, le seigneur Rahl doit être informé des derniers développements!

— Et que se passera-t-il si l'ennemi capture un messager? Quand on ne recule devant aucune exaction, la plupart des hommes finissent par parler… Le risque est trop grand!

Le général réfléchit quelques secondes en tapotant la garde de son épée.

— L'Ordre est au sud, assez loin d'ici, en Anderith. Toutes les terres qui s'étendent entre ce camp et le refuge du seigneur Rahl sont sous notre contrôle. (De l'impatience passa dans le regard de Zedd.) Mais si vous jugez que c'est dangereux, je n'enverrai plus personne… Le seigneur Rahl ne risque-t-il pas de s'inquiéter?

— Ce qui nous arrive n'est pas très important pour lui, en ce moment. Il suit son propre chemin, et ne peut pas se permettre d'être influencé par notre destin. Ne vous a-t-il pas dit et répété qu'il ne donnerait plus d'ordres parce qu'il devait se tenir à l'écart?

» Au début de l'automne, avant que tous les cols soient enneigés, j'irai peut-être voir comment se portent Richard et Kahlan…

— Si vous parlez au seigneur Rahl, dit Reibisch, nous serons tous ravis, parce qu'il accordera une grande attention à vos propos. À présent, bonne nuit à tous.

L'officier venait de trahir ses véritables sentiments. À part Zedd – et non sans avoir de sérieux doutes –, personne sous cette tente n'était convaincu par le comportement de Richard. Selon Kahlan, il se tenait pour un chef réprouvé. Ces gens prétendaient qu'il était fou de croire une chose pareille. En même temps, ils ne lui faisaient pas confiance…

Richard était seul avec la force de ses convictions pour unique soutien.

— Zedd, dit Warren, si je venais avec vous, quand vous irez voir Richard? Si nous le persuadons de tout nous raconter, nous déterminerons s'il s'agit d'une véritable prophétie ou simplement d'un raisonnement qu'il s'est tenu. Dans le second cas, nous parviendrons sans doute à le faire changer d'avis. Plus important encore, vous pourrez commencer à lui enseigner à contrôler son don. Il a besoin de maîtriser son pouvoir.

Verna ne cacha pas que la proposition de Warren la laissait plus que dubitative.

— J'ai essayé de lui apprendre à toucher son Han, dit-elle, et d'autres sœurs s'y sont efforcées. Sans le moindre résultat, dois-je avouer.

— Zedd pense qu'il faut un sorcier pour en former un autre, insista Warren. N'est-ce pas ?

— Eh bien, comme je l'ai déjà dit, ce n'est pas un travail pour une magicienne…

— Avec Richard, je doute que vous ayez de meilleurs résultats que nous, lâcha Verna.

— Mais Zedd croit que…, commença Warren.

— Tu as raison, mon garçon, coupa le vieil homme. Il faut un sorcier pour former un collègue né avec le don. (Verna ouvrit la bouche pour protester, mais il ne lui en laissa pas le temps.) Mais dans ce cas particulier, Verna n'a pas tort.

— Vraiment ? s'étonna Warren.

— J'ai bien entendu ? demanda la Dame Abbesse.

— Oui, et je suis sincère, mon amie. Les sœurs ne sont pas de si mauvais professeurs que ça, finalement. Prenons Warren, par exemple. À l'évidence, vous avez réussi à lui apprendre quelques petites choses, même s'il vous a fallu un temps fou. Au fil des siècles, vous avez formé d'autres sorciers – pas très bien, selon mon point de vue, mais c'est une autre affaire… Et avec Richard, ce fut l'échec total. C'est bien ça ?

— Nous n'avons même pas pu lui apprendre à sentir l'existence de son Han ! J'ai passé des heures assise en face de lui en lui tenant les mains. Et rien n'est arrivé !

Warren se tapota le menton et plissa le front comme s'il se souvenait soudain de quelque chose.

— Un jour, dit-il, j'ai demandé à Nathan s'il voulait bien m'apprendre à devenir un prophète. Il m'a répondu que les prophètes naissent comme ils sont et ne se fabriquent pas. À cet instant-là, j'ai compris que tout ce que je savais sur les prédictions – et que je comprenais d'une façon tout à fait nouvelle – ne m'avait été enseigné par personne. Pourrait-il en aller ainsi avec Richard, Zedd ?

— C'est mon avis, oui… En moi, le grand-père et le Premier Sorcier brûlent d'envie de le former, mais je doute de plus en plus que ce soit possible. Richard est différent des autres sorciers, et pas seulement parce qu'il a le don pour les deux formes de magie.

— Mais vous pourriez quand même lui apprendre pas mal de choses, intervint Philippa.

— Ce garçon a multiplié les exploits invraisemblables ! Sans mon aide, il s'est introduit dans le Temple des Vents pour enrayer une peste magique. Puis il a retraversé le voile pour revenir dans le monde des vivants. Cela ne vous paraît pas extravagant, surtout pour un sorcier débutant ? Ensuite, il a banni les Carillons de notre univers. Ne me demandez pas comment, parce que je n'en sais rien ! Il a accès à une magie qui me dépasse, voilà tout !

» Dans ces conditions, je risque de l'entraver au lieu de l'aider. La force de Richard, c'est de regarder le monde avec des yeux neufs – et ceux d'un Sourcier de Vérité, par-dessus le marché. Ignorant qu'un acte donné est impossible, il essaie… et il réussit ! Si je lui enseigne les méthodes éprouvées, ne limiterai-je pas son pouvoir, au lieu de contribuer à son épanouissement ? Et que puis-je apprendre à un sorcier de guerre ? En matière de Magie Soustractive, je suis ignare !

— En l'absence d'un autre sorcier de guerre, dit Warren, faudrait-il qu'une Sœur de l'Obscurité se charge de sa formation ?

— Eh bien, ce n'est pas une si mauvaise idée que ça, plaisanta Zedd. (Il reprit aussitôt son sérieux.) Désormais, je pense que toute intervention de ma part serait inutile – voire dangereuse pour l'avenir du monde. J'irai sans doute le voir pour l'encourager, le faire profiter de mon expérience et le rassurer, mais pas pour l'aider. Le risque est trop grand…

Personne n'émit d'objection, et surtout pas Verna, qui avait payé pour savoir que le sorcier parlait d'or. Connaissant très bien Richard, les autres devaient en avoir conscience aussi…

— Puis-je vous aider à trouver une tente libre ? demanda Verna. Un peu de repos ne vous ferait pas de mal, dirait-on. Après une bonne nuit de sommeil, qui nous portera à tous conseil, nous reprendrons cette conversation.

Warren ravala la question qu'il allait poser. Bien qu'il fût visiblement déçu, il se rangea à l'opinion de Verna.

Zedd bâilla à s'en décrocher la mâchoire.

— Une très bonne idée…, souffla-t-il.

Penser au travail qui l'attendait l'angoissait et l'épuisait d'avance. Il mourait d'envie d'aller rejoindre Richard et de l'aider. Par les esprits du bien ! qu'il était dur de laisser seuls les êtres qu'on aimait, même quand ils en avaient besoin.

— Oui, répéta-t-il, c'est une très bonne idée…

— L'été touche à sa fin, dit Adie, et les nuits sont de plus en plus froides. (Elle se pressa contre le vieux sorcier.) Que dirais-tu de rester avec moi pour réchauffer mes vieux os ?

Zedd sourit et enlaça la dame des ossements. La revoir le réconfortait davantage qu'il l'aurait cru. Pour tout dire, si elle lui avait offert un nouveau chapeau à plume, il l'aurait accepté – et de bon cœur !

Cela dit, l'inquiétude le rongeait, comme s'il sentait l'arrivée imminente d'une tempête.

—Zedd, dit Verna, consciente des tourments du vieil homme, Richard est un sorcier de guerre, et comme vous l'avez dit, il a multiplié les exploits. De plus, c'est un jeune homme plein de ressources, et un fabuleux Sourcier de Vérité protégé par une arme dont je peux certifier qu'il sait se servir ! Kahlan est la Mère Inquisitrice, et ils ont une Mord-Sith avec eux. Ces femmes-là, vous le savez, ne prennent aucun risque quand il s'agit de la sécurité du seigneur Rahl.

—C'est vrai, soupira Zedd, mais j'ai quand même peur pour eux.

—Qu'est-ce qui vous angoisse ? demanda Warren.

—Les moustiques albinos…

Chapitre 18

Le souffle court, au bord de l'épuisement, Kahlan dut reculer jusqu'au buisson d'épineux et le traverser en se tortillant pour éviter de se blesser. Le coup d'épée, très précis, avait manqué ses côtes d'un pouce. Désireuse de continuer le combat jusqu'à l'épuisement, la Mère Inquisitrice n'accorda aucune attention aux ronces qui déchiraient son pantalon.

Elle sentit les veines de son cou pulser follement, mais ne s'affola pas. Il lui restait un peu de force…

Son adversaire continua d'attaquer, la poussant au-delà d'une arête rocheuse très basse, puis dans un bosquet d'épicéas. Les feuilles mortes que soulevaient leurs bottes tourbillonnaient dans l'air comme des nuages miniatures colorés de jaune, d'orange et d'ocre. Au milieu des genévriers qui poussaient un peu partout, la jeune femme avait l'impression de ferrailler au cœur d'un arc-en-ciel qui se serait écrasé sur le sol pour exploser en une multitude de fragments.

Richard frappa une nouvelle fois. Kahlan poussa un petit cri, mais parvint à parer une botte vicieuse. Sans se décourager, le Sourcier repassa à l'attaque.

Kahlan céda encore du terrain. En reculant, elle bondit juste à temps pour éviter de se prendre les pieds dans un entrelacs de racines, au pied d'un grand épicéa. Perdre l'équilibre serait une erreur fatale. Si elle tombait, Richard l'embrocherait la seconde d'après.

Elle jeta un coup d'œil sur sa gauche, où se dressait une muraille rocheuse assez haute à la surface couverte de longues traînées de mousse cotonneuse. De l'autre côté, le bord de la corniche décrivait un arc de cercle pour venir rejoindre le mur de pierre. Quand elle serait coincée au fond de ce cul-de-sac, ce qui ne tarderait plus, Kahlan n'aurait plus que deux solutions : escalader la muraille ou descendre dans le ravin.

Elle para un nouveau coup, contre-attaqua et parvint, déchaînée, à faire reculer Richard d'une dizaine de pas. Après une série d'esquives presque nonchalantes, il repassa à l'offensive et regagna largement plus que le terrain qu'il venait de céder. De nouveau réduite à se défendre, l'Inquisitrice recula encore, consciente que cette tactique n'avait pas un grand avenir.

Sur une branche morte d'un sapin baumier, à quelques pas de là, un écureuil roux, les poils de ses oreilles déjà très touffus en prévision de l'hiver, se régalait de la mousse marron qui prospérait sur l'écorce. Exhibant fièrement son ventre blanc, il grignotait lentement le savoureux lichen qu'il recueillait entre ses minuscules pattes. Tel le spectateur d'un tournoi de chevaliers, il continuait paisiblement à manger tout en ne perdant pas une miette du spectacle.

Du coin de l'œil, Kahlan regarda autour d'elle en quête d'une voie d'évasion. Si elle pouvait slalomer entre les arbres et contourner Richard, elle repartirait dans la direction d'où elle venait et ne risquerait plus d'être piégée. Bien sûr, le Sourcier la poursuivrait, mais un petit répit lui permettrait peut-être de récupérer un peu de force.

Chargeant comme un taureau furieux, Richard leva son arme pour en finir et couper son adversaire en deux.

Une ouverture, enfin ! Il ne fallait pas la rater, car il n'y en aurait pas d'autre.

Kahlan fit demi-tour, avança d'un pas et se fendit, visant le ventre de Richard. Surpris par cette attaque audacieuse, il ne put pas l'éviter. Lâchant son épée, il plaqua les deux mains sur son abdomen, tituba un instant, bascula en arrière et s'écroula dans un lit de fougère. Soulevées par l'impact, des feuilles mortes s'envolèrent puis retombèrent sur lui comme pour lui faire un linceul végétal.

Debout devant le vaincu, Kahlan reprit péniblement son souffle. Épuisée, elle se laissa tomber à genoux, puis se coucha sur le cadavre de son adversaire.

Autour d'eux, les feuilles des fougères couleur caramel étaient repliées sur elles-mêmes comme si elles avaient voulu, en fermant le poing, protester contre le destin qui les forçait à mourir en cette saison.

Non loin de là, un grand érable qui n'avait pas encore perdu toutes ses feuilles – nul n'aurait pu savoir par quel miracle – évoquait un noble et vieux souverain drapé dans un manteau ocre un peu plissé.

À la fin de l'automne, les bois embaumaient, et Kahlan aurait pu passer des heures à s'emplir les poumons de leurs senteurs.

—Cara ! cria-t-elle. (Grisée par son succès, elle posa la main gauche sur la poitrine de son mari, se souleva un peu et poussa un hurlement de triomphe.) Cara, j'ai tué Richard !

Couchée sur le ventre, au bord du ravin, la Mord-Sith ne sembla pas remuée par cette nouvelle.

— Je l'ai tué! Tu n'as pas entendu? Et n'as-tu donc rien vu?

— Oui, marmonna Cara. Vous avez éventré le seigneur Rahl...

— Pas du tout, lâcha Richard entre ses dents, car il retenait toujours son souffle pour mieux jouer les cadavres.

Kahlan lui abattit sur l'épaule son épée d'entraînement taillée dans une fine branche de saule.

— Tricheur! Je t'ai eu, cette fois! Raide mort, voilà ce que tu es!

— Non, avec une vraie lame, ç'aurait été une égratignure, rien de plus. (Richard plaqua la pointe de sa fausse épée contre le flanc de sa compagne.) Tu es tombée dans mon piège. À présent, c'est moi qui te tiens à la pointe de mon arme. Rends-toi ou meurs, femme!

— Plutôt périr que d'être capturée par un bandit comme toi! répondit Kahlan avant d'éclater de rire.

Une idée assez peu judicieuse, car elle n'avait toujours pas repris complètement son souffle. Un petit handicap qui ne l'empêcha pas d'enfoncer plusieurs fois dans les côtes de Richard son épée de bois.

Quand elle estima être venue à bout de son ravisseur potentiel, elle se laissa rouler sur le côté et tourna la tête vers la Mord-Sith.

— Tu as vu? Ce coup-là, je ne l'ai pas raté! J'ai gagné!

— Oui, oui, grommela Cara, les yeux tournés vers le ravin. Vous avez abattu le seigneur Rahl. Tant mieux pour vous... (Elle daigna enfin regarder le couple.) Celui-ci est pour moi, n'est-ce pas, seigneur Rahl? Vous aviez promis!

— C'est vrai, et je tiendrai parole.

— Parfait! Il est rudement gros!

— Kahlan, dit le Sourcier avec un petit sourire, je t'ai laissée me tuer.

— C'est faux! Cette fois, je t'ai battu. (Elle frappa de nouveau son mari avec l'épée factice, puis s'immobilisa et plissa le front.) Tu as prétendu n'être pas mort... Une simple égratignure, disais-tu. Mais tu admets enfin la vérité!

— Je t'ai laissée...

Histoire de lui clouer le bec, Kahlan embrassa son époux. Devant ce spectacle, Cara eut une moue désapprobatrice et tourna la tête vers le ravin.

— Ils s'en vont! cria-t-elle en se levant d'un bond. Venez, avant qu'on me vole ma proie.

— Cara, personne ne te la volera, en tout cas, pas tout de suite...

— Vous aviez promis! Je ne veux pas avoir fait tout ce chemin pour rien. Dépêchez-vous!

— Très bien, très bien, fit Richard alors que Kahlan s'écartait de lui.

Il tendit une main pour l'aider à se relever... et elle en profita pour l'embrocher une nouvelle fois.

— Je t'ai encore eu, seigneur Rahl! Tu te ramollis, on dirait...

Richard se contenta de sourire. Quand sa femme eut accepté sa main secourable et se fut relevée, il l'enlaça brièvement, puis déclara avec le plus grand sérieux :

— Du bon travail, Mère Inquisitrice. Vous m'avez bel et bien abattu, et je suis fier de vous.

Kahlan s'efforça d'afficher un sourire serein – celui qui sied à un vainqueur modeste –, mais elle sentit ses lèvres s'étirer tellement qu'elle redouta d'avoir plutôt produit une joyeuse grimace d'enfant.

Richard ramassa son sac à dos et l'accrocha à ses épaules. Rejoignant Cara, il s'engagea sans hésiter sur la pente abrupte qui menait au pied de la montagne. Après avoir récupéré son manteau de fourrure – une magnifique peau de loup –, Kahlan suivit d'un pas décidé son mari et la Mord-Sith, qui avaient déjà pris un peu d'avance sur elle.

— Fais attention, dit Richard à Cara. Avec les feuilles qui couvrent le sol, on ne voit pas bien les trous et les fissures dans la roche.

— Je sais, je sais… Seigneur Rahl, combien de fois allez-vous me répéter ça ?

Richard surveillait sans cesse ses deux compagnes. À chaque excursion, il leur rappelait comment avancer sur un terrain accidenté et énumérait les dangers éventuels. Dès les premières promenades, Kahlan avait noté que son mari se déplaçait avec une tranquille fluidité. Encline à vadrouiller, Cara avait tendance à faire des détours pour sauter de rocher en rocher ou marcher le long d'une crête. On eût dit une enfant turbulente. Ayant passé la plus grande partie de sa vie entre les murs du Palais du Peuple, elle n'avait pas conscience que marcher dans les bois et en montagne n'était pas seulement un exercice amusant. Des risques existaient, et ils pouvaient être mortels.

Richard s'était pourtant montré d'une patience exemplaire.

— Choisis l'endroit où tu poseras tes pieds afin d'avancer autant que possible sans te déséquilibrer d'un côté ou de l'autre. Sauf si c'est nécessaire, ne descends jamais, par exemple dans un ravin, parce qu'il te faudra remonter tôt ou tard, et que c'est épuisant. Pareillement, évite de gravir une pente pour simplement admirer la vue, parce que descendre est ce qui fait le plus mal aux mollets. Devant un obstacle, évite de sauter quand tu peux simplement l'enjamber…

Cara jugeait trop difficile de penser en même temps à tout ça. En gambadant comme elle le faisait, lui avait dit Richard, elle dépensait deux fois plus d'énergie pour parcourir la même distance que lui. Si elle réfléchissait en marchant, elle développerait vite des réflexes, et elle n'aurait bientôt plus besoin de se creuser la cervelle à chaque pas.

Quand elle avait découvert que ses mollets et les muscles de ses cuisses lui faisaient beaucoup moins mal si elle suivait les conseils de son seigneur, elle était devenue une élève attentive qui posait des questions intelligentes au lieu de contester tout ce qu'on lui disait.

Enfin, la plupart du temps…

Aujourd'hui, pour négocier la pente, elle utilisait un bâton histoire de sonder le terrain et de repérer les trous dissimulés par des feuilles mortes. Richard n'avait rien dit, mais il souriait chaque fois que la Mord-Sith détectait une irrégularité du terrain avec son bâton, au lieu de marcher dessus et de risquer une entorse ou une chute.

Ouvrir un chemin sur une pente si raide n'avait rien d'une promenade de santé. Souvent, un sentier séduisant se terminait en cul-de-sac, et il fallait revenir sur ses pas. Dans les collines, et surtout en terrain presque plat, les animaux se frayaient des pistes souvent très utiles. Au milieu d'une vallée, un sentier agréable qui s'arrêtait soudain ne posait pas de problèmes, puisqu'on pouvait toujours traverser les broussailles pour retrouver un espace dégagé.

À trois mille pieds d'altitude, sur le flanc rocheux d'une montagne, la moindre erreur pouvait se payer très cher. Mais souvent, surtout quand la nuit approchait, les voyageurs peu expérimentés prenaient des risques insensés pour s'épargner un retour en arrière pénible. Parfois, c'était la dernière bévue qu'ils commettaient de leur vivant…

Selon Richard, résister à l'envie d'arriver plus vite au pied d'une pente, de rentrer chez soi ou de trouver un endroit où camper exigeait un gros effort d'analyse et de volonté.

—Céder à ses impulsions conduit souvent à la mort, répétait-il volontiers. Pour revenir sain et sauf à la maison, il faut utiliser son cerveau.

—Ne passez pas par là ! cria soudain Cara. J'ai testé le sol avec mon bâton, et il y a un grand trou.

—Merci beaucoup, noble guide forestière ! railla Richard.

Pensait-elle vraiment qu'il se serait cassé la figure si elle ne l'avait pas prévenu ?

Ils progressèrent assez vite grâce aux nombreuses prises qu'offraient tout au long du chemin les arbustes et les racines affleurantes. Au pied de la montagne, plus très loin devant eux, les contreforts s'enfonçaient dans un ravin envahi de végétation. Au-delà, il fallait négocier une pente assez raide semée de pins éternellement verts qui côtoyaient des chênes, des érables et des bouleaux déjà privés de leur feuillage.

En général, les chênes conservaient leurs feuilles jusqu'au début de l'hiver, certains parvenant même à les garder pendant toute la mauvaise saison. En montagne, les vents glacés et les orages précoces les dépouillaient beaucoup plus tôt de leur parure.

—Là ! lança Cara, un bras tendu. (Elle sauta sur une saillie rocheuse pour mieux voir.) En face, juste à l'endroit que je montre !

Richard mit une main en visière pour ne pas être ébloui par le soleil, puis il sonda le flanc de la montagne, devant eux.

—J'ai vu, oui… Un endroit très désagréable où mourir.

—Parce que tu penses qu'il en existe de plaisants ? demanda Kahlan en resserrant autour d'elle les pans de son manteau.

Le vent s'était levé, et il commençait à faire plutôt frisquet.

—J'en doute, pour être honnête…, répondit Richard.

À mi-chemin de la pente que désignait Cara, la forêt disparaissait brutalement. On appelait cet endroit le «bois crochu», et au-dessus, où aucun arbre ne poussait, le flanc de la montagne n'était plus qu'une vaste étendue verticale de roche nue et d'éboulis particulièrement traîtres. À une altitude impressionnante, des neiges éternelles couronnaient le pic qui semblait tutoyer les nuages.

Dans le bois crochu constamment battu par le vent ou la pluie, les arbres ratatinés faisaient peine à voir. Comme des sentinelles, ils montaient la garde entre la forêt et la zone désolée où les mousses elles-mêmes avaient du mal à survivre.

—Ne traînons pas ici, dit Richard. (Il tendit un bras vers la droite.) Je ne voudrais pas être surpris par la nuit dans ce coin…

Kahlan admira un instant la vue. Le paysage était grandiose, mais de gros nuages dérivaient au-dessus des vallées et des pics, et le mauvais temps, en montagne, n'était pas à prendre à la légère. Traverser le bois crochu dans le brouillard ou sous la pluie n'enthousiasmait pas la Mère Inquisitrice, mais elle ne devait pas le montrer, parce que Cara et Richard la dévisageaient, attendant visiblement qu'elle dise quelque chose.

—Je vais très bien, alors partons, et finissons-en ! Après le bois crochu, nous pourrons redescendre dans la vallée, et je suis sûre que Richard nous trouvera un gentil pin-compagnon qui nous permettra de passer la nuit au sec. Je rêve d'être assise devant un petit feu en sirotant une bonne infusion.

—Je n'ai rien contre cette idée, dit Cara en se soufflant sur les doigts pour les réchauffer.

Le soir même de leur rencontre, dans la forêt de Hartland, Richard avait fait camper Kahlan sous un pin-compagnon. La jeune femme n'ayant jamais vu d'arbres pareils, elle continuait à s'émerveiller chaque fois qu'elle en découvrait un, immense silhouette qui dominait celles de tous les autres végétaux environnants. Les vénérables de ce type faisaient d'incomparables refuges pour les voyageurs.

Les branches basses d'un pin-compagnon pendant jusqu'au sol, elles formaient une sorte de niche naturelle. À l'intérieur, sous un épais canevas d'aiguilles, on était à l'abri du vent et de la pluie. Les pins étant difficilement inflammables à cause des propriétés physiques de leur écorce – Richard lui-même ne savait pas exactement lesquelles –, il était possible, à condition de rester prudent, d'allumer un petit feu de camp.

Lors de leurs randonnées, Richard, Kahlan et Cara passaient très souvent la nuit sous un pin-compagnon. Ces moments privilégiés, dans un lieu coupé de tout, les incitaient à se détendre, à parler, à méditer et à se raconter des histoires. Certaines les faisaient rire aux éclats, et d'autres leur nouaient la gorge…

Après que l'Inquisitrice eut assuré qu'elle était d'attaque, Richard et Cara se remirent en route. Même si elle était rétablie, désormais, ils la laissaient toujours décider quand il fallait négocier un passage difficile. Et là, avant de trouver un abri, il faudrait atteindre le pied de la montagne, traverser le ravin, monter jusqu'au bois crochu puis redescendre jusqu'à la vallée la plus proche…

La convalescence de Kahlan lui avait paru interminable. Elle savait bien entendu que ses blessures seraient longues à guérir. Et en restant alitée si longtemps, elle se doutait que ses muscles finiraient par fondre – d'autant plus qu'elle avait été un long moment incapable de s'alimenter normalement. De plus en plus maigre et faiblarde – même si son état général s'améliorait objectivement –, elle avait peu à peu glissé dans une terrible dépression.

Au début, Kahlan n'avait pas vraiment mesuré la gravité de l'épreuve qu'elle devrait s'imposer pour redevenir elle-même. Richard et Cara tentaient de l'encourager, mais cela restait trop superficiel pour être efficace, parce qu'ils ne comprenaient pas comment on se sentait quand on avait perdu l'intégralité de ses moyens physiques. Et il y avait plus que cela… Avec ses jambes décharnées et ses genoux osseux – pour ne prendre qu'un exemple –, elle se sentait atrocement laide.

Pour la distraire, Richard sculptait de petits animaux : des faucons, des renards, des loutres, des canards et même des tamias. Elle ne leur accordait qu'un vague intérêt, comme si plus rien ne pouvait l'atteindre. Touchant le fond du désespoir, elle avait souvent regretté de ne pas avoir péri avec l'enfant qu'elle portait.

Sa vie était devenue une insipide bouillie. Pendant des semaines, avec les quatre murs de sa chambre pour seul horizon, elle avait oscillé entre la douleur et un ennui qui semblait plus terrible que la mort. Le goût amer de la décoction de mille-feuille qu'elle devait ingurgiter plusieurs fois par jour avait fini par lui donner la nausée, et l'odeur entêtante des cataplasmes à base de plantes la révulsait. Quand elle s'était rebellée, annonçant qu'elle ne voulait plus de l'horrible infusion, elle avait eu de temps en temps droit à du tilleul – un peu moins amer, mais pas aussi efficace contre la douleur, même s'il l'aidait à dormir. Mâcher quelques feuilles de scutellaire avait un effet spectaculaire sur ses maux de tête, mais cela lui laissait dans la bouche un goût immonde qui la torturait pendant des heures. Parfois, pour varier un peu, Richard et Cara recouraient à de la teinture de passiflore – une horreur! – dont ils lui déposaient quelques gouttes sur la langue.

Fatiguée d'avaler d'immondes infusions, Kahlan prétendait souvent que tout allait bien, histoire de couper à la punition.

La fenêtre de sa chambre n'étant pas très grande, la convalescente, au plus fort de l'été, avait plus d'une fois redouté de mourir de chaud. Et à force de voir seulement un carré de ciel et la cime de quelques arbres, sur la toile de fond d'une lointaine montagne aux contours écrasants, Kahlan s'était demandé si le monde extérieur existait toujours…

Richard proposait souvent de la porter dehors, mais elle l'implorait de n'en rien faire, parce que souffrir le martyre pour prendre un peu d'air frais ne lui disait rien. Bouleversé à la seule idée d'ajouter à son calvaire, son mari n'insistait jamais beaucoup…

Confinée volontairement dans sa chambre, Kahlan avait regardé défiler devant sa fenêtre une alternance de cieux radieux et de gros nuages noirs. Les jours passaient, elle guérissait lentement, et s'agaçait de plus en plus de devoir subir ce qu'elle nommait son «été perdu».

Un jour, alors qu'elle mourait de soif, elle s'était aperçue que Richard avait oublié de laisser un gobelet d'eau fraîche sur sa table de nuit. Bien entendu, dès qu'elle l'avait appelé, il s'était précipité dans la chambre avec une outre et le fameux gobelet, qu'il avait rempli devant elle. Mais il avait posé le tout sur le rebord de la fenêtre avant de ressortir en trombe – parce qu'il devait aller voir avec Cara si des poissons avaient mordu à leurs lignes, avait-il marmonné par-dessus son épaule.

Kahlan avait bien tenté de lui demander d'approcher l'eau d'elle, mais il ne l'avait pas entendue.

Furieuse, elle avait pesté un long moment contre son mari. Comment pouvait-il être si négligent, alors qu'il faisait une chaleur écrasante très inhabituelle pour une fin d'été? La bouche sèche et le cœur serré, l'Inquisitrice avait regardé avec désespoir l'outre si proche d'elle et pourtant inaccessible.

Des larmes aux yeux, elle avait gémi de détresse puis tapé du poing sur son lit. Détournant la tête pour ne plus voir l'outre, elle avait fermé les yeux, décidée à dormir un peu afin d'oublier sa soif. Quand elle se réveillerait, Richard et Cara seraient sûrement de retour, et elle obtiendrait enfin à boire.

Son mari, lui, se ferait passer un savon!

Dehors, un oiseau s'était mis à pousser des trilles lancinants. On eût dit la voix aiguë d'une petite fille répétant inlassablement: «Oui, mi, oui, mi, oui, mi.» Et quand un oiseau de ce type donnait un concert, il pouvait continuer pendant des heures. Très vite, Kahlan ne put plus penser qu'à ce son horripilant… et à sa soif.

Avec la sérénade agaçante de l'oiseau, comment aurait-elle pu s'endormir? Maudit soit Richard, qui l'avait abandonnée alors qu'elle mourait de soif, la laissant de plus aux prises avec une insupportable pollution sonore!

Très énervée par l'oiseau, elle s'était plusieurs fois laissée aller à lui répondre: «Tais-toi, tais-toi, tais-toi» – sans le moindre résultat, bien entendu.

Plus énervant encore, elle ne parvenait pas à détourner le regard de l'outre et du gobelet, qui semblaient la narguer sur leur rebord de fenêtre. Même si la chambre n'était pas très grande, Kahlan ne pouvait pas marcher. Pourquoi Richard avait-il agi ainsi? Mais tout bien réfléchi, si elle s'asseyait au bord du lit, elle aurait peut-être une chance, en tendant son bras droit…

Il faisait tellement chaud! Soulevant sa chemise de nuit, la jeune femme l'avait secouée vivement pour se ventiler un peu. Là encore, sans grand succès…

Avec un grognement furieux, elle avait écarté le drap, révélant ses jambes squelettiques. Une vision qui la révulsait. Pourquoi Richard lui imposait-il ce calvaire? Oui, quelle mouche l'avait piqué? Dès son retour, elle lui dirait sa façon de penser!

En haletant, Kahlan avait fait glisser ses jambes sur le côté du lit. S'aidant de la souplesse de son confortable matelas – bourré d'un astucieux mélange d'herbes sèches et de plumes – elle avait forcé sur son bras droit pour se redresser.

La première fois qu'elle s'asseyait seule!

Oui, le plan de Richard lui semblait clair, tout d'un coup… Mais pas judicieux du tout, et même un peu cruel. Il utilisait la ruse pour la forcer à se lever alors qu'elle n'était pas prête! Dans son état, ça pouvait être dangereux, car il lui fallait encore des semaines de lit – voire des mois – avant d'être rétablie. Même si elles ne suintaient plus, ses blessures n'étaient pas encore cicatrisées, et ses multiples fractures pouvaient…

Torturée par la soif, Kahlan s'était péniblement traînée jusqu'au bout du lit. Hélas, même en se tenant d'une main au panneau de pied et en se penchant au maximum, la fenêtre restait encore trop loin. Pour boire, elle allait devoir se lever.

Et Richard lui paierait ça, elle en faisait son affaire!

Un jour, quelques semaines plus tôt, après qu'elle l'eut appelé un long moment sans qu'il l'entende, son mari lui avait laissé un long bâton – assez léger mais rigide – pour qu'elle puisse frapper à la cloison ou à la porte quand elle avait besoin d'aide. S'emparant de sa canne improvisée, Kahlan avait pris appui dessus, basculé vers l'avant et laissé prudemment glisser ses pieds nus vers le plancher dont le contact lui avait paru étrangement frais, comparé à l'étuve qu'était devenu son lit. Dès que tout son poids avait reposé sur ses jambes maigrichonnes, elle n'avait pas pu s'empêcher de crier de douleur.

Tentée de se laisser retomber sur le lit, elle s'était aperçue que la souffrance était plus supportable qu'elle l'aurait cru. Elle avait mal, bien entendu, mais ce n'était pas si terrible que ça. Une déception, en un sens… Si elle avait eu très mal, elle aurait forcé Richard à se mettre à genoux pour implorer son pardon !

Avec l'aide du bâton, Kahlan avait fait son premier pas depuis des mois. Un instant grisée par ce succès, elle s'était vite avisée qu'elle n'était pas au bout de ses peines. Ses jambes consentaient à bouger, certes, mais pas nécessairement dans le sens qu'elle désirait. On eût dit qu'elles ne recevaient plus les ordres de son cerveau, ou qu'elles les interprétaient pour le moins très librement.

Au point où elle en était, Kahlan refusait d'échouer. Coûte que coûte, il fallait qu'elle atteigne la fenêtre. Si elle s'écroulait après avoir bu, Richard la trouverait gisant sur le plancher, et ça serait bien fait pour lui ! Oui, elle voyait déjà la scène d'ici… Après, il y réfléchirait à deux fois avant d'imaginer des plans tordus pour la forcer à se lever.

Son équilibre assuré par le bâton, Kahlan avait avancé lentement vers la fenêtre. Si elle tombait maintenant, Richard serait tout aussi traumatisé en la découvrant – mais elle serait condamnée à mourir de soif jusqu'au retour de ses gardes-malade.

Cela dit, une pauvre convalescente recroquevillée sur le plancher, les lèvres parcheminées par la déshydratation, le traumatiserait encore plus, et la culpabilité le rongerait jusqu'à la fin de sa vie. Et même après, si c'était possible…

Souhaitant presque tomber avant d'atteindre son but, Kahlan était quand même arrivée devant la fenêtre. Après s'être accrochée au rebord, elle avait repris son souffle pendant quelques secondes, puis s'était emparée du gobelet et l'avait vidé d'un trait.

Enfin désaltérée, elle avait reposé le gobelet sur le rebord de la fenêtre et jeté un petit coup d'œil dehors avant de se lancer dans le périlleux voyage de retour vers son lit.

Assis sur une souche, les bras autour des genoux, Richard la regardait avec un grand sourire idiot.

— Bonjour, toi ! avait-il lancé.

— Eh bien, on est debout, semble-t-il, avait marmonné Cara, confortablement installée non loin de son seigneur.

Kahlan aurait voulu agonir son mari d'injures. À sa grande surprise, elle avait dû mobiliser toute sa volonté pour ne pas éclater de rire. Quelle idiote elle était ! Pourquoi n'avait-elle pas essayé de se lever seule des jours plus tôt ?

Des larmes aux yeux, elle avait admiré un moment les arbres au feuillage encore vert, les montagnes majestueuses et le ciel – pas un *carré* de ciel, mais la voûte céleste, dans toute son immensité – où des nuages cotonneux dérivaient lentement.

Que ce paysage était beau ! Comment avait-elle pu s'en priver pendant si longtemps ? Elle aurait dû brûler d'envie que Richard la porte à l'extérieur…

— Tu as conscience d'avoir commis une grosse erreur, avait dit Richard.

— Pardon ?

— Si tu ne t'étais pas levée, nous aurions continué à te chouchouter, au moins pendant un temps. Maintenant, poser des choses hors de ta portée et te laisser te débrouiller sera notre occupation favorite.

Si reconnaissante qu'elle ait été intérieurement, Kahlan n'avait eu aucune envie de remercier à haute voix son mari. Mais savoir qu'il était prêt à braver sa colère pour l'aider lui avait fait chaud au cœur.

— On lui dit où est la table, seigneur Rahl ? avait lancé Cara.

— Inutile… Dès qu'elle aura faim, elle sortira de la chambre, et elle la trouvera.

Kahlan avait repris le gobelet pour le jeter sur Richard, avec l'espoir de lui faire ravaler son sourire béat. Bien entendu, il avait attrapé le projectile au vol.

— Content de voir que ton bras va bien, avait-il dit. Tu vas pouvoir couper ton pain toute seule. Non, pas de protestation, ce n'est que justice ! Cara l'a amoureusement préparé, et c'est le moins que tu puisses faire pour l'en remercier.

— Cara sait faire du pain ?

— Le seigneur Rahl me l'a appris. J'en voulais avec mes ragoûts, et il ne m'a pas laissé le choix. Soit je m'en occupais, soit je m'en passais. Mais c'est très facile, en réalité. Comme marcher jusqu'à la fenêtre… Ayant un meilleur caractère que vous, je ne lui ai rien jeté à la figure, ce jour-là.

Kahlan n'avait pu s'empêcher de sourire. Connaissant la Mord-Sith, manipuler de la pâte avait dû être plus difficile, pour elle, que l'« exploit » de traverser la chambre. Quant au « meilleur caractère », c'était une affirmation gratuite, et elle aurait donné cher pour avoir assisté aux leçons de boulangerie dispensées par Richard à son irascible garde du corps.

— Richard, rends-moi mon gobelet et cours pêcher un beau poisson pour ce soir. J'ai faim, et très envie d'une truite. Une *grosse* truite, avec une montagne de pain !

— Je veux bien faire ça pour toi, à condition que tu trouves la table.

Kahlan l'avait trouvée – et elle ne s'était plus jamais autorisée à manger au lit.

Au début, marcher lui faisait si mal qu'elle se recouchait à toute heure de la journée. À ces moments-là, Cara venait lui brosser les cheveux, histoire de ne pas la laisser seule. Encore très faible, Kahlan ne parvenait pas à se déplacer longtemps sans aide, et le moindre geste — y compris le rituel de la brosse, quand elle s'y adonnait seule — lui valait de longues minutes d'épuisement. Marcher jusqu'à la table lui semblait une très longue randonnée, et s'aventurer plus loin était longtemps resté hors de question. Très compatissants, Richard et Cara ne lui ménageaient pas leurs encouragements. Mais ils ne manquaient pas une occasion de la pousser à en faire toujours un peu plus…

Heureuse d'avoir échappé à son lit, Kahlan parvenait de plus en plus souvent à oublier la douleur. Le monde était redevenu merveilleux, et il lui tardait de l'explorer. Cerise sur le gâteau, elle n'avait plus besoin de la cuvette. Si on lui avait dit, avant ses malheurs, qu'aller aux toilettes tout seul pouvait être une petite fête !

Sans le claironner sur tous les toits, Cara n'en était pas mécontente non plus…

Même si elle aimait la douillette cabane que Richard et Cara lui avaient construite, en sortir donnait à Kahlan le sentiment de s'être enfin évadée d'un sinistre donjon. Craignant d'avoir mal, elle avait toujours refusé que Richard la porte dehors. La preuve que son état physique avait altéré son jugement. En même temps que de tout un été, l'épreuve qu'elle venait de traverser l'avait privée… eh bien, d'elle-même, tout simplement. Et maintenant, elle se retrouvait enfin !

Quand elle s'était aventurée dehors, elle avait découvert que ce qu'on voyait de sa fenêtre ne rendait pas vraiment grâce à l'extraordinaire beauté du paysage. Autour de la cabane, des pics couronnés de neige semblaient veiller sur les trois exilés volontaires. Très simple, avec deux chambres séparées par une pièce commune, la maisonnette se dressait au bord d'une prairie verdoyante semée de fleurs des champs. Même s'ils étaient arrivés un peu tard dans la saison, Richard avait aménagé un petit jardin potager, juste devant la fenêtre de Cara, où il faisait pousser des légumes et des herbes aromatiques.

Derrière la cabane, un bosquet de grands pins blancs la protégeaient du vent, qui soufflait parfois avec une étonnante violence.

Pour passer le temps tandis qu'il restait au chevet de Kahlan, la regardant dormir ou lui racontant des histoires, Richard avait continué à sculpter des animaux. Mais après qu'elle se fut levée, il avait commencé à réaliser des statuettes d'êtres humains.

Un jour, il lui avait offert une œuvre magnifique. Pour célébrer dignement, avait-il dit, le retour dans le monde de la femme qu'il aimait.

Stupéfiée par le réalisme et le pouvoir d'évocation de la statuette, Kahlan s'était écriée que le don avait dû guider la main de Richard.

Comme de juste, il n'avait rien voulu entendre.

— Des légions de sculpteurs produisent des œuvres magnifiques sans avoir besoin de la magie ! Le don n'a rien à voir là-dedans...

Kahlan n'en avait pas démordu. Certains créateurs, elle le savait, avaient le don, et ils pouvaient invoquer la magie par l'intermédiaire de leur art.

Richard lui parlait parfois avec une étrange mélancolie des merveilles qu'il avait découvertes au Palais du Peuple, en D'Hara, où il était prisonnier de Denna. Élevé à Hartland, il n'avait jamais vu de statue de marbre – surtout pas aussi grandes et ciselées par des artistes de génie. Ces œuvres grandioses avaient élargi son horizon, jusque-là limité aux frontières de sa contrée natale, et il n'était pas près de les oublier. À part lui, qui d'autre se serait souvenu avec émotion du décor de l'endroit où on l'avait impitoyablement torturé ?

En théorie, il avait raison : l'art pouvait exister indépendamment de la magie. Mais n'avait-il pas été capturé par Denna à cause d'un sort dessiné par un peintre ? Réputé être un langage universel, pourquoi l'art n'aurait-il pas été également un des moyens d'expression de la sorcellerie ?

Kahlan avait un peu insisté, puis elle était passée à autre chose. Richard refusait de la croire, et il n'y avait rien à faire. Pourtant, en l'absence de tout exutoire, ne semblait-il pas logique que son pouvoir se manifeste de la sorte ? La magie trouvait toujours une façon de s'extérioriser. Et les statuettes du Sourcier avaient bien quelque chose de surnaturel.

Sculptée dans un rondin de noyer aux riches odeurs de sous-bois, la femme qu'il avait baptisée « Bravoure » était d'une bouleversante beauté. Aucun détail ne manquait, et les courbes de son corps, sous les plis de sa robe impeccablement ciselée, étaient d'une telle précision qu'on s'attendait à la voir respirer.

Bref, elle paraissait vivante !

Comment Richard avait-il créé un chef-d'œuvre pareil ? Sa robe gonflée par le vent, Bravoure avait la tête inclinée en arrière et les poings plaqués sur les hanches. Le torse bombé, le dos arqué, elle semblait résister de toutes ses forces au pouvoir invisible qui tentait en vain de lui faire courber l'échine. Si une œuvre d'art devait jamais être le symbole du courage et de la détermination, c'était celle-là, et aucune autre !

Bravoure n'était pas faite à l'image de Kahlan. Mais sa manière de lutter, avec une tension intérieure que l'Inquisitrice connaissait si bien, aurait pu en faire sa sœur d'élection. En la voyant, la femme de Richard éprouvait une envie dévorante d'aller mieux, de vivre pleinement, et surtout, de redevenir forte et indépendante.

Et tout cela, elle l'aurait juré, reflétait les intentions de Richard pendant qu'il sculptait.

Ce n'était pas de la magie, selon lui? Dans ce cas, de quoi s'agissait-il?

Toute sa vie, Kahlan avait vécu ou séjourné dans des palais décorés par les plus grands artistes de l'univers. Aucune œuvre ne lui avait ainsi coupé le souffle. La noblesse de Bravoure – et la force intérieure dont elle était dotée – si incroyable que cela puisse paraître – dépassaient de très loin tout ce que les peintres et les sculpteurs avaient jamais offert au monde. Devant tant de puissance et de vitalité, Kahlan, la gorge nouée, n'avait rien pu dire. Des larmes aux yeux, elle s'était simplement jetée dans les bras de Richard.

Chapitre 19

Dès qu'elle s'était sentie mieux, Kahlan avait passé le plus clair de son temps dehors. Pour ne pas la voir seulement quand elle était au lit, mais aussi de l'extérieur, elle avait posé Bravoure sur le rebord de la fenêtre.

Les bois qui entouraient la cabane la fascinaient. Des sentiers mystérieux s'y enfonçaient, et on distinguait à peine une flaque de lumière, à l'endroit où ils sortaient de sous les arbres. Kahlan brûlait d'envie d'explorer ces passages qui ressemblaient aux tunnels d'intrigantes catacombes. En réalité, elle le savait bien, il s'agissait seulement de pistes ouvertes par les animaux et élargies par Cara et Richard lorsqu'ils allaient pêcher ou cueillir des noisettes et des baies.

Avant de se lancer dans cette aventure, l'Inquisitrice s'était contentée de boitiller autour de la maison ou dans la prairie – toujours avec son bâton, parce qu'il la rassurait. Renforcer ses jambes était indispensable si elle voulait suivre Richard dans ses longues randonnées.

Un jour, jugeant qu'elle était assez solide, il avait insisté pour la conduire au bout d'un des corridors qui serpentaient à travers la végétation. De l'autre côté, un torrent ombragé des deux côtés par une rangée d'arbres dévalait une gorge rocheuse. Le rugissement des eaux était d'autant plus assourdissant qu'elles se déversaient sur une série d'énormes rochers couverts d'une mousse couleur fauve et d'un véritable tapis d'aiguilles de pins. Filtrant de la frondaison, les rayons de soleil constellaient de flaques de lumière les eaux tumultueuses.

Au pied de la gorge, dans la vallée de haute montagne, derrière la cabane, à l'endroit où le « tunnel » émergeait des bois, le torrent s'élargissait et devenait une paisible rivière qui serpentait entre les buissons et les arbres.

Charmée par l'endroit, Kahlan avait pris l'habitude d'y venir tous les jours. Assise sur la rive, elle trempait un moment ses jambes décharnées dans l'eau, puis s'étendait sur l'herbe et prenait un bain de soleil en regardant de magnifiques poissons nager dans les eaux les plus limpides qu'elle eût jamais contemplées. Selon Richard, les truites avaient une prédilection pour les beaux endroits. À l'évidence, il savait de quoi il parlait.

Kahlan adorait suivre les évolutions des poissons, des grenouilles, des écrevisses et même des salamandres. Étendue sur le ventre, le menton appuyé sur ses mains croisées, elle pouvait rester des heures ainsi, heureuse comme une gamine quand elle voyait un poisson émerger de l'eau, bouche grande ouverte, pour gober un insecte qui volait trop près de la surface. Devenue un peu plus mobile, elle avait pris l'habitude d'attraper des criquets, des sauterelles et même des vers de terre pour les jeter en pâture à ses chères truites.

Quand elle leur parlait pour les encourager à venir chercher leur pitance, Richard riait de bonheur de la voir reprendre goût à la vie.

De temps en temps, un héron venait se poser dans l'eau, parangon de grâce malgré ses longues et fines pattes, et embrochait une grenouille ou un poisson au bout de son bec pointu comme une dague.

Kahlan n'avait jamais vécu dans un lieu si majestueux et pourtant vibrant de vie. Pour l'inciter à se remettre plus vite, Richard répétait souvent qu'elle n'avait encore rien vu. Certaine que bien d'autres merveilles l'attendaient, et désormais sûre de pouvoir un jour les découvrir, l'Inquisitrice se sentait comme une petite fille lâchée en liberté dans un royaume magique. Depuis sa prime enfance, elle n'avait jamais eu le temps d'admirer la nature. Dans l'exercice de ses fonctions, elle avait vu de somptueuses choses, bien entendu, mais presque toujours dans des cités – ou peut-être n'y avait-elle pas prêté assez d'attention, par exemple lorsqu'elle rendait visite au Peuple d'Adobe. En tout cas, rester longtemps au même endroit – s'y immerger, en quelque sorte – était pour elle une expérience nouvelle et excitante.

Pourtant, en sourdine, une idée continuait à la hanter. Ailleurs qu'ici, dans un monde en guerre, des gens avaient besoin d'elle et de Richard. Dès qu'elle parlait de leurs responsabilités, son mari se défaussait en rappelant qu'il lui avait déjà expliqué sa position, et qu'il était toujours sûr d'agir comme il le fallait.

Depuis des semaines, plus aucun messager ne s'était présenté. Kahlan s'en inquiétait, mais pas Richard. Puisqu'il ne s'autorisait plus à intervenir dans les affaires de l'armée, le général Reibisch avait bien raison de ne plus risquer la vie de ses hommes pour rien.

Même si elle ne partageait pas entièrement le point de vue de Richard, Kahlan savait qu'elle ne pourrait rien faire avant d'avoir totalement récupéré ses moyens. Pour se rétablir, rien ne valait l'air de la montagne, alors pourquoi aurait-elle gaspillé son temps en interminables polémiques ? Quand elle aurait convaincu son mari de revenir sur le champ de bataille – et elle ne doutait pas de réussir –, ces quelques semaines de paix resteraient gravées dans sa mémoire. En attendant, elle en profitait sans réserve, puisqu'elle n'avait pas le choix.

Alors qu'il pleuvait depuis deux ou trois jours, et qu'elle se plaignait de ne plus pouvoir aller admirer ses poissons, Richard lui avait fait une nouvelle surprise. Moins stupéfiante que Bravoure, peut-être, mais suffisante pour qu'elle trépigne de joie comme une enfant.

Afin qu'elle prenne son mal en patience, il lui avait apporté des poissons vivants. Pour qu'elle les regarde, simplement...

Après avoir soigneusement nettoyé le réservoir en verre d'une lampe à huile et divers bocaux qui contenaient de la nourriture, des herbes ou des onguents, il avait tapissé leur fond d'un lit de petits cailloux. Puis il avait pêché plusieurs vairons et les avait installés dans leurs nouvelles résidences remplies aux trois quarts d'eau du torrent. Curieusement, les petits poissons à tête noire, si amusants avec leur dos couleur olive, leur ventre blanc et les lignes noires qui couraient sur leurs flancs, s'étaient habitués à leur nouvel habitat – peut-être grâce aux algues que Richard avait déposées sur les cailloux, histoire qu'ils aient un endroit où se cacher.

D'abord stupéfaite, Kahlan avait exposé les quatre bocaux et le réservoir sur le rebord de la fenêtre de la pièce commune, à côté d'une petite collection de statuettes sculptées par son mari.

À chaque repas, la Mère Inquisitrice, le Sourcier et la Mord-Sith, assis à une petite table, s'extasiaient que des poissons puissent vivre en captivité.

—Ne leur donnez pas de nom, avait-il conseillé, parce qu'ils ne vivront pas longtemps...

Ce qu'elle avait d'abord tenu pour une excentricité devint une source d'émerveillement pour Kahlan. Après avoir visiblement pensé que la santé mentale de son seigneur ne s'arrangeait pas, Cara elle-même s'était prise d'affection pour les pensionnaires des bocaux.

Chaque jour qu'elle passait dans la montagne avec Richard fournissait désormais à Kahlan son lot de surprises et de petites joies. Et bien entendu, cela l'aidait à oublier la douleur et l'angoisse.

Une fois habitués à la présence des humains, les poissons avaient repris leur train-train quotidien, comme si vivre dans un bocal était la chose la plus naturelle au monde. De temps en temps, Richard changeait une partie de leur eau, mais Cara et Kahlan se réservaient le plaisir de nourrir leurs petits compagnons, très friands de miettes de pain, d'insectes divers et même de minuscules restes de certains repas. Dotés d'un solide appétit, les poissons passaient le plus clair de leur temps à retourner les graviers, à nager en rond ou à se coller contre la paroi de leur bocal pour regarder le monde extérieur. Très vite, ils avaient appris à reconnaître le moment des repas. Comme des chiots heureux de revoir leur maître, ils frétillaient de la queue dès que quelqu'un approchait d'eux avec une délicieuse manne dans la paume de la main.

Dans la pièce commune, où trônaient les bocaux, Richard avait installé une petite cheminée faite de briques d'argile – une matière première qui ne manquait pas au bord du torrent – séchées au soleil puis durcies dans un feu. En plus de la table qu'il avait fabriquée, les chaises au dossier et à l'assise en plaque d'écorce – un matériau naturel dont l'intérieur était presque aussi doux que du velours – fournissaient tout le confort souhaitable.

Dans un coin de la pièce, une porte en bois donnait sur un cellier enterré. Au fond, quelques étagères et un grand placard servaient à stocker leurs provisions non périssables. En chemin, Richard et Cara avaient acheté assez de réserves pour tenir des mois. Au début, la calèche avait été bien utile pour les transporter. Quand le chemin était devenu impraticable pour le véhicule, la Mord-Sith et son seigneur avaient dû se charger comme des baudets. Un fardeau souvent pénible pour Richard, qui s'était également occupé de débroussailler la piste à coups d'épée.

Dans la chambre de Cara, où elle entrait de temps en temps, Kahlan s'était étonnée de découvrir une collection de pierres. Bien entendu, la Mord-Sith s'était défendue de toute prétention esthétique, affirmant qu'il s'agissait de projectiles, en cas d'une attaque contre la cabane. Trouvant ces « munitions » étonnamment jolies, Kahlan, non sans malice, avait souligné qu'elles étaient toutes de couleurs différentes.

— Non, avait insisté la Mord-Sith, je choisis spécialement des pierres coupantes et assez lourdes pour tuer !

Durant les semaines où Kahlan ne quittait jamais le lit, Richard dormait sur une paillasse, dans la pièce commune, ou à la belle étoile. D'innombrables fois, alors qu'elle souffrait encore beaucoup, elle s'était réveillée pour le découvrir assis sur le sol, près de son lit, assoupi mais prêt à bondir si elle avait besoin de quelque chose.

Craignant de la blesser, il avait refusé de dormir avec elle. Pour sentir sa réconfortante présence, Kahlan aurait bien couru le risque, mais la raison l'avait emporté. Depuis qu'elle allait mieux, il pouvait enfin passer ses nuits près d'elle. Le premier soir, une main de son bien-aimé posée sur son ventre, la jeune femme s'était endormie en admirant les contours de Bravoure à la faveur du clair de lune. Bercée par le chant des oiseaux nocturnes, le bourdonnement des insectes et les hurlements lointains des loups, elle avait sombré dans un sommeil parfaitement reposant.

Le lendemain, Richard l'avait tuée pour la première fois.

Alors qu'ils vérifiaient les lignes, près du bassin, il avait coupé deux branches de saule, puis les avait soigneusement élaguées.

— Voici ton épée, avait-il dit en jetant aux pieds de Kahlan une des armes d'entraînement.

D'humeur joueuse, il avait défié sa femme de se défendre. Elle-même encline à la malice, elle avait tenté de lui porter un coup en traître, histoire de le remettre à sa place. Parant le coup puis contre-attaquant, Richard avait froidement déclaré qu'elle était morte.

Kahlan était repassée à l'assaut – dans les règles, cette fois –, et il l'avait « décapitée » en deux temps, trois mouvements. Un peu irritée, elle avait attaqué avec plus de sérieux – et le peu de force dont elle disposait – mais s'était retrouvée, trois passes d'armes plus tard, avec la pointe de l'arme de Richard entre les seins.

— Morte trois fois sur trois ! avait triomphé son mari.

Ce jeu était devenu un rituel quotidien, et Kahlan brûlait de plus en plus d'envie de gagner. Impitoyable, Richard ne la ménageait pas, ne daignant même pas se montrer compatissant quand elle se plaignait de la lenteur de son rétablissement. Chaque jour, il l'humiliait devant Cara, qui ne perdait pas une miette de leurs duels, surtout au début.

Consciente qu'il la poussait à ses limites pour qu'elle regagne plus vite sa force, son endurance et sa confiance en ses aptitudes physiques, Kahlan ne lui était pas plus reconnaissante que ça. Elle voulait gagner, et le reste ne comptait pas !

Ils portaient en permanence leur épée de bois à la ceinture, saisissant la moindre occasion de ferrailler. Au début, Kahlan n'était pas un adversaire à la hauteur pour Richard, et il n'avait rien fait pour le lui cacher. Cette arrogance calculée avait poussé la jeune femme à lui prouver qu'elle n'avait rien d'une néophyte. Après tout, l'escrime n'était pas une affaire de force, mais de technique, de rapidité et de vivacité.

Sans jamais la couvrir de louanges mensongères, ce qui eût été dangereux, Richard l'encourageait et l'aidait à progresser. Au bout de quelques semaines, la tuer était devenu un tout petit peu plus compliqué et lui demandait davantage de concentration.

Kahlan avait eu un excellent professeur en la personne de son père, Wyborn, un roi dépossédé de sa couronne quand sa mère avait décidé de le prendre pour compagnon. Pour une Inquisitrice, personne n'était intouchable, y compris les souverains. Wyborn de Galea ayant eu deux enfants avec sa précédente et royale épouse, Kahlan avait une demi-sœur et un demi-frère un peu plus âgés qu'elle.

Lors de ses duels contre Richard, elle brûlait d'envie de faire honneur à son père. Savoir qu'elle pouvait être bien meilleure avait quelque chose de frustrant. Mais elle ne manquait pas de connaissances, tout au contraire. Seuls ses muscles, loin d'être redevenus ce qu'ils étaient, limitaient ses performances.

Une autre chose la troublait : Richard avait une façon de se battre qui ne correspondait ni à l'entraînement dispensé par Wyborn ni au style des adversaires qu'elle avait rencontrés. La différence était indéfinissable mais bien réelle, et, pour gagner, elle devait absolument comprendre de quoi il s'agissait.

Au début, ils s'étaient limités à des duels dans la prairie, où Kahlan ne craindrait pas trop de trébucher sur des obstacles. Et s'il lui arrivait quand même de s'étaler, elle ne risquait pas de se fracturer le crâne sur un rocher.

Devant Cara, leur unique mais fidèle spectatrice, leurs combats avaient commencé à se prolonger, à devenir plus acharnés et à coûter beaucoup plus d'énergie à la convalescente.

Deux ou trois fois, excédée par la dureté dont Richard faisait montre pendant leurs affrontements, Kahlan lui avait battu froid pendant des heures plutôt que de lui jeter au visage des paroles qui auraient dépassé sa pensée – et qu'elle aurait regrettées la seconde d'après.

— Réserve ta colère pour un véritable ennemi, lui disait souvent son mari. Ici, elle ne te servira à rien. Sur un champ de bataille, elle peut occulter la peur. Sers-toi de nos duels pour apprendre à ton arme ce qu'il faut faire. Plus tard, elle t'obéira sans que tu aies besoin d'y penser.

Kahlan savait qu'un ennemi n'était jamais gentil ou compatissant. Si Richard la ménageait, il risquait simplement de lui donner de mauvaises habitudes – ou une confiance en elle-même injustifiée, ce qui était encore plus dangereux.

Si agaçantes que fussent parfois ces leçons d'escrime, Kahlan n'en voulait jamais longtemps à Richard. *Primo*, parce qu'elle l'aimait trop pour ça. *Secundo*, parce qu'elle n'était pas dupe : c'était contre elle-même, pas contre lui, qu'elle éprouvait une colère noire.

Toute sa vie, elle avait connu des hommes qui consacraient leur existence aux armes. En plus de son père, certains des meilleurs escrimeurs l'avaient à l'occasion fait profiter de leurs lumières. Aucun ne se battait comme Richard. Une épée au poing, il devenait un artiste capable de conférer une indéniable beauté à l'acte de tuer. Mais il y avait quelque chose de plus – un élément essentiel – sur lequel elle ne parvenait pas à mettre le doigt.

Avant qu'elle soit agressée, en Anderith, Richard lui avait dit un jour que la magie était une forme d'art. À l'époque, elle avait répondu que c'était absurde. Désormais, elle se posait des questions. D'après ce qu'elle avait compris, pour bannir les Carillons, il avait utilisé son pouvoir d'une manière créative – pour *inventer* une solution à un problème qui n'en avait apparemment pas.

Un après-midi, vers la fin d'un duel, elle avait eu la certitude de le tenir au bout de son épée. Une ouverture s'offrait à elle, et elle allait enfin le tuer !

Il avait sans peine esquivé son « coup mortel » et riposté d'une imparable pointe au cœur. Avec un naturel presque nonchalant, il avait accompli un exploit qui semblait impossible.

À cet instant, Kahlan avait compris. Jusque-là, elle s'était égarée sur de fausses pistes.

L'important n'était pas que Richard soit un grand escrimeur ou un sculpteur de génie. Dans tous les cas, une seule et même chose faisait la différence : il était uni avec sa lame, que ce soit celle d'une épée, d'un couteau, d'un ciseau de sculpteur ou d'une arme en bois.

Le Sourcier était un maître – pas de l'escrime, de la sculpture ou de quoi que ce fût d'autre, mais de la lame, qu'importent sa nature ou son usage !

Le combat n'était qu'une facette de son talent. Il tuait avec son épée, et, pour préserver l'équilibre – une notion capitale quand il était question de magie –, il créait des merveilles avec son ciseau à froid. Kahlan avait étudié séparément les multiples aptitudes de son mari, tentant de les comprendre les unes après les autres. Richard, lui, se voyait comme un tout, et il avait raison.

Sa façon de tirer à l'arc, sa maîtrise de sculpteur, ses dons d'escrimeur – et même sa démarche souple de félin… Ce n'étaient pas des caractéristiques distinctes de sa personnalité, mais l'expression d'une seule et même réalité.

Le jour où elle avait compris cela, Kahlan s'était pétrifiée au milieu d'un duel.

—Que t'arrive-t-il ? avait demandé Richard. Tu es toute pâle…

—Tu danses avec les morts…, avait soufflé la jeune femme, son épée pointée vers le sol. Voilà ce que tu fais quand tu te bats !

Le Sourcier l'avait regardée avec des yeux ronds, comme si elle venait d'annoncer que l'eau était humide.

—Bien entendu… (Il avait touché l'amulette pendue à son cou. Au centre, enchâssé dans un entrelacs complexe de lignes en fils d'or et d'argent, brillait un rubis en forme de larme.) Je t'ai expliqué ça il y a longtemps. Aurais-tu enfin décidé de me croire ?

Kahlan s'était souvenue de la réponse terrifiante de Richard, le jour où elle l'avait interrogé sur l'amulette.

—Le rubis représente une goutte de sang. Il incarne la philosophie du Premier Édit. Celui-ci pourrait se résumer par un mot : frapper. Une fois engagé dans un combat, tout le reste est secondaire. Frapper devient un devoir, un but et un désir. Aucune règle n'est plus importante que celle-là, et rien ne permet de la violer. Frapper !

» Les lignes sont une représentation abstraite de la *danse*. Frappe l'ennemi aussi vite et directement que possible. Frappe d'une main ferme, décisive et résolue. Détruis la force de ton adversaire, et profite du premier défaut de sa cuirasse. Ne le laisse pas respirer, taille dans sa chair et écrase-le ! Puis dévaste son esprit sans pitié !

» Sans la mort, il n'y aurait pas d'équilibre, et la vie en souffrirait. Cela s'appelle danser avec les morts. Un sorcier de guerre obéit aveuglément à cette loi – ou il meurt !

Cette danse était une forme d'art, comme la sculpture. Les deux avaient pour outil une lame, et pour Richard, il n'y avait aucune différence entre l'une et l'autre. Il l'affirmait haut et fort, et il avait raison, car en lui, les choses étaient bien ainsi.

Kahlan, Cara et Richard partageaient la prairie avec un renard roux qui en avait fait son territoire de chasse. Grand amateur de rongeurs, il ne détestait pas non plus les insectes bien gras que la convalescente lui lançait de temps en temps.

Les chevaux ne redoutaient pas outre mesure le renard. En revanche, ils s'inquiétaient dès que des coyotes rôdaient dans les environs. Kahlan ne les avait pratiquement jamais vus, mais elle devinait qu'ils étaient là quand les chevaux hennissaient nerveusement. La nuit, massés sur les flancs des montagnes, les prédateurs donnaient souvent de longs concerts de jappements furieux. Certains soirs, les loups leur répondaient, leurs cris beaucoup plus harmonieux se répercutant longtemps entre les pics.

Un après-midi, Kahlan avait aperçu un grizzly, entre les arbres. Impassible, le plantigrade avait à peine accordé un regard aux trois humains. Un soir, un lynx s'était aventuré près de la maison, paniquant les chevaux. Pour les retrouver, Richard avait eu besoin d'une journée entière...

Des tamias venaient régulièrement mendier de la nourriture devant leur porte. Très souvent, ils s'invitaient dans la cabane pour s'offrir un petit tour du propriétaire. Kahlan s'était plus d'une fois surprise à leur parler, posant des questions comme s'ils avaient pu la comprendre. À les voir s'immobiliser et incliner la tête, elle se demandait parfois si ce n'était pas le cas.

Très tôt le matin, de petites hardes de cerfs traversaient la prairie, laissant parfois des empreintes en forme de cœur inversé juste devant le seuil de la cabane. La saison des amours approchant, des mâles très agressifs aux andouillers impressionnants venaient parfois pousser leurs brames à la lisière des bois. Une des peaux que portait Kahlan avait appartenu à un loup blessé par un cervidé en rut, dans un bosquet de chênes, pas très loin de la prairie. D'un coup de couteau, Richard avait épargné à l'animal une longue et douloureuse agonie.

En plus des duels, Kahlan avait droit à de longues randonnées afin de se remuscler les jambes. Parfois, ses mollets et ses cuisses lui faisaient si mal qu'elle ne parvenait pas à s'endormir. Ces soirs-là, Richard la massait avec des onguents spéciaux. En général, ces traitements étaient assez efficaces pour qu'elle trouve le sommeil.

Un jour, après un retour à la cabane sous une pluie glacée, il l'avait enduite d'onguent tandis qu'elle gisait sur le lit, les yeux fermés.

— Tes jambes sont redevenues comme avant…, avait-il murmuré.

Relevant les paupières, Kahlan avait lu du désir dans les yeux de son mari. Cela n'était pas arrivé depuis si longtemps ! Trop émue, elle n'avait pas pu retenir ses larmes. Comme il était bon de redevenir une femme séduisante, après des mois de misère physique et de mélancolie !

Richard lui avait soulevé la jambe pour embrasser doucement sa cheville nue. Alors qu'un frisson remontait jusqu'à ses cuisses, Kahlan s'était sentie envahie par un désir aussi inattendu que violent.

Son mari avait écarté les pans de sa chemise de nuit, lui avait enduit l'abdomen d'onguent et avait laissé remonter ses mains pour lui effleurer les seins. Voyant qu'elle s'abandonnait, il avait lentement et tendrement joué avec ses tétons.

— Seigneur Rahl, avait soupiré Kahlan, je crois que vous vous laissez emporter…

Richard s'était immobilisé, semblant s'aviser de ce qu'il faisait, puis il avait retiré ses mains.

— Je ne suis pas en sucre, Richard… Remets donc tes mains où elles étaient ! Je vais très bien, et j'aimerais beaucoup que tu continues.

Pendant qu'il lui embrassait les seins, puis les épaules et le cou, Kahlan avait refermé ses doigts sur les cheveux épais de son mari. Son souffle chaud, contre sa peau, la faisait frissonner, et ses caresses la rendaient folle. La faiblesse et les souffrances des derniers mois oubliées, quand il l'avait embrassée délicatement, elle lui avait rendu son baiser avec une passion sans équivoque : il n'était pas obligé de la toucher comme si elle allait se casser en deux !

Alors que la pluie martelait le toit, des éclairs illuminant sporadiquement les contours de Bravoure, qui semblait veiller sur eux, Richard et Kahlan avaient fait l'amour comme si rien de terrible n'était jamais arrivé. Sans angoisse ni retenue, la jeune femme avait retrouvé l'ivresse de ces étreintes dont ils étaient privés depuis si longtemps. Comme aux pires moments de son épreuve, elle avait pleuré et gémi, mais de pure joie, cette fois.

Beaucoup plus tard, alors que Richard se reposait dans ses bras, elle avait senti une larme rouler sur sa joue. Que se passait-il ? avait-elle demandé. Il n'allait pas bien ?

Non, avait-il répondu. Mais l'angoisse de la perdre l'avait tellement torturé qu'il avait parfois douté que sa raison résisterait jusqu'au bout. À présent, il pouvait relâcher son contrôle, car la folie ne le menaçait plus.

La tristesse que Kahlan avait lue dans ses yeux, quand elle ne parvenait pas à se rappeler son nom, en était à tout jamais bannie…

Les randonnées étaient devenues de plus en plus longues. Parfois, ils emportaient des sacs à dos et passaient la nuit dehors – de préférence sous un pin-compagnon, quand ils en trouvaient un. Le terrain accidenté offrait une variété infinie de panoramas. À certains endroits, des falaises d'une hauteur vertigineuse les dominaient. À d'autres, au bord de fabuleux précipices, ils admiraient le coucher du soleil, émerveillés par la manière dont il colorait d'or et de pourpre les vallées qui s'étendaient à leurs pieds.

Ils avaient vu des cascades majestueuses couronnées de leur propre arc-en-ciel et s'étaient baignés dans des bassins naturels où l'eau était d'une limpidité cristalline. Certains jours, ils avaient pique-niqué au sommet de rochers qui offraient une vue plongeante sur des paysages qu'aucun être humain n'avait contemplés avant eux. Dans la forêt, ils avaient suivi des pistes ouvertes par les animaux entre des arbustes ratatinés ou s'étaient enfoncés sous les frondaisons d'arbres si énormes que vingt hommes n'auraient pas pu faire le tour de leur tronc en se tenant par la main.

Afin d'améliorer la tonicité de ses muscles, Richard avait insisté pour que Kahlan s'entraîne au tir à l'arc. Partant souvent à la chasse, ils ramenaient surtout de petites prises qu'ils faisaient rôtir ou qu'ils mettaient à fumer comme une partie de leur pêche. Contraint de respecter jusque-là un régime sans viande – la compensation exigée par le don pour les vies qu'il prenait –, Richard avait recommencé à en manger un peu. Ne tuant plus personne, il n'était plus obligé de préserver l'équilibre en n'ingérant pas de chair morte.

Il semblait en paix, en tout cas. Était-ce à cause de la sculpture ? Parce qu'elle assurait ce fameux équilibre d'une autre manière ? Personne ne le savait, mais les faits étaient là : il pouvait sans inconvénient reprendre un régime carné.

Lors de leurs randonnées, les trois jeunes gens se nourrissaient en général de riz, de haricots et de bannock, en plus du gibier qu'ils abattaient.

Quand ils restaient près de la cabane, Kahlan participait au vidage des poissons puis à leur fumage. Une activité nouvelle pour elle, et qui lui plaisait presque autant que de cueillir des baies, des noix, des noisettes et des pommes pour les entreposer dans leur cellier avec les racines comestibles que Richard avait achetées lors de leur voyage.

Il avait également transplanté de jeunes pommiers dans la prairie, à côté de la cabane. Ainsi, avait-il dit, ils auraient à l'avenir de jolis fruits à disposition.

Les remarques de ce type inquiétaient Kahlan. Combien de temps avait-il l'intention de rester loin de l'endroit où on avait besoin de lui ? Des semaines ? Des mois ? Des années ? Cette question jamais prononcée planait toujours au-dessus de leurs têtes, comme un banc de nuages d'orage. Cara n'évoquait pas le sujet avec son seigneur, mais elle y faisait parfois allusion quand la Mère Inquisitrice et elle étaient seules. Pour elle, cette situation n'avait rien de gênant. Étant la garde du corps du seigneur Rahl, elle se réjouissait de l'avoir en permanence sous les yeux et de le savoir en sécurité.

Kahlan, elle, continuait à sentir peser sur ses épaules le poids de leurs responsabilités. Comme les montagnes, autour d'eux, dont les ombres étaient omniprésentes, la réalité ne pouvait pas être niée. Bien qu'elle aimât beaucoup la cabane, la nature et tout ce que Richard lui avait fait découvrir, Kahlan ne pouvait oublier qu'une guerre faisait rage, et qu'ils y étaient impliqués. Chaque jour, elle devenait plus impatiente de retourner là où était sa place. Et ne pas savoir ce qui se passait, partout où se jouait l'avenir du monde, lui semblait intolérable.

L'Ordre Impérial n'avait sûrement pas levé et mis en mouvement une armée de cette taille pour qu'elle croupisse indéfiniment en Anderith. Tous les soldats, et en particulier des soudards comme ceux de Jagang, perdaient patience quand on les laissait cantonnés trop longtemps, et ils finissaient par poser des problèmes à leur hiérarchie. Par-dessus tout, Kahlan s'inquiétait au sujet des gens qui avaient besoin de la présence du Sourcier – et de la sienne – pour ne pas perdre espoir. Dans les Contrées du Milieu, des peuples entiers vivaient depuis toujours avec la certitude de pouvoir compter sur la Mère Inquisitrice.

Et Richard qui semblait décidé à rester en exil jusqu'à la fin des temps ! En prévision de l'hiver – un signe de plus qu'il n'était pas pressé de repartir –, il avait fabriqué pour sa femme un manteau de fourrure essentiellement composé de peaux de loup – plus celles de deux coyotes. Le premier était blessé – une patte cassée, sans doute à cause d'une chute –, et il l'avait miséricordieusement achevé. Le second, un teigneux banni de sa meute, avait tenté de s'introduire dans leur petit fumoir. D'une seule flèche, Richard avait foudroyé ce pillard malavisé.

En revanche, ils avaient prélevé les peaux de loup sur des animaux malades ou trop vieux pour survivre longtemps. Jugeant que c'était un excellent exercice, Richard et Cara entraînaient souvent Kahlan à la poursuite d'une horde de loups. Désormais, la Mère Inquisitrice savait repérer la piste de ces fiers prédateurs, et elle parvenait même à distinguer du premier coup d'œil l'empreinte d'une patte avant de celle d'une patte arrière. Grâce à Richard, bien entendu, qui lui avait expliqué que les griffes, sur les antérieures, étaient plus espacées, le talon laissant en outre une marque plus nette que celui des postérieures.

Richard avait localisé plusieurs hordes dans les montagnes, et ils s'efforçaient d'en suivre certaines sans se faire remarquer. Une façon amusante, affirmait le Sourcier, de ne pas laisser leurs réflexes s'émousser.

Le manteau de Kahlan terminé, il avait fallu repartir en quête de peaux pour confectionner celui de Cara. Toujours vêtue de son uniforme rouge ou d'une autre tenue liée à sa profession, la Mord-Sith avait été ravie que le seigneur Rahl en personne veuille enrichir sa garde-robe. Même si elle ne l'avait jamais dit si clairement, Kahlan aurait juré que la Mord-Sith voyait cette initiative de Richard comme une preuve d'amitié et de respect. Bref, la confirmation qu'il ne mentait pas en disant qu'elle représentait beaucoup plus pour lui qu'une simple garde du corps.

Pour trouver des peaux de loup, les trois jeunes gens étaient allés très loin dans les montagnes, et pour retourner chez eux, ils avaient dû traverser le bois crochu…

Suite à sa première victoire à l'épée contre Richard, Kahlan se sentit de très bonne humeur. Après deux jours passés à pister des loups, à l'ouest de leur cabane, elle avait hâte de retrouver son foyer et de revoir ses amis les poissons. Bien entendu, il ne s'était pas seulement agi d'une chasse – ni d'une affaire de manteau – mais d'une épreuve d'endurance destinée à pousser un peu plus loin la convalescente sur la voie d'un complet rétablissement.

Depuis deux mois, soit environ le début de l'automne, Richard choisissait pour leurs randonnées des itinéraires de plus en plus exigeants qui les éloignaient chaque fois davantage de la cabane. En chemin, il dégainait très souvent son épée de bois et n'hésitait plus à caresser avec les côtes de sa compagne quand elle ne s'investissait pas assez dans leurs duels.

Sa première victoire, même si elle la savourait, inquiétait un peu Kahlan. Richard était peut-être fatigué d'avoir porté le paquetage le plus lourd et exploré tout seul les pistes les plus dangereuses, avant de revenir chercher ses compagnes, mais il n'était pas épuisé. Pourtant, elle avait réussi à le tuer. Une grande satisfaction personnelle, certes, mais qui la laissait dubitative. Du coin de l'œil, elle l'avait plusieurs fois vu la regarder avec un grand sourire. Il était fier d'elle, et cette « défaite » était en réalité pour lui un fantastique triomphe.

Après tout ce que son mari lui avait fait endurer – pour son bien, évidemment –, Kahlan pensait être plus forte et plus en forme que jamais. Ça n'avait pas été facile, mais se savoir désormais à l'image de Bravoure (dont elle était paradoxalement le modèle) valait amplement tous ses efforts.

— Richard, comment ai-je fait pour te battre ? demanda-t-elle alors que le Sourcier, Cara et elle commençaient à descendre dans le ravin escarpé.

— Tu m'as tué parce que j'ai commis une erreur.

— Que veux-tu dire ? Tu penses t'être montré trop confiant ? Étais-tu fatigué, distrait ou que sais-je d'autre ?

— Qu'importe l'explication ! Le fait demeure : une faute m'a coûté la vie au cours d'un jeu. Face à un véritable adversaire, je serais mort. J'en tire une morale salutaire : ne jamais relâcher ma vigilance ni ménager mes efforts ! En plus, ma mésaventure m'a rappelé que je pouvais commettre une erreur à tout moment, et être vaincu.

Kahlan ne put s'empêcher de se poser une question qui lui semblait corollaire : ne se trompait-il pas aussi en voulant se tenir loin du combat contre la tyrannie de l'Ordre Impérial ? Elle brûlait d'envie d'aider les peuples des Contrées, et tant pis si Richard pensait que ses interventions, si les gens ne voulaient pas de lui comme chef, ne pouvaient faire aucun bien ! Toute Mère Inquisitrice savait que les peuples n'étaient pas toujours conscients que leurs chefs agissaient dans l'intérêt général. Ce n'était pas une raison pour les abandonner !

Heureusement, l'armée de Jagang choisirait probablement de rester en Anderith jusqu'au début du printemps. Cela lui laissait du temps pour convaincre Richard. Hélas, elle ignorait comment s'y prendre. En l'absence de toute faille dans son armure de logique, jouer sur ses sentiments ne servirait à rien, car il ne s'agissait pas d'une affaire affective…

Alors que le vent devenait de plus en plus mordant, les trois voyageurs, parvenus au fond du ravin, entreprirent de traverser un épais bosquet de pins centenaires. Au-dessus de leurs têtes, les cimes des arbres oscillaient comme des mâts de bateaux pris dans une tempête, mais au ras du sol, couvert d'aiguilles marron, on ne sentait presque rien.

Au-delà du ravin, l'ascension se révéla plus facile que prévu. De moins en moins serrés, les arbres devenaient de plus en plus rachitiques à mesure qu'ils approchaient du bois crochu. Les rochers n'étant plus glissants, puisque aucune mousse ne les recouvrait, ils faisaient de très fiables prises aux endroits les plus délicats à négocier.

Dans le bois crochu lui-même, cette étrange frontière avant la désolation, la plupart des arbres étaient à peine plus grands que Richard, et ce lieu sinistre tenait son nom de leurs branches distordues qui évoquaient les bras et les mains ratatinés d'une très vieille sorcière. Étant en plus regroupées d'un seul côté du tronc, à cause des vents dominants, elles conféraient aux arbres l'allure à la fois sinistre et grotesque de grands squelettes pétrifiés tandis qu'ils subissaient mille tourments dans les fosses du royaume des morts.

Après le bois crochu, et jusqu'à la lisière des neiges éternelles, s'étendait un désert de roche nue et grisâtre.

— Le voilà ! cria soudain Cara.

Ils trouvèrent le loup mort – celui que la Mord-Sith avait repéré de loin – au pied d'un éboulis. Beaucoup plus haut, la horde de prédateurs gris avait tenté de tuer un caribou. Le vieux mâle s'était défendu, flanquant une ruade à un de ses agresseurs. Le coup n'aurait pas suffi à le tuer, mais il avait basculé d'une étroite corniche et fait une chute vertigineuse.

Du bout des doigts, Kahlan palpa la fourrure. En parfait état, elle conviendrait très bien pour le futur manteau de Cara.

Pendant que Richard et la Mord-Sith dépeçaient la louve – car il s'agissait d'une femelle –, Kahlan se percha sur une saillie rocheuse pour voir où en étaient les gros nuages noirs qu'ils avaient repérés plus tôt.

— Richard, ce n'est pas de la pluie qui approche, mais de la neige!

— Tu vois des pins-compagnons, dans la vallée?

— Oui, un ou deux… La neige est encore loin. Si vous vous dépêchez, nous arriverons sûrement à temps pour ramasser du petit bois avant qu'il soit trop humide pour brûler.

— Nous avons presque fini, annonça Cara.

Richard se détourna un instant de la louve pour sonder le ciel et la vallée. Avec sa main droite rouge de sang, il vérifia machinalement que l'Épée de Vérité coulissait bien dans son fourreau.

Un geste qu'il ne faisait plus très souvent, ces derniers temps. Depuis le jour où il avait dû tuer ses anciens «amis», près de Hartland, il n'avait plus dégainé son arme.

— Un problème? demanda Kahlan.

— Pourquoi? Oh! je vois, à cause de mon épée! Non, un vieux réflexe, simplement…

— J'ai repéré un pin-compagnon, droit devant. Il n'est pas très loin, et largement assez grand pour nous trois.

Richard s'essuya le front avec le dos de son poignet, pour éviter de le barbouiller de sang.

— Avant l'obscurité, nous serons installés devant un bon feu, avec une délicieuse infusion à savourer. J'accrocherai la peau de loup à l'intérieur des branches, pour une meilleure isolation. Après une agréable nuit de sommeil, nous serons en pleine forme pour repartir. Et dès que nous serons plus bas dans la vallée, la neige deviendra de la pluie un peu plus froide que d'habitude, c'est tout…

En frissonnant, Kahlan resserra autour d'elle les plis de son manteau. Malgré les propos rassurants de Richard, l'hiver venait de les prendre dans ses rets…

Chapitre 20

Quand ils furent de retour chez eux, deux jours après la découverte du cadavre de la louve, tous les petits poissons étaient morts.

Pour rejoindre la vallée, ils avaient emprunté la même piste que lors de leur arrivée, avec les chevaux et la litière, des mois plus tôt. Bien entendu, Kahlan ne se souvenait plus de ce voyage. En ce temps-là, qui lui paraissait infiniment lointain, ses moments de relative lucidité se réduisaient à quelques minutes par jour…

Depuis, Richard et Cara avaient ouvert un autre chemin pour aller du dernier col à leur cabane. Un peu plus court, mais étroit et accidenté, il leur aurait fait gagner à peine un quart d'heure. Après des jours de randonnée, prendre des risques pour un si maigre bénéfice ne leur avait pas paru judicieux. Cela dit, avec le vent glacial qui balayait la région, retrouver leur intérieur confortable et se débarrasser enfin de leur paquetage leur avait fait un bien fou.

Pendant que Richard allait chercher du bois de chauffe, Cara se chargeant de puiser de l'eau, Kahlan déplia le carré de tissu qui contenait sa « chasse » de la matinée : un échantillonnage de petits insectes dont se régaleraient les vairons, sûrement affamés.

Hélas, aucun n'avait survécu.

— Que se passe-t-il ? demanda Cara en entrant.

Posant son seau rempli à ras bord, elle approcha des bocaux.

— Je crois qu'ils sont morts de faim…, soupira Kahlan.

— Les petits poissons comme ceux-là ne vivent pas longtemps dans un bocal, dit Richard en entrant à son tour.

Il s'agenouilla et posa sa cargaison de bûches de bouleau à côté de la cheminée.

— Ceux-là avaient tenu longtemps, objecta Kahlan.

— Vous ne leur aviez pas donné de nom, hein ? Je vous avais prévenues

223

qu'ils mourraient vite. Quand une situation doit irrémédiablement mal se terminer, il ne faut pas s'investir affectivement.

— Cara avait baptisé un des poissons.

— Pas vraiment, marmonna la Mord-Sith. C'était pour que vous sachiez duquel je voulais parler, rien de plus…

Le feu allumé, Richard se releva et sourit.

— De toute façon, je vous en apporterai d'autres.

— Ils ne seront pas comme ceux-là ! déclara Kahlan. Ces poissons avaient besoin de moi.

— Quelle imagination romantique ! railla Richard. Ils dépendaient de nous parce que nous avions modifié leur vie. C'est pareil pour les tamias. Si nous continuons à les gaver comme ça, ils ne collecteront pas de graines pour l'hiver. Tes poissons n'avaient pas le choix, puisque nous les avions enfermés dans des bocaux. En liberté, ils se seraient pas mal fichus de nous ! N'oublie pas qu'il m'a fallu un filet pour les attraper. Ils ne se sont pas invités chez nous, Kahlan. Les prochains auront tout autant besoin de toi.

Deux jours plus tard, par une journée un peu maussade, après un délicieux déjeuner composé d'un ragoût de lapin, de navets, d'oignons et de pain – la spécialité de Cara, désormais –, Richard annonça qu'il allait vérifier les lignes et pêcher de nouveaux petits compagnons pour sa femme et sa terrible garde du corps.

Quand il fut sorti, Cara collecta les couverts et les mit à tremper dans un seau d'eau.

— Mère Inquisitrice, dit-elle, j'aime bien cet endroit, c'est vrai, mais ce calme commence à me taper un peu sur les nerfs.

— Que veux-tu dire exactement ? demanda Kahlan.

Elle prit les assiettes et les vida dans le seau réservé aux déchets alimentaires et régulièrement vidangé sur le tas de fumier, à l'écart de la cabane.

— Ce coin est paradisiaque, Mère Inquisitrice, mais il me ramollit le cerveau. Je suis une Mord-Sith, au cas où vous l'auriez oublié. Et voilà que je donne un petit nom à un poisson ! Ne serait-il pas temps de convaincre le seigneur Rahl que nous avons tous plus urgent à faire ?

Kahlan soupira intérieurement. Elle aimait leur cabane, la montagne et la solitude… Plus que tout, elle chérissait le temps qu'elle pouvait passer avec Richard sans que nul ne vienne les déranger. Mais Aydindril lui manquait, tout comme la compagnie d'autres êtres humains et le simple fait de se promener dans une ville grouillante d'activité. Le monde n'avait pas que des avantages, il fallait l'admettre, mais on y vivait… eh bien, beaucoup plus intensément.

Kahlan avait eu son existence entière pour s'habituer à la méfiance des gens, qui refusaient parfois son aide – quand ils ne se méprenaient pas sur ses intentions, pensant qu'elle leur voulait du mal. Depuis très longtemps, cela ne l'empêchait plus d'aller hardiment de l'avant. Richard, lui, n'avait jamais eu l'occasion d'apprendre à accomplir son devoir même quand on lui témoignait une froide indifférence – voire de l'hostilité.

— Tu as raison, Cara, bien entendu…, dit Kahlan en rangeant le seau de détritus sur une étagère.

Surtout, il ne faudrait pas qu'elle oublie d'aller le vider, plus tard…

Était-elle destinée à devenir une Mère Inquisitrice des bois ? Une femme qui resterait loin de son peuple tandis qu'il combattait pour sa liberté ?

— Mais tu connais la position de Richard, mon amie… Il juge irresponsable de participer à un combat quand sa raison lui souffle qu'il ne devrait pas. Et il refuse d'écouter ce que lui dit son cœur.

— Vous êtes la Mère Inquisitrice, oui ou non ? Brisez le charme qui nous lie à cet endroit. Dites au seigneur Rahl que vous voulez retourner là où vous serez utile. Que pourra-t-il faire ? Vous attacher à un arbre ? Si vous partez, il vous accompagnera. C'est aussi simple que ça.

— Non, après ce qu'il nous a dit, je n'agirai pas ainsi. On ne traite pas comme ça quelqu'un qu'on respecte. Je ne suis pas tout à fait d'accord avec lui, tu le sais, mais je comprends son analyse, et je le connais assez pour redouter… qu'il ait raison.

— S'il part avec vous, il ne sera pas obligé de redevenir le chef ! Vous le forcerez à s'en aller, je vous le concède, mais pas à reprendre les rênes du pouvoir. (Cara eut un petit sourire.) Cela dit, quand il verra comment vont les choses sans lui, il changera d'avis.

— C'est en partie pour ça qu'il nous a amenées si loin de tout, Cara. S'il est sur le terrain, il a peur de ne pas pouvoir s'empêcher d'intervenir. Tu voudrais que je joue de ses sentiments pour moi afin de l'attirer dans un tel piège ? Et même s'il parvenait à ne pas s'engager dans la bataille, la façon d'agir que tu me suggères creuserait un fossé entre nous.

» Richard est convaincu d'avoir raison, et je ne le forcerai pas à se renier.

Cara s'empara d'un chiffon et entreprit de laver les couverts.

— Il ne croit peut-être pas lui-même ce qu'il raconte ! Au plus profond de son être, je veux dire… Après l'affaire d'Anderith, il doute de lui-même et trouve sans doute plus confortable de rester à l'écart de la réalité.

— Richard ne manque pas de confiance en lui, affirma Kahlan. Ce n'est pas la clé du problème ! S'il doutait de lui, comme tu le penses, il repartirait pour le front, parce que ce serait le chemin le plus facile. S'isoler est bien plus perturbant, comme nous pouvons toutes les deux en attester.

» Cara, si tu crois que c'est ton devoir, tu es libre de t'en aller. Richard n'a aucun droit sur toi.

—J'ai juré de le suivre quelles que soient les bêtises qu'il fait.

—Des bêtises? Tu restes à ses côtés parce que tu as foi en lui, comme moi. Et c'est aussi pour ça que je ne lui forcerai pas la main.

La mine défaite, Cara se concentra sur la vaisselle.

—Dans ce cas, nous voilà coincées ici – deux pauvres femmes condamnées à vivre au paradis jusqu'à ce que mort s'ensuive!

Kahlan comprenait parfaitement la frustration de la Mord-Sith. Cela posé, déclarer qu'elle ne recourrait pas à la contrainte face à Richard ne signifiait pas qu'elle renoncerait à le faire changer d'avis.

—Ne t'inquiète pas, Cara, nous ne dépérirons sans doute pas d'ennui dans la plus belle région du monde. Comme toi, je pense qu'il serait temps de partir et de reprendre le combat.

—Alors, que pouvons-nous faire pour le persuader?

—Richard est parti pour un moment… Puisqu'il ne nous traînera pas dans les pattes, que dirais-tu de prendre un bon bain?

—Un bain?

—Oui, parce que j'ai très envie d'être propre, et de ne plus ressembler à une vagabonde. De plus, j'aimerais me laver les cheveux et mettre ma robe blanche d'Inquisitrice.

—Votre robe blanche? répéta Cara avec un sourire de conspiratrice. Si je comprends bien, la bataille va se dérouler sur un terrain où une femme prend vite l'avantage…

Du coin de l'œil, Kahlan apercevait Bravoure, sur le rebord de la fenêtre de sa chambre. Sa robe flottant au vent, la tête inclinée en arrière, les poings sur les hanches, elle défiait le monde du regard, prête à affronter quiconque tenterait de limiter sa liberté.

—Il ne s'agit pas de ce que tu crois, mais je pense pouvoir mieux plaider ma cause dans une tenue adaptée. Ce ne sera pas injuste, comprends-tu? La Mère Inquisitrice va soulever le problème avec Richard. Je crois que son jugement est faussé, mais il est difficile de rester lucide quand on meurt d'inquiétude pour la personne qu'on aime.

Pensant aux menaces qui pesaient sur les Contrées du Milieu, Kahlan serra les poings et les plaqua contre ses hanches.

—Je veux lui montrer que tout ça est terminé. Je vais bien, désormais, et il est temps de nous soucier de nos responsabilités.

Avec un sourire espiègle, Cara écarta de son front une mèche de cheveux blonds.

—Si vous passez cette robe, le seigneur Rahl sera convaincu que vous êtes rétablie. Et à mon avis, ça lui donnera des idées… Si vous voyez ce que je veux dire…

—Je désire qu'il voie la femme assez forte pour le battre à l'épée. Et la Mère Inquisitrice des Contrées du Milieu.

226

—Eh bien, pour être franche, je n'aurais rien contre un bain… Si je me tiens derrière vous, en uniforme rouge, les cheveux propres et ma tresse refaite, il ne verra plus son amie Cara, mais une Mord-Sith qui partage votre point de vue et qui a hâte de retourner au combat.

—C'est décidé, dans ce cas. (Kahlan alla plonger les assiettes dans le seau d'eau.) Nous avons largement le temps de tout faire avant qu'il revienne…

Richard avait fabriqué pour les deux femmes une baignoire sabot très confortable. Trop petite pour qu'on puisse s'y étendre voluptueusement, c'était néanmoins du grand luxe pour une habitation de montagne.

Cara approcha de la baignoire, rangée dans un coin et la tira sur le plancher poussiéreux où elle laissa de profonds sillons.

—Je vais la mettre dans ma chambre, et vous commencerez. Comme ça, si votre cher mari rentre plus tôt que prévu, vous l'occuperez pendant que je termine mes ablutions.

Les deux femmes allèrent puiser de l'eau et en mirent une partie à chauffer dans une grosse bouilloire. Quand Kahlan put enfin entrer dans son bain – à la température idéale –, elle s'autorisa un long soupir d'aise. Elle aurait bien aimé rester un long moment dans la baignoire, mais ce n'aurait pas été très gentil pour Cara.

Elle sourit en repensant à tous les ennuis que Richard avait eus avec les bains et les femmes. En un sens, il avait de la chance de ne pas être là… Plus tard, quand ils auraient parlé, elle lui demanderait de prendre également un bain avant de se coucher. Elle adorait l'odeur de sa sueur, certes, mais quand il était propre.

Grâce à la stratégie qu'elle venait d'élaborer, Kahlan se donnait une bonne chance de convaincre Richard. Et cette idée la mettait d'excellente humeur.

Quand elle fut propre comme un sou neuf, elle sortit du bain, se sécha vigoureusement, puis se brossa les cheveux près du feu. Dès que Cara eut fait chauffer assez d'eau, elle prit possession de la baignoire.

Kahlan alla dans sa chambre pour enfiler sa robe blanche. Beaucoup de gens redoutaient ce vêtement parce qu'ils avaient peur des femmes qui le portaient – une très longue lignée de Mères Inquisitrices. Richard, lui, l'avait toujours trouvée superbe dans cette tenue.

Alors qu'elle jetait sa serviette sur le lit, Kahlan vit la statue du coin de l'œil. Sans s'habiller, elle plaqua les poings sur ses hanches, inclina la tête en arrière et arqua le dos. Comme si en devenant le reflet de Bravoure, elle pouvait s'approprier toutes les qualités qu'elle admirait tant chez elle.

Et de fait, l'esprit farouche de la statue l'habitait. Aujourd'hui, de grands changements se produiraient, elle le sentait.

Certaine que tout irait bien, Kahlan s'habilla rapidement. Après des mois passés dans la peau d'une blessée, puis d'une forestière, porter de nouveau sa tenue de Mère Inquisitrice était un peu étrange. Mais pour l'essentiel, ce retour aux sources avait quelque chose de rassurant.

Dans sa fonction, Kahlan était un parangon de confiance en soi. Fondamentalement, sa robe avait tout d'une armure de guerre. Quand elle la mettait, elle se sentait… eh bien… importante, comme si elle portait sur les épaules le poids d'une glorieuse histoire. Tant de femmes exceptionnelles l'avaient précédée à ce poste ! La Mère Inquisitrice ployait certes sous les responsabilités, mais elle avait aussi la satisfaction de pouvoir influencer en bien la vie des gens…

Les peuples des Contrées dépendaient d'elle. Elle avait une mission à accomplir, et pour cela, elle devait convaincre Richard que cet exil volontaire avait assez duré. Lui aussi avait un rôle essentiel à jouer dans le monde. Mais s'il s'obstinait à ne plus donner d'ordres, il devait au moins accepter de partir avec elle. Les hommes et les femmes qui luttaient contre l'Ordre méritaient de savoir que la Mère Inquisitrice était toujours à leurs côtés, et qu'elle n'avait pas perdu la foi. Richard avait un esprit assez ouvert pour comprendre cela…

De retour dans la pièce commune, Kahlan entendit les clapotis du bain de la Mord-Sith.

— Tu as besoin de quelque chose ? lança-t-elle à travers la porte fermée.

— Non, tout va bien. Mais ce n'était pas du luxe, Mère Inquisitrice. Quand je sortirai, il y aura assez de terre, au fond de la baignoire, pour y planter des patates !

Kahlan eut un petit rire entendu. Puis elle aperçut un tamia, juste derrière la fenêtre.

— Je vais apporter un trognon de pomme à Chippy. S'il te faut quelque chose, n'hésite pas à m'appeler.

Les deux femmes avaient baptisé «Chippy» tous les tamias des environs. Ils répondaient d'autant plus volontiers à ce nom qu'il était annonciateur d'un petit festin.

— Très bonne idée, dit la Mord-Sith. Si le seigneur Rahl rentre avant que j'aie fini, embrassez-le ou parlez-lui de la pluie et du beau temps, mais attendez-moi pour entrer dans le vif du sujet. Il faut lui ouvrir les yeux, et nous ne serons pas trop de deux.

— C'est promis ! lança Kahlan.

Elle alla chercher un trognon de pomme dans le petit seau de nourriture réservée aux animaux suspendu à une corde, assez haut pour que les tamias ne puissent pas se servir seuls. Tous les écureuils raffolaient de cette gâterie. Les chevaux, eux, préféraient qu'on leur offre le fruit entier.

— Chippy, Chippy! appela doucement Kahlan dès qu'elle eut ouvert la porte. Tu as faim, Chippy?

Le tamia resta là où il était, fouillant un petit carré d'herbe comme s'il espérait y trouver un trésor. Kahlan sortit et avança lentement pour ne pas l'effrayer. Alors que le vent glacé faisait voleter sa robe sur ses jambes, elle constata que la température avait presque assez baissé pour qu'on ne puisse plus sortir sans manteau. Derrière la cabane, les branches dénudées des chênes, malmenées par les bourrasques, craquaient sinistrement. Plus grands et donc davantage exposés au vent, les pins se pliaient parfois comme s'ils allaient se déraciner. Mais ils tenaient bon, comme toujours…

La lumière du soleil filtrait à peine d'un épais banc de nuages gris. Dans ce « clair-obscur », la robe blanche semblait plus éclatante encore qu'à l'accoutumée.

Kahlan appela de nouveau le tamia. En général, et bien qu'ils fussent très craintifs, ces petits animaux ne résistaient pas au ton doux et chantant qu'elle adoptait pour leur parler. Dès qu'ils entendaient sa voix, ils s'immobilisaient sur leur postérieur, regardaient autour d'eux pour s'assurer qu'il n'y avait pas de danger, puis couraient ventre à terre vers elle.

— Regarde, Chippy, dit Kahlan en faisant rouler le trognon de pomme vers le minuscule écureuil. Un délice pour toi!

Chippy se précipita à la rencontre de cette manne pas si inespérée que ça. Fascinée, Kahlan le regarda s'attaquer voracement à son repas supplémentaire.

Soudain, il sursauta, couina nerveusement et se pétrifia.

Kahlan releva la tête… et son regard croisa celui d'une femme aux yeux bleus.

L'intruse se tenait à dix pas d'elle, l'étudiant impassiblement. Kahlan ravala de justesse le cri qui montait de sa gorge. Cette femme semblait s'être matérialisée devant elle comme par magie. Et sa seule vue suffisait à donner la chair de poule…

Ses longs cheveux blonds cascadant bien au-delà de ses épaules, elle portait une robe noire d'une sobre élégance. D'une beauté frappante, proche de la perfection, à vrai dire, elle avait des yeux si brillants d'intelligence et si vifs que…

… Oui, elle ne pouvait être qu'une personne d'une absolue intégrité – où un des pires démons qui eussent jamais existé.

Hélas, Kahlan ne se faisait pas d'illusions sur la réponse.

Devant cette femme, elle se sentait laide comme une souillon et plus impuissante qu'une enfant. Incapable de fuir, alors que tout son être lui criait de battre en retraite, elle soutenait le regard de l'inconnue depuis à peine deux secondes, et il lui semblait pourtant qu'une éternité venait de s'écouler.

Kahlan se souvint de la description du capitaine Meiffert. Les cheveux, la robe, les yeux bleus, tout concordait… Mais l'officier n'avait pas mentionné ce qu'on éprouvait en regardant en face cette envoyée de l'empereur. Car ses yeux bleus, en plus d'être magnifiques, reflétaient un vide intérieur qui vous glaçait les sangs.

Quel était son nom, déjà? Pour tout l'or du monde, Kahlan n'aurait pas pu l'extraire des profondeurs de sa mémoire. Aucune importance! Il suffisait de savoir que cette «visiteuse» était une Sœur de l'Obscurité.

Sans un mot, la femme leva un peu les mains puis les tendit, paumes ouvertes, comme si elle voulait offrir quelque chose à la Mère Inquisitrice.

Mais ses mains étaient vides.

Kahlan se prépara à libérer son pouvoir. Avant même qu'elle ait bougé, cette décision instinctive marquait le début d'un affrontement à mort. Mais pour que l'assaut soit efficace, elle devait toucher la Sœur de l'Obscurité.

Au moment où elle allait bondir, une incroyable douleur explosa au cœur même de sa poitrine.

Chapitre 21

Richard entendit un son étrange et s'immobilisa. Comme si la terre tremblait, une vibration en monta, et son écho se répercuta jusque dans sa poitrine. Il pensait avoir aperçu un éclair, à travers le rideau d'arbres – si fugitif, cependant, qu'il était impossible d'être sûr.

Mais le bruit, semblable à celui d'un marteau géant qui se serait écrasé sur une montagne, suffisait à lui glacer les sangs.

Il lâcha les truites qu'il avait pêchées, laissa tomber le bocal plein de vairons et courut vers la cabane. À la lisière du bois, il s'arrêta, le cœur cognant contre les côtes.

Devant la cabane, deux femmes se faisaient face. L'une vêtue de blanc et l'autre drapée de noir, elles étaient reliées par une sorte de serpent de lumière blanche crépitante.

Nicci avait les bras levés et les mains écartées d'un peu plus de la largeur de ses hanches. La lumière jaillissait de sa poitrine et frappait Kahlan au cœur. Elle enveloppait les deux femmes d'une aura aveuglante et ondulait effectivement comme un reptile – mais un serpent pris au piège d'une douleur à laquelle il ne parvenait pas à échapper.

En voyant Kahlan trembler de tous ses membres alors que la lance de lumière la clouait contre la façade de la cabane, Richard fut paralysé de terreur. Un sentiment qu'il connaissait trop bien pour l'avoir éprouvé lorsqu'elle luttait contre la mort, en Anderith et pendant le long voyage pour gagner les montagnes.

Le serpent blanc prenait naissance au niveau du cœur de Nicci. Sans comprendre la magie qu'elle utilisait, Richard devina d'instinct qu'elle était aussi dangereuse pour la Sœur de l'Obscurité que pour sa victime. D'ailleurs, il était visible que la Maîtresse de la Mort souffrait atrocement. Qu'elle prenne délibérément de tels risques la rendait plus terrifiante encore.

S'il voulait sauver Kahlan, Richard devait garder son calme et mobiliser toute son intelligence. D'instinct, il aurait tenté de bondir sur Nicci ou de lui lancer quelque chose dessus. Mais la solution la plus élémentaire ne pouvait pas être la bonne.

« Rien n'est jamais facile », répétait souvent Zedd. Après avoir entendu cette phrase mille fois, Richard comprit soudain qu'elle sonnait à certains moments comme une sentence de mort.

Toutes ses connaissances sur la magie défilèrent en une seconde dans son esprit. Aucune ne lui apprit ce qu'il devait faire, mais elles l'aidèrent à déterminer ce qu'il ne devait surtout *pas* tenter. La vie de Kahlan étant en jeu, il n'avait pas le droit à l'erreur.

Nue comme au jour de sa naissance, Cara jaillit de la cabane telle une furie. Étrangement, Richard ne fut pas surpris de la voir dans cet appareil. Son uniforme moulant ne cachant rien des courbes de son corps, la nudité ne changeait pas grand-chose, à part la couleur de sa peau…

Elle dégoulinait d'eau et avait les cheveux défaits. Si bizarre que ce fût, ce détail parut beaucoup plus indécent à Richard que la totale absence de vêtement.

Son Agiel au poing, la Mord-Sith se ramassa sur elle-même pour attaquer.

—Cara, non ! cria Richard.

Il partit à la course, mais c'était trop tard. Cara avait déjà bondi et abattu son Agiel sur le côté droit du cou de Nicci.

La Sœur de l'Obscurité hurla et tomba à genoux. En face d'elle, Kahlan l'imita comme un reflet dans un miroir.

Cara saisit à pleine main les cheveux de la Sœur de l'Obscurité et les lui tira en arrière pour exposer sa gorge.

—C'est l'heure de mourir, sorcière !

Nicci n'esquissa pas un geste pour se défendre alors que l'Agiel s'abattait sur elle.

Richard plongea sur les derniers pas et percuta la Mord-Sith au moment où son arme allait entrer en contact avec la chair de sa proie. Dans un coin de sa tête, il s'étonna du contact de ce corps nu – une peau soyeuse sur des muscles de fer.

Quand ils touchèrent le sol, l'impact et le poids de son seigneur coupèrent le souffle à Cara. Folle de rage et résolue à combattre jusqu'à la mort, elle tenta de frapper avec son Agiel l'homme qui l'empêchait de voler au secours de Kahlan.

Richard était certain qu'elle ne l'avait pas reconnu. Cette idée ne le consola pas quand l'arme de Cara s'écrasa sur sa joue. Aveuglé comme si son crâne venait d'imploser, il sentit des larmes perler à ses paupières. La douleur bloqua sa respiration, le fit trembler comme un enfant et ramena à son esprit une multitude d'abominables souvenirs.

Quand la soif de tuer la submergeait, Cara ne supportait pas qu'on s'interpose. Recouvrant par miracle un peu de sa lucidité, Richard eut tout juste le temps de la saisir par les poignets et de la plaquer au sol. Le seul moyen de l'empêcher de sauter sur Nicci.

Les Mord-Sith étaient de redoutables adversaires, mais leur formation les destinait avant tout à neutraliser la magie. Par réflexe, Cara avait tenté d'inciter Nicci à utiliser son pouvoir contre elle, afin de le lui subtiliser et de la dominer sans peine.

Oubliant la femme nue qui se débattait sous lui, Richard se concentra sur l'Agiel, dont il voulait à tout prix éviter le contact. Sa tête bourdonnait. S'il s'évanouissait, tout serait perdu, car lui seul pouvait retenir Cara. Et à cet instant, elle était une pire menace pour Kahlan que la Sœur de l'Obscurité.

Si Nicci avait voulu tuer sa proie, l'affaire aurait déjà été réglée. Même s'il ne comprenait pas en profondeur ce que faisait la Maîtresse de la Mort, le Sourcier devinait où elle voulait en venir.

Du sang coulait sur la poitrine de Cara. Contrastant avec sa peau d'une blancheur laiteuse, il semblait plus écarlate que rouge.

—Cara, arrête! cria Richard. (Puisque sa mâchoire fonctionnait, pensa-t-il confusément, elle ne devait pas être cassée.) C'est moi, le seigneur Rahl! Tu ne peux rien faire, car ça tuerait Kahlan! Tu m'entends? Tous les coups que tu portes à Nicci la font souffrir aussi!

—Ce garçon parle d'or…, souffla la Sœur de l'Obscurité de sa voix douce et veloutée.

Quand il sentit qu'elle s'était calmée, Richard lâcha les poignets de la Mord-Sith.

—Je suis désolée, dit-elle en prenant enfin conscience de ce qu'elle avait fait.

Le Sourcier n'eut aucun doute sur la sincérité de son amie. Et s'il en avait eu, la façon dont Cara lui caressa timidement la joue, comme pour s'excuser, les aurait dissipés.

Il la lâcha, se releva, l'aida à se redresser et approcha de Nicci.

Déjà debout, elle semblait aussi altière et hautaine que dans son souvenir. Mais son attention et son pouvoir restaient focalisés sur Kahlan.

La magie de Richard s'était éveillée, n'attendant qu'un ordre pour frapper. Hélas, il ignorait comment l'utiliser.

Craignant que toute initiative se retourne contre Kahlan, il n'avança plus.

Sa femme s'était relevée aussi, mais la lance de lumière la plaquait de nouveau contre la façade de la cabane. Ses grands yeux verts écarquillés trahissaient la souffrance que Nicci lui infligeait.

La Sœur de l'Obscurité leva les mains et plaqua les paumes sur son cœur, à travers la lumière blanche. Elle tournait le dos à Richard, mais il voyait la lueur blanche à travers elle, comme lorsqu'une feuille de parchemin prenait feu par le centre, les flammes y creusant un trou qui allait en s'élargissant. Le serpent magique transperçait également la poitrine de Kahlan, mais Richard vit qu'il ne la tuait pas – pour le moment. Elle respirait et ne réagissait pas comme quelqu'un qui a vraiment un trou dans le torse.

Avec la magie, ce qu'on voyait n'était pas souvent fiable, le Sourcier avait payé pour le savoir.

Sous les mains de Nicci, la chair reprenait peu à peu substance. Très vite, le phénomène de transparence cessa, puis la lance de lumière se volatilisa en crépitant.

Kahlan soupira de soulagement quand son calvaire fut terminé. Peu assurée sur ses jambes, elle ferma les yeux comme si elle ne supportait plus de voir la femme debout en face d'elle.

Richard bouillait de fureur. Ses muscles exigeaient de frapper, et le pouvoir, au plus profond de son être, le faisait penser à une vipère enroulée sur elle-même juste avant de se détendre vers sa proie comme un ressort. Il aurait tout donné pour avoir le droit de réduire Nicci en bouillie – à part la vie de Kahlan.

Avant de se tourner vers lui, la Sœur de l'Obscurité sourit poliment à la Mère Inquisitrice.

— Bonjour, Richard. Cela faisait longtemps… Tu as l'air en forme. Mais tu ne devrais pas serrer si fort la garde de ton épée. Tu vas te faire mal aux doigts, et de toute façon, utiliser ton arme serait une erreur.

— Qu'as-tu fait à Kahlan ?

Nicci sourit de nouveau avec l'indulgence d'une mère qui vient de sermonner son fils turbulent. Prenant une profonde inspiration, comme un athlète qui récupère d'un effort violent, elle désigna nonchalamment Kahlan.

— J'ai jeté un sort sur ta femme, Richard…

Dans son dos, le Sourcier entendait Cara haleter. Ne voulant pas le gêner, elle se tenait à une distance respectueuse de son bras droit.

— Dans quel but ?

— Pour te capturer, bien entendu…

— Que va-t-il lui arriver ? Quel mal lui as-tu fait ?

— Du mal, moi ? Non… Tout ce qui pourrait lui advenir de désagréable serait ta faute.

— Si je te blesse ou si je te tue, Kahlan connaîtra le même sort que toi, c'est ça que tu veux dire ?

Nicci eut le sourire désarmant qu'elle lui adressait pendant leurs leçons, au Palais des Prophètes. Comment avait-il pu penser, à l'époque, qu'elle ressemblait à un esprit du bien devenu chair ?

Le pouvoir enveloppait cette femme. Grâce à son don, il avait appris à identifier presque à coup sûr les magiciennes et les sorciers de tout poil. Ce qui restait invisible pour le commun des mortels était pour lui d'une aveuglante clarté. Et il avait rarement rencontré une adepte de la magie, qu'elle fût Additive ou Soustractive, dotée d'une telle aura.

— Tu as tout compris, mais c'est encore pis que ça. Ta femme et moi sommes désormais liées par un sort de maternité. Un drôle de nom, pas vrai ? Pour tout te dire, il vient du caractère… eh bien… fusionnel de ce sortilège. Tu sais comment ça se passe, chez une femme enceinte ? Elle porte son enfant, le nourrit et le garde en vie…

» La lumière que tu as vue est en quelque sorte un cordon ombilical. Il me relie à Kahlan, quelle que soit la distance qui nous sépare. Dans cette relation, je suis la mère et elle, la fille. Il en est ainsi, et rien ne pourra briser notre union symbiotique. Bref, mais tu as déjà dû le comprendre, personne ne sera jamais en mesure d'altérer ou de neutraliser ce sort.

Nicci parlait comme une formatrice, ramenant Richard à l'époque où il était prisonnier au Palais des Prophètes. Sa façon de s'exprimer, toujours très délicate et concise, avait impressionné le Sourcier, parce qu'elle ajoutait la noblesse d'esprit à celle du corps. En ce temps-là, il n'aurait pas imaginé entendre sortir de sa bouche des propos vulgaires ou agressifs. Et aujourd'hui, voilà qu'elle proférait sereinement des horreurs devant lui.

Cela dit, ses gestes n'avaient rien perdu de leur étonnante élégance. Sa grâce plaisait à Richard, quand il vivait au palais. Comment n'avait-il pas vu qu'il s'agissait des ondulations d'une vipère ?

La magie de l'Épée de Vérité implorait le Sourcier de la laisser se déchaîner. Conçue pour combattre tout ce que son propriétaire considérait comme maléfique, l'arme, devant Nicci, n'était pas loin de prendre le contrôle de Richard pour éliminer une menace mortelle. La tête encore douloureuse, à cause de l'Agiel, il luttait pour l'en empêcher, sentant les lettres en fil d'or du mot « Vérité » s'incruster dans sa paume.

En cet instant, et sans doute plus que jamais dans sa vie, il devait résister à sa fureur et à ses désirs et faire froidement face à la réalité. Sinon, il perdrait ce qu'il avait de plus cher au monde.

— Richard…, dit Kahlan, parfaitement calme, tue cette chienne !

Un ordre, tout simplement. Dans sa robe blanche, sa femme redevenait une Mère Inquisitrice incapable d'envisager qu'on ne lui obéisse pas.

— Tue-la ! Ne réfléchis pas, agis !

Impassible, Nicci attendait la suite. Pour elle, ce qu'il allait décider semblait à peine un objet de curiosité polie.

— Je ne peux pas, répondit Richard. Si je l'abats, tu mourras avec elle.

— Très bien vu, mon garçon, très bien vu…, souffla la Sœur de l'Obscurité.

—Tue-la! cria Kahlan. Maintenant, quand tu en as encore la possibilité.

—Tais-toi, lui ordonna calmement Richard. Écoutons ce qu'elle veut nous dire.

Nicci croisa les mains comme les Sœurs de la Lumière aimaient à le faire. Mais elle n'en était pas une, loin de là! Dans ses yeux bleus, le Sourcier croyait lire un... sentiment... qu'il ne parvenait pas à identifier et dont il redoutait d'imaginer la nature. De la haine, de la détermination, une inconcevable mélancolie? Il n'en savait rien, mais une certitude demeurait: l'objectif que poursuivait la Sœur de l'Obscurité comptait davantage pour elle que sa vie.

—Tout est très simple, Richard. Tu dois venir avec moi, et Kahlan vivra tant que je serai en ce monde. Si je meurs, elle cessera de vivre aussi.

—Et qu'y a-t-il d'autre?

—Rien...

—Alors, si je décidais de te tuer...

—Tu y arriverais sans peine. Mais Kahlan disparaîtrait avec moi, parce que nos vies sont liées.

—Ce n'était pas le sens de ma question. Tu dois bien avoir un but, pour faire tout ça. Si je te tue, que se passera-t-il ensuite?

—Rien du tout! C'est à toi de choisir, Richard. Nos vies sont entre tes mains. Si tu veux sauver Kahlan, il faudra m'accompagner.

—Que lui ferez-vous? demanda l'Inquisitrice en approchant très lentement de son mari. Le torturer pour qu'il avoue des crimes imaginaires, puis le faire exécuter après une caricature de procès? C'est le plan de Jagang?

Nicci parut surprise comme si cette idée détestable ne lui avait jamais traversé l'esprit.

—Absolument pas... Je ne veux aucun mal à Richard. Pour l'instant, en tout cas... Au bout du chemin, cela dit, je devrai sans doute le tuer.

—Ça, je l'aurais deviné, grogna Richard.

Voyant Kahlan faire un pas en avant, il la retint par le bras. Si elle utilisait son pouvoir contre Nicci alors qu'elles étaient liées par un sortilège, nul ne savait ce qui se passerait, et il n'avait pas l'intention de le découvrir, parce que ce ne serait sûrement pas positif. À son goût, sa femme était bien trop encline à se sacrifier afin de le sauver...

—Calme-toi, pour le moment, lui souffla-t-il.

—Elle vient de dire qu'elle te tuera! s'exclama Kahlan.

—Ne vous en faites pas, susurra Nicci, ce n'est pas pour tout de suite... Si nous devons en venir là, ce sera dans longtemps. Peut-être même attendrai-je qu'il soit très vieux...

—Et jusque-là? Que lui ferez-vous avant de considérer que sa vie ne vaut plus rien?

—Je l'ignore…, fit Nicci avec un sourire innocent. Pour le moment, je n'ai aucun plan. L'important, c'est qu'il vienne avec moi.

Richard avait cru comprendre ce qui se passait. À chaque intervention de la Sœur de l'Obscurité, il en était de moins en moins sûr.

—Pour que je ne puisse plus combattre l'Ordre Impérial ? avança-t-il.

—Si tu préfères le formuler comme ça, libre à toi. Il est vrai que le temps où tu dirigeais l'empire d'haran est révolu. Mais il s'agit d'un effet secondaire de mes actes. L'essentiel, c'est que tout ce qui faisait ta vie jusqu'ici… (Nicci regarda Kahlan avec insistance)… est terminé.

Richard frissonna comme si la température était tombée de plusieurs degrés.

—Qu'y a-t-il en plus ? demanda-t-il, certain que quelque chose devait donner un sens à cette horreur. Pour que Kahlan vive, quelles sont les autres conditions ?

—Personne ne devra nous suivre, mais ça, tu dois l'avoir deviné tout seul.

—Et si nous n'obéissons pas ? demanda Kahlan. Je pourrais vous pister puis vous tuer de mes propres mains, même si ça me condamne aussi.

Nicci se pencha légèrement vers Kahlan, comme une mère qui explique la vie à sa fille.

—Alors, tout sera fini, sauf si Richard vous empêche de commettre cette folie. Ce sera à lui de décider, et à personne d'autre. Surtout, n'allez pas croire qu'une issue fatale me tracasse. Je n'en ai rien à faire, voyez-vous…

—Qu'attends-tu de moi ? demanda Richard. Et que se passera-t-il si je ne me plie pas à ta volonté ?

—Mon cher garçon, j'ignore totalement ce que j'attends de toi ! Je n'ai aucune idée préconçue, et tu te comporteras à ta guise, comme d'habitude.

—Je serai libre ?

—Pas de retourner vers les tiens, bien sûr, mais à part ça… (Nicci secoua la tête pour écarter de ses yeux une mèche de cheveux blonds poussée par le vent.) Et si tu te montres trop contrariant, j'aurai toujours le recours d'en finir avec toi. Ce serait dommage, mais pas tant que ça, puisque tu ne me servirais à rien…

—Tu veux plutôt dire que je n'aurais plus aucun intérêt pour Jagang ?

—Non ! (Une nouvelle fois, Nicci sembla surprise.) Je ne suis plus au service de Son Excellence. (Elle se tapota la lèvre inférieure.) Tu vois, j'ai retiré l'anneau qui symbolisait mon esclavage. Aujourd'hui, j'agis pour mon propre compte.

Une idée troublante traversa l'esprit de Richard.

—Il devrait pourtant te contrôler… Veux-tu dire qu'il ne peut plus entrer dans ton esprit ? Comment est-ce possible ?

—Tu n'as pas besoin de moi pour trouver la réponse, Richard Rahl…

Une remarque absurde. Le lien protégeait les personnes loyales au seigneur Rahl. Ce que venait de faire Nicci était une pure agression, témoignage d'une hostilité ouverte. Pour elle, la magie des Rahl ne devait pas fonctionner. Mais Jagang pouvait se tapir dans l'esprit de la Sœur de l'Obscurité sans qu'elle s'en aperçoive. Avec son goût des tactiques tordues, il s'était peut-être arrangé pour la rendre folle.

—Je ne sais pas de quoi tu parles, Nicci, mais…

—Assez de bavardage! Nous partons.

Ses yeux bleus rivés sur Richard, la Maîtresse de la Mort semblait avoir oublié jusqu'à la présence de Kahlan et de Cara.

—C'est absurde! Tu me captures, mais il faudrait croire que ce n'est pas pour aider Jagang? Si c'est vrai, je…

—N'ai-je pas été claire et précise, comme d'habitude? Si tu veux t'évader, tue-moi quand tu voudras! Mais dans ce cas, Kahlan mourra aussi. Voilà l'alternative qui s'offre à toi. Je crois connaître ton choix, mais je peux me tromper. Il n'existe que deux chemins possibles, et tu dois en prendre un.

Derrière lui, Richard entendit la respiration de Cara s'accélérer. À toutes fins utiles, il leva les mains, paumes vers elle, pour lui rappeler que toute intervention serait désastreuse.

—J'allais oublier un détail, dit Nicci. Si tu ourdis je ne sais quel plan machiavélique – voire si tu refuses d'obéir à un ordre anodin –, sache que le sort me permet de tuer Kahlan à n'importe quel moment. Il me suffira d'y penser, et ça n'entraînera pas ma propre mort. En d'autres termes, à partir d'aujourd'hui, sa vie dépend de moi et de ta bonne volonté.

» Je ne veux aucun mal à ta femme, et je me fiche qu'elle arpente ou non ce monde. Enfin, pas tout à fait… En réalité, je lui souhaite une longue existence, parce qu'elle t'a rendu heureux. À cause de ça, elle ne mérite pas de mourir si jeune. Mais comme tu l'as compris, c'est ton comportement qui en décidera.

Nicci foudroya Cara du regard, puis elle tendit le bras et essuya un peu de sang, au coin de la bouche du Sourcier.

—Ta Mord-Sith n'y est pas allée de main morte… Tu veux que je te guérisse?

—Non!

—Comme il te plaira… (Nicci essuya le sang sur le devant de sa robe noire.) Si tu ne veux pas que des initiatives malheureuses coûtent la vie à Kahlan, je te suggère de donner des ordres précis. Les Mord-Sith sont impitoyables et pleines de ressources. Pour des raisons que tu n'as pas à connaître, je les respecte beaucoup. Mais si celle-là nous suit – et ma magie m'en avertira –, ta femme mourra.

— Et comment saurai-je qu'elle va bien, puisque tu peux la tuer à distance ?

Cette fois, Nicci parut carrément stupéfaite.

— Pourquoi ferais-je une chose pareille ?

— Que puis-je en savoir, puisque j'ignore pour quelle raison tu me captures ?

La Sœur de l'Obscurité dévisagea un long moment Richard.

— J'ai mes motivations… Je suis désolé que tu doives souffrir, Richard, et ce n'est pas mon objectif. Je jure de ne pas nuire à Kahlan sans t'en informer.

— Et tu penses que je vais te croire ?

— Je n'ai aucune raison de te mentir. Avec le temps, tout te paraîtra plus clair. Kahlan n'aura rien à craindre de moi tant que tu resteras à mes côtés sans me menacer.

Sans savoir pourquoi, Richard crut la Sœur de l'Obscurité. Elle semblait sincère et sûre de ce qu'elle disait comme si elle avait retourné mille fois le sujet dans sa tête.

Bien entendu, elle ne lui disait pas tout, simplifiant les choses pour qu'il comprenne les éléments essentiels et puisse prendre une décision. Cela dit, ce qu'elle lui cachait ne pouvait pas être pis que ce qu'il savait. Être séparé de Kahlan serait une torture, mais la survie de sa femme passait avant tout. Nicci jouait sur du velours, et elle en était consciente.

Pourtant, il restait une énigme à résoudre.

— Le sort qui neutralise le pouvoir de Jagang protège les personnes qui me sont loyales, dit Richard. Me capturer et me faire chanter est une trahison, donc, n'espère pas être hors d'atteinte de celui qui marche dans les rêves.

— Son Excellence ne me fait pas peur, Richard. Ne te tracasse surtout pas pour moi. Un jour, tu comprendras peut-être à quel point tu t'es trompé sur d'innombrables sujets.

— Tu t'aveugles toi-même, Nicci…

— Non, c'est ta vision qui est trop étroite ! Au fond, la vraie cause qui te convient est celle de l'Ordre Impérial. Tu as un cœur trop noble pour qu'il en soit autrement.

— Je mourrai peut-être de ta main, Nicci, mais ce sera en te haïssant et en vomissant l'Ordre ! Tu n'auras pas ce que tu veux ! Quoi que ce soit, ne rêve pas de l'obtenir.

La Sœur de l'Obscurité regarda le Sourcier avec une étrange compassion.

— Ne te torture pas, Richard, tout ça est pour ton bien…

Rien de ce qu'il disait n'avait d'impact sur elle, et il ne comprenait pas un mot à ses discours. Sa rage augmentait, et la magie de l'épée tentait toujours de prendre le contrôle de son esprit.

— Tu n'espères pas que je vais gober de telles foutaises ?

— Eh bien, pas vraiment, je l'avoue…

Regardant au-delà du Sourcier, comme s'il n'existait plus, Nicci porta deux doigts à sa bouche et émit un long sifflement modulé.

Un cheval sortit du bois et approcha au petit trot.

— Une seconde monture t'attend de l'autre côté du col…, annonça la Sœur de l'Obscurité.

Richard en frissonna de terreur. Le sentant, Kahlan lui posa une main sur le bras. Cara, elle, lui tapota le dos.

Le souvenir de ses deux captivités affolait Richard. Une fois encore, il allait être piégé. Sa vie lui coulait entre les doigts, et il ne pouvait rien faire pour la retenir.

Il brûlait d'envie de lutter, mais comment s'y prendre ? S'il avait suffi d'embrocher son adversaire, tout aurait été si simple… Mais il devait s'en remettre à sa raison, pas à ses impulsions, s'il voulait avoir une chance.

S'immergeant au plus profond de lui-même, où régnait un calme absolu, il parvint à dominer sa panique.

Le dos et les épaules bien droits, le menton levé, Nicci ressemblait à un soldat qui attend courageusement l'heure de son exécution. Si incroyable que ça paraisse, elle était prête à accepter sa décision, même s'il la condamnait à mort.

— Je t'ai donné le choix, Richard. Il n'y a pas d'échappatoire. Maintenant, je t'écoute !

— Je ne peux pas permettre que Kahlan meure, et tu le sais très bien.

— Disons plutôt que je le subodorais… (Nicci se détendit un peu, et un petit sourire flotta sur ses lèvres.) Ta femme ira très bien.

Le cheval, une superbe jument tachetée, s'arrêta près de Nicci, qui s'empara au vol des rênes. Sa crinière grise battant au vent, la bête était mal à l'aise face à des inconnus, et elle avait hâte de repartir.

— Nicci, dit Richard alors que la Sœur de l'Obscurité glissait déjà un pied dans un étrier, que suis-je autorisé à emporter ?

La Maîtresse de la Mort s'assit souplement sur sa selle et adopta l'assiette d'une parfaite cavalière.

— Ce que tu veux, à part une personne, bien entendu… (D'un claquement de langue, elle ordonna à son cheval de pivoter vers Richard.) Des vêtements seraient bienvenus, plus toutes les autres affaires que tu voudras. Ne te limite pas, prends donc tout ce que tu pourras porter !

» Sauf ton épée, évidemment… Tu n'en auras pas besoin, là où tu vas… (Nicci se pencha un peu. Pour la première fois, son regard se fit menaçant et sa voix baissa d'un ton.) Tu n'es plus le Sourcier, le seigneur Rahl, le maître de l'empire d'haran ni le mari de la Mère Inquisitrice. À partir d'aujourd'hui, tu seras Richard, tout simplement.

Cara avança de trois pas.

— Je suis une Mord-Sith. Si vous pensez pouvoir partir avec le seigneur Rahl, vous êtes folle à lier! La Mère Inquisitrice a exprimé sa volonté. Mon devoir est donc de vous tuer.

Nicci tint délicatement les rênes de sa monture entre le pouce et l'index, et replia ses trois autres doigts sur la lanière de cuir avec l'élégance d'une grande dame qui sirote une tasse de thé.

— Je ne ferai rien pour vous retenir, mais vous connaissez les conséquences…

Richard tendit un bras pour empêcher la Mord-Sith de charger comme un taureau fou furieux.

— Du calme, souffla-t-il. Le temps joue en notre faveur… Tant que nous resterons vivants, nous aurons une chance de renverser la situation…

À contrecœur, la Mord-Sith recula un peu.

— Je vais prendre des affaires, dit Richard, tentant désespérément de gagner un peu de ce temps dont il venait de parler. Laisse-moi au moins faire mes bagages!

Nicci fit volter son cheval et le talonna sans rudesse inutile.

— Je m'en vais… (De son bras libre, elle désigna un point, dans le lointain.) Tu vois ce col, là-bas? Si tu me rejoins avant que j'arrive au sommet, Kahlan vivra. Sinon, tu seras veuf, je t'en donne ma parole!

Tout se déroulait trop vite. Richard devait trouver un moyen de calmer le jeu.

— Si ça se passe comme ça, qu'auras-tu gagné dans cette affaire?

— J'aurai appris ce qui compte le plus à tes yeux… Quand on y réfléchit, c'est une question fondamentale. Et nous ne connaissons pas encore la réponse. Quand j'atteindrai le sommet du col, je saurai… N'oublie pas notre rendez-vous! Tu auras peu de temps pour faire tes bagages, dire adieu à ta femme et à ta Mord-Sith et me rattraper – si tu tiens à la vie de Kahlan. Dans le cas contraire, tu disposeras du même délai pour la consoler avant que son cœur cesse de battre. Au moment de choisir, souviens-toi que les deux possibilités sont aussi définitives l'une que l'autre…

Kahlan voulut courir derrière la jument, qui s'éloignait déjà, mais Richard la retint par la taille.

— Où le conduirez-vous? cria-t-elle.

Nicci se retourna et jeta à la Mère Inquisitrice un regard où brillait une détermination si tranquille qu'elle en devenait terrifiante.

— Vers l'oubli, bien entendu, répondit-elle.

Chapitre 22

Alors qu'elle regardait Nicci traverser la prairie, Kahlan s'aperçut qu'elle n'était pas encore remise de la confusion où l'avait plongée l'attaque de la Sœur de l'Obscurité. Il fallait qu'elle se reprenne, et vite !

À la lisière du bois, une biche et son faon presque adulte se tenaient aux arrêts, les oreilles dressées, prêts à détaler s'ils jugeaient que la cavalière était menaçante.

Dès qu'ils la virent de plus près, ils filèrent sans se poser davantage de questions.

Kahlan détestait céder à ses impulsions et oublier la logique. Pourtant, si Richard ne l'avait pas retenue, elle se serait lancée à la poursuite de Nicci. Elle bouillait d'envie de la toucher avec son pouvoir. En ce monde, nul ne l'avait jamais autant mérité…

Sans la désorientation consécutive au sortilège de la Sœur de l'Obscurité, elle aurait pu invoquer le Kun Dar – la Rage du Sang –, un antique pouvoir qui lui permettait de frapper ses ennemis à distance. Mais pour cela, il fallait qu'elle soit en pleine possession de ses moyens, et c'était loin d'être le cas. Pour ne pas s'écrouler et vomir son dernier repas dans la poussière, elle devait déjà mobiliser toutes ses forces.

Si frustrant, enrageant et humiliant que ce fût, Nicci l'avait attaquée avec une magie plus rapide que son pouvoir d'Inquisitrice, et elle n'avait pas pu se dégager de son emprise.

Pourtant, on l'avait formée pour n'être jamais prise de vitesse. Les Inquisitrices étaient les cibles privilégiées de beaucoup de gens, et elle s'était tirée à son honneur d'une multitude de situations similaires. Après des mois de vie paisible, ses réflexes étaient émoussés, tout simplement. Elle se jura que ça n'arriverait plus, mais pour ce que ça pouvait changer, désormais…

Elle sentait encore la magie de Nicci en elle, comme si son âme elle-même avait été blessée par la lumière blanche. Ses organes en étaient retournés, et elle comprenait maintenant le sens de l'expression «avoir les entrailles en feu». Par bonheur, le vent frais qui soufflait de la prairie apaisait la sensation de brûlure, sur son cou. Hélas, il charriait aussi une odeur inhabituelle qui semblait de mauvais augure. Mais c'était peut-être une illusion générée par son angoisse, ou son état d'épuisement. Derrière la maison, les grands pins résistaient aux bourrasques, comme toujours, mais ils semblaient avoir plus de mal qu'à l'accoutumée.

Quelle que soit la magie utilisée par Nicci, Kahlan n'avait aucun doute sur son efficacité. Malgré la haine qu'elle éprouvait pour la Sœur de l'Obscurité, le sort de maternité la liait à elle, l'emplissant d'un sentiment, à son égard, qui ressemblait étrangement à de… l'affection. Si perturbant qu'il fût, ce phénomène avait un côté rassurant, car il la rapprochait de la femme qui se cachait derrière la Maîtresse de la Mort. Et quelque chose, chez elle, semblait digne d'être aimé.

En dépit de sa confusion, la logique et l'intelligence de la Mère Inquisitrice lui soufflaient de ne pas se fier à cette romantique impression. Si elle en avait l'occasion, elle n'hésiterait pas un instant à tuer cette vipère!

—Cara, dit Richard, ne songe même pas à la poursuivre…

—Seigneur Rahl, je ne peux pas permettre que…

—C'est un ordre, et le plus important que je t'aie jamais donné! S'il arrivait malheur à Kahlan à cause de toi, je jure que… Mais tu ne me ferais pas une chose pareille, j'en suis sûr. En attendant, si tu allais t'habiller?

Cara s'éloigna en marmonnant un chapelet de jurons.

Alors que Richard se tournait vers elle, Kahlan s'aperçut soudain que la Mord-Sith était nue. Oui, elle prenait un bain, et…

La magie de Nicci avait brouillé les événements récents dans son esprit. Mais ils lui reviendraient peu à peu… En revanche, elle gardait un souvenir cuisant de la douleur, quand l'Agiel de Cara s'était abattu sur la Sœur de l'Obscurité. Le lien était si fort qu'elle aurait juré que l'arme avait été en contact avec son cou, pas celui de Nicci.

Kahlan caressa la mâchoire de Richard pour le réconforter, mais il chassa sa main, comme s'il refusait toute compassion.

La prenant par les hanches, il attira sa femme vers lui et la serra contre sa poitrine.

—Richard, ce qui nous arrive… c'est impossible… on ne peut pas…

—Pourtant, il faudra bien.

—Je suis désolée…

—De quoi?

—M'être laissée surprendre! Je n'étais pas sur mes gardes, voilà tout. Si j'avais agi comme il faut, Nicci serait morte, et nous n'en serions pas là.

—Tu te rappelles notre duel, il y a quelques jours? Tu m'as bel et bien tué. Nous faisons tous des erreurs, alors, ne te blâme pas. Personne n'est parfait, voilà tout… Et Nicci a peut-être tissé une toile de magie pour t'engluer dans une sorte d'apathie… Comme l'attaque d'un moustique silencieux, si tu vois ce que je veux dire…

Kahlan n'avait pas envisagé cette possibilité. De toute façon, elle s'en voulait, et ce n'était pas près de finir. Tout ça parce qu'elle était fascinée par un ridicule tamia ! Si elle avait levé les yeux une seconde plus tôt, ou au moins agi d'instinct, sans analyser la menace pour déterminer si elle nécessitait l'emploi de son pouvoir…

Mais depuis son enfance, on l'avait formée à contrôler sa magie dévastatrice. Car les proies des Inquisitrices, si elles ne mouraient pas à chaque fois, perdaient leur personnalité et devenaient les marionnettes de leur « bourreau ». Un sort aussi peu enviable que la mort, à vrai dire…

Kahlan leva les yeux et croisa le regard de Richard.

— Je tiens à ma vie, dit-elle, comme tout être humain. Tu dois accorder la même valeur à la tienne, et ne pas la sacrifier pour moi. Si tu le fais, je ne le supporterai pas…

— Nous n'en sommes pas encore là. Je trouverai une solution, c'est certain. Mais pour le moment, je dois partir avec Nicci.

— Nous vous suivrons de loin, et…

— Pas question !

— Mais elle ne s'en apercevra pas, surtout si…

— Non ! Rien ne prouve qu'elle soit seule, et ses complices peuvent avoir tendu une embuscade pour te capturer. Et n'oublie pas que le sort peut l'aider à te repérer. Si ça arrive, elle te tuera, et tu seras morte pour rien.

— Tu crois qu'elle te… ferait du mal… pour que tu avoues que je vous suis ?

— Kahlan, arrêtons ça ! Imaginer des horreurs aggrave toujours les choses.

— Pourtant, je dois être près de toi, quand tu trouveras un moyen de lutter contre elle.

Richard prit entre ses mains le visage de sa femme. Dans son regard, elle vit briller une lueur qu'elle n'aima pas.

— Écoute-moi bien ! J'ignore comment cette histoire finira, mais tu ne dois pas te sacrifier pour me sauver.

— Ne t'en va pas, Richard ! Qu'importe ce qui m'arrive, si tu es libre ! Mourir ne sera rien, si cela peut t'arracher des mains de tes ennemis. L'Ordre ne doit pas te retenir prisonnier. Comment vivrai-je en sachant que tu es condamné à l'esclavage à cause de moi ? Je ne tolérerai pas qu'on te…

Kahlan ravala le verbe qu'elle se refusait à prononcer. « Torturer ». Après tout ce qu'il avait traversé, Richard ne méritait pas de croupir dans un sinistre donjon dont on ne le sortirait que pour le tourmenter.

Nicci avait juré que ce ne serait pas le cas. Pour préserver sa santé mentale, elle devait la croire, au moins pour le moment.

Levant les yeux, Kahlan s'aperçut que Richard souriait. Un sourire déjà absent, comme s'il tentait de graver ses traits dans sa mémoire tout en pensant à mille autres choses capitales.

— Je n'ai pas le choix, dit-il.

— Tu entres dans le jeu de Nicci ! Elle savait que tu voudrais me sauver. Mais je ne peux accepter un tel sacrifice.

Comme un condamné qui savoure son dernier repas, Richard regardait autour de lui. Les arbres, la prairie, la cabane… Un paradis perdu alors qu'il venait à peine de le trouver.

— Il ne s'agit pas d'un sacrifice ! Ne comprends-tu pas ? C'est un marché équitable. Savoir que tu existes est ma plus grande source de joie.

» Non, ce n'est pas un sacrifice ! Si je finis par être un esclave, mais en te sachant vivante, j'aurai exercé ma liberté jusqu'au bout en refusant de vivre dans un monde où tu ne serais pas. Je peux supporter des chaînes, pas ton absence. L'esclavage est pénible, mais le deuil est dévastateur.

— Et que deviendrai-je, moi, en sachant que tu es le serf de Jagang ?

— Dans mon cœur, je continuerai d'être libre, parce que je sais ce que ce mot veut dire. Je lutterai, tu me connais assez pour le savoir, et un jour, je briserai mes chaînes. En revanche, si tu meurs, je ne pourrai jamais te ramener dans ce monde.

» Ces derniers temps, j'ai souvent accepté de risquer ma vie pour une juste cause, et même de la perdre, si ça pouvait être utile. En certaines occasions, j'ai mis nos deux existences en danger – mais jamais pour un enjeu qui n'en valait pas la peine. Aujourd'hui, ce serait un marché de dupes ! Ne comprends-tu pas ?

Kahlan contrôla sa respiration pour juguler sa panique.

— Tu es le Sourcier, dit-elle, et tu trouveras un moyen de te libérer. J'en suis sûre ! (Essayait-elle de rassurer Richard, ou de se réconforter elle-même ? En toute franchise, elle n'aurait su le dire.) Oui, tu réussiras et tu reviendras. Ça ne sera pas la première fois que tu vaincras contre tous les pronostics.

— Kahlan, dit Richard, le visage soudain fermé, tu dois te préparer à continuer.

— Que veux-tu dire ?

— Réjouis-toi en pensant que je suis vivant ! Nourris-toi de cette idée, et vis pleinement sans espérer plus que cela.

— Que veux-tu dire ?

Le regard voilé et résigné de Richard terrifiait sa femme. Mais comment aurait-elle pu détourner la tête, alors qu'ils se voyaient peut-être pour la dernière fois ?

—Je crois que c'est différent, ce coup-là…

—Différent?

—Cet événement n'a pas de sens… En tout cas, aucun qui le relie à mes précédentes captures. Nicci est déterminée, elle a préparé soigneusement son plan, et elle est prête à mourir s'il le faut. Je refuse de te mentir, Kahlan. Cette fois, quelque chose me souffle que je ne réussirai peut-être pas à revenir vers toi.

—Richard, ne dis pas ça! Tu dois essayer de toutes tes forces. Tu m'entends?

—Tu me crois du genre à baisser les bras? (Même s'il n'avait pas haussé le ton, Kahlan sentit qu'il était tout près d'exploser.) Je te jure de lutter jusqu'à mon dernier souffle de vie. Mais nous devons voir la réalité en face: il est possible que j'échoue.

» Tu devras peut-être vivre sans moi, en sachant que j'existe quelque part, et que je pense à toi. Dans nos cœurs, nous sommes unis à jamais. Rien ne peut changer cela. Ni la distance ni le temps…

—Richard… (Malgré tous ses efforts pour les contenir, Kahlan sentit des larmes perler à ses paupières.) L'idée que tu sois condamné à l'esclavage à cause de moi m'est insupportable. Pour ruiner le plan de Nicci, je suis prête à me tuer.

—Dans ce cas, je n'aurai plus de raison de fuir, et je resterai avec elle.

—Tu n'auras plus besoin de t'évader, car elle ne t'aura pas capturé.

—C'est une Sœur de l'Obscurité… Tôt ou tard, elle trouvera un autre moyen, et je ne saurai pas comment me défendre. De toute façon, toi morte, je me ficherai de ce qui m'arrive.

—Mais…

—Tu dois vivre, pour que j'aie une raison de lutter!

—Il y a d'autres motivations, Richard! Aider les autres, par exemple…

—Que le Gardien emporte les autres! (Le Sourcier lâcha sa femme et serra les poings.) Même les gens auprès de qui j'ai grandi se sont retournés contre moi! Ils ont tenté de me tuer, au cas où tu l'aurais oublié. Les royaumes qui se sont ralliés à l'empire d'haran nous trahiront dès qu'ils verront l'armée de l'Ordre déferler sur les Contrées du Milieu. Au bout du compte, D'Hara devra se battre seul.

» Les peuples ne mesurent pas la valeur de la liberté. Quand le danger sera là, ils ne s'engageront pas pour la conserver. Nous l'avons vu en Anderith, et à Hartland, la ville où je suis né. Que te faut-il de plus? Je ne me berce pas d'illusions. Face à l'Ordre, la plupart de nos alliés rendront les armes sans lutter. Quand ils verront la taille de l'armée adverse, et le traitement qu'elle réserve aux vaincus, ils abdiqueront!

Richard détourna la tête, comme s'il regrettait de s'être laissé emporter alors qu'ils passaient leurs derniers moments ensemble. Il voûta un peu les épaules, à croire que le poids des montagnes environnantes l'accablait, et approcha de Kahlan, peut-être en quête de réconfort.

— Mon dernier espoir est de parvenir à fuir, afin d'être près de toi. Par pitié, ne me l'arrache pas, parce que c'est tout ce qui me reste.

Derrière Richard, Kahlan vit que le renard roux trottinait dans la prairie. Sa queue à l'extrémité blanche battant en cadence, il pistait sans doute un rongeur qu'il trouvait à son goût.

En suivant ses évolutions, Kahlan aperçut du coin de l'œil les contours de Bravoure, toujours dressée sur son rebord de fenêtre comme une indomptable figure de proue. Pourrait-elle supporter de perdre l'homme qui avait sculpté cette merveille pour elle au moment où elle en avait le plus besoin ?

Elle l'ignorait, mais il faudrait qu'elle réussisse, parce que c'était tout ce qu'elle pouvait faire pour lui. Et il avait besoin de le lui entendre dire.

— D'accord, Richard, je ne tenterai rien de… définitif… pour te libérer. Je t'attendrai, si dur que ce soit. Je sais que tu ne baisseras jamais les bras. Quand tu seras libre, tu reviendras, et je serai là pour t'ouvrir les bras. Dans nos cœurs, rien ne peut nous séparer, tu as raison…

Richard posa un baiser sur le front de sa femme, puis il lui prit les mains et les embrassa.

Kahlan se dégagea et retira de son cou le collier offert par Shota le jour de ses noces – un talisman conçu pour l'empêcher de tomber enceinte.

Quand elle l'eut posé dans la main de Richard, il la regarda, visiblement perplexe.

— Pourquoi me donnes-tu ce collier ?

— Je veux que tu l'aies… (Kahlan tenta en vain d'empêcher sa voix de trembler.) Je sais ce qu'elle attend de toi… Ce qu'elle te forcera à faire…

— Non, ce n'est pas… (Richard secoua la tête.) Non, je ne prendrai pas ce bijou.

On eût dit que refuser le collier aidait Richard à ne pas penser à la possibilité que Nicci…

— Je t'en prie, accepte mon présent ! Pour moi… La seule idée qu'une femme porte ton enfant me déchire les entrailles. (Kahlan détestait presque autant la perspective qu'il partage la couche d'une autre, même sous la contrainte, mais elle se garda bien de le dire.) Surtout après la perte de mon bébé…

— Kahlan… je…

— Fais-le pour moi ! Richard, je t'obéirai, et j'attendrai ton retour le temps qu'il faudra. En échange, accède à ma requête, je t'en prie ! Je refuse que cette garce blonde donne le jour à un enfant qui devrait être le mien. Ne comprends-tu pas ? Comment pourrais-je chérir un être ainsi conçu ? Mais comment pourrais-je le haïr, puisqu'il serait une part de toi ? S'il te plaît, ne laisse pas les choses en arriver là.

Alors que le vent glacial fouettait ses cheveux, comme s'il tentait de les lui arracher, Kahlan eut la sensation que sa vie entière était prise dans une impitoyable tourmente. Comment le lieu paisible et joyeux où elle avait réappris à vivre pouvait-il s'être transformé soudain en un endroit sinistre où tout ce qui comptait pour elle allait lui être arraché?

Richard lui tendit le collier du bout des doigts, comme si son contact lui brûlait la peau.

—Kahlan, je ne crois pas que ce soit le but de Nicci. J'en suis presque sûr, même! Mais si je me trompe, elle peut simplement refuser de porter la pierre noire et menacer de te tuer si je ne... lui obéis pas.

Kahlan saisit la chaîne d'or, l'enroula autour de la pierre, posa le tout dans la paume de son mari et lui referma les doigts sur son «cadeau».

—N'est-ce pas toi qui viens de dire que nous devons regarder la vérité en face?

—Mais si elle ne veut pas du collier...

—Si elle te demande... eh bien, tu vois ce que je veux dire... tu devras la convaincre de le porter. Pour moi, Richard! Il est déjà terrible qu'elle m'arrache l'homme que j'aime, mais si elle devait en plus...

Richard hocha la tête et glissa le collier dans sa poche.

—Encore une fois, je doute que ce soit dans ses intentions. Mais si je me trompe, elle portera ce bijou, je te le jure.

Kahlan se pressa contre la poitrine de Richard.

Il se dégagea et la prit par le bras.

—Maintenant, il faut que je fasse mes bagages, et vite. Si je ne suis pas exact au rendez-vous, la partie sera finie avant d'avoir commencé. En prenant le raccourci, j'aurai un peu plus de marge, mais je n'ai quand même pas la vie devant moi...

Chapitre 23

Debout sur le seuil de la chambre – et de nouveau sanglée dans son uniforme rouge –, Cara regardait son seigneur collecter à la hâte ses affaires.

Campée près du lit, Kahlan échangeait avec Richard de brefs propos aux visées platement pratiques. Les sujets vitaux ayant été traités, ils semblaient tous les deux refuser d'y revenir, même allusivement, sans doute pour ne pas remettre en question le pacte désespérant qu'ils avaient si péniblement conclu.

Une chiche lumière filtrait de la fenêtre, et Cara bloquait celle qui aurait pu entrer par la porte. Dans la pénombre, la chambre ressemblait plus que jamais à une cellule. Et Richard, dans ses vêtements noirs, évoquait davantage une ombre furtive qu'un être vivant.

Alors qu'elle était clouée au lit, Kahlan avait souvent pensé qu'elle croupissait dans une cellule, au fond d'un donjon obscur. La seule différence, avait-elle pensé à l'époque, était l'agréable odeur des pins, de loin préférable à la puanteur des ces geôles dont on ne sortait les prisonniers qu'au matin de leur exécution.

Abattue à certains moments, Cara paraissait sur le point d'exploser dès la minute suivante. Elle aussi était dévastée, coincée entre un désespoir sans fond et une rage qui ne se trouvait pas d'exutoire. Les Mord-Sith n'étaient pas habituées à des conflits intérieurs de ce type, mais Cara, désormais, était bien plus qu'une simple garde du corps en uniforme rouge.

Toujours dans ses habits de forestier, car il n'avait pas le temps de se changer, Richard venait de ranger dans son sac sa tunique noir et or, sa chemise noire, ses serre-poignets en argent, son ceinturon auquel pendaient des bourses et sa cape couleur or. Un jour, pensa Kahlan, il reviendrait et porterait de nouveau sa tenue de sorcier de guerre. Redevenu le chef de l'empire d'haran, il le conduirait à la victoire contre l'Ordre Impérial. Lui seul en était capable, elle le savait.

Pour des raisons pas toujours évidentes, il était devenu le pivot de leur combat. Selon lui, cependant, les gens devaient se battre pour eux-mêmes, et pas pour lui. Sur ce point, il avait raison. Quand une idée était juste, elle devait survivre à ceux qui luttaient pour elle… et à leur chef. Dans le cas contraire, ce dirigeant avait échoué…

Tout en finissant ses bagages, Richard conseilla à Kahlan d'essayer de trouver Zedd, qui aurait sans doute une idée de génie. La jeune femme promit de le faire, bien qu'elle sût déjà que le vieux sorcier serait impuissant. Le triangle mortel imaginé par Nicci était trop bien conçu pour que quiconque puisse intervenir. Richard ne devait pas croire non plus à ce qu'il disait, mais que pouvait-il offrir à sa femme, à part un ultime bouquet d'espoir et d'optimisme?

Se tordant nerveusement les mains, Kahlan sentait des larmes couler sur ses joues et son menton. En un moment pareil, elle aurait dû avoir des choses essentielles à dire. N'était-ce pas la règle, lors d'adieux déchirants? Hélas, rien ne lui venait…

Son mari devait savoir ce qu'elle éprouvait, et les mots étaient sans doute superflus. Pourtant, parler l'aurait peut-être aidée à apaiser ses entrailles nouées par l'angoisse.

Une ombre maléfique semblait rôder dans la chambre, telle une quatrième personne attendant d'emporter Richard avec elle. Et ce rôdeur invisible, contrôlé par une force impossible à voir, à raisonner ou à combattre, était le messager d'une terreur animale – la peur à l'état pur, proche de la panique.

Alors que Cara, n'en pouvant plus, venait de quitter son poste, sur le seuil de la chambre, Richard sortit une poignée de pièces d'or et d'argent de son sac de voyage. Il divisa en deux cette petite fortune, remit une moitié dans le sac et tendit l'autre à Kahlan.

—Ça pourrait t'être utile…

—La Mère Inquisitrice n'a pas besoin d'or.

N'étant pas d'humeur à polémiquer, Richard jeta les pièces sur le lit.

—Tu veux emporter des sculptures? demanda Kahlan.

Une question idiote, bien entendu, mais elle n'avait rien trouvé de mieux pour briser le silence oppressant.

—Non, je n'en aurai pas besoin… Quand tu les regarderas, pense à moi et souviens-toi que je t'aime.

Richard enroula une couverture, l'enveloppa d'un morceau de toile goudronnée et l'accrocha à son sac à dos.

—Et si l'envie m'en prend, ajouta-t-il, je pourrai toujours en faire d'autres.

Kahlan ramassa un savon et le tendit à son mari.

— Pour me rappeler que tu m'aimes, il me suffira de fermer les yeux… Sculpte un bel objet pour bien montrer à Nicci que tu veux être libre.

Richard eut un sourire amer.

— Ne t'inquiète pas, je l'informerai que l'Ordre et elle ne me feront jamais plier l'échine. Pour ça, je n'aurai pas besoin de statuettes. Nicci croit avoir tout planifié, mais elle découvrira bientôt que je suis un très mauvais « garçon »…

Chargée de plusieurs petits ballots soigneusement noués, Cara entra en trombe dans la chambre.

— Des provisions pour vous, seigneur Rahl… Tout ce qu'il faut pour voyager : de la viande et du poisson fumés, des haricots, du riz… Il y a aussi une miche de pain que j'ai fait cuire ce matin. Mangez-la vite, tant qu'elle est fraîche.

Richard remercia son amie et rangea les paquets dans son sac à dos. Au passage, il huma la miche de pain, sourit et, d'un regard, félicita la Mord-Sith d'être une si bonne boulangère.

Puis il se redressa, son sourire se volatilisant d'une façon qui glaça les sangs de Kahlan. Le visage fermé comme s'il savait partir pour une bataille dont il ne reviendrait pas, il retira de son épaule le baudrier de l'Épée de Vérité. Le fourreau orné d'or et d'argent dans la main gauche, il dégaina l'arme.

La note métallique à nulle autre pareille retentit peut-être pour la dernière fois.

Richard retroussa sa manche et passa la lame au creux de son bras. Kahlan sursauta, se demandant s'il s'était coupé involontairement. Puis elle se souvint qu'il était un maître de la lame…

Il passa l'épée dans le sang qui sourdait de la blessure, comme s'il avait voulu la nourrir avec son fluide vital. Un adieu, ou une solennelle promesse de retrouvailles ? Kahlan n'aurait su le dire, et elle ignorait pourquoi, en cet instant, il se livrait à ce rituel terrifiant.

Comme elle regrettait qu'il n'ait pas embroché Nicci ! Voir le sang de cette femme ne l'aurait pas fait frissonner ainsi.

Richard rengaina son arme, laissa glisser sa main gauche le long du fourreau, le constellant de taches rouges, puis le serra dans son poing, exactement au milieu, baissa la tête sur les ornements d'or et d'argent et se pencha vers Kahlan

Quand il releva les yeux, l'Inquisitrice vit qu'ils brillaient de toute la fureur de la lame magique. Il avait invoqué la colère de l'arme, se laissant envahir par ce feu ardent, et maintenant, il semblait vouloir l'expulser de son corps et de son âme.

Kahlan ne l'avait jamais vu agir ainsi.

— Prends-la, dit-il d'une voix rauque qui trahissait la violence de son conflit intérieur.

Fascinée, l'Inquisitrice glissa les paumes sous le fourreau. Dès qu'elle le sentit peser sur sa peau, elle sursauta comme si la foudre venait de la frapper et sentit monter en elle une incroyable rage qui manqua la forcer à tomber à genoux, tant elle la faisait trembler. À cet instant, si elle avait pu lâcher l'Épée de Vérité, nul doute qu'elle l'aurait fait. Mais ses mains refusaient de lui obéir.

Dès que Richard les lâcha, l'arme et son fourreau redevinrent deux objets ordinaires au contact banalement neutre.

La magie mortelle dansant toujours dans son regard, le Sourcier serra les mâchoires et braqua sur Kahlan un index presque accusateur.

— Ne dégaine pas cette lame, croassa-t-il, la gorge serrée, sauf si ta vie est en danger. Tu connais les tourments que l'Épée de Vérité inflige à ceux qui la manient. N'oublie jamais qu'ils sont pires que la douleur qu'éprouvent les adversaires qu'on blesse ou qu'on tue avec elle.

Pétrifiée, Kahlan parvint à peine à hocher la tête. La première fois que Richard avait abattu un homme avec cette arme, c'était déjà pour la protéger, et il l'avait chèrement payé, car apprendre à tuer avait un prix très élevé.

Après avoir déchaîné le pouvoir de l'épée, il avait failli mourir lui-même. Au fil du temps, et en s'imposant de terribles contraintes, il était parvenu à contrôler cette magie dévastatrice.

Même quand il ne tenait pas son arme, Richard, d'un simple regard, pouvait paralyser de terreur un ennemi. Plus d'une fois, Kahlan l'avait vu réduire ainsi au silence une foule hostile. Dès qu'il était furieux, n'importe qui aurait préféré s'enfuir dans la terre plutôt que de rester sous le feu croisé de ses yeux. Et aujourd'hui, ces mêmes yeux exprimaient une extraordinaire soif de tuer.

— Si tu dois utiliser cette arme, dit-il, lâche la bonde à ta fureur! C'est ton seul espoir de salut.

— Je comprends, souffla Kahlan, et je n'oublierai pas.

Un juste courroux – tel était l'unique antidote à la souffrance que l'épée exigeait en paiement de ses services.

— Pour défendre ta vie, seulement! répéta Richard. Si tu la dégaines, j'ignore ce qui se passera, et j'aimerais mieux que nous ne le sachions jamais. Cela dit, prends le risque, si c'est ton seul espoir de survivre. J'ai donné le goût du sang à la lame, et elle sera très vorace. Une fois dégainée, elle voudra se repaître du fluide vital de tes ennemis.

— Je comprends…

Dans les yeux de Richard, la lueur devint moins ardente.

— Je suis navré de t'accabler d'une telle responsabilité, surtout dans ce contexte, mais c'est la seule protection que je puisse encore t'offrir.

—Je n'aurai sûrement pas à m'en servir..., dit Kahlan en tapotant tendrement le bras du Sourcier.

—Par les esprits du bien! je l'espère de tout mon cœur! (Richard jeta un dernier regard circulaire dans la chambre, puis dévisagea un moment Cara.) Maintenant, je dois me mettre en route.

—D'abord, tendez-moi donc votre bras! lança la Mord-Sith comme si elle n'avait pas entendu la dernière phrase de son seigneur.

Richard vit qu'elle brandissait des pansements – sans doute ce qui restait de leurs réserves, et dont Kahlan n'avait pas eu besoin. Sans discuter, il obéit à sa garde du corps, qui nettoya le sang avant de bander la coupure.

—Merci, dit Richard quand elle eut terminé.

—Nous vous accompagnerons sur un bout de chemin, seigneur Rahl.

—Pas question! Vous resterez ici. Je ne veux pas courir de risques inutiles.

—Mais...

—Cara, je te charge de veiller sur Kahlan. Elle sera entre de bonnes mains, et je sais que tu ne me laisseras pas tomber.

Les beaux yeux bleus de la Mord-Sith se voilèrent, et des larmes perlèrent à ses paupières. Le genre de chagrin qu'elle n'avait sûrement montré à personne jusque-là, devina Kahlan.

—Je jure de la défendre comme je vous aurais défendu, seigneur Rahl. En échange, promettez-moi de revenir très vite.

—Ne suis-je pas le maître de l'empire d'haran? demanda Richard, faussement enjoué. Dois-je te rappeler que je me suis tiré de situations bien plus délicates? (Il posa un baiser sur la joue de la Mord-Sith.) Cara, je jure de ne jamais renoncer à tenter de m'enfuir! Tu as ma parole d'honneur.

Kahlan nota qu'il avait éludé la difficulté, car ce n'était pas exactement ce que Cara lui avait demandé. Mais il n'était pas homme à faire une promesse qu'il n'avait aucune certitude de pouvoir tenir.

—Il faut que j'y aille, dit-il en prenant son sac. Il y a des rendez-vous qu'on ne peut pas se permettre de rater.

Kahlan serra plus fort le bras droit du Sourcier, qu'elle n'avait pas lâché, et Cara lui posa une main sur le gauche.

Se dégageant, Richard prit sa femme par les épaules.

—Maintenant, écoute-moi bien! J'aimerais que tu restes ici, où tu n'as rien à craindre, mais pour que tu m'obéisses, il faudrait que je te le demande sur mon lit de mort – et encore! Au moins, ne pars pas avant cinq ou six jours, au cas où je trouverais plus vite que prévu un moyen de saboter le plan de Nicci. C'est une Sœur de l'Obscurité, je sais, mais au fond, je ne suis plus vraiment un novice en magie... Et j'ai déjà échappé aux griffes de gens très puissants. Qui a renvoyé Darken Rahl dans le royaume des morts? Et qui s'est introduit dans le Temple des Vents pour arrêter la peste ? J'ai affronté de pires situations que celle-là, et finalement, la solution est peut-être plus simple que nous le pensons. Si je fausse compagnie à Nicci, je reviendrai directement ici. Alors, attends-moi quelques jours.

» Ensuite, essaie de trouver Zedd. Il n'est pas sans ressources, et la dernière fois que nous l'avons vu, Anna était avec lui. Elle est la Dame Abbesse des Sœurs de la Lumière, et elle connaît Nicci depuis longtemps. Avec Zedd, elle est en mesure de trouver une solution à mon problème.

— Richard, dit Kahlan, ne t'inquiète pas pour moi, et prends bien garde à toi. Je serai là à ton retour, quoi qu'il arrive, alors, concentre-toi sur l'idée de t'évader. Cara et moi t'attendrons ici quelques jours, c'est promis.

— Je veillerai sur la Mère Inquisitrice, seigneur Rahl, intervint Cara. Partez tranquille.

— Kahlan, je te connais très bien, et tes sentiments ne sont pas un secret pour moi. Alors, là encore, écoute-moi attentivement : le moment de se battre n'est pas encore venu, et il ne viendra peut-être jamais. Tu penses que je me trompe, n'est-ce pas ? Mais si tu refuses de voir la réalité, il est inutile d'espérer nous revoir, parce que nous serons tous morts bientôt, et notre cause avec. Tu te sens responsable des Contrées du Milieu, et c'est compréhensible, mais il ne faut pas se battre maintenant !

» Surtout, nos forces ne doivent pas attaquer de front l'armée de l'Ordre. C'est bien trop tôt ! Si tu lances nos troupes à l'assaut, elles se feront massacrer, et l'affaire sera entendue. Veux-tu que les générations à venir n'aient aucune chance de vaincre l'envahisseur ?

» Comme avec Nicci, nous devons nous servir de notre intelligence, pas de nos muscles. Tu as promis de ne pas te tuer pour me libérer. Ne trahis pas ce serment en t'engageant dans une guerre perdue d'avance.

Pour Kahlan, tout ça semblait n'avoir plus aucune importance. Elle allait perdre Richard, et cela seul comptait. Si elle avait eu un moyen de le garder, le reste du monde aurait pu aller au diable !

— D'accord, Richard…

— Promets-le ! Je suis sérieux ! Si tu ne m'écoutes pas, tu gâcheras tous les efforts que nous avons faits jusque-là. L'enjeu, c'est l'espérance de cinquante générations futures. Tu peux être responsable de la mort de la liberté et de l'avènement de la tyrannie. Jure que tu ne le feras pas !

Alors que des centaines d'idées tourbillonnaient dans sa tête, Kahlan releva la tête, croisa le regard de son mari et s'entendit répondre :

— J'en fais le serment, Richard. Tant que tu n'en donneras pas l'ordre, il n'y aura pas d'attaque massive.

Richard eut l'air soulagé, comme si un lourd fardeau venait soudain d'être retiré de ses épaules. Souriant de nouveau, il enlaça Kahlan, lui caressa les cheveux puis l'embrassa tendrement. Croisant les mains dans le dos de son mari, la jeune femme le serra à lui en couper le souffle. En quelques secondes, passant de l'angoisse à l'extase, les deux jeunes gens partagèrent tout un monde d'émotions.

Mais Richard se dégagea, et une chape de plomb retomba sur Kahlan tandis qu'il étreignait brièvement Cara. Son sac à la main, il se tourna ensuite vers la porte.

—Je t'aime, Kahlan. Il n'y a eu personne avant toi, et il n'y aura personne après.

—Tu es tout pour moi, Richard, et tu le sais…

—Je t'aime aussi, Cara. (Le Sourcier fit un clin d'œil à la Mord-Sith.) Prenez bien garde à vous, toutes les deux, en attendant mon retour. Et souviens-toi que je compte sur toi, Cara.

—Je ne vous décevrai pas, seigneur Rahl. Vous avez la parole d'une Mord-Sith.

—Non, celle d'une femme nommée Cara !

Sur ces mots, Richard sortit.

—Je vous aime également, seigneur Rahl…, soupira Cara quand il ne put plus l'entendre.

Les deux femmes passèrent dans la pièce commune et se campèrent sur le seuil pour voir le Sourcier traverser la prairie au pas de course.

Les mains en porte-voix, Cara hurla à pleins poumons :

—Je vous aime aussi, seigneur Rahl !

Richard lui fit un petit geste amical par-dessus son épaule. Avant d'entrer dans le bois, il se retourna une dernière fois et croisa le regard de Kahlan. En une fraction de seconde, cet échange exprima tout ce qu'ils n'avaient pas pu dire à haute voix.

Puis le prisonnier de Nicci s'enfonça entre les arbres.

Kahlan se laissa tomber à genoux et ne put plus contrôler son chagrin. Comme une enfant, elle pleura un long moment, la tête entre les mains. Pour elle, la fin du monde venait d'arriver, et cela avait été si soudain…

Cara s'agenouilla près d'elle et lui passa un bras autour des épaules.

Détestant qu'on la voie dans cet état, Kahlan fut très reconnaissante à la Mord-Sith de ne pas tenter de la réconforter avec des paroles creuses.

Quand elle put cesser de pleurer, l'Inquisitrice se releva, le cœur ravagé en pensant au désert que serait désormais sa vie.

Elle fit du regard le tour de la pièce commune. Sans Richard, cet endroit était sinistre. Presque un tombeau, puisqu'il venait de se sacrifier…

—Que faisons-nous, à présent, Mère Inquisitrice ? demanda Cara.

Il faisait plus sombre. La nuit tombait-elle, ou était-ce à cause des nuages ?

—Commençons à faire nos bagages… Nous resterons ici quelques jours, comme le veut Richard. Avant de partir, nous enterrerons tout ce que les chevaux ne peuvent pas porter. Puis nous condamnerons la porte et les fenêtres de la cabane avec des planches.

— En prévision de notre retour au paradis ?

Kahlan hocha distraitement la tête. Il fallait qu'elle se concentre sur une tâche quelconque, pour cesser de penser à ce qui la désespérait. Le pire moment, elle s'en doutait, serait la nuit. Seule dans un lit, sans Richard…

Désormais, la vallée ressemblait vraiment à un paradis. Mais un paradis perdu…

À moins que… Et si c'était un cauchemar ? Si Richard allait revenir dans quelques minutes avec une pêche miraculeuse ou un plein panier de baies ? Oui, il serait de retour bientôt, il ne pouvait pas en être autrement…

— C'est ça, oui, Cara, pour le jour où nous reviendrons ici. À ce moment-là, ce coin perdu sera pour de bon un paradis. Comme tous les lieux où sera Richard !

Sans répondre, Cara regarda autour d'elle comme si elle était soudain perdue.

— Que se passe-t-il, mon amie ?

— Le seigneur Rahl n'est plus là !

— Je sais que c'est dur, mais nous devons…

— Vous ne comprenez pas ! Je veux dire que je ne le sens plus à travers le lien ! Je sais où il est, puisqu'il suit le raccourci jusqu'au col, mais c'est une simple déduction, pas une certitude ! Mère Inquisitrice, j'ai l'impression d'être devenue aveugle. Trouver le seigneur Rahl n'est plus possible ! J'ai perdu le contact.

Kahlan redouta que Richard ait fait une chute mortelle ou que Nicci l'ait exécuté. Mais elle ne devait pas commencer à avoir des idées pareilles, sinon, elle deviendrait folle.

— Nicci est informée, au sujet du lien… Elle a dû utiliser sa magie pour le couper ou pour le brouiller.

— Le brouiller, dit Cara. Sinon, je ne sentirais plus le pouvoir de mon Agiel. Le seigneur Rahl est vivant, c'est certain, mais je ne capte plus sa présence.

Kahlan soupira de soulagement. Au moins, il n'était pas arrivé malheur à Richard…

— C'est bien Nicci, dans ce cas. Elle ne voulait pas être suivie, alors elle a brouillé le lien.

Cela voulait dire que tous les alliés de Richard protégés par son pouvoir devraient désormais croire en lui sans être rassurés par la connexion magique. Le seul «lien» serait dans leur cœur, et s'ils se détournaient de leur serment, ils iraient à la catastrophe.

Pouvaient-ils avoir une foi de ce type ? Croire aveuglément n'était pas à la portée de tout le monde.

Cara alla sur le seuil et sonda le paysage où Richard avait disparu. Derrière les montagnes aux reflets gris-bleu, le ciel presque violet était zébré d'estafilades orange. Dans le lointain, les pics couronnés de neige semblaient s'être tassés sur eux-mêmes en prévision du mauvais temps. L'hiver serait là très vite. Si Richard ne s'échappait pas dans les deux ou trois jours à venir, les deux femmes devraient partir avant d'être bloquées ici jusqu'au printemps.

Pour ne pas éclater de nouveau en sanglots, Kahlan devait absolument s'occuper l'esprit. Passant dans sa chambre, elle entreprit de retirer sa robe d'Inquisitrice. Ensuite, elle se concentrerait sur les préparatifs du départ.

Alors qu'elle se déshabillait, Cara passa la tête par la porte.

— Qu'allons-nous faire, Mère Inquisitrice ? Vous avez dit que nous partirions, mais sans jamais préciser où.

Kahlan regarda Bravoure, qui défiait le monde, debout sur son rebord de fenêtre. S'en emparant, elle laissa lentement glisser ses doigts sur les contours de la statuette.

Richard avait réalisé ce chef-d'œuvre alors qu'elle était accablée, certaine de ne jamais revenir vraiment à la vie.

Le contact de Bravoure lui donna la force de plonger en elle-même pour y puiser de la résolution. La statue dans une main, elle tendit l'autre pour frôler le fourreau de l'Épée de Vérité, toujours abandonnée sur le lit.

La Mère Inquisitrice ordonna à son désespoir de se muer en colère.

— Nous irons partout où il est possible de détruire l'Ordre !

— C'est votre but ?

— Ces monstres m'ont pris mon bébé, et maintenant, ils m'arrachent Richard. Je le leur ferai regretter mille et mille fois, tu peux me croire. Il n'y a pas très longtemps, j'ai juré de combattre l'Ordre jusqu'à la mort. Le moment de passer aux actes est arrivé. Si je dois tuer ces hommes jusqu'au dernier pour retrouver Richard, je le ferai, aussi longtemps que ça me prenne.

— Vous avez promis au seigneur Rahl de ne pas attaquer.

— Nous parlions d'un assaut massif. Il ne m'a jamais interdit de tuer les soudards de Jagang. J'ai juré de ne pas enfoncer une épée dans le cœur de nos ennemis. Ai-je dit que je m'abstiendrais de les faire crever en leur infligeant des milliers de petites coupures qui les videront de leur sang ? Je tiendrai parole, au sujet du conflit, mais j'exterminerai quand même tous ces chiens !

— Mère Inquisitrice, vous ne devez pas faire ça !

— Et pourquoi donc ?

Cara foudroya son amie du regard.

— Parce qu'il faudra m'en laisser la moitié !

Chapitre 24

Avant de s'enfoncer dans le bois, Richard s'était retourné pour regarder une dernière fois Kahlan. Dans sa robe blanche, ses longs cheveux défaits, elle était redevenue aussi belle que le jour de leur rencontre. L'incarnation de la grâce et de la beauté féminines.

Déjà trop loin d'elle, il n'avait pas pu admirer vraiment ses yeux d'une nuance de vert qu'il n'avait jamais vue chez personne d'autre. Parfois, le regard de Kahlan suffisait à lui couper le souffle. À d'autres moments, il accélérait les battements de son cœur.

Mais en réalité, c'était son esprit qui le fascinait. Il n'avait jamais rencontré une femme qui fût son égale, sur ce plan-là.

Conscient que le délai qui lui était imparti approchait de son terme, Richard s'était détourné à regret de son épouse. Sa vie dépendait d'un rendez-vous qu'il avait la ferme intention d'honorer.

Ayant emprunté souvent le raccourci, il connaissait les endroits où il pouvait courir et ceux qui exigeaient une extrême prudence. Hélas, avec le peu de temps qu'il lui restait, il devrait prendre des risques.

En chemin, il ne tourna pas une seule fois la tête pour tenter d'apercevoir la cabane.

Chacune de ses pensées lui faisant l'effet d'être une pincée de sel jetée sur une plaie à vif, il courut à perdre haleine. Pour la première fois de sa vie, il ne se sentait pas à sa place dans la forêt. Un voyageur solitaire, impuissant et désespéré… Partout, les branches nues se balançaient au vent, grinçant sinistrement comme pour se moquer de lui.

À mesure qu'on montait vers le col, les sapins et les épicéas prenaient le dessus sur tous les autres arbres. Dans le dos de Richard, les bourrasques inamicales semblaient le pousser loin de l'endroit où il avait été le plus heureux de sa vie. Au pied des rares cèdres, des mousses brunâtres prospéraient, inoffensives en apparence. Mais quand on courait, passer dessus risquait fort de se terminer par une chute spectaculaire.

Arrivé devant un cours d'eau, Richard le traversa en sautant de pierre émergée en pierre émergée. En dévalant une pente, un peu plus loin, cette petite rivière serpentait entre des rochers, produisant un grondement qui ponctuait sinistrement la dernière course d'homme libre de Richard.

Dans la pénombre typique des forêts, il ne vit pas un entrelacs de racines de cèdre ocre, se prit le pied dedans et s'étala face contre terre. Une ultime humiliation pour un réprouvé condamné au bannissement !

Alors qu'il gisait sur un tapis de feuilles mortes déjà pourrissantes, Richard envisagea de ne pas se relever. Et s'il restait là, indifférent au vent glacial, en attendant que des araignées, des serpents et des loups viennent lui infliger mille morsures ? Avec le temps, les feuilles et la terre recouvriraient sa dépouille veillée par des arbres suprêmement indifférents. À qui manquerait-il, à part une poignée de vrais amis ? Et combien de gens se réjouiraient de sa disparition ?

Un messager dont personne ne voulait entendre les paroles. Un chef venu trop tôt et vite déchu…

Oui, pourquoi ne pas mourir ici ? En finir avec le monde, et partager avec Kahlan la seule véritable paix qui fût accordée aux hommes et aux femmes ?

Autour de lui, les arbres, vaguement méprisants, observaient l'humain insignifiant étendu sur le sol. Allait-il avoir le courage de se relever et d'affronter ce qui l'attendait ?

À cet instant, Richard lui-même ignorait la réponse. La mort était le chemin le plus facile, et il y avait des instants, dans la vie d'un homme, où le néant semblait moins angoissant que la réalité.

Même Kahlan – si fort qu'il l'aimât – exigeait de lui quelque chose qu'il ne pouvait pas donner : un mensonge ! Elle aurait voulu l'entendre dire que ce qu'il tenait pour une incontournable vérité n'était qu'une sorte de lubie. Pour elle, il était disposé à faire n'importe quoi, sauf devenir volontairement aveugle et sourd. Au moins, elle avait eu assez foi en lui pour se laisser conduire loin du conflit et de l'ombre de la tyrannie qui s'étendait peu à peu sur les Contrées du Milieu. Elle ne le croyait pas, il l'avait compris, mais restait la seule personne qui le suivait en exerçant réellement son libre arbitre.

Après une éternité – quelques secondes, en réalité –, Richard se releva, chassa la légère confusion toujours consécutive à une chute et reprit son chemin. Sachant ce qui l'attendait – sans nul doute la pire expérience de sa vie –, il avait le droit de s'accorder quelques instants de faiblesse.

Une compensation pour la force dont il aurait besoin.

Des doutes, pour rétablir l'équilibre chez un être d'habitude pétri de certitudes. Et de la peur, pour mieux nourrir le courage dont il allait devoir faire preuve.

Au moment même où il s'était demandé s'il pourrait se relever, il savait que ce serait le cas. L'autoapitoiement, chez lui, ne durait jamais longtemps. Pour Kahlan, il était prêt à tout. Même à tomber entre les mains de Nicci. Jusqu'à la fin de ses jours, s'il le fallait.

Sa détermination revenue, il chassa de son esprit les idées noires qui tentaient de l'envahir. La situation n'était pas si désespérée que ça. Après tout, n'avait-il pas triomphé de bien plus terribles épreuves ? Un jour, il avait arraché Kahlan aux griffes de cinq Sœurs de l'Obscurité. Là, il n'y en avait qu'une. Il la vaincrait aussi. À la seule idée d'être pendant quelque temps la marionnette dont Nicci tirerait les ficelles, il bouillait d'envie de l'étrangler de ses mains.

Son désespoir oublié, la fureur revenait.

Il recommença à courir, slalomant entre des rochers et des arbres abattus pour gagner un peu de temps. Le sentier serpentait trop, l'éloignant de la trajectoire idéale pour un homme pressé : la ligne droite. Chaque saut et chaque petite escalade se convertissaient en précieuses secondes.

Une branche cassée s'accrocha à la bandoulière de son sac, qu'il portait à l'épaule, et le lui arracha. Il tenta de le rattraper au vol, échoua et lâcha un chapelet de jurons quand il vit ses affaires s'éparpiller sur le sol.

Fou de rage, il brisa la branche basse à coups de pieds, comme si l'arbre avait délibérément tenté de le ralentir. Un peu calmé, il s'agenouilla et ramassa ses biens. Avec les pièces d'or et d'argent, il collecta une bonne quantité de mousse jaunâtre, et un petit plant de pin finit dans le sac en même temps que le savon offert par Kahlan. D'étranges bagages, mais ce n'était pas le moment de trier…

Avant de repartir, il positionna correctement le sac à dos sur ses épaules. Pour gagner du temps, il s'était économisé cette peine – avec un résultat inverse.

Le sentier commença à grimper plus abruptement, certains passages confinant à l'escalade davantage qu'à l'ascension. Connaissant bien le terrain, Richard n'eut aucun mal à trouver les bonnes prises. Le front ruisselant de sueur, il s'écorcha pourtant plusieurs fois les phalanges sur des saillies rocheuses qu'il saisissait trop rapidement.

Devant son œil mental, Nicci chevauchait bien trop vite pour qu'il la rattrape. Comment avait-il pu être assez idiot pour traînasser, à la cabane ? Se croyait-il donc capable de relever tous les défis ? Peut-être, mais il avait tellement regretté de ne pas pouvoir serrer Kahlan un peu plus longtemps dans ses bras…

Son cœur se serrait dès qu'il pensait à elle, si injustement frappée alors qu'elle reprenait à peine goût à la vie. Oui, tout ça était bien plus grave pour elle! Même si elle était libre, et lui non, ça restait plus difficile pour elle, parce qu'elle devait se retenir d'agir. Devenu un esclave, il pouvait se contenter d'obéir – une situation parfois plus confortable qu'on aurait pu le penser...

Jaillissant d'un bosquet, il s'engagea sur la piste plus large et plus praticable qui menait au sommet du col. Nicci n'était pas en vue. Angoissé, Richard regarda vers l'est, où il redoutait de la voir en train de descendre vers le pied de la montagne. De son point d'observation, la forêt ressemblait à un immense tapis vert enchâssé entre deux formidables pics. Dans le lointain, des montagnes encore plus hautes, leurs flancs presque entièrement couverts de neige, brillaient faiblement sous la grisaille uniforme du ciel.

Richard n'aperçut aucun cavalier. Hélas, la piste s'enfonçait dans un bois, non loin de là où il était, et ça ne voulait donc pas dire grand-chose. En fait, tout le flanc de la montagne était couvert d'arbres, et le chemin ne traversait que de rares zones dégagées. Sondant le sol à la recherche d'empreintes, le Sourcier n'en trouva pas et fut un peu soulagé. Apparemment, Nicci n'était pas encore passée par là.

Dans la vallée, là d'où il venait, la cabane semblait minuscule tout au fond de la prairie. Trop loin pour apercevoir d'éventuelles silhouettes, Richard espéra que Kahlan lui obéirait et attendrait quelques jours. Si elle rejoignait l'armée afin de livrer un combat perdu d'avance, elle risquerait sa vie pour rien.

Il comprenait qu'elle ait envie d'être auprès de son peuple et de défendre les Contrées du Milieu. Mais elle pensait avoir une influence sur les événements, alors que ce n'était pas le cas. Pas pour l'instant. Et peut-être pas de leur vivant. La «vision» dont il parlait n'était rien de plus que l'aptitude à regarder la réalité en face. Quand on brandissait son épée au ciel, cela n'empêchait pas le soleil de briller.

Richard leva les yeux vers les nuages. Ses prévisions se confirmaient. Depuis deux jours, il avait repéré les signes annonciateurs des premières neiges. À voir le ciel – et avec l'odeur très particulière que charriait le vent –, il ne s'était pas trompé.

Échapper à Nicci et rejoindre Kahlan en quelques jours serait impossible, il le savait. Mais cette fiction servait un objectif caché. Dans ces hautes montagnes, dès que le temps tournait, les tempêtes de neige n'étaient pas loin. Si celle qui approchait tenait ses promesses, Kahlan et Cara seraient coincées dans la prairie jusqu'au printemps. Avec toutes les provisions dont elles disposaient, tenir trois mois ne leur poserait aucun problème. Et en prévision de l'hiver, il avait coupé assez de bois de chauffe pour qu'elles ne risquent pas d'avoir froid.

Ainsi, sa femme serait en sécurité.

La jument tachetée apparut soudain à la sortie d'un lacet, non loin de Richard. Nicci avait apparemment pris son temps, et il était arrivé avant elle.

Dès qu'elle l'aperçut, la Sœur de l'Obscurité riva ses magnifiques yeux bleus sur son prisonnier.

Quand les Sœurs de la Lumière l'avaient capturé pour le conduire au Palais des Prophètes, dans l'Ancien Monde, Richard s'était imaginé à tort que Kahlan voulait qu'il parte et qu'il porte un collier. N'ayant pas compris qu'elle entendait simplement lui sauver la vie, il s'était imaginé qu'elle en avait assez de lui.

Pendant sa détention, la beauté de Nicci l'avait troublé. Devant elle, il perdait une partie de ses moyens, stupéfait qu'un être d'une telle perfection physique pût exister ailleurs qu'en rêve.

Aujourd'hui, alors qu'elle le regardait, perchée sur sa monture, il lui semblait qu'elle portait sa beauté avec une fade résignation. Son aura disparue, elle devenait une jolie femme, rien de plus, et il ne parvenait plus à comprendre pourquoi elle lui avait inspiré du désir, à une époque.

Depuis, il fallait le préciser, Richard avait découvert ce qu'était une vraie femme. Quand on connaissait l'amour et l'épanouissement, toutes les Nicci du monde perdaient leur attrait.

En la regardant approcher, Richard s'aperçut, non sans surprise, qu'elle avait l'air triste. Elle semblait désolée de le voir là et, en même temps, soulagée comme si cela lui retirait un poids des épaules.

— Richard, dit-elle, tu t'es montré à la hauteur de mes espérances. Mais tu es couvert de sueur ! Tu veux te reposer ?

La fausse gentillesse de sa geôlière fit monter le sang à la tête du Sourcier. Détournant les yeux, il s'engagea sur la piste, pour montrer le chemin à la jument. Avant de s'être calmé, mieux valait qu'il ne dise rien…

Un peu plus loin, un étalon noir, une tache blanche sur le front, les attendait dans une minuscule clairière entourée de pins géants.

— Ta monture, comme promis, dit Nicci. J'espère que ce cheval te plaira. J'ai choisi une bête grande et solide adaptée à ta carrure.

Richard approcha de l'étalon, lui flatta l'encolure et fut satisfait de constater qu'il portait un mors articulé, et pas un de ces ignobles mors à cuiller qui faisaient atrocement souffrir les chevaux. Au moins, contrairement à d'autres sœurs, Nicci ne se montrait pas cruelle avec les animaux. Le reste de la sellerie était de bonne qualité, et l'étalon semblait en bonne santé.

Richard prit le temps nécessaire pour se présenter à sa nouvelle monture. L'étalon n'était pour rien dans ses malheurs, et il ne devait pas, parce qu'il haïssait Nicci, se laissait aller à malmener un si bel animal. Sans demander à la Sœur de l'Obscurité comment il s'appelait, il le laissa renifler sa main, puis lui flatta de nouveau l'encolure et lui tapota l'épaule. Une façon silencieuse de faire connaissance qui donnait en général de bons résultats.

Mais l'étalon noir racla nerveusement le sol avec ses sabots avant. À l'évidence, il n'était pas ravi de rencontrer Richard.

Pour l'instant, choisir le chemin n'était pas difficile, puisqu'il n'y avait qu'une piste, celle qui descendait du flanc de la montagne, s'éloignant inexorablement de la cabane et de Kahlan. Pour ne pas être obligé de voir Nicci, Richard avança en tête.

Quand on prenait possession d'un cheval, il ne fallait surtout pas lui faire une mauvaise impression. Sinon, pour rectifier les choses, des jours d'efforts devenaient nécessaires. Tenant sa monture par la bride, Richard lui laissa assez de mou pour qu'elle ne trouve pas désagréable de suivre un inconnu. Concentré sur le dressage de l'étalon, il cessa un moment de broyer du noir. Quand il sentit que le cheval se détendait, il monta en selle, prit la meilleure assiette possible et ne fit rien qui aurait pu être interprété comme une tentative de domination. Entre un homme et sa monture, le mot-clé était « coopération », tout bon cavalier le savait.

Le chemin étant trop étroit pour chevaucher de front, la jument de Nicci, mal à l'aise de devoir suivre l'étalon, hennissait de mécontentement. Une petite victoire pour Richard, qui venait déjà de bouleverser l'ordre des choses…

Consciente que son prisonnier était furieux, la Sœur de l'Obscurité ne tenta pas d'engager la conversation. Il venait avec elle, certes, mais pas de bon cœur, et il ferait tout pour qu'elle ne l'oublie pas.

Au crépuscule, Richard mit pied à terre près d'un ruisseau où les chevaux pourraient boire, puis il déharnacha son cheval et jeta sa selle et son sac sur le sol. Nicci accepta sans broncher sa décision de camper à cet endroit. Sautant à terre, elle prit la couverture roulée accrochée derrière sa selle, la déroula et s'assit en tailleur. L'air maussade, elle sortit de sa sacoche une saucisse et un morceau de biscuit très dur qu'elle ramollit avec un peu d'eau. Après avoir avalé sa première bouchée, elle tendit la saucisse à Richard, qui fit mine de n'avoir rien vu. Supposant qu'il n'avait pas faim, la Sœur de l'Obscurité continua son repas en silence.

Quand elle eut terminé, elle alla se laver les mains au ruisseau, puis disparut pendant quelques minutes derrière d'épaisses broussailles. Une fois de retour, elle s'enroula dans sa couverture, tourna le dos à son prisonnier et s'endormit comme une masse.

Richard resta assis sur le sol froid, les bras croisés et le dos appuyé contre sa selle. Toute la nuit, il ne ferma pas l'œil et regarda Nicci dormir à la lumière de la lune filtrée par l'épaisse couverture nuageuse. Un seul sujet l'occupa jusqu'au lever du soleil : comment neutraliser le plan de cette femme !

En matière de magie, il n'était plus un débutant, et il avait non seulement senti, mais parfois contrôlé et déchaîné l'énorme pouvoir que lui conférait son don. Dans des situations très dangereuses où la magie menait le bal, il avait triomphé contre tous les pronostics, souvent sans savoir exactement ce qu'il faisait. Et Zedd lui-même n'en avait pas cru ses oreilles, à certaines occasions.

La colère et le besoin étaient les deux focales de son pouvoir. Aujourd'hui, il ne manquait ni de l'une ni de l'autre. Mais comment s'y prendre, à supposer qu'il recoure à son don ? Pour s'opposer à Nicci, il devait d'abord savoir comment elle avait procédé. La vie de Kahlan étant en jeu, il n'avait pas le droit à l'erreur. Cela dit, il ne doutait pas de trouver une solution, mais il lui faudrait du temps. Pour conserver sa santé mentale, il devrait se résigner à danser avec Nicci un long ballet cruel et subtil.

À l'aube, sans dire un mot à la Sœur de l'Obscurité, il se chargea de seller les chevaux. En buvant un peu d'eau, Nicci le regarda vérifier que les sangles étaient bien serrées et ne pinçaient pas la peau des bêtes. Quand elle se fut désaltérée, elle sortit un morceau de pain de sa sacoche de selle et lui demanda s'il en voulait.

Richard ne répondit pas.

Après une nuit blanche, avec un temps glacial, il aurait dû être épuisé, mais la colère le tenait éveillé.

Sous un ciel plombé, ils repartirent, s'enfoncèrent dans une forêt qui semblait ne pas avoir de fin, et se montrèrent assez raisonnables pour ne pas trop pousser les chevaux.

Vers le soir, la neige commença à tomber. Doucement au début, puis de plus en plus fort, au point que le sol et les arbres en furent bientôt couverts. Comme si un rideau blanc venait de tomber sur le monde, la visibilité diminua, et les deux cavaliers durent fréquemment s'essuyer le front et les yeux d'un revers de la main.

Pour la première fois depuis qu'il voyageait avec Nicci, Richard se sentit un peu moins angoissé.

En haute montagne, le lendemain, Kahlan et Cara se réveilleraient pour découvrir un tapis de neige de plusieurs pieds d'épaisseur. Jugeant trop dangereux de partir sur-le-champ, elles décideraient d'attendre, convaincues – à tort – que cette première neige ne tiendrait pas. Guettant une amélioration qui n'arriverait jamais – à ces altitudes, les choses ne se passaient pas comme ça –, elles seraient surprises par la tempête qui ne tarderait pas à arriver. Là encore, elles hésiteraient à se lancer dans les cols, et se résigneraient à attendre un peu plus. À ce rythme, elles seraient coincées dans la prairie jusqu'au printemps, comme prévu. Et quand il aurait réglé le problème Nicci, Richard retournerait chez lui pour y retrouver sa femme et sa meilleure amie.

La veille, il avait laissé la Sœur de l'Obscurité dormir dehors – une vengeance idiote. Avec la neige, ce petit jeu devenait trop dangereux, surtout en pensant à ce qui arriverait à Kahlan si Nicci mourait de froid.

Dès qu'il aperçut un pin-compagnon, Richard fit quitter la piste à son étalon. En slalomant entre les arbres, il dut épousseter la neige qui tombait des branches des arbres et s'écrasait sur ses épaules ou sa tête.

Nicci regarda autour d'elle, surprise, mais elle n'émit pas d'objection. Mettant pied à terre, elle regarda son prisonnier inspecter l'arbre, écarter une branche puis lui faire signer d'approcher. Docile, elle obéit et eut un sourire enfantin en découvrant l'abri douillet où ils passeraient la nuit.

Richard ne rendit pas son sourire à la Sœur de l'Obscurité. Entrant dans le refuge naturel, il creusa le sol pour aménager une petite fosse à feu. Quand ce fut fait, il déposa au fond des brindilles et les recouvrit de petit bois.

Dès que les flammes fournirent assez de lumière, Nicci fit du regard le tour de leur abri et ne cacha pas son émerveillement. Sous ses longues branches qui tombaient jusqu'au sol, le pin-compagnon, dont la base du tronc était dépourvue de rameaux, offrait aux voyageurs un espace conique très comparable à celui dont on disposait sous une tente. Avec un bon feu, l'atmosphère devenait vite aussi agréable que celle d'une cabane bien isolée et chauffée.

Nicci passa les mains sur les flammes avec un sourire satisfait. Elle ne se rengorgeait pas que son esclave lui ait trouvé un coin où dormir et qu'il ait fait du feu, mais ça lui était visiblement agréable.

On eût dit qu'elle retrouvait la paix après avoir traversé une terrible épreuve. Désormais, semblait-il, elle n'espérait plus rien, mais se contentait sincèrement de ce qu'elle avait.

Richard n'avait plus mangé depuis la veille. Décidant qu'il avait assez manifesté sa désapprobation, il fit fondre de la neige dans une casserole et prépara un plat de riz et de haricots. Se laisser mourir de faim ne l'aiderait pas, et ça n'apporterait rien à Kahlan.

Quand le repas fut cuit, il coupa une tranche de sa miche de pain, déposa dessus du riz et des haricots et tendit le tout à Nicci. Comme si elle ne se formalisait pas qu'il ne lui adresse toujours pas la parole, elle le remercia chaleureusement.

En échange, elle offrit à Richard une tranche de viande séchée. En la regardant tenir délicatement la nourriture entre ses doigts fins, il crut voir Cara ou Kahlan en train de nourrir un tamia.

Toujours sans un mot, il saisit le morceau de viande et le mordit avec une violence très symbolique.

Désireux de ne pas croiser le regard de Nicci, il mangea son pain, son riz et ses haricots en contemplant les flammes. À part le crépitement du feu, on n'entendait pas un bruit, sauf quand un amas de neige trop lourd pour une branche en glissait et s'écrasait sur le sol. L'hiver, un silence surnaturel régnait souvent dans la forêt…

Quand il eut mangé, la fatigue rattrapa enfin Richard. Après avoir réalimenté le feu, il déroula sa couverture, la posa le plus loin possible de

Nicci, s'étendit, pensa quelques instants à Kahlan, en sécurité dans la cabane, et s'endormit comme un enfant.

Au matin, ils se réveillèrent très tôt et repartirent après un rapide petit déjeuner. Dès qu'ils furent en selle, Nicci talonna sa jument et dépassa l'étalon noir. À l'évidence, elle était résolue à chevaucher en tête.

Un crachin glacial avait remplacé la neige, déjà transformée en boue grisâtre. Les basses terres n'étaient pas encore prêtes à rendre les armes contre l'hiver. En altitude, où était Kahlan, la mauvaise saison avait déjà remporté la victoire…

Alors qu'ils descendaient une piste étroite, à flanc de montagne, Richard tenta de s'intéresser au paysage pour oublier un peu sa triste situation. Cependant, il ne put s'empêcher de jeter de temps en temps un coup d'œil à Nicci. Avec le froid, elle avait passé un épais manteau sur sa robe noire. Dans cette tenue, avec son dos bien droit et sa crinière blonde, elle conservait son allure de souveraine. Dans ses vêtements de forestier d'une propreté douteuse – et sans avoir pris la peine de se raser –, Richard songea qu'il devait ressembler à un vagabond.

La jument grise de Nicci, avec sa crinière de la même couleur et sa queue blanche, était le plus beau cheval qu'il ait jamais vu. Pourtant, il détestait cette bête. Simplement parce qu'elle appartenait à la Sœur de l'Obscurité.

L'après-midi, ils atteignirent une intersection où une seconde piste conduisait vers le sud. Sans hésiter, Nicci continua en direction de l'est. Avant la fin de la journée, ils rencontreraient quelques autres chemins forestiers très rarement empruntés par des chasseurs ou des trappeurs. Dans ces montagnes, la terre était inexploitable. Même si on abattait les arbres, le sol rocheux se montrait rétif à toute utilisation. Plus près de Hartland, quelques prairies pouvaient subvenir aux besoins de petits troupeaux de moutons.

Richard tenta de graver le paysage dans sa mémoire. Depuis toujours, il aimait ces forêts, et nul ne pouvait dire quand il les reverrait. Certain que Nicci finirait par le lui révéler, il ne s'était pas abaissé à lui demander où ils allaient. Étant donné le peu de choix qui s'offrait à eux, qu'elle ait opté pour l'est ne signifiait pas grand-chose, jusque-là…

En chevauchant, Richard repensa à son épée et à la manière dont il l'avait offerte à Kahlan. Sur le coup, cela lui avait paru la meilleure chose à faire. Il détestait avoir été si théâtral, mais c'était tout ce qu'il avait à sa disposition pour protéger sa femme à distance. Si tout se passait bien, elle n'aurait jamais besoin de dégainer la lame. Sinon, il l'avait investie d'une bonne mesure de sa propre colère…

Un couteau pendait à sa ceinture. Pourtant, sans l'Épée de Vérité, il se sentait comme nu. Bien qu'il la détestât à cause des pulsions obscures qu'elle faisait jaillir en lui, son arme lui manquait. En la lui remettant, Zedd avait dit qu'elle n'était qu'un outil. Des propos qu'il se remémorait souvent, pour relativiser les choses.

En fait, il y avait plus que cela. L'épée était un miroir où se reflétait l'âme de son propriétaire. Capable de détruire tout ennemi qui se dressait devant le Sourcier, elle n'aurait pas pu égratigner quelqu'un qu'il tenait pour un ami. Tout le paradoxe de sa magie était là. Le Sourcier définissait le bien et le mal, et seul ce qu'il *croyait* importait.

Richard était un authentique Sourcier de Vérité, légitime héritier de l'arme créée trois mille ans plus tôt par des sorciers. L'épée aurait dû être à son ceinturon, car il avait pour mission de la protéger.

Mais ces derniers temps, il ne se sortait plus très bien de ses missions...

En fin d'après-midi, Nicci quitta la piste qu'ils suivaient et s'engagea sur une autre, qui menait au sud-est. Richard connaissait bien ce chemin. Le lendemain, ils traverseraient un village, puis la piste deviendrait une route étroite mais beaucoup plus praticable. Puisqu'elle avait choisi cet embranchement, Nicci devait également le savoir.

Au crépuscule, ils longèrent les berges d'un grand lac. Quelques mouettes volaient paresseusement au-dessus des eaux martelées par la pluie. Dans cette région, ces oiseaux n'abondaient pas, mais il arrivait qu'on en rencontre. Dans l'Ancien Monde, il avait vu beaucoup d'oiseaux marins. Et l'océan l'avait fasciné...

Sur la berge opposée, Richard distingua deux pêcheurs penchés sur leurs lignes. De ce côté du lac, les gens d'un petit hameau venaient souvent tenter leur chance avec les truites. À force, ils avaient ouvert dans la forêt un chemin dont ils se confiaient le secret de génération en génération.

Les pêcheurs, assis sur un gros rocher plat, saluèrent les deux voyageurs à grand renfort de gesticulations. Dans le coin, apercevoir des inconnus n'était pas fréquent. De loin, les hommes avaient dû prendre Richard et Nicci pour des trappeurs.

La Sœur de l'Obscurité leur adressa de grands signes de la main, comme si elle entendait leur souhaiter que ça morde bien, aujourd'hui...

Très vite, ils négocièrent une courbe abrupte et n'aperçurent plus les villageois. Un peu plus tard, ils s'éloignèrent du lac, s'enfoncèrent de nouveau dans la forêt et descendirent une piste en pente douce.

Pour se protéger de la pluie, Nicci avait relevé la capuche de son manteau. Avec la nuit qui tombait, les deux cavaliers ressemblaient de plus en plus à des fantômes.

Toujours déterminé à ce qu'il n'arrive rien à Kahlan, Richard décida qu'il ne pouvait plus se murer dans un mutisme stérile.

—Quand nous rencontrerons des gens, demanda-t-il, que devrai-je leur dire ? Tu n'aimerais pas que je te présente comme une Sœur de l'Obscurité qui enlève des innocents, je suppose? Mais tu veux peut-être que je fasse semblant d'être muet?

— Si quelqu'un t'interroge, réponds que tu es mon mari. J'attends de toi que tu joues cette comédie chaque fois que ce sera nécessaire. À partir de maintenant, nous sommes mari et femme.

Richard serra les poings sur les rênes de sa monture.

— J'ai déjà une épouse, et ce n'est pas toi. Ne compte pas sur moi pour mentir à ce sujet!

Nicci ne réagit pas à cette explosion de colère. Très sereine, elle jeta un coup d'œil au ciel.

En plaine, il faisait encore trop chaud pour qu'il neige. En altitude, ce devait être très différent, et Kahlan, qu'elle le veuille ou non, serait obligée de passer l'hiver au chaud et en sécurité.

— Tu crois pouvoir trouver un autre pin-compagnon? demanda Nicci. J'aimerais beaucoup dormir de nouveau au sec.

Par les trouées, entre les arbres, Richard étudia les collines qui s'étendaient devant eux.

— Oui, je crois que j'en dénicherai un.

— Parfait. D'autant plus que nous allons avoir une petite conversation, ce soir...

Chapitre 25

Quand Richard eut mis pied à terre près d'un des curieux arbres qu'il appelait des « pins-compagnons », Nicci prit les rênes de l'étalon et alla l'attacher avec la jument à un aulne aux branches lestées de chatons. Affamées, les deux montures se jetèrent sur le peu d'herbe humide qu'elles trouvèrent autour d'elles. En les regardant se nourrir, Nicci sentit peser sur sa nuque le regard agressif de son prisonnier.

Sans dire un mot, il s'éloigna pour aller collecter du petit bois au pied de plusieurs arbres. Du coin de l'œil, la Sœur de l'Obscurité le surveilla tandis qu'il s'acquittait de cette corvée. Il était exactement comme dans son souvenir, mais avec quelque chose de plus. Toujours aussi imposant sur le plan physique, il avait encore gagné en autorité et en aura. Au Palais des Prophètes, il lui était arrivé de penser à lui comme à un « garçon ». Aujourd'hui, même si elle utilisait parfois ce mot, ça ne lui serait pas venu à l'esprit.

Désormais, il évoquait un bel étalon piégé dans un enclos qu'il aurait construit lui-même. Nicci se tenait à distance, le laissant ruer tout son soûl. Le provoquer ne lui aurait rien apporté. Et retourner le couteau dans la plaie, au sujet des récents événements, était la dernière chose qu'elle voulait.

Qu'il soit furieux n'avait rien d'étonnant. En un clin d'œil, Nicci avait mesuré la profondeur des sentiments – réciproques, qui plus est – qui le liaient à Kahlan. Et cet amour le garderait prisonnier jusqu'à la fin de ses jours.

Malgré toute sa compassion pour Richard, la Sœur de l'Obscurité avait conscience d'être la personne la moins qualifiée pour le réconforter. La blessure qu'il portait serait longue à guérir. Ensuite, il faudrait peut-être l'enfermer dans un nouvel enclos…

Tôt ou tard, il se résignerait à n'être plus jamais libre. Ce jour-là, il commencerait à voir la beauté et la véracité de tout ce qu'elle avait l'intention de lui montrer. Peu à peu, il admettrait qu'il avait tort, et que Nicci disait la vérité.

C'était inévitable…

Nicci s'assit sur un gros bloc de granit sans doute arraché par les intempéries à la saillie rocheuse qui émergeait des broussailles juste derrière elle. Au fil du temps, la pierre dont on distinguait encore les arêtes irrégulières, du côté de la cassure, avait été éloignée par les forces de la nature de la saillie avec laquelle elle ne faisait qu'une, des siècles plus tôt…

Le dos bien droit, une attitude inculquée par sa mère, Nicci regarda Richard desseller les chevaux. Quand ce fut fait, il leur donna une ration d'avoine – dans un sac conçu pour être accroché à leur tête – et alla ramasser des pierres entre les arbres. Au début, la Sœur de l'Obscurité ne comprit pas ce qu'il faisait. Puis elle se souvint de la veille, et devina qu'il entendait entourer de cailloux sa petite fosse à feu.

De fait, il entra sous le pin-compagnon, et y resta un long moment. Nicci lui aurait volontiers proposé d'embraser le feu avec son pouvoir, s'il lui en était resté assez pour ça. Hélas, son Han ne réussirait pas à produire une étincelle.

Mais au fond, Richard n'avait pas besoin d'elle. La veille, il s'en était admirablement bien tiré. N'ayant jamais été une femme des bois, elle décida de le laisser se débrouiller et passa le temps en vérifiant la sangle ventrale de sa jument. La pluie avait enfin cessé, laissant une sorte de rosée sur son front et ses joues.

Au moment où elle relevait les yeux de la sangle, un crépitement apprit à Nicci que Richard en avait terminé. Un bruit de métal posé sur de la pierre lui indiqua qu'il avait mis de l'eau à chauffer.

Quelques secondes plus tard, il sortit du refuge et alla s'occuper des chevaux. Retirant les mangeoires portatives, il alla faire boire l'étalon et la jument à une petite mare, non loin de là. Puis il les bouchonna consciencieusement.

Même dans sa tenue noire de forestier, et alors qu'il jouait les garçons d'écurie, il avait l'allure d'un roi. À la place de l'étalon et de la jument, la Sœur de l'Obscurité aurait été ravie que des mains si fortes et pourtant délicates lui prodiguent des soins.

— Tu as dit que nous devions parler, lâcha-t-il tandis qu'il étrillait la croupe de la jument. Je suppose que c'est pour me communiquer les conditions de ma captivité. Comme tous les geôliers, tu dois aimer les règlements…

Un ton un rien provocateur, pour tester ses réactions, comprit Nicci. Décidant qu'il avait assez boudé, il passait à des manœuvres plus subtiles.

— Richard, dit-elle d'un ton très doux, ne suppose pas que ce qui t'est déjà arrivé va recommencer. L'histoire ne se répète pas, tu le sais bien. Ce sera très différent des deux fois précédentes.

Cette réponse parut surprendre l'ancien maître de l'empire d'haran.

Afin de garder une contenance, il prit un peu plus de temps que nécessaire pour ranger l'étrille dans une sacoche de selle.

«Les deux fois précédentes…» Il ne pouvait pas se méprendre sur ce qu'elle voulait dire. Mais rien, sur son visage, ne trahit ses pensées tandis qu'il soulevait une jambe de l'étalon pour nettoyer le sabot.

—Je ne vois pas de quoi tu parles…

Une vieille tactique : prêcher le faux pour savoir le vrai. Ne désirant pas livrer à Nicci des informations précieuses, il l'incitait à parler afin de découvrir ce qu'elle savait vraiment. Au passage, il espérait sans doute apprendre comment elle entendait éviter les erreurs commises par ses autres « geôliers ». Tout guerrier aurait agi ainsi.

Pour le moment, il n'était pas prêt à comprendre, et encore moins à accepter, que cette captivité-là n'aurait aucun rapport avec les précédentes.

Quand il eut fait le tour de l'étalon, et nettoyé tous ses sabots, Nicci se leva et avança sur la pointe des pieds. Lorsque Richard se retourna, ils étaient assez près l'un de l'autre pour qu'elle sente son souffle sur ses joues.

Il foudroya Nicci du regard – une réaction qui impressionna moins la Sœur de l'Obscurité qu'au temps du Palais des Prophètes. Au lieu de reculer, comme jadis, elle plongea les yeux dans ceux de Richard, émerveillée à l'idée qu'elle le tenait enfin. Réussir à mettre la lune et les étoiles en bouteille ne l'aurait pas plus étonnée que cet exploit-là.

—Tu es prisonnier, dit-elle, et il est normal que ça te déplaise. Je ne m'attendais pas à ce que tu sois ravi. Mais c'est différent de tes deux autres expériences. (Elle lança une main et la referma sur la gorge de Richard. Il tressaillit de surprise, mais sentit que ce n'était pas un geste menaçant.) Tu avais un collier autour du cou, en ces occasions.

—Tu étais au Palais des Prophètes quand on m'y retenait, dit Richard. Mais l'autre fois…

Nicci le sentit déglutir péniblement et lui lâcha la gorge.

—Contrairement aux Sœurs de la Lumière, je n'utiliserai pas un collier pour te contrôler, te faire souffrir et te forcer à participer à des épreuves ridicules. Mon objectif n'a rien à voir avec ça.

» Tu te souviens du jour de ton arrivée au palais ? Et du petit discours que tu as prononcé ?

—Pas mot pour mot, non…

Là encore, il se montrait prudent, pour ne livrer aucune information.

—Moi, je n'en ai pas oublié un seul. C'était la première fois que je te voyais, et cet instant est resté gravé dans ma mémoire.

Richard ne dit rien, mais à son regard, Nicci devina qu'il réfléchissait intensément.

—Tu étais fou de rage, un peu comme maintenant… Et tu brandissais une tige de cuir rouge pendue à ton cou. Tu te rappelles ?

— Vaguement…, mentit Richard. Beaucoup de choses sont arrivées, depuis… Pour être franc, ça m'est un peu sorti de la tête.

— Tu as dit que ce n'était pas la première fois qu'on t'imposait un collier. Ta geôlière, as-tu précisé, utilisait la souffrance pour te dresser.

— Peut-être, mais où veux-tu en venir ?

Nicci sonda les yeux gris qui ne manquaient pas le plus infime de ses mouvements. Richard analysait chaque parole qu'elle prononçait, et il tentait de déterminer quel avantage il pourrait tirer de la situation. Comme un cheval prisonnier dans un enclos, il évaluait la hauteur de la clôture, se demandant s'il pourrait sauter aussi haut.

C'était impossible, il le comprendrait vite…

— J'ai toujours été intriguée par ta première captivité. Il y a quelques mois, nous avons piégé une femme en uniforme de cuir rouge. Une Mord-Sith, je veux dire… (Richard pâlit presque imperceptiblement.) Elle cherchait le seigneur Rahl pour le protéger. Imagine que je l'ai convaincue de me raconter tout ce qu'elle savait sur toi !

— Je n'ai pas grandi en D'Hara, donc ta Mord-Sith n'a pas pu te révéler grand-chose.

Une sonde subtile, histoire d'en découvrir plus… Mais derrière son assurance de façade, Richard paniquait, c'était évident pour la Sœur de l'Obscurité.

Elle sortit l'Agiel qu'elle avait prélevé sur le cadavre de la prisonnière et le jeta aux pieds de son prisonnier.

— Tu te trompes, mon garçon, elle avait beaucoup à me dire ! (Nicci eut un petit sourire – pas pour provoquer sa proie, mais en hommage à la mémoire d'une femme courageuse.) Elle connaissait Denna, et elle était au Palais du Peuple pendant que tu apprenais à devenir le chiot de ta maîtresse.

Richard baissa les yeux, s'agenouilla pour ramasser l'Agiel, se redressa et essuya l'étrange arme sur son pantalon comme s'il s'agissait d'un objet de valeur.

— Une Mord-Sith ne parle pas sous la torture, dit-il. (Il croisa de nouveau le regard de Nicci.) Ces femmes sont dressées dès l'enfance pour devenir des tortionnaires. Elle t'a roulée dans la farine, voilà tout ! Quelques mensonges intelligents, pour te désorienter. Plutôt que de trahir le seigneur Rahl, les « femmes en rouge », comme tu dis, préfèrent mourir.

Du bout d'un index, Nicci écarta délicatement une mèche blonde de sa joue.

— Tu me sous-estimes, Richard. Cette femme était très brave, et j'avais beaucoup de peine pour elle. Mais il me fallait des informations, et je les ai obtenues…

Richard s'empourpra de colère.

Nicci eut une moue désabusée. Ce n'était pas l'effet qu'elle recherchait. Alors qu'elle lui disait la vérité, il embrouillait tout avec ses fausses suppositions…

Mais cela ne dura pas. Dans ses yeux, la Sœur de l'Obscurité vit qu'il se rendait peu à peu à la raison. Soudain, sa rage disparut, remplacée par une terrible tristesse. Sans doute parce qu'il pensait au sort affreux de la Mord-Sith.

Exactement la réaction que Nicci attendait de lui.

— Si j'ai bien compris, Denna était une experte de la torture.

— Je n'ai que faire de ta compassion !

— Pourtant, je suis touchée par ce que t'a infligé Denna. Tu as souffert pour rien. Personne n'en a tiré de bénéfice. De plus, tu n'avais rien à avouer ! L'inutilité de ce calvaire le rend encore plus terrifiant. Et tu l'as enduré jusqu'au bout…

Nicci désigna l'Agiel, dans la main de Richard.

— Sa propriétaire n'a pas dû subir ce genre d'épreuve. Je veux que tu le saches.

Richard pinça les lèvres et détourna le regard, sondant les ténèbres qui s'épaississaient.

— Tu as tué Denna, mais avant, elle t'a infligé d'indicibles tourments.

— Possible, mais je l'ai tuée quand même !

Une menace très explicite – et parfaitement hors de propos.

— Ensuite, tu as menacé les Sœurs de la Lumière parce qu'elles aussi voulaient te mettre un collier. Tu leur as dit qu'elles n'arrivaient pas à la cheville de Denna en matière de cruauté, et qu'elles pensaient te tenir en laisse, mais découvriraient bientôt qu'elles serraient la foudre dans leur poing. Ne va pas imaginer un instant que je n'ai pas compris tes sentiments, ni admiré ta détermination.

Du bout d'un index, Nicci tapota la poitrine de Richard.

— Mais cette fois, le collier est autour de ton cœur, et c'est Kahlan qui mourra si tu commets une erreur.

Le Sourcier serra convulsivement les poings.

— Kahlan préférerait disparaître que me savoir en esclavage à cause d'elle. Elle m'a imploré de préférer ma liberté à sa vie. Un jour, je jugerai peut-être le moment venu d'accéder à sa requête.

Nicci ne broncha pas sous cet assaut verbal. Tant de gens l'avaient menacée par le passé.

— Le choix te revient, Richard. Et ne te méprends pas en supposant que ça me tracasse le moins du monde.

Combien de fois Jagang avait-il proféré devant elle de terribles menaces, souvent en lui serrant la gorge, et après l'avoir rouée de coups ? Dans ce registre, Kadar Kardeef avait largement été l'égal de son maître.

Depuis le jour, dans son enfance, où un homme l'avait attirée dans une ruelle pour la détrousser, elle avait perdu le compte des moments où elle aurait juré être à un souffle de la mort.

Mais quitter ce monde n'était rien comparé à ce qui l'attendait après...

— Richard, dans mes rêves, le Gardien m'a promis une éternité de souffrance. Tel est mon destin. Alors, n'espère pas m'effrayer avec tes ridicules menaces. Des hommes bien plus méchants que toi ont juré de me tourmenter. Depuis longtemps, j'ai accepté mon sort, et cessé de m'en soucier.

Vidée de tout sentiment, Nicci laissa retomber les bras le long de son corps. Penser à l'empereur et au Gardien venait de lui rappeler que la vie n'avait aucun sens. Mais ce qu'elle avait vu dans les yeux de Richard lui avait redonné un peu d'espoir, et elle devait découvrir ce que c'était.

— Que veux-tu de moi? demanda le Sourcier déchu.

Nicci revint au présent.

— Je te l'ai déjà dit. Désormais, tu joueras le rôle de mon mari. Si tu veux que Kahlan vive, il faudra t'y résoudre. Je ne t'ai menti à aucun moment. Accompagne-moi, exécute les ordres simples que je te donne, et la Mère Inquisitrice aura une très longue vie. Peut-être pas heureuse, puisqu'elle t'aime, mais je n'y peux rien...

— Combien de temps crois-tu pouvoir me retenir, Nicci? (Richard passa nerveusement une main dans ses cheveux mouillés.) Quoi que tu veuilles, tu ne l'obtiendras pas. Quand te lasseras-tu de ce jeu idiot?

Surprise, la Sœur de l'Obscurité dévisagea son prisonnier. Était-il naïf ou ignorant? Les deux, peut-être...

— Mon cher garçon, je suis venue au monde il y a cent quatre-vingt-un ans, et tu le sais très bien. Tu penses que ce n'est pas assez pour apprendre à attendre? Nous semblons avoir le même âge, et c'est la vérité, sur certains points, mais j'ai vécu presque sept fois plus longtemps que toi. Tu crois pouvoir me battre au jeu de la patience? Me prends-tu pour une jeune femme facile à berner?

— Nicci, je..., commença Richard, nettement moins agressif.

— N'envisage pas de m'amadouer en faisant ami-ami ou en me séduisant. Je ne suis pas Denna, et encore moins Verna, Warren ou cette petite dinde de Pasha. Sache que l'amitié ne m'intéresse pas.

Richard se tourna aux trois quarts et tapota le dos de l'étalon pour le calmer. Énervé par l'odeur de la fumée qui s'échappait du pin-compagnon, le cheval raclait le sol en hennissant tout bas, et ce n'était jamais bon signe.

— Dis-moi ce que tu as fait à cette pauvre femme pour qu'elle te parle de Denna.

— Rien. La Mord-Sith m'a tout dit parce que je lui ai accordé une faveur.

Richard sursauta et se tourna de nouveau vers Nicci.

— Une faveur, à une Mord-Sith ? Laquelle ?

— Lui couper la gorge.

L'ancien maître de l'empire d'haran baissa la tête, accablé de chagrin à l'idée qu'une inconnue était morte à cause de lui. D'instinct, il pressa contre son cœur l'Agiel de la Mord-Sith.

— Tu ignores son nom, bien entendu ?

Nicci jubila intérieurement. Richard était pétri de compassion, même pour des gens qu'il ne connaissait pas. Cela faisait de lui l'homme qu'il était, mais ça l'enchaînait. Cette bonté naturelle l'amènerait tôt ou tard à comprendre pour quoi elle luttait, et il se rallierait à la juste cause de l'Ordre Impérial.

— Tu te trompes. Elle s'appelait Hania.

— Hania… Je ne l'ai jamais rencontrée…

Nicci tendit un index et releva le menton du Sourcier.

— Richard, sache que je ne l'ai pas torturée. Quand je l'ai découverte, on l'avait atrocement charcutée, et j'ai tué le coupable. Hania était perdue. Je lui ai offert une mort rapide, si elle consentait à me parler de toi. Pas à te trahir au bénéfice de l'Ordre, ne te méprends pas ! Je l'ai interrogée sur ta première captivité pour mieux comprendre ce que tu as dit, le jour de ton arrivée au Palais des Prophètes.

Richard ne parut pas soulagé. Une déception pour sa geôlière.

— Pour l'achever, tu as attendu qu'elle t'ait dit tout ce que tu voulais entendre. C'était une forme de torture.

Au souvenir de cet acte sanglant, Nicci détourna la tête pour ne pas montrer la vague mélancolie qui lui étreignait le cœur. Depuis très longtemps, les drames ne lui retournaient plus les entrailles, comme dans sa jeunesse…

Tant de gens avaient besoin qu'on les soulage de leur fardeau. Les vieillards, les malades, les enfants affamés, les miséreux, les réprouvés et les désespérés… Hania n'était qu'une victime de plus qu'elle avait arrachée aux griffes du malheur. Tout était pour le mieux.

Nicci s'était détournée du Créateur et avait voué son âme au Gardien du royaume des morts. Il le fallait, pour expier son manque de véritable compassion. Bizarrement, sa conversion lui permettait désormais de venir plus facilement au secours des déshérités. Elle avait changé de route, mais la destination finale restait la même…

— Tu vois les choses comme ça, Richard, dit-elle enfin, et c'est ton droit. Mon point de vue est différent, et Hania le partageait. Avant que je l'égorge, elle m'a remerciée…

— Et pourquoi voulais-tu qu'elle te parle de Denna et de moi ?

— N'est-ce pas évident ?

— Tu ne pourrais pas commettre les mêmes erreurs que Denna, Nicci. Tu n'es pas une femme de sa trempe !

La Sœur de l'Obscurité fut soudain rattrapée par la fatigue.

La première nuit, alors qu'elle faisait semblant de dormir, elle avait senti le regard de Richard peser sur sa nuque. Consciente de sa souffrance, elle avait pleuré en imaginant combien il devait la haïr. Comme il était dur d'accepter de faire le bien dans un monde si mauvais !

— Un jour, Richard, tu consentiras peut-être à m'expliquer en quoi nous sommes différentes…

Nicci était épuisée. La nuit précédente, alors que Richard s'était autorisé du repos, elle n'avait pas dormi non plus, le regardant respirer régulièrement tout en sentant sa propre connexion avec la magie de la Mère Inquisitrice. Ce lien la rapprochait beaucoup de Kahlan…

Mais pourquoi s'en inquiéter ? Tout était pour le mieux dans le pire des mondes…

— Si nous nous mettions à l'abri, Richard ? Je meurs de froid et de faim. Ensuite, il faudra nous reposer. Mais avant de dormir, nous avons des choses à nous dire.

Elle ne pourrait pas lui mentir, et elle le savait. Bien entendu, elle ne lui dirait pas tout, mais ce qu'elle lui révélerait devait être la stricte vérité. Le contraire aurait été bien trop périlleux.

Le ballet mortel venait de commencer.

Chapitre 26

Richard coupa en morceaux la saucisse que Nicci venait de sortir de sa sacoche de selle et la jeta dans le riz qui mijotait sur le feu. Tout ce que lui avait dit la Sœur de l'Obscurité repassait en boucle dans son esprit, et il tentait de mettre un peu d'ordre dans ses idées.

Que devait-il croire ? Séparer le bon grain de l'ivraie semblait difficile, d'autant plus qu'il redoutait que tout soit exact. Pourquoi Nicci lui aurait-elle menti, en tout cas sur les sujets qu'ils avaient évoqués jusqu'à présent ? Elle paraissait bien moins hostile qu'il l'aurait cru. En fait, elle semblait surtout mélancolique, comme si le souvenir de la mort d'Hania la hantait – à moins que ce fût ce qu'elle avait fait à Kahlan et à l'homme qu'elle aimait.

Mais comment imaginer qu'une Sœur de l'Obscurité puisse avoir des tourments de conscience ? Il s'agissait sans doute d'une tactique subtile censée faciliter la réalisation de son plan tordu.

— Nous devons parler, paraît-il, dit Richard en remuant le riz avec un petit bout de bois dont il avait retiré l'écorce. J'en conclus que tu as des ordres à me donner.

Nicci battit des paupières, comme s'il l'arrachait à de profondes pensées. Avec sa robe noire et son maintien royal, elle n'était vraiment pas à sa place sous un pin-compagnon ! Il ne l'avait jamais imaginée en femme des bois, et surtout pas assise à même le sol, comme ce soir.

La robe de sa geôlière le faisait penser sans cesse à Kahlan. Parce que ce vêtement était l'exact opposé de celui de son épouse, bien entendu, mais aussi parce qu'il symbolisait d'une étrange façon le lien magique mortel qui unissait les deux femmes.

— Des ordres ? répéta Nicci. (Elle croisa les mains sur ses genoux et soutint le regard de Richard.) De fait, j'ai bien quelques requêtes à formuler, et il me siérait que tu les prennes au sérieux. Pour commencer, tu ne devras pas utiliser ton don. En aucun cas, et pour aucune raison ! Est-ce assez clair ? Comme la magie ne t'enthousiasme pas, si mes souvenirs sont exacts, y renoncer ne te brisera sûrement pas le cœur. Surtout si tu sais qu'une personne que tu aimes perdrait la vie en cas de transgression. Tu me suis toujours, mon garçon ?

Si menaçantes que fussent les paroles de Nicci, elles n'étaient rien comparées à la lueur qui brillait dans son regard. Richard acquiesça, certain qu'elle ne bluffait pas. Mais à quoi venait-il de s'engager, exactement ? Pour le moment, il n'aurait su le dire…

Il remplit un grand bol de riz à la saucisse et le tendit à Nicci en même temps qu'une cuiller. Alors qu'elle le remerciait d'un sourire, il posa la casserole devant lui, prit une grande cuillerée de riz et souffla dessus pour la refroidir – sans cesser de surveiller la Sœur de l'Obscurité du coin de l'œil.

En plus de sa beauté, le visage de Nicci était très expressif. Passant en un éclair de la mélancolie à la colère froide, il laissait rarement de doute sur ce qu'elle éprouvait. Son regard, en revanche – une curieuse dichotomie –, restait presque toujours glacial et détaché. En un sens, c'était ce qu'il y avait de plus inquiétant chez elle. L'armure impénétrable qui préservait son âme de toute intrusion.

Quand elle était contente ou reconnaissante, cela se voyait aussi. Et sa satisfaction, à ces moments-là, était sincère. De leurs rencontres, au Palais des Prophètes, Richard avait gardé le souvenir d'une femme hautaine. Bien que son maintien fût toujours noble et distant, la façade se craquelait dès qu'on lui témoignait un peu de gentillesse – voire simplement de la courtoisie. À ces occasions, il lui arrivait de sourire comme une fillette.

Richard avait encore un peu de pain. Partager le fruit du travail de Cara avec une Sœur de l'Obscurité lui déplaisait, mais c'était une réaction enfantine, il en avait conscience. Coupant une tranche, il la tendit à Nicci, qui l'accepta comme s'il venait de lui faire un somptueux cadeau.

—J'attends aussi de toi que tu n'aies aucun secret pour moi, dit-elle. Si je m'aperçois que tu me mens, ma réaction te déplaira beaucoup, tu peux me croire… De toute façon, un mari et sa femme doivent tout se dire.

Richard partageait cet avis, à une nuance près : Nicci n'était pas son épouse ! Certain que le souligner ne servirait à rien, il opta pour une autre approche :

—On dirait que tu en sais long sur le comportement des époux…

Nicci ne mordit pas à l'hameçon et changea de sujet.

—C'est délicieux, Richard. Tu cuisines vraiment bien.

À la lumière du feu, la peau de la Sœur de l'Obscurité semblait plus laiteuse que jamais. Par contraste, ses cheveux paraissaient d'une blondeur plus chatoyante qu'elle ne l'était en réalité.

—Que veux-tu, Nicci ? Quel est le but de cette absurde comédie ?

— Je t'ai capturé parce que je cherche une réponse que tu es selon moi en mesure de me fournir.

Richard cassa en deux une branche morte et se servit d'une moitié pour attiser le feu.

— Les époux se disent tout, c'est ce que tu viens de déclarer, n'est-ce pas ? Si ça vaut pour le mari, c'est également bon pour la femme.

— Bien entendu ! Je serai honnête avec toi, n'aie aucune crainte.

— Dans ce cas, de quelle question parles-tu ? Si tu cherches une réponse, tu dois savoir à quelle question elle correspond ?

Nicci détourna le regard, l'air troublé. À ces moments-là, elle ne ressemblait plus à une impitoyable acolyte du Gardien. Était-elle hantée par des souvenirs, ou par d'indicibles angoisses ? La voir ainsi était plus perturbant que d'être en face du sourire méprisant qu'un gardien de prison adresse à un condamné à travers les barreaux de sa cellule.

Dehors, il pleuvait à verse. Ils s'étaient arrêtés pour camper juste à temps. Si douloureux que ce fût, Richard ne put s'empêcher de penser aux heures agréables qu'il avait passées avec Kahlan sous des pins-compagnons.

— Je n'en sais rien, dit enfin Nicci. Sincèrement, j'ignore de quelle question il s'agit. Je cherche quelque chose, mais pour savoir quoi, il faudra que j'aie trouvé… Presque toute ma vie, j'ai ignoré jusqu'à l'existence de ce… mystère. Mais récemment, j'ai entr'aperçu…

De nouveau, le regard de Nicci sembla traverser Richard, comme si elle contemplait quelque chose, loin derrière lui. Quand elle reprit la parole, elle sembla également s'adresser à quelqu'un qui était très loin de là.

— L'instant où tu as défié les Sœurs de la Lumière, alors qu'un collier enserrait ton cou… Tout est parti de ça. Un jour, je comprendrai peut-être ce que j'ai vu dans cette salle. Ce n'était pas que toi, mais tu étais le centre de…

Le regard de Nicci se posa de nouveau *vraiment* sur Richard, et elle continua sur un ton qui se voulait rassurant.

— Jusqu'à cette révélation, tu vivras et tu n'auras rien à craindre. Je n'ai pas l'intention de te maltraiter, et encore moins de te torturer. À l'inverse de Denna et des Sœurs de la Lumière, je ne me servirai pas de toi pour jouer à de sales petits jeux…

— Ne me prends pas pour un imbécile, Nicci ! Je suis un jouet pour toi, rien de plus. Et n'imagine surtout pas être meilleure que Denna ou les Sœurs de la Lumière.

— Richard, je n'ai que du respect pour toi, il faut que tu le saches. Sans doute plus que tous les gens que tu as rencontrés jusque-là… C'est pour ça que je t'ai capturé. Tu es un être unique…

— Un sorcier de guerre, c'est tout… Mais tu n'en avais jamais vu avant. Du coup, ça t'impressionne.

Nicci balaya l'argument d'un revers de la main.

— N'essaie pas de m'impressionner avec ton pouvoir, je t'en prie… Je ne suis pas d'humeur pour ces enfantillages.

Richard ne pensa pas un instant que Nicci se vantait. En matière de magie, elle était très puissante et beaucoup mieux formée que lui.

Jusque-là, elle ne se comportait pas comme une Sœur de l'Obscurité « classique ». S'il voulait en apprendre plus, il devait oublier sa colère, son chagrin et ses angoisses et regarder la réalité en face. Entrant dans le jeu, il parla d'un ton beaucoup moins agressif.

— Désolé, mais je ne comprends pas ce que tu me veux…

— Moi non plus, c'est bien le problème ! Jusqu'à ce que j'aie trouvé la réponse, obéis-moi, et tout se passera très bien. Crois-moi, je ne te ferai pas de mal.

— Dans les circonstances présentes, tu penses que je vais gober ça ?

— Je suis sincère, Richard. Si tu te foulais une cheville, je te permettrais de t'appuyer sur mon épaule pour continuer à marcher. Comme une bonne épouse, oui ! À partir de maintenant, je me consacrerai à ton bien-être, et toi au mien.

Richard en resta muet quelques instants. C'était absurde ! Nicci était-elle folle, tout bêtement ? Il aurait été tenté de le croire, mais il fallait toujours se méfier des solutions simples. Comme le disait Zedd : « Rien n'est jamais facile. »

— Et si je ne joue pas le jeu ?

Nicci soupira de lassitude.

— Kahlan mourra. Combien de fois faudra-t-il te le dire ?

— J'avais compris… Mais si elle disparaît, il n'y aura plus de collier autour de mon cœur.

— Où veux-tu en venir ?

— Tu n'auras plus de prise sur moi, et adieu ta réponse !

— Comme je ne l'ai pas, de toute façon, je n'aurai rien perdu. De plus, si tu t'engages sur ce chemin-là, l'empereur Jagang recevra ta tête dans un joli panier d'osier. À n'en pas douter, il me couvrira de richesses pour me récompenser.

L'appât du gain – et de la gloire – n'était pas le genre de motivation sérieuse pour une Sœur de l'Obscurité. Avec son pouvoir, Nicci, si elle l'avait voulu, aurait déjà pu être la femme la plus célèbre et la plus fortunée du monde.

Cela dit, avoir abattu Richard Rahl lui vaudrait bien quelques avantages, et s'il ne se montrait pas coopératif, elle n'aurait au moins pas tout perdu. L'argent et les honneurs l'indifféraient, mais elle était avide de pouvoir. Et tuer le pire ennemi de l'Ordre Impérial serait sûrement un excellent moyen d'en obtenir.

Richard se désintéressa de la conversation et recommença à manger. Ces bavardages tournaient en rond et n'avaient aucun sens.

— Richard, dit Nicci d'une voix si douce qu'il ne put s'empêcher de relever les yeux, tu penses que je cherche à te faire souffrir, ou à te vaincre parce que tu t'opposes à l'Ordre. C'est faux, sache-le, et je t'ai dit la stricte vérité.

— Donc, quand tu auras trouvé ta réponse avec mon aide involontaire, tu me laisseras repartir ?

— Repartir ? (Nicci baissa la tête sur son bol de riz et le sonda comme si elle pensait lire l'avenir dans les grains.) Non, Richard, à ce moment-là, je te tuerai…

— Je vois…

Une bien étrange façon de l'encourager à être docile, pensa Richard. Mais il préféra garder cette remarque pour lui.

— Et qu'arrivera-t-il à Kahlan, après ma mort ?

— Je te jure qu'elle vivra tant que je vivrai. Pourquoi lui voudrais-je du mal ?

Richard en tira une certaine consolation. Bizarrement, il croyait Nicci, et savoir que Kahlan ne risquerait rien lui redonnait du courage. Si elle allait bien, son propre sort lui importait peu.

— Dans ce cas, mon « épouse », consentirais-tu à me dire où nous allons ?

Nicci ne releva pas les yeux et mangea un peu de pain et de riz avant de répondre.

— Qui combats-tu, Richard ? Qui est ton ennemi ?

— Jagang et l'Ordre Impérial.

Comme une formatrice qui corrige l'erreur d'un élève, Nicci secoua la tête.

— Tu te trompes. Au fond, tu as peut-être besoin de trouver des réponses, comme moi…

— Qui est mon adversaire, selon toi, s'il ne s'agit pas de l'empereur ?

— C'est ce que j'espère te montrer… Je vais t'emmener dans l'Ancien Monde, à la source même de l'Ordre Impérial, pour que tu connaisses la véritable nature de ce que tu crois devoir affronter.

— Pourquoi ?

— Eh bien, pour l'instant, disons que ça m'amuse…

— Donc, nous sommes en route pour Tanimura ? Là où tu as vécu des dizaines d'années dans la peau d'une Sœur de la Lumière ?

— Non ! Je t'ai parlé de la source, Richard… Nous irons en Altur'Rang, la terre natale de Jagang. Un nom qui signifie approximativement « l'Élu du Créateur ».

— Et tu veux conduire Richard Rahl dans l'antre de la bête ? J'ai peur que nous ne restions pas longtemps mari et femme…

— Tu n'utiliseras pas ta magie, ni le nom qui y est associé. Désormais, te voilà redevenu Richard Cypher. Sans ton pouvoir et ton patronyme, nul ne saura qui tu es. Nous passerons pour un couple comme il y en a tant…

— C'est jouable… Et si quelqu'un découvre la vérité, une Sœur de l'Obscurité est tout à fait à même de… l'influencer… pour qu'il l'oublie.

— Non, ça ne sera pas possible.

— Que veux-tu dire ?

— Je ne peux plus recourir à mon pouvoir.

— Quoi ?

— Ma magie est concentrée sur mon lien avec Kahlan, afin qu'elle continue à vivre. C'est la particularité d'un sort de maternité. Il faut une énorme quantité de pouvoir pour le lancer, et encore plus pour le maintenir. Toute ma magie est mobilisée sur Kahlan. Il ne me reste pas une étincelle d'énergie disponible.

» Si nous avons des ennuis, il faudra nous en sortir par nous-mêmes. Bien sûr, il m'est toujours possible de lancer des sorts, mais en puisant dans la réserve de magie du lien. Si Kahlan n'est pas près de moi, à ce moment-là, elle mourra.

— Et si par accident, tu…

— Cela n'arrivera pas ! Tant que tu t'occuperas bien de moi, ta femme sera en sécurité. En revanche, si je tombe de cheval et me brise le cou, sa nuque se cassera aussi. En veillant sur moi, tu la protégeras très efficacement. Voilà pourquoi nous devons vivre comme un couple marié. En étant à tout instant près de moi, tu t'assureras qu'il ne m'arrive rien de fâcheux. Bien entendu, je ferai pareil pour toi. Vivre sans nos pouvoirs ne sera pas facile, mais ça me semble indispensable pour obtenir ce que je veux de toi. Tu comprends ?

— Oui, répondit Richard, sans être très sûr que c'était le cas.

Il n'en croyait pas ses oreilles. Nicci, renonçant à sa magie au nom d'une mystérieuse quête de connaissance ? Cette seule idée lui glaçait les sangs.

En même temps, il la trouvait absurde. Trop perturbé, il parla sans vraiment peser ses mots ni réfléchir.

— J'ai déjà une femme, et je ne partagerai pas ta couche comme un véritable mari.

Nicci en tressaillit de surprise, puis elle gloussa un peu bêtement, pas parce qu'elle était choquée, mais à cause de la présomption de son compagnon.

Richard sentit qu'il s'empourprait.

— Je ne te veux pas de cette façon-là, mon garçon.

— Parfait…

— Mais si je changeais d'avis, dit Nicci, soudain d'un calme glacial, tu devrais obéir…

La Sœur de l'Obscurité était le genre de femme que tout homme aurait voulue dans son lit. Pourtant, quand elle avait ce regard-là, l'idée d'avoir avec elle des relations amoureuses semblait absurde.

—Tu agiras comme si tu étais mon mari, dit-elle d'une voix qui évoquait celle d'un juge prononçant une sentence de mort. (Mais c'était Kahlan qui risquait de monter sur l'échafaud.) En toutes choses, nous veillerons l'un sur l'autre. Je repriserai tes chemises, te mijoterai de bons petits plats et laverai tes vêtements. Toi, tu travailleras pour assurer notre subsistance.

Des propos d'une grande banalité, et pourtant plus violents que bien des déclarations de guerre.

—Tu ne reverras jamais Kahlan, admets-le enfin, mais elle vivra tant que tu te plieras à ma volonté. Une formidable façon de lui prouver ton amour. Chaque matin, en se réveillant, elle saura qu'elle respire grâce à toi. Tu n'auras aucun autre moyen de lui manifester ton affection…

Richard en eut la nausée. Pour se reprendre, il évoqua quelques souvenirs d'un temps et de lieux bien plus agréables.

—Et si je choisis d'en finir, pour ne plus être ton esclave?

De la pure folie, Richard le savait. Mais la démence même de cette solution le fascinait.

—Dans ce cas, j'aurai sans doute obtenu ma réponse… Peut-être dois-je apprendre que tout finit absurdement… (Nicci forma des ciseaux avec son index et son majeur et fit mine de couper quelque chose.) Une ultime convulsion, lorsque le cordon cessera de nous relier, pour confirmer que la vie n'a aucun sens…

Richard comprit que menacer cette femme ne le conduirait à rien. Au lieu de la terroriser, les catastrophes la fascinaient, et on eût même dit qu'elle les appelait de ses vœux.

—Dans le monde, murmura Richard, plus pour lui-même et pour sa femme que pour son impitoyable geôlière, une seule personne est irremplaçable à mes yeux: Kahlan! Si je dois vivre sous ton joug pour qu'elle ne meure pas, je le ferai.

Le Sourcier s'avisa que Nicci le dévisageait. Incapable de soutenir le regard d'un monstre tandis qu'il pensait à Kahlan, il détourna la tête.

—Tout ce que tu as partagé avec elle, Richard, t'appartiendra à jamais. Chéris tes souvenirs, car tu devras t'en nourrir jusqu'à la fin de tes jours. Kahlan et toi ne vous reverrez pas. Ce chapitre de vos vies est clos, et il vous faut aller de l'avant. Habitue-toi à cette idée, parce qu'il n'y a pas d'échappatoire.

Regarder la réalité en face, pas telle qu'on voudrait qu'elle soit… Exactement le discours qu'il avait tenu à Kahlan…

—Tu ne t'attends pas que j'apprenne peu à peu à te trouver agréable?

— C'est moi qui suis censée apprendre, pas toi.

Richard se leva et plaqua les poings sur ses hanches.

— Et dans quel but cherches-tu la connaissance ? Pourquoi est-ce si important pour toi ?

— Parce que j'aspire au châtiment !

— Pardon ?

— Je veux souffrir, Richard !

Les jambes coupées, le Sourcier se rassit.

— Pourquoi ?

— Parce que la douleur est la seule chose qui atteint le noyau froid et inerte de mon âme. C'est pour la souffrance que je vis !

Accablé, Richard repensa à sa « vision ». Il ne pouvait rien faire pour endiguer l'avance de l'Ordre Impérial. Pareillement, il ne voyait pas ce qu'il aurait pu tenter pour échapper à l'emprise de cette femme.

S'il n'y avait pas eu Kahlan, il se serait sur-le-champ lancé dans un duel à mort contre Nicci. Au fond, périr en combattant une démente n'était pas le pire destin qu'on pouvait imaginer. Mais sa raison l'empêchait de céder à la tentation.

Il devait vivre afin que Kahlan ne disparaisse pas. Pour cette seule raison, il se résignerait à marcher pas après pas vers l'oubli, sa destination finale.

Chapitre 27

Kahlan bâilla, se frotta les yeux, puis étira ses muscles endoloris. Dès qu'elle fut vraiment réveillée, de terribles souvenirs lui revinrent à l'esprit, chassant impitoyablement les autres pensées qui auraient dû le traverser.

Au-delà de l'angoisse et du chagrin, elle était désormais habitée par une colère dévastatrice.

Du bout des doigts, elle frôla le fourreau de l'Épée de Vérité, posé à côté d'elle. Ce contact stimula encore sa rage. Avec ses souvenirs et Bravoure, l'arme était tout ce qu'il lui restait de Richard.

Il n'y avait plus beaucoup de bois de chauffe, mais puisque ce campement était provisoire, Kahlan rajouta une branche morte sur les braises. Ensuite, elle tenta en vain de se réchauffer les mains en les passant au-dessus des flammes presque mourantes.

Le vent tourbillonna soudain, lui expédiant au visage des volutes de fumée âcre qui la firent tousser avant d'être chassées hors du refuge niché sous une saillie rocheuse.

Cara n'était pas là, sans doute parce qu'elle avait eu besoin de rendre une petite visite à leurs commodités improvisées. À moins qu'elle soit allée vérifier les collets qu'elles avaient posés la veille. Par un temps pareil, Kahlan n'espérait pas vraiment que la Mord-Sith ramène un lapin pour leur petit déjeuner. De toute façon, elles avaient assez de provisions pour tenir…

À travers les nuages, la lueur violette d'une aube glaciale pénétrait dans le petit abri entouré d'arbres couverts de neige. La veille, Kahlan et Cara avaient en vain tenté de trouver un pin-compagnon. Faute de mieux, elles s'étaient décidées pour ce refuge. Mettant en application les cours de survie de Richard, elles avaient érigé devant les arbres une sorte de mur de broussailles qui améliorait encore l'isolation thermique de leur abri. Grâce à ces précautions, la nuit n'avait pas été trop pénible. Au moins, elles l'avaient passée au sec, blotties l'une contre l'autre sous des couvertures et leurs épais manteaux en peau de loup.

Kahlan se demanda où était Richard et s'il tremblait lui aussi de froid. Sans doute pas, car il était parti plus tôt, et avait dû atteindre les basses terres avant d'être surpris en altitude par la neige.

Respectant sa volonté, les deux femmes n'avaient pas quitté la cabane pendant trois jours. Le lendemain de son départ, il avait commencé à neiger. Deux jours plus tard, Kahlan avait envisagé d'attendre que le temps s'améliore avant de partir. Mais son humiliante défaite contre Nicci lui avait enseigné une précieuse leçon : ne jamais tergiverser pour agir ! Richard n'étant pas de retour, l'Inquisitrice et la Mord-Sith s'étaient mises en route sans plus hésiter.

Au début, la progression avait été difficile. Luttant contre les tourbillons de neige, elles avaient peu chevauché, tenant leur monture par la bride tandis qu'elles marchaient. Avec une visibilité quasi nulle, elles s'étaient fiées au vent d'ouest – qui devait toujours venir de leur droite – pour s'orienter. Traverser des cols dans ces conditions était très dangereux. Un moment, les deux femmes avaient craint de s'être condamnées à mort en quittant la cabane.

La veille, à travers une trouée, dans l'épaisse couverture nuageuse, elles avaient aperçu les plaines au pied de la montagne dont elles descendaient. D'immenses étendues d'herbe jaunie que la neige ne recouvrait pas encore – et pas si lointaines que ça ! Depuis, Kahlan se rassurait en pensant que le pire de leur voyage était derrière elles.

Alors qu'elle enfilait un troisième chemisier sur les deux qu'elle portait déjà, elle entendit le grincement caractéristique de la neige foulée par d'épaisses bottes.

Au bruit, ce n'était pas une personne qui approchait, mais deux ou trois !

Kahlan se leva d'un bond au moment où Cara écartait des broussailles pour entrer dans le refuge.

— Nous avons de la compagnie…, annonça-t-elle d'un ton sinistre.

L'Inquisitrice remarqua qu'elle serrait fermement son Agiel.

Une petite femme bien enveloppée marchait sur les talons de la Mord-Sith. Sous les multiples couches de vêtements, Kahlan reconnut la silhouette d'Anna, la Dame Abbesse des Sœurs de la Lumière.

Une troisième femme s'apprêtait à entrer dans le refuge. Plus grande qu'Anna, les yeux enfoncés dans les orbites, elle avait le maintien glacial et le regard froid des mères qui tiennent la baguette et le fouet pour les meilleurs outils d'éducation des enfants… Au-dessus de son nez proéminent, des sourcils épais ajoutaient encore à son air sinistre.

— Kahlan ! s'écria Anna. (Elle bondit en avant et prit les mains de la

Mère Inquisitrice.) Si tu savais combien je suis heureuse de te revoir! Mais je ne t'ai pas présenté ma compagne de voyage. Voici Alessandra, une de mes sœurs. Alessandra, tu as l'honneur d'être devant la Mère Inquisitrice, qui est également la femme de Richard.

Alessandra avança et eut un sourire qui la métamorphosa, lui conférant une douceur et une gentillesse inattendues. Un moment, Kahlan n'en crut pas ses yeux. On eût dit que deux personnalités opposées se disputaient la possession d'un seul visage…

—Mère Inquisitrice, je suis enchantée de vous connaître. Anna m'a beaucoup parlé de vous, et toujours en bien. Votre mariage avec Richard me remplit le cœur de joie.

—Où est-il, justement? demanda Anna. (Elle dévisagea Kahlan et blêmit.) Créateur bien-aimé! qu'est-il arrivé? Où est Richard?

—Une de vos sœurs l'a emmené…, souffla Kahlan entre ses dents serrées.

Anna abaissa le capuchon qui protégeait ses cheveux gris et reprit la main de Kahlan.

—Que veux-tu dire? demanda-t-elle. Quelle sœur, pour commencer?

—Nicci…

La Dame Abbesse recula d'un pas.

—Nicci?

—Nicci? s'écria Alessandra. (Décomposée, elle croisa les mains sur son cœur.) Ce n'est pas une des sœurs d'Anna! Elle s'est vendue à l'Obscurité.

—J'ai payé pour le savoir, lâcha Kahlan.

—Il faut aller chercher Richard, dit Anna. Il n'est pas en sécurité avec elle.

—Qui peut deviner ce que Nicci risque de…, commença Alessandra.

Mais elle préféra ne pas continuer.

—Kahlan, tout ira bien, assura Anna. Raconte-nous ce qui s'est passé. Richard est-il! blessé?

—Nicci m'a jeté un sort de maternité, dit simplement Kahlan alors que la colère montait en elle.

Anna en resta bouche bée, et Alessandra poussa un petit cri.

—Tu es sûre? demanda la Dame Abbesse. Comment le sais-tu?

—Elle m'a jeté un sort, c'est une certitude. Je n'ai jamais entendu parler d'une magie pareille, mais elle est très puissante, et selon Nicci, elle crée un lien entre nous. À l'en croire, il s'agit d'un sort de maternité.

—Établir une connexion entre deux personnes ne suffit pas pour qu'il s'agisse d'un sort de maternité, intervint Alessandra.

—Quand Cara a frappé Nicci avec son Agiel, je suis tombée à genoux, comme si j'avais reçu le coup… Et j'en garde une cicatrice sur le menton.

Anna et Alessandra échangèrent un regard qui n'augurait rien de bon.

—Dans ce cas…, souffla Anna, hésitante, si elle voulait… eh bien… hum…

Kahlan prononça les mots qui refusaient de quitter la gorge de la vieille femme.

—Si l'envie lui en prend, Nicci peut me tuer simplement en coupant le « cordon ombilical ». C'est comme ça qu'elle a pu capturer Richard. Elle lui a promis que je vivrais tant qu'il accepterait d'être son esclave.

—C'est impossible ! affirma Anna. Nicci est trop jeune pour maîtriser un sortilège pareil. De plus, il faut une énorme quantité de pouvoir pour le maintenir. Elle a dû recourir à un autre sort, et mentir. Celui-là n'est pas dans ses possibilités.

—Hélas, vous vous trompez, intervint Alessandra, visiblement bouleversée. Nicci a le pouvoir requis, et il aura suffi qu'une sœur compétente lui enseigne les connaissances nécessaires. La magie ne l'a jamais beaucoup intéressée, mais elle est très douée.

—Lidmila…, souffla Anna, dévastée. Elle est prisonnière de Jagang…

Kahlan braqua un regard méfiant sur Alessandra.

—Et comment en savez-vous plus long sur Nicci que la Dame Abbesse en personne ?

Alessandra resserra autour d'elle les plis de son manteau. De nouveau, son visage changea, perdant toute chaleur pour exprimer une amertume infinie.

—C'est moi qui l'ai amenée au Palais des Prophètes quand elle était enfant. Je me suis chargée de sa formation, et je lui ai appris à toucher son Han. Personne ne la connaît mieux que moi. Plus tard, c'est par mon intermédiaire qu'elle s'est engagée sur la voie qui conduit au Gardien…

Kahlan sentit son cœur cogner contre sa poitrine, tant il palpitait de fureur.

—Donc, vous êtes une Sœur de l'Obscurité ?

—Une ancienne…, précisa Anna.

Prudente, elle leva une main pour endiguer la fougue de l'Inquisitrice.

—La Dame Abbesse est venue dans le camp de Jagang pour me libérer, dit Alessandra. Pas seulement des griffes de l'empereur, mais aussi de celles du Gardien. Je sers de nouveau la Lumière. (Un sourire rayonnant métamorphosa de nouveau le visage de la sœur.) Anna m'a ramenée dans le giron du Créateur.

Une affirmation sujette à caution, mais qui n'intéressait pas assez Kahlan pour qu'elle approfondisse le sujet.

— Comment nous avez-vous trouvées ? demanda-t-elle.

Anna ignora cette question abrupte.

— Nous n'avons pas de temps à perdre ! Il faut libérer Richard avant que Nicci le livre à Jagang.

Le regard toujours rivé sur Alessandra, Kahlan répondit à la Dame Abbesse :

— Elle ne le conduit pas vers l'empereur. À l'en croire, elle n'agit pas au nom de Jagang, mais au sien. Elle a retiré l'anneau d'or, à sa lèvre inférieure, et elle affirme ne plus avoir peur du maître de l'Ordre.

— A-t-elle révélé pourquoi elle voulait capturer Richard ? Au moins, savez-vous où elle l'emmène ?

— « Vers l'oubli »… Ce sont ses propres mots !

— L'oubli ? répéta Anna.

— Je vous ai posé une question, lâcha Kahlan, la colère faisant trembler sa voix. Comment nous avez-vous trouvées ?

— Grâce à mon livre de voyage… (Elle tapota le carnet glissé à sa ceinture.) Avec lui, j'ai pu contacter Verna, qui est avec vos troupes. Elle m'a parlé des messagers qui venaient vous voir dans la montagne, et j'ai su où chercher. Mais je désespérais de vous mettre enfin la main dessus. Kahlan, je suis heureuse de voir que tu es rétablie. Nous nous sommes tellement inquiétées, Alessandra et moi…

Du coin de l'œil, la Mère Inquisitrice vit que Cara serrait toujours fermement son Agiel. Pour sa part, elle n'avait pas besoin d'arme, car son pouvoir bouillait de se déchaîner. Et il n'était pas question qu'elle se laisse prendre de vitesse une seconde fois.

— Le journal de voyage, bien entendu… Dans ce cas, Verna a dû vous parler de la « vision » de Richard ?

Anna hocha la tête sans enthousiasme. À l'évidence, elle ne jugeait pas le moment bien choisi pour évoquer cette délicate affaire.

— Il y a quelques jours, elle nous a annoncé que les D'Harans étaient bouleversés parce qu'ils ne sentaient plus la présence de Richard dans le lien. Ils sont toujours protégés par la magie de leur seigneur Rahl, mais ils n'ont plus aucun moyen de savoir où il est.

— C'est l'œuvre de Nicci, grogna Cara. Elle a brouillé le sortilège…

— Une raison de plus pour libérer Richard ! s'écria Anna. Sans lui, tout est perdu. Ses « illuminations » sont absurdes, et il faudra lui remettre les idées en place. Mais d'abord, il est urgent de le récupérer. Il doit mener nos forces à la bataille contre l'Ordre Impérial. C'est lui, l'Élu dont parlent les prophéties.

— Et c'est pour ça que vous êtes ici…, souffla Kahlan. Verna vous a appris qu'il voulait se tenir à l'écart, et vous espérez le faire changer d'avis.

— Il le faut !

— Pas du tout! Richard pense qu'il ne doit pas s'en mêler, sinon notre cause sera vaincue pour les siècles à venir. Il a compris que les gens ne mesuraient pas la valeur de la liberté et ne se battraient pas pour elle.

— Il est là pour leur montrer le chemin, dit Anna. S'il continue à leur prouver qu'il est un bon chef, ils le suivront.

— Désormais, il pense que ce n'est pas à lui de faire ses preuves, mais aux peuples de démontrer qu'ils sont dignes d'être défendus.

— Quoi? Mais c'est absurde!

— Vous en êtes sûre?

— Bien entendu! Son nom est cité dans des prédictions qui remontent à des siècles. J'ai attendu sa naissance pendant des décennies, certaine qu'il dirigerait nos forces lors de ce combat.

— Vraiment? Si vous entendez le suivre aveuglément, pourquoi ne lui faites-vous pas confiance? C'est sa décision. Respectez-la, puisqu'il est votre chef suprême.

— Ce n'est pas ce qu'exigent les prophéties!

— Richard se fiche de vos prédictions! Il pense que l'être humain est le seul responsable de son destin. Pour lui, croire aux oracles revient à modifier artificiellement le cours des événements. Ce type de foi, dit-il, fait du mal aux gens et leur empoisonne la vie.

Anna en écarquilla les yeux de stupeur.

— Il est *désigné* pour mener contre l'Ordre le combat dont dépendra la survie de la magie. Tu ne comprends pas ce que ça signifie? Il est né pour accomplir cette mission, et il doit nous revenir.

— Tout ça est votre faute…, souffla Kahlan.

— Quoi? (Anna fronça les sourcils, puis elle eut un sourire indulgent.) Kahlan, que me racontes-tu là? Tu me connais, et tu sais pourquoi je combats. Sans Richard, nous n'aurons aucune chance de vaincre.

La Mère Inquisitrice lança soudain un bras et saisit Alessandra à la gorge.

— Ne bouge pas, ordonna-t-elle, si tu ne veux pas que je libère mon pouvoir.

— Kahlan, aurais-tu perdu l'esprit? demanda Anna. Lâche-la, et calme-toi!

De sa main libre, Kahlan désigna le feu.

— Le livre de voyage… Jetez-le dans les flammes!

— Pas question! Je ne…

— Tout de suite, si vous tenez à Alessandra. De toute façon, quand j'en aurai fini avec elle, Cara se chargera de vous forcer à détruire le livre, et tant pis si vous devez le faire avec la moitié des doigts cassés.

Anna jeta un rapide coup d'œil à la Mord-Sith.

— Kahlan, je sais que tu es bouleversée, et je te comprends. Mais nous sommes dans le même camp. Alessandra et moi aimons aussi Richard, et nous voulons arrêter l'Ordre Impérial, parce que…

— Sans vos sœurs et vous, coupa Kahlan, rien de tout ça ne serait arrivé. Vous êtes les seules responsables. Jagang et l'Ordre Impérial n'y sont pour rien !

— Serais-tu devenue…

— Folle ? Loin de là ! Vous êtes la cause du fléau qui ravage le monde. Comme Jagang avec ses esclaves, vous avez emprisonné Richard pour qu'il se plie à votre volonté. Vous avez sur la conscience les vies déjà perdues et celles qui le seront lors des boucheries à venir. C'est vous, pas Jagang, qui avez semé la terreur dans le monde.

Malgré le froid, Anna sentit de la sueur ruisseler sur son front.

— Au nom du Créateur, de quoi parles-tu, Kahlan ? Tu me connais, j'étais à ton mariage, et nous avons toujours lutté pour la même cause. Depuis le début, je me fie aux prophéties pour aider les gens.

— Vous créez les prophéties ! Sans votre aide, elles ne se réaliseraient pas. C'est vous qui avez fait de Richard un esclave !

Anna parvint à garder son calme malgré cette cataracte d'accusations.

— Kahlan, j'imagine ce que tu éprouves, mais tu parles comme une démente…

— Vraiment, Dame Abbesse ? Pourquoi Nicci a-t-elle pu capturer mon mari, d'après vous ? Répondez-moi !

— Parce qu'elle est maléfique, tout simplement…

— Non, c'est à cause de vous ! Si vous n'aviez pas commencé par envoyer Verna dans le Nouveau Monde, pour qu'elle ramène Richard dans l'Ancien…

— Les prophéties annonçaient l'avènement de l'Ordre et la fin de la magie ! coupa Anna. Et selon elles, seul Richard peut empêcher ce drame.

— Comme je le disais tout à l'heure, vous avez fait en sorte que cette prédiction se réalise. Tout ça parce que des énigmes ridicules comptent plus à vos yeux que la logique. Aujourd'hui, vous n'êtes pas ici pour soutenir Richard – votre chef, paraît-il –, mais pour lui imposer de nouveau votre volonté. Le maître tire sur la laisse de l'esclave ! Si Verna n'était jamais partie à la recherche de Richard, que serait-il arrivé, Dame Abbesse ?

— Eh bien, l'Ordre…

— L'Ordre ? Il serait toujours coincé dans l'Ancien Monde, incapable de traverser la vallée des Âmes Perdues. Cette barrière créée par des sorciers tenait depuis trois mille ans !

» Parce que vous l'avez capturé et emprisonné à Tanimura, Richard a dû la détruire, ouvrant ainsi à l'Ordre Impérial la voie qui mène aux Contrées du Milieu. Mon pays, Dame Abbesse, où les soudards de Jagang massacrent *mes* peuples ! Et maintenant, toujours à cause de vous, j'ai perdu mon mari !

» Sans votre intervention, il n'y aurait eu ni invasion ni guerre ! Pas de morts, d'orphelins, de mutilés…

» Encore par votre faute, le voile s'est déchiré, et une peste dévastatrice s'est répandue dans le royaume des vivants. Ce drame aussi nous aurait été épargné si vous n'aviez pas tout fait pour «sauver» l'univers. J'ose à peine penser aux milliers d'enfants qui ont péri parce que vous croyez à d'absurdes charades. Certains de ces gamins m'ont demandé s'ils allaient guérir, alors que je les regardais dans les yeux, et j'ai dû mentir en sachant qu'ils ne verraient pas le soleil se lever.

» Nous n'aurons jamais le compte exact des morts ! Dans les villages où il n'y a pas eu de survivants, qui viendra nous réciter la liste des victimes ? Sans votre intervention, ces enfants seraient vivants, leurs mères souriraient en les regardant jouer et leurs pères pourraient toujours leur apprendre à découvrir le monde.

» Vous prétendez lutter pour la survie de la magie ? Pourtant, à cause de vous, elle a déjà failli disparaître ! Sans vos innombrables erreurs, les Carillons n'auraient jamais arpenté notre monde. Richard a réussi à les chasser, c'est vrai, mais qui sait quels dégâts irréversibles ils ont provoqués ? Nos pouvoirs sont revenus, mais pendant l'absence de la magie, combien de créatures qui en dépendaient ont péri ? Pour exister, le pouvoir a besoin de l'équilibre, et cet équilibre a été perturbé. Pour ce que nous en savons, l'agonie du don a déjà commencé. Tout ça parce que vous révérez servilement de vieux grimoires !

» Sans vous, Dame Abbesse, Jagang, ses soldats et vos sœurs seraient toujours coincés dans l'Ancien Monde, et le Nouveau vivrait en paix. Vous accusez l'empereur de tous les maux, mais si la magie, la liberté – et en définitive l'univers – sont menacés, c'est à vous qu'ils le doivent !

Kahlan se tut enfin. Dans le silence qui suivit, le gémissement du vent ressembla à la longue et déchirante plainte d'un agonisant.

— Les choses ne sont pas ainsi, Kahlan, dit Anna, des larmes aux yeux. Tu te méprends à cause de ton chagrin…

— Vous vous trompez, lâcha simplement Kahlan. Maintenant, jetez le livre dans le feu ! Si vous croyez que j'épargnerai Alessandra, c'est que vous me connaissez mal. Puisqu'elle est redevenue une Sœur de la Lumière, elle est complice de vos crimes. Et si elle reste fidèle au Gardien, c'est encore pis ! Si vous ne détruisez pas le livre, elle mourra dans moins d'une minute.

— Quel bien attends-tu de la disparition de ce carnet ?

— Ce sera un premier pas pour vous empêcher d'intervenir dans les affaires des peuples des Contrées. Un moyen de vous tenir à l'écart de ma vie et de celle de Richard. À part vous tuer toutes les deux, c'est tout ce que je peux tenter, pour le moment. Si vous saviez combien j'en ai envie, vous ne feriez pas tant la fière ! Donnez-moi le livre, maintenant !

Kahlan tendit sa main libre.

Désespérée, Anna retira ses gants de laine, tira le carnet noir de sa ceinture, le regarda un moment avec des yeux pleins de tristesse, puis le remit à la Mère Inquisitrice.

— Créateur bien-aimé, murmura-t-elle, pardonne-la, parce qu'elle ne sait pas ce qu'elle fait…

Kahlan lâcha Alessandra et jeta le livre de voyage dans le feu.

Pâles comme des mortes, Anna et Alessandra le regardèrent s'embraser.

— Cara, on s'en va! lança l'Inquisitrice en ramassant l'épée de Richard.

— Les chevaux sont prêts. Je finissais de les seller quand ces deux-là sont arrivées.

Cara collecta leurs autres affaires et les rangea à la hâte dans leurs sacoches de selle.

Sans un regard pour Anna et Alessandra, Kahlan sortit du refuge, la Mord-Sith sur les talons, et sauta sur sa monture.

Dès que Cara l'eut imitée, les deux cavalières s'enfoncèrent dans le rideau de neige tourbillonnante.

Chapitre 28

Une seconde après le départ de la Mère Inquisitrice et de la Mord-Sith, Anna se jeta à genoux et arracha le précieux livre de voyage à ce qui aurait dû être son bûcher funéraire.

— Dame Abbesse, cria Alessandra, vous allez vous brûler !

Ignorant la douleur, Anna secoua le carnet pour éteindre les flammes. Ce sauvetage ne lui prit pas très longtemps, mais elle sentit pourtant monter à ses narines une odeur de chair carbonisée.

Alessandra accourut, ramassa de la neige et la laissa tomber sur les mains martyrisées de sa compagne.

Anna cria de souffrance. Craignant qu'elle s'évanouisse, Alessandra la prit par les poignets pour la soutenir.

— Dame Abbesse, vous n'auriez pas dû !

En état de choc, Anna ne répondit pas.

— Pourquoi n'avez-vous pas recouru à la magie, ou simplement utilisé un bâton ?

La Dame Abbesse parut surprise par cette question. Paniquée de voir le livre brûler, elle avait agi d'instinct, et les accusations de Kahlan, à l'évidence, l'avaient privée de son habituelle vivacité d'esprit.

— Ne bougez pas…, souffla Alessandra, des larmes aux yeux. Laissez-moi essayer de vous guérir. Surtout, tenez-vous tranquille !

Toujours désorientée par la douleur – et par le réquisitoire de Kahlan –, Anna laissa la Sœur de l'Obscurité repentie prendre soin de ses mains.

Pour son âme et son cœur, il n'y avait rien à faire…

— Elle a tort, Dame Abbesse, dit Alessandra, comme si elle lisait les pensées d'Anna. Ce sont des mensonges.

— Tu en es sûre ? Vraiment ?

Dans les doigts et les paumes d'Anna, la douleur disparut, remplacée par le picotement plutôt désagréable de la magie thérapeutique.

— Oui, Dame Abbesse ! Elle croit tout savoir, mais ce n'est qu'une enfant. Pensez qu'elle n'a même pas trente ans ! En si peu de temps, on peut à peine apprendre à se moucher correctement…

Alessandra pérorait pour oublier ses angoisses. Les accusations de Kahlan, la quasi-destruction du livre de voyage… Tout cela la bouleversait autant que la Dame Abbesse.

— Une sale gosse qui ne sait rien de rien ! continua-t-elle. C'est bien plus compliqué que ça… Oui, beaucoup plus complexe.

Anna n'en était plus si sûre. Il lui semblait que sa vie venait de s'écrouler. Cinq siècles de labeur… Cela avait-il été l'œuvre d'une démente aveuglée par son orgueil et d'imbéciles croyances ? À la place de Kahlan, aurait-elle vu les choses ainsi ?

Des milliers de cadavres témoignaient contre elle à la barre du tribunal qu'était devenu son esprit. Que pouvait-elle dire pour sa défense ? Des centaines de choses, certes, mais en ce moment, elles lui semblaient dépourvues de sens. Comment aurait-elle pu se sentir innocente face à tant de massacres ?

— Vous êtes la Dame Abbesse des Sœurs de la Lumière, dit Alessandra tout en continuant son œuvre régénératrice. Elle aurait dû se montrer plus respectueuse. Cette femme ne mesure pas la complexité du problème. Croit-elle que les Sœurs de la Lumière choisissent leur Dame Abbesse au hasard ?

Pas plus que les Inquisitrices n'élisent la première d'entre elles, pensa Anna, accablée.

Deux heures durant, Alessandra s'acharna sur les blessures de sa compagne, car les brûlures étaient très difficiles à guérir.

Désespérée et glacée, Anna eut du mal à sentir la magie agir en elle alors que les propos de Kahlan avaient dévasté son âme.

Quand Alessandra en eut terminé, la Dame Abbesse fléchit les doigts et constata qu'ils lui faisaient encore un peu mal. Cela durerait un bon moment, elle le savait, mais ses mains fonctionneraient de nouveau normalement.

Cela dit, ce qu'elle venait de recouvrer grâce à Alessandra ne compensait pas ce qu'elle avait perdu à cause de Kahlan.

Épuisée, la vieille dame se roula en boule à côté des braises qui l'avaient si douloureusement brûlée. Sous le regard inquiet d'Alessandra, elle se replia sur elle-même comme si elle n'avait plus l'intention de se relever. Au bout du compte, le temps l'avait rattrapée, et ses quelque mille ans d'existence pesaient trop lourd sur ses épaules.

Nathan ne lui avait jamais autant manqué qu'en cet instant. À coup sûr, il aurait prononcé de sages paroles réconfortantes – ou des âneries plus grosses que lui ! Les deux lui auraient fait du bien, de toute façon…

Nathan avait toujours des commentaires à émettre. Elle aurait voulu l'entendre pontifier, croiser son regard enfantin et malicieux, sentir le contact de ses mains…

Sans cesser de sangloter, Anna finit par s'endormir, et ses cauchemars lui valurent de pires tourments que la réalité.

En fin de matinée, elle se réveilla quand Alessandra la secoua doucement. La sœur ayant alimenté le feu, il diffusait une agréable chaleur.

—Vous allez mieux, Dame Abbesse ?

Anna fit oui de la tête – un pieux mensonge. Puis elle pensa au livre de voyage, et vit qu'il reposait sur les genoux d'Alessandra. S'asseyant péniblement, elle le saisit entre le pouce et l'index.

—Dame Abbesse, je m'inquiète beaucoup pour vous.

D'un geste qui se voulait nonchalant, Anna signifia que c'était inutile.

—Pendant que vous dormiez, j'ai regardé le livre…

—Il n'a pas l'air en bon état…

—J'ai peur qu'on ne puisse pas le sauver.

Anna utilisa son Han – un souffle de pouvoir – pour que les pages noircies ne s'émiettent pas pendant qu'elle les tournait.

—Il a résisté pendant trois mille ans, dit-elle. Un livre ordinaire serait fichu, mais il s'agit d'un artefact créé par des sorciers si puissants que le monde n'en a plus vu de tels jusqu'à l'arrivée de Richard…

—Vous connaissez un moyen de le… restaurer ?

—Pas pour le moment, et j'ignore s'il en existe un. Tout ce que je dis, c'est qu'il s'agit d'un objet magique. Et tant qu'il y a du pouvoir, tout espoir n'est pas perdu.

Anna tira un mouchoir des profondeurs de son épaisse couche de vêtements. Elle enveloppa le carnet dedans, noua les quatre coins et jeta sur le petit paquet un sort de protection qui suffirait jusqu'à nouvel ordre.

—Il faudra que j'essaie de le restaurer, comme tu dis… Enfin, si c'est possible…

—Tant que vous n'y serez pas parvenue, nous n'aurons plus aucun contact avec l'armée.

—Nous ne saurons pas si l'Ordre Impérial a décidé de quitter Anderith pour s'en prendre aux autres royaumes des Contrées… Dire que je ne pourrai même plus conseiller Verna !

—Dame Abbesse, que se passera-t-il si l'Ordre attaque alors que Richard n'est pas à la tête de ses troupes ? Sans le seigneur Rahl pour les guider, les D'Harans seront perdus…

Anna tenta d'oublier les accusations de Kahlan pour se consacrer à des préoccupations plus urgentes.

—Verna est la véritable Dame Abbesse, désormais, au moins pour les sœurs qui combattent avec le général Reibisch. Elle saura les guider sagement.

De plus, Zedd aidera nos compagnes à se préparer pour la guerre, s'il parvient à les rejoindre. Un sorcier de son expérience leur sera précieux…

» Pour le reste, il faudra espérer que le Créateur veille sur nos soldats, puisque nous n'aurons plus aucun moyen d'intervenir. En tout cas, tant que le journal de voyage sera dans cet état.

— Dame Abbesse, pourquoi ne gagnez-vous pas le camp du général Reibisch ?

— Les Sœurs de la Lumière me croient morte, et elles obéissent à Verna. Ma réapparition sèmerait le doute et la confusion, au moins dans un premier temps. Ça ne semble pas souhaitable, à l'orée d'un conflit.

— Mais votre retour les encouragerait !

— Non. Verna les dirige, et ça minerait son autorité. Les sœurs ne doivent pas perdre confiance en elle. Leurs intérêts passent avant les miens, tu dois le comprendre.

— Anna, vous restez l'authentique Dame Abbesse !

— Peut-être, mais quel bien ai-je fait à quiconque, jusque-là ?

Alessandra détourna le regard. Le vent gémissait toujours entre les arbres, projetant de la neige partout dans le refuge. Derrière un rideau de nuages noirs, le soleil semblait briller aussi faiblement qu'une lanterne dans un épais brouillard.

Anna s'essuya le nez avec un pan de son manteau gelé et soupira de lassitude.

— Dame Abbesse, dit Alessandra, vous m'avez tiré des griffes du Gardien et ramenée vers le Créateur. Pendant votre captivité, quand Jagang me contrôlait, je vous ai maltraitée, pourtant, vous ne m'avez pas abandonnée. Qui d'autre aurait agi ainsi ? Sans vous, mon âme serait à jamais perdue. Mesurez-vous la profondeur de ma gratitude, Anna ?

Même si l'apparente conversion de la sœur lui faisait plaisir, Anna se méfiait toujours d'elle. Des années plus tôt, Alessandra était devenue une Sœur de l'Obscurité, et elle n'y avait vu que du feu. Après une telle trahison, comment aurait-on pu faire aveuglément confiance à quelqu'un ?

— J'espère que tu es vraiment de retour dans la Lumière, ma fille.

— C'est la vérité, Dame Abbesse !

Anna leva les yeux au ciel.

— Quand je partirai pour l'autre monde, vers le Créateur, je prie pour que cette bonne action suffise à effacer les milliers de morts dont je suis responsable.

Alessandra se frictionna vigoureusement les bras puis ajouta un peu de bois dans le feu.

— Nous allons prendre un bon repas chaud, annonça-t-elle, et vous vous sentirez mieux. À vrai dire, je pense que ça nous fera du bien à toutes les deux.

Assise en tailleur, Anna regarda sa compagne préparer sa soupe à la saucisse favorite. Hélas, l'odeur délicieuse qui flotta très vite dans l'air ne réussit pas à réveiller son appétit.

— Selon vous, Dame Abbesse, pourquoi Nicci a-t-elle enlevé Richard ? demanda Alessandra en ajoutant à sa préparation quelques champignons séchés récupérés dans son sac de voyage.

— Je n'en ai pas la moindre idée… Sauf si elle ment, et prévoit quand même de le livrer à Jagang.

— Pourquoi aurait-elle raconté des histoires, dans ce cas ? Elle tient Richard, il est forcé de lui obéir, alors, à quoi bon lui faire gober des mensonges ?

— Nicci est une Sœur de l'Obscurité, rappela Anna. Ne pas dire la vérité est mal, et ça peut suffire à expliquer pourquoi elle le fait.

— Dame Abbesse, il y a peu, j'étais aussi une Sœur de l'Obscurité. Croyez-moi, ce n'est pas si simple… Être au service de la Lumière vous empêche-t-il de mentir lorsque ça vous semble utile ? Bien entendu que non ! Les fidèles du Gardien, exactement comme vous, recourent à la tromperie quand cela sert les intérêts de leur maître. Nicci a toutes les cartes en main, et aucune contre-vérité ne pourrait améliorer sa situation. Alors, pourquoi prendrait-elle la peine de travestir la réalité ?

— Je n'en sais rien…, avoua Anna.

Et à vrai dire, elle s'en fichait un peu. Les motivations de Nicci ne comptaient pas. Si Richard était entre les mains de l'ennemi, ce n'était pas à cause de cette garce, mais d'elle-même…

— Je crois qu'elle agit pour son propre compte, dit Alessandra.

Anna releva les yeux.

— Pourquoi donc ?

— Parce qu'elle est toujours à la recherche de quelque chose.

— De quoi parles-tu ?

Alessandra ajouta une pincée d'épices à la soupe, la remua, huma sa bonne odeur et parut satisfaite.

— Depuis que je l'ai amenée au Palais des Prophètes, quand elle était encore une gamine, elle n'a pas cessé de devenir chaque jour un peu plus… indifférente à tout. Elle a toujours fait de son mieux pour aider les autres, mais c'était une enfant… eh bien… Comment dire ? J'ai toujours eu le sentiment de ne pas pouvoir lui apporter ce qu'il lui fallait…

— Pourrais-tu être plus précise ?

— C'est difficile… Elle cherchait constamment je ne sais quoi, et j'ai pensé qu'elle devait trouver la Lumière du Créateur. Je l'ai poussée dans cette voie – impitoyablement, il faut l'avouer –, avec l'espoir que la foi comblerait son étrange vide intérieur. À l'époque, je l'ai harcelée pour qu'elle n'ait le temps de penser à rien d'autre. Je l'ai même délibérément coupée de sa famille. Son père ne s'intéressait qu'à l'argent, et sa mère… Oh ! elle était pétrie de bonnes intentions, mais je ne me suis jamais sentie à l'aise face à elle. Dame Abbesse, j'étais sûre que le Créateur apporterait à Nicci ce qui lui manquait… (Alessandra hésita un court instant.) Plus tard, j'ai pensé que le Gardien pourrait jouer ce rôle…

— Donc, tu crois que Nicci a enlevé Richard pour satisfaire un… besoin intérieur ? Peux-tu me dire quel sens ça a ?

— Je l'ignore, avoua Alessandra. (Soupirant de frustration, elle ajouta une pincée de sel dans la soupe.) Dame Abbesse, j'ai échoué, avec Nicci…

— Comment ça, « échoué » ?

— Je ne sais pas trop… Peut-être n'ai-je pas réussi à la sensibiliser aux besoins des autres. Au fond, il lui est sans doute resté trop de temps pour penser à elle-même. Elle semblait vraiment dévouée aux malheureux, mais j'aurais dû l'immerger plus profondément dans leur détresse. Cela lui aurait appris à s'occuper davantage de son prochain que de ses petits désirs égoïstes.

— Ma fille, je crois que tu te trompes. Un jour, elle m'a demandé une superbe robe noire pour les funérailles de sa mère, et j'ai refusé, parce que ça n'allait pas avec la modestie et l'oubli de soi-même qui font une bonne novice. Depuis, je n'ai pas souvenir qu'elle ait réclamé quoi que ce soit pour elle. Tu as très bien fait ton travail, Alessandra.

Anna se rappela tout de même que Nicci, après cet incident, n'avait plus porté que des robes noires.

— Je m'en souviens…, murmura Alessandra. Pour les obsèques de son père, je l'avais accompagnée. Je me sentais coupable de l'avoir privée de ses parents, mais je lui ai parlé de son don, et expliqué qu'il ne fallait surtout pas le gaspiller.

— Séparer une enfant de sa famille n'est jamais facile. Certaines s'adaptent mieux que d'autres…

— Elle m'a affirmé qu'elle comprenait. De ce point de vue là, elle a toujours été parfaite. Elle ne rechignait devant aucune mission, et je me suis sans doute laissé aveugler par son dévouement apparent. Vous savez, elle ne se plaignait jamais de rien…

» Le jour de l'enterrement de son père, j'ai voulu soulager son chagrin. Malgré sa façade glacée, je savais qu'elle souffrait. Je lui ai conseillé de ne pas conserver le souvenir d'un cadavre, mais de l'homme qu'il était quand elle vivait avec lui.

— Des paroles consolantes, quand on subit une telle perte… Tu as très bien agi.

— Elle n'a pas été réconfortée, Dame Abbesse. Elle a simplement rivé sur moi ses yeux bleus… Vous ne les avez pas oubliés, n'est-ce pas ?

— Non…

— On aurait juré qu'elle avait envie de me haïr, mais que cette émotion-là aussi était hors de sa portée. Ensuite, elle a dit qu'elle ne pourrait pas suivre mon conseil, parce qu'elle n'avait pas connu son père quand il vivait. N'est-ce pas une étrange remarque ?

— Effectivement, mais c'est typique de Nicci… Elle a toujours eu le génie de proférer des choses bizarres aux moments les plus incongrus. J'aurais dû m'occuper davantage d'elle, mais tant de choses accaparaient mon attention…

— Non, c'était mon travail, et j'ai échoué.

Anna s'enveloppa plus étroitement dans son manteau et prit le bol de soupe qu'Alessandra lui tendait.

— Pis encore, je l'ai entraînée vers l'Obscurité…

Anna but un peu de soupe, puis posa le bol fumant sur ses genoux.

— Il ne faut jamais pleurer sur le lait renversé, ma fille…

Pendant qu'Alessandra mangeait, la Dame Abbesse repensa à l'impitoyable réquisitoire de Kahlan. Étaient-ce des mots prononcés sous le coup de la colère, et qui méritaient d'être pardonnés ? Ou devait-elle les considérer objectivement ?

Anna aurait aimé penser que la Mère Inquisitrice se trompait. Hélas, elle redoutait que ce ne soit pas le cas. Pendant des siècles, elle avait travaillé dur pour éviter les désastres qu'elle voyait se profiler et ceux que Nathan prédisaient. Et si le Prophète s'était toujours trompé, comme l'affirmait Kahlan ? Ou s'il avait manipulé la vérité afin de faciliter son évasion ?

Au fond, les événements qu'elle avait mis en branle en faisant capturer Richard n'avaient eu qu'un résultat évident : la fuite de Nathan. Et s'il s'était moqué d'elle depuis le début, la manipulant comme une vulgaire marionnette ?

Cette idée glaça les sangs d'Anna. Trop sûre de ce qu'elle savait – ou plutôt, croyait savoir –, avait-elle fondé tous ses raisonnements sur des bases erronées ?

Kahlan avait peut-être raison. La Dame Abbesse des Sœurs de la Lumière pouvait avoir sur la conscience plus de morts que tous les monstres qui arpentaient le monde depuis l'aube des temps.

— Alessandra, dit Anna quand elle eut fini son bol de soupe, nous devons retrouver Nathan. On ne peut pas le laisser en liberté, il est bien trop dangereux.

— Où le chercherons-nous ?

Une bonne question, car la tâche promettait d'être des plus ardues.

— Un homme comme lui ne passe jamais inaperçu… Si nous nous consacrons à cette mission, nous le localiserons tôt ou tard.

— Dans ce cas, pourquoi hésiter ? Vous avez raison, Nathan est un danger pour le monde.

— Et nous devrons y mettre bon ordre.

— Cela dit, il a fallu vingt ans à Verna pour trouver Richard…

— C'est vrai, mais je suis en partie coupable, parce que je lui avais caché des informations. Bien entendu, Nathan joue au même jeu avec nous, mais ce n'est pas une raison pour fuir nos responsabilités. Verna et certaines sœurs sont avec l'armée, et elles feront de leur mieux pour l'aider. Traquons Nathan, puisque c'est tout ce que nous pouvons faire d'utile.

Alessandra posa son bol à côté d'elle.

— Dame Abbesse, je comprends pourquoi vous voulez capturer le Prophète, mais j'ai peur de ne pas pouvoir vous accompagner. Moi, il faut que je me lance aux trousses de Nicci. Je l'ai poussée entre les bras du Gardien, et je suis sans doute la seule qui ait une chance de la ramener au Créateur. Parce que j'ai fait ce chemin avant elle, bien entendu ! Qui d'autre pourrait s'en vanter ? De plus, je redoute ce qui arrivera à Richard si je n'essaie pas de neutraliser Nicci.

» Et que deviendrait le monde si le Sourcier venait à disparaître ? Kahlan se trompe, Dame Abbesse ! Pendant des siècles, vous avez œuvré pour le bien, et cette femme simplifie trop les choses parce qu'elle a le cœur brisé. Dans sa rage, elle oublie un point crucial : sans vos interventions, elle n'aurait jamais rencontré Richard.

Anna trouva le raisonnement logique et séduisant. Lui restait-il une chance de rédemption ?

— Ma fille, nous ignorons où Nicci veut conduire Richard. Elle est intelligente, tu le sais, et si elle agit vraiment pour son propre compte, elle fera en sorte que personne ne la trouve. Quelles chances aurais-tu de la rattraper ?

» Te souviens-tu des problèmes que Nathan a déjà causés par le passé ? Tout seul, il peut provoquer des calamités telles que le monde n'en a jamais connu. Heureusement, il a quelques faiblesses, comme par exemple faire la roue dès qu'il a un public. Nous suivrons sa trace en interrogeant tous ceux qui l'ont vu. Avec lui, nous avons une petite chance de réussir. Mais poursuivre Nicci…

— Dame Abbesse, coupa Alessandra, si Richard meurt, quelles chances de survivre auront ceux qui lui sont fidèles ?

Anna baissa les yeux. Qui avait raison ? Kahlan, ou la Sœur de l'Obscurité repentie ? Pour le savoir, elle devait capturer Nathan.

— Alessandra, je…

— Vous ne me faites pas entièrement confiance, n'est-ce pas ?

La Dame Abbesse releva la tête et soutint le regard de sa compagne.

— Tu as raison, je me méfie de toi. Ça t'étonne, après la façon dont tu m'as trahie ? Te détournant du Créateur, tu t'es donnée corps et âme au Gardien…

— Mais je suis de retour dans sa Lumière, Dame Abbesse.

— Qui me le prouve ? N'as-tu pas dit que ses fidèles mentaient quand cela pouvait servir ses intérêts ?

— C'est pour vous démontrer ma bonne foi que je veux trouver Nicci ! s'écria Alessandra, des sanglots dans la voix.

— Ou pour lui donner un coup de main, et aider le Gardien…

— Je sais que je suis indigne de confiance… Il faudrait retrouver Nathan, c'est vrai, mais il est tout aussi important de libérer Richard.

— Deux missions vitales, soupira Anna, et pas de livre de voyage pour demander l'avis de Verna et des autres…

— Dame Abbesse, laissez-moi combattre pour notre cause, je vous en prie ! Je suis responsable du mauvais chemin qu'a pris Nicci, et je dois me racheter. Si je la convaincs de revenir vers la Lumière, je pourrai la guider pas à pas et l'aider. S'il vous plaît, permettez-moi de sauver son âme éternelle !

Anna baissa de nouveau les yeux. Qui était-elle pour juger Alessandra ? Dans sa vie, qu'avait-elle fait de bien ? Au fond, le Gardien n'avait jamais eu de meilleure alliée qu'elle.

Si Kahlan ne se trompait pas…

— Sœur Alessandra, tu vas m'écouter attentivement ! Je suis la Dame Abbesse des Sœurs de la Lumière, et ton devoir est de m'obéir. Je ne supporterai aucune contradiction, m'entends-tu ? Je dois me lancer à la poursuite du Prophète avant qu'il provoque une catastrophe.

» Cela dit, Richard est essentiel pour notre cause, et tu le sais. À mon âge, je te ralentirais si je me lançais avec toi sur la piste de Nicci. Je veux que tu te charges de cette mission. Non, ne discute pas ! Tu tenteras de sauver le Sourcier et de ramener Nicci dans le giron du Créateur.

Alessandra se jeta dans les bras d'Anna et pleura de gratitude. La Dame Abbesse lui tapota gentiment le dos. Être de nouveau seule lui brisait le cœur, et plus encore à un moment où elle risquait de ne plus pouvoir continuer à croire à tout ce qui comptait pour elle depuis des siècles.

— Dame Abbesse, dit Alessandra en s'arrachant à regret des bras d'Anna, pourrez-vous voyager seule ? Pensez-vous tenir le coup ?

— Je suis vieille, c'est vrai, mais pas encore bonne à jeter à la poubelle. Qui s'est introduit dans le camp de Jagang pour te sauver, ma fille ?

— Vous, et sans l'aide de quiconque… Personne d'autre n'aurait accompli un tel exploit. Quand j'aurai remis la main sur Nicci, être seulement à moitié aussi efficace me ravirait !

— Tu y parviendras, mon enfant, j'en suis sûre. Puisse la main bienveillante du Créateur demeurer sur ta tête au cours de ton long voyage.

Des années… Voilà ce que risquaient de durer leurs quêtes. Se reverraient-elles jamais ?

— Des temps difficiles nous attendent, dit Alessandra. Mais le Créateur a deux mains, pas vrai ? Une pour moi, et une pour vous !

Malgré sa détresse, Anna ne put s'empêcher de sourire. Cette image était vraiment cocasse…

Chapitre 29

—**E**ntrez! lança Zedd à la personne qui se raclait la gorge avec insistance derrière le rabat de sa tente.

Sur ces mots, il prit l'aiguière, versa un peu d'eau dans une cuvette cabossée posée sur une grosse bûche dressée à la verticale, s'aspergea le visage et cria de surprise. Comment une eau si froide pouvait-elle être encore liquide?

—Bonjour, Zedd, dit une voix masculine.

Le vieux sorcier essuya l'eau qui ruisselait sur ses yeux et posa sur Warren un regard amical.

—Salut, mon garçon.

Voyant son interlocuteur rosir, Zedd s'avisa qu'il n'était peut-être pas judicieux d'appeler ainsi un homme deux fois plus âgé que lui. Mais après tout, s'il voulait du respect, Warren n'avait qu'à se débrouiller pour paraître plus vieux.

Avec un soupir agacé, le sorcier se pencha et se mit en quête d'une serviette dans l'incroyable fouillis qui jonchait le sol de sa tente. Des cartes d'état-major, des assiettes sales, un vieux compas rouillé, des chopes vides, quelques couvertures, des os de poulet, une corde, un œuf – perdu en plein milieu d'une leçon de tactique, quelques semaines plus tôt – et une montagne d'autres objets inutiles qui semblaient prendre un malin plaisir à s'accumuler dans sa nouvelle résidence.

Prudent, Warren remonta l'ourlet de sa tunique longue avant d'avancer vers le sorcier.

—Je sors à l'instant de la tente de Verna…, annonça-t-il.

—Des nouvelles?

—Pas la moindre… Désolé, Zedd.

—Ce n'est pas si inquiétant que ça… Anna a plus de vies qu'un chat, mon garç… hum… Warren. J'en avais un, tu sais… Un jour, ce sacré matou a été frappé par la foudre, et quelques heures plus tard, il est tombé dans un puits. Eh bien, il s'en est tiré sans une égratignure. Mais je t'ai peut-être déjà parlé de mon chat?

Warren eut un gentil sourire.

— Pour être franc, je connais sa biographie par cœur. Mais si vous avez encore envie d'évoquer son souvenir, je n'y vois pas d'inconvénient...

— Une autre fois, peut-être... Je suis sûr qu'Anna va bien. Verna la connaît mieux que moi, c'est vrai, mais je sais que c'est une dure à cuire.

— Verna m'a dit à peu près la même chose... Selon elle, Anna, d'un seul regard méchant, pourrait forcer une tornade à reculer.

Zedd grogna son assentiment et continua ses fouilles quasiment archéologiques.

— Plus dure que de la carne de bœuf..., marmonna-t-il en jetant négligemment derrière lui deux cartes stratégiques dépassées depuis longtemps.

— Si je puis me permettre, demanda Warren, que cherchez-vous ainsi?

— Ma serviette. Je sais que...

— Juste là, Zedd...

— Plaît-il?

— La serviette... Elle est là, pliée sur le dossier de votre chaise.

— Sans blague?

Le vieil homme s'empara de la serviette capricieuse et entreprit de s'essuyer le visage.

— Tu as un œil de cambrioleur, Warren...

Très maniaque dès qu'il s'agissait de rangement, Zedd jeta la serviette sur un tas d'immondices, histoire de la retrouver plus facilement la prochaine fois.

— Venant de vous, je prends cette remarque comme un compliment, dit Warren.

Zedd sursauta soudain.

— Tu as entendu?

Warren tendit l'oreille et capta uniquement les bruits habituels du camp : des roulements de sabots, des échos de conversations, des grincements de chariots et le sempiternel concert de beuglements des officiers, incapables de mettre vraiment une sourdine à leurs ordres...

— Entendu quoi?

— Je ne sais pas trop... Une sorte de sifflement...

— Zedd, les hommes sifflent parfois pour appeler leurs chevaux... Il arrive que ce soit nécessaire.

Les soldats faisaient de leur mieux pour éliminer les bruits inutiles. En terrain découvert, les sifflements portaient très loin, et ils risquaient de fournir de précieuses indications à l'ennemi. Bien entendu, dissimuler un camp de cette importance était impossible, à long terme. Pour désorienter l'adversaire, il fallait le déplacer de temps en temps, mais ça n'avait rien d'un jeu d'enfant…

— Tu dois avoir raison…, dit Zedd. Un homme a dû appeler son cheval, ou siffler pour le calmer…

— Pour en revenir à nos soucis, fit Warren, voilà quand même un bon moment qu'Anna n'a plus envoyé de message à Verna.

— Quand j'étais avec elle, c'est arrivé plusieurs fois, et ça ne signifiait rien de grave… Fichtre et foutre ! à un moment, je me suis même arrangé pour qu'elle ne puisse pas utiliser son maudit livre de voyage ! Ce truc me donne la chair de poule. Elle ne pourrait pas envoyer des lettres, comme tout le monde ? Les Sœurs de la Lumière donnent toujours dans la facilité. Je suis le Premier Sorcier, et je n'ai jamais eu besoin d'un carnet magique !

— Verna pense qu'Anna a perdu le sien.

— C'est ça ! s'exclama Zedd en claquant des doigts. (Il faisait de son mieux pour dissimuler son inquiétude, mais le résultat n'était pas très convaincant.) Il a pu glisser de sa ceinture sans qu'elle le remarque tout de suite. Et après, pour le retrouver… Voilà une preuve que j'ai raison ! Se reposer sur des artefacts n'est pas bon, et en plus, ça rend paresseux…

— C'est ce que pense Verna… Au sujet de la perte du livre de voyage, je veux dire… (Warren gloussa bêtement.) À moins qu'un chat l'ait mangé !

— Un chat ? Quel chat ? demanda Zedd, le front plissé.

— Eh bien, n'importe quel chat ! C'était simplement… Bon ! laissez tomber, mes plaisanteries sont toujours très mauvaises.

— Mais non, celle-là était excellente, mentit le vieux sorcier. Je ne dois pas être très éveillé, ce matin.

— Chat ou pas chat, Anna a certainement égaré son livre de voyage, et il n'y a rien de plus grave que ça.

— Dans ce cas, dit Zedd, elle déboulera probablement ici très bientôt, pour m'informer qu'elle va bien. Au minimum, elle nous fera parvenir un message. Mais il y a une autre possibilité. Si elle n'avait simplement rien à nous dire qui vaille la peine d'utiliser son fichu carnet ?

— Depuis près d'un mois ?

— C'est peu probable, bavarde comme elle est… Elle se dirigeait vers le nord, à peu près là où sont Richard et Kahlan. Si elle a perdu le livre, elle n'arrivera pas ici avant une bonne semaine. Et si elle est passée voir mon petit-fils d'abord, ce sera encore plus long. Anna ne voyage plus très vite, tu sais ?

— Elle n'est plus toute jeune, j'en ai conscience… Et ça me fait une raison supplémentaire d'être inquiet…

Zedd s'angoissait plutôt parce que le silence du livre de voyage datait du moment où Anna aurait dû rejoindre Kahlan et Richard. Recevoir de bonnes nouvelles lui aurait fait tellement plaisir. Si sa femme était remise, le garçon avait peut-être même changé d'avis et décidé de revenir aux affaires... Consciente que tout le monde attendait des informations, Anna aurait écrit, si elle avait pu. Et voilà qu'elle se taisait à un moment capital. Le genre de coïncidence que le vieux sorcier détestait...

Tout ça l'énervait tellement qu'il avait une furieuse envie de se gratter, comme s'il avait été piqué par un moustique albinos.

— Ne t'emballe pas, Warren ! dit-il pour calmer son jeune interlocuteur. Anna est déjà restée silencieuse pendant des semaines. Il est trop tôt pour se ronger les sangs, et nous avons des soucis plus urgents...

Si Anna avait des ennuis, personne ne pouvait rien faire, puisque sa localisation restait inconnue.

— Vous avez raison, Zedd, dit Warren.

Sous une carte froissée, le vieil homme dénicha une miche de pain datant de la veille. Il entreprit de la grignoter – un bon prétexte pour ne pas parler. Dès qu'il ouvrait la bouche, il craignait de trahir son inquiétude pour Anna – et plus encore, pour Kahlan et Richard.

Warren était un excellent sorcier et un des hommes les plus intelligents que le vieux sorcier ait rencontrés. L'impressionner en abordant un sujet dont il ignorait tout – une des tactiques préférées de Zedd – n'était pas facile, car il avait une culture encyclopédique. Ce petit inconvénient mis à part, échanger des points de vue avec un érudit pareil était fascinant. Warren ne s'étonnait pas quand le Premier Sorcier évoquait des subtilités magiques dont quasiment personne n'avait entendu parler. Pareillement, il avait un don incroyable pour compléter le protocole d'invocation des sorts les plus étranges, et adorait que Zedd l'aide à combler ses propres petites lacunes en la matière. Quant aux prophéties, il en savait beaucoup plus long que le Premier Sorcier aurait cru possible – et autorisé, par-dessus le marché !

Warren était à la fois un vieil homme un rien trop sûr de lui-même et un gamin enthousiaste manquant de maturité. Bien que pétri de certitudes, il pouvait faire montre d'une ouverture d'esprit et d'un enthousiasme rafraîchissants.

Un seul sujet le rendait muet comme une carpe : la « vision » de Richard. Soudain très pâle quand on l'évoquait, il n'émettait aucun commentaire et laissait les autres gloser sans fin sur la décision du Sourcier.

Quand Zedd et lui étaient seuls, il en disait à peine plus.

— Je suis fidèle à Richard parce qu'il est mon ami... et le seigneur Rahl.

Il refusait d'entamer le débat. Pour lui, en s'abstenant de donner des ordres, Richard avait clairement manifesté sa volonté : l'armée d'harane devait être avalée par l'ennemi pas déchiquetée par ses crocs.

Zedd remarqua que Warren tripotait nerveusement sa tunique.

—Tu ressembles à un sorcier dont les poches sont pleines de poudre à gratter magique. Aurais-tu quelque chose sur le cœur?

—Suis-je si transparent?

—Non, mon ami, mais tu as un génie en face de toi!

Warren sourit de cette plaisanterie – sans être tout à fait certain que c'en était une.

—Et si tu prenais un siège? proposa le vieux sorcier.

Le futur prophète jeta un coup d'œil à la chaise libre puis refusa d'un signe de tête.

Pour qu'il ne veuille pas s'asseoir, pensa Zedd, il fallait que ce qu'il allait dire soit sacrément important.

—Selon vous, Zedd, l'Ordre Impérial attendra-t-il le printemps pour attaquer, ou se décidera-t-il plus tôt?

—Personne ne le sait, et l'incertitude nous noue à tous les entrailles. Warren, tu as travaillé d'arrache-pied, comme les Sœurs de la Lumière. S'il y a du grabuge, vous vous en sortirez très bien.

La réponse du vieux sorcier ne sembla pas intéresser beaucoup son «jeune» collègue. Se grattouillant la joue, il paraissait surtout pressé de reprendre la parole.

—Eh bien, merci du compliment... C'est vrai que nous n'avons pas ménagé nos efforts, pendant l'entraînement.

» Cela dit... Le général Leiden pense que l'hiver est notre meilleur allié. Avec ses officiers keltiens – et le soutien de quelques D'Harans –, il affirme que Jagang serait fou de lancer un assaut au début de la mauvaise saison. Kelton est situé au nord d'ici, pas très loin, et Leiden sait parfaitement ce que représenterait un combat dans de mauvaises conditions climatiques. Bref, pour lui, l'empereur attendra à coup sûr le printemps.

—Leiden est un bon officier, et il mérite d'être le second de Reibisch. Pourtant, je suis en désaccord avec lui.

—Vraiment?

Sur la demande de Reibisch, la division keltienne était arrivée sur le terrain deux mois plus tôt pour renforcer le corps d'armée d'haran. Tenant Kahlan pour leur reine, depuis que Richard avait imposé la couronne à la jeune femme, les Keltiens se considéraient toujours comme une force indépendante, même s'ils faisaient officiellement partie de l'empire d'haran.

Zedd trouvait cette idée d'empire bizarre, mais il n'avait jamais émis l'ombre d'une objection en public. Le Nouveau Monde combattait ainsi sous un seul étendard, et ce n'était pas plus mal... Sur ce point-là, l'instinct de Richard ne l'avait pas trompé. Dans un conflit total, la notion d'unité était essentielle.

—Mais c'est une intuition, Warren, et je peux me tromper. Leiden est un militaire expérimenté. De plus, il n'a rien d'un idiot. Oui, je peux être dans l'erreur...

— Mais lui aussi, et c'est pour ça que vous vous inquiétez, comme le général Reibisch, qui passe presque toutes ses nuits à tourner en rond sous sa tente.

— Warren, permets-moi de te poser une question. Quelque chose d'essentiel pour toi dépend-il du comportement de l'Ordre ? Attends-tu que Jagang ait arrêté sa stratégie pour prendre une décision cruciale ?

— Eh bien, pas vraiment, mais… En cas d'attaque, ce ne serait pas le moment de penser à ce genre de chose, pourtant… Si l'Ordre attend jusqu'au printemps… (Le futur prophète se tordit nerveusement les mains.) Dans ce cas, j'ai pensé que…

— Oui ?

Warren riva les yeux sur la pointe de ses chaussures.

— Si vous croyez aussi que la guerre n'est pas pour tout de suite, ça rendrait possible le…

— De quoi parles-tu, mon ami ?

— D'un certain événement qui deviendrait envisageable si l'empereur diffère le début de la campagne.

— Pour dénouer la situation, admettons que j'en sois convaincu. Dans ce cas, que désirerais-tu faire ?

— Épouser Verna ! Zedd, vous accepteriez de nous unir ?

— Fichtre et foutre ! mon garçon, tu ne crois pas que c'est une question un peu difficile à avaler, au petit déjeuner ?

Warren fit deux pas en avant.

— Seriez-vous d'accord, Zedd ? Si nous supposons que l'Ordre restera en Anderith jusqu'au printemps, voudriez-vous présider la cérémonie ?

— Tu aimes Verna, mon garçon ?

— Bien entendu !

— Et elle te rend tes sentiments ?

— Évidemment…

— Dans ce cas, je vous marierai.

— Vraiment ? Zedd, ce serait merveilleux ! (Warren fit demi-tour, avança jusqu'à l'entrée de la tente et écarta le rabat.) Attendez une minute, si c'est possible…

— J'envisageais de m'envoler pour faire un petit tour sur la lune, marmonna le vieux sorcier, mais si c'est indispensable, je peux remettre ça à plus tard.

Warren était déjà sorti… Zedd entendit des échos de voix étouffées, devant la tente, puis son collègue revint, précédé par Verna, qui affichait un sourire éclatant.

Le vieil homme en fut vaguement mal à l'aise, parce que ce n'était pas un spectacle fréquent.

— Merci de bien vouloir nous unir, Zedd ! s'exclama la Dame Abbesse.

Warren et moi tenions à ce que ce soit vous. J'étais sûre que vous accepteriez, mais il ne voulait pas vous forcer la main. Rien n'est plus beau, sachez-le, que d'être mariés par le Premier Sorcier en personne.

Zedd en était venu à apprécier Verna. De temps en temps, elle se montrait un peu trop à cheval sur les règles et le protocole, mais à part ça, il n'y avait rien à lui reprocher. Pour développer sa magie guerrière, elle avait travaillé dur sans jamais se plaindre, même quand il lui demandait les choses les plus étranges. À l'évidence, elle adorait Warren et le respectait beaucoup.

— Quand aura lieu la cérémonie ? demanda-t-elle. Je bous d'impatience !

— Vous croyez que ça peut attendre que j'aie pris un vrai petit déjeuner ?

Les deux futurs époux sourirent.

— Nous préférerions nous marier le soir, dit Verna. Il sera peut-être possible d'organiser une fête, avec de la musique et des danses…

— Pour délasser un peu tout le monde, après un entraînement si rigoureux, précisa Warren. Nous avons bien besoin d'une pause…

— Une pause ? répéta Zedd. Combien de temps comptez-vous négliger votre devoir ?

— Non, ce n'est pas… nous… (Warren s'empourpra jusqu'aux oreilles.) Il n'est pas question de…

— Nous ne voulons pas de vacances, Zedd, dit Verna pour couper court aux balbutiements de son fiancé. Une soirée de festivités suffira. Nous ne quitterons pas nos postes, soyez-en certain.

Zedd passa un bras autour des épaules de la Dame Abbesse.

— Tous les deux, vous pourrez prendre autant de « vacances » qu'il vous plaira. Tout le monde comprendra. Je suis très heureux pour vous.

— C'est formidable, Zedd ! s'écria Warren, visiblement soulagé. Nous sommes vraiment…

À cet instant, un officier rouge comme une pivoine fit irruption sous la tente sans avoir pris la peine de s'annoncer.

— Sorcier Zorander !

Deux Sœurs de la Lumière entrèrent derrière l'homme.

— Dame Abbesse ! s'écria sœur Philippa.

— Ils arrivent ! lança Phoebe.

Les deux femmes, pâles comme des mortes, semblaient sur le point de restituer leur petit déjeuner. Phoebe tremblait comme une feuille, et Philippa, remarqua Zedd, avait les cheveux un peu roussis d'un côté. Sur le même flanc, sa robe était noircie de fumée. Elle revenait de la position avancée, où elle guettait l'éventuelle arrivée d'ennemis doués de magie…

Zedd comprit qu'il avait pris pour un sifflement des cris très lointains…

Tendant l'oreille, il entendit sonner les premières cornes de brume, qui donnaient déjà l'alerte. Captant dans leur musique une infime trace de pouvoir, il sut que ce n'était pas un simple exercice.

Dehors, une activité fébrile régnait dans le camp. Tous les soldats récupéraient leurs armes sur les râteliers de campagne, et les chevaux, énervés par le vacarme, hennissaient furieusement.

Warren prit Philippa par un bras et lui communiqua ses instructions :

— Formation et coordination des lignes ! Surtout, que l'Ordre ne les voie pas ! Restez en position derrière le troisième rang de soldats. Et ne frappez pas avant que l'ennemi ait approché. Il faut lui donner confiance, pour qu'il tombe dans nos pièges. Il y a des cavaliers ?

— Deux ailes largement déployées, dit l'officier, qui avait repris son souffle. Elles ne chargent pas pour l'instant, histoire de ne pas être coupées des fantassins.

— Le premier feu devra être allumé derrière les cavaliers, quand ils auront dépassé le point d'ignition. Procédez comme à l'entraînement…

Philippa fit signe qu'elle avait compris. Cette tactique visait à prendre les cavaliers en tenaille entre deux « murailles » de magie dévastatrice. Mais pour traverser les boucliers adverses, il fallait une grande précision et un minutage parfait.

— Dame Abbesse, dit Phoebe, vous ne pouvez pas imaginer combien ils sont nombreux. Créateur bien-aimé ! on croirait voir déferler une marée humaine.

Verna tapota l'épaule de son amie.

— Je sais… Mais nous sommes prêts, ne t'inquiète pas.

La Dame Abbesse entraîna les deux sœurs dehors, et commença aussitôt à battre le rappel de ses troupes magiques. Partout dans le camp, des éclaireurs revenaient au galop, sautant de leur monture avant qu'elle se soit arrêtée.

Un grand soldat barbu au visage ruisselant de sueur entra à son tour sous la tente.

— Toute l'armée de l'Ordre ! cria-t-il. Jusqu'au dernier homme…

Un cavalier s'arrêta devant le rabat ouvert.

— Des forces montées, lança-t-il, essentiellement des lanciers ! Assez puissantes pour submerger nos défenses…

Il repartit sans attendre de réponse.

— Il y a des archers ? demanda Zedd au soldat barbu et à l'officier encore écarlate.

— L'ennemi est encore trop loin pour qu'on puisse le dire, répondit le barbu. Mais je mettrais ma tête à couper qu'il y en a juste derrière les piquiers équipés de boucliers.

— C'est presque certain, soupira Zedd. Et ils se manifesteront dès qu'ils seront à portée de tir.

Warren prit le barbu par le bras et l'entraîna hors de la tente.

— Ne vous inquiétez pas, dit-il en marchant, nous leur réservons une méchante surprise.

L'autre militaire étant sorti sur les talons de Warren, Zedd se retrouva seul. Dehors, le soleil brillait, mais il faisait un froid de gueux. Une aube glaciale pour une journée qui s'annonçait sanglante...

Dans tout le camp, des hommes se préparaient à combattre avec une calme efficacité. Si les soudards de l'Ordre étaient impressionnants, les D'Harans n'avaient rien à leur envier. Depuis des générations, ils se tenaient pour les guerriers les plus féroces du monde. Presque toute sa vie, le vieux sorcier les avait affrontés, et il pouvait témoigner qu'ils ne se vantaient pas.

— Dépêchez-vous, bon sang, dépêchez-vous ! cria soudain une voix familière.

Zedd se campa sur le seuil de sa tente et découvrit le général Reibisch, occupé à faire s'activer une multitude d'hommes.

— Zedd, nous avions vu juste ! s'écria le général dès qu'il aperçut le vieil homme.

Le sorcier hocha simplement la tête, atrocement déçu d'avoir eu raison. Il ne lui arrivait pas souvent de se lamenter parce qu'il devinait toujours tout, mais là...

— Nous changeons le camp de place, annonça le général en approchant du vieil homme. Le temps presse, et j'ai déjà ordonné à nos forces avancées de filer vers le nord pour protéger les chariots de vivres.

— C'est une attaque massive ou un coup de sonde, pour tester nos réactions ?

— Une attaque massive !

— Par les esprits du bien..., soupira le vieux sorcier.

Au moins, il avait prévu cette éventualité et formé les renforts magiques à y faire face. Voir que leur « chef » avait eu raison donnerait confiance aux Sœurs de la Lumière, qui se battraient comme des lionnes. Ça valait mieux, car tout dépendrait d'elles, aujourd'hui.

— Nos sentinelles et nos éclaireurs se replient, dit Reibisch. Face à un assaut général, tenir leurs positions n'aurait aucun sens.

— Très bien raisonné... N'ayez crainte, nous serons la magie qui s'oppose à la magie.

— Et pour l'acier, vous pourrez compter sur nous, affirma l'officier. Aujourd'hui, ces salopards verront beaucoup de lames et presque autant de sortilèges !

— Mais ne dévoilez pas tous nos atouts, et surtout, ne les montrez pas trop tôt !

— Je n'ai aucune intention de modifier nos plans !

— Parfait, général... (Zedd saisit au vol le bras d'un soldat qui passait devant lui.) Mon garçon, j'ai besoin d'aide. Tu veux bien faire mes bagages pendant que je file voir les Sœurs de la Lumière ?

Reibisch fit signe au jeune type d'obéir.

— Selon les éclaireurs, les forces ennemies sont toutes de notre côté du fleuve Drun, comme nous l'espérions.

— Parfait ! Nous n'aurons pas à craindre qu'elles tentent de nous prendre à revers – en tout cas, pas par l'ouest. Vos hommes doivent atteindre la vallée à temps, général, c'est essentiel ! S'ils prennent position au nord, nous ne risquerons plus d'être encerclés. Les troupes magiques couvriront votre retraite.

— Nous serons en place au bon moment, ne vous inquiétez pas !

— Le fleuve n'est pas encore gelé ?

— Assez pour qu'un rat puisse le traverser, mais pas le loup qui le poursuit.

— Donc, l'ennemi ne pourra pas non plus... (Zedd tourna la tête vers le sud.) Je vais rejoindre les Sœurs de la Lumière et Adie. Que les esprits du bien soient avec vous, général. Dites-leur de ne pas s'occuper de vos arrières, parce que nous nous en chargerons.

Reibisch prit le vieil homme par le bras.

— Ils sont plus nombreux que prévu, Zedd. Au moins deux fois, et sans doute trois, si mes éclaireurs n'ont pas eu la berlue. Vous pensez pouvoir retenir des troupes pareilles après les avoir incitées à se lancer à ma poursuite ?

Le plan consistait à attirer les soldats de l'Ordre au nord en agitant devant leur nez une « carotte » qui devait leur ouvrir l'appétit, mais ne jamais tomber entre leurs mains. À cette époque de l'année, traverser le fleuve était impossible. Coincée entre l'eau et les montagnes, une armée si massive aurait du mal à manœuvrer pour encercler les forces de l'empire d'haran, pourtant dix ou vingt fois moins nombreuses.

Cette stratégie visait également à respecter la recommandation de Richard : pas de bataille rangée contre l'Ordre ! Malgré ses doutes, Zedd n'était pas tenté de voir ce qui se passerait si les défenseurs ne tenaient pas compte de l'avis du seigneur Rahl.

Avec un peu de chance, s'ils parvenaient à l'attirer sur un terrain plus exigu, l'armée de Jagang serait assez ralentie pour que les D'Harans passent à une tactique de harcèlement, multipliant les escarmouches sans jamais s'exposer vraiment. Les hommes de Reibisch se fichaient de combattre à un contre dix. Pour eux, c'était une occasion rêvée de prouver leur valeur...

Zedd pensa à la horde qui déferlait sur le camp et imagina la magie meurtrière qu'il déchaînerait contre elle.

Mais dans les batailles, il le savait, les choses se passaient rarement comme prévu.

—Ne vous en faites pas, général, dit-il, l'Ordre va payer très cher son agression d'aujourd'hui.

—Bien parlé! approuva Reibisch en tapant amicalement sur l'épaule du vieil homme.

Il s'éloigna en appelant ses aides de camp et en criant qu'on lui amène son cheval.

La bataille venait de commencer.

Chapitre 30

Les mains appuyées sur les cuisses, Richard s'accroupit dans le ventre de la bête.

— Alors? demanda Nicci, toujours perchée sur sa jument.

Richard se releva près d'une côte dénudée de sa chair qui faisait deux fois sa taille. Mettant une main en visière, il sonda brièvement l'horizon puis se tourna vers la Sœur de l'Obscurité, dont les cheveux blonds scintillaient au soleil.

— Je crois que c'est la carcasse d'un dragon…

Sa jument tentant de s'écarter du cadavre géant, Nicci dut tirer fermement sur les rênes.

— Un dragon…, répéta-t-elle, impassible.

Des lambeaux de chair adhéraient encore aux ossements déjà blanchis par endroits. D'un revers de la main, Richard chassa les mouches qui bourdonnaient autour de lui, en quête d'un festin.

L'odeur de décomposition lui donnant la nausée, il sortit de la carcasse et désigna la tête, qui gisait sur un lit d'herbe jaunâtre.

— Je reconnais les crocs, dit-il. Naguère, j'avais une dent de dragon…

— Eh bien, que tu aies raison ou pas, dit Nicci, toujours sceptique, filons d'ici, si tu estimes en avoir vu assez.

Richard s'essuya les mains dans l'herbe puis approcha de son étalon, qui hennit nerveusement et recula. Il détestait l'odeur de la mort et ne se calma pas vraiment quand Richard lui flatta l'encolure.

— Pas de panique, Garçon, c'est fini…, souffla son cavalier.

Dès que Richard fut en selle, Nicci fit volter sa jument et se remit en route alors que le soleil de la fin d'après-midi faisait luire sinistrement le gigantesque squelette.

Richard jeta un dernier coup d'œil à la dépouille et talonna sa monture. Heureux de s'en éloigner, l'étalon se lança au galop sans rechigner.

Depuis un mois, à quelques jours près, l'animal et son cavalier s'étaient habitués l'un à l'autre. L'étalon faisait preuve de bonne volonté, mais sans se montrer amical. Richard se contentait de cette relation, car il avait d'autres soucis en tête qu'améliorer ses rapports avec un cheval.

Nicci ignorant si la bête avait un nom – elle ne semblait pas juger utile qu'on baptise sa monture –, Richard avait opté pour « Garçon ». Du coup, la Sœur de l'Obscurité s'adressait à sa jument en l'appelant « Fille ». Que son prisonnier ait ainsi humanisé l'étalon la laissait indifférente, mais faire de même avait dû lui paraître plus simple…

— Tu crois vraiment que c'étaient les restes d'un dragon ? demanda-t-elle à Richard quand il l'eut rattrapée.

L'étalon ralentit et flanqua un gentil petit coup de tête à la jument, qui ne daigna même pas tourner le bout d'une oreille vers lui.

— La taille correspond, si mes souvenirs sont exacts.

— Tu n'es pas sérieux, n'est-ce pas ?

— Tu as vu le squelette, non ?

— Oui, mais je pensais qu'il s'agissait des restes d'un antique monstre appartenant à une espèce depuis longtemps disparue…

— Avec des essaims de mouches autour ? J'ai vu des vestiges de tendons accrochés aux os. Cette créature est morte il y a six mois, et peut-être moins que ça…

— Donc, il y a vraiment des dragons dans le Nouveau Monde ?

— Dans les Contrées du Milieu, oui… Pas là où j'ai grandi. Ces bêtes ont un certain pouvoir magique, et le don n'existe pas en Terre d'Ouest. Il n'y a pas si longtemps, j'ai rencontré un dragon rouge. D'après ce qu'on dit, ils sont très rares…

Et désormais, il y en aurait un de moins.

Nicci semblait se ficher comme d'une guigne du cadavre géant, fût-il celui d'un reptile volant.

Après quelques jours de voyage, Richard s'était rendu à l'évidence : faute de pouvoir tuer la Sœur de l'Obscurité, il aurait une meilleure chance de lui échapper s'il parvenait à l'amadouer. De plus, se livrer à un bras de fer permanent l'aurait empêché de penser à un moyen de résoudre son problème. Dans des situations de ce genre, il fallait se concentrer sur l'essentiel.

Bien entendu, manifester de l'affection à Nicci était au-dessus de ses forces, mais il parvenait à ne pas la provoquer, évitant ainsi qu'elle ait envie de se venger sur Kahlan. Jusque-là, cette tactique avait fonctionné. D'autant plus que la Sœur de l'Obscurité ne semblait pas encline à lâcher la bonde à sa colère. Quand quelque chose n'allait pas, elle se murait dans une indifférence si profonde qu'elle en devenait rassurante.

— Grandir dans un pays où la magie n'existe pas doit être étrange…, dit Nicci quand ils furent enfin de retour sur la piste qu'ils avaient quittée pour aller voir le squelette de plus près.

—Pas pour moi…, répondit Richard. À mes yeux, c'était normal.

—Et tu étais heureux, sans le don?

—Tout à fait, oui! Mais pourquoi cette question?

—Parce qu'aujourd'hui tu luttes pour sauver la magie, afin que d'autres enfants soient obligés de grandir avec elle. Ai-je tort?

—Non.

—L'Ordre veut en finir avec le surnaturel, pour que les gens soient heureux. Il aimerait que tous les gamins aient ta chance, et pourtant, tu le combats.

Richard estima que la conversation avait assez duré. La philosophie de l'Ordre ne l'intéressait pas, et il avait d'autres soucis en tête.

Ils avançaient vers le sud-est sur une piste empruntée par quelques colporteurs. Le jour même, ils en avaient croisé deux, les saluant amicalement sans s'arrêter.

Depuis le début de l'après-midi, la piste s'orientait plus nettement vers le sud. Alors qu'ils atteignaient le sommet d'une crête, Richard aperçut un troupeau de moutons dans le lointain. Selon un voyageur, ils approchaient d'un village où ils pourraient se réapprovisionner.

Sur la gauche, au nord-est, de grands pics enneigés brillaient encore au soleil. Sur la droite, une pente douce menait au Pays Sauvage. Le village dépassé, ils ne tarderaient pas à traverser le fleuve Kern. De là, ils atteindraient assez vite la vallée des Âmes Perdues.

Ensuite, ils s'enfonceraient dans l'Ancien Monde.

Même s'il n'existait plus de barrière pour l'empêcher de retourner chez lui, comme à l'époque où Verna l'avait conduit à Tanimura, Richard avait le cœur brisé de quitter le Nouveau Monde. Kahlan y vivait, et ce serait une façon de s'éloigner encore plus d'elle. Si fort qu'il l'aimât, il avait conscience de la perdre un peu plus chaque jour.

—On raconte qu'il y avait aussi des dragons dans l'Ancien Monde, dit soudain Nicci.

Richard s'arracha à sa sombre méditation.

—Par le passé, tu veux dire? Quand ça?

—Il y a très longtemps… Personne de vivant n'en a jamais vu, y compris les sœurs qui résidaient au palais.

—Et tu sais pourquoi il en est ainsi? demanda Richard.

—Je peux te répéter ce qu'on m'a enseigné, si ça t'intéresse.

Le Sourcier hocha la tête.

—Pendant le terrible conflit, à l'époque où fut érigée la barrière qui séparait les deux Mondes, les sorciers de l'Ancien envisageaient déjà d'en finir avec la magie. Les dragons ne pouvant exister sans elle, ils ont disparu.

—Pourtant, il y en a toujours ici...

—De l'autre côté de la vallée des Âmes Perdues... Les sorciers dont je parle n'ont pas réussi leur coup, puisque la magie existe encore...

Très mal à l'aise, Richard repensa au squelette. Était-il possible que...

—Nicci, puis-je te poser une question sérieuse au sujet de la magie ?

La Sœur de l'Obscurité jeta un regard méfiant à son prisonnier.

—Que veux-tu savoir ?

—Selon toi, combien de temps un dragon peut-il survivre sans le soutien du pouvoir ?

Nicci réfléchit un court instant.

—Je sais simplement ce qu'on raconte chez moi, et les récits qui datent de si longtemps ne sont pas fiables, comme tu le sais. Tu veux connaître mon estimation ? Eh bien, je crois que ce serait l'affaire de quelques jours, ou peut-être un peu plus, mais pas beaucoup. En fait, ça revient à se demander quel est l'espoir de survie d'un poisson hors de l'eau... Mais en quoi ça t'intéresse ?

—Quand les Carillons arpentaient le monde, ils ont absorbé de la magie. Pendant un temps, presque tout le pouvoir a abandonné l'univers des vivants.

—Permets-moi de te corriger : selon moi, *toute la magie* a provisoirement déserté notre monde.

Exactement ce que Richard redoutait...

—Mais toutes les créatures magiques ne dépendent pas du don... Toi et moi, par exemple. Nous sommes des êtres magiques, en un sens, mais nous sommes capables de vivre sans le pouvoir. Je me demandais si d'autres créatures comme nous ont pu survivre, pendant que les Carillons étaient là, et attendre le retour de la magie.

—La magie n'est pas revenue, Richard...

—Quoi ? s'écria le Sourcier en tirant sur les rênes de son étalon pour qu'il s'immobilise.

—Pas comme tu l'imagines, en tout cas...

Nicci avança un peu puis fit volter sa jument pour regarder son prisonnier en face.

—Richard, je n'en sais pas plus que toi sur ce qui est arrivé, mais un événement pareil a automatiquement des conséquences.

—Dis-moi ce que tu sais...

—Pourquoi as-tu l'air si inquiet ?

—Nicci, je t'en prie, partage simplement tes connaissances avec moi !

—La magie est un domaine très complexe où les certitudes sont rares. Attends, ne m'accable pas de questions ! Nous savons au moins une chose : le monde change à chaque minute depuis l'aube des temps. Mais la magie n'en fait pas vraiment partie, comprends-tu ? C'est plutôt un conduit qui relie les univers. Tu me suis ?

— Je crois, oui... Accidentellement, j'ai ramené le spectre de mon père du royaume des morts, et j'ai aussi recouru à la magie pour l'y renvoyer. Le Peuple d'Adobe, par exemple, communique avec les esprits de ses ancêtres à travers le voile qui nous sépare des territoires du Gardien. Quand une des sœurs au service de Jagang a déclenché la peste – avec un sort qu'elle était allée cherché dans le royaume des morts –, j'ai dû m'introduire dans le Temple des Vents pour empêcher une catastrophe.

— Tu vois le point commun qui relie tous ces exemples ?

— La magie permet d'aller d'un monde à l'autre.

— Oui, mais ce n'est pas tout. Un autre monde existe, d'accord, mais sa nature même dépend de ce qui se passe dans le nôtre.

— Je vois ce que tu veux dire... La vie naît chez nous, et après la mort, le Gardien s'empare des âmes...

— C'est ça, mais pas seulement ! Tu ne vois pas la connexion ?

Richard sentit qu'il perdait pied. Jusqu'à ces derniers temps, la magie – en réalité, sa simple existence – était une inconnue pour lui.

— Nous sommes coincés entre les deux royaumes ? hasarda-t-il.

— Non, pas exactement... (Nicci attendit que Richard la regarde dans les yeux, puis elle leva une main pour souligner l'importance de ce qu'elle allait dire.) La magie est une passerelle entre les mondes. Quand elle faiblit, le royaume des morts, par exemple, est plus éloigné de nous. En conséquence, son pouvoir sur l'univers où nous vivons diminue. Tu comprends ?

Richard eut soudain la chair de poule.

— Tu veux dire que les autres mondes ont moins d'influence sur le nôtre ? Comme lorsqu'un enfant grandit et se détache de ses parents ?

— C'est ça... Quand les mondes s'éloignent les uns des autres, la situation est comparable à celle d'un enfant qui quitte la maison familiale. Mais il y a encore plus que cela... (Nicci se pencha en avant sur sa selle.) Les autres mondes existent uniquement parce qu'ils ont un lien avec la vie...

À cet instant, et pour la première fois depuis qu'il la connaissait, Richard vit la Sœur de l'Obscurité sous son vrai jour : une très vieille et très sage magicienne de près de deux siècles.

— On peut même dire que les autres univers, sans la magie qui les lie au nôtre, cesseraient d'exister.

— Pour reprendre notre image, ça signifie que les parents, quand un enfant les a quittés, perdent de l'importance à ses yeux. Lorsqu'ils meurent de vieillesse, il peut continuer à vivre sans eux, si fort qu'ait été le lien qui les unissait.

— Tu as tout compris.

—Le monde change sans cesse…, murmura Richard, presque pour lui-même. Jagang veut détruire la magie et les autres univers pour que le royaume des vivants n'appartienne qu'à lui…

—Non, à l'humanité, corrigea Nicci. Pour lui-même, il ne désire rien… (Richard voulut émettre des objections, mais la Sœur de l'Obscurité lui fit signe de se taire.) Je connais l'empereur, et quand j'évoque ses convictions, je sais de quoi je parle. Il ne crache pas sur le butin, je te le concède, mais au fond de son âme, il est convaincu de lutter pour l'espèce humaine, pas pour défendre ses propres intérêts.

Richard n'en crut pas un mot, mais pourquoi aurait-il polémiqué avec Nicci ? Quoi qu'il en soit, à cause des changements en cours, des créatures comme les dragons avaient peut-être déjà disparu de la surface du monde. Le squelette qu'il avait vu était-il tout ce qui restait du dernier dragon rouge ?

—À cause des Carillons, dit Nicci, des modifications irréversibles se sont produites, et il se peut que les créatures magiques soient déjà mortes. Au fil du temps, toute la magie, y compris la nôtre, finira par disparaître. Tu saisis ? Sans la passerelle dont je parlais, plus personne ne naîtra avec le don, et la race maudite des sorciers s'éteindra.

Richard n'aurait pas juré que Nicci avait raison. Mais il avait une certitude : dès que l'occasion se présenterait, il tuerait cette femme.

Alors qu'ils s'éloignaient, il tourna la tête pour jeter un dernier coup d'œil au squelette géant. Bien entendu, il était depuis longtemps hors de vue…

La nuit était tombée quand ils atteignirent le village. Interrogeant un passant, Richard apprit que l'endroit s'appelait « Contrefort », simplement parce qu'il n'était pas loin du pied d'une chaîne de montagnes. Le bourg, très paisible, se situait aux confins des Contrées du Milieu, juste avant ce qu'on nommait jadis la « vallée des Âmes Perdues ». Ses habitants, des cultivateurs et des éleveurs, faisaient du troc avec les colporteurs téméraires qui s'aventuraient encore jusque-là, mais le flot se tarissait inexorablement.

Une route reliait Contrefort à Renwold, au sud-ouest, et d'autres pistes partaient vers le nord. Avant la disparition de Renwold, rasée par l'Ordre Impérial, la petite cité était un carrefour commercial important, car les peuples du Pays Sauvage qui vivaient de la vente de leurs produits artisanaux y faisaient immanquablement halte. Aujourd'hui, Contrefort semblait ne plus être habitée que par des fantômes. Des temps difficiles commençaient pour cette région des Contrées, et les choses n'étaient pas près de s'arranger.

L'arrivée de Richard et de Nicci fit sensation. Les étrangers, ces derniers temps, devenaient plus rares que la canicule en hiver…

Les deux voyageurs étaient épuisés. Descendre à l'auberge locale semblait tentant, mais des beuglements d'ivrognes montaient de l'établissement, et le Sourcier ne se sentait pas d'humeur à gérer une rixe.

Pour les chevaux, ils dénichèrent une écurie très bien tenue dont le propriétaire, contre une somme modique, leur proposa de passer la nuit dans son grenier à foin. Avec le temps glacial, Richard accepta l'offre et ne rechigna pas quand il lui fallut payer d'avance.

Ravi de ce bénéfice inattendu, l'homme proposa de cirer gratuitement les bottes de ses clients.

— C'est gentil, répondit Richard, mais nous sommes morts de fatigue.

— Dans ce cas, je vais m'occuper de vos montures. Bonne nuit à votre épouse et à vous, mon brave…

Précédé par Nicci, le Sourcier gravit les barreaux de l'échelle qui menait au grenier. Après un rapide repas pris en silence, ils s'enroulèrent dans leurs couvertures et s'endormirent comme des masses.

Quand ils se réveillèrent, un peu après l'aube, ils découvrirent qu'une petite bande d'enfants maigrichons et d'adultes aux joues creuses étaient venus voir les « riches » voyageurs arrivés la veille. Apparemment, l'excellente qualité de leurs chevaux avait donné naissance à un flot de rumeurs et de spéculations.

Lorsqu'il salua les villageois, Richard n'obtint que des regards vides en guise de réponse. Cependant, quand Nicci et lui se dirigèrent vers l'épicerie, située quelques bâtiments miteux plus loin, tout le monde les suivit comme s'ils étaient un couple royal en visite. Effrayés par cette procession, les volailles et les chèvres qui erraient dans les rues s'éparpillèrent sans dissimuler leur indignation. Perché sur une souche, un coq manifesta la sienne en battant furieusement des ailes. Plus conciliante, une vache laitière qui broutait dans un enclos, près de la boutique du cordonnier, leva à peine la tête pour voir ce qui se passait.

Quand les enfants, plus téméraires que les adultes, demandèrent qui ils étaient, Nicci répondit qu'ils voyageaient et cherchaient du travail. Un jeune couple comme tant d'autres, poussé à l'errance par de tragiques événements. Au vu de sa superbe robe noire, personne ne goba son histoire. Et même s'il était moins bien vêtu, Richard non plus n'avait pas l'allure d'un miséreux.

Après avoir précisé qu'ils ne trouveraient pas d'ouvrage à Contrefort, un adolescent s'enquit de leur destination. Quand Nicci révéla qu'ils étaient en route pour l'Ancien Monde, plusieurs adultes prirent leurs enfants par le bras et détalèrent sans demander leur reste.

D'autres continuèrent à coller aux basques des deux « souverains ».

Le propriétaire de l'épicerie, un homme assez âgé, chassa gentiment la foule du pas de sa porte dès que Richard fut entré dans la boutique. Mais les villageois revinrent très vite à la charge, entourant Nicci pour quémander de l'argent, de la nourriture et des médicaments.

La Sœur de l'Obscurité resta devant le magasin et demanda aux villageois de lui parler de leurs malheurs. Puis elle se déplaça parmi eux pour examiner les enfants.

La surveillant du coin de l'œil, Richard constata qu'elle affichait l'expression vacante qu'il n'aimait pas du tout.

— Que puis-je pour vous ? demanda l'épicier.

— D'abord, parlez-moi des gens qui sont massés dehors.

À travers la petite fenêtre, le Sourcier vit que Nicci, debout au milieu d'un cercle de déshérités, tenait un grand discours que son public buvait comme du petit-lait. Sans doute parlait-elle du Créateur, et de l'amour qu'il portait aux plus humbles de Ses enfants…

— Ces gens ? répéta l'épicier. Quelques-uns viennent de l'Ancien Monde – un exil volontaire, après la disparition de la barrière. La plupart sont d'ici, mais ce n'est pas la fine fleur de notre population, croyez-moi ! Un tas d'ivrognes et de bons à rien tout juste capables de mendier ! C'est devenu à la mode, depuis que des transfuges de l'Ancien Monde vivent ici. Souvent, les colporteurs leur font l'aumône, parce qu'ils craignent d'être détroussés s'ils ne se montrent pas généreux. Dehors, il y a quelques personnes vraiment dans le malheur. Par exemple des veuves qui ne parviennent plus à nourrir décemment leurs enfants… Quelques-uns de ces traîne-misère acceptent de travailler pour moi, quand j'ai besoin de bras, mais la majorité refuse de s'abaisser à ça…

Richard allait réciter au vieil homme la liste des provisions dont il avait besoin, mais l'irruption de Nicci dans la boutique l'en empêcha.

— Richard, j'ai besoin d'argent…

N'ayant aucune envie de discutailler, le Sourcier tendit à la Sœur de l'Obscurité la sacoche de selle où il gardait ses pièces d'or et d'argent.

Nicci en prit une poignée. Quand il eut calculé la somme que ça représentait, l'épicier ouvrit des yeux ronds.

Sans lui accorder un regard, Nicci ressortit et entreprit de distribuer cette petite fortune aux pauvres de Contrefort.

Des cris retentirent, les gens se bousculèrent et ceux qui avaient reçu quelque chose, très prudents, s'empressèrent de détaler.

Richard rouvrit la sacoche, jeta un coup d'œil à l'intérieur et constata qu'il ne lui restait presque plus un sou. Ce que faisait Nicci n'avait aucun sens ! Pourquoi se comportait-elle ainsi ?

En soupirant, il se tourna vers l'épicier.

— Il me faudrait de la farine, des flocons d'avoine, du riz, du bacon, des lentilles, des biscuits secs et du sel. C'est possible ?

— Oui, sauf pour les flocons d'avoine. Combien de chaque produit ?

Richard se livra à un rapide calcul mental. Leur voyage n'était pas terminé, loin de là, et Nicci, avec ses largesses, venaient quasiment de les ruiner. Comment tiendraient-ils, alors qu'ils avaient presque épuisé leur réserve de vivres ?

— Ce que vous pourrez me vendre contre six sous d'argent, répondit le Sourcier en posant les pièces sur la table.

Il retira son sac à dos et le plaça aussi sur le comptoir.

L'épicier soupira d'aise en songeant à son chiffre d'affaires de la journée. Soudain guilleret, il collecta des petits sacs sur ses étagères, puis les rangea dans le sac à dos.

Se souvenant d'autres produits dont il avait besoin, Richard mit sur le comptoir un autre sou d'argent et compléta sa commande auprès du commerçant.

Il ne lui restait plus que quelques sous d'argent, deux couronnes du même métal, et plus l'ombre d'une pièce d'or. Nicci distribuait à ces gens plus d'argent qu'ils en avaient vu de leur vie !

Inquiet pour la suite du voyage, Richard reprit son sac, que l'épicier avait fini de remplir, et sortit en trombe pour voir s'il pouvait empêcher la Sœur de l'Obscurité de dilapider son pécule.

Hélas, elle venait de donner la dernière pièce à un ivrogne barbu et édenté. Se fichant comme d'une guigne du discours sur le Créateur que lui tenait sa bienfaitrice, le type se léchait déjà les lèvres à l'idée du vin qu'il allait pouvoir ingurgiter.

Richard prit Nicci par le bras et la tira vers lui.

— Je veux aller à l'écurie, dit-elle.

— Pour une fois, je suis d'accord avec toi. Plus vite nous aurons filé d'ici, mieux…

— Non, coupa la Sœur de l'Obscurité. Nous devons vendre les chevaux, Richard !

— Pardon ? Puis-je au moins savoir pourquoi ?

— Pour partager ce que nous avons avec ceux qui ne possèdent rien.

Richard n'en crut pas ses oreilles. Comment voyageraient-ils, ensuite ?

Après une courte réflexion, il décida qu'il s'en fichait ! Au fond, arriver à destination ne l'intéressait pas. Bien entendu, ils seraient chargés comme des baudets, mais un ancien guide forestier ne se laissait pas arrêter par des détails de ce genre.

— Nous voulons vendre nos montures, annonça-t-il au propriétaire de l'écurie dès qu'ils y furent entrés.

L'homme ne cacha pas sa surprise.

— Ce sont de très beaux chevaux, messire… Par ici, on n'en voit pas beaucoup de cette qualité.

— Eh bien, dit Nicci, ça changera à partir d'aujourd'hui.

De plus en plus mal à l'aise, le type regarda la Sœur de l'Obscurité. Comme beaucoup de gens, poser les yeux sur elle le perturbait – à cause de son incroyable beauté, ou de sa froideur tout aussi peu fréquente ?

— Je ne pourrai pas vous les payer très cher, hélas…

— Qui a parlé de prix ? répondit Nicci. Nous voulons les vendre, et nous prendrons ce que vous nous proposerez.

L'homme regarda Richard puis baissa les yeux. À l'évidence, escroquer deux voyageurs ne l'enthousiasmait pas, mais comment refuser une occasion pareille ?

— Quatre pièces d'argent par tête, voilà mon prix.

Au minimum, l'étalon et la jument valaient dix fois plus !

— Et la sellerie ? demanda Nicci.

— Une pièce de plus, c'est tout ce que je peux faire… Désolé, mais je n'ai pas plus d'argent, et…

— Quelqu'un d'autre pourrait nous acheter ces chevaux ? coupa Richard.

— J'en doute, mon garçon, mais si vous trouvez un autre client, je n'en ferai pas une maladie. Je n'aime pas arnaquer les gens, et cinq pièces par bête, sellerie comprise, c'est du vol caractérisé !

Conscient que cette étrange transaction échappait au contrôle de Richard, l'homme regarda de nouveau Nicci.

— Marché conclu, dit-elle sans l'ombre d'une hésitation. C'est un prix honnête.

— Si vous le pensez… Navré, mais je n'ai pas l'argent sur moi. Si vous voulez bien attendre un peu, je vais aller le chercher…

Nicci acquiesçant, l'homme s'éloigna à grandes enjambées. Moins pressé de conclure l'affaire, devina Richard, que de voir enfin partir sa terrifiante cliente.

— Tu peux m'expliquer ce qui se passe, Nicci ?

Devant l'écurie, la foule qui les suivait depuis leur réveil semblait monter la garde, peu disposée à les laisser filer.

— Prends toutes les affaires que tu pourras porter, dit la Sœur de l'Obscurité, ignorant la question de son prisonnier. Dès que cet homme sera revenu, nous nous mettrons en route.

Richard foudroya Nicci du regard, puis il approcha de la stalle de Garçon, repéra sa selle, posée juste devant, et entreprit de fourrer dans son sac les objets dont il ne voulait pas se séparer. Il accrocha aussi les outres à sa ceinture, puis jeta les sacoches de selle sur son épaule. À n'en pas douter, le propriétaire de l'écurie n'oserait pas se plaindre qu'elles ne soient pas comprises dans la sellerie. Et s'ils passaient plus tard dans une ville un peu plus prospère, les vendre leur rapporterait peut-être de quoi se nourrir…

Près de la stalle de Fille, Nicci faisait également ses bagages.

Dès qu'il fut de retour, l'homme approcha de Richard et lui tendit l'argent.

— Non, il est pour moi ! lança Nicci.

Le propriétaire de l'écurie consulta Richard du regard, soupira et donna les pièces à la Sœur de l'Obscurité.

— J'ai ajouté les sous d'argent que vous m'avez versés hier, dit-il. C'est tout ce que j'ai, croyez-moi !

— Merci beaucoup, dit Nicci. Partager ce qu'on possède est le fondement même de la générosité. Le Créateur vous en sera reconnaissant.

Sans un mot de plus, elle se détourna et sortit de l'écurie.

— C'était ma décision…, marmonna l'homme. Le Créateur n'a rien à voir là-dedans.

Dehors, Nicci distribuait déjà l'argent qu'elle venait de toucher. Entourée d'une foule avide, elle s'éloigna et disparut bientôt de la vue du Sourcier.

Après avoir tapoté la tête de Garçon en guise d'adieu, Richard se tourna vers le propriétaire de l'écurie, qui haussa les épaules et soupira :

— J'espère au moins qu'elle vous rend heureux…

Un instant, Richard songea à dire la vérité, mais à quoi cela aurait-il servi ? Nicci tenait à ce qu'on pense qu'ils étaient maître et maîtresse Cypher, et la vie de Kahlan serait menacée s'il allait contre sa volonté.

— Elle est généreuse… C'est pour ça que je l'ai épousée. Voir les gens souffrir lui brise le cœur…

Entendant un hurlement de femme, puis des cris furieux, Richard courut vers la porte, la franchit, regarda autour de lui mais ne vit rien. Se repérant à l'oreille, il fit le tour de l'écurie et découvrit un spectacle étonnant.

Une demi-douzaine d'hommes maintenaient Nicci plaquée au sol. Tandis qu'elle se débattait, d'autres tentaient de lui faire les poches. Formant un demi-cercle autour de la scène, des femmes, des hommes et des enfants regardaient cette ignominie sans broncher. On eût dit des vautours attendant le moment de se repaître d'une charogne…

Richard se fraya un chemin à coups de coudes au milieu des « spectateurs », saisit le premier agresseur par le col, le propulsa dans les airs et ne s'étonna pas d'entendre un bruit sourd quand il alla s'écraser contre le mur de l'écurie.

Flanquant un coup de pied dans les côtes d'un autre salopard, le Sourcier l'envoya s'étaler dans la poussière. Quand il eut évité le coup de poing d'un nouveau type – puis saisi son poignet au vol pour le briser net –, les autres détrousseurs jugèrent le moment venu d'abandonner le terrain.

— Richard, non ! cria Nicci quand il fit mine de les poursuivre.

Fou de colère, le Sourcier leva un bras pour frapper l'importune qui s'accrochait à sa taille. Reconnaissant la Sœur de l'Obscurité, il s'immobilisa, laissa retomber son bras et se contenta de jeter sur la foule un regard assassin.

—Ma dame, messire, gémit une des femmes, ayez pitié de nous, pauvres pécheurs! Nous ne sommes que les enfants perdus du Créateur! Par pitié, ne nous faites pas de mal!

—Une bande de voleurs, voilà ce que vous êtes! cria Richard. Des monstres qui s'attaquent à leur bienfaitrice!

Il voulut charger la foule, mais Nicci s'accrocha de nouveau à lui.

—Non, Richard, non!

Estimant que le coin devenait dangereux, les villageois s'égaillèrent comme une volée de moineaux.

Dès qu'il se fut un peu calmé, Richard examina Nicci et constata qu'elle avait une lèvre éclatée.

—Qu'as-tu donc dans la tête? lança-t-il. Pourquoi distribues-tu de l'argent à de la vermine? Ces gens t'auraient tuée pour te prendre ce que tu étais prête à leur offrir!

—Assez, Richard! Je refuse de t'entendre insulter ainsi les enfants du Créateur! Qui es-tu pour les juger? Quand on a le ventre plein, de quel droit peut-on décider de ce qui est bien ou mal? Tu ne sais rien de ce que subissent ces malheureux, et pourtant, tu oses les condamner?

Richard prit une grande inspiration, histoire de se calmer. Ce que racontait Nicci ne l'intéressait pas. D'ailleurs, en intervenant, ce n'était pas elle qu'il avait voulu protéger… Et ça, il ne devait jamais l'oublier.

Sortant un carré de tissu de son sac, il l'humidifia avec un peu d'eau de son outre, puis essuya délicatement le menton et les joues de sa geôlière. Elle tressaillit un peu, mais ne protesta pas et le laissa examiner sa blessure.

—J'ai cru que ta lèvre avait éclaté, dit-il, mais c'est une simple coupure, au coin de ta bouche. Reste tranquille, je vais finir de te nettoyer.

Nicci se laissa faire docilement.

—Merci, dit-elle quand Richard eut terminé. Tu sais, j'ai bien cru qu'ils allaient me couper la gorge…

—Pourquoi n'as-tu pas invoqué ton Han pour te défendre?

—Aurais-tu oublié? Si j'utilise mon pouvoir, la connexion qui maintient Kahlan en vie ne sera plus assez puissante…

—J'avais oublié, en effet… Si c'est comme ça, merci de t'être retenue…

En silence et chargés comme des mulets, les deux voyageurs sortirent de Contrefort. Malgré le froid, ils furent très vite en sueur – un des rares avantages de cette absurde mésaventure.

N'y tenant plus, Richard finit par poser la question qui lui brûlait les lèvres:

— Tu aurais la bonté de m'expliquer ce qui s'est passé ?

— Ces gens sont des déshérités…

— C'est pour ça que tu leur as donné tout notre argent ?

— Serais-tu égoïste au point de ne rien vouloir partager ? Te fiches-tu que des malheureux meurent de faim, de froid ou de maladie ? L'argent représente-t-il pour toi davantage que la vie d'un homme ?

Pour ne pas exploser, le Sourcier se mordit l'intérieur d'une joue.

— Et les chevaux ? Tu les as quasiment offerts à ce type !

— Il n'avait pas plus d'argent, et ces pauvres gens m'appelaient au secours. Dans ces circonstances, nous avons agi comme il le fallait. Avec une grande noblesse, et une sincère joie, nous nous sommes dépouillés pour aider des déshérités.

— Peut-être, mais cet argent va nous manquer !

— Richard, tu as encore beaucoup à apprendre…

— C'est vrai, mais je doute que ce soit ça !

— Tu es un privilégié, et tu refuses de l'admettre. Pense à toutes les chances que tu as eues, et qui ont été refusées à ces malheureux. Je veux que tu découvres comment vivent les gens ordinaires, ceux qui doivent lutter chaque jour pour survivre. Quand tu sauras ce que c'est, tu comprendras pourquoi l'Ordre Impérial est le seul espoir de l'humanité.

» Là où je t'emmène, nous serons démunis de tout, comme les miséreux condamnés à souffrir dans un monde injuste. On ne nous proposera même pas de travail, et tu verras enfin qu'il ne suffit pas de vouloir pour pouvoir, contrairement à ce que tu penses. Peu à peu, tu découvriras que la compassion de l'Ordre aide les démunis à préserver leur dignité – le droit inaliénable de chaque être humain ! Mais ça, tu ne l'as pas encore appris.

Richard sonda le terrain, devant eux. Un vrai désert, et qu'ils devraient traverser à pied…

Une Sœur de l'Obscurité dans l'incapacité d'utiliser son pouvoir, et un sorcier qui n'en avait plus le droit. Une façon d'être «ordinaires» qui ne manquait pas d'originalité…

— Je pensais que c'était toi qui voulais apprendre des choses, dit-il.

— Je suis également ton professeur. Souvent, le maître enrichit ses connaissances autant que ses élèves…

Chapitre 31

Zedd leva la tête quand il entendit de lointaines sonneries de cornes. Luttant pour s'éclaircir les idées, il constata très vite qu'il avait dépassé le stade de la panique pour sombrer dans un état de détachement proche du déni de réalité…

Ces cornes-là indiquaient en principe l'approche d'une force amicale. Probablement une patrouille qui revenait, ou d'autres blessés qu'on ramenait à l'arrière.

Le vieux sorcier s'avisa qu'il s'était écroulé sur le sol, les bras en croix. Horrifié, il s'aperçut qu'il avait dormi la tête appuyée sur la poitrine d'un cadavre déjà froid. Le cœur serré, il se souvint qu'il avait tenté l'impossible pour soigner l'atroce blessure de l'homme. Pris de nausée, il s'écarta de la dépouille, se leva et se frotta les yeux – autant pour y voir dans l'obscurité que pour chasser ses ténèbres intérieures.

De la fumée flottait un peu partout, et l'air charriait l'odeur âcre du sang. Par endroits, des feux crépitaient, colorant d'orange les colonnes de fumée. Tout autour du vieil homme, les gémissements des blessés faisaient un sinistre fond sonore aux cris de douleur qui retentissaient dans le lointain. Quand il s'essuya le front d'un revers de la main, il crut un instant qu'il portait des gants rouges. En réalité, c'était le sang coagulé des blessés qu'il avait tenté de sauver…

Non loin de là, des arbres abattus témoignaient de la puissante magie déchaînée par l'ennemi. Autour, des cadavres déchiquetés gisaient sur le sol transformé en bourbier par des rivières de sang. Deux sœurs captives de Jagang avaient perpétré ce massacre, au crépuscule, alors que les forces d'haranes se rassemblaient dans la vallée, convaincues que la bataille était terminée pour aujourd'hui.

Zedd et Warren avaient mis un terme à l'attaque en carbonisant les deux sœurs – une judicieuse utilisation du feu de sorcier.

Ayant toujours atrocement mal à la tête, Zedd déduisit qu'il n'avait pas dû dormir plus de deux heures. Donc, on était au début de la nuit. Les hommes qui étaient passés à côté de lui avaient certainement décidé de le laisser se reposer un peu. À moins qu'ils l'aient pris pour un cadavre…

Le premier jour de combat s'était déroulé aussi « bien » que possible. Tout au long de la première nuit, il n'y avait pas eu grand-chose à signaler, à part des escarmouches sans grandes conséquences. Tout avait changé à l'aube de la deuxième journée. Une incroyable boucherie! Le soir, le calme était revenu, comme si les deux camps avaient besoin de reprendre leur souffle. Tendant l'oreille et regardant alentour, Zedd eut le sentiment que les hostilités n'avaient pas repris.

Les forces de Reibisch étaient parvenues à rejoindre la vallée en attirant derrière elles l'armée de l'Ordre, provisoirement détournée des voies d'accès qui lui auraient permis de déferler dans les Contrées du Milieu. Pour cette demi-victoire, les soldats de l'empire d'haran avaient payé un prix très élevé. Mais le sacrifice en valait la peine, car l'ennemi, pour le moment, était coincé. Restait à savoir combien de temps ça durerait…

De plus, l'Ordre avait dominé les combats, et de très loin!

L'endroit où se tenait Zedd n'était pas vraiment un camp, mais plutôt un carré de terrain où des centaines d'hommes vidés de leurs forces s'étaient laissés tomber dans l'herbe pour prendre un peu de repos. À perte de vue, des hampes de lance et de flèche hérissaient le sol. La nuit précédente, tandis que le vieux sorcier s'efforçait de soulager les blessés, une averse d'acier et de bois s'était abattue sur cette zone.

Le jour, au milieu du carnage, Zedd avait déchaîné toute sa magie. Bien qu'il eût prévu d'intervenir à bon escient, sur des cibles soigneusement sélectionnées, il s'était laissé entraîner dans l'équivalent magique d'un combat de coqs.

Les jambes encore tremblantes, il écouta un moment le lointain roulement de sabots. Près du « camp », les cornes donnaient de nouveau l'ordre de ne pas tirer, car il s'agissait d'une force amie. Mais n'y avait-il pas trop de chevaux, pour le nombre de patrouilles censées revenir? Soucieux, Zedd tenta de se rappeler s'il avait capté, dans la musique des cornes, l'écho magique qui permettait de les identifier à coup sûr. Trop fatigué, il n'avait pas prêté attention à ce point pourtant essentiel. Le genre de distraction parfait pour finir raide mort sans même avoir compris comment…

Des hommes couraient partout. Certains portaient des vivres, des outres ou des bandes de gaze. D'autres s'efforçaient de faire circuler au mieux les messages et les rapports. Dans le périmètre, quelques Sœurs de la Lumière soignaient les blessés. Plus loin, des soldats réparaient les chariots au cas où un départ précipité s'imposerait.

Quelques hommes erraient parmi les blessés, le regard vide comme s'ils n'appartenaient déjà plus à ce monde…

À la chiche lumière de la lune, Zedd vit que le sol était jonché de cadavres, de blessés qui ne valaient guère mieux et de guerriers terrassés par la fatigue. Quelques chariots finissaient de brûler, et les derniers incendies magiques, reconnaissables à leurs flammes vertes, crépitaient encore dans l'indifférence générale. Plissant les yeux, Zedd distingua des dizaines de chevaux morts, éventrés par la magie en même temps que leurs maîtres.

Les champs de bataille changeaient, pas la nature même de la guerre. La nuit tombée, le désespoir s'abattait sur les deux camps, frappant indifféremment le vainqueur et le vaincu.

L'odeur du sang et de la chair carbonisée était la même que dans la jeunesse de Zedd. À l'époque, il s'était demandé si le monde n'avait pas basculé dans la démence. Ce soir, il se posait la même question…

Les chevaux approchaient toujours. Bientôt, le vieil homme serait fixé…

Entendant des bruits de pas, sur sa droite, il plissa les yeux et reconnut la silhouette d'Adie à sa claudication caractéristique. Elle avançait vers lui, suivie par une femme plus grande qui devait être Verna. Un peu plus loin, le capitaine Meiffert écoutait avec une certaine impatience un discours pompeux du général Leiden. Intrigués par les roulements de sabots, les deux hommes s'interrompirent et tournèrent la tête.

Zedd les imita et vit que des soldats s'écartaient à la hâte pour laisser passer une colonne de cavaliers. À l'évidence, il ne s'agissait pas d'une attaque, puisque ces hommes saluaient les nouveaux venus, certains y allant même de la voix…

Le sorcier remarqua que plusieurs soldats tendaient le bras vers lui, comme pour indiquer aux cavaliers de le rejoindre. En l'absence de leur seigneur, les D'Harans se reposaient sur lui pour tout ce qui était magique. Du coup, il était quasiment devenu leur figure de proue…

Les cavaliers approchaient toujours, sans faire mine de ralentir. Des étendards flottant au bout de leurs lances – tenues rigoureusement droites –, ils étaient des milliers, comme le laissait supposer le vacarme qui avait annoncé leur arrivée.

Quand ils furent assez proches, Zedd reconnut la personne qui chevauchait à leur tête.

— Par les esprits du bien…, murmura-t-il.

Perchée sur un énorme destrier, une femme en cuirasse, un manteau de fourrure ouvert flottant dans son dos, avançait avec la détermination d'une tigresse.

Kahlan…

Malgré la distance, Zedd vit que la garde d'or et d'argent de l'Épée de Vérité dépassait de derrière son épaule gauche.

Il en eut aussitôt le sang glacé…

Sentant une main se poser sur son bras, il se retourna et croisa le regard d'Adie, totalement blanc mais pourtant si acéré, grâce à l'extraordinaire « vision » que lui conférait son don. Leiden et Meiffert sur les talons, Verna continuait à se frayer un chemin entre les morts et les blessés.

Derrière Kahlan, la colonne de cavaliers semblait s'étendre à l'infini. Zedd agita la main pour attirer l'attention de la Mère Inquisitrice, qui ne lui répondit pas, mais continua à galoper vers lui, comme si elle l'avait repéré depuis longtemps.

Les premiers cavaliers s'immobilisèrent à une cinquantaine de pas du Premier Sorcier. Après une longue chevauchée, leurs destriers haletaient, et de l'écume blanche souillait leur poitrail.

Kahlan regarda très lentement autour d'elle. Des hommes accouraient de toutes les directions, avides de congratuler les renforts venus de Galea.

Jusqu'à ce que sa demi-sœur Cyrilla se rétablisse – si cela devait arriver un jour –, la Mère Inquisitrice resterait à la tête du royaume. Son demi-frère, Harold, dirigeait l'armée, et le pouvoir ne l'intéressait pas, car il se savait plus utile pour son pays sur un champ de bataille que dans une salle du trône. Par son père, Kahlan avait toute légitimité pour porter la couronne. Et si les Inquisitrices n'accordaient guère d'importance aux liens du sang, le peuple de Galea voyait à l'évidence les choses d'un autre œil.

La jeune femme sauta à terre et avança vers Zedd, ses bottes martelant le sol comme pour annoncer à Jagang lui-même son arrivée. Derrière elle, la Mord-Sith Cara, en uniforme rouge sous son manteau de fourrure, descendit également de sa monture.

Tous les guerriers d'harans se turent en signe de respect. Pour eux, il ne s'agissait pas seulement de la Mère Inquisitrice, mais surtout de l'épouse du seigneur Rahl…

Un instant, le vieux sorcier crut que Kahlan allait se jeter dans ses bras et éclater en sanglots. À voir la tristesse qui voilait ses yeux verts, ça n'aurait pas été étonnant, mais les choses ne se passèrent pas ainsi.

—Au rapport ! lâcha-t-elle en enlevant ses gants.

En armure noire, une épée royale au côté gauche, Kahlan portait un coutelas sur la hanche droite. Comme d'habitude, ses cheveux cascadaient librement sur ses épaules – un signe de pouvoir, dans les Contrées du Milieu, où aucune femme n'avait le droit d'arborer une telle crinière.

—Kahlan, souffla Zedd, les yeux rivés sur la garde de l'Épée de Vérité, où est Richard ?

La détresse disparut des yeux de l'Inquisitrice. Après avoir tourné la tête en direction de Verna, qui les aurait bientôt rejoints, elle fixa Zedd et répondit :

— Entre les mains de l'ennemi… Et maintenant, au rapport !

— Comment ça, « entre les mains de l'ennemi » ? Qui l'a capturé ?

Kahlan regarda de nouveau Verna. Comme si une main invisible la poussait en arrière, la Dame Abbesse ralentit le pas, soudain hésitante.

— Une Sœur de l'Obscurité l'a enlevé, dit la Mère Inquisitrice au Premier Sorcier. (Un instant, elle parut émue par le désespoir qui s'afficha sur le visage du vieil homme. Mais cela ne dura pas, et elle reprit aussitôt son masque impénétrable.) J'aimerais entendre votre rapport, sorcier Zorander.

— Enlevé ? Mais… il va bien ? Tu veux dire qu'il est prisonnier ? Nos ennemis exigent une rançon, c'est ça ? Il ne lui est rien arrivé de grave ?

Kahlan se tapota le menton, où Zedd remarqua une profonde plaie pas encore cicatrisée.

— Il se porte bien, pour autant que je le sache…

— Que s'est-il passé ? explosa Zedd en levant au ciel ses bras décharnés. Que veut cette Sœur de l'Obscurité ?

Enfin arrivée, Verna se campa sur la gauche du vieil homme. Meiffert et Leiden se placèrent sur sa droite, à côté d'Adie.

— De quelle sœur s'agit-il ? demanda Verna, toujours oppressée comme si une main appuyait sur sa poitrine.

— Nicci.

— Nicci ! s'écria Meiffert. La Maîtresse de la Mort ?

— Elle-même, oui… Quelqu'un aurait-il l'obligeance de me faire son rapport ?

Quand la Mère Inquisitrice parlait sur ce ton, mieux valait ne pas l'énerver davantage.

— Les forces ennemies ont quitté Anderith, dit le capitaine. Hier matin, je crois… Avec tout ça, je n'ai plus l'esprit très clair.

— Nous avons décidé de les attirer dans cette vallée, précisa Zedd. Au milieu des plaines, nous n'aurions pas pu les contenir.

— Les laisser envahir les Contrées du Milieu aurait été une erreur fatale, renchérit le capitaine. Nous nous dressons contre l'Ordre pour l'empêcher de s'en prendre aux populations. Le choix du terrain aide à compenser un peu le désavantage du nombre.

— Et combien d'hommes avons-nous perdus ?

— Environ quinze mille… Peut-être plus…

— L'ennemi vous a pris à revers, c'est ça ?

— Oui, Mère Inquisitrice.

— Qu'est-ce qui a mal tourné ? demanda Kahlan.

Derrière elle, les cavaliers de Galea formaient une terrifiante muraille de cuir, de cottes de mailles et d'acier. Au premier rang, les officiers ne rataient pas une miette de la conversation.

— Tu ne voudrais pas plutôt savoir ce qui a bien tourné ? grommela Zedd. On en aurait fini plus vite…

— L'ennemi a deviné notre plan, dit Meiffert. Au fond, ce n'était pas difficile, puisque aucune autre stratégie ne nous aurait laissé une chance. Sûrs de leur force, les officiers de l'Ordre sont quand même entrés dans notre jeu.

— Je répète ma question : qu'est-ce qui a mal tourné ?

— Tout ! s'écria le général Leiden. Nous combattons à un contre vingt, voilà ce qui ne va pas !

Kahlan foudroya le militaire du regard. Se ressaisissant, il mit un genou en terre.

— Mes hommages, Majesté…

Un peu radoucie, la Mère Inquisitrice se concentra de nouveau sur Meiffert.

Les poings serrés – un détail que Zedd ne manqua pas de noter –, le capitaine continua son rapport.

— Apparemment, Mère Inquisitrice, l'ennemi est parvenu à faire traverser le fleuve à une division. Nous sommes sûrs qu'il n'est pas passé par l'est, parce que nous avions prévu des contre-mesures, au cas où cette éventualité se présenterait.

— Si je comprends bien, ayant deviné que vous jugiez la chose impossible, les officiers de l'Ordre ont choisi de passer par le fleuve. À coup sûr, ils ont envoyé plus d'une division, parce que les pertes ont dû être énormes. Ensuite, cette force est passée par le nord, à travers les montagnes et, sans que nul ne la remarque, elle est venue vous prendre à revers sur cette rive du fleuve. Bref, quand vous êtes arrivés, l'ennemi tenait le terrain que vous pensiez investir. Avec d'autres troupes de l'Ordre sur les talons, vous étiez coincés. Et bien entendu, l'ennemi espérait vous écraser entre les deux mâchoires de son piège.

— C'est l'idée générale, oui, confirma Meiffert.

— Qu'est-il arrivé aux hommes qui vous attendaient ici ?

— C'est nous qui les avons écrasés ! Dès que nous avons analysé la situation, c'était la seule issue possible.

Kahlan eut un hochement de tête approbateur. Derrière ces deux phrases, tant de courage et de souffrance se cachait…

— Pendant qu'on se battait, les autres taillaient en pièces nos lignes arrière ! lança Leiden, de plus en plus furieux. Nous n'avions pas une chance !

— On dirait que vous vous trompez, général, puisque nous tenons la vallée.

—Et alors ? Nous ne pourrons pas combattre une armée de cette taille. Lancer les hommes dans cette boucherie était de la folie. Cette vallée ne méritait pas un tel massacre, d'autant plus que nos adversaires nous en délogeront quand ils voudront. Vous m'entendez ? Ils nous tueront jusqu'au dernier ! Ce soir, ils ont marqué une pause parce que nous réduire en bouillie ne les amusait plus…

Dans un lourd silence, certains hommes regardèrent ailleurs, et d'autres contemplèrent la pointe de leurs bottes.

—Et que faites-vous ici, cette nuit, à bayer aux corneilles ? demanda Kahlan.

—Nous nous battons depuis deux jours ! rappela Zedd, pas très loin de perdre son calme.

—Peut-être, mais je n'autorise jamais mes ennemis à s'endormir sur une victoire. C'est clair ?

—Comme de l'eau de roche, Mère Inquisitrice ! répondit Meiffert en se tapant du poing sur le cœur.

Il regarda autour de lui, et des centaines d'hommes, déjà au garde-à-vous, l'imitèrent partout dans le campement.

—Mère Inquisitrice, grogna Leiden, oubliant volontairement qu'il s'adressait à sa reine, les soldats n'ont presque pas dormi depuis deux jours.

—Je vois…, dit Kahlan. Mes cavaliers et moi avons chevauché pendant soixante-douze heures d'affilée, sans jamais prendre plus que le temps de manger et de faire boire les chevaux. Ça ne change rien à ce qui doit être fait.

Les mâchoires serrées, Leiden s'inclina de nouveau devant sa souveraine. Mais dès qu'il se releva, il repassa à l'offensive.

—Majesté, vous ne pouvez pas *sérieusement* nous demander de lancer une contre-attaque cette nuit. Avec le ciel couvert, la lumière de la lune ne permet pas d'y voir à dix pas devant soi. Dans l'obscurité, une initiative pareille tournerait au désastre. Une pure folie !

Kahlan foudroya du regard l'officier keltien, puis elle dévisagea tout à tour les hommes massés autour d'elle.

—Où est le général Reibisch ?

Très pâle, Zedd désigna le cadavre près duquel il avait dormi.

—J'ai bien peur qu'il ne puisse plus rien pour toi, Kahlan…

La Mère Inquisitrice riva les yeux sur le corps du général. Sa barbe rousse maculée de sang, Reibisch fixait le ciel sans le voir.

Bien qu'il eût deviné que le combat était perdu d'avance, Zedd s'était acharné pendant des heures à sauver le D'Haran. Hélas, rien n'y avait fait.

—Qui est le nouveau commandant ? demanda Kahlan.

—Moi, Majesté, répondit Leiden en avançant d'un pas. Et à ce titre, je ne saurais permettre qu'on…

—Ce sera tout, lieutenant Leiden, coupa Kahlan. Vous pouvez disposer.

—Général Leiden, Majesté…

—Me contredire une fois est une erreur, lieutenant. La deuxième, il s'agit d'une trahison, et vous connaissez le sort que nous réservons aux félons.

—Éloignez-vous de la Mère Inquisitrice, lieutenant, dit Cara, son Agiel au poing.

Malgré la lueur rouge et orange des feux, Zedd vit que le Keltien pâlissait. Reculant enfin, il se résigna au silence – un peu tard pour sauver sa carrière, à l'évidence.

—Et maintenant, qui est le nouveau commandant? demanda Kahlan.

Zedd se racla la gorge avant de répondre.

—Les sorciers ennemis se sont servis de leur pouvoir pour localiser nos officiers supérieurs, et je crains que tous aient déjà péri. Mais cette victoire a coûté très cher à nos ennemis.

—Dans ce cas, qui commandera, désormais?

Meiffert regarda autour de lui, hésita un peu, puis leva la main.

—Je n'en suis pas certain, Mère Inquisitrice, mais je crois que c'est moi…

—Parfait, général Meiffert.

—Mère Inquisitrice, cette promotion n'est pas… eh bien… indispensable.

—Quelqu'un a dit qu'elle l'était, général?

Meiffert se tapa du poing sur le cœur. Du coin de l'œil, Zedd vit Cara sourire de satisfaction. Aucun des milliers d'hommes qui suivaient la scène de près ou de loin n'eut une réaction similaire. Pas parce qu'ils désapprouvaient la nomination de Meiffert, bien au contraire, mais parce qu'ils ne se seraient pas permis un tel relâchement devant la femme qui venait de prendre les choses en main. Très respectueux de l'autorité, les D'Harans, faute d'avoir leur seigneur Rahl, acceptaient volontiers que son épouse le remplace. Surtout si elle se montrait encore plus dure que lui. Sourire ou non, ils étaient contents, Zedd n'en doutait pas.

—Comme je l'ai dit plus tôt, pas question que l'ennemi dorme sur une victoire. Un détachement de cavalerie devra être prêt à partir dans une heure.

—Et qui pensez-vous envoyer, Majesté? demanda l'ancien général Leiden.

Personne ne se trompa sur le sens caché de cette question. Le Keltien voulait savoir qui Kahlan allait condamner à mort.

—Il y aura deux groupes… Le premier contournera discrètement le camp ennemi pour attaquer par le sud, là où nos adversaires s'attendent le moins à un assaut. L'autre attendra ici le début des hostilités, puis il chargera de face. Avant de s'endormir, les soldats de l'Ordre devront verser beaucoup de leur sang…

» Pour répondre à votre question, lieutenant, je commanderai le groupe qui attaquera au sud.

À part Meiffert, tout le monde s'écria que c'était de la folie.

— Majesté, dit Leiden, sa voix de stentor dominant le vacarme, pourquoi nous demandez-vous d'impliquer nos hommes, déjà épuisés, dans une manœuvre pareille? (Il désigna la colonne de Galeiens – les ennemis ataviques des Keltiens.) Ces fiers guerriers ne conviendraient-ils pas mieux?

— Ces renforts sont là pour aider à remettre votre armée sur pied, lieutenant Leiden. Ils relèveront les hommes trop fatigués, aideront à creuser des tranchées défensives et combleront les brèches partout où il y en a. Les braves qui ont tant souffert aujourd'hui ont besoin d'aller se coucher avec le goût délicieux de la vengeance dans la bouche. Me croyez-vous assez bête pour refuser aux D'Harans la revanche à laquelle ils aspirent?

Des vivats saluèrent cette déclaration.

Si la guerre était le royaume de la folie, pensa Zedd, la démence en question venait de se trouver une reine.

— Mes meilleurs hommes seront prêts dans une heure, Mère Inquisitrice, dit Meiffert. Tous voudront venir, et je devrai décevoir beaucoup de volontaires.

— Je vous laisse désigner l'officier qui commandera le groupe « nord », général.

— C'est déjà fait, Mère Inquisitrice. Je chargerai à la tête de mes hommes.

— Très bonne idée…

Kahlan fit signe aux cavaliers galeiens de rompre les rangs. D'un geste, elle renvoya tout le monde, sauf les personnes qui l'entouraient, à qui elle demanda d'approcher.

— Que faites-vous de l'opinion de Richard? demanda Verna. Il a spécifié que nous ne devions pas attaquer massivement l'Ordre Impérial.

— Je m'en souviens, mais où voyez-vous qu'il s'agisse d'une attaque massive? De plus, je n'ai pas l'intention de m'en prendre au gros de leurs troupes.

— Tu veux frapper par-derrière et sur les flancs, c'est ça? demanda Zedd. Il y aura des soldats, bien sûr, mais surtout les civils qui suivent l'armée et campent toujours en queue de colonne.

— Et ça devrait m'arrêter? lâcha Kahlan. Tous ceux qui sont avec l'Ordre comptent parmi nos ennemis. Il n'y aura pas de quartier. (Elle se tourna vers Meiffert.) Je me fiche que nous tuions des putains ou des généraux. Les boulangers et les cuisiniers méritent autant la mort que les officiers et les archers. Chaque civil que nous éliminerons privera les soudards d'un peu du confort qu'ils apprécient tant. Je veux dépouiller ces bouchers de tout, y compris de leur vie. C'est bien compris ?

— Pas de quartier ! répéta Meiffert. Aucun D'Haran ne vous contredira, parce que c'est depuis toujours notre devise.

Dans une guerre, pensa Zedd, la philosophie de Kahlan était hélas la bonne. Les soudards de l'Ordre se montraient impitoyables, et ils ne méritaient pas qu'on les épargne. Quant aux civils, filles de joies, colporteurs ou artisans, ils accompagnaient l'armée par cupidité, pas à cause d'un improbable idéalisme. À la marge de la boucherie, ils espéraient se remplir les poches, tout simplement…

— Mère Inquisitrice, dit Verna, Anna était en chemin pour venir vous voir, Richard et vous. Depuis un mois, nous n'avons plus de nouvelles… Avez-vous vu Anna ?

— Oui.

— Et elle allait bien ?

— Elle semblait en forme, quand je l'ai quittée.

— Savez-vous pourquoi elle ne communique plus avec nous ?

— Parce que j'ai jeté son livre de voyage dans un feu.

Verna avança et fit mine de vouloir saisir Kahlan par les épaules. Un éclair rouge – l'Agiel de Cara – lui barra le chemin.

— Personne ne touche la Mère Inquisitrice ! cria la Mord-Sith. C'est bien compris ? Personne !

— Dame Abbesse, dit Kahlan, vous avez devant vous une Mord-Sith et une Mère Inquisitrice de très méchante humeur. Si j'étais vous, je ne nous donnerais pas une raison d'exploser, car ça pourrait très mal finir.

Zedd prit Verna par le bras et la força à reculer.

— Nous sommes tous très fatigués, dit-il, et l'Ordre nous met sous pression… (Il foudroya Kahlan du regard.) Est-ce une raison pour oublier que nous combattons tous dans le même camp ?

Kahlan semblait en douter sérieusement, remarqua le vieil homme, mais elle le garda pour elle.

Très intelligemment, Verna changea de sujet.

— Je vais réunir quelques sœurs qui vous accompagneront pendant l'attaque.

— Merci, mais nous n'aurons pas besoin de soutien magique.

— Quoi ? Il vous faudra au moins quelques magiciennes pour vous guider dans l'obscurité.

— La lueur des feux de camp adverses suffira.

— Kahlan, intervint Zedd, l'Ordre dispose d'une force de frappe magique – y compris des Sœurs de l'Obscurité. Vous aurez besoin d'une protection contre...

— Non! Nos ennemis s'attendent à un assaut de ce genre. Si des sœurs nous accompagnent, leurs magiciennes les détecteront de loin. En revanche, si elles aperçoivent quelques cavaliers, dans la nuit, et ne détectent pas de boucliers magiques, elles penseront qu'il s'agit de soldats de leur camp. Ainsi, nous pourrons nous enfoncer plus profondément dans les lignes adverses.

Verna soupira de frustration, mais elle n'argumenta pas.

Le général Meiffert, lui, semblait trouver ce plan parfait.

Zedd ne lui voyait pas que des défauts, mais sans renfort magique, le détachement aurait beaucoup plus de mal à battre en retraite, une fois son œuvre accomplie.

— Zedd, dit Kahlan, j'aurai quand même besoin d'un peu de magie.

— Qu'attends-tu de moi, mon enfant?

L'Inquisitrice désigna le sol.

— Vous pouvez faire briller la poussière et la rendre collante?

— Pendant combien de temps?

— Jusqu'à l'aube...

Le vieux sorcier délimita un carré de terre puis lui jeta un sort. Se penchant, Kahlan ramassa une poignée de poussière – désormais d'un vert fluorescent –, se releva, approcha de son cheval et lui en enduisit la croupe.

— Que fiches-tu donc? demanda Zedd.

— Il fait nuit noire, et je veux que mes ennemis me voient. Comment pourraient-ils m'attaquer, s'ils ne savent pas où je suis?

Zedd soupira à pierre fendre. Décidément, cette nuit, il était gâté en matière de démence!

Le général Meiffert se pencha et ramassa à son tour de la poussière.

— Je détesterais également être invisible...

— Pensez quand même à vous laver les mains avant de partir, lui dit simplement Kahlan.

Dès qu'elle eut expliqué son plan à son nouveau général, il fila rejoindre ses hommes.

Cara et la Mère Inquisitrice voulurent également s'éloigner, mais Zedd posa une question qui les força à attendre un peu.

— Kahlan, as-tu idée de ce que nous devrons faire pour récupérer Richard?

— Ne vous inquiétez pas, j'ai un plan.

— Et m'en faire part te gênerait?

— Pas du tout. D'autant plus qu'il est très simple. Je tuerai tous les hommes, les femmes et les enfants qui soutiennent l'Ordre Impérial. Et quand je serai en face de Nicci, la dernière survivante, je l'étranglerai de mes mains si elle refuse de me rendre mon mari.

Chapitre 32

Penchée sur le garrot de son cheval, Kahlan le talonna pour qu'il galope plus vite encore vers les points lumineux – des feux de camp perdus dans la nuit – qu'elle apercevait très loin devant elle. Ses pieds appuyant plus fort sur les étriers, elle sentit les muscles de ses cuisses se tendre et se presser contre les flancs humides de sueur de sa monture. Assourdie par les battements de son propre cœur et le roulement de tonnerre de dizaines de sabots, derrière elle, la Mère Inquisitrice perdit toute notion du temps et de l'espace. La fièvre du combat l'emportait, lui faisant presque oublier l'Épée de Vérité accrochée dans son dos – son seul véritable souvenir de Richard, mais suffisant pour qu'elle ne cesse jamais de penser à lui…

Prenant les rênes d'une main, Kahlan dégaina son épée royale galeienne et la brandit au-dessus de sa tête. Les lumières n'étaient plus très loin…

Plus très loin du tout même, puisque la première – apparemment celle d'une simple lampe – vacillait maintenant devant elle.

Enfin libérée de la tension qui précède le combat – la pire de toutes, pour un véritable guerrier –, l'Inquisitrice abattit sa lame sur une silhouette aux contours diffus. Mais l'acier trouva bien de la chair, et la violence de l'impact se répercuta dans la main, le poignet et le bras de la jeune femme.

Dans son dos, ses frères d'armes taillaient en pièces les quelques sentinelles censées défendre ce poste avancé.

Kahlan continua à galoper, consciente que la bataille commençait à peine et qu'elle aurait d'autres occasions d'étancher sa soif de sang. Car désormais, nul ne pourrait plus la priver de sa vengeance !

Tous les muscles tendus à craquer, son instinct prenant le pas sur sa raison, Kahlan déboula enfin dans le camp ennemi.

Le moment était venu, après de long mois de doutes, de frustration et d'angoisse. Et pour se stimuler encore, il lui suffisait de penser à Nicci, partie avec Richard pour une destination d'où il risquait de ne jamais revenir.

En passant près des feux de camp, Kahlan trancha des têtes et des bras à une vitesse qui faillit lui couper le souffle. Son destrier galopait si follement qu'il semblait parti pour l'entraîner jusqu'au bout du monde.

Tirant sur les rênes, elle le fit tourner à gauche pour fondre sur un cercle de chariots. Très puissant, l'étalon manquait d'agilité, mais sa cavalière était assez entraînée pour compenser cette lacune.

Il y avait des tentes et des chariots partout – et sans ordre apparent. Sur sa droite, Kahlan entendait rire des hommes qui n'étaient pas encore conscients que l'ennemi venait semer la mort dans leurs rangs. Sachant que l'effet de surprise serait primordial, la Mère Inquisitrice avait formé pour ce raid une unité assez petite – cent hommes exactement – qui ne risquait pas de déclencher l'alerte générale dans le camp adverse. À l'évidence, son plan fonctionnait. Assis autour des feux, des soldats continuaient à boire et à manger pendant que leurs camarades, à cinquante pas de là, se faisaient tailler en pièces.

Sous les tentes, d'où leurs pieds dépassaient très souvent, les dormeurs continuaient à ronfler. Sous de plus grandes tentes au rabat ouvert, Kahlan aperçut des couples enlacés qui continuaient imperturbablement leurs petites affaires.

Du coin de l'œil, elle repéra sur sa droite un homme et une femme qui marchaient bras dessus bras dessous, en route pour des étreintes sans nul doute tarifées. Frappant à la volée, elle manqua le soldat mais décapita proprement sa compagne. Stupéfait, l'homme regarda le corps sans tête qui semblait vouloir continuer à marcher à côté de lui. Alors qu'il ouvrait la bouche pour crier, le cavalier qui suivait Kahlan lui fendit le crâne en deux.

Oubliant son premier objectif, la Mère Inquisitrice fonça vers une série de tentes d'où montaient des rires d'hommes et des gloussements de femmes.

Un piquier se campa soudain devant elle, en position de combat – le premier soudard de l'Ordre qui semblait s'être aperçu que quelque chose se passait.

Kahlan lui abattit sa lame sur l'épaule. Au passage, elle lui arracha sa pique, puis la planta dans le flanc d'une petite tente et continua sa charge, emportant avec elle la toile qui dissimulait les ébats d'un couple qui cria de surprise et de terreur.

Alors que Kahlan plongeait la pique et la toile dans un feu, les cavaliers qui la suivaient taillèrent en pièces les «amoureux» dérangés.

Après avoir vérifié que la toile s'était embrasée, la Mère Inquisitrice lança la pique sur un chariot qui prit immédiatement feu. Avec un peu de chance, tous les véhicules rangés autour ne tarderaient pas à brûler aussi.

D'un revers de l'épée, Kahlan ouvrit la gorge d'un colosse qui tentait de se jeter sur elle pour la faire tomber de cheval. Voyant des soldats accourir, elle talonna sa monture et fondit sur un autre feu de camp. Beaucoup trop tard, les hommes assis autour tentèrent de se lever pour s'emparer de leurs armes. Ceux qui ne périrent pas écrasés sous les sabots du destrier n'eurent jamais le temps de comprendre d'où venaient les coups d'épée qui les envoyèrent dans le royaume des morts.

Alertés par les hurlements des femmes et le vacarme, des dizaines de guerriers sortaient à présent des tentes et des chariots, l'arme au poing.

La bataille commençait vraiment !

Kahlan frappa inlassablement, fauchant avec la même rage les militaires et les civils. Dans un geyser de sang, des filles de joie, des cochers, des cuisiniers et des soldats tombèrent sous ses coups.

Lui obéissant de mieux en mieux, le destrier de la Mère Inquisitrice fonça sur une rangée de grandes tentes qui tenait lieu d'hôpital de campagne. Apercevant un chirurgien occupé à recoudre la jambe d'un blessé à la lueur d'une lanterne, Kahlan chargea, écrabouillant sous les sabots de son cheval le thérapeute et son patient.

Elle fit signe à ses hommes de continuer son œuvre. Conscients que les médecins militaires jouaient un rôle essentiel, les D'Harans tuèrent tous ceux qu'ils virent. Éliminer ces hommes, tout bon guerrier le savait, revenait à mettre hors de combat des centaines et des centaines d'adversaires.

Comme une tornade, Kahlan et ses cavaliers continuèrent de semer la mort et le chaos dans le camp de l'Ordre. À la lueur des chariots en feu, repérer des cibles devint plus facile, et l'effet de surprise jouait toujours assez pour conférer un énorme avantage aux attaquants.

Alors que la Mère Inquisitrice embrochait un cuisinier enragé qui tentait de lui couper une jambe avec un hachoir, l'étalon de Cara – qui chevauchait aussi souvent que possible près de sa protégée – renversa un lancier sur le point de projeter son arme. Très calme, la Mord-Sith prit le temps d'achever l'homme d'un coup d'Agiel.

Son arme favorite faisait le plus souvent exploser le cœur de ses adversaires. Quand le coup manquait un peu de précision, elle leur brisait au minimum les côtes, leur arrachant des cris de douleur qui ajoutaient à la panique ambiante.

Une glorieuse musique aux oreilles de Kahlan.

La magie de l'Agiel dépendant du lien de Cara avec le seigneur Rahl, chaque nouveau cadavre prouvait aux deux femmes qu'il n'était pas arrivé malheur à Richard. Cette seule idée stimulait l'Inquisitrice presque autant que s'il avait combattu à ses côtés. Sur son épaule et dans son dos, le contact de l'Épée de Vérité lui donnait le sentiment qu'une présence amicale la guidait, lui soufflant où et comment frapper.

Face à des agresseurs qui ne faisaient aucune distinction entre les militaires et les civils, les soudards de l'Ordre, désorientés de se trouver en quelque sorte face à leurs doubles, ne savaient plus trop que faire. Terrorisés d'être devenus les victimes de la violence qui d'habitude les enrichissait, les profiteurs de guerre couraient en tous sens, aveuglés par une terreur telle qu'ils n'en avaient jamais connu.

Après cette nuit, la vie ne serait plus jamais la même dans le camp de l'Ordre. Conscients d'être aussi exposés que les soldats, les civils sauraient qu'on ne prospérait pas impunément sur les charniers, et ils se montreraient beaucoup moins empressés auprès des guerriers de Jagang.

Tout en se frayant à coups d'épée un chemin au milieu d'une foule d'hommes et de femmes hurlant de peur, Kahlan ne quittait pas des yeux un enclos, assez loin devant elle, où des soldats ennemis étaient déjà en train de seller leurs montures.

Slalomant entre les tentes et des grappes de fuyards désorientés, elle attendit d'être à portée de voix de ces cavaliers pour se dresser sur ses étriers et brandir son épée.

— Je suis la Mère Inquisitrice! cria-t-elle. L'invasion des Contrées du Milieu est un crime, et pour ce crime, je vous condamne tous à mort! Jusqu'au dernier, m'entendez-vous?

Dans le dos de Kahlan, tous les cavaliers qui l'accompagnaient hurlèrent à l'unisson:

— Mort à l'Ordre Impérial! Mort à l'Ordre Impérial!

Galvanisés, les D'Harans continuèrent à danser dans le camp ennemi un ballet mortel qui resterait longtemps gravé dans la mémoire des survivants. Efficaces et méthodiques, ils tuaient, brûlaient ou renversaient tout sur leur passage. Parfaitement entraînés, ils faisaient feu de tout bois pour infliger aux envahisseurs une terrible leçon. À la lueur des chariots, des tentes et des barils d'huile enflammés – une parfaite illustration de la manière de retourner contre lui les équipements de l'ennemi –, la nuit devenait peu à peu aussi lumineuse qu'une belle journée d'été.

Voyant que les cavaliers étaient en selle, arme au poing, Kahlan décida de les aiguillonner un peu.

Histoire d'ajouter à l'effet dramatique, elle tira sur les rênes de son étalon pour qu'il se cabre.

— Vous n'êtes que des lâches! cria-t-elle. Essayez donc de me rattraper, si vous l'osez! Tôt ou tard, vous mourrez tous sous les coups de la Mère Inquisitrice en pleurnichant comme des enfants!

Dès que les antérieurs de l'étalon eurent repris contact avec la terre, Kahlan le talonna et partit au grand galop. Cara sur sa droite, ses cent hommes la suivant, elle retraversa le camp ennemi, un bon millier de cavaliers de l'Ordre à ses trousses. Un peu partout, d'autres soldats sautaient en selle...

S'étant attaqués à un flanc du cantonnement adverse, le détachement n'aurait pas une grande distance à parcourir pour se retrouver en terrain découvert.

Sur le chemin du retour, Kahlan et ses guerriers saisirent toutes les occasions de semer un peu plus la mort. Tuèrent-ils des soldats, des civils ou des femmes ? Avec l'obscurité, c'était impossible à dire, et ils s'en fichaient !

La Mère Inquisitrice voulait abattre jusqu'au dernier membre de l'Ordre. Chaque fois que sa lame trouvait une cible, elle éprouvait une merveilleuse sensation de soulagement.

Galopant ventre à terre, le détachement sortit du camp et déboula en terrain découvert dans une totale obscurité. Se penchant sur l'encolure de son destrier, Kahlan fonça vers l'ouest. Sa stratégie avait marché, et tout irait bien à condition que le sol ne lui réserve pas une mauvaise surprise. Si son cheval trébuchait sur des racines, ou se tordait une jambe dans un trou, tout serait fini pour lui – et presque certainement pour sa cavalière.

Même en pleine nuit, Kahlan connaissait assez le terrain pour s'orienter. Devant elle se dressait une série de petites collines qui donnaient sur une falaise. Avec un peu de chance, l'ennemi ignorerait ce détail, et ça lui coûterait cher. Les yeux rivés sur la croupe phosphorescente de son destrier – et convaincus que ce marquage était l'œuvre d'une de leurs magiciennes –, les soudards poursuivraient la Mère Inquisitrice sans se poser de questions. Quel guerrier n'aurait pas tremblé d'excitation à l'idée de ramener à ses chefs un tel trophée ?

Du plat de l'épée, Kahlan taquina les flancs de sa monture pour qu'elle accélère encore le rythme. L'excitation de la bataille passée, l'étalon risquait de perdre un peu de son énergie, et ce n'était pas le moment. Par bonheur, comme tous les chevaux, il craignait par-dessus tout les prédateurs qui s'attaquaient à ses flancs, surtout dans l'obscurité. En lui faisant croire qu'une meute de loups le talonnait, sa cavalière l'incitait à ne pas relâcher son effort.

Comme convenu, les cent cavaliers suivaient leur chef sur deux colonnes assez écartées pour que les poursuivants continuent de voir les marques vertes, sur la croupe de son cheval.

Jugeant qu'approcher davantage de son objectif avec son escorte devenait dangereux, Kahlan émit un long sifflement. Tournant à demi la tête, elle vit ses compagnons rompre la formation et filer vers la droite ou la gauche. Quoi qu'il arrive à présent, elle ne les reverrait plus avant d'être revenue dans le camp d'haran.

À la lointaine lueur des incendies qui continuaient à faire rage sur l'aile sud du cantonnement impérial, la jeune femme distingua les silhouettes de ses poursuivants. Comme prévu, ils menaient un train d'enfer, obsédés par la lueur verte de la poussière ensorcelée.

— C'est encore loin ? cria Cara, qui chevauchait toujours près de son amie.

— Non, je… (Kahlan aperçut soudain devant elle ce qu'elle guettait depuis un moment.) Maintenant, Cara !

Elle retira ses pieds des étriers et leva les jambes une fraction de seconde avant que la monture de la Mord-Sith vienne percuter la sienne. Flanc contre flanc, les deux destriers tanguèrent dangereusement. Sans paniquer, Kahlan passa un bras autour des épaules de Cara, qui la saisit par la taille et la souleva de sa selle.

Dans le même mouvement, la Mère Inquisitrice flanqua sur la croupe de l'étalon un dernier coup d'épée – le plus fort de tous. Terrorisé, le cheval fonça droit devant lui.

Kahlan s'installa derrière la Mord-Sith, rengaina sa lame et s'accrocha à la taille de la cavalière, qui fit tourner sa monture sur la gauche – en plein galop! – quelques secondes avant la catastrophe.

Un instant, à la lueur des rayons de lune qui filtraient d'une brèche, dans la couverture nuageuse, la Mère Inquisitrice vit briller les eaux glaciales du fleuve Drun qui coulait au pied de la falaise.

Le cœur serré, elle pensa au sort qui attendait le pauvre étalon. Mais il sacrifiait sa vie pour en emporter des centaines d'autres avec lui, et il n'aurait certainement pas le temps de comprendre ce qui lui arrivait.

Les cavaliers de l'Ordre aussi seraient surpris. Mais n'était-ce pas la règle du jeu? Les envahisseurs ne connaissaient pas le terrain, laissant aux défenseurs un avantage qui compensait souvent leurs autres faiblesses. Et même s'ils apercevaient le gouffre, lors des dernières secondes de leur vie, ils galopaient bien trop vite pour s'arrêter.

Kahlan espéra qu'ils comprendraient, contrairement à l'étalon. Oui, au moment de basculer dans le vide, ou quand ils s'enfonceraient dans les eaux glacées du fleuve, elle souhaitait qu'ils aient conscience de leur mort imminente. Et que chacun d'eux, avant de périr noyé, soit saisi d'une terreur équivalente à celle qu'il avait infligée à des centaines d'innocents.

La fièvre de la bataille s'estompant, Kahlan s'autorisa à savourer son triomphe. Les D'Harans allaient pouvoir dormir tranquilles, avec dans la bouche le goût délicieux de la victoire et de la vengeance. Pour elle, il en irait autrement, car rien ne semblait vouloir apaiser la rage mortelle qui l'animait.

Le cheval de Cara passa au trot, puis au pas. Dans leur dos, les deux femmes n'entendaient plus de roulements de sabots. Après le bruit et la fureur d'une bataille, le silence total d'une nuit d'hiver avait quelque chose d'oppressant. Un moment, Kahlan se demanda si sa compagne et elle n'étaient pas deux spectres égarés dans une vaste étendue de… néant.

Gelée jusqu'aux os et morte de fatigue, la jeune femme resserra autour d'elle les pans de son manteau de fourrure. Avec le relâchement de la tension, ses jambes tremblaient, et elle se sentait vidée de ses forces. Inclinant la tête, elle l'appuya contre les omoplates de Cara. Dans son dos, l'Épée de Vérité semblait peser des tonnes.

—Eh bien, dit la Mord-Sith alors qu'elles continuaient à s'enfoncer dans les ténèbres, si nous leur faisons ce coup-là toutes les nuits pendant un an ou deux, nous en viendrons à bout sans y perdre trop de plumes.

Pour la première fois depuis ce qui lui semblait une éternité, Kahlan faillit éclater de rire.

Faillit, seulement…

Chapitre 33

L'aube n'était plus très loin lorsque Kahlan et Cara entrèrent dans le camp improvisé où les soldats d'harans – enfin, ceux qui avaient la chance de n'être pas blessés – tentaient de reprendre des forces en vue des épreuves qui les attendaient quelques heures plus tard.

Un moment, la Mère Inquisitrice avait songé à trouver un endroit sûr où dormir en attendant le lever du soleil. Mais les deux femmes avaient eu un coup de chance. Grâce à la pâle lumière qui filtrait d'une déchirure, au milieu des nuages, elles avaient aperçu les silhouettes sombres et massives des montagnes, à l'horizon, et s'en étaient servies comme d'un point de repère. Se fiant à cette « balise », elles avaient pu contourner de très loin le camp de l'Ordre puis atteindre la vallée où les attendaient leurs forces.

Elles furent accueillies par des dizaines d'hommes qui les saluèrent joyeusement et les acclamèrent. Plongée dans ses tourments, Kahlan éprouva quand même une vague satisfaction à l'idée d'avoir rendu leur fierté et leur dignité à ces combattants. S'accrochant d'un seul bras à la taille de Cara, elle se donna la peine de répondre aux gestes amicaux des D'Harans et réussit même à leur sourire.

Le général Meiffert attendait non loin de l'endroit où étaient attachés les chevaux. Dès qu'il vit les deux femmes, il courut vers elles et les rejoignit au moment où elles mettaient pied à terre devant la porte du corral de fortune.

Alors qu'un soldat s'occupait de leurs montures, Kahlan fit quelques pas pour se dégourdir les jambes et découvrit qu'elles lui faisaient un mal de chien. Mais quoi d'étonnant, quand on avait derrière soi trois jours de chevauchée et une nuit de combat ? Après avoir porté tant de coups, son épaule et son bras droits la mettaient à la torture. Suite à ses duels factices contre Richard, elle n'avait jamais eu de douleurs pareilles…

Consciente que des centaines d'hommes la regardaient, elle s'efforça de marcher comme si elle revenait d'une promenade de santé.

Le général Meiffert salua la Mère Inquisitrice en se tapant du poing sur le cœur. Lui aussi devait être un bon comédien, car il ne semblait pas plus fatigué qu'avant l'expédition nocturne.

— Mère Inquisitrice, si vous saviez combien je suis soulagé de vous voir…

— J'en ai autant à votre service, général…

— Mère Inquisitrice, vous ne nous referez plus un coup pareil, j'espère ? Ces folies sont trop dangereuses…

— Quelles folies ? demanda Cara. Je suis restée tout le temps avec elle, donc, elle ne risquait rien.

Meiffert regarda bizarrement la Mord-Sith, mais il s'abstint de tout commentaire.

Kahlan se demanda comment on pouvait livrer une guerre sans commettre de « folies ». Tous les conflits étaient des explosions de pure démence…

— Combien d'hommes avons-nous perdus ? demanda-t-elle.

— Pas un seul ! Vous pouvez le croire ? Avec l'aide du Créateur, tous sont revenus sains et saufs.

— Je ne me souviens pas de l'avoir vu ferrailler avec nous…, marmonna Cara.

— C'est une excellente nouvelle, général, dit Kahlan.

— Et si vous saviez à quel point ce succès a regonflé le moral des hommes ! Mais vous ne recommencerez plus, c'est promis ?

— Général, je ne suis pas ici pour sourire aux hommes, les saluer gentiment et les materner. Mon but est de les aider à expédier les bouchers de l'Ordre dans le royaume du Gardien.

L'officier eut un soupir résigné.

— Nous vous avons réservé une tente… Je suis sûr que vous avez besoin de repos.

Kahlan et Cara se laissèrent guider par le général à travers le camp désormais endormi. Les rares hommes encore – ou déjà – réveillés les gratifièrent du salut traditionnel de l'armée d'harane. Voyant dans leurs yeux à quel point ils appréciaient ce qu'elle avait fait, l'Inquisitrice trouva la force de leur sourire. Pourquoi leur aurait-elle fait comprendre qu'elle n'avait pas agi essentiellement pour leur remonter le moral ? Au fond, ses motivations ne comptaient pas, et seul le résultat importait…

Meiffert s'arrêta devant une demi-douzaine de tentes surveillées par un cordon de soldats d'élite et désigna celle du centre.

— Les quartiers du général Reibisch, Mère Inquisitrice… J'y ai fait apporter toutes vos affaires. Il m'a semblé que vous deviez avoir la meilleure tente. Mais si y dormir vous perturbe, je vous en trouverai une autre.

—Ça ira très bien, général. (Kahlan remarqua enfin la tristesse qui voilait le regard de l'officier.) Reibisch nous manquera à tous, vous savez…

—Mère Inquisitrice, je ne pourrai pas le remplacer vraiment… Il était un grand officier, mais également un homme formidable. Près de lui, j'ai beaucoup appris, et avoir sa confiance m'honorait. Le meilleur chef que j'aie jamais eu ! Ne vous faites pas d'illusions : je ne parviendrai pas à me montrer son égal.

—Personne ne vous le demande, général. Faites de votre mieux, cela suffira amplement.

—Vous pouvez compter sur moi ! (Meiffert se tourna vers la Mord-Sith.) Maîtresse Cara, j'ai fait déposer vos affaires dans cette tente, à côté de celle de la Mère Inquisitrice.

Cara étudia le carré de terrain et sembla satisfaite par les mesures de sécurité. Kahlan ayant annoncé qu'elle était épuisée et filait se coucher, la Mord-Sith souhaita une bonne nuit à tout le monde et alla explorer son nouveau fief.

—Votre aide m'a été précieuse, ce soir, général, dit Kahlan. À présent, vous devriez aller dormir un peu…

Meiffert s'inclina, fit mine de partir, mais se ravisa.

—Mère Inquisitrice, j'ai toujours voulu être général. Enfant, c'était déjà mon rêve. À l'époque, j'imaginais que je serais fou de joie si ça m'arrivait. Aujourd'hui, c'est fait, et je ne me suis jamais senti si malheureux.

—Je sais…, souffla Kahlan. Aucun militaire digne de ce nom ne souhaite être promu dans ces circonstances. Mais quand des défis se présentent, il faut savoir les relever. Un jour, la joie et la fierté viendront, parce que vous remplirez brillamment votre mission, et que ça aura une influence sur l'issue du conflit.

—Ce soir, en vous voyant revenir, j'ai éprouvé une grande satisfaction. J'espère bientôt ressentir la même en voyant le seigneur Rahl entrer dans le camp. Dormez bien, Mère Inquisitrice. L'aube se lèvera dans deux heures, et nous verrons ce que cette nouvelle journée nous réserve… De plus, j'ai des rapports prêts à vous être transmis…

Kahlan pesta intérieurement quand elle découvrit que Zedd l'attendait sous sa tente.

Dans son état de fatigue, supporter un interrogatoire en règle ne lui disait rien. D'autant plus que les questions du vieux sorcier, quand on n'était pas en possession de tous ses moyens, pouvaient très vite devenir agaçantes. Il était pétri de bonnes intentions, ça ne faisait pas de doute, mais le moment était mal choisi. S'il la bombardait de questions, elle craignait d'avoir du mal à rester polie…

Debout à l'entrée de la tente, elle regarda le vieil homme se lever de la chaise qu'il avait réquisitionnée. Ses cheveux blancs encore plus en bataille que d'habitude, il faisait pitié dans sa tunique maculée de boue et de sang.

Sans dire un mot, il approcha de Kahlan et la prit dans ses bras. Pensait-il qu'elle allait éclater en sanglots ? Eh bien, il se trompait. Peut-être à cause de la colère qui ne la quittait jamais, elle n'était plus capable de verser une larme.

Zedd l'écarta de lui et la tint par les épaules, sa poigne curieusement ferme pour un vieillard si chenu.

— Avant de dormir, dit-il, je voulais être sûr que tu allais bien. Tu t'en es tirée, et j'en suis très heureux, mon enfant. À présent, bonne nuit…

Le sac de couchage de Kahlan, toujours enroulé et tenu par des lanières de cuir, reposait sur une simple paillasse. Dans un coin de la tente, ses sacoches de selle et son paquetage l'attendaient près d'une petite table de campagne et d'une chaise pliante. Sur une autre table, une aiguière et une cuvette l'invitaient à faire une toilette rapide. Il y avait même une serviette propre, soigneusement pliée près d'un morceau de savon.

Spacieuse selon les critères militaires, la tente restait très exiguë. Kahlan tenta d'imaginer le général Reibisch, tournant en rond dans cet espace clos en pensant à tous les problèmes que posait une armée de plus de cent mille hommes. Les mauvais soirs, il devait se tortiller furieusement la barbe…

Zedd semblait épuisé et mort d'inquiétude. Après tout, se souvint Kahlan, il venait d'apprendre que son petit-fils – le seul parent qu'il lui restait – était entre les mains de l'ennemi. Et même sans cela, il sortait de deux jours de combat acharné et de deux nuits passées à soigner des blessés. En arrivant, quelques heures plus tôt, Kahlan l'avait vu se relever péniblement puis avoir du mal à tenir debout près de la dépouille du général Reibisch. S'il n'avait pas pu le sauver, nul n'aurait fait mieux que lui, mais cette idée ne devait pas le consoler.

Kahlan sourit et désigna la chaise.

— Vous ne voulez pas rester un moment, Zedd ?

— Une minute, alors, parce que tu as vraiment besoin de dormir.

Kahlan aurait été bien en peine de dire le contraire. Depuis quelques minutes, une migraine la menaçait, et elle ne pouvait pas se permettre d'être handicapée. La fièvre de la bataille faisait oublier les petites misères quotidiennes, mais elles revenaient à la charge dès que la tension retombait.

Kahlan se débarrassa de son manteau de fourrure et le jeta sur la paillasse.

Sans un mot, Zedd la regarda détacher de son dos l'Épée de Vérité.

Le jour où il avait donné l'arme à Richard, Kahlan était présente et elle l'avait supplié de n'en rien faire. Mais c'était impossible, avait-il répondu, parce que Richard était l'Élu.

Le vieil homme ne s'était pas trompé. Richard était un être unique.

Avant de poser l'épée sur la paillasse, Kahlan embrassa son pommeau, où avait si souvent reposé la paume de Richard. S'avisant qu'elle n'était pas seule, elle rosit de s'être donnée en spectacle, mais le vieux sorcier fit comme s'il n'avait rien remarqué – ce qui était peut-être le cas, considérant son accablement.

Kahlan se débarrassa ensuite de l'épée royale de Galea, dont le fourreau était couvert de sang séché. Défaisant les fixations de sa cuirasse, elle la retira et la rangea près de son paquetage, avec l'arme royale.

Examinant ses jambières, elle remarqua qu'elles aussi étaient souillées de sang. Il y avait en plus des griffures laissées dans le cuir par des ongles humains. Pendant le raid, des soldats avaient tenté de la désarçonner, mais elle ne se rappelait pas qu'ils avaient réussi à s'accrocher à ses jambes.

Sentant que des images répugnantes du massacre menaçaient de remonter à sa conscience, Kahlan engagea la conversation avec Zedd histoire de penser à autre chose.

—Cara et moi avons traversé les monts Rang'Shada, au nord de l'Allonge d'Agaden, puis nous sommes entrées en Galea.

—J'imaginais un itinéraire de ce type…

—En chemin, il m'est apparu qu'emmener des troupes fraîches ne serait pas inutile.

—Et tu avais bien raison !

—Je suis partie avec tous les hommes disponibles. J'aurais pu en avoir d'autres, mais il m'aurait fallu attendre, et c'était hors de question.

—Une sage décision.

—Le prince Harold voulait m'accompagner, mais je lui ai demandé de lever une puissante armée et de nous rejoindre ensuite. Pour défendre les Contrées, il nous faut plus de soldats. Mon demi-frère était d'accord avec moi.

—Là encore, c'était bien vu.

—Il arrivera dès que possible… Moi, je regrette de n'être pas venue ici plus tôt.

—Tu n'as pas traîné en chemin, et te voilà… Tout est pour le mieux.

Kahlan s'agenouilla près de la paillasse et entreprit de dénouer les lanières de son sac de couchage.

Les nœuds lui résistèrent, sans doute parce qu'elle était épuisée.

—Zedd, je suppose que vous voulez savoir comment une Sœur de l'Obscurité a réussi à capturer Richard ?

—Nous en parlerons plus tard, Kahlan… Pour le moment, tu dois te reposer.

Alors qu'elle luttait contre les nœuds, les cheveux de l'Inquisitrice lui tombèrent devant les yeux. Les écartant rageusement, elle maudit l'imbécile qui avait tiré si fort sur les lanières… puis se souvint que c'était elle.

—Nicci m'a jeté un sort de maternité qui nous lie l'une à l'autre. Elle affirme pouvoir me tuer si Richard ne lui obéit pas.

Zedd eut un soupir qui en disait long.

—Et s'il tente de la tuer, je mourrai aussi…

Kahlan attendit le commentaire du sorcier. Curieusement, il tarda à venir.

—J'ai une connaissance théorique des sorts de ce type. Rien de plus… Mais à première vue, Nicci t'a dit la vérité.

—Vous avez vu la coupure, au coin de mon menton ? C'est le reflet exact de celle que Cara a infligée à Nicci. Tout ce qui lui arrive m'arrive également… Si Richard l'étrangle, je m'étoufferai. Mais j'espère qu'il le fera, parce qu'elle ne mérite pas de vivre.

—Je doute qu'il en arrive à des extrémités pareilles…

Kahlan partageait cette opinion, même si elle aurait aimé qu'il en aille autrement.

—Richard a sacrifié sa liberté pour me sauver. Je suis prête à me suicider afin de le libérer, mais il m'a forcée à lui promettre que je ne le ferai pas.

Kahlan sentit une main réconfortante se poser sur son épaule.

Zedd se taisait, et il n'aurait rien pu faire de plus gentil pour elle, en cet instant.

Apaisée par le contact de sa main, la jeune femme parvint à venir à bout des nœuds. Pendant qu'elle déroulait son sac de couchage, en sortant Bravoure, qu'elle avait glissée dedans pour la protéger, le vieil homme alla se rasseoir.

Kahlan serra un instant la sculpture contre son cœur, puis elle la posa sur la table libre.

Zedd se releva péniblement. Semblant plus décharné que jamais sous sa tunique bordeaux, il se campa devant Bravoure, la tête penchée en avant, et l'étudia longuement.

—Où t'es-tu arrêtée en chemin ? demanda-t-il, vaguement soupçonneux. Ailleurs qu'en Galea, je veux dire. Tu t'es distraite en volant des trésors dans un palais ?

D'abord agacée, Kahlan comprit que c'était de l'humour de sorcier – assez douteux, mais ça n'avait rien pour l'étonner.

Elle caressa la robe de Bravoure, toujours fascinée par la posture de cette femme résolue à résister à la puissance invisible qui prétendait la dominer.

—Non, répondit-elle, c'est une œuvre de Richard…

Le front plissé, Zedd tendit timidement un index et frôla la sculpture comme s'il s'était agi d'une inestimable antiquité.

—Par les esprits du bien…, souffla-t-il.

—Elle s'appelle Bravoure, dit Kahlan. Richard l'a sculptée à l'époque où je pensais ne jamais me rétablir. Elle m'a beaucoup aidée…

Très lentement, Zedd se retourna vers la jeune femme et plongea son regard dans le sien.

—C'est toi…, murmura-t-il. Ce garçon a réussi à représenter ton essence même… C'est aveuglant de limpidité! Il a pris ton âme pour modèle!

Depuis son mariage avec Richard, Zedd était aussi – en quelque sorte – le grand-père de Kahlan. Avant d'être le Premier Sorcier, il restait l'homme qui avait aidé à élever Richard, et le seul parent qu'il eût encore.

À part une demi-sœur et un demi-frère qui étaient des étrangers pour elle, Kahlan n'avait plus que Richard. Comme Zedd, sans lui, elle se retrouvait seule au monde.

Désormais, le vieux sorcier était pour elle un parent par alliance. Mais en l'absence de ces liens, il aurait quand même occupé une place énorme dans son cœur.

—Nous le récupérerons, mon enfant! Je te le jure, il sera bientôt près de nous!

Sa façade d'Inquisitrice se lézardant, Kahlan se jeta dans les bras du vieil homme et éclata en sanglots.

Contrairement à ce qu'elle pensait, il lui restait des larmes à verser…

Chapitre 34

Warren écarta la branche de pin lestée de neige pour dégager le champ de vision de la Mère Inquisitrice.

— Ils sont là… Vous voyez ?

Kahlan sonda l'étroite vallée, très loin en contrebas. Entre les arbres et les rochers uniformément blancs, comme le sol, les soldats ennemis ressemblaient à une gigantesque colonie de fourmis noires.

— Vous n'avez pas besoin de murmurer, Warren, dit Cara, debout derrière son amie. À cette distance, ils ne risquent pas de vous entendre.

Warren se tourna vers la Mord-Sith, dont l'uniforme rouge aurait été visible à des lieues à la ronde si elle ne l'avait pas dissimulé sous son manteau en peau de loup.

Kahlan portait également le sien. Un bon moyen d'avoir chaud… et de se sentir comme enveloppée dans les bras de Richard, puisqu'il avait fabriqué le vêtement de ses mains.

— Détrompez-vous, Cara, dit Warren. Les magiciennes risquent de nous repérer si nous vociférons inconsidérément.

— Vocifé-quoi ? demanda la Mord-Sith.

— Si nous faisons trop de bruit, traduisit Kahlan, la voix assez basse pour suggérer à sa garde du corps d'être plus discrète.

Cara eut un rictus dégoûté, comme chaque fois qu'on évoquait la magie devant elle. Mal à l'aise, elle observa en silence les soldats qui progressaient lentement dans la vallée.

Estimant qu'elle en avait assez vu, Kahlan fit signe à ses deux compagnons de battre en retraite. En silence, ils rebroussèrent chemin, pataugeant dans une couche de neige où ils s'enfonçaient jusqu'aux chevilles.

Si haut en montagne, on avait l'impression de pouvoir toucher les nuages en levant le bras. Vu d'ici, le monde d'en bas semblait différent, comme si on se trouvait en terre étrangère.

Et Kahlan détestait ce qu'elle avait vu dans cette vallée qui paraissait appartenir à un autre univers.

Les trois éclaireurs redescendirent la pente hérissée de pins, de trembles dénudés et de gros rochers qui évoquaient vaguement les vertèbres géantes d'un monstrueux squelette. Leurs chevaux les attendaient assez loin de là, environ à mi-chemin du flanc escarpé de la montagne. Beaucoup plus bas, afin que les magiciennes et les sorciers de l'Ordre n'aient guère de chances de la détecter, attendait l'escorte de guerriers d'harans que le général Meiffert avait tenu à affecter à la protection de la Mère Inquisitrice et de ses deux compagnons – eux-mêmes prêts à tout pour la défendre.

— Vous avez vu ? demanda Warren d'une voix à peine plus forte qu'un murmure. Nos ennemis continuent à envoyer des forces dans cette direction, afin de nous encercler sans se faire repérer.

Kahlan souleva le col de son manteau pour couper un peu le vent glacial qui lui cinglait les joues. Au moins, il ne neigeait plus, et c'était déjà ça…

— Je doute que vous ayez raison, Warren…

— Dans ce cas, que font ces soldats dans la vallée ?

— Ils servent d'appât. On veut nous faire croire à une manœuvre d'encerclement, pour que nous envoyions des forces à un endroit où elles ne serviront à rien.

— Une diversion ?

— Je crois, oui… Ces soldats passent assez près de notre position afin que nous puissions les voir. Cependant, ils empruntent un chemin difficile et assez éloigné de notre base pour que nous soyons contraints de diviser durablement nos troupes. Un autre point me fait pencher pour une manipulation : tous nos éclaireurs sont revenus sains et saufs.

— N'est-ce pas une bonne chose ?

— Bien entendu ! Mais s'il y a des magiciennes ou des sorciers avec ces soldats, comment est-il possible qu'ils n'aient débusqué aucun de nos hommes ?

Warren réfléchit à cette question pendant qu'ils négociaient un passage particulièrement glissant et périlleux – au point qu'ils finirent de le dévaler sur les fesses.

— Ils se comportent comme lors d'une partie de pêche, dit Cara lorsqu'ils eurent repris pied sur un terrain moins accidenté. Le menu fretin ne les intéressant pas, ils réservent leurs lignes pour les grosses pièces.

— Exactement comme nous, approuva Kahlan.

— Selon vous, dit Warren, pas vraiment convaincu, c'est un piège pour attirer dans leurs filets des officiers et des Sœurs de la Lumière ?

— Pas vraiment, non… Ils ne cracheraient pas sur ce bonus, mais leur objectif est de nous inciter à diviser nos forces pour parer une menace qui n'existe pas.

Warren passa une main dans ses courtes boucles blondes.

—Mais s'ils envoient des troupes au nord, même pour nous tromper, ne devons-nous pas nous en soucier?

—Il le faudrait, si c'était vrai…

Le futur époux de Verna jeta un regard perplexe à la Mère Inquisitrice. S'avisant qu'ils allaient devoir gravir une congère assez haute, il précéda les deux femmes, se campa au sommet et tendit la main à Kahlan pour l'aider à s'y hisser. Quand il fit pareil avec Cara, elle lui signifia qu'elle n'avait pas besoin d'aide – sans le foudroyer du regard, toutefois.

Kahlan eut un petit sourire. Peu à peu, la Mord-Sith apprenait que les gestes de ce type, dictés par une élémentaire courtoisie, n'étaient pas une manière détournée de mettre en doute ses qualités morales et physiques.

—Je n'y comprends plus rien…, avoua Warren.

Kahlan leva une main pour signaler qu'elle avait besoin d'une pause.

—Si des troupes se dirigeaient vraiment vers le nord pour nous encercler, dit-elle, nous devrions trouver une parade. Mais je suis sûre que ce n'est pas le cas.

—Selon vous, ces soldats ne marchent pas vers le nord? Où vont-ils, alors?

—Nulle part.

—Un pareil nombre de guerriers? Vous plaisantez, je suppose?

Amusée par l'incrédulité de Warren, Kahlan eut un petit sourire.

—Non, je pense que c'est une ruse. En réalité, il y a très peu d'hommes…

—Et les rapports des éclaireurs? Tous signalent que des forces importantes se déplacent vers le nord.

—Un peu de discrétion! souffla Cara, ravie d'avoir une occasion de régler ses comptes avec Warren.

S'avisant qu'il avait crié, le futur prophète s'empourpra et se plaqua les deux mains sur la bouche.

La pause ayant duré assez longtemps pour qu'ils reprennent leur souffle, Kahlan se remit en route. Désormais, ils allaient avancer sur un terrain plus plat, et il leur suffirait, pour s'orienter, de suivre les empreintes qu'ils avaient laissées dans la neige en venant.

—Vous vous souvenez de ce qu'ont dit les éclaireurs, hier? demanda Kahlan. Ils ont tenté de traverser les montagnes, pour voir si des colonnes ennemies progressaient également vers le nord sur ce terrain-là, mais les cols étaient trop étroitement surveillés.

—Je me rappelle, oui…

—Eh bien, je crois avoir compris pourquoi… (L'Inquisitrice fit un grand geste circulaire.) Selon moi, nous voyons un assez petit groupe de soldats qui tournent sans cesse en rond! Chaque fois qu'ils passent dans cette vallée, nous pensons que le flot d'agresseurs grossit, mais c'est un leurre! Oui, de la poudre aux yeux!

Warren s'arrêta, forçant Kahlan à l'imiter.

— Et si nous tombons dans le piège, nous diviserons nos forces pour rien. Une sorte de chasse aux fantômes…

— Nous sommes en infériorité numérique, dit Cara, mais nous tenons un terrain dont la configuration nous est favorable. Pour vaincre plus facilement, l'Ordre aurait besoin qu'il y ait encore moins de défenseurs dans la vallée.

— C'est logique, admit Warren. Mais qu'arrivera-t-il si vous vous trompez, Mère Inquisitrice?

— Eh bien, dans ce cas, nous…

Kahlan se tut, intriguée par un grand érable qui se dressait à moins de dix pas d'eux. Elle aurait juré que l'écorce de cet arbre venait de… bouger. Et à première vue, elle ne faisait pas erreur.

Sur le tronc grisâtre, la pellicule de givre fondait sans raison apparente. Et dessous, l'écorce ondulait…

La Mère Inquisitrice cria de surprise quand Warren la prit par le col et la fit basculer en arrière. En atterrissant sur le dos, le souffle coupé par l'impact, elle constata qu'il avait fait subir le même sort à Cara.

Quand elle essaya de se redresser, il la repoussa en arrière, la plaquant fermement contre la neige.

Avant qu'elle ait pu reprendre sa respiration et demander ce qui se passait, un éclair aveuglant illumina la zone, et une déflagration assourdissante fit trembler le sol. Des éclats de bois de toutes les tailles volèrent dans les airs, certains frôlant le visage de la jeune femme. Soulevé par le souffle de l'explosion, un rideau de neige suivit cette averse horizontale de projectiles mortels. S'ils étaient restés debout, Cara, Warren et Kahlan auraient été taillés en pièces.

Dès que le calme fut revenu, le futur prophète tourna la tête vers la Mère Inquisitrice.

— Une attaque magique…, souffla-t-il.

— Quoi?

— Un sorcier, ou une Sœur de l'Obscurité, a fait exploser l'arbre à distance… Dans la vallée, nous avons perdu beaucoup d'hommes avant de comprendre ce qui nous arrivait…

Kahlan fit signe qu'elle avait saisi. Levant un peu la tête, elle ne vit personne et jeta un coup d'œil sur le côté pour savoir si la Mord-Sith allait bien.

— Où est Cara? demanda-t-elle, alarmée de ne voir nulle part son amie.

Warren regarda prudemment autour de lui. Se relevant sur les coudes,

Kahlan l'imita et ne vit pas trace de la Mord-Sith – à part l'empreinte de son corps, à l'endroit où elle était tombée.

—Mère Inquisitrice, vous ne pensez pas que… Ils ne l'ont pas enlevée, au moins ?

Kahlan remarqua des empreintes de pas, sur le côté gauche du terrain. Un peu plus tôt, ce tapis de neige était parfaitement lisse…

—Je crois que…

Un cri terrifiant retentit, lui coupant la parole.

—C'est Cara ? demanda Warren.

—J'en doute fort…

Kahlan s'assit et étudia la zone. Plus forte qu'elle l'aurait cru, l'explosion avait déraciné plusieurs arbres, renversé des rochers et projeté à près de cent pas à la ronde des pierres et des éclats de bois. Ils pouvaient s'estimer heureux de s'en sortir si bien…

Warren prit la jeune femme par l'épaule et la força à se baisser. Se retournant sur le ventre, elle prit appui sur les coudes et leva prudemment la tête.

Puis elle se redressa d'un bond et tendit un bras.

—Là !

Cara émergeait d'un bosquet, tirant avec elle un petit homme qui semblait en piteux état. Impitoyable, elle lui flanquait un grand coup dans les côtes chaque fois qu'il titubait, et le traînait comme un ballot de linge quand il refusait d'avancer. Furieux, le captif hurlait des imprécations que l'Inquisitrice était trop loin pour entendre, mais dont le sens général ne lui échappait pas.

Cara avait capturé un des sorciers de l'Ordre. Une tâche qui entrait parfaitement dans les compétences d'une Mord-Sith. Dès qu'un magicien tentait d'utiliser son pouvoir, il était fichu, devenant la marionnette de la femme en rouge.

Tandis que Kahlan s'époussetait, Warren se releva à son tour, les yeux rivés sur le prisonnier. Le pitoyable personnage que Cara leur amenait pouvait-il vraiment être un des monstres vicieux qui avaient tué tant de D'Harans, le premier jour de la bataille ?

Un dernier coup de pied – dans le postérieur – propulsa le prisonnier aux pieds de la Mère Inquisitrice et de son compagnon.

Il resta prostré dans la neige, pleurant comme un enfant.

Cara le saisit par les cheveux et le força à se relever.

C'était un enfant !

—Lyle ? s'exclama Warren, incrédule. C'est toi qui as fait ça ?

Le gamin essuya ses larmes d'un revers de la manche de sa tunique loqueteuse. Il semblait avoir dix ou douze ans, mais puisque Warren le connaissait, il devait avoir vécu au Palais des Prophètes, et être beaucoup plus âgé que ça.

Warren tendit une main pour relever le menton ensanglanté de Lyle. Kahlan saisit au vol le poignet du futur prophète.

Le gamin bondit pour lui mordre le bras, mais Cara fut plus rapide. Reprenant l'enfant par les cheveux, elle lui plaqua son Agiel entre les omoplates.

Hurlant de douleur, il tomba à genoux. Pour faire bonne mesure, la Mord-Sith lui décocha un coup de pied dans les côtes.

—Cara, par pitié…, implora Warren.

—Il a tenté de nous tuer! répliqua la Mord-Sith. Il s'en est pris à la Mère Inquisitrice!

Défiant Warren du regard, elle caressa de nouveau les côtes de Lyle.

—Je sais, mais…

—Mais quoi?

—Il est si jeune… Le torturer ainsi…

—Il vaudrait mieux le laisser avoir notre peau? C'est ce que vous voudriez?

Cara avait raison, et Kahlan le savait. Si pénible que fût cette scène, la Mord-Sith faisait ce qu'il fallait. S'ils étaient morts tous les trois, combien d'hommes, de femmes et d'enfants seraient tombés sous les coups de l'Ordre Impérial? Gamin ou pas, Lyle était une marionnette de Jagang.

Malgré tout, l'Inquisitrice fit signe à la Mord-Sith de ne pas en rajouter. Aussitôt, Cara prit Lyle par les cheveux et le força à se relever. Le dos coincé contre les cuisses de la femme en rouge, il se mit à trembler comme une feuille, du sang ruisselant sur son visage.

Avant de l'interroger, Kahlan afficha son masque d'Inquisitrice, comme sa mère le lui avait appris dès son plus jeune âge. Une expression figée qui dissimulait parfaitement ses tourments intérieurs…

—Je sais que tu es là, Jagang, dit-elle d'une voix glaciale.

Un rictus qui n'était pas le sien tordit les lèvres de Lyle.

—Tu as commis une erreur, empereur! Des milliers de soldats partiront bientôt pour enrayer l'avancée des tiens…

Le gamin eut un demi-sourire et ne répondit rien.

La confirmation que Kahlan attendait…

—Lyle, dit Warren, tu peux échapper à celui qui marche dans les rêves. Jure fidélité à Richard, et tu seras libre. Fais-moi confiance et essaie! Je suis passé par là, et je ferai tout pour t'aider.

Un instant, Kahlan espéra que l'enfant, face à un homme qu'il connaissait, saisirait cette occasion inespérée. Mais la lueur d'espoir qui brilla fugacement dans son regard fut vite remplacée par du mépris et de la haine. À ses yeux, le combat pour la liberté semait la terreur et la mort, alors qu'obéir servilement à Jagang offrait des perspectives d'avenir. Bien trop jeune pour comprendre les enjeux ultimes du conflit, il en resterait là, ça ne faisait plus de doute.

Sans brusquerie, Kahlan indiqua à Warren de s'écarter, et il obéit à contrecœur.

— Ce n'est pas le premier sorcier de Jagang que nous capturons, dit-elle, s'adressant apparemment au futur prophète.

En réalité, ce message visait Cara.

— Marlin Pickard, ajouta Kahlan, toujours à l'attention de la Mord-Sith. C'était un adulte, et même sous l'influence de ce crétin pompeux d'empereur, il ne nous a pas posé beaucoup de problèmes…

Un pur mensonge dicté par des considérations stratégiques. En réalité, il avait failli les tuer toutes les deux ! Il était donc essentiel que Cara n'oublie pas à quel point son contrôle sur un sorcier manipulé par Jagang était précaire.

— Nous avons découvert ton plan à temps, Jagang, continua Kahlan. Tu croyais vraiment que tes troupes passeraient inaperçues ? Prendrais-tu nos éclaireurs pour des imbéciles ? Quand nous écraserons tes soldats, j'espère que tu seras avec eux, histoire d'avoir l'occasion de t'égorger de mes mains.

— Que fait une femme de ta trempe avec une bande de minables ? lança Lyle d'une voix qui n'était plus la sienne. Tu es née pour combattre du côté des plus forts, dans les rangs de l'Ordre.

— Désolée, mais mon mari me préfère comme je suis…

— Et où est ce cher Richard, ma petite chérie ? J'espérais pouvoir lui dire bonjour.

— Navrée, mais il est occupé ailleurs, pas loin d'ici.

Du coin de l'œil, Kahlan vit Warren sursauter en entendant cet énorme mensonge.

— Vraiment ? demanda « Lyle », qui n'avait pas manqué de remarquer la réaction du futur prophète. C'est curieux, mais je ne parviens pas à te croire…

Kahlan aurait voulu casser toutes les dents du gamin, pour effacer son ignoble rictus. Mais il y avait plus urgent. Que savait Jagang, exactement, et qu'essayait-il d'apprendre en jouant au chat et à la souris ?

— Tu le verras bientôt, quand nous aurons ramené ce pauvre gosse au camp. Je suis sûre qu'il aura envie de te rire au nez lorsque je lui raconterai comment nous avons éventé ton plan minable pour nous encercler. Il sera ravi de te traiter en personne de sombre crétin.

Lyle tenta de bondir sur la Mère Inquisitrice, mais Cara n'eut aucun mal à l'en empêcher. Comme un félin en laisse, il ne renonçait pas à éprouver la résistance de ses chaînes.

Le rictus demeurait, mais un peu moins arrogant. Jagang devait être décontenancé…

— Non, décidément, je ne te crois pas, lâcha-t-il comme si ce sujet ne l'intéressait plus. Nous savons tous les deux que le seigneur Rahl n'est pas là. N'est-ce pas, ma petite chérie ?

Kahlan décida de bluffer jusqu'au bout.

— Tu le verras bientôt, alors, n'insistons pas pour le moment… (Elle fit mine de se détourner, puis regarda de nouveau Lyle.) Ferais-tu allusion au plan idiot de Nicci ?

Le gamin cessa de sourire. Soudain moins assuré, il parvint néanmoins à contenir sa colère.

— Nicci ? De quoi parles-tu donc, ma petite chérie ?

— Une Sœur de l'Obscurité blonde aux yeux bleus, très jolie et toujours vêtue d'une robe noire… Tu es sûr que ça ne te dit rien ? Une beauté pareille ? En plus d'être idiot, serais-tu impuissant ?

Dans les yeux de Lyle, Kahlan vit que l'empereur réfléchissait, tentant de déterminer si on lui tendait un piège.

— Je connais Nicci très intimement, dit celui qui marche dans les rêves. Un de ces jours, c'est toi qui la remplaceras dans mon lit, ma petite chérie.

Une menace aussi obscène était encore plus terrifiante quand elle sortait de la bouche d'un enfant. Kahlan en eut la nausée, révulsée par la façon dont l'empereur traitait sa marionnette.

— Nicci est une de mes petites poupées, et du genre mortel, par-dessus le marché ! (Kahlan crut détecter dans le ton de l'empereur un rien d'incertitude, comme s'il en rajoutait pour dissimuler son malaise.) Je suis sûr que tu ne l'as pas rencontrée…

Une affirmation qui était en réalité une question que Jagang n'osait pas poser. Il y avait un mystère là-dessous, mais lequel ?

— Du « genre mortel », dis-tu ? Je ne m'en suis pas aperçue…

— Parce que tu ne l'as jamais vue !

— Non, parce qu'elle m'a semblé tout à fait inoffensive. Figure-toi qu'elle n'est même pas parvenue à blesser quelqu'un !

— Tu mens, ma petite chérie ! Si vous aviez croisé Nicci, il y aurait eu quelques cadavres… Même si elle n'est pas invincible, on ne l'affronte pas sans y laisser des plumes.

— Tu en es certain ?

Lyle éclata de rire.

— Je la connais, te dis-je !

Kahlan jeta un regard méprisant au gamin.

— Allons, tu sais très bien que je te raconte la vérité.

— Vraiment ? Pourquoi devrais-je le savoir, d'après toi ?

— Parce que c'est ton esclave, et que tu peux entrer à ta guise dans son esprit. Enfin, en théorie. Mais ce n'est pas le cas, je parie ? Moi, je sais pourquoi… Même si tu n'es pas très malin, trouver la solution en réfléchissant un peu doit être dans tes possibilités…

— Tu mens ! cria Jagang, fou de rage.

—Si le penser te fait plaisir...

—Si tu as vu Nicci, où est-elle à présent ?

Tout en lui tournant le dos, Kahlan révéla à l'empereur la stricte vérité. À lui de l'interpréter comme ça lui chanterait.

—En route pour l'oubli...

L'Inquisitrice entendit le cri, derrière elle.

Elle fit volte-face et vit que Cara tentait d'immobiliser Lyle avec son Agiel – dont le contact, cette fois, ne le ralentissait même pas.

Fou de rage, le petit garçon bondit sur sa proie.

Kahlan leva une main pour intercepter son agresseur, qui avait l'intention de lui sauter à la gorge. La frêle poitrine de Lyle venant s'écraser contre sa paume, elle referma le poing sur le tissu crasseux de sa tunique et le tint sans peine à bout de bras.

L'Inquisitrice était désormais la maîtresse du jeu. Pour l'utiliser, elle n'avait pas besoin d'invoquer son pouvoir, simplement de relâcher le contrôle qu'elle exerçait sur lui en permanence. Mais elle ne devait pas se laisser arrêter par ses sentiments. Seule la vérité devait guider ses actes, désormais.

Et la vérité, aujourd'hui, était d'une limpidité aveuglante. Lyle n'avait rien d'un enfant perdu, blessé et effrayé. Il était un ennemi mortellement dangereux.

Quand il jaillissait du plus profond d'elle-même, envahissant jusqu'à la dernière fibre de son corps, le flot de pouvoir coupait quasiment le souffle à Kahlan.

Sous ses doigts, elle sentait les côtes minuscules de l'enfant.

L'esprit vidé de toute haine, fureur ou agressivité, elle n'éprouvait aucune tristesse non plus. À ces moments-là, alors que le temps semblait suspendu, son esprit devenait inaccessible à ces émotions humaines.

Lyle n'avait pas une chance de s'en tirer.

Sans hésiter, Kahlan déchaîna son pouvoir.

Cette force la plupart du temps latente se libéra avec une puissance incroyable.

Un coup de tonnerre silencieux fit vibrer l'air et le sol.

Le visage de Lyle affichait toujours la haine et le mépris de l'homme qui le manipulait. À cet instant, alors que Kahlan n'éprouvait plus rien, sa proie exprimait toute une palette d'émotions malveillantes.

Kahlan croisa le regard de l'enfant condamné. Il ne lirait aucune pitié dans ses yeux, elle le savait...

Son esprit et sa personnalité disparaîtraient à jamais dans une fraction de seconde.

Autour de l'Inquisitrice, les arbres tremblaient, et de gros paquets de neige tombaient de leurs branches. Soulevées par la force invisible, des colonnes de neige tourbillonnaient dans l'air pourtant figé...

Ayant payé pour savoir que Jagang pouvait entrer ou sortir de l'esprit d'un être humain en un éclair – la durée qui sépare deux pensées, soit un temps qui en réalité n'existait pas – elle n'avait pas pu s'offrir le luxe d'hésiter. Lorsque l'empereur contrôlait totalement une de ses marionnettes, Cara elle-même perdait toute possibilité d'intervenir.

Kahlan vit les yeux de Lyle se vider au moment précis où celui qui marche dans les rêves quittait son esprit.

Elle le lâcha, et il tomba raide mort à ses pieds.

Chapitre 35

Les jambes tremblantes, Kahlan baissa les yeux sur le cadavre. À présent, les sentiments revenaient, et elle ne voyait plus qu'un pauvre petit garçon mort bien trop longtemps avant son heure.

Comme toujours après avoir recouru à son pouvoir, elle se sentait épuisée. Autour d'elle, les arbres encore debout ressemblaient aux jurés d'un tribunal silencieux. Sur la neige, autour du mort, des taches de sang témoignaient que l'étincelle de la vie l'habitait encore quelques secondes plus tôt.

Soudain, l'Inquisitrice se demanda si elle n'avait pas tué Cara en même temps que Lyle.

Touchée par le pouvoir d'une Inquisitrice, une Mord-Sith n'avait guère de chances de survivre. Mais dans l'action, Kahlan n'avait pas pu tenir compte de ce facteur. Elle avait fait de son mieux pour avertir Cara, afin qu'elle se tienne le plus loin possible, au moment dangereux. Quand Lyle avait bondi, plus rien n'avait eu d'importance, à part l'absolue nécessité d'agir. Comme face à Nicci, la moindre hésitation aurait pu être fatale.

À présent, c'était terminé, et l'inquiétude pour la Mord-Sith reprenait ses droits.

Cara gisait dans la neige, à droite de l'Inquisitrice. Si elle n'avait pas lâché l'enfant au moment où…

La Mord-Sith remua et gémit. S'agenouillant près d'elle, Kahlan la saisit par les pans de son manteau et la souleva un peu du sol.

— Tu vas bien ?

— Bien sûr ! Vous me croyez assez idiote pour ne pas avoir lâché ce petit tueur ?

L'Inquisitrice soupira de soulagement.

— Non, mais je redoutais que tu te sois brisé le cou en tombant si violemment en arrière.

— Ce n'est pas passé très loin, je dois l'avouer…

Warren aida les deux femmes à se relever. Avec une grimace, il se massa ensuite les épaules puis se frotta les coudes. D'après ce qu'on disait, être trop près d'une Inquisitrice, quand elle libérait son pouvoir, était une expérience qui traumatisait particulièrement les articulations. Par bonheur, il n'y avait pas de véritables dégâts, et la souffrance disparaissait rapidement.

Quand Warren baissa les yeux sur Lyle, Kahlan devina que les séquelles morales de ce drame ne s'effaceraient pas si vite…

— Créateur bien-aimé…, soupira le futur prophète. Bon sang! ce n'était qu'un gamin! Fallait-il vraiment le tuer?

— Oui, affirma Kahlan. Je n'ai pas l'ombre d'un doute. Cara et moi avons déjà connu une situation similaire face à Marlin.

— C'était un adulte! Lyle… Eh bien, un gosse ne peut pas…

— Warren, ne vous torturez pas pour rien. Jagang contrôlait son esprit, comme celui de Marlin. Je sais de quoi je parle. Il était terriblement dangereux.

— Quand je ne peux pas retenir quelqu'un, dit Cara, personne n'en est capable.

Warren se laissa tomber à genoux près du cadavre et lui caressa les tempes en récitant une prière.

— Jagang est le seul vrai coupable, dit-il en se relevant. C'est lui qui est la cause de tout…

Dans le lointain, Kahlan vit des soldats accourir. Ils volaient à son secours – un peu trop tard, mais l'intention était louable quand même.

— Si vous préférez voir les choses comme ça…, dit-elle en s'éloignant, Cara à ses côtés.

Warren les rattrapa, prit l'Inquisitrice par le bras et la força à s'arrêter.

— Vous visez Anna, c'est ça?

— Oui, et vous êtes sa victime aussi. On vous a enfermé au Palais des Prophètes quand vous étiez enfant, n'est-ce pas?

— C'est vrai, mais…

— Rien du tout! Les sœurs vous ont capturé, comme ce pauvre petit garçon. (Kahlan enfonça les ongles dans ses paumes. Elle devait contrôler sa fureur.) Et comme Richard!

— Ne vous fiez pas aux apparences, Mère Inquisitrice. Les prophéties…

— Regardez à quoi elles mènent! cria Kahlan en désignant la dépouille de Lyle. Voilà le résultat! La mort et le désespoir, tout ça au nom de ces maudites prédictions!

Submergé par tant de rage, Warren ne tenta pas de justifier sa position.

Consciente qu'il n'était pour rien dans ses malheurs, Kahlan baissa d'un ton.

—Combien de gens devront mourir à cause de vos absurdes prophéties ? Si Anna n'avait pas envoyé Verna à la recherche de Richard, rien de tout ça ne serait arrivé.

—Comment le savez-vous, Kahlan ? Je comprends vos sentiments, mais vous pouvez vous tromper…

—La barrière a tenu pendant trois mille ans. Pour la détruire, il fallait un sorcier né avec les deux magies. Richard est le premier depuis trente siècles, et Anna l'a fait capturer par Verna. Si elle s'était abstenue, l'Ancien et le Nouveau Monde seraient toujours séparés. Jagang resterait coincé chez lui, les Contrées ne risqueraient rien et Lyle jouerait joyeusement à la balle dans la cour de sa maison familiale.

—Kahlan, ce n'est pas si simple, soupira Warren. Je ne veux pas polémiquer avec vous, mais il faut comprendre que les prophéties se réalisent de plusieurs manières. Parfois, elles influencent le cours de l'histoire. Si Verna n'était pas intervenue, Richard se serait tôt ou tard approché de la barrière, et il aurait provoqué sa disparition. Ce n'est pas la cause qui importe, mais les actes. Cela devait arriver, et Anna a seulement été l'outil du destin.

—Combien de massacres vous faudra-t-il pour regarder la vérité en face, Warren ? Les prophéties sont un fléau !

—J'ai toujours voulu devenir un prophète pour aider les autres… Si je pensais comme vous, je me détournerais de ma vocation. (Warren eut soudain un petit sourire.) Et n'oubliez pas un détail : sans les prophéties, vous n'auriez jamais rencontré Richard. Regrettez-vous qu'il soit entré dans votre vie ? Moi, je suis ravi qu'il fasse partie de la mienne.

Le regard furieux que lui jeta l'Inquisitrice glaça les sangs de Warren.

—J'aurais préféré vivre jusqu'à la fin de mes jours seule et sans amour plutôt que de savoir qu'il souffre à cause de moi ! Si je ne l'avais pas connu, je ne serais pas aujourd'hui folle de rage parce que les tenants des prophéties tels que vous l'ont condamné à ne jamais être heureux !

Warren glissa les mains dans les manches de sa tunique et baissa la tête.

—Je comprends que vous réagissiez ainsi… Kahlan, parlez avec Verna, ça vous fera du bien…

—En quel honneur ? C'est elle qui a exécuté les ordres d'Anna.

—Parlez-lui, c'est tout… J'ai failli la perdre parce qu'elle pensait exactement la même chose que vous.

—Verna ? C'est impossible !

—Pas du tout ! Pendant un moment, elle a cru qu'Anna l'avait manipulée à des fins discutables. Pendant vingt ans, elle a cherché Richard en vain alors que la Dame Abbesse savait depuis le début où il était. Vous imaginez ce qu'elle a éprouvé en découvrant ça ? Et il y a eu autre chose… Anna a mis en scène sa propre mort, et intrigué pour que Verna soit nommée

Dame Abbesse. Ma future femme est passée à un cheveu de jeter son livre de voyage dans les flammes !

— Eh bien, elle a eu tort de ne pas le faire.

— J'essaie simplement de vous dire que lui parler vous apaisera. Elle comprendra ce que vous ressentez.

— Et ça changera quoi ?

— Même si vous avez raison, qu'est-ce que ça *change*, désormais ? Ce qui est fait ne peut être défait. L'Ordre attaque le Nouveau Monde, et Nicci a capturé Richard. Quelle que soit la cause de ces événements, nous devons les affronter, pas nous lamenter.

— Vous avez acquis cette profonde sagesse en étudiant les prophéties ?

Warren ne put s'empêcher de sourire.

— Non, c'est Richard qui me l'a enseignée. Et une femme très intelligente de ma connaissance m'a dit fort récemment qu'il ne faut pas se torturer pour rien...

Malgré tout son désir de rester en colère, Kahlan sentit qu'elle n'y parviendrait pas. Il y avait chez Warren quelque chose de désarmant – une innocence sincère qui venait à bout des rages les plus noires.

— Je me demande si elle est si intelligente que ça, votre amie...

Warren fit signe que tout allait bien aux soldats qui approchaient, arme au poing. Ils ralentirent un peu, mais ne rengainèrent pas leurs épées.

— Assez pour éventer le plan de Jagang, puis, après avoir été attaquée par un de ses sorciers, pour lui faire croire subtilement qu'elle était tombée dans son piège.

Kahlan jeta un regard soupçonneux au futur prophète.

— Quel âge avez-vous, Warren ?

— Je viens de fêter mon cent cinquante-huitième anniversaire. Pourquoi cette question ?

— Voilà qui explique bien des choses, marmonna Cara en se remettant en route. Vous devriez cesser d'avoir l'air jeune et innocent... Ça devient agaçant, à la longue !

Quelques heures plus tard, lorsque Kahlan, Cara, Warren et leur escorte y arrivèrent, le camp grouillait d'activité. Partout, des hommes chargeaient les chariots, préparaient les attelages ou aiguisaient les armes. Les tentes n'étaient pas encore démontées, mais des soldats équipés des pieds à la tête, certains finissant d'avaler leur dîner, écoutaient leurs officiers leur donner d'ultimes instructions avant le départ d'une force vers le nord, où il faudrait intercepter l'ennemi avant qu'il ait achevé sa manœuvre d'encerclement. En passant devant des tentes, Kahlan vit d'autres officiers penchés sur des cartes d'état-major.

L'odeur de nourriture qui planait dans l'air lui rappela qu'elle mourait de faim. En hiver, la nuit tombait tôt, et avec le ciel plombé, on se serait cru au début de la soirée, pas en fin d'après-midi. Le temps morose devenait d'ailleurs déprimant. Le soleil se montrait de plus en plus rarement, et les tempêtes de neige imminentes n'arrangeraient rien.

Kahlan mit pied à terre et confia son cheval à un jeune soldat. Elle ne montait plus un destrier, désormais. Comme presque tous les cavaliers, elle avait opté pour un animal plus petit et plus agile. Lors des charges frontales, les destriers étaient parfaits. Quand on livrait une guerre de harcèlement, la vitesse se révélait plus utile que la puissance.

Grâce à leur nouvelle tactique, Kahlan et le général Meiffert parvenaient depuis des semaines à contenir l'armée de l'Ordre. Laissant l'ennemi mettre sur pied une attaque massive, ils faisaient mine de vouloir la repousser, puis s'écartaient au dernier moment, ravis que les soldats adverses se soient fatigués pour rien.

Dès que l'Ordre marquait une pause, histoire de reprendre son souffle, Meiffert lançait des contre-attaques très ciblées et très brèves. Puis il faisait semblant de vouloir passer vraiment à l'offensive… et y renonçait juste après que l'armée de Jagang se fut épuisée à ériger des défenses.

Ce jeu du chat et de la souris fonctionnait très bien. Avec une variante, toutefois… Quand les soudards de l'Ordre, fatigués de courir en vain derrière des ombres, décidaient d'aller s'en prendre aux civils, dans les villes environnantes, Kahlan et Meiffert lançaient une véritable attaque – dans leur dos – et faisaient assez de dégâts pour les forcer à rebrousser chemin, toute idée de pillage et de mise à sac oubliée.

Les manœuvres des D'Harans rendaient fous les hommes de Jagang. Persuadés que de vrais guerriers devaient s'affronter face à face, sur un champ de bataille, ils se sentaient insultés qu'on joue à cache-cache avec eux. Bizarrement, être vingt fois plus nombreux que leurs adversaires semblait les déranger beaucoup moins…

Consciente qu'un conflit classique serait sans espoir, Kahlan se fichait de heurter la sensibilité des soudards. Tant qu'ils continuaient à mourir, leurs objections ne la dérangeaient pas.

De plus en plus furieux, les impériaux oubliaient tout bon sens. Chargeant dans les pires conditions, ils tentaient de conquérir des positions imprenables ou sacrifiaient des milliers d'hommes pour de ridicules avantages qu'ils reperdaient le lendemain. À force de voir des sections entières avancer sous le feu des archers jusqu'à ce qu'il n'y ait plus un seul homme debout, Kahlan avait presque pitié de ces imbéciles envoyés à la boucherie par des chefs déments.

Du côté d'haran, on dénombrait cependant des milliers de morts et de blessés graves. Mais selon leurs estimations, Kahlan et Meiffert avaient réduit d'au moins cinquante mille têtes l'effectif adverse. Un bon résultat, mais qui revenait hélas à avoir écrasé une fourmi alors que toute la colonie était sortie de la fourmilière. En l'absence d'autres possibilités, le général et l'Inquisitrice se satisfaisaient de ce maigre résultat…

Cara à ses côtés, Kahlan traversa le camp pour rejoindre les tentes de commandement. Quand on ne connaissait pas la « couleur code » du jour, les trouver était impossible. Pour tromper les espions et les sorciers, les officiers supérieurs se réunissaient dans des tentes parfaitement ordinaires. Ainsi, aucune attaque, physique ou magique, ne pouvait viser spécifiquement les têtes pensantes de l'armée.

Des bandes de tissu coloré, accrochées aux tentes, signalaient leur appartenance à l'une ou l'autre unité. S'inspirant de ce système ingénieux, Kahlan l'avait un peu adapté. Pour le poste de commandement, on changeait de couleur tous les jours, et on le déplaçait très souvent.

Quand l'Inquisitrice entra sous la tente principale, le général Meiffert leva les yeux de la carte qu'il était en train d'étudier.

Le lieutenant Leiden participait à la réunion en compagnie du capitaine Abernathy – le chef des Galeiens –, et Adie y représentait les unités magiques.

Bien que ses yeux fussent entièrement blancs, la croire aveugle aurait été une grossière erreur. Mutilée par des fanatiques quand elle était jeune, la dame des ossements avait appris à voir à travers le don, et elle était une magicienne très douée. Particulièrement efficace dès qu'il s'agissait de nuire à l'ennemi, elle aidait désormais à coordonner les interventions des « commandos » de Sœurs de la Lumière.

— Où est Zedd ? lui demanda Kahlan.

— Il inspecte nos lignes, au sud. Tout le monde sait à quel point il est maniaque…

— Warren y est allé aussi, avec la même idée en tête…

Après s'être soufflé sur les mains pour les réchauffer – et avoir discrètement remué ses orteils gelés, dans ses bottes –, Kahlan se tourna vers le général.

— Nous devons mettre sur pied une force importante. Au moins vingt mille hommes.

Meiffert soupira de frustration.

— Ainsi, ils tentent bien de nous encercler ?

— Non, c'est une ruse.

Les trois militaires plissèrent le front, attendant de plus amples explications.

— J'ai parlé à Jagang…

— Quoi ? coupa Meiffert, paniqué.

— Pas directement, ne vous inquiétez pas, mais par l'intermédiaire d'une de ses marionnettes. Allez, oublions ça… L'essentiel, c'est que je veux faire croire à l'empereur que nous sommes tombés dans son piège. En obligeant ses hommes à tourner en rond, il espère nous obliger à diviser nos forces, et nous allons lui donner satisfaction.

— Pourquoi ? demanda Leiden. Envoyer tant d'hommes au nord reviendrait à entrer dans son jeu.

— C'est exact, mais ça n'est pas mon but. Ces soldats devront seulement quitter le camp comme s'ils avaient l'*intention* d'aller vers le nord.

Kahlan se pencha sur la carte, prit un morceau de craie, dessina grossièrement les montagnes qu'elle venait de traverser et montra aux trois militaires un défilé bien spécifique.

— Mes Galeiens sont environ vingt mille, dit Abernathy. Soit le nombre d'hommes qu'il faut pour servir d'appât.

— C'est exactement ce que je me disais…, souffla Meiffert.

— Marché conclu, trancha Kahlan. Capitaine, en empruntant ce défilé, vous pourrez contourner les montagnes. Quand l'Ordre attaquera, nous pensant affaiblis, vous serez en position idéale pour une attaque de flanc.

Le capitaine Abernathy, un officier soigné jusqu'au bout des ongles, si on exceptait sa moustache et ses sourcils grisonnants et broussailleux, hocha sereinement la tête.

— N'ayez aucune crainte, Mère Inquisitrice, nos ennemis nous croiront partis, mais nous ne serons pas loin, prêts à leur taquiner méchamment les côtes.

— Parfait… (Kahlan se tourna vers Meiffert.) Il faudra aussi – mais discrètement – placer une seconde force sur l'autre flanc de la vallée, en face de celle du capitaine Abernathy. Ainsi, nous prendrons les « attaquants » en tenaille. Refusant de se laisser piéger, ils battront en retraite, et les hommes restés au camp se lanceront à leur poursuite et massacreront leur arrière-garde.

Les trois officiers réfléchirent un moment à ce plan.

— Mère Inquisitrice, mes Keltiens seront parfaits pour faire le pendant des Galeiens. Ils servent sous mes ordres depuis longtemps, et ils sont très efficaces. Nous quitterons le camp par petits groupes, comme s'il s'agissait de patrouilles. Quand le piège sera en place, il suffira que le capitaine Abernathy nous envoie un signal, et nous attaquerons en même temps que lui. Pour éviter des problèmes, je propose qu'une Sœur de la Lumière accompagne mes hommes et, le moment venu, vérifie l'authenticité du signal.

À l'évidence, Leiden voulait se racheter aux yeux de Kahlan. Accessoirement, il saisissait l'occasion de conférer à Kelton une certaine autonomie au sein de l'empire d'haran.

— Ce sera une mission périlleuse, lieutenant. Si quelque chose tourne mal, nous ne pourrons rien faire pour vous.

— Mes hommes connaissent bien ce terrain, et ils ont l'habitude de manœuvrer en hiver. Les soudards de l'Ordre viennent d'un pays où le climat est moins rude. Nous aurons deux avantages, Mère Inquisitrice, et nous nous en sortirons très bien.

Kahlan étudia longuement le Keltien. Le général Meiffert ne verrait aucun inconvénient à ce que les choses se passent ainsi, elle le savait. Abernathy partagerait cette position. Les Galeiens et les Keltiens étant des ennemis héréditaires, qu'ils combattent le plus loin possible les uns des autres ne pouvait pas faire de mal.

Richard avait uni tous les royaumes des Contrées. Pour ces pays, collaborer était indispensable, s'ils voulaient survivre. Sans être épaule contre épaule, les Galeiens et les Keltiens devraient coordonner leurs efforts. Un pas dans le bon sens…

De plus, l'argument de Leiden avait du poids : ses hommes étaient vraiment des experts du combat en montagne et en plein hiver.

— C'est d'accord, lieutenant.

— Merci, Mère Inquisitrice.

— Et si vous êtes brillant, j'envisagerai sans doute de vous restituer votre grade…

— Vous serez fière de mes hommes, je vous en donne ma parole !

Kahlan accueillit ce serment d'un simple hochement de tête.

— Eh bien, il ne reste plus qu'à passer à l'action, messires.

— Si tout marche bien, dit Meiffert, nous devrions éclaircir considérablement les rangs adverses. (Il se tourna vers ses deux collègues.) Commençons sans tarder ! Les Galeiens devront partir aujourd'hui, et je veux que les Keltiens soient en position dès demain matin. L'Ordre n'attendra pas pour lancer son attaque, et il n'est pas question que nous ne soyons pas prêts.

— L'Ordre aime beaucoup lancer ses assauts à l'aube, dit Abernathy. Mes hommes seront partis d'ici à une heure. Demain, au lever du soleil, ils seront en position.

— Les miens aussi, assura Leiden, si je ne tarde pas à les mettre en mouvement.

Les deux officiers saluèrent Kahlan et le général, puis ils se dirigèrent vers la sortie de la tente.

— Capitaine ! lança Kahlan.

— Oui, Mère Inquisitrice ? répondit Abernathy en se retournant.

— Savez-vous pourquoi le prince Harold et le reste de votre armée ne sont toujours pas là ? Nous ne cracherions pas sur des renforts…

— J'ignore ce qui les a retardés, Mère Inquisitrice. Mais c'est inquiétant, et je me suis déjà posé la question…

— Oui, ils devraient déjà être arrivés…, souffla Kahlan. Vous pensez que le mauvais temps aura ralenti leur progression ?

—C'est possible… Dans ce cas, le prince Harold ne devrait plus tarder, car les tempêtes de neige sont finies.

—Espérons que nous le verrons bientôt…

—Mère Inquisitrice, soyez certaine que le prince tient à participer à cette guerre. Il m'a confié qu'arrêter l'Ordre Impérial ici était dans l'intérêt de notre royaume. Si l'ennemi pénètre dans la vallée de Callisidrin, puis déferle sur les Contrées du Milieu, nos terres et notre peuple seront en danger.

Kahlan jeta un coup d'œil au lieutenant Leiden et devina aussitôt ce qu'il pensait. Si Harold avait changé d'avis, décidant de tenir la vallée de Callisidrin, afin de protéger l'accès à son royaume, l'Ordre pouvait très bien choisir d'éviter l'obstacle en passant par le nord-est – d'abord en contournant les montagnes, puis en traversant les plaines de Kern. Un itinéraire qui le conduirait droit sur Kelton…

Si noires que fussent ses pensées, l'ancien général eut l'intelligence de les garder pour lui.

—Le temps était épouvantable quand je suis arrivée ici, dit Kahlan. Après tout, c'est normal, en hiver ! Je suis sûre qu'Harold sera bientôt ici pour lutter aux côtés de sa reine et des autres peuples de l'empire d'haran.

Après avoir subtilement rappelé aux deux officiers qu'ils étaient seulement les membres d'une alliance, Kahlan les gratifia d'un sourire désarmant.

—Merci beaucoup, messires. Vous devriez y aller, maintenant. Puissent les esprits du bien veiller sur vos arrières…

Dès que les deux hommes furent sortis, Adie se leva péniblement.

—Si vous n'avez pas besoin de moi, je file informer les sœurs, Zedd et Warren de notre plan.

—Excellente idée, Adie, approuva Kahlan.

—Quand une Inquisitrice a utilisé son pouvoir, ajouta la dame des ossements, je le vois sur son visage. Et ensuite, elle a besoin de repos…

—Je sais, mais il y a tant de choses à faire…

—Si tu tombes malade – ou pis – ça n'aidera personne. (La vieille femme se tourna vers Cara.) Faites en sorte que la Mère Inquisitrice ait un moment de tranquillité. Au minimum, elle pourra sommeiller assise, la tête reposant sur une table…

Cara alla chercher une chaise, la posa devant une petite table et fit un signe impérieux à Kahlan.

—Installez-vous, je monterai la garde.

Effectivement épuisée, l'Inquisitrice ne discuta pas. Une fois assise, elle ouvrit son manteau en peau de loup et le remonta un peu sur ses épaules. L'Épée de Vérité était toujours accrochée dans son dos, et elle ne prit pas la peine de l'en retirer.

Satisfaite qu'on lui ait obéi au doigt et à l'œil, Adie sortit en boitillant.

Dès que Meiffert fut parti, Cara se posta à l'entrée de la tente.

Les bras posés sur la table, Kahlan y appuya sa tête et ferma les yeux. Pour oublier les terribles événements de la journée, elle pensa à Richard et à l'époque où ils vivaient heureux dans leur cabane.

Morte de fatigue, elle eut l'impression que la chaise, la table et toute la pièce tournaient follement. Mais cela ne dura pas, car elle sombra très vite dans le sommeil, l'image de Richard toujours présente devant son œil mental.

Chapitre 36

— **M**ère Inquisitrice ?

Kahlan releva la tête, battit des paupières et, après quelques secondes, reconnut la visiteuse qui venait d'entrer sous la tente. C'était Verna, la Dame Abbesse officielle des Sœurs de la Lumière.

Kahlan se frotta les yeux. Très austère dans sa robe grise de laine – à peine égayée par la dentelle qui ornait le col – et son manteau marron foncé, Verna semblait très mal à l'aise.

— Que voulez-vous ?

— Vous parler, si vous avez un moment...

Sans nul doute, Warren avait fait son rapport à la sœur. Chaque fois que Kahlan les avait vus ensemble, le futur prophète et la Dame Abbesse lui avaient paru très intimes. Ils échangeaient sans cesse des regards complices et se frôlaient dès qu'ils le pouvaient. Bref, le même genre de rapport qu'entre Richard et elle... Imaginer Verna en femme amoureuse n'était pas facile, mais après tout, beaucoup de gens trouvaient difficile de croire que la Mère Inquisitrice avait des sentiments comme n'importe qui...

Cela dit, Verna venait sans doute parler d'Anna et de prophéties, et Kahlan n'était pas d'humeur à polémiquer.

— Cara, combien de temps ai-je dormi ?

— Quelques heures... Il fera bientôt nuit.

Les épaules et le cou ankylosés, rien de plus normal après un long moment passé dans une position inconfortable, Kahlan s'étira puis jeta un rapide coup d'œil autour d'elle. Assise sur un banc, la dame des ossements la couvait du regard.

— Comment vas-tu ? demanda Adie.

— Très bien... Les hommes se sont mis en route ?

— Les deux groupes, oui, il y a un peu plus d'une heure. Les Galeiens sont partis en colonnes, comme prévu. Les Keltiens ont procédé beaucoup plus discrètement.

—Très bien…

L'Ordre risquait d'attaquer dès le lendemain matin. Au moins, le piège serait en place, c'était à présent certain. L'approche du combat nouait toujours l'estomac de l'Inquisitrice. Il en allait de même pour les soldats, qui dormiraient peu et mal, cette nuit.

—Après le départ des Galeiens, je suis revenue ici pour aider Cara à veiller sur ton repos.

Kahlan remercia la vieille femme d'un sourire. Adie avait dû juger qu'elle avait assez dormi – ou pensé que la visite de Verna était de la plus haute importance.

—Je vous écoute, Dame Abbesse…

—Nous avons… eh bien… découvert quelque chose. En fait, il s'agit plutôt d'une idée que nous avons eue…

—Qui est ce « nous » ?

Verna s'éclaircit la gorge. Avant de continuer, elle implora mentalement le Créateur de la pardonner d'avance…

—Pour être franche, c'est mon idée. Des sœurs m'ont aidée, mais ça vient de moi, et je suis prête à en assumer toutes les conséquences…

Une étrange façon de présenter les choses, pensa Kahlan. Verna ne semblait pas enthousiasmée par sa propre « découverte ». Dans ce cas, pourquoi venait-elle lui en parler ?

—Depuis le début, continua la Dame Abbesse, nous avons du mal à traverser les boucliers magiques de l'Ordre. Jagang détient des Sœurs de la Lumière et de l'Obscurité, et vous savez que la Magie Soustractive nous dépasse… Quand nous tentons d'envoyer des choses…

—Des choses ?

—Hum… des armes…

Voyant que Kahlan avait du mal à suivre, Verna se pencha, ramassa une poignée de cailloux, sur le sol, et tendit la main, paume ouverte.

—Zedd nous a montré comment transformer en armes terrifiantes les objets les plus simples… Par exemple, avec notre pouvoir, il est possible de lancer ces cailloux sur une très longue distance. Propulsés par la magie, ils font des ravages dans les rangs ennemis. Un seul peut traverser la poitrine de dix hommes.

—J'ai eu un rapport sur cette tactique… Nous y avons renoncé, parce que les magiciennes adverses ont trouvé une parade. Comme à d'autres sortilèges qui nous étaient bien utiles, d'ailleurs…

» C'est ce que dit toujours Zedd : dans une guerre, la magie est souvent sans influence, parce que les deux camps se neutralisent.

—Exactement… Au début, l'Ordre tentait de nous perturber en

imitant le son de nos cornes, mais Zedd leur a ajouté une «signature» magique, et les ennuis ont été terminés. Tout se déroule selon ce schéma…

Kahlan resserra autour d'elle les pans de son manteau. Morte de froid, elle ne parvenait plus à se réchauffer, à force de passer son temps à battre la campagne. Livrer une guerre dans de telles conditions était de la folie. Cela dit, s'étriper par beau temps ne devait rien avoir de plus drôle. Mais elle aurait donné cher pour passer ses journées sous un toit, près d'un bon feu de cheminée.

—Alors, Verna, votre fameuse idée?

—Eh bien, puisque nos adversaires détectent les armes magiques, je me suis dit que nous devions leur opposer des forces sans lien avec le surnaturel.

—Elles existent déjà, lâcha Kahlan. On appelle ça une «armée».

—Non, je me suis mal exprimée… Je pensais à une attaque que les Sœurs de la Lumière pourraient lancer, mais qui ne mettrait pas en danger la vie de nos hommes.

Intriguée, Adie se leva et, en boitillant, vint se placer derrière Kahlan.

Verna glissa une main dans sa poche et en sortit une petite bourse de cuir fermée par un cordon. La jetant sur la table, devant Kahlan, elle posa à côté une feuille de parchemin.

—Versez un peu du contenu de la bourse sur la feuille, dit Verna. (Elle avait plaqué une main sur son ventre, comme si la nausée la torturait.) Surtout, ne touchez pas cette matière, évitez qu'elle entre en contact avec votre peau, et ne soufflez pas dessus! Le mieux serait de retenir votre respiration…

Adie se pencha pour mieux «voir» tandis que Kahlan ouvrait la bourse et déposait sur la feuille une petite quantité d'une sorte de poussière verdâtre brillante.

—Qu'est-ce que c'est? Du sable magique?

—Non, du verre…

—Et vous pensez avoir découvert le verre?

Verna haussa les épaules, consciente qu'elle devait passer pour une demi-folle.

—Non, j'ai simplement eu l'idée de le piler. Mère Inquisitrice, c'est du verre tout à fait banal, mais concassé au point d'être presque réduit en poudre. Pour obtenir ce résultat, nous n'avons pas seulement utilisé un pilon et un mortier, mais également notre Han. Du coup, ces fragments minuscules sont très spéciaux…

Verna se pencha à son tour sur la feuille, et Cara l'imita.

—Si petits qu'ils soient, ces éclats sont très tranchants. Et chacun d'eux ne pèse pas plus qu'un véritable grain de poussière…

— Par les esprits du bien…, soupira Adie avant de réciter une prière dans sa langue natale.

— Je ne comprends pas vraiment, avoua Kahlan.

— Mère Inquisitrice, nos sorts ne parviennent pas à traverser les défenses adverses. Les cailloux, par exemple, n'atteignent jamais leurs cibles parce que c'est la magie qui les anime…

» Ce verre, en revanche, n'a aucune propriété magique, même si nous avons recouru à nos Han pour le briser. C'est une matière inerte, comme la poussière que soulèvent les bottes des soldats. Les forces magiques adverses n'y détecteront aucun pouvoir, parce qu'il n'y en a pas ! Leur don leur indiquera qu'il s'agit d'une banale colonne de poussière, ou peut-être de brouillard, selon les conditions climatiques…

— Nous avons déjà essayé d'expédier des nuages de brume sur nos ennemis, par exemple pour leur faire attraper une maladie. Mais là aussi, ils ont trouvé la parade.

— Parce qu'il s'agissait de nuages magiques ! Ceux-là ne le seront pas ! Grâce à leur poids infinitésimal, ces fragments seront portés par le vent sur une très longue distance. Un sort les mettra en mouvement, mais ensuite, il s'agira d'un *phénomène naturel* ! Plus une once de magie, et il suffira de les laisser flotter jusque dans les rangs de l'Ordre.

— D'accord, mais quel mal feront-ils aux soldats ?

— Ils pénétreront dans leurs yeux…, souffla Adie, accablée.

— C'est ça, oui, comme de classiques grains de poussière. Les soudards de l'Ordre battront des paupières pour les chasser. Mais les fragments infligeront des centaines de microscopiques coupures à leur cornée. Plus ils insisteront, plus les dégâts seront graves. Au bout du compte, ils deviendront aveugles.

Kahlan n'en crut pas ses oreilles. Comment pouvait-on avoir des idées pareilles ?

— Vous en êtes sûre ? demanda Cara. Ça ne risque pas seulement de leur irriter les yeux et de les faire pleurer ?

— Absolument pas ! Pendant nos expériences, il y a eu un… accident…, et nous connaissons très précisément les effets de cette arme. De plus, elle provoque probablement davantage de dommages encore lorsque les fragments s'introduisent dans les voies respiratoires ou digestives. Mais là-dessus, nous n'avons pas de données fiables, pour le moment. Une chose est sûre : si un soldat aveugle ne meurt pas, il ne peut plus se défendre…

D'habitude enthousiaste dès qu'on lui proposait une nouvelle manière de tuer ses ennemis, Cara parut plus que dubitative.

— Nous n'aurons plus qu'à les égorger comme à l'abattoir…

Kahlan se prit la tête à deux mains et se cacha les yeux derrière ses doigts.

—Vous voulez mon autorisation avant d'utiliser cette arme, c'est ça ?
Verna ne répondit pas.

—Allons, pourquoi seriez-vous ici, sinon ?

—Mère Inquisitrice, vous savez que les Sœurs de la Lumière détestent faire du mal aux êtres humains. Mais l'enjeu de cette guerre est tout simplement la survie du monde libre. Si Richard était là… Hum… J'ai pensé que vous voudriez savoir, et décider de donner l'ordre ou non d'utiliser cette arme.

—Dame Abbesse, aujourd'hui, j'ai tué un enfant. Pas accidentellement, mais parce qu'il le fallait. Si la menace se présente de nouveau, je recommencerai sans hésiter. Mais ça ne m'aidera pas à dormir plus paisiblement…

—Un enfant…, répéta Verna. C'était vraiment nécessaire ?

—Il s'appelait Lyle. Je crois que vous le connaissiez… Une autre victime d'Anna et des Sœurs de la Lumière.

Blanche comme un linge, Verna baissa les yeux.

—Quand on a tué un enfant, continua Kahlan, pourquoi refuserait-on d'utiliser une arme terrifiante contre les monstres qui transforment les gosses en guerriers ? J'ai juré de n'avoir aucune pitié pour l'Ordre, et ce n'étaient pas des paroles en l'air.

Adie posa une main sur l'épaule de Kahlan.

—Mère Inquisitrice, je comprends vos sentiments…, dit Verna. Anna m'a également manipulée, et à l'époque, je ne comprenais pas pourquoi, persuadée qu'elle abusait de son pouvoir dans son propre intérêt. Pendant un temps, je l'ai méprisée… Et vous avez toutes les raisons du monde de lui en vouloir.

—Mais j'ai tort, allez-vous sans doute ajouter. À votre place, je n'en serais pas si sûre. Ce n'est pas vous qui avez dû abattre un petit garçon, aujourd'hui.

Verna parut comprendre, mais elle n'émit pas de commentaires.

—Adie, demanda Kahlan, pourrez-vous faire quelque chose pour la Sœur de la Lumière qui a perdu la vue « accidentellement » ?

—Je vais essayer… Verna, emmenez-moi voir cette malheureuse.

Alors que les deux femmes se dirigeaient vers la sortie, Kahlan sursauta.

—Vous avez entendu ça ? demanda-t-elle.

—Les cornes ? fit Verna.

Elle tendit l'oreille, très concentrée.

—Elles sonnent bien l'alarme, dit-elle enfin, mais il manque la signature magique dont je parlais… L'ennemi nous fait de plus en plus souvent ce coup-là…

—Pourquoi ?

—Je ne comprends pas votre question.

—Pourquoi l'Ordre s'acharne-t-il, puisque ça ne marche pas ? C'est absurde...

—Là, je suis incapable de répondre... Mais vous savez, je ne suis pas experte en tactique militaire...

Cara tourna la tête pour jeter un coup d'œil dehors.

—Des éclaireurs reviennent peut-être au camp...

Kahlan écouta attentivement. On entendait des roulements de sabots, mais c'était monnaie courante, dans un campement. Comme le suggérait la Mord-Sith, des éclaireurs rentraient peut-être de mission. Mais on eût plutôt dit des sabots de destriers...

Des cris retentirent, suivis par des cliquètements d'épée.

Kahlan se leva et dégaina sa lame royale. Mais la tente vibra soudain comme si quelque chose l'avait percutée. La toile s'inclina, des pointes de lance en jaillirent, puis elle s'effondra sur les quatre femmes.

Kahlan fut écrasée et jetée au sol par l'impact et le poids de la toile. Prise au piège, elle entendit des roulements de sabots près de sa tête.

La lampe à huile s'étant renversée, la toile s'embrasa comme du parchemin. Toussant à cause de la fumée, l'Inquisitrice comprit qu'elle était coincée sous une tente écroulée qui glissait sur la terre parce que des chevaux la tractaient...

Chapitre 37

Piégée sous la toile, Kahlan ne voyait plus rien. La fumée âcre la faisant suffoquer, elle se débattait frénétiquement, mais n'avançait pas d'un pouce vers sa libération. La chaleur des flammes, tout près de son visage, faisait monter en elle une angoisse proche de la panique. Sa fatigue oubliée, elle luttait férocement pour aspirer un peu d'air et sortir de ce qui risquait d'être bientôt son linceul.

— Où êtes-vous ? cria une voix.

C'était celle de Cara. Elle semblait proche, comme si la Mord-Sith aussi était traînée sur le sol et combattait férocement pour sa survie.

Dans cette situation délicate, Cara gardait assez de contrôle d'elle-même pour ne pas utiliser le nom ou le titre de sa protégée en présence de l'ennemi. L'Inquisitrice espéra que Verna y penserait également.

— Ici ! cria Kahlan.

Son épée étant coincée contre sa jambe par la toile, elle comprit qu'elle ne pourrait pas s'en servir. Par bonheur, en se tortillant, elle parvint à saisir la garde du coutelas accroché à sa ceinture. Après avoir tourné la tête pour sentir un peu moins la chaleur des flammes – être aveuglée par la fumée ajoutait encore de l'horreur à l'expérience qu'elle était en train de vivre –, elle dégaina l'arme et entreprit de larder la toile de coups. Puis la tente écroulée percuta quelque chose et fut soulevée du sol. Lorsqu'elle retomba, l'impact coupa le souffle à Kahlan. Dès qu'elle eut repris sa respiration, inhalant de la fumée au passage, elle recommença à frapper la tente et réussit à la fendre sur une assez grande longueur au moment où la partie qui ne brûlait pas encore s'embrasait.

— Cara, je ne peux pas…

La tente percuta de nouveau quelque chose. Alors que son épaule s'écrasait contre un objet très dur – peut-être le tronc d'un arbre –, Kahlan fut projetée vers le haut, traversa l'ouverture – ou fut « recrachée » par la toile, parce qu'elle était coincée entre deux plis – et tomba dans la neige.

Si elle n'avait pas porté sa cuirasse, les os de son épaule et de son bras n'auraient pas résisté au choc...

Miraculeusement, elle était libre et indemne.

Se relevant, elle regarda autour d'elle. À quelques pas de là, le général Meiffert venait de désarçonner – en saisissant sa cotte de mailles au passage – le cavalier qui tirait la tente derrière lui. Un manteau en peau de bête lui donnant l'allure d'un grizzly déchaîné, le soudard de l'Ordre à la barbe et aux cheveux noirs emmêlés et crasseux tenta de bondir sur le général. En un éclair, Kahlan remarqua que toutes les dents de devant du soldat brillaient par leur absence. Mais il n'aurait plus jamais à s'en soucier, car Meiffert le décapita d'un seul coup d'épée.

D'autres ennemis semaient la terreur dans le camp. Voyant qu'un destrier la chargeait, son cavalier brandissant un fléau d'armes, Kahlan rengaina ses deux lames. Puis elle ramassa la lance du colosse barbu tué par Meiffert et planta l'embout devant elle, dans une congère, juste à temps pour que le poitrail du destrier vienne s'embrocher sur le fer.

Le soldat de l'Ordre sauta souplement de sa monture avant qu'elle s'écroule. Alors qu'il dégainait son épée de sa main libre, le fléau d'armes toujours serré dans l'autre, l'Inquisitrice tira du fourreau sa propre lame et, vive comme l'éclair, fendit en deux la tête de son agresseur.

Enchaînant sans marquer de pause, elle plongea sous les jambes d'un autre destrier pour éviter le coup qu'entendait lui porter son cavalier. Roulant sous le ventre de l'animal, elle se releva dès qu'elle fut de l'autre côté et ouvrit jusqu'à l'os la cuisse du soudard qui avait tenté de la tuer.

D'instinct, elle se retourna et enfonça jusqu'à la garde son épée dans le poitrail d'un nouveau destrier qui menaçait de la renverser. Alors que l'étalon hennissait de douleur, elle dégagea sa lame une fraction de seconde avant qu'il s'écroule sur le flanc, déjà agonisant.

Voyant que le cavalier était coincé sous sa monture, Kahlan l'acheva d'un coup d'épée dans la gorge.

Pour le moment, le terrain était dégagé... L'Inquisitrice en profita pour approcher de la tente. Agenouillé à côté, Meiffert essayait d'aider Cara, Adie et Verna à se libérer. D'autres cavaliers ennemis passaient à côté de l'amas de toile, et s'ils le piétinaient, les trois femmes risquaient d'y laisser la vie.

Par bonheur, les flammes avaient été étouffées par la neige.

Kahlan aida le général à taillader la toile puis à la déchirer. Redoublant d'effort, ils parvinrent à libérer Adie et Verna, serrées l'une contre l'autre comme si elles avaient décidé de s'enlacer. Du sang coulait de la tête d'Adie, mais elle fit signe à Kahlan de ne pas s'inquiéter.

Verna se releva et vacilla aussitôt comme un ivrogne. L'étrange cavalcade lui avait donné le tournis – comme à l'Inquisitrice, il était honnête de l'admettre.

Kahlan prit la main de la dame des ossements pour l'aider à se redresser. Effectivement, la coupure qu'elle arborait sur le front ne semblait pas bien grave.

Meiffert se débattait toujours avec la toile. Cara était encore coincée dessous, et elle ne criait plus.

— Selon vous, ce n'étaient pas de véritables sonneries d'alarme ! dit Kahlan en prenant Verna par le bras.

— La signature magique manquait, confirma la Dame Abbesse. Nos ennemis ont réussi à nous tromper, le Créateur seul sait comment !

Partout aux alentours, des D'Harans affrontaient les envahisseurs. Comme toujours à ces moments-là, le vacarme était assourdissant. Ainsi qu'au jour de leur naissance, quand ils y arrivaient, les hommes quittaient souvent le monde sur un cri déchirant...

Une partie des cavaliers mettaient le feu aux chariots et aux tentes. D'autres se concentraient sur les défenseurs, qu'ils essayaient de décapiter ou de faire piétiner par leurs destriers. Agissant souvent en binôme, ils s'acharnaient sur un soldat bien précis, puis changeaient de proie dès que la précédente avait cessé de vivre.

Ces hommes recouraient à la tactique que les D'Harans avaient utilisée contre eux. À son corps défendant, Kahlan leur avait appris comment faire...

Une masse d'armes hérissée de pointes au poing, un cavalier chargea l'Inquisitrice. D'un seul coup d'épée, elle lui trancha la main au passage, envoyant son arme voler dans les airs avec les doigts qui la serraient. Hébété, l'homme tira sur les rênes de sa monture, qui s'arrêta net. Sans laisser au soudard le temps de se reprendre, Kahlan lui enfonça son épée dans le ventre, sous le bord de sa cuirasse. Un coup porté de bas en haut qui ravagea les organes du sbire de Jagang.

Sans prêter attention à la façon dont il mourait, l'Inquisitrice dégagea sa lame, se retourna et se prépara à affronter une nouvelle menace.

N'en voyant pas venir, elle s'agenouilla de nouveau à côté de Meiffert pour l'aider à dégager Cara de l'entrelacs de cordes et de toile plusieurs fois pliée dont elle était prisonnière.

De temps en temps, un des deux sauveteurs dut s'interrompre pour repousser un attaquant. Mais l'ennemi ne les harcelait plus vraiment.

Kahlan voyait les bottes rouges de la Mord-Sith émerger de sous la toile. Cara ne battait plus des jambes, un très mauvais signe...

Quand l'Inquisitrice et le général eurent fini de la dégager, ils constatèrent avec soulagement qu'elle n'était pas morte. Sonnée mais toujours consciente, elle gémissait de douleur. Kahlan trouva vite la bosse qui poussait sous ses cheveux, mais quand elle eut retiré sa main, elle ne vit pas de sang sur ses doigts.

Bien entendu, la Mord-Sith voulut se relever.

— Non, ne bouge pas ! lui ordonna Kahlan. Tu as reçu un coup à la tête. Il ne faut pas te lever, pour l'instant.

L'Inquisitrice tourna la tête et vit Verna, à quelques pas de là, repousser une nouvelle charge ennemie. À chaque mouvement de ses mains, un sort invisible désarçonnait un cavalier ou le coupait en deux – une lame d'air aussi tranchante que n'importe quelle épée, mais dix fois plus rapide et précise. Sans le soutien de leurs forces magiques, les soldats de l'Ordre étaient sans défense, car les attaques de la Dame Abbesse traversaient leurs cuirasses comme du beurre.

Kahlan cria pour attirer l'attention de Verna et lui fit signe d'approcher.

— Occupez-vous de Cara ! hurla-t-elle pour couvrir le fracas de la bataille. Vous pensez pouvoir l'aider ?

La Dame Abbesse acquiesça et courut rejoindre la Mord-Sith.

Kahlan et Meiffert la remplacèrent à son poste de combat. Alors qu'un cavalier passait à côté de lui, zébrant l'air de coups de lance, le général esquiva ses attaques, puis sauta sur le flanc du destrier et s'accrocha au pommeau de la selle. De sa main libre, il embrocha le lancier, qui regarda fixement la pointe d'acier saillir de son ventre après l'avoir transpercé de part en part.

Meiffert effectua un rétablissement acrobatique, saisit l'homme par les cheveux et le fit basculer de sa selle.

Prenant sa place, il fondit sur les cavaliers adverses.

Kahlan ramassa la lance du mort.

Tandis que le général protégeait Cara et Verna en passant à la contre-attaque – une méthode toujours efficace –, l'Inquisitrice rengaina son épée et se servit très efficacement de la lance contre les destriers. Bien plus intelligents que le pensaient certains imbéciles, les chevaux détestaient être blessés au poitrail, même quand on les avait entraînés pour la guerre. Dès qu'ils voyaient un fer de lance devant eux, ils faisaient tout pour l'éviter.

Beaucoup se cabrèrent, désarçonnant leur cavalier. Des proies idéales pour les soldats d'harans qui accouraient afin de défendre l'épouse de leur seigneur.

Du haut de son destrier, le général fit mettre ses guerriers en formation défensive. Dès que ce fut fait, il repartit à l'assaut après avoir ordonné aux soldats de tenir la position coûte que coûte.

Kahlan cria aux hommes de ramasser toutes les lances qu'ils trouveraient. Puis elle se joignit à eux pour faire face à un groupe d'environ deux cents cavaliers ennemis qui tentaient de sortir du camp après avoir accompli leur mission.

Il n'était pas question qu'ils s'enfuient ! Ils avaient copié sa tactique

— et c'était de bonne guerre –, mais elle n'était pas disposée à leur concéder la victoire.

Les destriers se cabrèrent ou s'arrêtèrent quand ils virent la muraille de lances et de piques qui les attendait. D'autres D'Harans, des archers, en profitèrent pour cribler de flèches le dos des cavaliers.

Les fantassins d'harans chargèrent, firent tomber de leurs montures les agresseurs et les affrontèrent au corps à corps.

— Pas un ne doit sortir vivant du camp ! cria Kahlan. Pas de quartier !

— Pas de quartier ! répondirent des centaines de gorges d'haranes.

Si arrogants lors de la première phase du combat, quand ils croyaient pouvoir verser à bon compte le sang des défenseurs, les bouchers de Jagang devinrent vite une bande d'hommes désespérés qui attendaient de se faire tailler en pièces.

Kahlan laissa ses soldats finir la besogne et courut rejoindre Cara, Adie et Verna. En chemin, elle dut zigzaguer pour ne pas piétiner les morts ou les blessés. Certains soudards, moins gravement touchés que les autres, tentèrent de lui saisir une cheville au passage. Pour se dégager, elle les acheva sans l'ombre d'un remords…

Quelques soldats valides tentèrent de l'attaquer. Ils le regrettèrent aussitôt, avant de s'écrouler dans la poussière, le ventre ouvert.

Les attaquants savaient qui elle était, ça semblait évident. Jagang l'avait vue, et il s'était sûrement empressé de la décrire à ses hommes. La tête de l'Inquisitrice, à coup sûr mise à prix, devait valoir une petite fortune…

Des soldats ennemis couraient dans tout le camp. Sûrement pas des fantassins, mais plutôt des cavaliers privés de leur monture. En général, les lances et les flèches faisaient plus de ravages parmi les chevaux que parmi les hommes. Dans la nuit, distinguer les amis des adversaires risquait de devenir difficile. Et ces soldats infiltrés malgré eux risquaient de profiter de l'occasion pour tuer des officiers ou… la Mère Inquisitrice.

Kahlan dut affronter plusieurs petits groupes d'agresseurs qu'elle tailla en pièces avec une sereine efficacité. L'entraînement de son père puis les conseils de Richard n'étaient pas tombés dans l'oreille d'une sourde.

Curieusement, les leçons de Wyborn, hautement classiques, étaient une base parfaite pour assimiler les tactiques plus… ésotériques… de Richard. Au début, Kahlan avait eu du mal à s'y faire. Désormais, cette façon de se battre lui semblait naturelle. Au lieu de tenir pour un handicap son désavantage en matière de taille et de poids, elle en tirait le meilleur parti, car il lui conférait deux extraordinaires atouts : une agilité et une vitesse d'exécution dix fois supérieures à celles de ses adversaires.

Quand il l'affrontait avec une épée factice, Richard, sans avoir l'air d'y toucher, lui transmettait tous ses secrets. L'Épée de Vérité, toujours accrochée dans son dos, lui rappelait sans cesse qu'elle devait tirer le meilleur parti de cette précieuse formation.

Elle parvint finalement à rejoindre Verna, toujours penchée sur Cara, mais ne vit pas trace du général Meiffert.

— Comment va-t-elle, Dame Abbesse ?

— Elle a vomi, et ça s'arrange un peu depuis… Elle sera patraque un moment, mais elle se remettra complètement.

— Heureusement, intervint Adie, elle a le crâne solide. Il ne s'est pas cassé comme une noix, c'est déjà ça. Cela dit, il lui faudra du repos.

La Mord-Sith bougeait les mains comme si elle avait du mal à savoir où étaient le sol et le ciel, et pensait pouvoir s'en sortir en tâtonnant. Bien que sonnée, elle essayait de se lever et accablait d'injures la pauvre Dame Abbesse, qui faisait tout pour l'en empêcher.

— Cara, dit Kahlan en s'agenouillant, je suis là, et je n'ai pas une égratignure. Tu consentirais à rester tranquille quelques minutes ?

— Je veux étriper ces chiens !

— Plus tard… Ne t'inquiète pas, tu en auras l'occasion. (Kahlan se tourna vers Adie.) Et vous, cette blessure à la tête ?

La dame des ossements eut un geste insouciant.

— Trois fois rien… Mon crâne est encore plus solide que celui de Cara.

Entourées d'un cordon de soldats, les quatre femmes ne risquaient plus rien. Et de toute façon, dans le secteur, les choses semblaient s'être calmées.

Le général Meiffert revint, traversa à cheval le cercle défensif et sauta à terre. Indigné d'avoir été monté par un ennemi, le destrier détala aussitôt.

Bien qu'essoufflé, le général ne prit pas le temps de se reposer.

— Je suis allé à la lisière du camp, et pour le moment, il s'agit simplement d'un raid. Moins important qu'on aurait pu le croire, qui plus est. Les agresseurs se sont massés dans ce secteur parce qu'ils vous avaient repérée, Mère Inquisitrice. Ailleurs, il y a eu beaucoup moins de grabuge.

— Que s'est-il passé avec les cornes ? demanda Kahlan.

— Je n'en suis pas certain… Zedd suppose qu'ils ont percé à jour notre codage magique. Quand nos hommes ont sonné l'alarme, il a suffi d'un sort soustractif pour neutraliser notre « signature ».

Kahlan en grogna de rage. Elle commençait à tout comprendre…

— C'est pour ça qu'il y a eu tant de fausses alertes. Ils voulaient endormir notre vigilance, pour le jour où ils passeraient vraiment à l'attaque.

— Je vois aussi les choses comme ça… (Le général baissa les yeux et aperçut enfin Cara, qui le foudroya bien entendu du regard.) Vous allez bien ? J'étais si… Hum… Nous nous sommes inquiétés pour vous…

—Il n'y avait pas de quoi… (Cara jeta un regard noir à Kahlan et à Verna, qui la maintenaient au sol.) Certaine que vous vous en tireriez très bien sans moi, j'ai décidé de m'offrir un petit somme.

Meiffert fit un gentil sourire à la Mord-Sith, puis il se tourna vers Kahlan, l'air très grave.

—Mère Inquisitrice, cette charge de cavalerie était une diversion. Nos ennemis espéraient vous tuer, mais cette escarmouche cache quelque chose d'autre…

—L'attaque générale est pour bientôt, c'est ça ?

—Toute l'armée s'est mise en mouvement. Elle est encore assez loin, mais c'est une question d'heures. Le raid visait surtout à nous désorienter, pour que nous ne puissions pas nous préparer…

Kahlan frissonna. Jusque-là, l'Ordre n'avait jamais attaqué après le coucher du soleil. L'idée d'une bataille si massive, dans l'obscurité, était terrifiante.

—Jagang a changé de stratégie, parce qu'il apprend vite. J'ai cru l'avoir roulé dans la farine, mais c'était moi, le dindon de la farce.

—Que marmonnez-vous ? demanda Cara, les mains pressées sur le ventre, comme si elle avait des coliques.

—L'empereur savait que je ne tomberais pas dans le panneau en voyant ses hommes tourner en rond. Il m'a fait croire que j'étais plus fine que lui, et je me suis laissé avoir !

—Quoi ? s'écria la Mord-Sith.

—Jagang m'a poussée à vouloir lui tendre un piège. Quand ses espions l'ont averti du départ des Galeiens – et peut-être aussi des Keltiens –, il n'a pas cru un instant qu'ils allaient intercepter ses forces fantômes. Mais être pris en tenaille ne l'inquiétait pas, puisqu'il avait prévu depuis le début d'attaquer *avant* que les mâchoires du piège soient en place.

—Quand vous lui parliez, hier, il savait que vous faisiez semblant de gober son histoire ?

À l'évidence, Cara ne parvenait pas à en croire ses oreilles.

—J'ai bien peur que oui. Il a été bien plus malin que moi.

—Rien n'est encore joué, intervint Meiffert. Nous pouvons quitter cette zone avant qu'ils arrivent.

—Et si nous rappelions les Galeiens et les Keltiens ? proposa Verna. Avec eux à nos côtés, la partie serait plus égale.

—Ils sont à des heures d'ici et ils n'arriveraient jamais à temps.

Au lieu de se lamenter sur sa stupidité, Kahlan se concentra sur le problème le plus urgent.

—Il va falloir agir vite, dit-elle.

—Oui, mais notre plan de secours – reculer et se disperser dans les montagnes – devrait marcher.

Meiffert passa nerveusement une main dans ses cheveux blonds. Un geste que Richard faisait souvent, quand il était furieux ou perplexe…

— L'ennui, Mère Inquisitrice, c'est que nous allons devoir abandonner la plus grande partie des vivres. En plein hiver, sans réserves, beaucoup de nos hommes ne survivront pas. Qu'on tombe au combat ou qu'on crève de faim, on est tout aussi mort !

— Perdus dans la nature et sans provisions, nous deviendrions des proies faciles, approuva Kahlan. C'est une solution extrême, général. Elle sera peut-être inévitable un jour, mais pas ce soir. Pour résister à l'hiver, nous devons tous rester ensemble. De plus, c'est le seul moyen de ralentir l'Ordre et de protéger les Contrées.

— Vous avez raison… Si Jagang a les mains libres, il s'attaquera à de grandes villes, et ce sera un massacre. Pis encore, s'il choisit la bonne cité, nous serons dans l'impossibilité de l'en déloger. Et nous n'aurons plus aucun espoir de le renvoyer chez lui !

— Et la vallée dont nous parlions l'autre jour ? Vous savez, en montagne ? Un défilé très étroit y donne accès, et il suffirait de deux hommes et d'un chien pour le défendre.

— J'en étais arrivé à cette conclusion. L'armée restera unie, et Jagang devra toujours compter avec elle. S'il tente de contourner l'obstacle, nous l'attaquerons dans le dos, car il est très facile, par le nord, de quitter la vallée. Des renforts nous rejoindront bientôt, et nous pouvons en demander d'autres. Il faut continuer à nous dresser sur le chemin de l'Ordre. Pour ça, la vallée en question est idéale.

— Dans ce cas, qu'attendons-nous pour partir ? demanda Verna.

— Il y a un problème, répondit Meiffert, pensif. Pour atteindre cette vallée, il nous faudra trop de temps, ce qui permettra à l'Ordre d'arriver assez tôt pour nous tomber dessus. Le défilé est trop étroit pour les chariots. Les chevaux passeront, mais il faudra démonter tous les véhicules. Ça implique de porter beaucoup de pièces détachées, plus les caisses de provisions et les équipements de réserve. Cela dit ne vous faites pas d'illusions, il faudra laisser pas mal de choses derrière nous. Être prêts au départ ne prendra pas longtemps, mais le transfert des hommes et du matériel par le défilé m'inquiète beaucoup. Surtout dans le noir.

— Si les hommes marchent en colonne, intervint Adie, avec des porteurs de torche en tête, il leur suffira de suivre la lumière.

Kahlan se souvint de la poussière phosphorescente improvisée par Zedd pour marquer son étalon.

— Les sœurs laisseront une piste lumineuse, histoire de nous faciliter la tâche.

— Ce serait bien utile, concéda Meiffert, mais notre problème principal reste entier. Pendant que certains soldats finiront de démonter le camp, et que d'autres chemineront lentement dans le défilé, l'Ordre nous tombera dessus. Se défendre et battre en retraite en même temps n'a rien de simple, croyez-moi. Pour avoir une chance de réussir, il faut se déplacer plus vite que l'adversaire. Aujourd'hui, le terrain joue contre nous.

— Ce n'est pas la première attaque, et nous avons toujours réussi à déplacer le camp sans que nos lignes de défense soient enfoncées.

— C'est exact, dit Meiffert, nous pouvons nous replier dans une vallée plus proche, et pas en altitude, mais en pleine nuit, pendant un assaut de l'Ordre, je pense que ce serait une erreur fatale. L'obscurité aussi joue contre nous. Le jour, nous pourrions ériger des défenses et tenir le temps nécessaire. Là, ça me paraît impossible.

— Nous avons déjà des défenses, rappela Cara. Pourquoi ne pas rester où nous sommes et encaisser leur charge de front?

— C'était ma première idée, et ça reste une possibilité, mais je ne miserais pas gros sur nos chances de succès. Dans le noir, beaucoup d'adversaires pourront s'infiltrer dans nos lignes. De plus, nos archers seront impuissants, je devrai commander à l'aveugle, et placer correctement mes hommes sera un vrai casse-tête. Quand on combat en infériorité numérique, de tels désavantages sont mortels.

» Nos forces magiques ne sont pas assez nombreuses pour parer à toutes les éventualités. Et dans une guerre, c'est toujours le point qu'on ne peut pas défendre qui subit un assaut. Si l'Ordre passe par une brèche et nous prend à revers, nous serons morts avant d'avoir compris ce qui arrive.

— Je suis d'accord avec cette analyse, dit Kahlan. Le défilé est la seule issue qui nous épargnera une déroute. Tenir le terrain est un pari perdu d'avance – et de toute façon, qu'aurions-nous à y gagner, même si un miracle se produisait?

— C'est bien raisonné, admit Meiffert, mais il reste le problème pratique : comment atteindre notre destination avant l'arrivée de l'Ordre?

L'Inquisitrice se tourna vers la Dame Abbesse.

— Il faut ralentir l'ennemi, Verna.

— Qu'attendez-vous de moi?

— Utilisez votre verre spécial!

— Pardon? s'exclama le général. De quoi parlez-vous?

— Une arme magique, expliqua Cara. Du verre très finement pilé qui rendra aveugles nos ennemis.

— Mais… mais…, balbutia Verna. Kahlan, je ne suis pas prête! Nous n'avons qu'une petite quantité de… C'est…

— Général, demanda Kahlan, selon nos éclaireurs, dans combien de temps l'ennemi sera-t-il là?

— Une heure au plus tôt, deux au plus tard… Si nous ne le ralentissons pas, il restera deux solutions : nous éparpiller dans les montagnes ou faire face. Deux possibilités plus désastreuses l'une que l'autre.

— Dans les montagnes, intervint Adie, nous finirons tous par mourir. Ensemble, nous vendrons au moins chèrement notre peau. Et si nous choisissons la fuite, l'Ordre en profitera pour semer la terreur dans les Contrées. Pour moi, il n'y a pas à hésiter : battons-nous pour finir en beauté, s'il n'y a rien de plus efficace à faire !

Kahlan s'accorda quelques secondes pour réfléchir. Jagang avait changé de tactique, prenant le risque d'un combat de nuit. Un chef concerné par la vie de ses hommes aurait hésité, car les pertes, même en cas de victoire, seraient énormes. Mais l'empereur n'était pas homme à s'en faire pour ça.

— Si nous livrons bataille ce soir, dit l'Inquisitrice, nous aurons sûrement perdu la guerre avant le lever du soleil.

— Je pense la même chose, renchérit Meiffert. Il faut tenter de traverser le défilé. Nous perdrons tous les soldats qui ne seront pas passés à temps, mais il nous en restera assez pour continuer le combat dans les semaines à venir.

L'officier et les trois femmes se turent un moment. Sacrifier ainsi des soldats en toute connaissance de cause était terrifiant…

Partout dans le camp, les hommes éteignaient les incendies, rattrapaient des chevaux paniqués, s'occupaient des blessés et finissaient d'écraser les derniers agresseurs coincés sur place après leur raid à demi réussi. Les soudards de l'Ordre étaient submergés par le nombre. Hélas, ça ne durerait pas…

Kahlan tentait de réfléchir, mais la rage d'avoir été dupée par Jagang l'en empêchait. Pour se calmer, elle se remémora une des phrases favorites de Richard : « Pense à la solution, pas au problème ! »

Cette maxime n'avait jamais été si bien adaptée à une situation…

— Il nous reste une heure, deux au maximum… Verna, vous pensez pouvoir fabriquer assez de verre spécial dans ce délai ? Et avoir le temps de le lancer sur les attaquants ?

— Je ferai mon possible, vous pouvez compter sur moi… Désolée, mais je ne peux rien promettre de plus. Bien entendu, il me faudra l'aide des sœurs qui s'occupent des blessés. Pourrais-je en plus disposer de celles qui sont en poste devant le camp pour neutraliser la sorcellerie adverse ?

— Prenez-les aussi, dit Kahlan. Si vous ne réussissez pas, plus rien n'aura d'importance, de toute façon…

— Dans ce cas, je mobiliserai toutes mes sœurs, parce que c'est notre seule chance d'y arriver.

— Vous devriez y aller sans tarder, conseilla Adie à la Dame Abbesse. À votre place, j'opérerais juste derrière nos lignes, histoire de profiter du vent, qui souffle dans la bonne direction. Je me chargerai de rassembler les sœurs et de vous les amener.

—Il nous faudra du verre, dit Verna au général. Tout ce que vous avez, si possible.

—Mes hommes se chargeront de vous en apporter. Pourront-ils vous aider à le concasser?

—Hélas, non… Ce travail doit être effectué par des magiciennes. Fournissez-nous du verre, ce sera déjà beaucoup;

Le général promit qu'il ferait son maximum.

Adie sur les talons, Verna s'éloigna à grandes enjambées.

—Je vais donner l'ordre du départ, annonça le général. Les éclaireurs baliseront le chemin, puis nous commencerons par évacuer le matériel et les vivres.

Si ça marchait, le poing de Jagang, ce soir, se refermerait sur du vide.

Tout dépendait de Verna, désormais…

Le général hésita un peu avant de partir, comme s'il voulait laisser à la Mère Inquisitrice une ultime occasion de changer d'avis.

—Allez-y, général, dit Kahlan. Cara, nous avons du travail…

Chapitre 38

Kahlan tira sur les rênes de sa monture, qui s'arrêta net.

—Quelle mouche vous a piquée ? demanda Cara.

Rouge comme une pivoine, l'Inquisitrice sauta de son cheval.

À travers les nuages filandreux, les rayons de lune parvenaient à illuminer chichement le paysage uniformément couvert de neige.

Kahlan désigna une petite silhouette qu'elle distinguait à peine dans cette pénombre. La fillette maigrichonne, sans doute d'une dizaine d'années, était penchée sur un tonneau rempli de morceaux de verre qu'elle concassait avec une barre de fer.

Kahlan attendit que la Mord-Sith ait mis pied à terre. Puis elle lui confia la bride de son étalon et se dirigea vers les sœurs qui travaillaient devant une rangée de tonneaux. Elles étaient plus d'une centaine, toutes placées de façon à avoir le vent dans le dos. Concentrées sur leur travail, elles ne remarquèrent pas l'arrivée de la Mère Inquisitrice.

Kahlan approcha de Verna, la prit par le bras et la força à se retourner. Consciente du danger que représentait la poussière de verre, elle réussit à parler d'un ton égal et relativement bas – mais rien moins qu'amical.

—Verna, pourquoi Holly est-elle ici ?

La Dame Abbesse regarda au-delà d'une bonne dizaine de sœurs occupées à concasser du verre. Comme on n'avait pas trouvé assez de mortiers et de pilons dans le camp, certaines utilisaient de grosses pierres et se servaient de planches comme support. Leur concentration était impressionnante, sans doute parce qu'elles se souvenaient de l'accident qui avait aveuglé une de leurs collègues. Pour qu'un drame survienne, il suffisait que le vent change abruptement de direction. Par bonheur, il était tombé avec la nuit, se transformant en une douce brise.

Vêtue d'un manteau deux fois trop grand pour elle, Holly serrait les dents chaque fois qu'elle abattait sa barre de fer sur les morceaux de verre. On lui avait affecté une position relativement sûre, assez loin de l'endroit où les sœurs exécutaient le travail le plus délicat – et le plus dangereux –, mais son outil émettait quand même une lueur verdâtre qui n'avait rien de naturel.

—Holly nous aide, Mère Inquisitrice, répondit Verna. Un peu plus loin, il y a aussi deux autres novices, Helen et Valery.

Kahlan se pinça le nez entre le pouce et l'index et prit une profonde inspiration pour se calmer.

—Vous êtes devenue folle ? Comment osez-vous amener des gamines sur le front pour participer à une opération qui aveuglera des milliers d'hommes ?

Verna regarda autour d'elle et vit que certaines sœurs tendaient l'oreille. Prenant Kahlan par le bras, elle la tira à l'écart. Quand elle estima être assez loin de ses compagnes, elle croisa les bras et afficha l'expression sévère qui lui venait naturellement quand on la contrariait.

—Mère Inquisitrice, Holly est une enfant, c'est vrai, mais elle a le don et elle est loin d'être stupide. Ces remarques valent aussi pour Helen et Valery. Pour une gamine, Holly a vu bien trop de choses affreuses, mais personne n'y peut rien. Elle est au courant, au sujet du raid et de l'attaque qui se prépare. Comme tous les enfants, elle était terrifiée quand les cavaliers ont déboulé dans le camp.

—Et pour la réconforter, vous l'avez amenée ici ?

—Que pouvais-je faire ? La confier à des soldats qu'elle ne connaît pas, pour qu'elle n'ait même pas le réconfort de voir les femmes qui veillent sur elle d'habitude ?

—Mais elle est…

—Elle a le don, vous dis-je ! Si horrible que ça paraisse, elle est bien mieux en compagnie des sœurs, parce qu'elles la comprennent et savent quels sont ses pouvoirs. Pour les gens «normaux», nous sommes des monstres, vous le savez… Enfant, ne cherchiez-vous pas la compagnie des Inquisitrices plus âgées, parce que vous vous sentiez bien près d'elles ?

Kahlan s'était comportée ainsi, mais elle se garda bien de le dire.

—Comme pour toutes les novices, nous sommes la seule famille de Holly. Avec nous, elle ne se sent jamais seule. Et même si elle a peur, faire quelque chose pour nous aider la réconforte.

—Verna, c'est une enfant !

—Aujourd'hui, vous avez dû tuer un petit garçon. Je respecte vos sentiments, mais ce drame ne doit pas retomber sur les épaules de Holly. C'est vrai, ce qu'elle nous aide à faire est monstrueux, mais la réalité est ainsi, et nous n'y pouvons rien. Cette nuit, comme nous tous, il est possible qu'elle meure. Si elle tombe entre les mains de ces soudards, vous imaginez ce qu'ils lui feront avant de l'égorger ? Au moins, ces choses-là sont hors de portée de *son* imagination. Mais ce qu'elle comprend la terrifie déjà assez… Si elle avait voulu se cacher quelque part, je l'aurais laissée faire. Elle a choisi de lutter pour contribuer à son propre salut. Avec son don, elle peut s'acquitter de la partie la plus simple du travail en cours. Quand elle m'a suppliée de la laisser nous aider, je n'ai pas pu le lui refuser…

Le cœur serré, Kahlan regarda la fillette qui s'échinait à casser du verre en s'aidant de son Han.

— Par les esprits du bien ! nous devenons tous fous…

Près des deux femmes, Cara sautait nerveusement d'un pied sur l'autre. Non qu'elle fût insensible à la situation, mais son sens des priorités lui hurlait que cette conversation était une perte de temps. Folie ou pas, les minutes s'écoulaient inexorablement, et l'instant de leur mort à tous approchait. Bref, il y avait plus important que les malheurs d'une gamine – voire de trois.

— Où en êtes-vous ? Serez-vous prête à temps ?

— Je n'en sais rien…, répondit Verna, sa façade d'assurance se craquelant. (Elle leva un bras et désigna la vallée, devant elle.) Le vent est favorable, mais il nous faudra beaucoup de verre pour couvrir toute la largeur du terrain.

— Si vous n'y parvenez pas, le « nuage » fera quand même du mal aux attaquants…

— Sauf s'ils peuvent l'éviter ou le contourner. De plus, quelques centaines d'aveugles ne suffiront pas à ralentir l'armée de l'Ordre. Si le Créateur consentait à la retarder d'une heure, je crois que nous aurions assez de… matière première.

Kahlan ne mentionna pas ses doutes au sujet d'un éventuel miracle du Créateur. En revanche, avec l'obscurité, les soudards de Jagang pouvaient avoir du mal à avancer aussi vite que prévu.

— Vous êtes sûre que les soldats ne sont pas en mesure de vous aider ? Il faut obligatoirement avoir le don ?

— En fait, il y aurait bien une chose…

— Quoi donc ?

— Me ficher la paix pour que je puisse travailler !

Kahlan reconnut que la Dame Abbesse venait de marquer un point.

— Promettez-moi simplement une chose, Verna. (À tout hasard, la Dame Abbesse afficha un air méfiant.) Quand l'Ordre attaquera, avant d'utiliser votre arme, faites évacuer les enfants à l'arrière, d'où on les conduira en sécurité dans le défilé.

— J'y avais déjà pensé, Mère Inquisitrice, dit Verna, soulagée que Kahlan n'ait que cela à lui demander.

Alors qu'elle retournait à ses occupations, Kahlan et Cara remontèrent la ligne de sœurs et arrivèrent au niveau où Holly s'affairait à leur préparer de la matière première.

— Comment vas-tu, ma petite ? lui demanda Kahlan.

La fillette cessa un instant de travailler, sa barre de fer en suspension dans l'air. Peu friande de magie, Cara plissa suspicieusement le front en apercevant la lueur verte.

Dès que Holly eut posé son outil, l'appuyant contre le tonneau, le métal cessa de luire, privé de son énergie magique.

— Très bien, Mère Inquisitrice… Sauf que j'ai froid, et que j'en ai assez d'être toujours gelée.

Kahlan sourit et ébouriffa gentiment les cheveux de l'enfant.

— Tout le monde en a assez! (L'Inquisitrice s'agenouilla devant la gamine.) Quand nous serons dans l'autre vallée, tu pourras te réchauffer près d'un bon feu.

— Ce sera formidable! Maintenant, il faut que je recommence à travailler.

Kahlan ne put s'empêcher d'enlacer la fillette et de la serrer contre elle. D'abord tendue, Holly s'abandonna très vite à cette étreinte.

— J'ai tellement peur, Mère Inquisitrice!

— Moi aussi, ma chérie… Moi aussi…

Holly s'écarta de Kahlan et la regarda dans les yeux.

— C'est vrai? Vous avez peur que ces méchants hommes nous tuent?

— Bien sûr, mais je sais que des soldats courageux nous défendront. Comme toi, ils combattent pour que nous n'ayons plus rien à redouter, un jour prochain.

La fillette glissa les mains dans les manches de son manteau pour les réchauffer.

— Anna me manque beaucoup… Elle va bien, j'espère?

— Je l'ai vue il n'y a pas longtemps, et elle m'a semblé en forme. Inutile de t'inquiéter pour elle…

— Elle m'a sauvée! Je l'aime, et je voudrais être avec elle. Vous croyez qu'elle sera bientôt ici?

— Je n'en sais rien, ma chérie… Elle a des choses très importantes à faire, mais elle finira bien par nous rejoindre…

Rassurée par cette affirmation – et soulagée de ne pas être la seule à avoir peur –, la fillette se remit au travail avec une toute nouvelle détermination.

Alors que Cara et Kahlan approchaient de leurs chevaux, des roulements de sabots attirèrent leur attention. Avant d'identifier le cavalier, Kahlan reconnut la tache noire, sur la croupe d'Araignée.

Zedd s'arrêta près des deux femmes et se laissa glisser à terre.

— Ils arrivent, dit-il simplement.

L'ayant entendu, Verna approcha à grandes enjambées furieuses.

— C'est trop tôt! cria-t-elle. Ils n'étaient pas censés se montrer si rapidement.

Zedd ouvrit des yeux ronds comme des soucoupes.

— Fichtre et foutre, femme, que veux-tu donc que j'y fasse? Dois-je aller leur demander de bien vouloir attendre un peu pour nous étriper?

— Vous savez ce que je veux dire! Nous n'avons pas assez de verre!

— Dans combien de temps l'ennemi sera-t-il là? demanda Kahlan.

— Dix minutes…

Autant dire que presque plus rien ne les séparait de la catastrophe. L'estomac retourné, Kahlan se souvint de ce qu'elle avait éprouvé quand on l'avait battue à mort.

— Combien avez-vous de verre? demanda Zedd très calmement, comme s'il s'enquérait de l'heure du dîner.

— Pas assez! Créateur bien-aimé! nous ne parviendrons pas à couvrir toute la largeur du terrain. Tout ce travail n'aura servi à rien!

— Si je comprends bien, nous n'avons plus le choix…, déclara Zedd.

Il sonda l'obscurité, devant eux, y voyant sans doute ce que seul un sorcier pouvait distinguer.

— Commencez à lancer la poudre dont vous disposez, dit-il du ton accablé d'un homme qui jette sur une table de jeu la pièce de la dernière chance. Des messagers m'attendent non loin d'ici. Je ferai prévenir le général Meiffert. Il faut qu'il sache.

Voir Zedd pareillement abattu avait de quoi glacer les sangs. Depuis le début, le vieil homme les encourageait dans les pires situations, son optimisme ayant raison de leurs plus profonds moments de lassitude…

Il prit les rênes d'Araignée et fit mine de remonter en selle.

— Attendez un peu…, dit Kahlan.

Le vieux sorcier se retourna, vivante incarnation du désespoir. Après avoir mené victorieusement tant de combats – et depuis son plus jeune âge –, il semblait vidé de toutes ses forces.

Kahlan ne pouvait pas le laisser tomber. Aujourd'hui, c'était lui qui avait besoin de soutien, et elle allait trouver une solution.

Elle afficha une détermination inébranlable pour le réconforter, puis regarda Verna.

— Dame Abbesse, que se passera-t-il si nous modifions notre plan?

— Que voulez-vous dire?

— Eh bien, nous ne sommes pas obligés de laisser le nuage dériver au vent en espérant qu'il aille là où nous le voulons.

— Je ne comprends pas où…

— En agissant ainsi, une partie du nuage s'éparpillera dans la vallée et ne fera de mal à personne. Je me trompe?

— Non, mais…

— Et si nous le lâchions sur une zone très précise égale à la largeur du front? Uniquement là où il sera utile.

— C'est une bonne idée, cependant...

— Dans ce cas-là, auriez-vous assez de verre ?

— Sans doute, mais souvenez-vous que nous ne pouvons pas recourir à la magie. Sinon, les sœurs adverses invoqueront un bouclier, et la manœuvre aura été inutile.

Kahlan sonda un court instant la plaine déserte. Bientôt, elle serait couverte de soudards assoiffés de sang, et des cris de guerre déchireraient le silence.

La jeune femme connut de nouveau l'angoisse paralysante qui l'avait saisie quand des brutes l'avaient encerclée, près de Fairfield. Mais la colère eut vite raison de cette panique.

— Quand il attaquera, l'ennemi aura le vent de face. Si je chevauche le long de notre ligne de défense, devant les rangs de l'Ordre, et si je sème au vent la poudre de verre, elle flottera vers les soldats, pratiquement sans déperdition. Dans ce cas, la quantité que vous avez déjà devrait suffire. Enfin, à mon avis... Alors, allez-vous me répondre ? Si nous procédons comme ça, aurez-vous assez de verre ?

— Créateur bien-aimé, soupira Verna, mesurez-vous les risques que vous prendrez ?

— Oh ! que oui ! Ce sera beaucoup moins dangereux que d'encaisser une attaque frontale épée au poing. Mais est-ce que ça marchera ? Allez-vous enfin répondre ? La quantité de poudre sera-t-elle suffisante ?

— Je crois que oui... Votre méthode est sans nul doute plus efficace que la nôtre.

— Alors, filez réunir tout le verre déjà prêt !

Verna renonça à discuter et partit au pas de course.

Cara allait débiter une longue liste d'objections, mais Zedd leva une main pour lui ordonner de le laisser s'en charger.

— Kahlan, ton idée est excellente, mais quelqu'un d'autre doit la mettre en application. C'est bien trop risqué, et...

— J'aurai besoin d'une diversion, coupa l'Inquisitrice. Comme je chevaucherai dans le noir, les soudards ne me remarqueront probablement pas, mais deux précautions valent mieux qu'une. Si vous pouviez préparer quelque chose pour détourner un moment l'attention des attaquants.

— Comme j'ai tenté de le dire, quelqu'un d'autre...

— Non ! Personne ne le fera à ma place. C'est mon idée, et je m'en chargerai !

Kahlan s'estimait responsable de la catastrophe en cours. Si elle n'était pas tombée dans le piège de Jagang, rien ne serait arrivé, car il n'aurait jamais osé lancer une attaque de nuit contre l'armée d'harane au grand complet.

Elle pensa à Holly, terrorisée à l'idée que des « méchants hommes » la tuent. Dans le camp, tout le monde avait les entrailles nouées par la peur.

Si l'Ordre triomphait cette nuit, ce serait sa faute, elle le savait. Et cette idée n'était pas supportable.

— Je m'en chargerai, répéta-t-elle. C'est comme ça, et rien ne me fera changer d'avis. Si nous continuons à discutailler, il sera bientôt trop tard. Alors, cette diversion, elle arrive ?

Zedd grogna de colère, mais l'étincelle de la combativité brillait de nouveau dans son regard.

— Warren n'est pas loin d'ici. Nous nous posterons assez loin l'un de l'autre, et tu auras ta foutue diversion.

— Que ferez-vous ?

Le vieil homme eut enfin un demi-sourire.

— Rien d'extraordinaire, cette fois… Pas de sortilèges compliqués qui risqueraient de nous revenir en pleine face. Du bon vieux feu de sorcier, voilà qui conviendra !

Kahlan resserra les fixations de sa cuirasse et s'assura que l'Épée de Vérité était bien accrochée dans son dos.

— Va pour du feu de sorcier !

— Regarde bien à droite, quand tu chevaucheras. Je ne voudrais pas que tu brûles dans les flammes que je destine à l'ennemi. Et méfie-toi également des ripostes des unités magiques de l'Ordre.

Acquiesçant distraitement, l'Inquisitrice vérifia les fixations de ses jambières. Elle n'avait pas oublié les traces laissées dans le cuir par les ongles de ses adversaires, durant le raid nocturne.

Verna revint au pas de course, un grand seau dans chaque main. Quelques Sœurs de la Lumière l'accompagnaient, le souffle court.

— Voilà, haleta la Dame Abbesse, allons-y !

Kahlan tendit les mains pour s'emparer des seaux.

Verna recula d'un pas.

— Comment pensez-vous chevaucher et semer cette poudre dans l'air ? De plus, vous ne savez rien de ses… hum… propriétés…

— Verna, je refuse de…

— Arrêtez de vous comporter comme une enfant têtue ! Allons-y toutes les deux !

— Elle a raison, Mère Inquisitrice, dit Cara en s'emparant d'un seau. Vous ne pouvez pas galoper, répandre la poussière et tenir les deux seaux. Avec Verna, chargez-vous du premier, et je m'occuperai du second.

La grande et svelte sœur Philippa se précipita aux côtés de la Mord-Sith.

— Maîtresse Cara est dans le vrai, Dame Abbesse, dit-elle. Allez avec la Mère Inquisitrice, et moi j'irai avec elle.

Kahlan comprit que discuter serait inutile. Ces trois femmes étaient tout aussi déterminées qu'elle.

—Très bien, dit-elle en enfilant ses gants.

Elle ferma son manteau et resserra la fixation du col. Dans des circonstances pareilles, un vêtement qui battait au vent suffisait à trahir la présence d'un cavalier. La garde de l'épée de Richard serait inaccessible, puisque couverte par le vêtement, mais elle ne pensait pas en avoir besoin. Et savoir qu'elle était là suffirait à lui rappeler que son mari restait présent auprès d'elle, d'une certaine façon…

Verna ramassa une poignée de neige et la jeta devant elle pour tester le vent. Pas très violent mais régulier, il soufflait toujours dans la bonne direction. Au moins, tout ne se liguait pas contre eux…

—Vous irez les premières, dit Kahlan à Cara. Verna et moi attendrons quelques minutes, pour ne pas risquer de traverser votre nuage aveuglant. En procédant à deux passages, nous « arroserons » à coup sûr toute la rangée d'ennemis. Il ne faut pas qu'il y ait de brèches! La panique et l'horreur doivent toucher tous les soldats.

—C'est bien raisonné, souffla Philippa.

Imitant Kahlan, elle s'assura que son manteau ne flotterait pas au vent.

—Oui, ce sera encore plus efficace comme ça, renchérit Verna.

—Je suppose que nous n'avons pas le temps de philosopher sur les dangers de cette manœuvre? marmonna Zedd.

Résigné, il saisit les rênes d'Araignée et se hissa en selle.

—Laissez-moi deux ou trois minutes pour aller prévenir Warren et prendre ma position. Ensuite, nous montrerons à ces soudards ce qu'est un vrai feu de sorcier.

Sur un dernier sourire, il talonna sa monture. Le voir reprendre du poil de la bête fit chaud au cœur à Kahlan.

—Quand ce sera fini, lança-t-il par-dessus son épaule, j'espère qu'un bon dîner m'attendra de l'autre côté du défilé.

—S'il le faut, je le préparerai pour vous, promit Kahlan.

Le vieux sorcier salua les quatre femmes et partit au galop.

Chapitre 39

Kahlan glissa sa botte gauche dans un étrier, saisit le pommeau de la selle et se hissa sur sa monture. Quand elle se pencha pour tendre une main à Verna, afin de l'aider à la rejoindre, le cuir froid craqua sinistrement entre ses cuisses. Dès que la Dame Abbesse fut installée en croupe, deux sœurs lui passèrent le seau rempli de poussière de verre.

Cara et Philippa étaient déjà prêtes au départ.

—Envoyez les petites à l'arrière, ordonna Verna, pour qu'on leur fasse traverser le défilé.

—Ce sera fait, ne vous inquiétez pas, répondit une sœur nommée Dulcinia.

—Quand la Mère Inquisitrice et moi en aurons terminé, lâchez dans le vent le verre que vous aurez concassé, puis repliez-vous derrière nos lignes pour participer à la défense au cas où l'Ordre réussirait quand même à avancer. Si notre manœuvre échoue, les Sœurs de la Lumière devront faire tout ce qui est en leur pouvoir pour retenir l'ennemi aussi longtemps que possible. Ainsi, beaucoup d'hommes à nous auront le temps de franchir le défilé.

Dulcinia fit signe qu'elle avait compris les ordres.

Tout le monde attendit en silence pendant quelques minutes – le temps que Zedd ait rejoint Warren et mis un plan au point avec lui.

Kahlan cessa de se demander si elle allait réussir ou échouer et se concentra sur la tâche qui l'attendait. Dans un coin de sa tête, cependant, elle n'ignorait pas combien étaient précaires les tactiques élaborées à la dernière minute.

Jugeant qu'attendre plus longtemps serait dangereux, elle indiqua à Cara de passer à l'action. Croisant le regard de sa protégée, la Mord-Sith lui sourit, souffla un « bonne chance ! » presque inaudible et partit au galop, Philippa accrochée à sa taille par un bras, tandis que l'autre maintenait en place le seau calé entre ses cuisses.

Alors que les roulements de sabots du cheval de Cara s'estompaient dans l'obscurité, Kahlan s'aperçut qu'elle captait dans le lointain les cris de guerre de milliers de soldats ennemis. Comme une marée, ils approchaient inexorablement, certains de triompher.

Inquiet, le cheval de l'Inquisitrice renâcla. Kahlan bouillait d'envie de passer à l'action. Mais elle devait attendre que le nuage aveuglant lâché par Cara et Philippa ne soit plus sur son chemin.

— Je me sentirais mieux si nous pouvions utiliser la magie pour nous défendre, souffla Verna. Hélas, nos ennemis la détecteraient...

Kahlan acquiesça distraitement. La Dame Abbesse disait ce qui lui passait par l'esprit pour ne pas trop penser à ce qui les attendait...

Insensible au froid pourtant mordant, l'Inquisitrice sondait l'obscurité en essayant d'imaginer comment se présenteraient les choses. Quand on envisageait toutes les possibilités, on ne risquait plus d'être surpris, et les décisions devenaient plus faciles à prendre. Sur un champ de bataille, « anticiper » était le maître mot lorsqu'on voulait éviter de finir les tripes à l'air...

Immobile sur sa selle, Kahlan se laissa lentement envahir par la colère qui ne la quittait plus depuis la capture de Richard. Pour une guerrière, c'était un bien meilleur stimulant que la peur.

Afin d'alimenter sa rage, elle repensa à toutes les horreurs que l'Ordre Impérial avait commises sur le territoire des Contrées du Milieu. Dans son esprit, des centaines de cadavres mutilés défilèrent pour exiger muettement d'être vengés.

Kahlan se souvint des femmes qu'elle avait vues pleurer sur les cadavres de leurs enfants, de leur mari ou d'autres membres de leur famille. Elle revit la détresse d'hommes pourtant forts et courageux devant les dépouilles déchiquetées de leurs proches. Et toutes ces victimes, se rappela-t-elle, n'avaient jamais rien fait pour s'attirer la haine de leurs bourreaux.

Les soldats de l'Ordre n'étaient qu'un ramassis de tueurs sans pitié. Ils ne méritaient pas qu'on se montre humain avec eux...

Et maintenant que Richard était entre leurs mains, elle ne voyait aucun inconvénient à les tuer jusqu'au dernier pour le récupérer.

— Il est temps d'y aller, souffla-t-elle entre ses dents serrées. Vous êtes prête, Verna ?

— Oui. Ne ralentissez sous aucun prétexte, sinon, nous finirons aveugles... Et espérez que le vent ne change pas de direction au dernier moment. Quand nous aurons traversé la vallée et lâché notre cargaison, nous ne risquerons plus rien. À ce moment-là, la panique régnera dans les rangs de l'Ordre...

— Accrochez-vous bien, on y va !

Très énervé, sans doute à cause des cris, le cheval démarra en trombe, manquant désarçonner la Dame Abbesse. Mais elle s'accrocha à la taille de Kahlan, qui lança un bras en arrière pour la retenir par une manche.

Miraculeusement, le seau ne se renversa pas, et Verna parvint assez vite à recouvrer son équilibre.

Même s'il lui obéissait, le cheval de Kahlan était angoissé par les cris des attaquants, et le poids inhabituel qu'il devait porter l'incitait à se montrer moins coopératif que d'habitude. Rompu au combat, il savait ce que signifiaient les hurlements, dans le lointain, et lui aussi, après tout, avait le droit d'être effrayé. Mais il restait fort et rapide, et ces deux qualités, pour la présente mission, étaient essentielles.

Le cœur battant la chamade, Kahlan tendit l'oreille et estima que l'ennemi avait encore avancé depuis que Cara et Philippa avaient traversé la vallée.

Des fragments de souvenirs vinrent un instant perturber la concentration de l'Inquisitrice. Un cercle d'hommes, en pleine campagne, prêts à fondre sur leur proie comme une meute de chiens de chasse… Loin d'occulter ces images, Kahlan s'en servit pour attiser le feu de sa colère. Les soudards qui attaquaient les Contrées allaient aussi payer pour ce crime-là…

Mais où étaient les premiers rangs adverses, exactement ? Si elle s'en était trop approchée, l'Inquisitrice risquait de chevaucher au milieu d'une bande de tueurs déchaînés. Mais lancer la poussière mortelle de trop loin n'était pas une solution non plus. Le sachant, elle résista à la tentation de guider son cheval vers la droite, loin des attaquants.

Des éclairs jaunes déchirèrent soudain l'obscurité, assez puissants pour colorer d'orange les nuages et le tapis de neige environnant. Le grondement qui accompagnait les flammes fit vibrer le sol et se répercuta jusque dans la poitrine de l'Inquisitrice.

Une centaine de pas devant elle, volant à quelque dix pieds du sol, une boule de feu de sorcier fondait sur l'ennemi. Bien qu'elle ne fût pas visée par cette attaque, le vacarme qui la ponctuait faillit arracher un cri de terreur à Kahlan.

Le feu de sorcier n'avait guère de secrets pour elle, et elle avait toutes les raisons de s'en méfier. Quand ces flammes s'attaquaient à une proie, les éteindre se révélait quasiment impossible, car elles s'accrochaient à la peau comme des ventouses. Une seule étincelle suffisait souvent à carboniser la chair et les muscles. En ce monde, il n'existait personne d'assez courageux ou idiot pour ne pas redouter le feu de sorcier. Très peu de ses victimes survivaient pour raconter leur expérience. Et ces miraculés gardaient jusqu'à la fin de leurs jours une seule idée en tête : se venger du sorcier qui leur avait infligé ça !

À la vive lueur de la sphère embrasée, Kahlan eut son premier aperçu de la horde de guerriers armés d'épées, de fléaux, de haches, de piques et de lances. Gagnés par l'ivresse de la bataille, ces soldats n'avaient plus rien d'humain. Une bande de fauves assoiffés de sang…

Jusque-là, Kahlan s'était fait une idée de l'armée ennemie à partir de rapports oraux ou écrits. Si évocateurs qu'ils fussent, les mots ne pouvaient pas rendre compte d'une réalité pareille. Une telle masse d'hommes dépassait l'imagination, et on ne parvenait pas à en croire ses yeux, même quand on la voyait devant soi…

Les attaquants étaient encore plus près que l'Inquisitrice l'avait cru. Au milieu de cet océan de chair et de sang, les flammes des torches vacillaient comme les lumières d'un phare par une nuit de tempête. Et de fait, Kahlan n'aurait pas été plus étonnée que cela de voir des navires de guerre chevaucher cette gigantesque déferlante…

Le premier rang était déjà trop près! Talonnant son cheval, Kahlan le fit reculer un peu, pour avoir assez de champ avant de traverser la vallée. Quand elle estima avoir atteint la position idéale, elle lança l'animal au galop.

Une pluie de flèches et de lances lui rappela que ses ennemis aussi pouvaient la voir grâce au feu de sorcier. Elle allait devoir jouer serré…

Après avoir survolé des milliers de fantassins, la boule de feu qui avait révélé sa position à l'ennemi s'écrasa au milieu des rangs de la cavalerie, comme souvent en embuscade derrière les fantassins, et prête à charger quand ceux-ci entreraient au contact avec les défenses d'haranes.

Dans le lointain, des cris et des hennissements de douleur retentirent.

Une flèche frôla la jambière droite de Kahlan et d'autres sifflèrent à ses oreilles. Alors qu'elle se penchait sur l'encolure de sa monture, un projectile se ficha dans la selle, à quelques pouces de son ventre. Apparemment, la lumière de la lune suffisait pour que les archers voient leurs cibles. Une très mauvaise nouvelle…

—Pourquoi ne sont-ils pas encore aveugles? demanda Kahlan à Verna.

La Dame Abbesse avait incliné le seau afin que la poussière de verre s'en échappe. Très concentrée, elle envoyait sur les attaquants un nuage qu'ils devaient prendre pour de la brume. Après le passage de Cara, les soudards auraient déjà dû avoir des problèmes…

—Il faut un peu plus de temps pour que ça marche, souffla Verna à l'oreille de sa compagne. Ils n'ont pas encore assez battu des paupières…

Une nouvelle boule de feu s'envola, des flammèches la parant d'une queue semblable à celle d'une comète. Sentant que son cheval paniquait, Kahlan lui flatta l'encolure pour lui rappeler qu'il n'était pas seul à affronter cette épreuve.

Alors qu'elle continuait à passer devant le premier rang d'attaquants, l'Inquisitrice plissa le front pour mieux voir. Les yeux écarquillés par la fièvre de la bataille, les soudards battaient bien peu des paupières…

La boule incendiaire s'écrasa sur eux, et des flammes presque liquides embrasèrent des centaines d'hommes. Affolés, ils coururent en tous sens, percutèrent leurs camarades… et leur firent prendre feu aussi.

Dans la confusion, les soldats des rangs arrière tentèrent de reculer, semant encore plus de désordre. Sur un petit périmètre, la percée de l'Ordre était enrayée. Mais des grappes de combattants contournaient l'obstacle sans accorder un regard à leurs infortunés frères d'armes.

Une nouvelle boule de feu jaune s'éleva dans le ciel nocturne. S'envolant une seconde après, une petite sphère bleue vint la percuter juste au-dessus des premiers rangs ennemis. Explosant à l'impact, les deux projectiles déversèrent sur les fantassins une véritable grêle de flammes.

Tirant sur les rênes de sa monture au dernier moment, Kahlan évita de justesse une langue de feu mortelle.

Une manœuvre inspirée, mais qui l'avait encore rapprochée des soudards de l'Ordre, dont elle distinguait maintenant les visages fendus par des rictus obscènes.

L'Inquisitrice talonna son cheval afin qu'il s'écarte sur la droite. L'animal obéit, mais il n'infléchit pas assez sa trajectoire pour que ses cavalières soient en sécurité.

Terrorisé par l'averse enflammée et l'odeur de cuir brûlé qui montait à ses naseaux, l'animal ne réagissait plus vraiment aux ordres de sa cavalière. S'avisant que des flammèches dansaient sur une de ses jambières, Kahlan n'osa pas les chasser d'un revers de la main, de peur qu'elles restent collées à sa peau.

Que se passerait-il quand le feu aurait traversé le cuir ? Rien de bien agréable, elle le savait, mais il lui faudrait supporter la douleur.

Sans s'apercevoir que les choses tournaient mal, Verna continuait à déverser sa poudre de verre. Porté par le vent, le nuage s'enfonçait profondément dans les rangs adverses. Avec un peu de chance, il ferait des dégâts parmi les officiers prudemment placés au milieu de leurs hommes.

Une flèche frôla l'épaule du cheval, puis continua son vol et disparut dans la nuit. Ayant reconnu la Mère Inquisitrice, des dizaines d'hommes, rompant les rangs, se ruaient sur elle en hurlant. À l'évidence, ils entendaient l'encercler, lui bloquer le passage et refermer sur elle les mâchoires de leur piège.

Kahlan tenta de faire tourner sa monture à droite. Terrorisée, la bête continua à galoper directement vers les fantassins qui tentaient de coincer les deux cavalières.

— Nous nous approchons trop ! cria Verna.

Trop occupée pour répondre, Kahlan continua à tirer sur les rênes, mais le cheval résistait de toutes ses forces – et à ce jeu-là, elle n'était pas de taille contre lui.

Kahlan le talonna furieusement sans obtenir l'ombre d'un résultat. Devant elle, les guerriers brandissaient des piques et des épées – une muraille d'acier qui déchiquetterait les chairs du cheval et de ses cavalières, si rien ne se passait...

L'Inquisitrice avait depuis longtemps accepté l'idée de mourir au combat. Mais pas ainsi, en se laissant passivement entraîner vers sa fin.

Elle retira son pied droit de l'étrier, leva la jambe, la lança en arrière et enfonça le talon dans le flanc de sa monture.

—Kahlan, que faites-vous? s'écria Verna.

En frappant plusieurs fois du talon, l'Inquisitrice réussit à obtenir que le cheval infléchisse sa trajectoire, mais pas assez pour qu'il ne continue pas à foncer sur les soudards.

À quelques pas du désastre, l'animal tourna enfin la tête comme s'il voulait changer de direction.

—Oui, c'est ça! lui cria Kahlan.

Il restait une minuscule chance d'éviter la muraille d'acier... Pour alléger sa monture, Kahlan se dressa sur les étriers, puis elle se pencha en avant, le dos bien plat. Pliant les bras, elle donna autant de mou que possible aux rênes et passa les bras autour de l'encolure du cheval.

Tout en le dirigeant avec ses mollets, elle lui laissait la liberté dont il avait besoin pour réussir une manœuvre délicate.

Était-ce seulement possible, avec le poids qu'il devait porter? Kahlan l'ignorait, et ce n'était plus le moment de se poser la question. Si les piques avaient été un peu moins longues, elle se serait donné de bonnes chances de survivre, mais là...

—Verna, accrochez-vous!

Une boule de feu de sorcier, rasant le sol, les dépassa et fondit sur les soldats qui, jusque-là, attendaient les deux cavalières. Comme un seul homme, ils se plaquèrent au sol. Le projectile embrasé leur frôla les omoplates, puis alla s'écraser sur un groupe de fantassins, une cinquantaine de pas plus loin.

Des cris d'agonie montèrent de centaines de gorges.

Le cheval de Kahlan tendit le cou et plia les jambes sans cesser de galoper. Au dernier moment, il prit son envol, comme lors d'une compétition de saut d'obstacles – une activité que Kahlan adorait quand elle était adolescente –, passa au-dessus des soudards aplatis par terre et se réceptionna impeccablement.

Étant dressée sur les étriers, Kahlan put amortir le choc de la réception avec ses jambes. Toujours assise en croupe, Verna n'en fut pas capable. En plus de lui faire sûrement très mal au postérieur, sa raideur involontaire faillit déséquilibrer le cheval, déjà mis en difficulté par la double charge qu'il transportait.

Il se rétablit par miracle et repartit de plus belle.

Au moins, les soldats de l'Ordre n'étaient plus une menace, pour l'instant.

— Qu'est-ce que vous fichez ? cria Verna. Ne faites plus d'écarts pareils ! J'ai expédié ma poudre n'importe où !

— Désolée ! hurla Kahlan par-dessus son épaule.

Malgré le vent glacial, elle ruisselait de sueur. Tournant la tête un instant, elle eut l'impression que les premiers rangs d'attaquants étaient un peu plus loin, à présent. Et Verna et elle avaient pratiquement traversé la vallée…

Déchaînés, Warren et Zedd continuaient à offrir à l'ennemi un fabuleux feu d'artifice de sorciers. Même si elle restait insuffisante pour arrêter une horde de cette taille, une pareille démonstration de puissance avait de quoi glacer les sangs. Mais déjà, les boucliers érigés par les forces magiques de Jagang limitaient les dégâts.

Ça n'avait plus d'importance, puisque Zedd et son compagnon avaient gagné assez de temps pour que l'Inquisitrice et la Dame Abbesse accomplissent leur mission.

Cara et Philippa rejoignirent Kahlan et Verna, chevauchant quelques instants à côté d'elles. Calmée par la présence de l'étalon de la Mord-Sith, bien plus placide, apparemment, la monture de l'Inquisitrice consentit à ralentir le pas puis à s'arrêter.

Quand les quatre femmes eurent mis pied à terre, Verna jeta au loin son seau vide. Heureuse qu'il fasse nuit noire – ainsi, personne ne s'apercevrait que ses genoux jouaient des castagnettes –, Kahlan examina sa jambière et constata, soulagée, que le feu s'était éteint avant d'avoir traversé le cuir.

En silence, les quatre femmes regardèrent les explosions qui continuaient à déchirer la nuit. La plupart des boules de feu se désintégraient contre des boucliers, mais ça ne les empêchait pas d'être dévastatrices pour tous les hommes qui se tenaient devant les protections magiques.

Zedd et Warren bombardaient littéralement de feu les rangs ennemis. Bien entendu, les magiciennes adverses ripostaient de la même façon, semant la mort dans les rangs d'harans. Mais les Sœurs de la Lumière aussi avaient invoqué des boucliers…

L'équilibre, toujours l'équilibre !

Pourtant, la horde avançait encore. Si le barrage de feu la ralentissait, il ne l'arrêterait pas…

Puis tout cessa d'un coup. Ayant repris les choses en main, les magiciennes des deux camps se neutralisaient, comme d'habitude.

Face au raz-de-marée de l'Ordre, les lignes de défense d'haranes n'avaient aucune chance de tenir – ni même de ralentir l'adversaire. À la lumière de la lune, Kahlan les vit commencer à battre en retraite.

— Verna, s'écria-t-elle, ça ne marche pas ! Vous êtes sûre que la poussière de verre avait les propriétés requises ?

Dans le vacarme, la Dame Abbesse parut ne pas avoir entendu la question.

Kahlan posa la main sur la garde de son épée. Combattre serait parfaitement inutile, mais quelle autre option lui restait-il ? Sentant le contact de l'arme de Richard, dans son dos, elle envisagea de la dégainer, mais y renonça. En réalité, il restait une option : fuir, et espérer reprendre la lutte un jour, dans de meilleures conditions...

Elle prit Verna par le bras et la tira vers leur cheval, qui haletait encore de fatigue. Cara entraîna Philippa vers leur propre monture.

Alors qu'elle allait sauter en selle, Kahlan remarqua que les attaquants avançaient moins vite. Quelques hommes titubaient, et beaucoup d'autres marchaient les bras tendus devant eux comme... des aveugles.

— Écoutez ! cria Verna.

Des cris de terreur retentissaient dans toute la vallée. Aux premiers rangs, les soldats se percutaient les uns les autres. Zébrant l'air avec leur épée, comme s'ils tentaient de pourfendre un ennemi invisible, certains taillaient en pièces leurs propres camarades.

Bientôt, la première ligne s'immobilisa et provoqua une bousculade géante. Paniqués, les chevaux désarçonnaient leurs cavaliers puis s'éparpillaient dans toutes les directions, se fichant des hommes qu'ils écrabouillaient sous leurs sabots.

Des chariots se retournèrent, ajoutant à la confusion.

Ce soir, l'Ordre Impérial n'irait pas plus loin...

Arrivant au galop, Zedd et Warren prirent à peine le temps d'attendre que leurs montures soient arrêtées pour sauter à terre. Tous les deux en sueur malgré le froid glacial, ils semblaient épuisés mais ravis.

Kahlan se précipita et prit la main du vieux sorcier entre les siennes.

— Vous nous avez sauvé la mise, à la fin !

— Lui, pas moi, dit Zedd en désignant son compagnon.

— Eh bien, j'ai vu que vous étiez dans l'embarras, et j'ai cru bon d'intervenir...

Un moment, tous regardèrent en silence la débandade des soldats aveugles.

— Vous avez réussi, Verna ! dit Kahlan. Votre verre pilé nous a épargné un désastre.

Les deux femmes tombèrent dans les bras l'une de l'autre et pleurèrent de soulagement...

Chapitre 40

Kahlan traversa le défilé avec les derniers soldats. Au-delà, sur toute sa moitié sud, la vallée était bien protégée par de hautes falaises. Si l'Ordre tentait de poursuivre sa proie, un long et difficile chemin l'attendrait pour contourner les montagnes. Même si l'armée d'harane n'avait aucune intention de se laisser piéger dans ce refuge, il était idéal, dans un premier temps.

Grâce aux épicéas qui poussaient au pied des falaises, parfois séparées par des brèches assez larges pour laisser passer le vent, la vallée offrait des conditions de vie plutôt confortables. Entre les tentes remontées à la hâte, de bons feux crépitaient – la preuve que les hommes se sentaient en sécurité, car ils ne les auraient pas allumés sinon.

De délicieuses odeurs de cuisine planaient dans l'air. Après avoir transporté des tonnes de matériel, les hommes mouraient de faim malgré l'heure tardive.

Comme tout officier supérieur qui a cru un moment perdre son armée, puis la sait en sécurité, le général Meiffert rayonnait. Souriant, il guida Kahlan et Cara jusqu'aux tentes qu'il avait préparées pour elles. En chemin, il leur raconta comment s'était déroulé le déménagement du camp et fit une liste rapide des rares équipements que les soldats avaient dû abandonner.

—Il fera très froid cette nuit, dit-il quand ils atteignirent les tentes dressées à l'écart entre deux grands arbres. J'ai fait préparer pour vous des « bouillottes de campagne ». Des sacs épais remplis de cailloux chauffés sur un feu…

Dès que Kahlan l'eut remercié, Meiffert alla s'occuper des dizaines de tâches qui l'attendaient encore. Cara ayant envie de se mettre quelque chose sous la dent, Kahlan la laissa partir seule en quête de nourriture. Ne tenant plus debout, elle rêvait seulement de s'allonger.

Sous sa tente, Bravoure l'attendait, trônant sur une petite table brillamment éclairée par la lampe accrochée à un des piquets. En passant, l'Inquisitrice prit le temps de caresser du bout d'un doigt la robe de la statue.

Claquant des dents, l'Inquisitrice aurait voulu se glisser dans son lit avec la bouillotte du général Meiffert. Mais si elle mourait de froid, pensa-t-elle soudain, elle n'était sûrement pas la seule…

Sortant de la tente, elle erra dans le camp jusqu'à ce qu'elle croise une Sœur de la Lumière qui lui donna les indications requises. Grâce à ces informations, elle trouva assez vite l'abri de fortune aménagé dans un entrelacs de broussailles censé couper un peu le vent et le froid.

Elle s'agenouilla et balaya du regard les silhouettes enroulées dans des couvertures qu'elle distinguait vaguement grâce à la lumière des feux de camp.

—Holly? Tu es là?

Une petite tête jaillit de sous une couverture.

—Mère Inquisitrice? (La gamine tremblait de froid.) Que se passe-t-il? Vous avez besoin de moi?

—On peut le dire comme ça, oui… Lève-toi et suis-moi.

Quand la fillette eut obéi, Kahlan la prit par la main et la guida jusqu'à sa tente. Très impressionnée, Holly entra à petits pas et s'immobilisa, fascinée, dès qu'elle aperçut Bravoure.

—Elle te plaît? demanda Kahlan.

Tremblant toujours de froid, l'enfant caressa délicatement le bras de la sculpture.

—Où avez-vous eu une merveille pareille?

—Richard l'a sculptée pour moi…

—Il me manque…, dit Holly. (Elle détourna enfin les yeux de Bravoure et chercha le regard de Kahlan.) Il a toujours été gentil avec moi. Beaucoup de gens m'ont fait du mal, mais jamais lui…

Kahlan eut un pincement au cœur. Elle n'avait pas prévu que l'enfant lui parlerait de son bien-aimé…

—Que me voulez-vous, Mère Inquisitrice?

Oubliant un instant sa tristesse, Kahlan sourit.

—Je suis très fière de ce que tu as fait aujourd'hui. Tout à l'heure, je t'ai promis que tu dormirais au chaud, cette nuit, et je tiendrai parole.

—Vraiment?

Kahlan posa l'Épée de Vérité au bord du lit. Se débarrassant de son manteau et de sa cuirasse, elle éteignit la lampe, puis s'assit sur la confortable paillasse de campagne.

—Allez, viens te coucher avec moi! La nuit sera glaciale, et j'ai besoin de toi pour me tenir chaud.

Holly n'hésita pas longtemps.

Kahlan s'allongea sur le côté, tira la petite contre elle, le dos bien calé au creux de son ventre, et lui glissa la bouillotte entre les bras. Gémissant de bonheur, Holly enlaça le sac de toile comme s'il s'agissait de la plus belle poupée du monde.

L'Inquisitrice sourit de la sentir si heureuse. Un long moment, elle savoura le bonheur de serrer contre elle une enfant endormie. Ce contact, elle le savait, l'aiderait à oublier les horreurs qu'elle avait vues aujourd'hui.

Dans les montagnes, un loup solitaire lança un long appel modulé que l'écho répercuta à l'infini.

L'Épée de Vérité plaquée contre son dos, Kahlan pensa à Richard. Et comme tous les soirs, elle s'endormit en pleurant.

Le lendemain, la neige descendit des montagnes pour s'attaquer aux régions les plus méridionales des Contrées du Milieu. Deux jours durant, une tempête fit rage dans la vallée. La deuxième nuit, Kahlan partagea sa tente avec Holly, Valery et Helen. Enroulées dans des couvertures, elles mangèrent le rata du camp, chantèrent des chansons, se racontèrent des histoires de prince charmant et dormirent blotties les unes contre les autres pour se tenir chaud.

Quand la neige cessa de tomber, les hommes ensevelis sous leurs petites tentes de campagne émergèrent de nouveau à l'air libre, semblables à une colonie de marmottes sortant de leur tanière pour jeter un coup d'œil dehors.

Les semaines suivantes, la couche de neige s'épaissit encore. Dans des conditions pareilles, se battre ou même déplacer une armée était impossible. Selon les éclaireurs, les forces de l'Ordre Impérial avaient sagement battu en retraite à une semaine de marche du site de l'ancien camp d'haran.

Bien entendu, les officiers avaient jugé inutile de s'occuper des aveugles. Dans un rayon de trois lieues autour de l'endroit où le nuage de verre avait fait des ravages, les éclaireurs avaient dénombré plus de soixante mille cadavres gelés qui devaient être à présent ensevelis sous la neige. Sans y voir, et sans soutien, ces hommes n'avaient aucune chance de s'en tirer.

Une centaine d'aveugles étaient parvenus à traverser le défilé pour implorer l'aide de leurs ennemis. Impitoyable, Kahlan avait ordonné qu'on les exécute.

Estimer les ravages provoqués par l'arme diabolique de Verna était quasiment impossible. Combien d'hommes affectés avaient pu accompagner leurs camarades, lors de la retraite ? Sans doute un certain nombre, car on pourrait toujours les utiliser pour les corvées… Cela dit, les dépouilles repérées par les éclaireurs devaient représenter l'écrasante majorité des victimes du verre pilé. Avec son « sens pratique », Jagang ne désirait sûrement pas avoir sur les bras des hordes d'infirmes – des bouches inutiles qui rappelleraient sans cesse aux soldats valides une cuisante défaite.

La décision tactique de l'empereur ne devait pas être mal interprétée. Loin de renoncer à écraser les D'Harans, il avait simplement pris un peu de recul, pour mieux se préparer à la bataille suivante. Avec les réserves dont disposait l'armée ennemie, quelque cent mille morts ne posaient pas un problème majeur. Mais pour l'instant, les rigueurs du climat contraignaient Jagang à contenir sa fougue.

Kahlan n'avait aucune intention de l'attendre en se tournant les pouces. Un mois après la « bataille du verre », comme on l'appelait désormais, quand une délégation d'Herjborgue arriva au camp, elle reçut immédiatement l'ambassadeur Thierault dans une cabane de trappeurs découverte par les éclaireurs dans une clairière, à l'ouest de la vallée. À l'écart du camp, l'endroit était devenu le quartier général de l'Inquisitrice, et il servait aussi de poste de commandement.

Le général Meiffert avait été soulagé que Kahlan accepte de résider dans la cabane. Ainsi, il avait le sentiment que l'armée faisait de son mieux pour améliorer les conditions de vie de l'épouse du seigneur Rahl.

Cara et Kahlan appréciaient la petite bâtisse. Refusant de se comporter comme une privilégiée, l'Inquisitrice n'y passait pas toutes ses nuits. Très souvent, elle y invitait les trois petites filles et quelques Sœurs de la Lumière, et allait se coucher sous une tente, comme n'importe qui. Elle avait même réussi à persuader Verna – sans avoir à insister beaucoup – de dormir certains soirs avec Holly, Valery et Helen.

Kahlan reçut donc l'ambassadeur Thierault dans son « palais de campagne ». Prudents, les membres de son escorte l'attendirent dehors, refusant l'hospitalité des D'Harans.

Jusque-là, Herjborgue, un minuscule pays, contribuait à l'effort de guerre en fournissant de la laine – sa seule marchandise exportable – à l'armée d'harane. Un produit dont nul n'avait prévu qu'il deviendrait essentiel…

Quand il se fut agenouillé devant la Mère Inquisitrice, ainsi que le prescrivait le protocole, Thierault se releva, rabattit sa capuche et sourit.

— Mère Inquisitrice, je suis si content de vous voir !

— C'est réciproque, ambassadeur. Mais venez donc vous asseoir avec moi près du feu.

Une fois installé, Thierault retira ses gants et se réchauffa les mains au-dessus des flammes. Déjà surpris de voir la garde de l'Épée de Vérité dépasser de l'épaule gauche de Kahlan, il ouvrit de grands yeux quand il aperçut Bravoure, fièrement exhibée sur le manteau de la cheminée.

— Nous avons entendu dire que le seigneur Rahl était prisonnier, déclara-t-il. Vous avez du nouveau ?

—Nous savons qu'il est indemne, mais c'est tout... Ambassadeur, mon mari est plein de ressources. Je suis sûre qu'il reviendra bientôt parmi nous...

Thierault acquiesça, mais il fronça les sourcils.

Comme toujours quand on évoquait le seigneur Rahl devant elle, Cara, debout près de la table, faisait nerveusement tourner son Agiel entre ses doigts. À la lueur qui brillait dans les yeux bleus de la Mord-Sith, Kahlan était certaine que l'arme, toujours liée au seigneur Rahl, n'avait pas perdu son pouvoir. Tant qu'il en serait ainsi, les deux femmes seraient sûres que Richard était vivant. À part ça, elles n'avaient aucun moyen de savoir ce qu'il devenait.

—Et comment se passe la guerre ? demanda Thierault en ouvrant son lourd manteau de voyage. Tout le monde attend anxieusement des nouvelles.

—Selon nos estimations, nous avons tué plus de cent mille soldats de l'Ordre.

L'ambassadeur sursauta. Quand on venait d'un pays microscopique, des chiffres pareils donnaient le tournis.

—Alors, l'ennemi est vaincu... A-t-il battu en retraite dans l'Ancien Monde ?

Fuyant le regard de l'ambassadeur, Kahlan contempla les bûches qui se consumaient dans la cheminée.

—Hélas, ces pertes sont insignifiantes pour l'Ordre Impérial. Quand on dispose d'un million de soldats, dix pour cent de plus ou de moins se remarquent à peine. L'armée ennemie campe au sud, à une semaine de marche d'ici.

Kahlan sonda enfin le regard de l'ambassadeur. À l'évidence, il n'avait pas l'habitude de tels ordres de grandeur, et il semblait désorienté.

—Par les esprits du bien..., soupira-t-il. Nous avons entendu des rumeurs, mais découvrir que... Comment pourrions-nous venir à bout d'un adversaire pareil ?

—Ambassadeur, je me souviens d'un incident, il y a pas mal d'années. Vous étiez venu consulter le Conseil, en Aydindril, et à la fin d'un banquet, vous avez eu des ennuis avec un Keltien dont j'ai oublié le nom. Ce colosse disait du mal de votre pays. Il vous a même lancé une insulte au visage. Vous vous souvenez ? Que vous a-t-il dit, au juste ?

—«Ridicule nabot»..., répondit Thierault avec une lueur malicieuse dans les yeux.

—C'est ça ! «Ridicule nabot»... Parce qu'il faisait deux fois votre taille, il se croyait meilleur que vous. Je me rappelle la suite : un bras de fer entre ce géant et vous...

—J'étais jeune, à l'époque... Et pour être franc, j'avais un peu trop arrosé le banquet.

—Mais vous avez gagné.

—Pas grâce à ma force ! Ce type était trop prétentieux. Je me suis montré plus malin – bref, meilleur tacticien. C'est tout…

—Mais vous avez gagné, et c'est ce qui compte. Malgré leur supériorité numérique, ces cent mille soldats sont raides morts, et pas nous.

—Excellente démonstration, Mère Inquisitrice ! L'Ordre Impérial devrait rentrer chez lui tant qu'il lui reste des hommes. Je me souviens des cinq mille bleus galeiens que vous avez lancés contre dix fois plus de soudards. Si je me souviens bien, il n'y a pas eu un survivant chez l'ennemi ? J'ai compris votre message : quand on se bat en infériorité numérique, il faut se fier à son intelligence.

—Ambassadeur, j'ai besoin de votre aide, dit abruptement Kahlan.

—Demandez, Mère Inquisitrice, et je ferai tout ce qui est en mon pouvoir…

Kahlan se pencha, prit une bûche et l'ajouta dans les flammes.

—Il nous faut des manteaux de laine à capuche pour nos hommes.

—Combien ? Dites-moi un chiffre, et je m'arrangerai.

—Au moins cent mille… Mais comme nous attendons des renforts, cent cinquante mille me semblent plus réalistes. (Thierault se plongea dans un exercice de calcul mental.) Je sais que ce n'est pas facile, mais…

—Ne vous souciez pas de ça. Si je me lamentais, cela vous aiderait-il à vaincre ? Vous aurez vos manteaux, Mère Inquisitrice. Le reste nous regarde.

La parole de Thierault valait de l'or, Kahlan le savait.

Elle se leva et le regarda droit dans les yeux.

—Ces manteaux devront être en laine décolorée.

—Pourquoi donc, Mère Inquisitrice ?

—Toujours cette affaire d'intelligence… L'Ordre Impérial vient de régions, très loin au sud, où les hivers sont bien moins rigoureux que chez nous. Je le sais parce que Richard me l'a dit, à son retour de Tanimura. Selon moi, ambassadeur, l'Ordre n'a pas l'habitude du froid, et encore moins de se battre dans des conditions pareilles. Un avantage pour nous, c'est incontestable.

Kahlan brandit le poing.

—Je veux harceler ces brutes, ambassadeur ! L'hiver m'aidera à les faire souffrir, si je parviens à les attirer hors de leur tanière. Et dans la neige, comment verront-ils des adversaires vêtus de manteaux à capuche blancs ? Nous attaquerons, sèmerons la mort, puis nous fondrons dans le paysage.

—Nos ennemis n'ont pas d'unités magiques ?

—Hélas, si… Mais ils ne pourront pas poster une magicienne derrière chaque archer pour lui dire où viser.

—Je vois, je vois... Mon peuple se mettra au travail dès mon retour. Je suppose que vos hommes ne cracheraient pas sur des mitaines bien chaudes?

—Ils seront ravis, bien entendu... Encore une chose, ambassadeur. Expédiez-nous les premiers manteaux dès qu'ils seront prêts, sans attendre d'avoir fini tout le lot. Dès que nous en aurons quelques milliers, les raids pourront commencer.

Thierault se leva, referma son manteau et remit sa capuche.

—L'hiver sera encore long... Plus vite vous en tirerez avantage, mieux ça vaudra. Je repars sur-le-champ.

Kahlan serra la main de l'ambassadeur. Un comportement inhabituel pour la Mère Inquisitrice, mais normal pour n'importe qui d'autre, quand il s'agissait de remercier quelqu'un.

Alors que Cara et elle, campées sur le seuil de la cabane, regardaient l'ambassadeur s'éloigner avec son escorte, Kahlan se demanda quand arriveraient les premiers manteaux blancs. Seraient-ils aussi efficaces qu'elle l'espérait?

—Vous pensez vraiment que nous pouvons tirer parti de l'hiver? demanda la Mord-Sith.

—Il le faudra bien..., répondit l'Inquisitrice.

Elle allait faire volte-face, pour rentrer au chaud, quand elle aperçut une étrange colonne qui avançait entre les arbres. Progressant à pied, le général Meiffert précédait Adie, Warren, Verna et Zedd. Quatre cavaliers les suivaient, le soleil de l'après-midi faisant briller la garde de l'épée du premier.

Kahlan poussa un petit cri quand elle le reconnut.

Sans prendre le temps d'aller chercher sa cape ou son manteau de fourrure, elle courut accueillir ce visiteur, Cara sur les talons.

—Harold! Nous sommes si contents de te voir!

Le demi-frère de l'Inquisitrice arrivait de Galea. Quand elle identifia ses trois compagnons, Kahlan cria de nouveau, de plus en plus étonnée. Il y avait là le capitaine Bradley Ryan, le chef des jeunes soldats galeiens avec qui elle avait combattu, plus son second, le lieutenant Flin Hobson, et le sergent Frost.

Souriante, Kahlan approcha d'Harold, brûlant d'envie de le serrer dans ses bras dès qu'il serait descendu de cheval. Dans son uniforme de campagne, beaucoup moins clinquant que sa tenue de parade, il était magnifique sur son superbe destrier. En le voyant, l'Inquisitrice mesura à quel point elle s'inquiétait de son retard, dans un coin de sa tête.

Avec une dignité toute princière, Harold s'inclina sur sa selle, salua formellement sa demi-sœur et ne se permit que l'ombre d'un sourire.

—Mère Inquisitrice, je suis soulagé de vous voir en si bonne forme.

Contrairement à son chef, le capitaine Ryan souriait jusqu'aux oreilles. Kahlan gardait de lui – et de Flin – un excellent souvenir. Deux hommes courageux et loyaux… Avec eux, elle avait mené une terrible bataille, mais vivre et lutter en compagnie de pareils soldats avait été une des plus belles expériences de sa vie. Après avoir réussi l'impossible une fois, ils venaient ici pour réitérer cet exploit.

Debout à côté de son cheval, Kahlan prit la main d'Harold.

—Viens donc te réchauffer à l'intérieur, dit-elle. Un bon feu brûle dans la cheminée. Capitaine, lieutenant, sergent, vous êtes également mes invités.

Elle se tourna vers Meiffert et ses compagnons, qui affichaient curieusement une mine sinistre.

—Venez aussi, il y a assez de place…

—Mère Inquisitrice, je…, commença Harold dès qu'il eut mis pied à terre.

Ne pouvant plus résister, Kahlan enlaça son demi-frère. Un vrai colosse, tout en muscles, comme leur père, le roi Wyborn…

—Harold, je suis si contente qu'il ne te soit rien arrivé. Comment va Cyrilla?

Plus âgée d'une dizaine d'années que Kahlan, la pauvre Cyrilla ne s'était jamais remise d'un séjour dans une oubliette en compagnie d'une bande d'assassins et de violeurs. Harold l'avait tirée de là, mais sa raison n'avait pas résisté au traumatisme. La plupart du temps perdue dans ses cauchemars intérieurs, elle avait de rares moments de lucidité – si on pouvait nommer ainsi des crises de terreur incontrôlable.

Un jour, alors qu'elle était presque normale, elle avait fait jurer à Kahlan de porter la couronne de Galea et de prendre soin de son peuple.

Militaire de carrière, Harold ne voulait pas du pouvoir. À contrecœur, la jeune femme avait accepté cette responsabilité supplémentaire.

—Mère Inquisitrice, dit le prince, nous devons parler…

Chapitre 41

Sur l'ordre d'Harold, Ryan et ses deux compagnons allèrent superviser l'installation des Galeiens dans le camp d'haran.

Dans la cabane – pas si grande que ça – Zedd et Warren s'assirent sur un banc. Verna et Adie en investirent un autre, et Cara alla se poster devant la fenêtre. Debout près d'elle, le général Meiffert regarda le prince et la Mère Inquisitrice s'asseoir face à face, une petite table les séparant.

— Alors, demanda Kahlan, de plus en plus inquiète, comment va Cyrilla?

— Eh bien… la reine s'est remise.

— La reine? (Kahlan se leva d'un bond.) Elle est guérie? Harold, c'est une formidable nouvelle! Et elle porte de nouveau sa couronne? Voilà qui est encore mieux!

L'Inquisitrice se réjouissait d'être débarrassée de ce fardeau. Avec le temps que lui prenait la guerre, le peuple de Galea serait bien plus en sécurité entre les mains de Cyrilla. Mais plus encore, apprendre que sa demi-sœur allait mieux lui faisait chaud au cœur. Même si elles n'avaient jamais été proches, les deux femmes se respectaient beaucoup.

Cerise sur le gâteau, Harold était enfin là avec des renforts. Près de cent mille hommes, si tout s'était passé comme prévu. L'armée que Kahlan entendait lever prenait lentement forme…

Harold semblait épuisé, sans doute parce que réunir autant d'hommes n'avait pas dû être un jeu d'enfant. Elle ne lui avait jamais vu un teint si gris. Par moments, son regard vide la faisait penser à celui de leur père…

— Combien de soldats as-tu amenés? Cent mille, comme nous l'espérions? Doubler nos forces ne nous fera pas de mal, sais-tu?

Personne ne dit rien. Quand elle balaya l'assistance du regard, Kahlan constata que tout le monde détournait la tête.

Son inquiétude revint aussitôt.

—Combien de soldats, Harold?

—Un millier, environ…

—Quoi?

—Le capitaine Ryan et ses hommes… Ceux que tu as conduits à la bataille, naguère…

—Nous avons besoin de tous les Galeiens, Harold! Que s'est-il passé?

Le prince osa enfin soutenir le regard de sa demi-sœur. Dans l'intimité, il la tutoyait, mais il ne s'était pas dégelé pour autant.

—La reine a refusé mon plan… Peu après ta dernière visite, elle est miraculeusement sortie de sa confusion. Tu sais comment elle est: ambitieuse, énergique et toujours prête à défendre les intérêts de Galea. Hélas, sa maladie lui a laissé des séquelles. Aujourd'hui, elle a peur de l'Ordre Impérial.

—Moi aussi, dit Kahlan, envahie par une colère froide. (La garde de l'épée de Richard dépassait de son épaule, comme d'habitude, et Harold sursauta quand il remarqua enfin ce détail.) Dans les Contrées, tout le monde redoute les hordes de Jagang. C'est pour ça qu'il nous faut des renforts.

—Je le lui ai dit, Kahlan… Mais elle m'a répondu que la reine de Galea devait d'abord penser à son royaume.

—Galea s'est joint à l'empire d'haran!

Harold eut un geste d'impuissance.

—Quand elle était malade, les événements de la vie réelle n'atteignaient pas sa conscience. Selon elle, tu devais porter provisoirement la couronne pour prendre soin du peuple, pas pour le dépouiller de sa souveraineté. Elle affirme que tu as outrepassé ton autorité et refuse de valider le traité.

Kahlan regarda Zedd, Warren, Verna, Adie, Meiffert et Cara. Leur expression fermée lui glaça les sangs.

—Harold, nous avons longuement parlé de ce sujet. Les Contrées sont menacées, et le Nouveau Monde tout entier risque de tomber sous le joug de la tyrannie. Aucun royaume ne peut se défendre seul. C'est le meilleur moyen de courir à la défaite! S'unir est notre seul espoir.

—Je suis d'accord avec toi, Kahlan. Hélas, la reine ne partage pas notre opinion.

—Dans ce cas, elle est toujours malade!

—C'est possible, mais je n'ai pas les compétences pour le dire.

Accablée, Kahlan posa les coudes sur la table et se prit la tête à deux mains. Pourquoi fallait-il que les catastrophes se succèdent à un rythme si régulier?

—Et Jebra? demanda Zedd.

Kahlan fut contente d'entendre sa voix, comme s'il pouvait à lui seul ramener un peu de raison dans un monde devenu fou.

—Nous l'avons laissée en Galea pour qu'elle s'occupe de Cyrilla et vous conseille, continua le vieux sorcier. Je doute qu'elle soit allée dans le sens de la reine…

—Hélas, répondit Harold, Cyrilla a fait emprisonner Jebra. Et elle a ordonné à ses geôliers de lui couper la langue si elle continuait à proférer ce que la reine tient pour des « blasphèmes ».

Kahlan n'en crut pas ses oreilles. Désormais, ce n'étaient plus les aberrations de Cyrilla qui l'étonnaient, mais…

—Harold, demanda-t-elle, pourquoi obéis-tu aux ordres d'une folle ?

Le prince serra les mâchoires sous l'insulte.

—Parce qu'elle est ma sœur, et la reine de Galea ! J'ai juré de la servir et de lui être loyal, comme chacun des hommes qui combattent avec vous. À ce propos, je leur ai déjà transmis les ordres de leur souveraine. Nous allons tous repartir pour Galea. J'en suis désolé, mais c'est ainsi !

Kahlan tapa du poing sur la table.

—Si Galea tombe, l'Ordre pourra déferler dans toutes les Contrées du Milieu. Jagang sait qu'il aura gagné s'il prend le contrôle de la vallée de Callisidrin.

—J'en ai conscience, mais je n'y peux rien.

—Si je comprends bien, tu voudrais que les D'Harans et les Keltiens meurent à la place des Galeiens ? Ta sœur et toi pensez rester paisiblement chez vous pendant que d'autres se sacrifieront pour votre sécurité ?

—Non, ce n'est pas ça, mais…

—Que t'arrive-t-il, Harold ? Ne vois-tu pas qu'en luttant à nos côtés tu protégeras plus efficacement ton royaume ?

Le prince reprit un ton formel et repassa au vouvoiement.

—Mère Inquisitrice, vous avez probablement raison, mais ça ne change rien. Je suis le chef de l'armée galeienne, et j'ai passé ma vie à servir mon peuple, mon royaume et ses souverains. D'abord mon père et ma mère, puis aujourd'hui ma sœur. Quand j'étais enfant, mon père me prenait sur ses genoux et m'enseignait à placer la sécurité de Galea au-dessus de tout.

—Harold, dit Kahlan, gardant son calme au prix d'un effort inhumain, Cyrilla est toujours malade, c'est évident. Si tu veux protéger ton peuple, rends-toi compte qu'elle s'y prend de la pire façon possible.

—Mère Inquisitrice, la reine m'a chargé d'une mission, et je sais où est mon devoir !

—Ton devoir ? Vas-tu te plier à la volonté d'une démente ? C'est la raison qui dicte les choix d'un défenseur de la liberté, rien d'autre ! Reine ou pas, l'intelligence doit être ta seule véritable maîtresse. Ce que tu appelles « devoir » est un autre nom pour ce que je nomme « bêtise ».

Harold regarda Kahlan comme si elle était une enfant incapable de comprendre un discours d'adulte.

—C'est ma reine, et elle a consacré sa vie à notre peuple.

—Cyrilla est hantée par les fantômes de ses tortionnaires. Si tu la laisses faire, les Galeiens souffriront pour rien. Par aveuglement, tu seras son complice. Elle n'est plus ce qu'elle était, tu dois l'accepter.

—Mère Inquisitrice, je comprends votre point de vue, mais il ne modifie pas ma position. Je dois obéir à ma reine.

Kahlan baissa les yeux, accablée par ce discours absurde. Se laissant quelques secondes pour reprendre son calme, elle repassa à l'offensive.

—Harold, Galea appartient à l'empire d'haran. Cyrilla règne parce que nous le voulons bien. De plus, même si elle refuse le traité, elle reste subordonnée à la Mère Inquisitrice, comme ce fut toujours le cas. Étant la dirigeante suprême des Contrées – et de l'empire d'haran, en l'absence de Richard –, je décide de renverser la reine de Galea. Dès cette minute, Cyrilla n'a plus aucun pouvoir, en Galea encore moins qu'ailleurs.

» Prince Harold, je vous ordonne de retourner à Ebinissia, où vous mettrez Cyrilla aux arrêts, pour son propre bien. Après avoir libéré Jebra, vous reviendrez ici avec toutes les forces galeiennes — moins la garnison qui se chargera de défendre la capitale du royaume.

—Mère Inquisitrice, je suis navré, mais ma reine…

—Assez! cria Kahlan en tapant de nouveau sur la table.

Le prince se tut, tétanisé.

—C'est la Mère Inquisitrice qui vient de vous donner des ordres! Il n'y a rien à discuter, compris?

Kahlan se leva, posa les mains sur la table, se pencha et foudroya Harold du regard.

Dans un silence de mort, tous les témoins tentèrent d'anticiper les conséquences du drame qui se déroulait devant leurs yeux.

Harold parla d'une voix monocorde qui rappela à Kahlan celle de Wyborn.

—Je sais que ça vous paraît absurde, Mère Inquisitrice, mais mon peuple et mon royaume passent avant vous. Cyrilla est ma sœur, ne l'oubliez pas. Le roi Wyborn m'a appris le sens de l'honneur, et un officier digne de ce nom obéit à sa souveraine. Les Galeiens présents dans ce camp doivent rentrer d'urgence chez eux. Mon devoir m'oblige à protéger mon peuple et à obéir aveuglément à ma reine.

—Espèce de crétin! explosa Kahlan. Comment oses-tu me parler d'honneur? Tu sacrifies des milliers d'innocents au nom de ce que tu crois être de la noblesse d'esprit! L'honneur, c'est regarder la réalité en face. S'en détourner est de la bêtise, rien de plus. Tu n'as aucun honneur, Harold!

Kahlan se laissa retomber sur sa chaise.

—Je t'ai donné des ordres, dit-elle après avoir un moment contemplé les flammes, dans la cheminée. Refuses-tu de les exécuter?

— J'y suis contraint, Mère Inquisitrice. Veuillez croire que c'est à mon corps défendant.

— Harold, il s'agit d'une trahison !

— Je comprends que vous voyiez les choses ainsi...

— Je les vois ainsi, oui ! Tu trahis ton peuple, les Contrées, l'empire d'haran et la Mère Inquisitrice ! Comment devrais-je réagir, selon toi ?

— En toute logique, me condamner à mort serait équitable...

— Si tu en as conscience, pourquoi restes-tu fidèle à une folle ? Une fois mort, tu ne pourras plus exécuter ses ordres, de toute façon... En t'entêtant, tu priveras tout un peuple de ton soutien, alors que tu prétends ne vivre que pour lui. Pourquoi ne pas te joindre à nous, Harold ? En refusant, tu te montres sous le jour d'un idiot sans honneur.

Le prince leva sur Kahlan des yeux où brillait une fureur meurtrière.

— Puisque vous me provoquez, je répondrai, et vous m'écouterez, même si ça doit me coûter la vie ! Devant vous, j'entends défendre mon honneur, celui de ma sœur et celui du royaume que mon père et ma mère, le roi Wyborn et la reine Bernardine, nous ont légué. Quand j'étais enfant, mon père nous a été arraché par une Inquisitrice – votre mère – parce qu'elle désirait avoir pour compagnon un homme vigoureux et fort. Un homme dont elle a dévasté l'esprit, s'il faut vous le rappeler ! Et maintenant, la fille de cette voleuse voudrait me contraindre à trahir ma sœur ? Elle pense pouvoir me rendre complice d'un coup d'État, et m'obliger à comploter contre mon peuple ? Avant de partir, mon père m'a chargé d'une mission, puisqu'il se savait condamné à devenir le pantin d'une Inquisitrice. Savez-vous laquelle ? Rester à jamais fidèle à la couronne de Galea et à son peuple ! Même si ça vous paraît absurde, je ne trahirai pas la mémoire d'un homme pareil.

Stupéfaite, Kahlan dévisagea son demi-frère.

— Je suis désolée que tu voies les choses comme ça, Harold, dit-elle.

L'air dur et déterminé, le prince semblait avoir vieilli de dix ans en quelques minutes.

— Je sais que vous n'êtes pas responsable de ce qui s'est passé avant votre naissance, Mère Inquisitrice. En vous, j'aimerai toujours la part qui ressemble à mon père. Mais que vous soyez coupable ou non, je dois vivre avec le poids du passé. Et aujourd'hui, je dois me fier à mes sentiments.

— Tes sentiments..., répéta Kahlan.

— Oui. C'est ainsi que je vois les choses, et il me faut avoir foi en mon jugement.

Kahlan tenta de ravaler la boule qui s'était formée dans sa gorge.

— La foi, les sentiments... Harold, tu es aussi fou que ta sœur !

Se redressant, elle croisa les mains et regarda pour la dernière fois dans les yeux ce demi-frère qu'elle n'avait jamais vraiment connu.

Puis elle prononça sa sentence.

— Demain à l'aube, l'empire d'haran et Galea seront officiellement en guerre. Si un de mes hommes ou moi te rencontrons, tu seras emprisonné puis exécuté pour le crime de haute trahison.

» Je ne permettrai pas aux guerriers qui luttent à mes côtés de mourir pour des félons. Quand l'Ordre Impérial attaquera la vallée de Callisidrin, les Galeiens devront se défendre seuls. Les bouchers de Jagang les tueront jusqu'au dernier, comme ils l'ont fait à Ebinissia. Et l'empereur offrira ta sœur à ses hommes, pour qu'ils en fassent leur putain.

» Tout cela sera ta faute, Harold, parce que tu as renoncé à utiliser ton cerveau. Quand on écoute ses « sentiments » et sa « foi », on s'engage souvent sur de bien mauvais chemins.

Harold n'émit pas de commentaire.

— Dis à Cyrilla que devenir la catin d'une bande de soudards serait un moindre mal… Car si l'Ordre n'entre pas en Galea, je le ferai à sa place, et j'ai juré d'être impitoyable avec tous ceux qui soutiennent Jagang. Votre trahison vous range dans cette catégorie. Si Cyrilla échappe à l'empereur, je viendrai la capturer, je la ramènerai en Aydindril, et je la jetterai dans l'oubliette d'où tu l'as tirée il n'y a pas si longtemps. En compagnie de tous les violeurs que je trouverai, bien entendu…

— Mère Inquisitrice, vous ne pouvez pas…

— Tu crois, Harold ? N'oublie surtout pas de décrire à ta reine le sort que je lui réserve. Jebra a dû tenter de la prévenir, et ça lui a valu de croupir en prison. Cyrilla refuse de voir la fosse qui s'ouvre sous ses pieds, et tu tomberas dans le gouffre avec elle. Hélas, tu entraîneras avec toi un peuple innocent…

Kahlan dégaina l'épée royale qu'elle portait au côté, la tint par les deux extrémités et, non sans effort, la brisa sur son genou. Puis elle jeta les deux moignons de l'arme aux pieds du prince.

— Et maintenant, hors de ma vue !

Harold fit mine de sortir, mais Zedd leva une main pour l'en empêcher.

— Mère Inquisitrice, dit-il, pesant soigneusement ses mots, j'ai peur que tu laisses tes sentiments prendre le pas sur ta raison.

Soulagé par cette intervention, Harold désigna Kahlan tout en parlant au vieil homme.

— Dites-lui qu'elle se trompe, sorcier Zorander !

Kahlan n'en crut pas ses oreilles. Stupéfaite, elle plongea son regard dans les yeux noisette de Zedd.

— Auriez-vous la bonté de m'expliquer en quoi mes émotions m'induisent en erreur, sorcier Zorander ?

— Mère Inquisitrice, la reine Cyrilla est folle, c'est une évidence. Le prince Harold, en la soutenant, lui rend un bien mauvais service. En outre, il condamne à mort un peuple innocent. S'il avait choisi la voie de la raison, il aurait protégé les sujets de sa sœur et rendu un vibrant hommage à la grande reine qu'elle fut jadis. Hélas, il préfère s'aveugler en tenant pour de la sagesse les propos délirants d'une folle. Cet homme, Mère Inquisitrice, s'est rangé dans le camp de la mort, et il condamne des centaines de milliers de braves gens à le suivre dans la tombe.

» Ne viens-tu pas de le juger coupable de trahison ? Ensuite, tes émotions ont brouillé ton jugement. Harold est désormais une menace pour notre cause, pour nos hommes et pour son propre peuple. Il est hors de question de le laisser partir.

— Mais, Zedd…, commença le prince, bouleversé.

Dans le regard du sorcier, il lut une sentence de mort… et un défi. S'il osait, qu'il s'engage un peu plus sur la voie de la trahison ! Les lèvres d'Harold bougèrent, mais pas un son n'en sortit.

— Quelqu'un n'est pas d'accord avec moi ? demanda le Premier Sorcier.

Il regarda Adie, qui secoua la tête. Verna fit de même, comme Warren, après une brève hésitation.

— Je n'accepterai pas ça ! s'écria Harold, indigné. La Mère Inquisitrice m'a donné jusqu'à l'aube pour partir. Vous devez respecter sa décision.

Il fit deux pas vers la porte, puis s'arrêta et porta une main à son cœur. Titubant soudain, les yeux révulsés, il bascula en avant et s'écroula sur le plancher.

Kahlan le regarda, assommée.

Meiffert fut le premier à réagir. S'agenouillant à côté du prince, il lui tâta le pouls, puis leva les yeux, fixa Kahlan et secoua la tête.

L'Inquisitrice dévisagea Zedd, Adie, Verna et Warren. Aucun ne broncha.

— Je ne veux pas savoir qui a fait ça, dit-elle. Je ne prétends pas que c'était mal, mais je ne veux rien savoir !

Les deux sorciers et les deux magiciennes acquiescèrent.

Kahlan alla se camper sur le seuil de la cabane pour respirer un peu d'air frais. Sondant le terrain, elle repéra le capitaine Ryan, adossé contre le tronc d'un érable, non loin de là.

Le jeune officier se mit au garde-à-vous dès qu'il la vit approcher.

— Bradley, demanda-t-elle, le prince Harold vous a-t-il dit pourquoi il venait ici ?

Notant que la Mère Inquisitrice l'appelait par son prénom, le capitaine prit une posture moins officielle.

— Oui. Il devait vous avertir que tous les Galéiens, sur ordre de la reine, rentreraient au pays pour le défendre.

— Alors, que faites-vous ici avec vos hommes ?

—Eh bien… Pour être honnête, nous avons déserté, Mère Inquisitrice.

—Pardon?

—Quand le prince Harold m'a informé de ce qui se passait, et ordonné de l'assister, je lui ai dit que c'était une décision désastreuse pour notre peuple. Il m'a répondu que mon travail n'était pas de réfléchir. Mais j'ai combattu à vos côtés, et j'étais sûr de mieux savoir que lui qui vous êtes. J'ai conscience que vous combattez pour protéger les peuples des Contrées. Quand je lui ai dit que Cyrilla se trompait, le prince, furieux, m'a rappelé mon devoir d'officier.

» Je lui ai répondu que je désertais, afin de me tenir à vos côtés. Il aurait pu me faire exécuter pour trahison, mais il aurait dû abattre aussi les mille hommes que je commande, parce qu'ils pensent tous comme moi. Beaucoup ont même osé le lui dire en face. Dépassé, il nous a laissés chevaucher avec lui jusqu'ici.

» J'espère que vous n'êtes pas en colère contre nous, Mère Inquisitrice?

Profondément émue, Kahlan renonça à son masque et à toutes ses prérogatives pour redevenir une simple guerrière.

—Merci, dit-elle en prenant le jeune officier par les épaules. Vous avez utilisé votre cerveau, et je ne peux pas vous en vouloir à cause de ça.

—Un jour, vous m'avez dit que mes hommes et moi étions une grenouille qui tentait d'avaler un bœuf. Si je puis me permettre, c'est exactement ce que vous tentez de faire, aujourd'hui. Et je vous crois capable de réussir, surtout avec notre aide…

Sous les ordres du général Meiffert, quelques soldats sortaient déjà de la cabane le cadavre d'Harold.

—J'étais sûr que ça finirait mal pour lui, dit Ryan. Depuis que Cyrilla est tombée… malade…, il n'était plus le même. Je l'ai toujours aimé et respecté, et décider de le quitter ne fut pas facile. Mais servir sous ses ordres n'avait plus de sens.

Kahlan tapota l'épaule du jeune officier.

—Je suis désolée, Bradley. Comme vous, j'ai toujours eu une très haute opinion de lui. Il faut croire que voir sa sœur dans un état lamentable pendant si longtemps a eu raison de sa logique. Essayez de vous souvenir de lui tel qu'il était avant ce drame.

—Je m'y efforcerai, Mère Inquisitrice.

Accablée, Kahlan préféra changer de sujet.

—Il faudrait qu'un de vos hommes aille porter à Cyrilla un message de ma part. Je comptais le confier à Harold, mais…

—Je vais m'en occuper, Mère Inquisitrice.

Kahlan s'avisa soudain qu'il faisait un froid de gueux et qu'elle n'avait pas de manteau. Tandis que Ryan allait rejoindre ses hommes, elle se hâta de retourner dans la cabane.

Adie et Verna étaient parties. Pendant que Cara ajoutait des bûches dans la cheminée, Warren cherchait une carte dans la caisse remplie de documents d'état-major rangée dans un coin de la pièce.

Quand il l'eut trouvée et fit mine de sortir, Kahlan lui prit le bras au passage.

Elle sonda son regard bleu, plein d'une sagesse sans rapport avec son âge apparent. Richard lui avait toujours dit que le futur prophète était un des hommes les plus intelligents qu'il connaissait. En outre, son véritable don était de déchiffrer les prédictions...

— Warren, allons-nous tous mourir dans cette guerre ?

Le sorcier eut un petit sourire espiègle.

— Je pensais que les prophéties ne vous intéressaient pas, Kahlan...

L'Inquisitrice lâcha le bras de Warren.

— Et vous aviez raison... Oubliez ça !

Jugeant qu'il fallait plus de bois, Cara sortit avec Warren. Restée seule avec Zedd, Kahlan alla se réchauffer les mains devant la cheminée tout en contemplant Bravoure.

Le vieux sorcier approcha et lui posa une main sur l'épaule.

— Ce que tu as dit à Harold au sujet de la logique et de l'intelligence était très juste, ma chère enfant.

Du bout d'un index, Kahlan caressa la robe de Bravoure.

— Je n'ai aucun mérite, parce que j'ai répété ce que m'a dit Richard, quand il m'a expliqué sa décision. Je me souviens encore de chaque mot : « Le seul souverain dont j'accepte le joug, c'est ma raison. »

— Il a dit ça ? Exactement ?

— Oui. Il a ajouté : « Ce qui existe, existe, et ce qui est, est. Toute la pyramide de la connaissance repose sur ces fondations. C'est la base même de la vie. »

» Selon lui, les caprices et les désirs ne sont pas des faits, et c'est pour ça qu'il faut s'en méfier. Je crois que le comportement d'Harold prouve à quel point c'est vrai. Celui qui décide de s'aveugler se jette lui-même dans un abîme sans fond.

Kahlan admira encore un peu la statuette. Étonnée par le silence de Zedd, elle finit par se retourner. Les yeux rivés sur les flammes, le vieil homme pleurait.

— Zedd, qu'est-ce qui ne va pas ?

— Ce fichu garçon a trouvé ça tout seul ! Il a tout compris sans l'aide de quiconque !

— De quoi parlez-vous ?

— De la Sixième Leçon du Sorcier, sans doute la plus importante de toutes. « Le seul souverain dont on doit accepter le joug est la raison. » Kahlan, c'est le moyeu autour duquel tournent toutes les autres Leçons ! La plus importante, et aussi la plus simple. Pourtant, c'est celle qu'on viole et qu'on néglige le plus. Malgré les protestations des sbires du mal, nous devons nous y accrocher comme à une bouée de sauvetage. La misère, l'injustice et la dévastation guettent tous ceux qui s'éloignent du cercle de lumière que la raison projette autour d'elle. Dans l'ombre, les demi-vérités guettent la première défaillance des tenants de la logique!

» Sais-tu de quoi est pavé le chemin qui mène à la perdition? De foi aveugle et de sentiments! Car avec eux, il n'y a pas de garde-fou, et toutes les horreurs deviennent possibles. La foi aveugle et les sentiments sont des poisons mortels, parce qu'ils fournissent une justification morale à toutes les dépravations!

» Ce sont les ombres qui entourent la raison, mon enfant. Quant à la vérité, elle existe uniquement si on la regarde à travers le prisme de la raison. Sous son règne – voire son joug –, il est possible de contempler dans sa totalité le miracle de la vie. Rejeter la raison, Kahlan, revient à opter pour la mort.

Le lendemain matin, près de la moitié des forces galeiennes manquaient à l'appel. Obéissant aux ordres donnés par le prince Harold avant sa mort, ces hommes étaient partis défendre leur royaume. Les autres, comme Ryan et ses jeunes soldats, avaient décidé de rester loyaux à l'empire d'haran.

Sous les ordres de Leiden, tous les Keltiens avaient également quitté le camp. Dans une lettre, l'ancien général expliquait à Kahlan que la trahison de Galea l'obligeait à aller protéger Kelton, que l'Ordre déciderait de frapper s'il hésitait à affronter l'armée galeienne. La Mère Inquisitrice comprendrait, ajoutait-il, qu'il ne s'agissait pas d'une désertion mais d'un acte de patriotisme.

Kahlan fut informée très vite du départ de ces forces par Warren et le général Meiffert. Ayant prévu ces défections, elle ordonna à Meiffert de ne pas s'y opposer. Une guerre interne, dans une armée, n'amenait jamais rien de bon. De plus, les hommes qui restaient, certains d'avoir fait le bon choix, n'auraient pas compris qu'on les force à combattre leurs anciens camarades.

L'après-midi, alors qu'elle rédigeait une lettre pour le général Baldwin, le commandant en chef des forces keltiennes, Kahlan reçut la visite de Meiffert et de Ryan.

Après avoir écouté attentivement le plan qu'ils lui proposaient, elle autorisa le jeune capitaine et ses hommes à accompagner les troupes d'élite d'haranes chargées par leur général de lancer plusieurs raids sur le camp ennemi. Warren et six Sœurs de la Lumière leur fourniraient le soutien magique requis.

L'Ordre ayant reculé assez loin vers le sud, Kahlan avait besoin d'informations sur ce qu'il mijotait. De plus, elle tenait à profiter de l'hiver pour accentuer sa pression sur l'armée de Jagang. Ryan et ses jeunes soldats savaient se battre en montagne, et les rigueurs du climat ne les gênaient pas. De plus, l'Inquisitrice en personne avait enseigné au capitaine les tactiques à employer quand on s'attaquait à un ennemi supérieur en nombre.

Les troupes d'élite de Meiffert – dont il était le chef avant sa promotion – avaient désormais pour commandant le capitaine Zimmer, un jeune D'Haran solide comme un bœuf au sourire contagieux. Ses hommes étaient l'exact pendant de ceux de Ryan, avec de l'expérience en plus et un courage sans limite. Face à ce qui faisait blêmir les autres soldats, ces gaillards-là se régalaient d'avance!

Ils préféraient agir en francs-tireurs plutôt que manœuvrer avec des troupes importantes qui bridaient leur créativité. Marauder dans les lignes ennemies leur convenait à merveille, et Kahlan ne voyait pas pourquoi elle ne leur aurait pas laissé la bride sur le cou.

Ces D'Harans avaient une particularité: de chaque mission, ils ramenaient de pleins sacs d'oreilles coupées sur les cadavres ennemis.

Ils étaient très loyaux à Kahlan, sans doute parce qu'elle avait su respecter leur autonomie. Mais peut-être plus encore parce qu'elle insistait, chaque fois qu'ils revenaient de mission, pour voir de ses yeux leur « moisson » d'oreilles.

Tôt ou tard, l'Inquisitrice prévoyait de les envoyer à la chasse aux oreilles galeiennes…

Chapitre 42

Du coin de l'œil, Kahlan regarda Verna, penchée sur la caisse qui contenait des cartes d'état-major. Un mois était passé depuis le départ de Warren avec les capitaines Ryan et Zimmer. Bien qu'il fût assez difficile d'estimer la durée convenable d'une mission de ce type, les forces spéciales auraient déjà dû être de retour.

Kahlan était bien placée pour savoir quel genre de tourments une femme amoureuse dissimulait derrière une façade impassible…

— Verna, dit-elle, pourriez-vous ajouter du bois dans le feu ?

— Je m'en charge ! cria Cara en se levant d'un bond de sa chaise.

Verna prit une carte dans la caisse puis revint vers la table. Au passage, elle remercia la Mord-Sith d'un petit signe amical.

— Voilà, Zedd, dit-elle. On y voit bien mieux la zone dont vous parlez.

Le vieux sorcier déroula la carte sur celle qui occupait déjà toute la table. Dessinée à une plus grande échelle, elle fournissait plus de détails sur les régions méridionales des Contrées du Milieu.

— Oui, c'est ça…, marmonna le vieil homme. (Il tapota la ligne noire qui représentait le fleuve Drun.) Vous voyez ? Les plaines sont très étroites, dans ce coin. Un terrain accidenté, avec des falaises qui bordent parfois le fleuve. C'est pour ça que je doute que l'Ordre passe par la vallée de Drun.

— Et vous devez avoir raison, dit Verna.

— De plus, approuva Kahlan, en avançant dans cette direction, il n'y a aucun objectif important, à part Nicobarese. Ce royaume isolé serait une proie parfaite, mais il n'est pas vraiment prospère, et le butin risquerait d'être très maigre. L'Ordre aura bien mieux à se mettre sous la dent s'il reste par ici. De plus, s'il remonte la vallée de Drun, il lui faudra tôt ou tard traverser les monts Rang'Shada, et stratégiquement, ça n'a aucun sens pour une armée de cette taille.

—Oui, je vois ce que vous voulez dire…, souffla Verna en jouant distraitement avec un bouton de sa robe blanche.

—Mais vous n'avez pas tort non plus, précisa Kahlan. Il serait judicieux de charger une ou deux sœurs d'aller surveiller cette région. Jagang est un expert en matière de surprise stratégique, et au printemps, nous détesterions découvrir que ses forces tentent d'atteindre Aydindril par un chemin détourné.

Quelqu'un frappant à la porte, Cara alla ouvrir et laissa entrer un chef éclaireur nommé Hayes. Derrière lui, Kahlan vit que le capitaine Ryan approchait aussi de la cabane. Se levant d'un bond, elle fit signe à la Mord-Sith de ne surtout pas fermer la porte.

Hayes se tapa du poing sur le cœur pour saluer la Mère Inquisitrice.

—Je suis contente de vous voir de retour, caporal Hayes, dit Kahlan.

—Merci, Mère Inquisitrice. Je suis ravi aussi…

L'homme semblait épuisé et affamé. Dès que Ryan fut entré à son tour, Cara referma la porte pour barrer le chemin à la neige poussée par un vent violent.

Hayes s'écarta afin de laisser passer le capitaine.

—Comment ça s'est fini, Bradley? demanda Kahlan. Les hommes vont bien?

Prenant une grande inspiration, le jeune officier retira son écharpe et son bonnet de laine. Le souffle court, Verna le regardait, incapable de dissimuler son inquiétude.

—On ne peut pas se plaindre, Mère Inquisitrice. Nous nous en sommes bien tirés, et les sœurs ont pu guérir pas mal de nos blessés. Nous avons dû transporter certains hommes sur d'assez grandes distances, avant qu'elles puissent les remettre sur pied. C'est ça qui nous a ralenti. Les pertes sont moins élevées que nous le redoutions. Warren nous a beaucoup aidés, vous savez…

—Où est-il? demanda Zedd.

Comme si entendre son nom l'avait incité à apparaître, le futur prophète entra dans un tourbillon de neige et lutta quelques instants contre la porte, que le vent l'empêchait de refermer.

Kahlan vit s'afficher sur le visage de Verna un soulagement qu'elle connaissait bien. Lorsque Richard revenait sain et sauf, après une longue séparation, elle éprouvait exactement la même chose…

Warren embrassa simplement Verna sur la joue, mais le regard qu'échangèrent les deux amoureux en disait long. À part Kahlan, personne ne le remarqua – rien d'étonnant, puisque toutes les autres personnes présentes étaient des célibataires endurcis. Émue par cette manifestation de tendresse, Kahlan en eut aussi le cœur serré, car cela lui rappelait à quel point Richard lui manquait – et combien elle s'inquiétait pour lui.

— Vous leur avez dit ? lança Warren en déboutonnant son manteau.

— Non, répondit Ryan. Nous venons juste d'arriver.

— Dit quoi ? demanda Zedd.

— Eh bien, répondit Warren, l'arme de Verna a été plus efficace encore que nous le pensions. Nous avons interrogé plusieurs prisonniers. Les cadavres, dans la vallée, n'étaient que les premières victimes…

Verna aida le futur prophète à retirer son manteau couvert de givre, puis elle le posa près de la cheminée, où Ryan avait déjà mis le sien à sécher.

— Apparemment, continua Warren, entre cinquante et soixante mille hommes de plus, sans devenir aveugles, ont perdu un œil ou récolté de graves troubles de la vision. Ceux-là n'ont pas été abandonnés, parce qu'ils y voient encore assez pour être utiles – voire pour combattre de nouveau, s'ils guérissent.

— J'en doute fort…, souffla Verna.

— Moi aussi, approuva Warren, mais c'est le raisonnement que se tiennent les officiers ennemis. Vingt-cinq ou trente mille soldats de plus sont malades, les yeux et le nez rongés par des infections.

— Un effet assez logique du verre pilé, dit la Dame Abbesse.

— Environ dix mille, en plus de ceux-là, ont des troubles respiratoires.

— Bref, récapitula Kahlan, entre les morts et les infirmes, nous ne sommes pas loin d'avoir mis hors de combat cent cinquante mille adversaires. Du très bon travail, Verna !

— Et de quoi me consoler de cette cavalcade qui a failli me faire mourir de peur ! Sans votre idée, Kahlan, les résultats auraient été moins spectaculaires.

— Et votre mission, capitaine ? demanda Cara en venant se placer près de l'Inquisitrice.

— Le capitaine Zimmer et moi sommes satisfaits. L'Ordre a perdu environ dix mille hommes sous nos coups.

— Vous avez dû vous battre comme des lions ! commenta Zedd avec un sifflement admiratif.

— Moins qu'on pourrait le penser… Grâce aux tactiques que nous a enseignées la Mère Inquisitrice, et à celles qu'utilise Zimmer, nous avons fait des ravages sans nous exposer beaucoup. Lorsqu'on tranche la gorge d'un homme dans son sommeil, il ne peut pas prévenir ses camarades, et on court moins de risques.

— Ravie de voir que vous avez été un élève studieux, Bradley, dit Kahlan.

— Warren et les sœurs nous ont également beaucoup aidés à passer inaperçus quand il le fallait. Où en sont les livraisons de manteaux blancs ? Ils nous seraient fichtrement utiles, vous pouvez me croire ! Avec eux, nos résultats auraient été encore meilleurs.

—Les premiers lots sont arrivés avant-hier, dit Kahlan. Il y en a largement assez pour vos hommes et ceux de Zimmer. Et d'autres seront ici dans quelques jours.

—Zimmer sera très content, dit Ryan en se frottant les mains pour les réchauffer.

—Avez-vous découvert pourquoi nos ennemis se sont repliés si loin au sud ? demanda Zedd. Céder un terrain qu'on vient juste de conquérir ne semble pas très logique...

—D'après les hommes que nous avons interrogés, répondit Warren, c'est à cause d'une épidémie. Rien dont nous soyons responsables, simplement une mauvaise fièvre, comme ça arrive souvent dans des camps si peuplés. Cette maladie ayant fait des dizaines de milliers de victimes, les officiers ont décidé de s'éloigner du probable foyer d'infection. Céder du terrain ne les dérange pas, parce qu'ils pensent pouvoir le reprendre dès qu'ils voudront...

C'était logique. Avec une telle supériorité numérique, avoir confiance en soi semblait normal.

Mais pourquoi Warren et Ryan, après tant de bonnes nouvelles, avaient-ils l'air si morose ?

—Eh bien, dit l'Inquisitrice, leur armée fond comme de la neige au soleil, et c'est mieux que...

—J'ai demandé à Hayes, coupa Warren, de venir vous faire son rapport de vive voix. Vous devriez l'écouter...

—Nous sommes tout ouïe, caporal.

—Mère Inquisitrice, mes hommes et moi sommes allés au sud-est, pour surveiller les routes qui viennent du Pays Sauvage, et vous prévenir si l'ennemi tentait d'encercler notre position. Hélas, nous avons aperçu, avançant vers l'ouest, une colonne de renforts en route pour le camp de l'Ordre.

—Sans doute du ravitaillement, dit Kahlan. Avec une escorte assez importante, rien de plus...

—J'ai suivi cette force une semaine durant, pour la compter...

—Combien d'hommes ?

—Plus de deux cent cinquante mille.

Kahlan sentit qu'elle blêmissait.

—Combien ? demanda Verna, persuadée qu'elle avait mal compris.

—Deux cent cinquante mille combattants, plus les cochers et l'habituelle bande de civils...

Tous les résultats qu'ils avaient obtenus au prix d'énormes sacrifices venaient de partir en fumée ! Avec ces renforts, l'Ordre serait encore plus puissant qu'avant le début des combats...

—Par les esprits du bien, soupira Kahlan, de combien de réserves dispose donc l'Ancien Monde ?

Consultant Warren du regard, elle vit que tout cela ne l'étonnait pas.

— Hayes n'a vu que le premier groupe, dit-il. Les prisonniers nous ont donné des informations que nous avons eu du mal à croire. Pour les vérifier, nous avons espionné un peu plus l'ennemi, et c'est en partie pour ça que nous sommes revenus si tard.

— Deux cent cinquante mille hommes de plus…, souffla Kahlan, accablée.

— Ce n'est qu'un début, affirma Warren. D'autres sont déjà en chemin.

Kahlan alla se réchauffer les mains devant la cheminée. Admirant mélancoliquement Bravoure, elle tenta de s'inspirer de son inébranlable détermination. Mais face à une telle adversité, même la statue aurait peut-être eu envie de renoncer…

Comme la nouvelle du départ des Galeiens et des Keltiens, celle de l'arrivée de renforts ennemis fit très vite le tour du camp.

Kahlan, Zedd, Warren, Adie et Meiffert – et tous les autres officiers – ne cachaient jamais rien à leurs hommes. Quand on risquait chaque jour sa vie pour une cause, on avait le droit de connaître la vérité. Lorsqu'elle traversait le camp, Kahlan répondait toujours avec une parfaite franchise aux soldats assez audacieux pour lui poser des questions. Et si elle tentait de leur regonfler le moral, elle ne s'autorisait jamais à leur mentir.

Après de longues semaines passées à se battre, les guerriers étaient bien au-delà de la peur. Mais le découragement les gagnait peu à peu, c'était visible. S'acquittant de leurs tâches quotidiennes comme des automates, ils semblaient résignés à la défaite. Désormais, il n'y avait plus dans le Nouveau Monde aucun endroit qui fût à l'abri de la voracité des troupes de Jagang.

Devant les hommes, Kahlan ne laissait jamais transparaître ses doutes.

Ayant déjà atteint le fond du désespoir après le massacre d'Ebinissia, Ryan et ses hommes avaient accueilli les mauvaises nouvelles avec un détachement souverain. Étant en somme déjà morts une fois, que pouvaient-ils redouter de plus ? Comme Kahlan, ces jeunes Galeiens avaient juré d'être des « morts vivants » tant que l'Ordre n'aurait pas été écrasé.

Le capitaine Zimmer et ses guerriers d'élite n'étaient pas davantage perturbés. Sachant ce qu'ils avaient à faire, ils agissaient et ne se posaient jamais de questions. L'essentiel, pour eux, était d'accumuler les chapelets d'oreilles – soit cent « pièces » enfilées sur une cordelette comme des perles. Leur code de l'honneur exigeant qu'ils coupent seulement des oreilles droites, il ne pouvait pas y avoir de doublon, et le compte de leurs victimes était d'une scrupuleuse précision.

L'ambassadeur Thierault ayant tenu parole, des livraisons de manteaux à capuche et de mitaines arrivaient régulièrement au camp. Avec ces éléments de camouflage, les maraudeurs obtinrent des résultats encore plus impressionnants. Handicapé par ses malades – car l'épidémie n'était pas encore terminée – et ses infirmes (des borgnes et des malvoyants), l'Ordre avait du mal à se défendre.

Quelques colonnes de ravitaillement étaient tombées sous les coups des braves de Zimmer et Ryan. Ce serait toujours ça de moins dans le ventre des soudards…

Hélas, ces petites victoires, face à une armée gigantesque, n'avaient aucune chance d'inverser le cours du conflit.

Après une réunion avec les officiers d'un groupe de maraudeurs revenus le jour même de mission, Kahlan retourna dans la cabane pour y découvrir Zedd penché sur des cartes d'état-major. Pour une fois, le vieil homme était seul.

— De bonnes nouvelles, annonça l'Inquisitrice tout en enlevant son manteau. Nos maraudeurs sont tombés sur une patrouille assez importante. Sans essuyer de lourdes pertes, ils ont réussi à tuer tout le monde, y compris une des sœurs de Jagang.

— Dans ce cas, pourquoi cette triste mine? demanda le vieux sorcier.

Kahlan se contenta de hausser les épaules. Ces victoires étaient tellement anecdotiques, désormais…

— Essaie de ne pas céder au découragement, lui conseilla Zedd. Dans une guerre, le désespoir n'est jamais un bon conseiller. Quand j'étais jeune, il y a une éternité, lors d'une autre guerre, tous les hommes qui combattaient à mes côtés pensaient que la défaite serait inévitable. Et nous avons fini par gagner!

— Je sais, Zedd, je sais… (Kahlan hésita un moment, puis lâcha ce qu'elle avait sur le cœur.) Richard ne voulait plus s'en mêler parce qu'il ne croyait plus à notre victoire. Selon lui, quoi que nous fassions, l'Ordre l'emportera, et résister nous coûtera si cher que nous n'aurons plus aucune chance de triompher dans l'avenir.

— S'il en est ainsi, que fiches-tu ici?

— Richard pense que l'affaire est entendue, mais je ne peux pas me résigner à le croire. De toute façon, je préfère mourir les armes à la main que vivre jusqu'à la fin de mes jours dans la peau d'une esclave. En même temps, j'ai conscience de ne pas respecter la volonté de Richard. Parfois, on dirait que je m'enfonce dans les sables mouvants de la trahison en vous entraînant tous avec moi…

» Zedd, vous avez dit qu'il avait trouvé tout seul la Sixième Leçon du Sorcier. Avant de savoir ça, j'avais l'espoir qu'il se soit trompé, mais à présent…

Zedd eut un petit sourire, comme s'il voyait quelque chose d'amusant dans une situation que son interlocutrice jugeait désespérée.

— Cette guerre sera longue, Kahlan… Rien n'est encore décidé, et tous les espoirs sont permis. En de telles circonstances, le doute, l'angoisse et le découragement sont le lot quotidien des chefs. Ce sont des sentiments, pas des faits. Il est bien trop tôt pour baisser les bras.

» L'analyse de Richard était sans doute pertinente, au moment où il te l'a exposée. Mais qu'en est-il aujourd'hui ? Qui peut affirmer que les gens ne sont pas en mesure de lui démontrer leur valeur ? Ce qu'il attendait pour reprendre le commandement s'est peut-être déjà produit.

— Zedd, il m'a dit de ne pas m'engager dans cette bataille, et il était sérieux. Mais je n'ai pas sa force de caractère. Et il en faut pour attendre à l'écart et laisser les événements se produire. (Kahlan désigna son écritoire, sur la table.) J'ai envoyé plusieurs lettres pour demander des renforts.

Le sorcier sourit de nouveau.

— Pour réduire peu à peu le nombre d'ennemis, nous ne devrons jamais relâcher nos efforts. Il nous reste encore à porter un coup décisif à l'Ordre, mais je suis sûr que nous y parviendrons. Avec l'aide des sœurs, je finirai bien par trouver une idée. Dans une guerre, on ne sait jamais… Une seule manœuvre géniale suffit parfois à tout changer…

Kahlan tapota l'épaule du vieil homme.

— Merci, Zedd… Je suis si contente que vous soyez là… Mais Richard me manque tellement…

— Je sais, mon enfant. Moi aussi, je souffre de son absence. Au moins, nous savons qu'il est vivant…

Kahlan acquiesça tristement.

Se tapant dans les mains, Zedd se leva d'un bond malgré ses vieilles articulations.

— Je sais ce qu'il nous faut, Kahlan ! Un événement heureux qui nous donne l'occasion d'oublier nos angoisses, au moins provisoirement. Les hommes ont besoin de s'amuser un peu, et nous aussi !

— Vous voulez organiser un concours, ou une fête quelconque ?

— Je n'en sais rien, mais c'est l'idée générale… Un événement qui montrera aux hommes que l'Ordre ne parvient pas à nous empêcher de vivre et de nous réjouir. (Zedd se massa pensivement le menton.) Tu n'aurais pas une idée ?

— Eh bien, pour être franche…

Warren choisit cet instant pour faire irruption dans la cabane.

— Je viens de recevoir un rapport, annonça-t-il. Tout est calme dans la vallée de Drun, comme nous l'espérions…

La main toujours sur la poignée de la porte, Warren s'immobilisa, sourcils froncés.

— Que se passe-t-il ? Qu'est-ce que vous avez à me regarder comme ça, tous les deux ?

Arrivant derrière lui, Verna lui flanqua une grande claque dans le dos.

— Entre donc, qu'on puisse fermer la porte ! Quelle mouche t'a piqué ? On gèle, dehors !

Verna poussa Warren à l'intérieur et se chargea elle-même de fermer la porte. Voyant comment Zedd et Kahlan la regardaient, elle aussi se pétrifia.

— Mais approchez donc, chers amis, susurra le vieux sorcier.

— Que mijotez-vous, tous les deux ? demanda la Dame Abbesse, de plus en plus méfiante.

— Rien du tout, mentit Zedd. La Mère Inquisitrice et moi parlions simplement du grand événement à venir.

— Quel grand événement ? grogna Verna. Je n'ai rien entendu à ce sujet.

D'humeur plutôt égale, Warren se rembrunissait très rarement. Pourtant, lui aussi foudroyait le sorcier et sa complice du regard.

— Verna a raison… De quoi parlez-vous ?

— De votre mariage, dit Zedd.

Leurs soupçons oubliés, la Dame Abbesse et le futur prophète sourirent comme deux enfants.

— Sans blague ? demandèrent-ils en chœur.

— Sans blague ! confirma Kahlan.

Chapitre 43

Les préparatifs du mariage prirent près de deux semaines. Tout cela aurait pu aller plus vite, mais Zedd, comme il l'avait expliqué à Kahlan, entendait faire «traîner les choses en longueur». Ainsi, tout le monde aurait le temps de se réjouir à l'avance, d'organiser, de décorer, de mitonner des plats délicieux... Bref, de transformer le camp pour qu'il soit le cadre de somptueuses festivités. Avantage non négligeable, les combattants auraient pendant un temps un sujet de conversation qui leur ferait oublier que la guerre tournait mal.

D'abord assez indifférents, les soldats se prirent très vite au jeu, et l'effet «diversion» fut à la hauteur de ce que le vieux sorcier espérait.

Tous les hommes appréciaient Warren, sans doute parce qu'il les attendrissait avec sa gaucherie et sa timidité. Exactement le genre de «garçon» que des vétérans endurcis aimaient prendre sous leur aile. Ne comprenant en général pas un mot de ce qu'il racontait, ils le tenaient pour un original incapable de gagner le cœur d'une femme. Qu'il ait réussi malgré tout les emplissait de fierté. Il était un des leurs, comme le prouvait son comportement sur le champ de bataille, et en plus, il avait des talents cachés de séducteur! Pour ces hommes qui rêvaient d'avoir un jour une famille – mais qui perdaient tous leurs moyens dès qu'il n'était plus question d'épées et de charges héroïques –, le succès du futur prophète était en quelque sorte une promesse d'avenir.

Les soldats se réjouissaient également pour Verna. Consciente qu'ils la respectaient, mais rien de plus, sans doute à cause de son manque de chaleur humaine, la Dame Abbesse fut déconcertée de recevoir tant de félicitations venues du cœur.

Tout le camp grouillait d'une activité qui n'avait rien à voir avec le conflit contre l'Ordre. Après quelques hésitations au début, les guerriers se lancèrent avec enthousiasme dans cette «aventure». Une réaction remarquable pour des hommes qui combattaient par un froid glacial loin de leur pays et de leurs proches – et qui avaient vu tomber tant d'amis.

Plein d'énergie, ils déplacèrent toutes les tentes, au centre du camp, déblayèrent la neige et, dominant cette salle des fêtes en plein air, érigèrent une estrade où se déroulerait la cérémonie. Ainsi, tous les soldats pourraient la suivre, même de très loin.

Ils aménagèrent aussi un endroit où danser. Nuit et jour, tous ceux qui jouaient d'un instrument répétèrent d'arrache-pied pour être à la hauteur de l'événement. Des amateurs de chant improvisèrent une chorale et découvrirent un ravin isolé où faire des vocalises sans casser les oreilles des autres soldats.

Partout où passait Kahlan, elle entendait des flûtes, des tambours, des chalumeaux et toutes les sortes d'instruments à cordes qu'on pouvait imaginer. Très vite, l'angoisse de la fausse note aida ces musiciens à oublier que l'Ordre Impérial préméditait leur fin prochaine.

Une centaine de Sœurs de la Lumière vivant dans le camp, quelqu'un suggéra qu'elles fassent danser les hommes après la cérémonie. Contre toute attente, cette idée les ravit, jusqu'à ce qu'elles se livrent à un petit calcul mental, et découvrent que chacune devrait faire face à un bon millier de cavaliers. Flattées qu'on leur accorde tant d'attention, elles finirent quand même par accepter.

Fort amusée, Kahlan vit des femmes âgées de plusieurs siècles s'empourprer comme des gamines quand des hommes d'une vingtaine d'années venaient humblement demander qu'elles leur réservent une danse.

En prévision du grand jour, les soldats aménagèrent dans le camp des « rues » qui serpentaient entre les tentes et permettraient à la procession de défiler glorieusement. Tous les hommes, jusqu'au dernier, voulaient avoir l'occasion de saluer les nouveaux époux et de leur souhaiter tout le bonheur possible.

Kahlan prévoyait d'« offrir » la cabane à ses amis, après leur union. Un cadeau original qu'elle fit tout pour garder secret, allant jusqu'à demander à Cara de faire préparer un leurre : une tente prétendument réservée au jeune couple. La Mord-Sith joua le jeu à fond. Elle fit transférer les affaires de Verna sous cette tente et la décora avec des branches de buissons gelés du plus bel effet.

Sa tactique fonctionna. Convaincue que ce serait leur nouvelle résidence, Verna défendit à Warren d'y entrer avant qu'ils soient officiellement mari et femme.

Par un pur miracle, le jour du mariage vit le soleil se lever dans un ciel bleu resplendissant. Et s'il faisait encore froid, le temps s'était assez adouci pour que nul ne redoute de se geler pendant les festivités.

Toujours aussi enthousiastes, les hommes déblayèrent une dernière fois la « salle des fêtes » et la « piste de danse ». En authentiques gentilshommes, ils n'auraient pas voulu que leurs cavalières évoluent avec de la neige jusqu'aux chevilles.

Quelques sœurs vinrent inspecter les lieux puis esquissèrent quelques pas de danse, histoire de donner aux soldats un aperçu des délices qui les attendaient – s'ils avaient un peu de chance.

Dans la matinée, alors que Verna était consignée sous sa tente, où une horde de sœurs s'efforçaient de la coiffer, de la maquiller et de l'habiller, Kahlan eut enfin l'occasion de décorer la cabane en secret. Pour rafraîchir l'atmosphère, elle accrocha au plafond de petites branches de sapin baumier. Soucieuse d'ajouter un peu de couleur à son œuvre, elle y accrocha des guirlandes de baies rouges – tout ce qu'elle avait trouvé aux alentours qui ne fût pas blanc ou grisâtre.

Avec le rouleau de tissu offert par une sœur, elle avait fabriqué un rideau pour la fenêtre de la cabane. Travaillant le soir très tard, elle y avait brodé des motifs, histoire de le rendre plus agréable à l'œil.

Cachée sous son lit, cette petite merveille n'avait jamais attiré l'attention de Warren ni de Verna quand ils venaient discuter de stratégie avec elle. Pas plus que les bougies aromatiques – dissimulées au même endroit – offertes par différentes sœurs, et qui brilleraient de toute leur flamme quand les jeunes mariés entreraient dans la demeure nuptiale.

Kahlan avait prévu de laisser à ses amis tout ce qui faisait le confort relatif de la cabane. Sous sa nouvelle tente, elle emporterait seulement Bravoure, dont il n'était pas question qu'elle se sépare.

Elle était en train de faire le lit quand Cara la rejoignit, se glissant comme une conspiratrice par la porte, qu'elle referma aussitôt.

— Qu'apportes-tu là ? lui demanda l'Inquisitrice.

— Vous n'en croyez pas vos yeux, pas vrai ? Ils ne sont pas beaux, mes rubans de soie bleue ? Les sœurs sont toujours occupées à torturer Verna, et Zedd a chargé Warren de je ne sais quelle mission. Ça nous laisse le temps d'utiliser ces rubans pour égayer un peu les lieux… Par exemple, on pourrait en enrouler autour des branches que vous avez accrochées au plafond… Ce serait très joli.

— Une excellente idée…, souffla Kahlan, stupéfaite.

Où Cara avait-elle déniché ces rubans ? Et quand avait-elle appris à utiliser des mots comme « égayer » ou « joli » ? L'entendre dire des choses pareilles était un vrai bonheur. Décidément, l'idée de Zedd confinait au génie. Un vrai tour de magie, cette « diversion » !

Se servant de bûches en guise de tabourets, les deux femmes décorèrent une première cloison, puis admirèrent leur œuvre. Ravies par le résultat, elles s'attaquèrent aux autres murs et au plafond, imaginant la réaction de Verna et de Warren lorsqu'ils découvriraient leur nouveau foyer.

—Où as-tu trouvé ces rubans? demanda Kahlan du coin des lèvres, car elle tenait des épingles serrées entre ses dents.

—C'est Benjamin, répondit Cara. Vous auriez pensé ça de lui? Il m'a fait promettre de ne pas lui poser de questions sur leur provenance…

—Qui? lança Kahlan en enlevant les épingles de sa bouche.

—Qui, quoi? répliqua Cara, bataillant contre un ruban qui refusait de se laisser épingler.

—Qui t'a fourni ces rubans?

—Le général Meiffert… Je n'ai pas la première idée de l'endroit où…

—Tu l'as appelé Benjamin!

—Moi? Jamais de la vie.

—Si! Tu as dit «Benjamin».

—Vous vous faites des idées! J'ai parlé du général Meiffert, et vous…

—Cara, j'ignorais qu'il se prénommait Benjamin.

—Oui, et alors?

—Est-ce vraiment son prénom?

La Mord-Sith s'empourpra, le visage plus rouge que son uniforme de cuir – qu'elle ne portait pas aujourd'hui, le jugeant peu seyant pour un mariage.

—Vous savez bien que oui!

—C'est vrai… Depuis que tu me l'as dit!

Kahlan décida bien entendu de porter sa robe blanche d'Inquisitrice. Quand elle l'eut mise, elle fut étonnée de noter qu'elle flottait un peu dedans. Mais au fond, après tout ce qu'elle venait de vivre, elle aurait dû s'y attendre. Se méfiant du froid, elle prit aussi son manteau de fourrure, mais le posa simplement sur ses épaules, un peu comme une étole.

Le dos bien droit et le menton levé, elle prit place sur l'estrade et, en assistant à la cérémonie, s'accorda le temps d'étudier l'expression des hommes qui constituaient le public. Tous semblaient sereins et profondément émus.

Dans le dos de l'Inquisitrice, une sorte de rideau d'arrière-scène fait de branchages entrelacés aidait les soldats placés aux derniers rangs à mieux voir les six personnes debout sur l'estrade. Dans l'air tranquille de la fin d'après-midi, le silence avait une qualité presque magique…

Zedd avança pour présider la cérémonie. Le voyant de dos, Kahlan fut stupéfaite de constater qu'il était allé jusqu'à peigner sa légendaire crinière blanche. Vêtu de sa somptueuse tunique bordeaux tenue par une ceinture en satin à boucle d'or, il avait choisi Adie pour assistante. Dans sa robe toute simple, la dame des ossements le mettait en valeur – d'une certaine façon, en tout cas, parce que le contraste pouvait aussi jouer dans l'autre sens…

Verna resplendissait dans une robe violette ornée d'un liseré de fil d'or à l'encolure. Ce motif délicat courait le long des manches serrées sur les bras, mais bouffantes au niveau des coudes. Froncée sur le devant, la superbe robe – à godets à partir des hanches – frôlait quasiment le sol, laissant à peine apparaître de délicats escarpins à boucle d'or.

Les cheveux semés de fleurs bleues, jaunes ou roses découpées par les sœurs dans de petits morceaux de soie, Verna affichait un sourire à la fois tendre et paisible. L'image même d'une magicienne rayonnant à l'idée d'épouser un beau sorcier blond, superbe dans la tunique violette typique de sa profession.

— Verna, dit Zedd, acceptez-vous de prendre ce sorcier pour époux jusqu'à ce que la mort vous sépare ? Êtes-vous prête à respecter son don et les devoirs qu'il lui impose ? Vous engagez-vous à aimer et à honorer cet homme jusqu'à la fin de vos jours ?

Alors qu'on en arrivait au moment clé de la cérémonie, toute l'assistance se pencha un peu en avant pour mieux entendre et mieux voir.

— À toutes ces questions, dit Verna, je réponds par l'affirmative.

— Et vous, Warren, demanda Adie, acceptez-vous de prendre cette magicienne pour épouse ? Êtes-vous prêt à respecter son don et les devoirs qu'il lui impose ? Vous engagez-vous à aimer et à honorer cette femme jusqu'à la fin de vos jours ?

— À toutes ces questions, dit Warren, je réponds par l'affirmative.

— Dans ce cas, reprit Zedd, je déclare que vous consentez librement, dame Verna, à unir votre destinée à celle de Warren, et je donne avec joie ma bénédiction à vos épousailles. (Zedd leva les bras au ciel.) Esprits du bien, veuillez entendre le serment de cette femme, et lui sourire afin que sa vie soit longue et heureuse.

— Dans ce cas, récita Adie, je déclare que vous consentez librement, messire Warren, à unir votre destinée à celle de Verna, et je donne avec joie ma bénédiction à vos épousailles. (Adie leva également les bras au ciel.) Esprits du bien, veuillez entendre le serment de cet homme, et lui sourire afin que sa vie soit longue et heureuse.

Les nouveaux époux et les deux officiants se prirent par la main. Alors qu'ils inclinaient la tête, une vive lueur naquit au centre du cercle qu'ils formaient. Un éclair en jaillit, volant vers les cieux comme s'il entendait monter jusqu'aux esprits du bien pour leur répéter à l'oreille chaque mot du serment.

Zedd et Adie reprirent la parole ensemble :

— Dès cet instant, vous êtes unis à jamais, devenus mari et femme par la grâce de l'amour, de vos serments et du don…

Dans un silence parfait, des milliers d'yeux fascinés regardèrent Verna et Warren s'embrasser pour sceller le pacte qui les lierait jusqu'à la fin de leur vie.

S'ils survivaient, les hommes raconteraient sans doute à leurs petits-enfants qu'ils avaient un jour assisté à un spectacle extraordinaire : le mariage d'une magicienne et d'un sorcier, célébré sous les auspices de l'amour, de la loyauté et de la magie.

Quand Verna et Warren s'écartèrent l'un de l'autre, l'assistance explosa de joie. Dans un concert d'acclamations, des chapeaux et des casques volèrent dans les airs comme si eux aussi voulaient aller rejoindre les esprits du bien.

Main dans la main, la Dame Abbesse et le futur prophète se tournèrent vers les soldats et les saluèrent en levant leur bras libre. Des dizaines de milliers d'impitoyables guerriers les applaudirent à tout rompre, comme s'ils venaient d'assister au mariage de leur sœur ou de leur meilleur ami.

La chorale entra dans la partie, la pureté de son chant faisant frissonner de délice la Mère Inquisitrice, émerveillée d'entendre l'écho de ces voix masculines presque irréelles se répercuter dans toute la vallée.

Se penchant vers Kahlan, Cara lui souffla à l'oreille qu'il s'agissait d'un antique chant d'haran exclusivement réservé aux mariages. Les hommes ayant choisi de répéter loin du camp, Kahlan ne l'avait pas entendu avant la cérémonie. D'une puissance émotionnelle hors du commun, cette mélodie semblait vouloir l'emporter vers des rivages inconnus où la vie n'était que bonheur et extase.

Debout au bord de l'estrade, Warren et Verna écoutaient, hypnotisés par la beauté du chant qui célébrait leur union.

Les flûtes et les tambours commencèrent à accompagner la chorale. Les soldats, presque tous des D'Harans, désormais, sourirent en reconnaissant une musique qui leur était familière.

L'ayant tenu pendant longtemps pour un ennemi, Kahlan s'avisa qu'elle n'avait jamais imaginé que ce peuple pût avoir des traditions si délicates, raffinées et émouvantes.

L'Inquisitrice tourna la tête vers Cara, qui souriait, immergée dans la musique. Toute une facette de D'Hara était un mystère pour Kahlan, qui ne connaissait au fond que ses soldats. Par exemple, elle ignorait tout des D'Haranes – exception faite des Mord-Sith, qui n'avaient rien de représentatif –, de leurs enfants, de leurs foyers et de leurs coutumes. Aujourd'hui, elle parvenait à considérer ces gens comme des alliés. Mais il lui restait à les découvrir en profondeur, dans toute la subtilité de leur culture.

—C'est magnifique…, souffla-t-elle à Cara.

La Mord-Sith hocha distraitement la tête, plongée dans une mélodie dont les échos faisaient vibrer le plus profond de son âme.

Quand la chorale eut terminé, les musiciens cessèrent aussi de jouer. Tendant la main dans son dos, Verna serra brièvement celle de Kahlan. Une manière de s'excuser de la tristesse que devait éveiller en elle la cérémonie, alors qu'elle avait perdu Richard.

Ne voulant pas gâcher la fête, l'Inquisitrice sourit quand la Dame Abbesse tourna la tête vers elle. Puis elle avança, se plaça derrière les deux époux, et entoura leurs épaules de ses bras.

La foule se tut pour écouter ce que l'épouse du seigneur Rahl avait à dire.

—Verna et Warren sont faits l'un pour l'autre, et il en est peut-être ainsi depuis le jour de leur naissance. Désormais, ils seront unis jusqu'à celui de leur mort. Puissent les esprits du bien veiller sur eux !

Tous les soldats répétèrent avec ferveur cette prière.

—À présent, je tiens à remercier du fond du cœur Warren et Verna, dit Kahlan, les yeux rivés sur l'assistance. Grâce à eux, nous nous sommes souvenus que la vie pouvait être belle. Ce mariage, vaillants soldats, est la meilleure illustration de tout ce qui fait la valeur de notre cause.

Des dizaines de milliers d'hommes approuvèrent du chef cette déclaration.

—Et maintenant, qui a envie de voir les jeunes mariés ouvrir le bal ?

Criant de joie, les soldats reculèrent pour dégager la piste de danse.

Les musiciens allèrent s'asseoir sur des bancs, le long de ce périmètre.

Tandis que Verna et Warren descendaient de l'estrade, Kahlan approcha de Zedd et l'enlaça.

—C'est la meilleure idée que vous ayez eue, Premier Sorcier…, souffla-t-elle.

Le vieil homme plongea dans le regard de Kahlan ses yeux noisette qui semblaient capables de déchiffrer les secrets les mieux gardés d'une âme.

—Tu vas bien, mon enfant ? Je sais que tout ça est difficile pour toi…

—Ne vous inquiétez pas… Pour vous, c'est tout aussi déchirant, je n'en doute pas un instant…

Devant l'estrade, sous un tonnerre d'applaudissements, Warren et Verna tourbillonnaient follement.

—Quand ils auront fini, dit Kahlan, et après avoir dansé avec Adie, consentiriez-vous à être mon cavalier, messire ? Je suis sûre que quelqu'un que nous aimons tous les deux en serait très fier.

Prononcer le prénom de son mari, en cet instant, était au-delà des forces de Kahlan, si elle voulait continuer à célébrer le bonheur de ses amis.

—Qui te dit que je sais danser ? répliqua le vieil homme avec un sourire malicieux.

—J'en suis sûre, parce que vous savez tout faire !

—Foutaises…, marmonna Adie. Je pourrais réciter une liste longue comme le bras de choses qui dépassent les compétences de ce vieux vantard…

Quand la première danse fut terminée, les jeunes mariés se lancèrent dans une deuxième et furent très vite rejoints par d'autres couples. Alors que Zedd et Adie entraient sur la piste, décidés à montrer à la jeunesse qu'ils n'étaient pas encore bons à être mis au rebut, Kahlan vint se placer près d'un banc de musiciens, Cara à ses côtés.

Sans cesser de taper dans ses mains pour marquer la cadence, le général Meiffert les rejoignit à grandes enjambées.

— Mère Inquisitrice, c'est un jour merveilleux ! s'exclama-t-il. Vous avez déjà vu une chose pareille ?

— Non, répondit Kahlan avec un sourire, c'est la première fois…

Le général jeta un coup d'œil à Cara, parut hésiter, puis se tourna vers la piste de danse. Même si les hommes avaient appris à la connaître, Kahlan restait une Inquisitrice et l'épouse du seigneur Rahl. Bref, le genre de femme qu'ils n'oseraient pas plus inviter à danser qu'une… Mord-Sith.

— Général, dit Kahlan en tapotant l'épaule du militaire, consentiriez-vous à me faire une faveur ?

— Tout ce que vous voudrez, Mère Inquisitrice !

— Auriez-vous la bonté de danser en même temps que vos soldats et les Sœurs de la Lumière ? Je sais bien que les chefs doivent faire montre d'une certaine réserve, mais vous voir vous amuser prouverait à vos hommes que cette fête est vraiment hors du commun.

— Danser, moi ?

— Oui, vous…

— Eh bien, mais… je… il…

— Allons, cessez d'essayer de vous défiler ! (Kahlan claqua des doigts, comme si elle venait d'avoir une idée brillante.) Cara, voilà la cavalière qu'il vous faut ! En voyant leur chef danser avec une Mord-Sith, nos soldats sauront qu'ils peuvent s'amuser sans arrière-pensées.

— Je ne vois pas en quoi…, commença Cara, interloquée.

— Faites-le pour moi ! coupa Kahlan. Cara, je t'en prie ! (Elle se tourna de nouveau vers le général :) Je crois avoir entendu dire que vous vous prénommiez Benjamin…

— C'est exact, Mère Inquisitrice…

— Cara, Benjamin a besoin d'une cavalière. S'il te plaît, ne le laisse pas dans l'embarras.

— C'est bien pour vous faire plaisir…, marmonna la Mord-Sith.

— Et surtout, évite de lui casser les côtes ! Nous avons encore besoin de lui.

Alors que Meiffert, tout sourire, la guidait vers la piste de danse, la Mord-Sith tourna la tête et foudroya sa protégée du regard.

Kahlan croisa les bras et regarda Benjamin prendre Cara dans ses bras. Une journée merveilleuse, vraiment. À un terrible détail près…

Alors qu'elle admirait les évolutions des danseurs, l'Inquisitrice remarqua du coin de l'œil que le capitaine Bradley approchait d'elle.

— Mère Inquisitrice…, fit-il quand il fut arrivé à sa hauteur, nous en avons bavé ensemble, n'est-ce pas ? Si ce n'est pas… hum… déplacé, j'aimerais vous demander… Vous savez, de m'accorder une danse…

Surprise, Kahlan leva les yeux sur le grand Galeien dont les joues viraient très nettement au rose.

— Bradley, j'adorerais danser avec vous, vraiment ! Mais à condition que vous promettiez de ne pas me traiter comme si j'étais en sucre. Avoir l'air d'une idiote ne me dit rien du tout…

— Marché conclu, Mère Inquisitrice !

Kahlan se laissa prendre une main par le jeune homme et lui posa l'autre sur l'épaule. Un bras autour de la taille de sa cavalière, Bradley l'entraîna au milieu des couples enlacés. Très mal à l'aise, l'Inquisitrice parvint quand même à sourire. Pensant à Bravoure, dont elle enviait l'indestructible volonté, elle réussit à se détendre et à oublier que l'homme qui la serrait dans ses bras – très timidement – n'était pas celui dont elle rêvait.

— Bradley, vous dansez très bien !

Stimulé par ce pieux mensonge, le capitaine, moins tendu, parvint à suivre à peu près la musique. En virevoltant, Kahlan aperçut Cara et Benjamin. Très concentrés, ils s'efforçaient de danser en rythme et ne se regardaient pas.

Quand Meiffert la fit tourner sur elle-même, la tenant par un bras, la longue tresse de la Mord-Sith vola fort joliment dans les airs. À cet instant, l'espace d'une seconde, Kahlan vit son amie croiser le regard du général et lui sourire.

À la fin du morceau, très soulagée, Kahlan fit une petite révérence à Ryan et changea de cavalier.

— Je suis très fier de toi, dit Zedd quand il l'eut prise dans ses bras. Tu as fait à ces hommes un merveilleux cadeau.

— Lequel ?

— Ton cœur ! Tu ne vois pas comment ils te regardent ? Tu leur donnes du courage. Une raison de croire en ce qu'ils font…

— Vous êtes un vieux filou, Zedd, mais ça ne marche pas avec moi. C'est grâce à vous que je n'ai pas sombré dans le découragement.

Le vieillard sourit.

— Depuis l'apparition de la première Inquisitrice, aucun homme n'a trouvé le moyen d'aimer une femme comme toi sans être détruit par son pouvoir. Je suis fier que mon petit-fils ait été le premier. Je t'aime comme si tu étais ma petite-fille, Kahlan, et j'attends impatiemment le jour où vous serez réunis.

Kahlan se serra contre Zedd, la tête posée sur son épaule. En dansant, ils s'immergèrent ensemble dans de poignants souvenirs qui n'appartenaient qu'à eux.

Après le coucher du soleil, la lumière des torches et des feux de camp permit à la fête de continuer comme si de rien n'était. Comme prévu, les sœurs changeaient de cavalier à chaque morceau. Des centaines d'hommes, au bord de la piste, attendaient leur tour en souriant – même ceux qui n'avaient pas rendez-vous avec les magiciennes les plus jeunes et les plus séduisantes.

En plaisantant avec les soldats, les cuisiniers et leurs assistants installèrent sur des tréteaux des plats simples mais délicieux. Entre deux danses, Warren et Verna vinrent faire honneur au repas préparé spécialement pour eux.

Après deux nouvelles danses – une avec Bradley et l'autre avec Zedd –, Kahlan estima qu'elle avait assez contribué à l'atmosphère festive. Pour éviter qu'on la sollicite, si quelqu'un en avait le courage, elle alla parler avec des officiers et quelques soldats. Pour vraiment profiter de la fête, il valait mieux qu'elle n'ait plus à sentir sur elle les mains d'un autre homme que Richard…

Alors qu'elle bavardait avec un groupe de jeunes officiers enthousiasmés par la soirée, quelqu'un lui tapa sur l'épaule et elle se retourna pour faire face à Warren.

— Mère Inquisitrice, me feriez-vous l'honneur d'une danse ?

Sur la piste, Verna et Zedd virevoltaient avec une grâce… magique.

— Warren, je serai ravie d'avoir pour cavalier le roi de la fête.

Cette déclaration était sincère, car ce tour de piste là aurait un sens bien particulier.

Warren entraîna sa cavalière au milieu d'une grappe de danseurs. Contre toute attente, il se révéla excellent dans un exercice qu'on aurait pu croire au-delà de ses compétences.

— Kahlan, merci de m'avoir offert cette journée, qui restera la plus belle de ma vie.

— C'est plutôt moi qui devrais vous remercier d'y participer avec tant d'enthousiasme. Je me doute que ce n'est pas votre tasse de thé…

— Eh bien, en réalité, j'aime plutôt ça. Vous saviez qu'on m'appelait la « Taupe », il n'y a pas si longtemps ?

— Vraiment ? Et en quel honneur ?

— Parce que je ne sortais jamais des catacombes, penché jour et nuit sur les prophéties. Bien sûr, j'adorais étudier les grimoires, mais il y avait une autre raison : je crevais de peur à l'idée de sortir de mon trou.

— Et pourtant, vous avez fini par le faire…

— Grâce à Richard. C'est lui qui m'a entraîné dans le grand monde.

— Vraiment ? Je l'ignorais…

— En un sens, vous avez continué son œuvre… C'est aussi de ça que je voulais vous remercier. Il me manque terriblement, comme à Verna et à tous les soldats qui se sentent perdus sans leur seigneur Rahl.

Kahlan put seulement hocher la tête.

— Je sais aussi combien il *vous* manque, continua Warren. En dépit de votre chagrin, vous nous avez offert une magnifique fête, et je ne l'oublierai jamais. Dans le camp, tout le monde partage votre tristesse. Kahlan, vous n'êtes pas la seule à déplorer l'absence de Richard, ni à en souffrir...

— Merci..., parvint à souffler la jeune femme, touchée par la sincérité de cette déclaration un rien maladroite.

Soudain, la musique s'arrêta sans raison apparente. En quelques secondes, les rires et les conversations moururent.

Des cornes sonnaient dans le lointain.

Tous les soldats cessèrent de danser, de manger ou de bavarder. Alors qu'ils se préparaient à aller récupérer leurs armes, une sentinelle approcha en gesticulant.

Dès qu'il fut assez près, l'homme cria qu'il n'y avait pas de danger, car une force amie approchait.

Intriguée, Kahlan tendit le cou avec l'espoir de voir de qui il s'agissait. Ce soir, à cause de la fête, personne ne patrouillait, et la garde était réduite au strict minimum.

Quand l'assistance s'écarta pour laisser passer des cavaliers, l'Inquisitrice crut un instant qu'elle avait une hallucination. Monté sur un hongre couleur noisette, le général Baldwin, chef suprême de l'armée keltienne, approchait au trot de la piste de danse. Quand il fut à sa lisière, il tira sur les rênes de sa monture, lissa pensivement sa moustache poivre et sel et regarda autour de lui comme s'il n'en croyait pas ses yeux.

Avec sa chevelure et ses favoris argentés, le général avait tout du patriarche un rien hautain mais secrètement bienveillant. Sa cape en serge accrochée à une épaulette, histoire de laisser voir la riche doublure en soie verte, il resplendissait dans son pourpoint couleur bronze orné sur la poitrine d'un bouclier jaune et bleu rehaussé de symboles héraldiques.

L'air toujours aussi intrigué, il retira ses gants de cuir et les glissa à sa ceinture.

Kahlan fendit la foule et s'arrêta à quelques pas du Keltien.

— Général Baldwin ? dit-elle, encore incrédule.

— Mère Inquisitrice, vous revoir est un plaisir, je vous prie de le croire.

Kahlan voulut poser une question, mais quelques cavaliers déboulèrent, manquant piétiner de pauvres soldats. La première – car il s'agissait en fait de cavalières – sauta à terre avant même que sa monture se soit immobilisée.

— Rikka ! cria Cara, reconnaissant une de ses collègues.

Sans le moindre complexe, une dizaine de Mord-Sith en uniforme rouge venaient d'investir la piste de danse.

Se dégageant des bras de Meiffert – au moins aussi surpris que l'Inquisitrice –, Cara vint se camper devant la collègue qu'elle avait appelée « Rikka ».

—Où est Hania ? demanda la femme en rouge sans autre forme de procès.

—Hania ? répéta Cara. Nous ne l'avons jamais vue ici…

—C'est bien ce que je redoutais… Sans message de sa part, il était presque certain que nous l'avions perdue. Mais j'espérais que…

Kahlan avança, un rien agacée que cette Mord-Sith soit venue se poster sans vergogne devant le général Baldwin.

—Si j'ai bien compris, dit-elle, vous vous nommez Rikka ?

—Et si je me fie aux descriptions que j'ai entendues, vous êtes la Mère Inquisitrice qui a épousé le seigneur Rahl. (La Mord-Sith se tapa du poing sur le cœur avec une nonchalance rarissime chez les D'Harans.) Moi, je suis effectivement Rikka…

—Eh bien, Rikka, vous me voyez ravie de votre arrivée en compagnie de quelques Sœurs de l'Agiel.

—J'ai quitté Aydindril dès que Berdine a reçu votre message. Il nous a permis d'éclaircir bien des mystères, Mère Inquisitrice. Après avoir consulté Berdine, j'ai décidé de vous rejoindre avec quelques-unes de mes collègues. Six Mord-Sith sont restées en Aydindril pour veiller sur la ville et la Forteresse du Sorcier. Nous sommes venues avec vingt mille hommes. La semaine dernière, nous avons rencontré le général Baldwin, également en route pour vous rejoindre.

—Votre soutien ne sera sûrement pas de trop, Rikka… Berdine a pris une très sage décision. Je suppose qu'elle brûlait d'envie de venir, mais elle connaît très bien la cité et la Forteresse, et je me félicite qu'elle ait obéi à *mes* instructions. (Kahlan riva sur la Mord-Sith son plus sombre regard de Mère Inquisitrice.) Si je ne me trompe, vous avez interrompu le général, il y a un instant…

Cara prit Rikka par le bras et la tira hors du chemin de Kahlan.

—Avant que tu prennes ton service auprès du seigneur Rahl et de sa femme, il faudra que nous parlions un peu… Mais pour commencer, note que la Mère Inquisitrice est aussi une Sœur de l'Agiel.

—Quoi ? Comment est-ce…

—Plus tard, coupa Cara, désireuse que sa collègue n'aggrave pas son cas.

Elle fit signe aux autres Mord-Sith de reculer et alla les rejoindre, entraînant Rikka avec elle.

Zedd, Adie et Verna vinrent se placer à côté de Kahlan.

Le général descendit de cheval, tira sur son pourpoint et mit un genou en terre.

—Mère Inquisitrice, ma reine, veuillez accepter mes humbles hommages.

Sous le regard fasciné des hommes, conscients que ce qui était en train de se passer aurait des conséquences importantes pour eux, Kahlan fit signe au militaire de se relever.

Baldwin obéit, tira de nouveau sur son pourpoint et prit la parole :

— Je me suis mis en route dès que j'ai reçu votre message, Majesté.

— Et combien d'hommes nous amenez-vous ?

Le général parut surpris par cette question.

— Eh bien… tous les soldats keltiens, soit cent soixante-dix mille combattants. Quand ma reine demande une armée, je lui en donne une !

Des murmures coururent dans les rangs de D'Harans, atteignant très vite les soldats placés le plus loin de la piste de danse.

De surprise, Kahlan oublia que la température avait baissé, la faisant un peu frissonner.

— C'est fantastique, général ! Exactement les renforts qu'il nous fallait. Ici, les choses ne sont pas faciles, comme je vous l'expliquais dans ma lettre. L'Ordre Impérial mobilise ses réserves, et nous devons endiguer ce flot de nouveaux soudards.

— Je comprends… Avec les D'Harans venus d'Aydindril, je suppose que nous avons triplé le nombre de vos guerriers.

— Et d'autres hommes viendront bientôt de mon pays, dit Meiffert.

— Au printemps, nous en aurons vitalement besoin, ajouta Kahlan, soudain plus confiante en l'avenir. Général, que dit de tout cela le lieutenant Leiden ?

— Qui ? Ah ! je vois… Vous voulez parler du *sergent* Leiden, je suppose ? Désormais, il commande une patrouille d'éclaireurs. Quand un homme tourne le dos à sa reine, il mérite d'être décapité, mais j'ai tenu compte de ses bonnes intentions. Il surveille un col très isolé, et j'espère qu'il a pensé à se munir d'un épais manteau.

Kahlan se serait volontiers jetée au cou du fringant officier, mais elle jugea plus adéquat de lui tapoter dignement le bras.

— Merci, général. Vos hommes nous seront très utiles.

— Pour l'instant, ils attendent à une demi-journée de cheval d'ici. Votre camp serait trop petit pour tant de militaires.

— C'est parfait, général… (Kahlan fit signe à Rikka d'approcher.) Je suis très contente que vous soyez là, n'en doutez pas. Avec des Mord-Sith, il sera plus facile de neutraliser les magiciennes de l'ennemi. Avec un peu de chance, nous inverserons le rapport des forces. Cara n'a pas chômé ; dans ce domaine-là, hélas, les ordres du seigneur Rahl l'obligent à ne jamais s'éloigner longtemps de moi. Elle continuera à jouer ce rôle, mais vous serez libres de partir à la chasse aux magiciennes.

— Ce sera un plaisir, répondit Rikka. (Se tournant vers Cara, elle murmura :) Berdine m'a prévenue, au sujet de la Mère Inquisitrice…

— Et tu peux constater qu'elle n'a pas exagéré. Viens, je vais essayer de vous trouver un coin où…

— Pas question ! lança Kahlan. Il y a une fête ce soir, Rikka et ses collègues sont mes invitées. Pour tout dire, je serais agacée qu'elles refusent de rester…

— Eh bien, dit Rikka, pas mécontente de la tournure des événements, puisque nous pourrons veiller sur l'épouse du seigneur Rahl, je n'y vois pas d'inconvénients.

Kahlan prit la Mord-Sith par le bras et la tira vers elle.

— Rikka, il y a ici des milliers d'hommes et très peu de femmes. Nous avons organisé un bal, et vous allez y participer.

— Quoi ? Auriez-vous perdu l'esp…

Coupant la chique à la Mord-Sith, Kahlan la poussa sans ménagement vers la piste de danse.

Puis elle se tourna vers les musiciens et claqua des doigts.

— Que la fête continue !

Au son des flûtes et des instruments à cordes, elle vint se camper devant l'officier keltien.

— Général Baldwin, nous célébrons un mariage, ce soir… Me feriez-vous l'honneur de danser avec moi ?

— Plaît-il, Mère Inquisitrice ?

— Je suis aussi votre reine, ne l'oubliez pas. N'est-il pas fréquent que les généraux soient les cavaliers de leur souveraine ?

— Bien sûr que si, Majesté, répondit Baldwin en offrant son bras à Kahlan.

Très tard dans la nuit, les jeunes mariés et les principaux témoins de leur union défilèrent dans les rues improvisées pour saluer les soldats. Des milliers d'hommes félicitèrent chaleureusement Verna et Warren.

Kahlan se souvint de l'époque pas si lointaine où les peuples des Contrées redoutaient les D'Harans. Sous le règne de Darken Rahl, ces impitoyables envahisseurs avaient semé la terreur et la mort. Qui aurait cru qu'ils pouvaient se montrer si humains et amicaux, dès qu'on leur en donnait l'occasion ? Ce miracle était l'œuvre de Richard. Ces hommes le savaient, et ils lui garderaient une éternelle reconnaissance.

Quand la procession eut fait le tour du camp, elle s'arrêta devant la « tente nuptiale » prétendument préparée pour les jeunes époux. Après leur avoir souhaité une bonne nuit, tous leurs amis s'en allèrent, les laissant seuls avec Kahlan.

Elle se plaça entre eux, leur prit le bras et les entraîna avec elle hors du camp. Sans comprendre ce qui se passait, ni l'un ni l'autre ne protesta.

L'Inquisitrice s'immobilisa à une cinquantaine de pas de la cabane, où Cara était allée allumer les bougies, comme convenu.

Si près d'un camp militaire, la cabane de trappeurs métamorphosée en nid d'amour semblait encore plus romantique.

— Cette guerre sera longue et difficile, dit Kahlan. Commencer une vie de couple dans ces conditions est un défi, vous le savez très bien. Warren, Verna, je vous suis reconnaissante d'avoir pris cette décision en des temps si difficiles. Pour nous tous, c'est une raison d'espérer, et nous partageons votre bonheur. Mais plus que tout, je tiens à vous remercier d'avoir ainsi affirmé votre foi en la vie.

» Tôt ou tard, mais sans doute dès le printemps, nous devrons partir d'ici. Jusque-là, je veux que cette cabane soit votre foyer. Ce n'est pas grand-chose, je sais, mais vous aurez au moins un endroit où mener un semblant de vie normale.

Contre toute attente, Verna éclata en sanglots et se jeta dans les bras de Kahlan, qui lui tapota gentiment le dos, un peu dépassée par cette réaction atypique.

— Verna, vous croyez qu'il est judicieux de pleurer devant votre nouveau mari, quelques minutes avant la nuit de noces ?

Cette plaisanterie – au moins aussi atypique – atteignit son objectif. Passant des larmes au rire, Verna attendit de s'être un peu calmée, puis elle prit Kahlan par les épaules.

— Je ne sais que dire…

— Aimez-vous, souffla Kahlan, soutenez-vous et profitez de chaque instant que vous passez ensemble. C'est ce bonheur-là que je donnerais tout pour retrouver.

Warren étreignit l'Inquisitrice et lui souffla des remerciements à l'oreille.

Kahlan regarda ses deux amis marcher main dans la main vers la cabane. Arrivés sur le seuil, ils se retournèrent et la saluèrent.

Au dernier moment, Warren souleva Verna du sol, la cala dans ses bras et poussa la porte du bout du pied.

Riant tous les deux, ils franchirent le seuil de leur « palais ».

Se détournant, Kahlan repartit vers le camp.

Chapitre 44

S ous le porche miteux, la porte à la peinture écaillée s'entrebâilla.
— Vous avez une chambre ? demanda Richard. (Avant qu'un homme
aux yeux injectés de sang ait pu refermer la porte, il ajouta :) On m'a
dit que vous en aviez une !

— En quoi ça vous intéresse ?

Bien que la question fût idiote, Richard répondit courtoisement :

— Parce que nous ne savons pas où dormir.

— Et en quoi ça me concerne ?

Les échos d'une dispute conjugale, à l'étage, dérivaient jusqu'aux
oreilles du Sourcier. Derrière les portes, tout au long du couloir, des enfants
pleuraient et des hommes beuglaient. Une odeur d'huile rance planait dans
l'air, mêlée à d'autres relents aussi peu engageants.

Tout au fond du couloir, la porte de derrière était ouverte. Dans la
ruelle étroite, des enfants poursuivis par des gamins plus grands qu'eux
pleurnichaient en courant sous la pluie.

— Nous avons besoin d'une chambre, répéta Richard sans grand
espoir.

Dans la ruelle, un chien hurlait à la mort, faisant écho aux pleurs des
gosses.

— Vous n'êtes pas les seuls ! Je n'en ai qu'une de libre, et elle n'est pas
pour vous.

Nicci poussa Richard sur le côté et prit le relais.

— Nous avons de quoi payer, au moins pour la première semaine.
(Voyant que le type allait leur fermer la porte au nez, elle y plaqua une paume.)
C'est une chambre publique ! Votre devoir est d'aider les citoyens à se loger.

De l'épaule, l'homme ferma le battant, mettant un terme à la
conversation.

Furieuse, Nicci martela la porte de coups de poing.

— Laisse tomber, dit Richard. Allons plutôt nous acheter une miche de pain.

En règle générale, la Sœur de l'Obscurité – un paradoxe de plus – obéissait toujours aux suggestions de son prisonnier. Mais cette fois, elle s'obstina, chacun de ses coups détachant du bois des écaillures de peinture multicolores – les vestiges d'anciennes couches qu'on ne s'était pas donné la peine de décaper avant chaque « remise en état ».

— C'est votre devoir! répéta Nicci. Vous n'avez pas le droit de nous rejeter. Nous vous signalerons aux autorités.

La porte s'entrebâilla de nouveau.

— Votre homme a un emploi?

— Non, mais…

— Fichez le camp, sinon, c'est moi qui vous signalerai aux autorités!

— Et en quel honneur?

— J'ai bien une chambre, mais elle est réservée aux gens en première position sur la liste d'attente.

— Et qui vous dit que ce n'est pas notre cas?

— Vous auriez commencé par là! Vous avez une attestation de priorité, avec le cachet des services compétents? Des personnes qui en sont pourvues attendent un logement depuis des mois. De vulgaires voleurs, voilà ce que vous êtes! Des resquilleurs qui veulent prendre la place d'honnêtes citoyens respectueux des lois. Filez, avant que je vous dénonce au bureau d'inspection de l'équité urbaine!

Le type claqua de nouveau la porte.

La menace d'une dénonciation eut raison de la combativité de Nicci. Avec un soupir, elle se détourna du bâtiment délabré et s'éloigna aux côtés de Richard dans la rue battue par une pluie glaciale. Au moins, sous le porche, ils avaient été au sec pendant quelques minutes…

— Il faut continuer à faire le tour des immeubles, dit la Sœur de l'Obscurité. Si tu trouves un emploi d'abord, ça nous aidera sûrement. Demain, tu te mettras en quête d'un travail pendant que je nous chercherai un logement.

Il restait quelques endroits où quémander une chambre, mais Richard n'y croyait plus beaucoup. Après d'innombrables refus, il aurait bien renoncé. Hélas, Nicci ne voulait rien entendre.

Selon elle, le climat était inhabituellement rude pour une région si méridionale de l'Ancien Monde. Selon les gens du cru, le froid et la pluie ne dureraient pas, et le temps humide et chaud des jours précédents reviendrait. N'ayant aucune raison de mettre en doute leurs affirmations, Richard s'étonnait quand même de voir des bois et des champs verdoyants en plein milieu de l'hiver. Si quelques arbres étaient déplumés, la plupart arboraient encore leurs feuilles.

Dans ce coin de l'Ancien Monde, la température ne descendait jamais assez pour que l'eau gèle, et tout le monde écarquillait les yeux de stupeur quand Richard parlait de la neige. De l'eau solide qui tombait du ciel et couvrait le paysage d'un épais tapis blanc ? Il devait se moquer d'eux, il ne pouvait pas y avoir d'autre explication…

Chez lui, l'hiver devait faire rage, et l'idée que Kahlan était en sécurité dans la cabane suffisait à le rendre insensible aux inconvénients de sa nouvelle existence. Sa femme avait de quoi manger, assez de bois pour se chauffer et une excellente compagnie en la personne de Cara. Jusqu'au printemps, Kahlan ne risquait rien. Cette certitude, combinée aux souvenirs de leurs moments de bonheur, était sa seule consolation.

Les sans-abri grouillaient dans toute la ville, se confectionnant des refuges de fortune avec tout ce qui leur tombait sous la main, y compris des couvertures imbibées d'eau qui leur garantissaient d'attraper une kyrielle de maladies. Nicci et son prisonnier auraient pu faire comme ces malheureux, mais Richard craignait pour la santé de la Sœur de l'Obscurité – en réalité, pour celle de Kahlan, qui partagerait le sort de sa « mère ».

— Les endroits dont on nous a donné la liste, dit Nicci en consultant un document officiel, sont réservés aux nouveaux venus en ville, pas seulement aux personnes prioritaires. La cité a besoin de travailleurs, et l'administration devrait s'activer davantage pour les loger. Richard, tu vois à quel point la vie est difficile pour les gens ordinaires ?

— Et comment se fait-on inscrire sur cette fichue liste ? demanda le Sourcier, absolument pas d'humeur à polémiquer.

— Il faudra nous présenter à l'inspection de l'équité urbaine, et demander qu'on nous enregistre.

— Et ça servira à quoi, s'il n'y a pas assez de logements ?

— Des gens meurent chaque jour, Richard…

— Il y a de l'embauche, ici, c'est même pour ça que nous y sommes venus. Je travaillerai dur, et nous proposerons plus d'argent aux logeurs. Pour ce soir, avec les pièces qu'il nous reste, on devrait pouvoir s'offrir une chambre en ne lésinant pas sur la dépense. Ensuite, quand j'aurai un salaire, nous procéderons de la même façon. C'est bien plus efficace que cette histoire de liste.

— Richard, comment peux-tu être si inhumain ? Avec ton système, comment les pauvres se logeraient-ils ? L'Ordre fixe le montant des loyers pour neutraliser les profiteurs, et il s'assure qu'il n'y ait aucun favoritisme. L'égalité est le maître mot, comprends-tu ? Dès que nous serons inscrits sur une liste, tout s'arrangera…

En marchant, Richard se demanda combien de temps il faudrait pour que leurs noms arrivent en première position. En toute logique, il devrait y avoir beaucoup de décès. Et quand ce serait fait, des centaines de personnes prieraient pour qu'ils aient un accident ou contractent une maladie mortelle…

Slalomant entre les passants qui zigzaguaient eux-mêmes pour éviter les flaques de boue, il se demanda si le plus simple n'était pas de dormir hors de la ville, comme le faisaient beaucoup de gens. Hélas, les gardes ne patrouillaient pas au-delà des murs d'enceinte, et les sans-abri se faisaient souvent détrousser – quand ils avaient la chance de ne pas finir égorgés…

Si Nicci n'avait pas catégoriquement rejeté cette option, ils auraient pu vivre très à l'extérieur de la cité – par exemple en se construisant un refuge qu'ils auraient partagé avec d'autres personnes, pour mieux assurer sa sécurité…

La nuit tombait peu à peu. Devant la boulangerie, la file d'attente s'étendait sur presque tout le pâté de maisons…

— Pourquoi ces queues interminables ? demanda Richard, agacé.

Quand ils allaient acheter du pain, c'était le même calvaire tous les jours.

— Il n'y a sûrement pas assez de boulangeries, répondit Nicci.

— Avec autant de clients, les vocations ne devraient pourtant pas manquer…

La Sœur de l'Obscurité se pencha vers Richard, le regard noir sous ses sourcils froncés.

— Le monde n'est pas aussi simple que tu le penses, Richard. Jadis, dans l'Ancien Monde, la perversité naturelle de l'humanité n'était pas bridée, exactement comme là d'où tu viens. Les commerçants fixaient librement le prix de leurs produits – et bien entendu, ils ne pensaient qu'à leur intérêt. En ce temps-là, seuls les nantis pouvaient s'offrir du pain. L'Ordre a fait cesser ce scandale. Ici, les autorités se soucient du bien de tous, pas seulement du confort d'une minorité de privilégiés.

Nicci s'enflammait toujours dès qu'elle évoquait la nature profondément mauvaise de l'humanité. Pourquoi une Sœur de l'Obscurité voyait-elle cela d'un mauvais œil ? Même s'il s'en étonnait, Richard ne s'en souciait pas assez pour approfondir la question.

La queue n'avançait pas très vite. Intriguée par leurs murmures, la femme qui précédait le Sourcier déchu et sa geôlière se retourna.

Bien qu'elle le foudroyât du regard, méfiante pour une raison qu'elle était seule à connaître, Richard lui fit un grand sourire.

— Bonsoir, ma dame, dit-il. (Sa courtoisie adoucit un peu la mégère.) Ma femme et moi sommes nouveaux en ville, et je cherche du travail. Bien entendu, nous sommes aussi en quête d'un logement. Sauriez-vous où un jeune couple comme nous pourrait en trouver un ?

La femme se retourna à demi, son cabas tenu à deux mains comme si elle craignait qu'on le lui arrache. Pourtant, il contenait seulement un morceau de fromage jaunâtre.

Richard sourit de nouveau, et son ton convivial – si artificiel fût-il – désarma son interlocutrice, qui ne semblait pas habituée à ce genre de comportement.

— Pour avoir une chambre, il faut d'abord travailler. Il n'y en a pas assez pour tout le monde, à cause des nouveaux ouvriers qui arrivent chaque jour, grâce en soit rendue à la profonde sagesse de l'Ordre… Si vous n'avez pas de problèmes physiques, quelqu'un vous embauchera. Ensuite, votre nom sera inscrit sur une liste d'attente.

Alors que la queue avançait de quelques pas, Richard se gratta pensivement le menton.

— J'ai hâte de travailler, dit-il.

— Pourtant, il est plus simple de se loger quand on n'en est pas capable…

— Mais vous venez de dire le contraire !

— Eh bien, pour les jeunes gens en bonne santé, c'est la stricte vérité. Les personnes malades, comme mon pauvre mari, sont prises en charge gratuitement, et on les place d'office en tête de liste. Mon époux est phtisique, et très gravement atteint.

— Je suis désolé pour lui et pour vous…

— Souffrir est le lot de l'humanité, parce qu'elle a le péché dans le sang. On ne peut rien faire contre ça, alors, autant se résigner. Après la mort, certains d'entre nous seront récompensés. Dans ce monde, notre devoir est d'aider les plus malheureux que nous. C'est comme ça qu'on obtient le salut dans l'autre monde.

Richard n'émit pas de commentaire.

— Ceux qui peuvent travailler doivent se consacrer à soutenir ceux qui n'en ont pas la possibilité.

— Je suis prêt à retrousser mes manches, assura Richard. Nous venons… eh bien… d'un village de paysans, et la façon dont marchent les choses en ville nous dépasse.

— Grâce à l'Ordre, dit un homme, derrière le « jeune couple », nous ne manquons jamais de travail.

Richard se retourna pour étudier son nouvel interlocuteur. Vêtu d'un manteau de toile boutonné jusqu'au cou, il avait de grands yeux marron qui cillaient sans cesse très lentement, comme ceux d'une vache en train de ruminer. Le mouvement latéral de sa mâchoire, quand il parlait, accentuait cette impression.

— L'Ordre accueille tous les travailleurs qui veulent participer à la lutte pour le bien de tous, ainsi que l'a prescrit le Créateur. Mais pour avoir un emploi, il faut respecter certaines règles…

L'estomac torturé par la faim, Richard écouta les explications du type – au moins, elles l'aideraient à penser à autre chose.

— Pour commencer, il faut appartenir à un groupe de citoyens-travailleurs – des organisations qui défendent les droits des administrés de l'Ordre. L'adhésion est très simple : il suffit de se présenter devant le comité d'admission, puis de passer devant un sous-comité qui déterminera vos aptitudes, vous orientera vers un emploi adapté et vous l'obtiendra par l'intermédiaire d'un de ses agents agréés, qui se portera garant pour vous. Sans tout ça, pas de travail !

— Pourquoi ne puis-je pas aller directement voir un employeur ? Si je fais l'affaire, il lui suffira de m'embaucher.

— Être un étranger ne vous autorise pas à négliger votre devoir sacré envers l'Ordre Impérial.

— Ai-je prétendu ça ? Mais j'ai toujours travaillé à mon compte, dans une ferme, pour produire de quoi nourrir mes frères humains. Le fonctionnement des entreprises me dépasse…

L'homme regarda soigneusement autour de lui avant de répondre.

— Les entreprises et les commerces ont pour mission de contribuer au bien-être commun. Leur devoir est d'être équitables, et le sous-comité vérifie que c'est bien le cas. Il y a davantage en jeu que des histoires de marché et de bénéfices…

— Je vois…, mentit Richard. Auriez-vous l'obligeance de me dire en détail comment je dois m'y prendre ? (Il jeta un rapide coup d'œil à Nicci.) Je veux être un bon citoyen respectueux des lois.

En écoutant ses explications données sur un ton débordant de fierté, Richard paria que l'homme était impliqué à un niveau ou à un autre dans le mystérieux processus qui menait à l'obtention d'un emploi. Sans demander comment diantre il pourrait convaincre un « agent agréé » de défendre ses intérêts, le Sourcier écouta patiemment un long discours où le nom du Créateur – qu'avait-il donc à faire là-dedans ? – revenait toutes les deux phrases.

Nicci regarda son prisonnier avec une certaine inquiétude. Le connaissant bien, elle devait s'attendre à le voir exploser d'une minute à l'autre. Mais qu'aurait-il tiré d'une altercation avec cet étrange individu ?

Nommé maître Gudgeons, le type semblait surtout être spécialisé dans le domaine des carrières. Ne connaissant rien à l'extraction de la pierre, Richard, pour passer le temps, lui posa quelques questions qui lui valurent des réponses précises et – très – longuement développées.

Bien entendu, la boulangerie fut à court de pain longtemps avant d'avoir pu servir tous ses clients. Dépitée, la foule se dispersa en grommelant. Avant de les quitter, Richard prit la peine de remercier la femme au cabas et maître Gudgeons.

Pendant que Nicci étudiait sa liste de loueurs potentiels, Richard s'arrêta à un carrefour, à côté d'elle, et sonda son environnement. Au milieu d'une multitude de maisons grisâtres, il repéra un bâtiment orné sur le côté d'une grande silhouette peinte en rouge – tellement décolorée, cela dit, qu'on aurait cru contempler un fantôme rosâtre. Les quelques mots écrits sous le personnage ne devaient plus être lisibles depuis des décennies.

Certains passants jetaient des regards lubriques à Nicci, dont ils ne pouvaient pourtant pas apercevoir le visage. Les cheveux collés sur le crâne, la Sœur de l'Obscurité gardait la tête baissée sur son document. Et bien qu'elle tremblât de froid, elle ne tempêtait pas contre le climat, à l'inverse de tous les gens qu'ils avaient croisés.

Jusqu'au lendemain, Richard et sa compagne n'auraient pas le droit de se procurer une autre liste de chambres «libres». Nicci tentait de ne pas abîmer celle qu'ils détenaient, mais avec la pluie, c'était une mission quasiment impossible.

Des chariots tirés par des chevaux harassés éclaboussaient régulièrement les passants. Ici, seules les artères principales, comme celle-là, permettaient à ces véhicules de circuler dans les deux sens. Dans les autres, on pouvait suivre une seule direction, à condition qu'elles ne soient pas bloquées par un chariot qui venait de perdre une roue – voire par le cadavre d'un cheval mort en plein effort, comme Richard l'avait vu en une occasion.

Bien entendu, ces voies bouchées congestionnaient encore plus le trafic dans les autres.

Tout au long de sa première semaine de séjour, Richard avait failli vomir en sentant l'odeur de pourriture qui montait des ruelles les plus étroites – qui servaient d'égouts à ciel ouvert. Puis il s'y était habitué, comme tout le monde…

Les venelles où Nicci et lui avaient dormi étaient les pires dépotoirs. Et avec la pluie, les immondices imbibées d'eau puaient encore plus fort.

Depuis qu'ils voyageaient vers le sud, après avoir quitté Tanimura, toutes les villes qu'ils avaient traversées ressemblaient à celle-là : des foyers de pauvreté où régnaient des conditions de vie inhumaines. Dans l'Ancien Monde, le temps semblait s'être arrêté, remplacé par une sorte de présent infini et stérile. Un jour, ces cités avaient dû être vibrantes d'énergie, leurs habitants luttant courageusement pour réaliser leurs rêves. Aujourd'hui, c'était du passé, et les gens s'en fichaient, comme s'ils vivaient dans une confusion permanente. Bien sûr, ils espéraient que leur sort s'améliorerait, mais sans avoir la moindre idée de ce qu'il fallait faire. Pour ne pas désespérer, ils se réfugiaient dans la foi, certains que la joie et la béatitude les attendaient dans l'autre monde.

Et le cauchemar que Richard avait découvert était l'image très précise de ce qui guettait le Nouveau Monde, quand il plierait l'échine sous le joug de l'Ordre.

Cette ville, cependant, était la plus grande de toutes – si grande que le Sourcier n'aurait pas cru que ce fût possible, s'il ne l'avait pas vue de ses yeux. Fort logiquement, elle était aussi la plus sale, la plus miséreuse et la plus triste.

Altur'Rang, la capitale du royaume du même nom... La cité natale de l'empereur Jagang...

Après être entrés dans l'Ancien Monde, Nicci et Richard avaient séjourné un moment à Tanimura, où se dressait naguère le Palais des Prophètes. Tombée très récemment sous la coupe de l'Ordre, elle restait une belle et grande cité aux larges avenues bordées d'arbres et aux bâtiments régulièrement ravalés. Bref, un avant-poste de l'Ordre Impérial jusque-là épargné par la gangrène qu'il communiquait à tout ce qu'il touchait.

Pendant un peu plus d'un mois, Richard avait travaillé comme aide-maçon, préparant des quintaux de mortier pour la construction d'un grand bâtiment carré particulièrement inesthétique. Les ouvriers étant logés dans de modestes cabanes, Nicci s'était réjouie d'avoir un toit sur la tête.

Impressionné par le sérieux de Richard, le contremaître l'aurait volontiers gardé dans son équipe. Un jour, alors qu'un des tailleurs de pierre était malade, il lui avait demandé de le remplacer.

Travailler les blocs de granit au burin et au maillet avait été une révélation pour Richard. Sculpter du bois était déjà passionnant, mais ça...

L'observant de temps en temps, les mains plaquées sur les hanches, le contremaître lui avait donné quelques conseils techniques. Puis il lui avait laissé la bride sur le cou, car sa production était excellente. Après quelques jours, tous les blocs de granit qu'il avait taillés avaient été choisis pour servir de pierres d'angle au bâtiment.

Puis des sculpteurs étaient arrivés pour s'attaquer à un travail plus délicat : les ornements.

Richard les avait regardés travailler avec une fascination croissante. Pour commencer, sur la façade, ils avaient sculpté une grande flamme qui symbolisait la Lumière du Créateur. Dessous, ils avaient fait jaillir du granit une foule de fidèles agenouillés.

Dans les palais où il avait vécu – en Aydindril, en D'Hara puis à Tanimura –, Richard avait vu des sculptures magnifiques. Mais rien qui ressemblât à celles-là. Dépourvues de grâce, de grandeur et d'inspiration, ces silhouettes distordues semblaient grouiller comme des cafards sous la grande flamme divine. Selon un des artisans, c'était la seule représentation acceptable de l'humanité, une engeance atrocement laide, incroyante et malveillante.

En ayant assez vu et entendu, Richard était retourné tailler ses blocs de granit.

Quand le gros œuvre avait été terminé, il s'était retrouvé au chômage. Les sculpteurs lui avaient proposé de travailler avec eux, mais il avait décliné poliment cette offre – pourtant flatteuse –, parce que graver dans la pierre la « perversité de l'humanité » ne lui disait rien.

De toute façon, Nicci voulait repartir. L'étape à Tanimura leur ayant permis de se reconstituer un pécule, ils n'avaient plus aucune raison d'y rester, et Richard n'avait pas été mécontent de s'éloigner à jamais des ignobles sculptures censées « décorer » le nouveau quartier général de l'Ordre.

En chemin pour Altur'Rang, dans toutes les villes qu'ils avaient traversées, Richard s'était étonné de découvrir des statues toutes plus horribles les unes que les autres. Un véritable catalogue de l'abomination !

Des malheureux fouettés par le Gardien du royaume des morts, des pécheresses en train de s'arracher les yeux, des infirmes et des malades, des enfants et des femmes poursuivis par des brutes haineuses, des gens si maigres qu'ils ressemblaient à des squelettes ambulants, des repentis en larmes se jetant d'eux-mêmes dans leur tombe…

Et à chaque fois, la Lumière du Créateur, représentée par une flamme, brillait symboliquement au-dessus de ces spectacles de cauchemar.

L'Ancien Monde vouait un véritable culte à la misère et à la dégradation des êtres…

En voyageant vers le sud, en direction d'Altur'Rang, Nicci et Richard avaient fait de courtes étapes dans des villes où trouver du travail sans passer par un comité était possible, à condition de ne pas être regardant sur les horaires et le salaire. Le plus souvent condamnés à se nourrir de soupe au chou, ils parvenaient parfois à s'offrir un peu de riz et de lentilles – et très rarement, un minuscule morceau de porc salé. Quand c'était possible, Richard pêchait et chassait, mais puiser dans les ressources naturelles n'était pas aisé, parce que beaucoup de gens avaient la même idée. En chemin, les deux voyageurs avaient maigri, et Richard s'était moins étonné que certaines statues ressemblent à des « squelettes ambulants ».

À part leur destination finale, Nicci n'avait rien imposé à son prisonnier. Elle le laissait au contraire décider de tout, et sans jamais se plaindre. Payant parfois quelques pièces de cuivre pour deux places dans diverses caravanes de chariots, ils avaient progressé lentement, passant de ville en ville et de campagne en campagne. Curieux de tout, Richard avait noté que beaucoup de champs étaient en jachère. Une curieuse politique, alors que la famine faisait rage un peu partout…

Des fermiers avaient parfois consenti à leur vendre du lait et du fromage de chèvre. Quand il ne combattait pas, Richard pouvait reprendre un régime carné, puisqu'il n'avait plus besoin de compenser les vies qu'il prenait en se servant de son pouvoir. En revanche, le fromage, depuis que son don s'était éveillé, lui donnait d'abominables nausées. Il avait dû faire avec, pour ne pas crever de faim…

La taille de l'Ancien Monde et la densité de sa population l'avaient d'abord ébahi, puis accablé. Jusque-là, il pensait que le Nouveau et l'Ancien Monde étaient à peu près comparables. Une grossière erreur! En réalité, le Nouveau Monde était à peine plus qu'une puce sur le dos de l'Ancien.

En chemin, Richard et Nicci avaient croisé plusieurs colonnes de soldats en route pour les Contrées du Milieu. À chaque fois, le Sourcier s'était félicité que sa femme soit coincée jusqu'au printemps dans les montagnes. Face à des forces pareilles, il aurait détesté la savoir en première ligne.

Quand Kahlan quitterait la cabane, l'armée de l'Ordre serait prête à envahir le Nouveau Monde, et toute résistance deviendrait inutile. S'il était aussi intelligent qu'il le paraissait, Reibisch comprendrait, et il n'insisterait pas, sauvant ainsi des dizaines de milliers de braves combattants.

Alors qu'ils marquaient une courte pause dans une petite ville, Nicci était allée laver leurs vêtements de rechange dans l'eau d'un petit ruisseau. Pendant ce temps, Richard avait gagné quelques pièces en nettoyant les stalles d'une grande écurie. Un groupe de représentants de l'Ordre étant de passage, le propriétaire n'avait pas craché sur un peu d'aide, et Richard s'était proposé au bon moment.

Peu après, l'énorme colonne de soldats qui escortait les notables avait dressé son camp à la lisière de la ville.

Par bonheur, Nicci était très loin de là, et ne risquait donc pas que quelqu'un la reconnaisse. Ayant moins de chance, et malgré tous ses efforts pour passer inaperçu, Richard avait été repéré par un sergent recruteur.

Bombardé «volontaire», il avait été enrôlé dans l'armée de l'Ordre et cantonné au milieu du camp, avec les autres recrues plus ou moins consentantes.

La nuit, il s'était rendu lui-même à la vie civile, non sans risquer vingt fois d'être surpris par une patrouille tandis qu'il traversait le camp endormi. Informé par le propriétaire de l'écurie, Nicci s'était lancée à sa recherche, et il l'avait rencontrée en plein milieu de son évasion.

Après avoir rassemblé leurs affaires, ils avaient marché tout le reste de la nuit en direction du sud, préférant les champs à la route, au cas où une patrouille aurait recherché le «déserteur».

Après cette mésaventure, Richard avait adopté un profil bas dès qu'il apercevait l'ombre d'un soldat.

Sauf recruteur un peu trop zélé, le risque n'était pourtant pas très élevé, car des hordes de jeunes gens attirés par la violence et la rapine brûlaient d'envie de s'engager. Trop nombreux, ils devaient parfois patienter des mois avant de faire leurs classes. Dans chaque ville, Richard en avait vu des centaines, occupés à jouer, à boire et à se bagarrer entre eux. De jeunes héros, révérés par la population, qui rêvaient de pourfendre les diaboliques ennemis de l'Ordre. Car pour eux, le Nouveau Monde était synonyme de perversion et de malveillance…

Richard avait découvert avec horreur que les réserves humaines de Jagang étaient pratiquement illimitées. Pendant longtemps, il avait cru que les soudards de l'Ordre se lasseraient de combattre loin de chez eux. Bien au contraire, cette idée les enthousiasmait. Quant aux civils, loin de désapprouver la guerre, ils y voyaient un lointain espoir d'améliorer leur sort.

Il n'y avait nul besoin d'être sorcier ou prophète pour prévoir que l'armée du Nouveau Monde n'aurait aucune chance contre des millions d'envahisseurs. À très court terme, les Contrées étaient condamnées. Terre d'Ouest et D'Hara tomberaient peu après, c'était inévitable.

Depuis que les Anderiens avaient opté pour la tyrannie, Richard sentait au plus profond de son âme que la bataille était perdue. Constater qu'il ne s'était pas trompé ne le réjouissait pas, mais il fallait être réaliste : face à un tel adversaire, la liberté n'avait aucune chance, et résister revenait à se suicider.

L'avenir du monde passerait par l'Ordre Impérial.

Et celui de Richard semblait scellé : jamais il ne reverrait Kahlan.

Une semaine après avoir quitté Tanimura, alors que le Sourcier broyait encore du noir à cause des atroces sculptures, Nicci s'était engagée sur une piste secondaire qui serpentait dans les collines jusqu'à une petite ville bâtie à côté d'une rivière.

Une cité fantôme, ou presque, avec des fabriques et des bâtiments en ruine livrés aux caprices des intempéries. À sa périphérie, quelques maisons restaient occupées par des gens qui cultivaient la terre et élevaient de minuscules troupeaux.

Dans le quartier nord, il restait une minuscule épicerie, une maroquinerie, une auberge délabrée et la boutique d'une diseuse de bonne aventure herboriste à ses heures. Au centre, les rares bâtiments encore debout – mais désossés par les pillards – menaçaient de s'écrouler à chaque coup de vent un peu trop fort.

Au sud, Nicci s'était arrêtée devant les vestiges d'un grand bâtiment en briques. Sans dire un mot, elle avait mis pied à terre, quitté la piste et erré un long moment dans ce qui semblait être une fabrique à demi dévastée par un incendie.

Alors que le vent faisait voleter ses cheveux, la Sœur de l'Obscurité s'était recueillie près d'une heure au milieu de cette ruine, comme si elle était peuplée de fantômes et de souvenirs.

Richard l'avait attendue, une hanche appuyée sur un établi tellement branlant qu'il n'avait pas intéressé les voleurs et les charognards de tout poil.

—Tu connaissais cet endroit ? avait-il demandé quand Nicci était enfin revenue à côté de lui.

La Sœur de l'Obscurité avait sursauté, puis regardé longuement son prisonnier dans les yeux. Soudain, elle aussi ressemblait à un spectre.

Approchant de Richard, elle avait laissé courir ses doigts sur le bois moisi de l'établi.

—J'ai grandi dans cette ville…

—Vraiment ? Et ce bâtiment ?

—C'était une armurerie, à l'époque…

—Une armurerie ?

Que cherchait Nicci dans un endroit pareil ? Encore une fois, son comportement n'avait pas de sens…

—On y fabriquait les meilleures armures de l'Ancien Monde. Des rois venaient en commander en personne.

Richard avait fait du regard le tour de la fabrique en ruine. Nicci ne lui disait pas tout, c'était évident.

—Et l'armurier, tu l'as connu ?

Ses yeux bleus voilés comme si elle voyait toujours des fantômes, la Sœur de l'Obscurité avait secoué la tête.

—Non… Désolée, mais je ne l'ai jamais connu…

Des larmes perlant à ses paupières, Nicci ressemblait à une petite fille perdue dans un monde qui la terrorisait. S'il n'en avait pas su si long sur elle, Richard l'aurait prise dans ses bras pour la consoler…

Chapitre 45

É puisée, morte de froid et énervée, Nicci voulait absolument obtenir une chambre.

En entraînant Richard jusqu'au cœur même de l'Ordre Impérial, elle désirait lui faire découvrir qu'elle combattait pour une juste cause. Ne doutant pas de la profonde intégrité morale de son prisonnier, elle tenait à voir sa réaction quand il comprendrait que les intentions de ses ennemis étaient hautement louables.

Elle voulait aussi qu'il sache combien la vie était dure pour les gens ordinaires. Comment se comporterait-il, confronté à ces difficultés ? Une fois jeté dans l'ignoble grand bain du monde, surnagerait-il ou coulerait-il à pic ? Elle avait pensé qu'il se montrerait nerveux et frustré. Jusqu'à présent, il restait d'une étonnante impassibilité.

En apprenant ce qu'il allait devoir faire pour obtenir un emploi, il aurait dû exploser de rage. Normalement, face au discours pompeux de maître Gudgeons, le Richard qu'elle croyait connaître aurait laissé parler ses muscles. Tout au contraire, il avait chaleureusement remercié le fonctionnaire abruti. À croire que les valeurs qu'il défendait naguère avec une parfaite naïveté – et un égoïsme consommé – n'importaient plus pour lui.

Au Palais des Prophètes, quand elle était sa formatrice, il avait déjà le génie de la prendre à contre-pied dans presque toutes les situations. Il en allait toujours ainsi, mais d'une manière beaucoup plus subtile. Ce qui était à l'époque une tendance juvénile à la rébellion anarchique avait évolué. Désormais, Richard étudiait ses victimes avec l'œil exercé d'un prédateur aguerri. Et sans le collier qui lui enserrait le cœur, c'était Nicci qu'il aurait déchiquetée avec ses serres.

Peu avant de le capturer, la Sœur de l'Obscurité avait aperçu une statuette sur le rebord d'une fenêtre de la cabane. Une femme indomptable, prête à affronter jusqu'à la mort toute adversité. Une œuvre de Richard,

Nicci en aurait mis sa tête à couper. L'expression même de sa vision du monde, qu'elle avait appris à reconnaître. Cet œuvre d'art prouvait que le don de Richard avait une face cachée. Pourtant, la statue ne semblait investie d'aucune magie.

Certaine que son prisonnier avait donné le jour à l'étrange « femme indomptable », Nicci s'était attendue à ce qu'il accepte le travail de sculpteur qu'on lui avait proposé à Tanimura. Mais il avait décliné l'offre – puis broyé du noir pendant plusieurs jours.

Dans chaque nouvelle ville, il avait à peine regardé les statues. Artiste lui-même, elle pensait qu'il serait fasciné par l'art impérial. Mais il s'était montré révulsé par ces œuvres, encore une réaction que la Sœur de l'Obscurité ne comprenait pas. Aucune n'était si finement ciselée que la sienne, il fallait l'admettre, mais il aurait au moins dû s'y intéresser un peu. Et pourquoi était-il de si mauvaise humeur, dès qu'il ne pouvait pas éviter d'en voir une ?

Un jour, Nicci avait fait un long détour simplement pour montrer à Richard une grande place célèbre pour une sculpture géante hors du commun. Devant un tel chef-d'œuvre, avait-elle pensé, il allait sûrement s'extasier. Bien au contraire, il s'était rembruni.

Surprise, Nicci avait voulu savoir ce qui lui déplaisait dans cette splendide réalisation baptisée *Vision Tourmentée*.

— C'est une image de la mort, avait-il dit, dégoûté, avant de se détourner d'une des merveilles artistiques de l'Ancien Monde.

Cette œuvre géniale représentait un groupe d'hommes dont certains se crevaient les yeux après avoir vu la Lumière parfaite du Créateur. À la base de la statue, d'autres personnages, qui ne s'étaient pas mutilés eux-mêmes, étaient taillés en pièces par des monstres venus du royaume des morts. Terrorisés, les sbires du Gardien reculaient devant d'autres aveugles qui se tordaient désespérément les mains au simple souvenir de l'inhumaine beauté qu'ils avaient contemplée avant de se priver à jamais de la vue.

— Non, avait répondu Nicci.

S'efforçant de ne pas éclater de rire, pour ne pas humilier Richard en lui mettant le nez dans son inculture, elle avait tenté de lui révéler le sens profond de la sculpture.

— C'est une représentation de la nature humaine fondamentalement perverse... Ces personnages viennent de contempler la Lumière du Créateur – et de découvrir, à sa lueur, que la dépravation de l'humanité est au-delà de toute rédemption. S'ils se sont crevé les yeux, Richard, c'est parce que se voir eux-mêmes – et leurs semblables – leur est devenu impossible après une telle expérience...

» Ce sont des héros, comprends-le, parce qu'ils nous montrent le seul chemin possible : se résigner à notre indignité. Une leçon terrible pour certains esprits forts qui osent se comparer au Créateur. La vérité, c'est que nous sommes de misérables fourmis dans l'univers auquel il a donné le jour. Oui, face à Son œuvre, aucun individu ne compte, et seule la société, prise comme un tout, peut avoir une quelconque valeur. Les autres personnages, ceux qui ont refusé de se crever les yeux, subissent leur châtiment entre les griffes du Gardien.

» Tu comprends, à présent ? Cette œuvre nous fait honneur à tous, parce qu'elle montre que le seul chemin vers le salut passe par l'oubli de soi-même et le dévouement envers les plus faibles. C'est la seule gloire qui nous soit accessible, Richard ! *Vision Tourmentée* ne symbolise pas la mort, mais nous propose une image réaliste de la vie.

Nicci avait toujours entendu dire que cette œuvre soutenait l'espérance des fidèles parce qu'elle confirmait que leurs convictions étaient les bonnes.

Après son discours, Richard l'avait foudroyée du regard – même quand sa mère lui faisait subir ce supplice, jadis, elle ne s'était jamais sentie si… petite.

La Sœur de l'Obscurité avait été terrifiée par ce qu'elle voyait briller dans les yeux de Richard. L'exact contraire de la lueur mystérieuse qui motivait sa quête depuis le début. Sans dire un mot, il lui avait donné envie de s'enfouir sous terre et de ne plus jamais sortir de son trou.

Face à lui, ce jour-là, Nicci s'était tout simplement sentie indigne de vivre. Comment était-ce possible ? En un sens, elle avait eu l'impression d'être aussi aveugle que les héros dont elle venait de parler. Et avant de regarder de nouveau son prisonnier dans les yeux, il lui avait fallu près d'une semaine…

Très souvent, Richard se montrait docile quand elle s'attendait à le voir se rebeller. Inversement, il réagissait avec passion face à des événements qui auraient dû le laisser de marbre. Était-il vraiment un être très spécial, comme elle le pensait, ou simplement un lunatique de plus ? Parfois, elle se le demandait sérieusement…

Un soir, en le regardant dormir, Nicci s'était dit qu'elle faisait fausse route. Avec lui, elle ne découvrirait rien, et surtout pas quelque chose qui donnerait un sens à sa vie. Dès le lendemain, avait-elle décidé – juste après une visite dans sa ville natale – elle mettrait un terme à cette absurde aventure et retournerait auprès de Jagang.

Au milieu des ruines de l'armurerie, alors qu'elle pensait en finir avec lui, Nicci avait de nouveau vu briller l'étrange lueur dans les yeux gris de Richard. À l'évidence, elle ne s'était pas trompée…

Le ballet mortel ne faisait que commencer…

Devant l'entrée d'une « maison du peuple », ainsi qu'on appelait les immeubles locatifs, Nicci fit signe à Richard de s'écarter et de la laisser parler. Ce soir, elle voulait dormir au chaud et au sec.

La Sœur de l'Obscurité tapa à la porte – pas trop fort, de peur qu'elle se désintègre sous ses coups.

En attendant qu'on lui ouvre, Nicci jeta un dernier coup d'œil à sa liste, puis la plia et la rangea dans son sac. Comme toutes celles qu'ils avaient visitées, cette maison du peuple devait avoir des chambres réservées aux nouveaux arrivants. Car enfin, l'empereur avait besoin de travailleurs !

Nicci avait décidé que sa quête d'un logement s'arrêterait là. Tous les matins, Richard franchirait cette porte pour aller travailler, s'éloignant de leur foyer à la façade délabrée et souillée de mystérieuses taches dont l'une évoquait irrésistiblement la croupe et la queue d'un cheval. Et chaque soir, il reviendrait chez lui, comme n'importe quel homme normal.

Alors que Nicci frappait de nouveau à la porte, elle remarqua que Richard surveillait l'escalier extérieur plongé dans les ombres. Pourquoi avait-il l'habitude de fixer tant de choses d'un air sombre ? Bien sûr, elle ne pouvait nier qu'il avait un certain instinct, mais qu'est-ce qui l'inquiétait, précisément ? Comme toutes les Sœurs de l'Obscurité, Nicci se fichait comme d'une guigne des choses qui effrayaient les gens ordinaires.

Elle continua à frapper, de plus en plus fort.

Derrière le battant, une voix cria :

— Fichez le camp !

— Il nous faut une chambre, dit Nicci d'un ton déterminé. Vous êtes sur la liste, et nous avons besoin d'un logement.

— C'est une erreur, répondit la voix. Il n'y a pas de chambre libre ici.

— Écoutez, fit Nicci, de moins en moins commode, ça commence à bien faire. Il est tard, et…

Les trois jeunes garçons que la Sœur de l'Obscurité n'avait pas remarqués, contrairement à Richard, se levèrent et approchèrent. Torse nu malgré le froid, ils exhibaient leurs muscles, comme tous les petits coqs du monde aimaient à le faire. Bien entendu, tous brandissaient un couteau.

— Eh bien, dit le plus grand avec un sourire obscène, qu'avons-nous là ? Deux petits rats qui ont peur de se noyer dehors ?

— J'aime bien la queue blonde de la femelle ! lança un deuxième petit voyou.

Richard prit Nicci par le bras, la fit descendre du porche et l'entraîna sous la pluie battante. Indignée, la Sœur de l'Obscurité tenta de freiner des talons. Le seigneur Rahl en personne, Sourcier de Vérité et messager de la mort, battait en retraite devant trois gamins miteux ? C'était intolérable !

— Tu n'as plus de pouvoir, rappela Richard tandis qu'ils s'éloignaient. Nous n'avons pas besoin de problèmes dans ce genre, et je n'ai aucune envie de me faire poignarder pour une chambre. Savoir quand il est inutile de se battre est aussi important qu'avoir le courage de lutter quand ça s'impose.

Bien qu'elle rêvât de dormir au sec, Nicci finit par reconnaître que Richard avait raison. Dans leur dos, les trois gamins riaient et traitaient le Sourcier de lâche. Cela dit, ils ne prendraient pas la peine de s'aventurer sous la pluie. Comme tous les voyous de leur acabit, ils étaient arrogants, agressifs et probablement très dangereux. Au moins, ils feraient un jour de très bons soldats de l'Ordre…

Richard emprunta plusieurs ruelles latérales, se retournant souvent pour s'assurer qu'on ne les suivait pas.

Altur'Rang était un labyrinthe de rues et de venelles. Avec le ciel plombé et la pluie, on n'y voyait pas à dix pas devant soi, et se perdre se révélait très facile. Surtout quand on n'était plus venu depuis des années, comme Nicci.

Malgré tous les efforts de l'Ordre, la ville s'était encore dégradée. Qu'en aurait-il été sans l'intervention salvatrice de l'empereur ? Nicci préférait ne pas y penser…

Revenus dans une avenue, Richard et sa compagne se réfugièrent sous un avant-toit en compagnie de plusieurs autres passants surpris dehors par la pluie.

Nicci tremblait de froid. Inquiet – pour Kahlan ! – mais ne pouvant rien y faire, Richard regarda les rares chariots qui osaient braver les intempéries.

Comment faisait cet homme pour ne pas souffrir du froid ? se demanda la Sœur de l'Obscurité. Pressée contre lui par les autres « réfugiés », elle fut ravie de profiter un peu de sa chaleur…

Richard ne parvint pas à se résigner à lui passer un bras autour des épaules pour la réchauffer. Trop fière, Nicci ne le lui demanda pas. De toute façon, le temps changerait bientôt. Encore un ou deux jours, et il ferait de nouveau doux et humide…

Alors qu'elle allait sortir des ruines de l'armurerie d'Howard, le cœur délicieusement ravagé par des souvenirs déchirants, Nicci avait eu le sentiment que son prisonnier brûlait d'envie de la prendre dans ses bras pour la consoler. Il la haïssait et rêvait de lui échapper. Pourtant, il éprouvait de la compassion pour elle…

Revenant au présent, la Sœur de l'Obscurité remarqua que Richard fixait de nouveau quelque chose. Cette fois, il s'agissait d'un chariot qui avançait en tanguant bizarrement.

Une seconde plus tard, une roue se détacha de son moyeu.

La charge était sans doute trop importante pour la résistance de l'essieu, qui cassa net. Aspergés de boue quand l'arrière du véhicule s'écrasa sur le sol, les rares passants agonirent d'injures le cocher et l'homme assis à côté de lui. L'attelage s'arrêta abruptement, provoquant d'autres projections qui n'arrangèrent pas les choses.

Le cocher et son compagnon sautèrent à terre. Tandis que le premier, fou de rage, flanquait de grands coups de pied dans le flanc du chariot, le second, plus placide, inspectait les dégâts d'un regard blasé.

Intrigué, Richard prit Nicci par le bras et l'entraîna vers le chariot renversé.

— Il va falloir le faire, dit le compagnon du cocher, un petit homme costaud. Ce n'est pas très loin…

— Pas question, Ishaq, répondit l'autre type, franchement du genre malingre. Ce n'est pas mon boulot, et tu le sais très bien !

Alors qu'Ishaq haussait les épaules, résigné, le cocher approcha des chevaux et parvint à les convaincre d'avancer assez pour traîner le chariot sur le côté et dégager la voie. Quand ce fut fait, le type malingre entreprit de déharnacher l'attelage.

— J'ai besoin d'aide ! cria Ishaq à la cantonade.

— Pour quoi faire ? demanda un homme.

— Transporter mon chargement de barres de fer jusqu'à un entrepôt – celui-là, à trois maisons d'ici. Le bâtiment avec une silhouette rouge peinte sur un côté.

— Et tu paies combien, l'ami ?

Ishaq soupira de frustration.

— Je ne suis pas autorisé à payer quelqu'un… Pour ça, il me faudrait une autorisation administrative. Mais si tu reviens me voir demain…

Les passants éclatèrent de rire et se détournèrent. De la boue jusqu'aux chevilles, Ishaq haussa les épaules, puis il entreprit de débâcher le chariot.

Richard avançant toujours, Nicci tenta de le tirer par la manche, car elle voulait continuer à chercher une chambre – et en trouver une avant la tombée de la nuit. Son prisonnier tourna la tête, la foudroya du regard et la força à le suivre.

— Vous vous nommez Ishaq, c'est ça ? dit-il quand il fut arrivé au niveau de l'homme.

— Oui, mon gars, mais comme tu vois, je suis plutôt occupé, pour le moment…

— Si je t'aide, dit Richard, passant aussi au tutoiement, serai-je vraiment payé demain ? Ne me mens pas, s'il te plaît !

Ishaq secoua tristement sa tête couverte d'un étrange chapeau rouge au bord très étroit.

— C'est bien ce que je pensais… Prenons les choses autrement : si je t'aide, nous laisseras-tu dormir dans l'entrepôt, ma femme et moi ?

— Je n'ai pas le droit de faire ça… Et s'il arrivait quelque chose ? Si du matériel manque, on me licenciera avant que j'aie eu le temps de dire « ouf ».

— Une seule nuit… Je veux mettre ma femme à l'abri de la pluie, pour qu'elle ne tombe pas malade. Que voudrais-tu que je fasse de barres de fer ? En plus, je ne suis pas un voleur...

Ishaq regarda le chargement, puis Nicci, qui tremblait de plus en plus.

—Une nuit dans l'entrepôt n'est pas un salaire équitable. Décharger tout ça prendra des heures...

—Si tu es d'accord et moi aussi, c'est un marché honnête, dit Richard. Je ne demande rien de plus, et je suis prêt à trimer dur pour ce salaire.

Ishaq regarda son interlocuteur comme s'il avait des doutes sur sa santé mentale. Retirant son chapeau, il se lissa les cheveux, puis remit le couvre-chef.

—Vous devrez être partis demain à l'aube, quand j'arriverai avec un autre chariot. Sinon, je risque d'avoir des ennuis...

—Je ne te mettrai pas dans l'embarras. Si nous nous faisons prendre, je dirai que nous sommes entrés par effraction.

Ishaq réfléchit un long moment, l'air surpris par le dernier mot que venait d'employer Richard. Après un ultime regard sur le chargement, il fit signe qu'il était d'accord.

Puis il prit une barre de fer et la posa sur son épaule. Richard en souleva deux, les mit également en équilibre sur son épaule, et fit signe à Nicci.

—Viens, dit-il. Tu vas pouvoir te réchauffer et te sécher.

La Sœur de l'Obscurité tenta de soulever une barre de fer, mais ça n'était pas dans ses possibilités.

À certains moments, elle regrettait d'être privée de son pouvoir. Au moins, elle le sentait à travers le lien qui l'unissait à la Mère Inquisitrice. Au prix d'un gros effort, elle parvenait à maintenir le sortilège malgré la distance...

Marchant près de Richard, elle se dirigea vers le refuge qu'il venait de leur trouver...

Le lendemain matin, il ne pleuvait plus, mais de l'eau gouttait toujours du toit très sommairement étanche. La veille, pendant que Richard travaillait, Nicci avait utilisé la longueur de corde qu'il gardait toujours dans son paquetage pour étendre leurs vêtements de rechange, trempés à travers la toile de leurs sacs.

Ils s'étaient étendus sur des palettes de bois, la seule option possible à part le sol en terre battue humide et glacial. Pour se tenir chaud, ils avaient dû se contenter de la lampe à huile que leur avait laissée Ishaq. Au moins, Nicci avait pu passer les mains sur la flamme...

Ils avaient dormi dans leurs habits mouillés. Eux aussi étaient à peu près secs, au matin...

Nicci n'avait pratiquement pas fermé l'œil, regardant Richard se reposer à la lueur de la lampe. Quel était donc le mystère de ses yeux gris ? Revoir la lueur si spéciale, ce fameux jour, dans l'armurerie de son père, avait bouleversé la Sœur de l'Obscurité. Tant de souvenirs étaient remontés à la surface...

Quand ils furent prêts à partir, Richard entrebâilla la porte – juste ce qu'il fallait pour qu'ils puissent sortir. Puis il chargea Nicci de veiller sur leurs affaires, retourna dans l'entrepôt, ferma de l'intérieur, grimpa jusqu'à une fenêtre et ressortit en sautant souplement à terre.

Quand Ishaq arriva avec son nouveau chariot, les deux jeunes gens l'attendaient assis sur un muret, pas très loin de la porte de l'entrepôt.

Le véhicule s'immobilisa, et le cocher – le type maigrichon de la veille – jeta un regard soupçonneux à Richard.

— Qu'est-ce que tu fiches là ? demanda-t-il.

— Désolé de vous déranger, mais je voulais vous parler à la première heure, pour savoir s'il y a de l'embauche.

Ishaq regarda Nicci et constata qu'elle ne tremblait plus. Voyant que la porte était fermée, il comprit que Richard avait fait son possible pour qu'il n'ait pas d'ennuis.

— Nous n'avons pas le droit d'engager des gars, dit le cocher. Va d'abord te faire inscrire sur une liste, et on verra après.

— Je saisis... Eh bien, merci quand même. Je suivrai votre conseil. Une excellente journée à tous les deux...

À la voix de Richard, Nicci savait désormais reconnaître qu'il mijotait quelque chose. Là, il tardait à partir pour donner à Ishaq l'occasion de faire une bonne action. La veille, le Sourcier avait porté sans se plaindre deux fois plus de barres de fer que son compagnon.

— Ne t'en va pas tout de suite, mon gars, dit Ishaq. (Il sauta à terre, sans doute pour aller ouvrir la porte, mais s'arrêta d'abord devant Richard.) Je suis le responsable de la manutention, et nous avons besoin d'un nouveau type... Et tu es sacrément costaud. (Du bout de sa botte, il dessina un plan dans la boue.) Pour le bureau des homologations, descend cette rue, prend la troisième à droite et continue tout droit jusqu'à la sixième à gauche. C'est juste là, et on t'inscrira sur la liste.

— J'y vais de ce pas, messire...

Nicci était sûre que Richard se souvenait du nom de son nouvel ami, mais il jouait la comédie pour ne pas éveiller les soupçons du cocher. À l'évidence, il se méfiait de cet homme, qui avait abandonné un collègue de travail dans l'embarras.

Décidément, il lui restait beaucoup de choses à apprendre. Le cocher avait agi comme il fallait, puisqu'il était interdit de voler le travail des autres. Décharger était la mission d'Ishaq et de ses hommes, pas des cochers...

—Tu iras d'abord t'inscrire au syndicat des manutentionnaires, dit Ishaq, et tu paieras ta cotisation. Le bureau est dans le même bâtiment que les services administratifs où tu devras être enregistré. Je fais partie des travailleurs que le comité d'approbation consulte pour embaucher et je me porterai garant pour toi.

—Pourquoi ferais-tu ça, Ishaq? demanda le cocher. Tu ne connais même pas ce type!

—Tu as vu sa taille et ses muscles? Pour remplacer le gars que j'ai perdu, il ne me faut pas un avorton. Tu m'imagines avec un vieillard rachitique comme toi?

—Ce ne serait pas terrible...

—Et regarde un peu sa femme! Cette petite a besoin de se remplumer... Ces deux-là m'ont l'air d'un gentil petit couple.

—Si tu le dis, marmonna le cocher.

—Je compte sur toi, mon gars, conclut Ishaq.

—Vous pouvez.

Le responsable de la manutention se dirigea vers la porte, mais il se retourna à mi-chemin.

—J'allais oublier: comment t'appelles-tu?

—Richard Cypher.

—Moi, c'est Ishaq... À ce soir, Richard Cypher. Surtout, ne me déçois pas. Si je te surprends à paresser, je te jetterai dans le fleuve avec une barre de fer pliée autour du cou, pour être sûr que tu coules à pic.

—Je ne vous décevrai pas, Ishaq. Je suis un bon nageur, mais pas avec ce genre de lest.

Alors que Nicci et lui partaient en quête d'un peu de nourriture – avant d'aller au bureau du comité d'approbation –, Richard remarqua que sa compagne avait l'air maussade.

—Qu'est-ce qui te tracasse?

—Les gens ordinaires n'ont pas ta chance, Richard. Pour obtenir un emploi, ils doivent se battre...

—De la chance, dis-tu? Si tu avais autant mal au dos que moi, après la séance de cette nuit, tu verrais les choses autrement...

Chapitre 46

Quand Richard eut fini de décharger le dernier chariot de barres de fer, il se pencha en avant, s'appuya à la pile qu'il venait de constituer et se laissa le temps de reprendre son souffle. Pour ce genre de travail, il était toujours plus agréable d'être deux, un dans le véhicule et l'autre à l'extérieur. L'homme censé aider le Sourcier déchu avait démissionné quelques jours plus tôt, affirmant qu'il avait été injustement traité. Un bon débarras, aux yeux de Richard. Même quand il consentait à ne pas tirer sa flemme, ce type était si maladroit et peu motivé qu'il compliquait encore les choses.

La lumière qui filtrait des hautes fenêtres palissait, annonçant la fin de la journée. En sueur, Richard aurait donné cher pour un bon bain dans un lac de montagne. Se sentant rafraîchi par cette seule idée, il imagina un paysage de rêve et crut un instant qu'il entendait un clapotis d'eau.

Mais c'était Ishaq, qui approchait de lui avec une lampe à huile.

— Tu en fais trop, Richard…

— On m'a engagé pour ça, non ?

— Suis mon conseil, fiston. Le zèle est tout juste bon à s'attirer un tas d'ennuis.

Depuis trois semaines qu'il travaillait à l'entrepôt, Richard avait fait la connaissance de pas mal d'autres employés. Du coup, il comprenait très bien ce qu'Ishaq voulait dire.

— Je n'ai toujours pas très envie de nager avec une barre de fer pliée autour du cou…

Ishaq ne put s'empêcher de sourire.

— Ce jour-là, j'ai lancé ça pour apaiser les soupçons de Jori, rien de plus.

— Je sais, Ishaq…

Jori était le cocher qui avait refusé de décharger le chariot, la première nuit. Pas un mauvais bougre, mais beaucoup trop porté sur les règles et les règlements.

— Ici, ce n'est pas comme à la ferme, reprit Ishaq. Sous le règne de l'Ordre, beaucoup de choses ont changé. Pour ne pas avoir d'embêtements, il faut tenir compte des besoins des autres. Le monde est comme ça, et personne n'y peut rien.

Saisissant tous les sous-entendus de ce discours apparemment banal, Richard hocha gravement la tête.

— Tu as raison, Ishaq. Merci beaucoup. J'essaierai de me souvenir de tes sages propos…

— Notre groupe de travailleurs a une réunion, ce soir. Tu ferais mieux de te mettre en chemin.

— Tu crois ? Il est tard, je suis fatigué, et…

— Tu veux te faire remarquer ? Si les gens commencent à raconter que tu n'as aucun sens civique…

— Je croyais qu'assister à ces réunions était facultatif ?

Ishaq éclata de rire.

Résigné, Richard alla chercher son sac, au fond de l'entrepôt, puis sortit afin que son ami puisse fermer et verrouiller la porte.

Dehors, alors que la nuit tombait déjà, il reconnut la silhouette de Nicci. Assise sur le muret, près de l'entrée de l'entrepôt, elle l'attendait, comme presque tous les soirs. Toujours en quête d'un logement, elle avait dû passer sa journée à faire la queue. D'abord pour obtenir de nouvelles adresses, puis afin d'acheter du pain et d'autres produits de première nécessité.

À présent, il ne leur restait plus qu'à regagner leur « abri », dans une ruelle relativement tranquille. Pour s'assurer que personne ne l'investisse, Richard avait donné la pièce à des gamins. Assez jeunes pour se contenter de quelques sous, ils s'étaient révélés suffisamment redoutables pour décourager les intrus.

— Tu as eu du pain ? demanda le Sourcier quand il eut rejoint la Sœur de l'Obscurité.

Nicci se leva souplement.

— Pas aujourd'hui… Quand mon tour est arrivé, il n'y en avait plus. Mais j'ai pu acheter un chou, et je nous ferai une bonne soupe.

Affamé, Richard aurait volontiers mangé sur-le-champ une belle tranche de pain. La soupe mettrait une éternité à cuire…

— Où est ton sac ? demanda-t-il. Et ce fameux chou ?

Nicci sourit puis sortit de sa poche un petit objet que Richard mit un certain temps à reconnaître dans la pénombre.

Une clé !

— Tu as trouvé une chambre ?

— Je suis passée au bureau d'inspection de l'équité urbaine, cet après-midi. Leurs noms étant arrivés en tête d'une liste, maître et maîtresse Cypher ont enfin le droit d'avoir un toit sur la tête. Ce soir, nous dormirons au chaud. Une excellente chose, parce qu'il menace de pleuvoir. J'ai déjà déposé mes affaires dans notre chambre.

Richard massa ses épaules douloureuses. Comme toujours, il était révulsé d'avoir entendu Nicci parler de « maître et maîtresse Cypher ». La mascarade que lui imposait la Sœur de l'Obscurité lui pesait de plus en plus, surtout lorsqu'il pensait que Kahlan en souffrait aussi. En de très rares occasions, il lui semblait que ce que faisait Nicci avait un sens profond – en tout cas pour elle. Mais la plupart du temps, l'absurdité de cette histoire lui donnait envie de hurler.

— Où est cette chambre ? demanda-t-il, espérant qu'elle n'était pas située à l'autre bout de la ville.

— Nous y sommes déjà passés… Tu te souviens, le bâtiment aux murs souillés de crasse…

— Nicci, tous ces immeubles sont sales !

— C'est vrai, mais tu reconnaîtras l'endroit, quand nous y serons. Une des taches ressemble à la croupe d'un cheval…

— Je meurs de faim, et avant le dîner, je devrai encore aller à une réunion…

— Tant mieux, dit Nicci. Les groupes de travailleurs sont très utiles. Ils aident les gens à rester sur le droit chemin et à ne jamais perdre de vue leur devoir sacré : secourir les plus démunis qu'eux.

Ces réunions duraient parfois des heures, et Richard s'y ennuyait à mourir, car il n'en sortait jamais rien de concret. Pourtant, certaines personnes les attendaient impatiemment, avides de vanter devant un auditoire les mérites de l'Ordre. C'était leur heure de gloire – les seules occasions, au milieu d'une morne existence, où ces individus se sentaient importants…

Manquer les réunions suffisait à ranger un travailleur dans la redoutable catégorie des « tièdes qui ne souscrivaient pas vraiment au grand dessein de l'Ordre ». Si l'absentéiste ne changeait pas de comportement, on finissait par le soupçonner de « subversion », le pire crime imaginable pour les fidèles de Jagang. Que ce soit vrai ou non ne comptait pas. Dans un pays où l'égalité était l'idéal suprême, dénoncer les déviants n'avait rien de choquant, bien au contraire. En fait, les délateurs étaient souvent tenus pour des héros…

Le spectre de la subversion – ou de la « contre-révolution », comme on disait aussi – planait sans cesse sur l'Ancien Monde. Très régulièrement, la garde civile emprisonnait des traîtres potentiels sur la foi de dénonciations des plus douteuses. Mais ça n'importait pas, car les tortionnaires de l'Ordre parvenaient toujours à arracher des confessions aux suspects. Dans l'Ancien Monde, un prévenu devait prouver son innocence, et s'il n'y parvenait pas, la présomption de culpabilité lui garantissait un long séjour dans un «camp de rééducation».

À Altur'Rang, beaucoup de gens s'inquiétaient des agissements des «factieux financés par l'étranger». Bien entendu, on affirmait que le Nouveau Monde tirait les ficelles de ces marionnettes. Régulièrement, de scandaleuses conspirations étaient déjouées à la toute dernière minute, grâce à l'efficacité et au flair des représentants de l'Ordre. Ou justement, des groupes de travailleurs, tellement précieux pour arracher le mal à la racine…

Sur beaucoup de places publiques, les cadavres des déviants pendus haut et court étaient laissés à pourrir jusqu'à ce que les charognards les aient dévorés. Une façon de rappeler à tout le monde où pouvaient mener les mauvaises fréquentations. Du coup, dès qu'un imprudent osait une remarque qui s'écartait de la ligne de l'Ordre, il se trouvait toujours quelqu'un pour lui lancer : «Tu as envie de finir inhumé dans le ciel?» Une plaisanterie rituelle qui ne faisait plus rire grand monde…

Alors que Nicci et lui s'engageaient dans la rue qui menait à la salle de réunion, Richard bâilla à s'en décrocher la mâchoire.

—Désolé, dit-il, mais je ne me souviens plus de la tache qui ressemble à une croupe de cheval.

—Parce que tu t'intéressais à autre chose… C'est là que vivent ces trois-là…

—De qui parles-tu?

Dans la rue, des dizaines de gens, la plupart inconnus de Richard, se dirigeaient aussi vers la salle de réunion.

Soudain, le Sourcier comprit à qui Nicci faisait allusion.

—Les trois voyous armés de couteaux? Tu nous as trouvé une chambre dans ce bâtiment-là?

Nicci hocha la tête.

—De mieux en mieux! Tu n'as pas demandé s'il y avait des logements libres ailleurs?

—Quand on est nouveau en ville, obtenir si vite un toit est un coup de chance! Si on refuse, on repasse tout en bas de la liste.

—Tu as déjà donné de l'argent au propriétaire?

—Tout ce que j'avais, oui…

—Donc, il ne nous reste plus rien pour finir la semaine…

—Il faudra faire durer la soupe, c'est tout…

Richard aurait juré que Nicci lui mentait. À coup sûr, elle avait insisté pour qu'ils vivent dans ce bâtiment. Savoir comment il se comporterait avec les trois voyous, maintenant qu'il ne pouvait plus les éviter, devait l'intéresser au plus haut point.

Elle ne cessait pas de poser des questions bizarres – ou de lâcher des déclarations péremptoires – afin de voir de quelle manière il réagissait. Mais que lui voulait-elle exactement ? Après des semaines de « vie commune », il n'en avait toujours pas la moindre idée.

Les trois petites brutes l'inquiétaient beaucoup. Le jour de sa capture, l'Agiel de Cara avait blessé Nicci… et infligé exactement la même douleur à Kahlan. Si les truands en herbe s'en prenaient à la Sœur de l'Obscurité, l'Inquisitrice souffrirait en même temps qu'elle.

Une idée qui terrifiait son mari.

Après être entrés, Richard et Nicci s'assirent sur un banc, au fond de la salle de réunion. Pendant les discours enflammés sur la gloire et la magnanimité de l'Ordre, le Sourcier repensa au cours d'eau qui coulait derrière la cabane, dans les montagnes, et revit Kahlan y tremper les pieds en soupirant d'aise. Imaginer ses chevilles l'emplissait d'un désir mêlé de désespoir…

Alors que des orateurs débitaient de fades discours sur la nécessité d'aider les autres – apprises par cœur, ces litanies n'avaient plus aucun sens, mais ça ne dérangeait personne –, Richard se souvint de la joie de Kahlan, quand il lui avait offert les vairons…

Après les monologues moralisateurs, on passa aux dénonciations. Dans l'assistance, quelques personnes se levèrent pour signaler les absences, donner les noms des coupables et souligner combien ces défections étaient graves pour l'ensemble du groupe de travailleurs. Comme toujours, ces interventions furent saluées par des murmures approbateurs.

Ensuite, ce fut le tour des requêtes publiques. Se levant aussi, certaines épouses de travailleur annoncèrent qu'il leur fallait plus de lait parce qu'elles venaient de mettre au monde un enfant. D'autres demandèrent de l'aide, arguant que leur mari était malade. Enfin, certaines signalèrent qu'elles avaient besoin de médicaments pour soigner un vieux parent alité.

Après chaque intervention, on votait à main levée pour décider si le groupe devait aider les requérantes.

Dans un coin, quelqu'un notait les noms de ceux qui ne levaient pas la main. Selon Ishaq, ce comportement était autorisé quand on jugeait une requête abusive, à condition de rester exceptionnel. Sinon, on pouvait être sûr de figurer sur une liste de surveillance. Même s'il ignorait de quoi il s'agissait, Richard se doutait que ce n'était pas très agréable, et son ami lui avait confirmé qu'il valait mieux éviter ce genre de mésaventure. Pour cela, il suffisait de lever la main assez souvent.

Se fichant de tout ça – au fond, il n'était pas là pour améliorer la vie dans l'Ancien Monde – le Sourcier levait le bras systématiquement. En Altur'Rang, comme en Anderith, les gens s'en remettaient à l'Ordre pour conduire leur vie, et ils étaient ravis qu'on se charge de penser à leur place. Alors, pourquoi Richard se serait-il creusé la cervelle ?

Bien qu'elle fût surprise – et parfois déçue – de le voir voter automatiquement « oui », Nicci ne lui avait jamais fait de remarques à ce sujet.

Richard levait la main machinalement, et il s'en portait très bien. Ce soir-là, un sourire sur les lèvres, il exerçait son droit à la solidarité en pensant à l'émerveillement de Kahlan, le jour où il lui avait offert Bravoure.

Pour lui redonner goût à la vie, il aurait volontiers sculpté une montagne.

Quand les femmes eurent terminé, un homme se leva pour se plaindre des conditions de travail désastreuses qui l'avaient poussé à quitter la compagnie de transport. Non sans surprise, Richard reconnut le tire-au-flanc qui l'avait laissé se débrouiller seul avec des tonnes de barres de fer. Fidèle à sa politique, il leva quand même la main quand on proposa que l'homme reçoive six mois de salaire en compensation.

Après les requêtes, les travailleurs en bonne santé apprenaient quel pourcentage de leur salaire serait prélevé pour aider les nécessiteux. Car les gens sains, avait-on dit à Richard, se devaient d'aider ceux que la maladie privait du droit de travailler.

Dès qu'on appelait son nom, chaque homme se levait et s'entendait dire combien d'argent il lui faudrait consacrer au bien-être de tous. Passant le dernier, puisqu'il était nouveau, Richard se campa face aux délégués généraux assis derrière une longue table – en réalité, deux vieilles portes posées sur des tréteaux.

Ishaq comptait parmi les délégués, et Richard ne l'avait jamais entendu s'élever contre une décision prise par ce curieux cénacle. Quand elles eurent fini de converser à voix basse, les quelques femmes qui en faisaient partie murmurèrent à l'oreille du président de séance, qui hocha deux ou trois fois la tête.

— Richard Cypher, dit-il, étant nouveau en ville, vous avez du retard à rattraper en matière de contribution au bien commun. En conséquence, votre salaire de la semaine prochaine sera entièrement consacré à aider vos camarades travailleurs.

Le Sourcier en resta bouche bée quelques secondes.

— Mais comment paierai-je mon loyer ? Et ma nourriture ?

Tous les regards se tournèrent vers l'insolent qui osait contester une décision prise à l'unanimité.

— Jeune homme, vous devriez être reconnaissant au Créateur de pouvoir travailler ! Ceux qui ont moins de chance que vous implorent de l'aide, et vous pensez d'abord à votre enrichissement personnel ?

Richard décida de ne pas insister. Qu'importaient ces histoires absurdes ? Et à quoi bon se battre, puisqu'il se fichait de tout ?

— Oui, messire, je vois ce que vous voulez dire… Sachez que je me réjouis de sacrifier mon salaire au nom du bien-être général.

Et tant pis s'il ne lui restait plus rien, après que Nicci eut dépensé tout leur argent pour une chambre miteuse.

Quand ils furent sortis, bien après la tombée de la nuit, Richard jugea quand même judicieux d'aborder le sujet avec la Sœur de l'Obscurité.

— Maintenant, dit-il, il va falloir demander au propriétaire de nous rendre l'avance… Nous retournerons dans la ruelle jusqu'à ce que j'aie de nouveau quelques sous.

— On ne nous restituera pas le loyer… Mais cet homme comprendra que nous sommes dans le besoin, et il nous fera crédit un moment. À la prochaine réunion, tu exposeras nos difficultés au groupe, et on te versera une allocation de charité pour les résoudre.

Épuisé, Richard se demanda un moment s'il ne faisait pas un mauvais rêve.

— De charité? Il s'agit de mon salaire, en échange de longues journées de travail…

— C'est une façon égoïste de voir les choses, Richard. Si tu as un emploi, tu le dois au groupe, à la compagnie de transport et à l'Ordre Impérial.

Trop fatigué pour polémiquer, Richard abandonna le sujet. De toute façon, quelle justice pouvait-on attendre d'une société imaginée par des gens comme Jagang?

Dormir un peu, voilà tout ce qui lui faisait encore envie…

Quand ils entrèrent chez eux, Richard et Nicci surprirent un des trois voyous en train de fouiller dans les affaires de la Sœur de l'Obscurité.

Des sous-vêtements dans une main, il se retourna et eut un sourire mauvais.

Torse nu comme d'habitude, il se redressa de toute sa hauteur pour défier Richard.

— Eh bien, on dirait que nos deux rats ont trouvé un trou où se cacher!

Il reluqua Nicci, la déshabillant du regard.

La Sœur de l'Obscurité récupéra son sac, arracha ses sous-vêtements au sale gamin et, sous son regard goguenard, entreprit de les remettre à leur place.

Un instant, Richard craignit qu'elle oublie le sort de maternité et déchaîne son pouvoir sur le voleur. Mais elle se contenta de le foudroyer du regard.

La chambre empestait la moisissure. Se sentant oppressé par le plafond très bas, Richard grimaça en constatant qu'il était presque noir à cause de la fumée des bougies et des lampes. Avec l'odeur, cela faisait ressembler la pièce à un caveau. Et c'était là qu'il devrait vivre?

À la lueur de la bougie glissée dans un support mural, près de la porte, il fit du regard le tour de son nouveau foyer. Dans un coin, contre un mur taché de chiures de mouche, il repéra une armoire bancale privée d'une de ses portes. En face, devant la fenêtre à la vitre opacifiée par la crasse, les deux chaises et la table en bois moisi semblaient sur le point de s'écrouler toutes seules.

—Comment es-tu entré ici? demanda soudain Nicci au petit truand.

—Le passe du propriétaire! s'exclama le gamin en brandissant une clé. C'est mon père, si tu veux tout savoir. J'étais venu vérifier vos affaires, pour m'assurer que vous ne cachiez pas des écrits subversitifs…

—Parce que tu sais lire? cracha Nicci. À la façon dont tu prononces certains mots, permets-moi d'en douter.

—Pas question que des subversitifs vivent sous notre toit! C'est dangereux pour tout le monde, et mon père a le devoir de les dénoncer.

Richard s'écarta pour laisser sortir l'adolescent, mais il le retint par un bras quand il le vit s'emparer de la bougie.

—Elle est à nous, dit-il.

—Sans blague? Et tu peux le prouver, mon gars?

Richard serra plus fort le bras musclé de l'adolescent. Le regardant dans les yeux, il désigna la bougie de sa main libre.

—Oui, parce que mes initiales sont gravées sur la base.

Sans réfléchir, le garçon retourna la bougie pour vérifier. Bien entendu, de la cire chaude s'écrasa sur le dos de son autre main. Criant de douleur, il lâcha son dérisoire butin.

—Je suis désolé! s'écria Richard, secrètement ravi que son petit truc ait marché. (Il se baissa et ramassa la bougie.) Tu vas bien, j'espère? C'est très douloureux, mais au moins, tu n'en as pas eu dans les yeux! Une chance, parce que ça fait un mal de chien.

—Et comment tu le sais, gros malin?

—Là où je vivais, c'est arrivé à un pauvre garçon.

Sortant à demi dans le couloir, Richard profita de la lumière d'un autre bougeoir pour faire mine de graver un «R» et un «C» dans le pied de la bougie.

—Tu vois? Ce sont mes initiales.

Cette fois, l'adolescent ne fit pas l'erreur de vouloir vérifier, au cas où il s'agirait d'un nouveau piège.

—Ouais, ouais…, marmonna-t-il.

Quand il fut sorti, Richard le suivit et ralluma sa bougie à la flamme de celle du couloir.

Au lieu de s'éloigner, l'adolescent se retourna.

—Comment ce type a-t-il été assez idiot pour se mettre de la cire dans les yeux? C'était un grand bœuf borné, comme toi?

—Oh! non! Pas du tout… Il s'agissait d'un jeune homme téméraire et un peu arrogant. Mécontent qu'il ait flatté la croupe de sa femme, un mari jaloux lui a versé de la cire chaude dans les yeux…

—Et ce crétin n'a pas pensé à les fermer?

Pour la première fois, Richard gratifia l'adolescent de son sourire de messager de la mort.

—Hélas, on lui avait coupé les paupières… Chez moi, on ne plaisante pas avec les hommes qui ne respectent pas les femmes.

—Sans blague?

—Comme je te le dis. Et pour être franc, on ne lui avait pas coupé que les paupières…

—Tu me menaces, mon gars?

—Non. Rien de ce que je ferais ne pourrait te nuire plus que le traitement que tu t'infliges.

—Et il veut dire quoi, ce charabia?

—Tu ne réussiras jamais rien, condamné à rester de la vermine jusqu'à la fin de tes jours. Tu n'as qu'une vie, et tu la gaspilles! Une honte, mon garçon… Tu ne sauras jamais ce que c'est d'être heureux, d'accomplir une action méritoire ou d'être vraiment fier de soi. Avec le mal que tu te fais, je n'ai pas besoin d'en rajouter.

—La vie m'a distribué de mauvaises cartes, c'est tout. Qu'est-ce que j'y peux, d'après toi?

—Changer la donne, tout simplement.

—Et comment ça, espèce de génie à la noix?

—Pour commencer, regarde dans quelle porcherie tu vis! Cet endroit est à ton père. Si tu avais un peu de fierté, tu essaierais de l'entretenir.

—Il est le gérant, pas le propriétaire… Le type qui possédait l'immeuble exploitait ses locataires. Mais l'Ordre a réquisitionné les lieux, et ça va mieux, depuis… Pour ses crimes, l'ancien propriétaire a été torturé à mort. Mon père est un simple logeur. Nous travaillons pour que des miteux comme toi ne dorment pas dans la rue. Où veux-tu que nous trouvions l'argent pour rénover cette poubelle?

—L'argent? Il en faudrait pour nettoyer les immondices qui pourrissent dans le couloir?

—Ce n'est pas moi qui ai jeté ces cochonneries…

—Et les murs? Tu crois qu'il faut une fortune pour les lessiver? Tu as vu le plafond de ma chambre? Voilà au moins dix ans qu'il n'a pas vu une éponge.

—Tu me prends pour une femme de ménage?

—Et les marches du porche? Un jour, quelqu'un se brisera la nuque en tombant. Peut-être toi, d'ailleurs, ou ton père… Si tu les réparais, histoire de faire quelque chose d'utile, pour une fois?

—Je te l'ai dit, nous n'avons pas d'argent !

—Il n'en faut pas ! Il suffit de les démonter, de nettoyer les joints et de poser de nouvelles cales que tu pourrais tailler dans n'importe quel bout de bois.

—Si tu es si malin, pourquoi ne le fais-tu pas toi-même ?

—Excellente idée… Je m'en chargerai.

—Vraiment ? Moi, je parie que tu racontes n'importe quoi !

—Demain soir, après le travail, je réparerai ces marches. Et si ça t'intéresse, je te montrerai comment procéder.

—Je viendrai… On ne voit pas tous les jours un crétin réparer des trucs qui ne lui appartiennent pas.

—Ces marches ne sont pas à moi, mais je les emprunterai tous les jours, parce que je vais vivre ici. Si ma femme se cassait une jambe, je ne serais pas content. Si tu viens, mets donc une chemise, par respect pour les dames qui habitent l'immeuble.

—Et si j'arrive torse nu ?

—Dans ce cas, je te mépriserai trop pour t'apprendre quelque chose, et tu perdras ton temps.

—Et si je me fiche de savoir comment réparer des marches ?

—Eh bien, j'aurai appris quelque chose sur toi…

—Parce que selon toi, réparer des foutues marches devrait m'intéresser ?

—Pas nécessairement, mais apprendre quelque chose, même si c'est très simple, est en principe une motivation suffisante… Pour être fier de soi, il n'y a rien de mieux qu'accomplir une œuvre utile.

—Peut-être, mais je suis déjà fier de moi.

—Parce que tu prends pour du respect la terreur que tu inspires aux gens. De toute façon, ce ne sont pas les autres qui confèrent sa dignité à un homme, mais lui-même. Hélas, tout ce que tu sais faire, pour le moment, c'est rouler des mécaniques en ayant l'air idiot.

—C'est moi que tu traites d'idiot ? rugit l'adolescent.

Il croisa agressivement les bras. Appuyant simplement un index sur sa poitrine, Richard le força à reculer d'un pas.

—Tu n'as qu'une vie, fiston. Tu veux vraiment la passer à insulter et terrifier les gens avec ta bande de faux durs ? Demain, je réparerai ces marches. Et nous saurons quelle sorte d'individu tu es.

—Comme tu dis, mon gars ! Il est très possible que je préfère passer du temps avec mes amis…

—Tu vois, tes ennuis n'ont rien à voir avec une mauvaise donne du destin. Je n'ai jamais eu beaucoup d'influence sur ma vie, comme toi. Mais les rares fois où j'ai pu choisir, j'ai toujours opté pour ce qui servirait le mieux mes intérêts. Aujourd'hui, je décide de réparer ces marches plutôt que de me lamenter parce qu'elles sont dangereuses. Quand ce sera fait, je serai fier d'avoir amélioré mes conditions de vie.

» Pour devenir un homme, il ne te suffira pas de bricoler un peu, mais ce sera un premier pas sur le bon chemin. Si ça te chante, amène tes amis, et je vous montrerai comment utiliser un couteau sans nécessairement le brandir à la figure de quelqu'un.

— Il se peut qu'on vienne pour se moquer de toi, mon gars.

— Si ça vous amuse, je n'y vois pas d'inconvénient. Mais si vous voulez apprendre quelque chose, commencez par me témoigner du respect en mettant une chemise. Même si tu ne t'en rends pas compte, c'est le premier tournant de ta vie. Négocie-le mal, et tout ira de travers pour toi jusqu'à la fin de tes jours. Au fait, je m'appelle Richard…

— Décidément, je crois qu'on viendra pour se ficher de toi… Richard.

— Je ne me formalise pas qu'on me rie au nez, fiston. Quand on connaît sa propre valeur, on ne se soucie pas de la démontrer à des gens qui n'ont aucune idée de la leur. Si tu veux apprendre, tu sais ce qu'il te reste à faire. Encore une chose : si tu me menaces une nouvelle fois avec un couteau, tu auras commis la dernière erreur de ta courte et misérable vie.

— Et sinon, que deviendrai-je ? Un abruti comme toi qui sue sang et eau pour Ishaq et sa compagnie de transport ?

— Comment t'appelles-tu ?

— Kamil…

— Eh bien, Kamil, je m'échine en échange d'un salaire qui me permet de vivre et de faire vivre ma femme. Bref, je vends la seule chose de valeur que je possède : moi-même. Quelqu'un apprécie assez mon travail pour me verser de l'argent, et être dans cette compagnie est un des choix dont je te parlais plus tôt. Comme réparer les marches, si tu veux le savoir. De plus, que vient faire ce brave Ishaq là-dedans ?

— La compagnie est à lui, tu l'ignorais ?

— Il est seulement responsable des manutentionnaires…

— Ishaq vivait ici, avant que l'Ordre réquisitionne le bâtiment, et mon père le connaissait. Tu vas habiter dans ce qui était jadis son salon. À l'époque, la compagnie lui appartenait, mais il a choisi la voie de la Lumière et renoncé aux biens de ce monde. Le groupe de travailleurs lui a appris à devenir un citoyen respectueux du Créateur. Désormais, il sait qu'il ne vaut pas plus que n'importe qui, moi compris.

Richard jeta un coup d'œil à Nicci, debout au milieu de la chambre et très attentive à la conversation. Un instant, il avait oublié jusqu'à son existence. Revenu à la réalité, il n'eut plus envie de polémiquer avec Kamil.

— À demain, fiston, que tu viennes pour apprendre ou pour rigoler un bon coup. C'est ta vie – à toi de choisir !

Chapitre 47

Alors que le soleil se levait à peine, ses premiers rayons filtraient par les hautes fenêtres de l'entrepôt. Dès qu'il aperçut Ishaq, venu lui donner la liste des barres de fer à charger dans les différents chariots, Richard sauta du rayonnage où il était assis et courut à sa rencontre.

Il n'avait pas vu le responsable de la manutention depuis une semaine.

— Ishaq, ça va ? Où étais-tu donc ?

— Bien le bonjour, Richard.

— Hum… Désolé… Bien le bonjour, Ishaq. J'étais inquiet de ne pas te voir.

— Des réunions, comme d'habitude… Attendre dans un bureau, puis patienter dans un autre… Pas de travail, rien que du bla-bla ! J'ai vu des tas de gens pour essayer d'améliorer le sort des ouvriers comme toi. Parfois, j'ai l'impression que personne ne veut que les choses aillent mieux, dans cette ville. Les gens des bureaux préféreraient que tout le monde soit payé à ne rien faire. Comme ça, ils ne seraient pas obligés de signer des documents avec l'angoisse qu'on vienne un jour leur demander des comptes.

— Ishaq, on m'a dit que la compagnie de transport était jadis à toi. C'est vrai ?

— Qui t'a raconté ça ?

— Réponds-moi ! C'est la vérité ?

— Oui… En théorie, elle m'appartient toujours.

— Qu'est-il arrivé ?

— Rien… Sauf que j'ai ouvert les yeux, et compris que diriger une affaire était trop de travail…

— De quoi t'a-t-on menacé, mon ami ?

Ishaq dévisagea longuement le Sourcier.

— D'où viens-tu, mon garçon ? Tu ne ressembles pas aux autres paysans que j'ai rencontrés…

—Ishaq, tu n'as toujours pas répondu à ma question…

—En quoi le passé t'intéresse-t-il? Ce qui est fait est fait. Un homme intelligent se contente de ce que la vie lui offre. On m'a donné le choix, et j'ai pris la décision qui s'imposait. Les regrets ne servent à rien, et ce n'est pas avec la mélancolie qu'on nourrit ses enfants…

Richard s'avisa soudain que son interrogatoire en règle était inutilement cruel.

—Je comprends, Ishaq… Et je suis désolé pour toi.

—Désormais, je travaille ici comme n'importe quel employé, et c'est beaucoup plus facile. Si je ne respecte pas les règles, je risque de perdre mon emploi. Nous sommes tous égaux, maintenant…

—Grâce à l'Ordre Impérial, bien entendu!

Ishaq sourit du ton ironique de Richard.

—Voyons cette liste, dit le Sourcier en tendant la main.

Ishaq lui remit le document. Il ne mentionnait que deux points de livraison, avec les spécifications de longueur et de qualité des barres, et le nombre qu'il fallait expédier à chaque client.

—C'est un bon de livraison, pas une liste de chargement, s'étonna Richard.

—Il faut qu'un manutentionnaire parte avec un chariot pour aller prendre des barres dans un autre dépôt et s'assurer qu'elles soient livrées au client.

—Je travaille avec les cochers, maintenant? Pourquoi donc? Je croyais que tu avais besoin de moi à l'entrepôt?

Ishaq retira son chapeau rouge et se gratta le crâne.

—Richard, il y a eu des plaintes…

—À mon sujet? Qu'ai-je fait de mal? Tu sais que je travaille dur.

—Trop dur, dit Ishaq en remettant son chapeau. Les autres employés de l'entrepôt racontent que tu es un type arrogant et mesquin. Ce sont leurs mots, pas les miens… Selon eux, tu les mets mal à l'aise en exhibant ta force et ta jeunesse. Ils disent aussi que tu te moques d'eux dans leur dos.

Beaucoup de collègues de Richard étaient plus jeunes que lui et n'avaient pas grand-chose à lui envier au niveau des muscles.

—Ishaq, je n'ai jamais…

—Je sais… Mais ils voient les choses comme ça. N'en fais pas un drame. Ce qu'ils éprouvent compte plus que la réalité…

Richard soupira de frustration.

—Lors des réunions, on m'a dit et répété que j'avais la chance de pouvoir travailler, contrairement à certains malheureux. On a aussi ajouté que je devais trimer dur, pour aider ceux qui ne peuvent pas subvenir à leurs besoins. Et si je ne le faisais pas, a-t-on ajouté, je risquais de perdre mon emploi…

—Dans cette ville, il faut savoir marcher sur une corde raide…

—Et j'ai fait un faux pas?

—Tes collègues voudraient que tu sois licencié.

—Donc, me voilà à la porte?

—Oui et non… À cause de ta mauvaise attitude, tu es renvoyé de l'entrepôt. Mais j'ai convaincu le comité de te laisser une seconde chance. Du coup, te voilà affecté aux chariots. Au fond, c'est une vraie chance, parce qu'il y a beaucoup moins à faire. Tu charges un seul véhicule, tu vas chez le client, tu décharges, et le tour est joué. À mon avis, tu ne risqueras pas de t'attirer des ennuis.

—Merci Ishaq…

—Ne me remercie pas trop vite… Le salaire est beaucoup plus bas.

—Et alors? De toute façon, on me prend presque tout. Ce n'est pas moi qui perds de l'argent, mais les malheureux de la ville…

Ishaq sourit et tapa sur l'épaule du Sourcier.

—Tu es le seul type digne de confiance dans cette entreprise, Richard. Avec toi, je sais que mes propos ne risquent pas d'être répétés partout.

—Je ne te ferais jamais une chose pareille.

—Je sais… C'est pour ça que je me confie à toi. Je dois être un égal parmi des égaux, et travailler comme n'importe qui, mais il faut aussi que je donne de l'emploi à ceux qui en ont besoin. On m'a pris mon affaire, et je suis tenu de continuer à la gérer… Quel monde de fous!

—Et encore, tu n'en connais qu'un petit coin, Ishaq… Mais si on en revenait au travail? Que dois-je faire?

—Le forgeron installé près du chantier me cherche des noises.

—Pourquoi donc?

—On lui a commandé des outils, mais il manque de matière première, et ses clients s'impatientent. Presque tout ce que contient cet entrepôt est commandé depuis l'automne dernier. Tu te rends compte? Le printemps n'est plus très loin, et on vient à peine de nous livrer…

—Pourquoi les délais sont-ils si longs?

—Au fond, tu n'es peut-être qu'un paysan ignorant! Où as-tu vécu avant de venir ici? Dans une grotte? Il ne suffit pas de vouloir les choses pour les avoir. Il faut attendre son tour, et chaque commande doit être validée par un comité.

—Pourquoi?

—«Pourquoi? Pourquoi? Pourquoi?» C'est le seul mot que tu connais?

Ishaq marmonna dans sa barbe. Richard crut comprendre qu'il demandait au Créateur pourquoi les ennuis tombaient toujours sur lui…

—Bon, je vais t'expliquer, puisque tu y tiens… Ici, il faut tenir compte des besoins des autres, et se soucier du bien-être de la communauté.

Si j'obtenais tout ce que je commande, j'aurais le monopole des transports, et ce ne serait pas juste pour les autres compagnies. Des gens perdraient leur travail, comprends-tu? Les produits doivent être répartis équitablement, et il y a un comité spécial pour s'en assurer. Et même quand j'ai de quoi livrer, certains de mes collègues ne peuvent pas travailler au même rythme que moi, parce qu'ils manquent de personnel ou de véhicules. Dans ce cas, je dois attendre qu'ils aient effectué leur quota de livraisons.

— Pourquoi ne peux-tu pas…

— Encore un « pourquoi » ? Richard, prends cette commande et va t'en occuper. Je ne veux pas que ce foutu forgeron revienne me souffler dans les bronches.

— Il ne peut pas attendre son tour, comme tout le monde?

— Non, parce qu'il travaille pour le Fief.

— Le Fief? De quoi parles-tu?

— Du palais qu'on construit pour l'empereur.

Richard ne connaissait pas le nom de l'édifice, mais il savait que des travailleurs affluaient en ville pour participer à ce chantier. Et il soupçonnait que Nicci avait choisi Altur'Rang pour cette raison. Visiblement, elle trouvait amusant qu'il contribue indirectement à ce grand projet. Un sens de l'humour bien particulier, et qui ne lui arrachait pas l'ombre d'un sourire…

— Ce palais sera énorme, dit Ishaq. Pendant des années, beaucoup de gens auront du travail.

— Donc, si je comprends bien, quand une commande émane de l'Ordre, on a tout intérêt à l'honorer.

— Voilà, tu commences à saisir! Messire Pourquoi aurait-il enfin du plomb dans la cervelle? Le forgeron est sous les ordres des maîtres d'œuvre du palais, qui rendent directement des comptes aux plus hautes autorités. Ils veulent des outils, et se fichent des excuses vaseuses d'un petit forgeron. Mais lui, il se *contrefiche* de mes difficultés. Du coup je suis pris entre le marteau et l'enclume – ou le comité et le palais, si tu préfères.

Ishaq se tut en voyant approcher un des employés, qui lui tendit un document. Pendant qu'il en prenait connaissance, le type jeta un regard agressif à Richard…

Dès qu'il eut terminé sa lecture, Ishaq donna quelques instructions à l'homme, qui hocha la tête et repartit aussitôt.

— Richard, je peux uniquement livrer ce que le comité m'autorise à transporter. Ce document m'ordonne de différer l'envoi d'un lot de madriers aux mines de charbon, parce que ce travail sera confié à une entreprise en difficulté. Tu comprends, maintenant? Si je ne jouais pas le jeu, des malheureux se retrouveraient au chômage. Tôt ou tard, on me remplacerait par quelqu'un qui ménagerait davantage ses concurrents. Ce n'est plus comme au bon vieux temps, quand j'étais jeune et idiot!

— Si je comprends bien, faire du bon travail risque de t'attirer des ennuis. Comme à moi…

— Du bon travail ? Qui peut dire ce que c'est ? Œuvrer pour le bien commun serait mal, selon toi ?

— Ishaq, tu ne crois pas un mot de ces fadaises, n'est-ce pas ?

— Richard, je t'en prie, pars avec le chariot, charge-le quand tu seras à la fonderie, et va livrer ce forgeron de malheur. Surtout, plus de « pourquoi », par pitié ! Et en chemin, ne va pas tomber malade, te faire mal au dos ou te découvrir une pleine nichée d'enfants en mauvaise santé. Si ce forgeron revient ici, c'est moi qui devrai nager avec une barre de fer autour du cou.

— Ne t'inquiète pas, mon dos va très bien !

— Parfait… Je vais t'affecter un cocher… Surtout, ne lui demande pas de t'aider à décharger ! Je ne veux pas entendre de plaintes, lors de la prochaine réunion. J'ai dû supplier Jori de ne pas me dénoncer, après ce fameux soir où j'ai osé suggérer qu'il me donne un coup de main. Tu te souviens ?

— Comme si c'était hier…

— Alors, s'il te plaît, n'embête pas Jori, si c'est lui qui vient avec toi. Surtout, ne touche pas les rênes de l'attelage, parce que c'est son travail. Tu pourras t'empêcher de faire des fantaisies ? Charge le chariot puis décharge-le, histoire que ce forgeron oublie jusqu'à mon existence.

— Compris, Ishaq. Je ne te ferai pas d'ennuis. Tu peux compter sur moi.

— J'espère bien… (Ishaq fit mine de partir, mais il se ravisa.) La vie était moins difficile à la ferme, pas vrai ?

— Pour sûr que oui ! Je regrette d'en être parti, tu peux me croire…

— Encore une chose : si tu vois un des prêtres, prosterne-toi devant lui – et plutôt deux fois qu'une. Compris ?

— Des prêtres ? Comment les reconnaîtrai-je ?

— Ils portent une soutane marron à capuche… Ne t'en fais pas, tu ne pourras pas te tromper. Devant eux, comporte-toi comme un fidèle serviteur du Créateur. Si un prêtre doute de ta foi, il est en droit de te faire torturer. Ces saints hommes sont les disciples du frère Narev.

— Qui ça ?

— Le haut prêtre de la Confrérie de l'Ordre… Mais assez de questions ! Je dois aller prévenir Jori, pour qu'il te rejoigne avec son chariot. Richard, je t'en prie, exécute mes ordres. Le forgeron me tordra le cou s'il n'a pas son fer aujourd'hui. Tu seras sérieux ?

Richard sourit à son ami pour le rassurer.

— Tu as ma parole, Ishaq. Cet homme aura son fer.

Ishaq soupira de soulagement et partit chercher Jori.

Chapitre 48

En fin d'après-midi, par un temps lourd et humide, Richard et Jori arrivèrent sur le chantier. Dès qu'il découvrit l'ébauche de ce qui serait un jour le Fief de Jagang, le Sourcier n'en crut pas ses yeux. Aucun adjectif, à part peut-être « démesuré », ne parvenait à qualifier ce projet. Combien d'hectares de terrain était-on en train de mettre à niveau avant de creuser les fondations ? L'équivalent d'une petite ville, au minimum... Comme des fourmis, des milliers de terrassiers travaillaient à modifier l'œuvre de la nature pour la rendre conforme aux désirs d'un seul homme.

Se fichant comme d'une guigne du futur palais, Jori répondit à toutes les questions de Richard par de laconiques :

— Oui, je suppose...

Sur le périmètre du futur bâtiment, les fondations étaient déjà en partie creusées. Du haut de la colline où il était, le Sourcier put déterminer la forme qu'aurait le Fief. Sa taille dépassait l'imagination – et tout ce que Richard avait pu voir jusque-là, y compris le Palais des Inquisitrices, en Aydindril, et le Palais du Peuple de Darken Rahl.

À cela, il convenait d'ajouter d'immenses jardins où on avait déjà entamé la construction de fontaines plus grandes que l'immeuble où Nicci et Richard avaient trouvé une chambre. Toutes les voies d'accès passeraient sous des arches majestueuses, et les jardiniers s'étaient déjà lancés dans l'aménagement d'immenses labyrinthes de haies. Sur les collines environnantes, on avait planté des arbres avec une rigueur géométrique qui forçait l'admiration.

En face de ce parc s'étendait un grand lac artificiel. Le plus petit flanc du bâtiment, du côté du fleuve, devait mesurer près de mille deux cents pieds de long. Des piliers de pierre dépassaient déjà de la berge, laissant supposer que certains éléments du complexe géant domineraient glorieusement les eaux. Des ouvriers s'affairaient également autour de ce qui semblait être l'ébauche de quais et d'une jetée – sans doute pour que l'empereur puisse s'adonner aux joies de la navigation de plaisance.

Altur'Rang se dressait sur l'autre rive du fleuve. Certains quartiers se trouvaient cependant du même côté que le Fief, mais à une distance respectueuse. Avait-on démoli des centaines de bâtiments pour faire de la place à la démente réalisation architecturale de Jagang ? Dans ce cas, le Fief serait au cœur même de la cité, et des dizaines de voies pavées permettraient aux citoyens de l'Ordre de venir admirer la splendide résidence de leur maître. Alors qu'elle sortait à peine de terre, une multitude de curieux se pressaient déjà derrière les clôtures qui délimitaient pour le moment le chantier.

Malgré la pauvreté qui régnait dans l'Ancien Monde, le palais de Jagang serait l'édifice le plus somptueux qu'aucun œil humain ait jamais contemplé.

Des blocs de granit étaient entassés partout. De loin, Richard vit que des tailleurs de pierre s'affairaient à leur donner la forme requise, faisant résonner l'air du vacarme de milliers de masses et de burins. Bien entendu, il y avait aussi du marbre – de toutes les variétés et couleurs – et une impressionnante quantité de blocs de roche calcaire. Dans un coin du chantier, une longue colonne de chariots spécialement renforcés, à cause du poids, attendaient d'en livrer de nouveaux.

Afin que les ouvriers spécialisés puissent travailler la pierre par tous les temps, on avait construit des abris assez grands pour accueillir la population d'un village moyen.

Le bois de charpente, lui, était entassé un peu plus loin et couvert d'énormes bâches de toile huilée, afin qu'il ne s'abîme pas.

Un peu partout sur le périmètre des fondations, des hommes s'échinaient à préparer du mortier. Pour cet ouvrage, il en faudrait des milliers et des milliers de tonnes…

L'atelier du forgeron était à l'écart du chantier, au bout d'une route qui serpentait sur le flanc d'une colline. Tous les artisans engagés comme sous-traitants s'étaient installés à cet endroit, plus vaste que bien des agglomérations visitées par Richard.

La découverte du chantier le laissa un moment bouche bée. Penser que tous les palais qu'il avait vus étaient un jour sortis de terre de la même façon le stupéfiait. Comment aurait-il pu imaginer une telle fourmilière de travailleurs ? Le gigantisme de tout cela avait de quoi déconcerter, même quand on n'éprouvait pas une once d'admiration pour l'Ordre Impérial…

Quand ils furent arrivés, Jori tira sur les rênes de son attelage et s'arrêta pile devant la double porte d'un bâtiment en bois.

— Te voilà à pied d'œuvre, dit le cocher.

Déjà un long discours, pour cet homme d'un naturel laconique…

Tirant de sous son siège une miche de pain et une gourde de bière, il sauta du chariot et s'éloigna en quête d'un coin tranquille où il pourrait se reposer en attendant que son collègue en ait terminé.

La chaleur qui filtrait des portes de la bâtisse prouva à Richard qu'il était bien devant l'atelier d'un forgeron. Sans grande surprise, il constata, après être entré, que les murs étaient couverts de suie. Tous les ateliers de ce genre partageaient cette caractéristique, dans l'Ancien comme dans le Nouveau Monde.

Bien qu'elle fût d'une construction récente, l'installation de ce forgeron semblait avoir une bonne centaine d'années. Dans un incroyable fouillis d'outils – rangés sur des étagères ou entassés à même le sol –, Richard identifia des pinces, des creusets, des moules, des équerres, des compas et des étaux de toutes sortes. Sur les établis déjà bancals, des matrices, des étampes et des meules voisinaient avec une foisonnante collection de masses, de maillets et de marteaux posés sur la tête pour être plus faciles à saisir. Vus de loin, on aurait cru contempler une pelote d'épingles géante…

Sur le sol, dans un fantastique désordre, des caisses débordaient de rivets, de boulons, d'écrous et de cales. Entre les piles de barres de fer, Richard aperçut d'autres creusets, des lingotières, des cisailles, des longueurs de chaîne métallique, des poulies et une kyrielle d'accessoires pour enclume. Tout ce matériel était couvert de suie et de copeaux de métal.

Près des bacs de trempe, des ouvriers travaillaient les barres de fer chauffées au rouge. Les martelant pour leur donner la forme voulue, ils les plongeaient ensuite dans l'eau, produisant une cacophonie de sifflements et de grésillements, comme si le métal protestait contre le traitement qu'on lui infligeait. D'autres spécialistes pliaient des pièces en se servant des pointes de leur enclume comme support. Procédant avec d'énormes pinces, ils s'interrompaient souvent pour comparer au modèle la pièce en cours de fabrication, puis recommençaient à jouer du marteau avec une précision impressionnante.

Avec ce vacarme, Richard ne s'entendait plus penser…

Dans un coin obscur, un ouvrier s'acharnait à faire fonctionner un soufflet en pesant de tout son poids sur l'énorme manche en bois de l'appareil. Non loin de là, la forge dont il entretenait les flammes rugissait comme une bête sauvage.

Partout où il restait un peu de place, des seaux de charbon attendaient d'être jetés en sacrifice dans le feu.

Le sol était jonché de pinces et de marteaux abandonnés par les ouvriers dans le feu de leur combat contre le fer rougeoyant. Comme dans tous les ateliers, le désordre régnait en maître, mais ici, tous les records de fouillis semblaient être battus.

Sur le seuil d'une grande remise, Richard repéra un type en tablier de cuir qui étudiait une ardoise où figurait un schéma complexe. Se tapotant les lèvres avec sa craie, il semblait plus que perplexe devant l'entrelacs de barres de fer qui gisaient sur le sol de l'autre pièce.

Ne voulant pas briser la concentration du type, Richard attendit en silence. Après une mûre réflexion, l'homme effaça une ligne, sur l'ardoise, puis la redessina, modifiant ses points d'intersection avec les autres.

Intrigué, Richard étudia le schéma, qui lui rappelait vaguement quelque chose.

— Seriez-vous le propriétaire de cette forge? demanda-t-il quand l'homme tourna la tête vers lui.

Sans répondre, le type le foudroya du regard. Les cheveux coupés très court – une précaution judicieuse quand on travaillait à proximité des flammes – il n'était pas bien grand, mais très musclé, et sa façon de se tenir, le dos bien droit et le torse bombé, ne donnait pas très envie de lui chercher des noises. À la façon dont ils le regardaient, tous les ouvriers redoutaient cet homme…

Cédant à une bizarre impulsion, Richard désigna sur l'ardoise la ligne que le forgeron venait de tracer.

— C'est une erreur, dit-il. Vous venez de vous tromper. Le haut de la pièce de soutien est où il faut, mais pas le bas, parce que…

— Tu sais ce que nous sommes en train de fabriquer?

— Pas exactement, mais…

— Alors pourquoi te permets-tu de dire où doit aller la barre de soutien?

Furieux, le forgeron semblait brûler d'envie de jeter l'importun dans la forge, histoire de le faire fondre avec la fournée de métal suivante.

— C'est vrai, je ne sais pas de quoi il s'agit, mais il me semble que…

— J'espère que tu es le type chargé de me livrer des barres de fer?

— C'est ça, oui, répondit Richard, pas mécontent de changer de sujet. (Et certain qu'il fermerait sa grande gueule, la prochaine fois…) Où dois-je…

— Qu'as-tu fichu toute la journée? coupa le forgeron. On m'a dit que tu serais là dès le lever du soleil. Tu as fait la grasse matinée, ou quoi?

— Sûrement pas, messire… Nous sommes passés à la fonderie dès l'aube, mais on n'a pas pu s'occuper de nous tout de suite parce que…

— Je me fous des explications! Tu as mon matériel, il est tard et tu devrais te dépêcher de le décharger.

Richard regarda autour de lui et fit la moue.

— Et où suis-je censé le mettre?

Le forgeron foudroya du regard plusieurs piles d'outils, comme s'il avait pu les faire fondre par enchantement.

— Si tu étais arrivé à l'heure, tu aurais pu le laisser juste derrière la porte de l'entrepôt extérieur... Mais on nous a livré un grand bloc de pierre, donc tu devras empiler les barres tout au fond de la pièce. Tant pis pour toi. La prochaine fois, lève-toi plus tôt !

Bien qu'il s'efforçât de rester poli, Richard commençait à en avoir assez de se faire malmener parce que le forgeron avait eu une mauvaise journée ou s'était levé du pied gauche.

— Ishaq vous a promis la livraison pour aujourd'hui, et me voilà ! Personne d'autre n'aurait pu faire si vite.

Pour la première fois, le forgeron regarda vraiment son interlocuteur.

Sentant qu'un orage menaçait, les ouvriers les plus proches découvrirent soudain qu'ils avaient à faire ailleurs...

— Combien de barres m'as-tu apportées ?

— Cinquante, de huit pieds de long...

— J'en ai commandé cent ! Pourquoi Ishaq a-t-il envoyé un abruti avec ce chariot ?

— Vous voulez avoir une explication, ou continuer à vous défouler sur quelqu'un ? Si brailler vous amuse, allez-y, parce que les injures ne me gênent pas. Sinon, taisez-vous, et vous saurez tout...

Le forgeron dévisagea Richard un moment. On eût dit un taureau importuné par un bourdon...

— Quel est ton nom ?

— Richard Cypher.

— Alors, ces explications, elles viennent, Richard Cypher ?

— La fonderie aurait aimé honorer votre commande, et elle aurait eu de quoi. Hélas, il y a les quotas de livraison. Un inspecteur des transports m'a interdit de prendre les cent barres, pour ne pas léser les autres compagnies. Elles ont toutes des problèmes, en ce moment...

— Sauf celle d'Ishaq, si j'ai bien compris... Mais il n'a pas le droit de me livrer cent barres de fer.

— C'est exactement ça...

— La fonderie veut me vendre ce qu'il me faut, mais il n'y a aucun moyen d'assurer le transport du produit...

— J'aurais fait un deuxième voyage aujourd'hui, dit Richard, mais on ne me donnera pas d'autres barres avant une semaine, au plus tôt. Vous devriez contacter les autres compagnies de transport. Qui sait, l'une d'entre elles a peut-être encore un chariot en état de rouler.

Pour la première fois, le forgeron eut un petit sourire.

— Tu crois que je n'y ai pas pensé ? Mais Ishaq est le seul en mesure de travailler, pour le moment...

— Au moins, vous aurez cinquante barres...

— Qui me suffiront à peine pour ce soir et demain matin... Suis-moi, je vais te montrer l'endroit où décharger.

Le forgeron guida Richard jusqu'à une porte latérale, puis s'engagea dans un couloir très court. Au bout, ils entrèrent dans un bâtiment relié à l'atelier mais effectivement indépendant – en termes d'architecture – d'où son nom d'«entrepôt extérieur». Le forgeron dénoua la corde attachée à un piton, ouvrant ainsi le rideau de toile qui obstruait une grande fenêtre, au plafond.

Richard regarda l'énorme bloc de marbre qui se dressait au centre de l'entrepôt. Dans l'atelier d'un forgeron, un tel objet semblait totalement déplacé. On l'avait bien entendu fait passer par les grandes portes, à l'autre bout de la bâtisse, sans doute en le tractant sur une plate-forme spéciale. Tout autour, il restait assez de place pour les barres de fer…

— Tu mettras ton chargement sur le côté droit, dit le forgeron. Fais attention, quand tu manipuleras les barres…

Richard sursauta. Fasciné par la beauté du bloc de pierre, il avait presque oublié son compagnon.

— N'ayez crainte, je n'abîmerai pas le marbre…

Alors que le forgeron se détournait, Richard le rappela.

— Je vous ai dit mon nom. Puis-je savoir le vôtre?

— Cascella…

— Vous n'avez pas de prénom?

— Si: « maître ». Surtout, n'oublie pas de le mentionner à chaque fois que tu me parles.

Richard sourit en emboîtant le pas à son guide.

— Très bien, *messire* maître Cascella… Ai-je l'autorisation de demander à quoi servira le bloc de marbre?

Cascella ralentit le pas puis se retourna et contempla le monolithe comme s'il s'agissait d'une femme aimée.

— Ça ne te regarde pas, mon gars.

— Je sais, mais c'est si beau… Je n'avais jamais vu un bloc de marbre brut, avant qu'on l'ait taillé ou sculpté.

— Il y a du marbre partout, sur ce chantier… Des tonnes et des tonnes! C'est un simple bloc, rien de plus… Maintenant, dépêche-toi de décharger ma commande!

Quand il eut terminé, Richard était en sueur et couvert de crasse – pas seulement à cause des barres de fer, mais surtout parce qu'il était maculé de suie jusqu'au front. Détestant être sale, il demanda s'il pouvait utiliser le baquet d'eau mis à la disposition des ouvriers afin qu'ils se débarbouillent un peu avant de quitter l'atelier. Par bonheur, on lui accorda l'autorisation de faire une rapide toilette.

Lorsqu'il fut à peu près propre, il voulut sortir et passa devant maître Cascella, désormais seul dans l'atelier. Perplexe, il étudiait le schéma, sur l'ardoise, apportant quelques corrections et inscrivant des chiffres tout autour.

—Maître Cascella, j'ai fini. Les barres sont rangées sur un côté, loin du bloc de marbre.

—Merci…

—Si je vous demandais combien vous avez payé pour ces cinquante barres, ça vous ennuierait?

—Fichtrement, oui! En quoi ça t'intéresse?

—Eh bien, l'homme de la fonderie m'a dit qu'il espérait pouvoir vous livrer le tout, afin de toucher six pièces d'or. Puisque vous avez seulement la moitié du matériel, je suppose que ces cinquante barres vous ont coûté trois pièces d'or. C'est exact?

—Qu'est-ce que tu en as à fiche?

—Eh bien, je me demandais si en avoir cinquante de plus pour deux pièces d'or et une d'argent vous intéresserait.

—Tu es un voleur, en plus d'un casse-pieds?

—Pas du tout, maître Cascella…

—Alors, comment penses-tu pouvoir me vendre cinquante barres pour une pièce d'argent de moins? Tu as un gisement de minerai dans ta chambre, Richard Cypher? Et tu l'exploites la nuit?

—Si ce que j'ai à dire ne vous intéresse pas, je peux aussi m'en aller…

—Parle, on ne sait jamais…

—L'homme de la fonderie est furieux parce qu'il n'a pas pu honorer votre commande. Ses stocks débordent, et les compagnies de transport le laissent tomber… Du coup, il est prêt à me vendre son fer moins cher…

—Pourquoi?

—Il a besoin d'argent. Ses fours sont arrêtés, ses ouvriers réclament leur salaire, et il n'a même plus de quoi acheter du charbon, du minerai ou d'autres produits… Bref, il n'a plus rien, à part des produits finis qu'il ne parvient pas à vendre. Quand je lui ai demandé à combien il me céderait les barres, si je me chargeais de les transporter, il m'a conseillé de revenir après le coucher du soleil. À l'abri des regards indiscrets, il est prêt à me laisser le matériel pour deux pièces d'or. Si vous me les rachetez deux pièces d'or et une d'argent, vos produits seront là demain matin.

Cascella ouvrit des yeux ronds, comme si Richard était une barre de fer qui venait soudain de prendre vie pour lui proposer une affaire.

—Tu sais que je suis prêt à les payer trois pièces d'or. Pourquoi me fais-tu un cadeau?

—J'ai deux raisons, expliqua Richard. *Primo*, je vous consens une réduction pour que vous reveniez vers moi chaque fois que vous aurez besoin de barres. *Secundo*, avant de lancer l'opération, je devrai vous emprunter deux pièces d'or pour pouvoir payer le fondeur. Parce qu'il ne me fera pas crédit, vous le savez très bien…

—Et si tu disparais avec mon argent?

—Vous avez ma parole d'honneur.

—Et alors ? Je ne t'ai jamais vu avant aujourd'hui !

—Vous connaissez mon nom. De plus, Ishaq a une peur bleue de vous, et il compte sur moi pour vous livrer, histoire que vous ne veniez pas lui tordre le cou.

—Je ne ferais jamais ça... J'aime bien Ishaq, tu sais. Il n'est pas dans une position facile, j'en ai conscience... Surtout, ne lui répète pas ça, parce que je tiens à le garder sous pression...

—Si ça vous chante, je lui cacherai que vous pouvez être sympathique, de temps en temps... Mais si j'ai bien compris, vous n'êtes pas dans une situation plus enviable qu'Ishaq. L'Ordre exige que vous lui livriez des outils, et sa façon d'organiser le travail vous en empêche.

Cascella eut un sourire désarmant de bonhomie.

—Alors, Richard Cypher, quand seras-tu là avec ton chariot ?

—Je n'ai pas de véhicule, mais si nous concluons le marché, cinquante barres seront rangées près des autres dès demain matin.

—Tu comptes me les livrer à pied ?

—C'est ça...

—Bon sang, tu es cinglé !

—Chariot ou pas, je veux gagner de l'argent. La distance n'est pas énorme, et je peux porter cinq barres à la fois. En dix voyages, ce sera fait. Marcher ne m'effrayant pas, j'en aurai fini à l'aube.

—Dis-moi pourquoi tu fais ça. Ce n'est pas simplement l'appât du gain, n'est-ce pas ?

—Ma femme n'a pas assez à manger... Comme je suis un ouvrier productif, le groupe me prend presque tout mon salaire pour aider les infirmes, les malades et les paresseux. Parce que je suis dur à la tâche, on fait de moi l'esclave de ceux qui ne peuvent ou ne veulent pas travailler. Ce système encourage les gens à laisser les autres prendre soin d'eux. Moi, je déteste être un esclave ! En vous consentant un prix, j'espère que vous ferez appel à moi régulièrement. Chacun y gagnera quelque chose, et c'est très bien comme ça.

—Si j'accepte, que feras-tu de tout cet argent ? Tu te reposeras un moment ? Ou tu boiras tout en deux jours ?

—Non, j'achèterai un chariot et un attelage.

—Pour quoi faire ?

—Vous livrer plus vite le matériel que vous me commanderez, puisqu'il est moins cher qu'ailleurs !

—Tu veux finir inhumé dans le ciel ?

Richard eut un petit sourire.

—Non, pas du tout... Mais j'ai réfléchi, et conclu que l'empereur tenait à ce que son palais soit construit vite. Beaucoup d'esclaves travaillent sur le chantier, essentiellement des prisonniers de guerre. Mais ils ne peuvent pas tout faire. Il faut des gens comme vous, ou le fondeur…

» Si les chefs locaux de l'Ordre sont malins, ils fermeront les yeux, plutôt que de devoir expliquer à l'empereur pourquoi le chantier n'avance pas. Dans les cas comme celui-là, il y a toujours moyen de se débrouiller. Je devrai sans doute verser quelques pots-de-vin, mais c'est déjà prévu dans mon budget.

» Vous aurez du fer moins cher, et en temps voulu. Aujourd'hui, vous êtes à court de matière première alors que vous la payez au prix fort. Chacun de nous y gagnera.

Cascella réfléchit un moment, comme s'il cherchait le défaut caché du plan de Richard.

—Tu es l'escroc le plus stupide que j'aie jamais rencontré, ou… Hum… je ne parviens même pas à trouver une définition… Mais j'ai le frère Narev sur le dos, et ce n'est pas très plaisant. Je ne devrais pas t'en parler, mais tant pis! Ishaq a peur de moi, dis-tu? Eh bien, je tremble dix fois plus devant le frère Narev, chaque fois qu'il vient me demander pourquoi ses outils ne sont pas prêts. Les prêtres se fichent de mes problèmes, ils exigent, et je dois me débrouiller.

—Je comprends, maître Cascella…

—Marché conclu, Richard Cypher. Cinquante barres pour deux pièces d'or et une d'argent. Mais tu auras ton bénéfice demain, quand je verrai mes barres. Pour l'instant, je t'avance simplement deux pièces d'or pour acheter le fer.

—Ça me va très bien… Mais dites-moi, qui est le frère Narev?

—C'est le haut prêtre de…

—Ai-je bien entendu quelqu'un mentionner mon nom? lança soudain une voix.

Richard et maître Cascella se retournèrent. Un homme approchait d'eux. Vêtu d'une soutane, un calot sur la tête, il marchait à grandes enjambées, ses yeux noirs nichés sous des sourcils broussailleux rivés sur le forgeron. Dans la pénombre, il ressemblait à un esprit du mal venu semer la terreur dans le monde des vivants.

Maître Cascella fit une révérence. Prudent, Richard l'imita.

—Frère Narev, nous parlions de l'approvisionnement en fer…

—Où sont mes nouveaux burins, forgeron?

—Je n'ai pas encore…

—Des centaines de blocs de pierre attendent d'être taillés, et des ouvriers restent à ne rien faire parce qu'ils n'ont pas d'outils. Tu ralentis la construction de mon palais.

—Frère Narev, je vous présente Richard Cypher… Il a eu une idée pour m'obtenir du fer, et…

— Silence! (Le frère Narev se tourna vers Richard.) Tu peux vraiment le fournir en matière première?

— C'est possible, oui…

— Dans ce cas, n'hésite pas!

— À vos ordres, frère Narev.

— Et maintenant, montre-moi ton travail, forgeron.

Cascella fit signe à Richard de l'accompagner, puis il s'éloigna avec le haut prêtre. Trop occupé pour l'instant par l'important personnage, le forgeron n'avait pas le temps de donner les deux pièces d'or à son nouveau fournisseur.

Richard s'empara de la lampe que Cascella désigna en claquant des doigts, l'alluma et rejoignit les deux hommes devant la porte de la pièce où se trouvait l'étonnante ossature métallique.

Le forgeron prit l'ardoise et ordonna à Richard de l'éclairer. Le frère Narev étudia le schéma, puis le compara au produit en cours de fabrication.

Sur l'ardoise, il désigna la ligne que Richard avait jugée erronée.

À cet instant, le Sourcier, les sangs soudain glacés, comprit ce qu'était l'étrange ossature métallique.

— Ce support-là n'est pas bon…, grogna le frère Narev.

— Mais il faut bien que j'équilibre le poids…

— Je t'ai chargé d'ajouter des entretoises, pas de saboter le concept original. Le haut du support peut rester où il est, mais le bas doit être fixé… là.

Exactement à l'endroit où l'aurait mis le Sourcier.

Cascella se gratta le crâne et tourna brièvement la tête pour jeter un regard noir à Richard.

— C'est faisable, finit-il par dire. Ce ne sera pas facile, mais…

— Je me fiche que ce soit compliqué! Rien ne doit être fixé à cette zone-là, c'est compris?

— Oui, frère Narev.

— Elle doit être parfaitement lisse, pour qu'on ne voie aucun joint quand elle aura été dorée à l'or fin. Mais d'abord, fabrique-moi ces maudits burins!

— Ce sera fait, frère Narev.

Estimant que le sujet était clos, le haut prêtre se tourna vers Richard et le dévisagea.

— C'est étrange, mais tu me dis quelque chose… Je te connais?

— Non, frère Narev. Si je vous avais rencontré, je m'en souviendrais. On ne croise pas souvent des hommes de votre envergure…

— Tu n'as pas tort… Tu livreras son fer au forgeron?

— Comme prévu, oui.

— Eh bien, j'espère que tu tiendras parole.

Très mal à l'aise, Richard tenta machinalement de vérifier que l'Épée de Vérité coulissait correctement dans son fourreau. Bien entendu, il ne la trouva pas sur son flanc gauche.

Le frère Narev sembla vouloir dire quelque chose, mais son attention fut détournée par l'arrivée de deux jeunes hommes vêtus comme lui – à l'exception du calot, car leur soutane était à capuche.

— Frère Narev ! appela le plus petit des deux.

— Qu'y a-t-il, Neal ?

— Le livre que vous attendiez est arrivé. Nous sommes venus vous prévenir tout de suite, comme prévu.

Narev fit signe à ses deux disciples de l'attendre, puis il foudroya une dernière fois du regard ses deux interlocuteurs.

— Ne me décevez pas, dit-il.

Richard et Cascella, la tête inclinée, attendirent en silence que le haut prêtre et ses compagnons soient sortis de l'atelier.

Aussitôt, l'atmosphère s'allégea considérablement.

— Viens, dit le forgeron, je vais te donner l'or.

Dans un très petit bureau, il ouvrit le coffre-fort installé sous les tréteaux qui lui tenaient lieu de bureau et en sortit deux pièces d'or.

— Victor, dit-il en les tendant à Richard.

— Pardon ?

— C'est mon prénom. Je m'appelle Victor Cascella.

Chapitre 49

Après avoir quitté l'entrepôt d'Ishaq – et avant d'aller acheter du fer pour Victor –, Richard passa chez lui avec l'intention d'y rester cinq minutes. Pour dîner, bien entendu, mais surtout afin de prévenir Nicci qu'il retournait au travail. Insistant sur leur statut de « mari et femme », elle avait clairement précisé qu'elle ne supporterait pas qu'il découche. Il devait rentrer chez lui après sa journée de labeur, comme n'importe quel époux.

Kamil et un de ses amis attendaient le Sourcier.

Tous les deux portaient une chemise.

Richard s'arrêta au pied de l'escalier.

— Désolé, Kamil, mais je dois retourner au travail…

— Tu es encore plus idiot que je le pensais ! Un crétin qui bosse le jour et la nuit ! Ne te fatigue pas à essayer d'améliorer ton sort, mon gars ! La vie te donne ce qu'elle veut, et on ne peut rien y changer. Je savais que tu trouverais un prétexte pour te défiler. Dire que j'ai failli croire que…

— Puisque j'ai à faire plus tard, coupa Richard, nous allons devoir nous y mettre tout de suite. Voilà ce que je voulais dire…

Kamil fit la moue – son tic préféré pour exprimer ce qu'il pensait des gens plus âgés et plus stupides que lui.

— Je te présente Nabbi. Il veut aussi te voir faire l'imbécile. Gadi, lui, trouve que nous perdons notre temps…

Richard fit mine de ne pas avoir remarqué l'arrogance de l'adolescent.

— Ravi de te connaître, Nabbi.

Le troisième membre de la « bande » – nommé Gadi, comme Richard venait de l'apprendre –, le plus grand et le plus costaud de tous, observait la scène de loin, dans le couloir. Et lui n'avait pas de chemise.

Pour desceller les marches, Richard utilisa son couteau et une barre de fer rouillée que Kamil lui avait dénichée. Quand ce fut fait, sans trop de

513

mal, vu l'état de l'escalier, il nettoya les gorges du limon, puis les recreusa un peu en expliquant à ses deux compagnons qu'il couperait en biseau les coins des marches pour qu'elles s'encastrent mieux dans leur logement. Puis il regarda Kamil et Nabbi fabriquer des cales à partir du modèle qu'il avait taillé pour eux.

Les deux adolescents furent ravis de lui montrer qu'ils savaient jouer du couteau. Richard, lui, se félicita que le travail avance plus vite.

Quand tout fut remis en place, Kamil et Nabbi montèrent et descendirent plusieurs fois les marches, éblouis de ne plus les sentir branler sous leurs pieds. Et secrètement enchantés, bien entendu, d'avoir contribué à leur réparation.

— Vous avez fait du bon travail, dit Richard, parfaitement sincère.

En réponse, il obtint des sourires, pas des remarques sarcastiques…

À la lueur d'une mèche passée dans un bouton de bois et flottant dans de l'huile de graines de lin, Richard dut se contenter d'un peu de millet aqueux. L'odeur de la lampe de fortune n'étant pas plus appétissante que le plat, il n'y prit pas vraiment plaisir, mais il avait besoin de reconstituer ses forces.

Ayant déjà dîné, Nicci l'encouragea à avaler toute la portion.

Richard ne lui donna pas de détails au sujet de sa nuit de travail. Si elle insistait pour qu'il ait un emploi, elle ne s'intéressait pas à ce qu'il faisait. S'acquittant des tâches ménagères, elle attendait simplement de lui qu'il gagne de quoi subvenir à leurs besoins.

Elle semblait satisfaite qu'il découvre les efforts inhumains que les gens ordinaires devaient consentir pour survivre. Quand il lui parla de l'argent supplémentaire qu'il allait gagner, en partie pour acheter de la nourriture, une étincelle passa dans les yeux de la Sœur de l'Obscurité, mais elle ne fit pas de commentaire.

Richard remarqua qu'elle flottait dans sa robe noire. Les mains et les coudes osseux, elle dépérissait de jour en jour.

Pendant qu'il mangeait, Nicci l'informa d'un ton neutre que le père de Kamil était passé la voir.

— Et qu'a-t-il dit?

— Puisque tu as un travail, le comité du logement du quartier a décidé d'augmenter notre loyer pour aider à payer celui des malheureux privés d'emploi. Tu vois comment fonctionnent les choses, sous le règne de l'Ordre? Tout le monde contribue au bien commun.

Tout ce que le groupe de travailleurs ne prenait pas finissait dans la poche du comité du logement ou d'une autre organisation de ce genre. Le motif était toujours le même : améliorer le sort des citoyens de l'Ancien Monde.

En attendant, Richard et Nicci n'avaient plus les moyens de se nourrir. Le Sourcier aussi avait maigri, mais un peu moins que la Sœur de l'Obscurité.

Nicci semblait satisfaite qu'on ait augmenté leur loyer. Au moins, la nourriture n'était pas trop chère, quand on en trouvait. Selon les citoyens, s'ils pouvaient manger, c'était uniquement grâce à la bonté du Créateur et à la sagesse de l'Ordre. À l'entrepôt, Richard avait entendu parler d'un marché noir où on pouvait se procurer tout ce qu'on voulait, à condition d'en avoir les moyens. Hélas, il ne les avait pas…

Sur le chemin entre la fonderie et le chantier, il avait remarqué, un peu à l'écart de la cité, des demeures qui semblaient superbes. Dans ces rues-là, les gens étaient bien habillés, et certains se déplaçaient en calèche. Ces personnes ne se salissaient sûrement jamais les mains, et elles ne s'abaissaient sûrement pas à gagner leur vie, même en faisant des affaires. Les têtes pensantes de l'Ordre avaient des principes ! C'était sans doute pour ça qu'elles forçaient les travailleurs actifs à s'échiner pour les autres.

— Se sacrifier est le devoir sacré de tout être humain, dit Nicci, consciente que Richard était très mécontent.

— Non, c'est un suicide ! L'obscène et inutile suicide des esclaves !

La Sœur de l'Obscurité regarda son prisonnier comme s'il venait d'affirmer que le lait maternel était un poison pour les nourrissons.

— Richard, je ne t'ai jamais entendu dire quelque chose de si cruel !

— Tu me trouves indigne parce que je refuse de me sacrifier pour un petit voyou comme Gadi ? Ou pour d'autres ruffians que je ne connais pas ? Il serait cruel de ne pas vouloir abandonner le peu que je possède à des gens prêts à m'égorger dans une ruelle obscure pour me détrousser ?

» Se sacrifier pour une cause juste – la liberté, par exemple – ou une personne aimée est un acte logique et rationnel. Pour Kahlan, je n'ai pas hésité une seconde à jeter ma vie aux orties. Mais ce que tu prônes revient à être un esclave qui accepte de renoncer à son bien le plus précieux – son existence même – dès qu'un petit voleur minable le lui demande.

» Ce suicide est l'équivalent du fardeau qu'un maître impose à un serf. Puisque j'ai un couteau sur la gorge, ce n'est pas pour mon bien que je me dépouille de tout, mais pour celui du type qui tient la lame et des gens qui décrètent que cette horreur se nomme l'intérêt général.

» Nicci, la vie n'a pas de prix. C'est pour ça qu'on peut la risquer pour défendre la liberté. Car sans liberté, on agonise à petit feu, contraint de souffrir à chaque instant pour le prétendu « bien-être de l'humanité ». Mais cette fameuse humanité n'est que la somme de tous les individus qui la composent. Pourquoi la vie d'un autre serait-elle plus importante que la tienne ou la mienne ? Le sacrifice obligatoire est une infamie !

— Tu ne penses pas un mot de ce que tu dis, souffla Nicci. Épuisé et furieux parce qu'il te faut travailler de nuit pour joindre les deux bouts, tu te révoltes comme un adolescent. Réfléchis et tu comprendras qu'aider les autres revient à t'aider toi-même, car tu seras tôt ou tard dans le besoin, et bien content qu'on te tende la main.

Richard jugea inutile de polémiquer avec sa geôlière.

— Je suis désolé pour toi, Nicci, parce que tu ne connais pas la valeur de ta propre vie. Du coup, la sacrifier ne te gêne pas…

— C'est faux, Richard… J'ai gardé du millet pour toi, afin que tu reprennes des forces. Moi, je n'ai pas mangé…

— Tu veux que je reste en forme, alors que ma vie n'a plus de sens ? Pourquoi t'es-tu privée de manger, Nicci ?

— Pour le bien des autres !

— Tu es prête à crever de faim pour n'importe qui ? Même Gadi ? Tu t'affamerais afin qu'il puisse s'empiffrer ? Tout ça aurait un sens si tu te sacrifiais pour quelqu'un que tu estimes. Mais là, tu risques de mourir au nom de l'idéal fumeux de l'Ordre !

Voyant qu'elle ne répondait pas, Richard poussa son assiette devant la Sœur de l'Obscurité.

— Je ne veux pas que tu périsses pour rien…

Nicci regarda fixement l'assiette de millet.

Richard fut navré de constater qu'elle ne comprenait pas ce qu'il essayait de lui expliquer. Puis il pensa à ce que risquait Kahlan si sa « mère nourricière » tombait malade.

— Mange, Nicci, dit-il gentiment.

La Sœur de l'Obscurité prit la cuiller et obéit.

Quand elle eut fini, elle leva sur lui ses yeux bleus tellement avides de voir quelque chose que le Sourcier ne pouvait pas lui montrer.

— Merci pour ce repas, Richard…

— Pourquoi me témoigner de la gratitude ? Je suis un esclave sans valeur, sauf lorsqu'il s'agit de me sacrifier pour le premier nécessiteux venu.

Richard se leva, gagna la porte, l'ouvrit et se retourna.

— Maintenant, je dois y aller, sinon, je perdrai mon travail…

Des larmes aux yeux, Nicci hocha simplement la tête.

Richard fit son premier voyage avec cinq barres sur les épaules. Derrière leur fenêtre, quelques personnes le regardèrent, stupéfaites de voir quelqu'un travailler ainsi pour son propre bénéfice.

Ployant sous le poids, Richard se répéta que porter cinq barres lui permettrait de faire moins de voyages. Il procéda ainsi la deuxième et la troisième fois, puis décida de s'alléger un peu, quitte à ajouter un trajet, et prit seulement quatre barres.

Ses forces déclinant, il dut revoir ses prétentions à la baisse. L'avant-dernière fois, porter deux barres lui coûta des efforts surhumains. Constatant qu'il lui en restait trois, il réussit l'exploit de les transporter jusqu'au chantier, s'économisant ainsi un peu de distance.

À l'aube, le matériel rangé là où c'était prévu, il retourna à l'entrepôt d'Ishaq, où l'attendait une journée de travail. Pour ne pas être en retard, il décida de revenir voir Victor plus tard, afin de toucher sa pièce d'argent.

Comparé à ce qu'il venait de faire, charger le chariot lui parut être un jeu d'enfant. Jori étant aussi taciturne que d'habitude, il put se coucher dans le véhicule, sur des sacs de charbon, et dormir un peu, soulagé à l'idée d'avoir tenu la parole donnée au forgeron.

En rentrant chez lui, épuisé, il découvrit que Kamil et Nabbi l'attendaient sous le porche. Tous les deux portaient une chemise presque propre…

— Nous avions hâte de te voir arriver pour finir le travail, dit Kamil.

— Quel travail ? demanda Richard.

— Les marches…

— Nous nous en sommes occupés hier soir.

— Et l'escalier de derrière ? Tu voudrais que quelqu'un se casse le cou en descendant aux toilettes ou en allant faire cuire quelque chose dans la cheminée commune ?

C'était une épreuve, et Richard comprit qu'il perdrait tout le fruit de son action s'il refusait.

Nicci passa la tête par la porte d'entrée.

— J'avais bien cru entendre ta voix. Viens, je t'ai préparé une bonne soupe.

— Tu as du thé ?

La Sœur de l'Obscurité jeta un coup d'œil aux deux adolescents en chemise.

— Je peux en faire pendant que tu mangeras.

— Apporte plutôt tout ça dans l'arrière-cour, si tu veux bien. J'ai promis de réparer les marches.

— Ce soir ?

— Il reste une ou deux heures de jour… Je mangerai pendant que nous travaillerons.

Kamil et Nabbi posèrent plus de questions que la veille. Le troisième larron, Gadi, toujours torse nu, vint plusieurs fois inspecter le chantier. Bien entendu, il se fit un devoir de reluquer Nicci quand elle apporta son thé et sa soupe à Richard.

Lorsqu'il eut fini, le Sourcier alla dans la chambre qui était jadis le salon d'Ishaq. Retirant sa chemise, il s'aspergea le visage d'eau pour tenter de chasser la migraine qui le menaçait.

— Lave-toi la tête, dit Nicci. Je ne veux pas de poux ici.

Richard ne jugea pas utile de mentionner qu'il n'avait pas de vermine dans les cheveux. Plongeant la tête dans l'eau, il se la frotta avec un morceau de savon râpeux. Une décision qui lui épargnerait de longues palabres et lui permettrait de se coucher plus vite.

Pour une raison qui le dépassait, Nicci avait la phobie des poux.

Depuis qu'ils vivaient ensemble, misérable caricature de couple, la Sœur de l'Obscurité s'acquittait très bien de ses obligations. Elle entretenait la chambre, lavait la literie et les vêtements de son « mari », tout ça sans jamais se plaindre de devoir aller puiser de l'eau au bout de la rue. Dès qu'il s'agissait d'imiter la vie des gens ordinaires, elle ne reculait devant aucun sacrifice. obsédée par son étrange quête, elle s'investissait dans son rôle au point d'oublier parfois qu'elle était une Sœur de l'Obscurité. Richard, lui, ne perdait jamais de vue qu'il partageait un toit avec sa geôlière, et non avec une femme comme les autres.

Quand il eut fini de se rincer les cheveux, il demanda à brûle-pourpoint :

— Qui est le frère Narev ?

Assise sur son lit, Nicci cessa de repriser un pantalon et releva les yeux. Ne ressemblant plus du tout à une épouse modèle, elle répliqua d'une voix menaçante :

— Pourquoi cette question ?

— Je l'ai rencontré hier, chez le forgeron.

— Sur le chantier ?

— Oui. Je devais livrer des barres de fer.

Nicci se concentra de nouveau sur son ouvrage. Puis elle s'interrompit de nouveau, apparemment décidée à répondre.

— Le frère Narev est le haut prêtre de la Confrérie de l'Ordre, une très ancienne secte résolue à imposer la volonté du Créateur sur le monde. Il est l'âme et le cœur de l'Ordre Impérial. Bref, son guide spirituel… Avec ses disciples, il s'assure que les citoyens de l'Ancien Monde ne s'écartent jamais de l'éternelle Lumière du Créateur. De plus, il est le conseiller de l'empereur.

Richard fut stupéfié par tout ce que la Sœur de l'Obscurité savait sur les arcanes du pouvoir au sein de l'Ordre. Soudain sur ses gardes, il posa une nouvelle question :

— Quelle sorte de conseiller ?

Nicci recommença à coudre, comme s'ils parlaient de la pluie et du beau temps.

— Le frère Narev était le tuteur de Jagang. C'est lui qui l'a formé et éduqué. Sans son enseignement, l'empereur ne se serait jamais lancé dans sa sainte croisade.

— Narev est un sorcier, n'est-ce pas ?

Nicci releva la tête. Dans son regard, il lut qu'elle hésitait à répondre, consciente qu'il attendait d'elle toute la vérité, comme elle l'avait promis au début de leur curieuse aventure.

— Un profane pourrait le définir comme tel…

— Que veux-tu dire ?

— Les gens qui ne connaissent rien à la magie ne feraient pas la différence, mais à strictement parler, Narev n'est pas un sorcier.

— Et qu'est-il donc, dans ce cas ?

— Un magicien…

Richard en resta muet. Pour lui, les mots « sorcier » et « magicien » étaient synonymes. En réfléchissant, il s'avisa qu'on utilisait le premier pour les hommes et le second pour les femmes. S'il arrivait, pour l'insulter, qu'on traite une magicienne de sorcière, il n'avait jamais entendu quelqu'un parler d'un magicien.

— Une personne comme toi, mais du sexe opposé ?

— C'est une façon de présenter les choses très imprécise… Si tu veux comparer, un magicien a plus de points communs avec un sorcier qu'avec une magicienne, puisque tous les deux sont des hommes. Pourtant, ils sont très différents…

— Nicci, j'ai travaillé toute la nuit et toute la journée, et je ne tiens plus debout. Essaie d'être claire, je t'en prie !

La Sœur de l'Obscurité fit signe au Sourcier de prendre place en face d'elle, sur l'autre lit. Après avoir remis sa chemise, Richard s'assit en tailleur et étouffa un bâillement.

— Le frère Narev est un magicien… Désolée, mais la différence est difficile à expliquer. Je vais tenter de parler simplement, pourtant, tu dois comprendre que certaines nuances exigent un discours subtil. Sinon, elles disparaissent purement et simplement.

» Les sorciers et les magiciens se ressemblent, certes, mais il y a un monde entre eux. Un peu comme entre l'eau et l'huile… Ces deux liquides peuvent être chauffés, par exemple, mais ils ne se mélangent pas, et beaucoup de leurs propriétés sont différentes. Le pouvoir d'un sorcier ne peut pas être combiné à celui d'un magicien, et ils interviennent dans des domaines différents.

» En matière de magie, rien de ce qu'ils pourraient tenter l'un contre l'autre ne marcherait. Les deux ont le don, c'est entendu, mais leurs pouvoirs se neutralisent.

— Parce qu'ils sont opposés, comme les magies Additive et Soustractive ?

— Non. À première vue, l'image paraît pertinente, mais c'est la pire façon d'aborder le problème. Comment expliquer ça à quelqu'un qui ne comprend pas le fonctionnement de son propre don ? Il te manque les bases requises pour saisir ce que je pourrais te dire. Pour être franche, ces concepts sont au-delà de ta compréhension.

— Prenons les choses différemment, dans ce cas. Un loup et un couguar sont tous les deux des prédateurs, mais ils n'appartiennent pas à la même espèce. C'est ça ?

— Non, mais tu t'approches de la vérité.

— Et il y a beaucoup de magiciens ?

— Ils sont aussi rares que ceux qui marchent dans les rêves, comme Jagang… et que les sorciers de guerre.

Même s'il ne saisissait pas les concepts, comme le lui avait dit Nicci, Richard fut perturbé par cette révélation.

— Et quelles sont les caractéristiques d'un magicien ?

— Je ne suis pas une experte, tu sais… D'après ce que j'ai entendu dire, un magicien lance en gros les mêmes sorts qu'un sorcier, mais la… qualité… de son pouvoir est différente. L'eau-de-vie et la bière peuvent soûler quelqu'un, pourtant leurs compositions n'ont pas grand-chose en commun.

— Mais l'une des deux est plus forte que l'autre !

— Il n'en va pas ainsi avec les sorciers et les magiciens. Comprends-tu pourquoi les discours simples et les comparaisons de ce genre sont inadéquats ? La puissance d'un sorcier ou d'un magicien dépend de chaque individu, pas de la nature du pouvoir qu'il détient.

Richard gratta sa barbe de trois jours et réfléchit. Si les deux avaient un pouvoir, il ne voyait pas en quoi il y avait une différence – majeure, en tout cas.

— Un magicien a-t-il des aptitudes qu'un sorcier n'a pas ? demanda-t-il. (Nicci baissa les yeux sur son ouvrage, comme si elle refusait de poursuivre la conversation.) Le jour de ma capture, tu t'en souviens sûrement, tu as promis de ne jamais me mentir ni me cacher quelque chose…

La Sœur de l'Obscurité regarda Richard dans les yeux. Puis elle détourna la tête et, pour se donner une contenance, écarta de son front une mèche de cheveux vagabonde.

Ce geste rappela Kahlan à Richard, qui en eut le cœur serré.

— Je t'ai juré d'être sincère, c'est vrai… Pour répondre à ta question, je pense que le frère Narev est parvenu à dupliquer le sort qui enveloppait le Palais des Prophètes. Pour créer ce sortilège, il y a des milliers d'années, il a fallu des sorciers qui contrôlaient les deux facettes de la magie, comme toi… Une des différences majeures entre les magiciens et les sorciers, selon moi, est que le pouvoir des premiers, contrairement à celui des seconds, ne peut pas être réduit à ses éléments constitutifs… En d'autres termes, il est… global…, si tu vois ce que je veux dire. Avec sa magie en quelque sorte universelle, le frère Narev a dû être capable de comprendre comment les sorciers de jadis ont structuré le sortilège du Palais des Prophètes. Ensuite, il n'a plus eu qu'à le reproduire à sa manière.

— Tu parles du sort qui ralentit le vieillissement ? Il est en mesure de le lancer ?

— Oui. Jagang me l'a indirectement révélé… Richard, dans ma jeunesse, j'ai connu le frère Narev. À l'époque, c'était déjà un homme d'âge mûr – et un visionnaire qui tentait d'imposer la doctrine de l'Ordre. Je l'ai entendu émettre le souhait de vivre assez longtemps pour voir les fruits de son travail. Quand je suis partie vivre au palais de Tanimura, ça a dû lui donner une idée, puisqu'il y est arrivé peu après moi.

» Les sœurs le prenaient pour un simple garçon d'écurie. Son don étant différent de celui d'un sorcier, elles ne l'ont jamais détecté. Aujourd'hui, je suis convaincue qu'il est surtout venu au palais pour étudier le sort, et le reproduire un jour.

— Il aurait pu prendre le contrôle du palais, et n'avoir pas à se donner tout ce mal.

— C'était sans doute son plan originel. D'ailleurs, Jagang a essayé de le réaliser. Mais Narev a dû étudier le sortilège avec l'idée de le dupliquer en l'*améliorant*.

Richard se massa le front pour chasser sa migraine.

— Tu veux dire qu'il prévoit de jeter sur le Fief un sort qui ralentira encore plus le vieillissement ? Quelque chose qui rapprocherait Jagang et ses fidèles de l'immortalité ?

— Oui. N'oublie pas que le temps et l'âge sont des notions relatives. Pour quelqu'un dont l'espérance de vie est de mille ans, un siècle ne représente pas grand-chose. Mais si on peut compter sur cent siècles d'existence, dix paraissent un laps de temps ridicule.

» Je crois que le frère Narev a effectivement découvert le secret d'une sorte d'immortalité. Jagang voulait conquérir le Palais des Prophètes pour que son maître à penser modifie le sortilège…

— Mais j'ai saboté son plan.

— Exactement. À l'instar de tous ceux qui vivaient au palais, le frère Narev vieillit désormais comme n'importe qui. Sans la protection du sortilège, on commence à glisser vers sa tombe, et l'issue est inéluctable. Narev entend certainement préserver ce qui lui reste de jeunesse. Être un vieillard immortel n'a pas tellement d'intérêt, si on réfléchit bien. En détruisant le palais, où il était à l'abri du temps, tu l'as forcé à agir plus vite que prévu.

Épuisé, Richard s'étendit sur son matelas.

— Il a commandé au forgeron un ouvrage en fer qui est en réalité une rune magique géante. Ou la représentation physique d'un sortilège, si tu préfères. Maître Cascella ne s'en doute pas, bien entendu. Tout ce qu'il sait, c'est que son œuvre sera plus tard dorée à l'or fin.

—Une question de pureté, dit Nicci. À moins qu'il s'agisse simplement d'un modèle, avant la fabrication d'une rune en or massif.

—Si tu as raison, on peut supposer que Narev veut avoir plusieurs runes en or qui travailleront ensemble…

—Oui, c'est très possible…

—La vie du forgeron est-elle en danger ?

—Non, parce qu'il s'agit d'un sort bénéfique. Quel que soit le but final, sa fonction est d'allonger la vie, et ça ne peut pas être mauvais pour ton nouvel ami.

—Qui sont les disciples de Narev ?

—De jeunes sorciers du Palais des Prophètes…

Richard se redressa, soudain très pâle.

—J'ai vécu au palais… Ils me reconnaîtront.

—Non, parce qu'ils sont tous partis avant ton arrivée.

—Au moins, ils détecteront mon pouvoir !

—Pour ça, ils ne sont pas assez doués. Comparés à toi, ce sont de misérables insectes.

Ce compliment ne réconforta pas le Sourcier.

—Peut-être, mais Narev et ses disciples ne risqueront-ils pas de *te* reconnaître ?

—S'ils me voient, ils sauront qui je suis, c'est certain…

—Le frère Narev doit avoir un don très puissant. Tu crois qu'il a pu sentir que j'ai un pouvoir ? Il m'a dévisagé, puis demandé si nous nous connaissions…

—Pourquoi l'as-tu pris pour un sorcier ?

—Eh bien… à cause de petits indices… Sa façon de se comporter, de regarder les autres, de parler… Dès que j'ai compris, il m'est apparu évident que l'objet qu'il fait fabriquer au forgeron est une rune géante.

—S'il te soupçonne d'avoir le don, ce sera à partir des mêmes indices. Tu sais reconnaître les gens comme nous.

—Oui, surtout à cause de leur regard, plein d'une sagesse sans âge… Et je vois aussi leur aura, dans certaines circonstances. Autour de toi, par exemple, l'air crépite parfois d'énergie magique.

Nicci ne cacha pas sa fascination.

—Je n'ai jamais entendu dire une chose pareille… C'est sans doute parce que tu contrôles les deux facettes de la magie.

—Toi aussi ! Tu vois la même chose ?

—Non, mais n'oublie pas que je ne suis pas née avec le don soustractif.

Pour l'acquérir, Nicci avait dû vendre son âme au Gardien.

—Tu n'as rien vu de tel chez Narev, n'est-ce pas ?

—C'est vrai…

— Parce que vos pouvoirs sont différents, comme je te l'ai expliqué. Tu l'as identifié grâce à ton expérience, d'une manière qu'on pourrait appeler «intellectuelle». Sa magie ne peut pas davantage l'aider à te démasquer. S'il ne réfléchit pas aux indices qu'il a captés, comme c'est probable, il ne te percera pas à jour.

Sans le dire vraiment, Nicci suggérait à Richard qu'il ne fallait pas que Narev sache qu'il avait le don. En somme, elle l'incitait à être prudent.

À certains moments, le Sourcier croyait lire clairement le jeu de la Sœur de l'Obscurité. À d'autres, il n'y comprenait plus rien…

Parfois, il pensait qu'elle lui jetait ses convictions à la figure avec l'espoir secret qu'il parvienne à l'en détourner. Comme si elle avait été perdue dans une forêt obscure, attendant qu'il lui montre le chemin pour en sortir.

Mais dès qu'il contestait ses arguments, elle s'énervait ou, pis encore, semblait puiser dans son opposition la force de croire encore plus aveuglément.

Mort de fatigue, Richard s'étendit sur son lit et ferma à demi les yeux.

Impassible, Nicci reprit ses travaux de couture.

Une des femmes les plus puissantes et dangereuses du monde paraissait se contenter de jouer les petites mains. Comment était-ce possible ?

S'étant piquée avec l'aiguille, la Sœur de l'Obscurité fit la grimace et secoua violemment la main.

À travers le sort de maternité, Kahlan avait dû sentir la douleur. Cette seule idée donna envie de vomir à Richard…

Chapitre 50

Richard prit le morceau de nourriture d'un blanc immaculé que Victor lui tendait.

— Qu'est-ce que c'est ? demanda-t-il.

— Goûte, et dis-moi ce que tu en penses. C'est une spécialité de mon pays. Tiens, essaie avec un morceau d'oignon rouge, c'est délicieux.

Richard obéit et ouvrit de grands yeux.

— Victor, je n'ai jamais rien mangé de si bon. Comment ça s'appelle ?

— C'est du lardo…

Assis sur le seuil de l'entrepôt, du côté de la double porte, les deux hommes regardaient le soleil se lever sur le chantier. Au pied de la colline, quelques ouvriers s'affairaient déjà autour des murs du Fief, qui atteignaient désormais une hauteur respectable. Dans quelques minutes, des milliers d'hommes viendraient les rejoindre. Des esclaves qui travaillaient tous les jours, qu'il pleuve ou qu'il vente.

Avec l'approche du printemps, le climat devenait plus agréable. Il pleuvait bien de temps en temps, surtout l'après-midi, mais ça n'avait rien de catastrophique. Juste ce qu'il fallait pour rafraîchir et débarbouiller un peu des hommes en sueur.

S'il n'y avait pas eu l'absence de Kahlan, ses angoisses au sujet de la guerre, sa rage d'être prisonnier, la façon dont on exploitait les gens sur le chantier, les disparitions mystérieuses et les confessions arrachées sous la torture, Richard aurait pu apprécier la période de l'année où la vie reprenait ses droits.

Bref, ailleurs qu'à Altur'Rang, il aurait été de bonne humeur.

Savoir que Kahlan pourrait bientôt quitter la cabane ne faisait rien pour l'apaiser. Si elle se mêlait à la guerre, elle risquait d'être consumée par le plus grand incendie que le monde ait connu.

Après avoir mangé un peu d'oignon doux, Richard prit une nouvelle bouchée de lardo.

—Victor, c'est vraiment délicieux! Comment prépare-t-on cette merveille?

Le forgeron tendit une nouvelle tranche à son ami, qui l'accepta avec plaisir. Après une longue nuit de travail, une nourriture pareille regonflait le moral.

De la pointe de son couteau, Victor désigna la boîte qui contenait le bloc de lardo blanc.

—Le lardo est fait avec de la graisse d'estomac de sanglier.

—Et cette boîte vient de chez toi?

—Non, j'ai fait ce lardo moi-même. Je suis originaire du Sud, très loin d'ici, près de la mer. Quand je suis loin de chez moi, je cuisine pour me passer le mal du pays.

» Je verse le gras dans des moules en marbre aussi blanc que le lardo. Puis j'ajoute du gros sel, du romarin et d'autres épices. De temps en temps, je retourne le bloc dans la saumure où il trempe. Il faut une bonne année pour faire un lardo digne de ce nom.

—Un an, vraiment?

—Celui que nous mangeons date du printemps dernier. C'est mon père qui m'a appris à faire le lardo. Chez nous, c'est une spécialité exclusivement masculine. Mon père travaillait dans une carrière, et il lui fallait ça pour avoir l'énergie nécessaire. Les forgerons aussi ont besoin de force...

—Il y a donc des carrières chez toi?

Victor montra du pouce le bloc de marbre, dans leur dos.

—C'est du marbre de Cavatura, mon pays. Il y en a aussi des tonnes sur le chantier.

—Et tu viens de Cavatura?

—Oui, mon ami. La ville tire son nom des carrières d'où on extrait cette merveille. Dans ma famille, tout le monde travaille dans le marbre. Et moi, je suis devenu un forgeron qui fabrique des outils pour les tailleurs de pierre et les sculpteurs.

—À leur façon, les forgerons sont des sculpteurs...

Victor eut un petit rire satisfait.

—Et toi, Richard, d'où viens-tu?

—De très loin... Chez moi, il n'y a pas de marbre, seulement du granit. (Pour ne pas avoir à mentir, Richard préféra changer de sujet.) Alors, Victor, pour quand te faut-il cet acier spécial?

—Demain. Tu pourras me livrer?

L'alliage dont Victor avait besoin était produit dans une fonderie située près des mines de charbon, assez loin du chantier et de la ville. Pour fabriquer un acier de qualité, d'énormes quantités de charbon étaient nécessaires. Le minerai, lui, arrivait par des barges...

Pour honorer la commande, Richard devrait travailler toute la nuit.

—Sans problème. Aujourd'hui, je me ferai porter malade, ça me permettra de dormir un peu.

Ces derniers mois, Richard avait souvent prétendu être en mauvaise santé. La plupart des employés procédaient ainsi : quelques jours de travail, une fausse maladie, puis une guérison tout aussi factice. Certains hommes inventaient des histoires très compliquées. En pure perte, parce que le groupe de travailleurs ne posait jamais de questions.

En revanche, Richard ratait rarement les réunions où on dénonçait les comportements asociaux. Être présent n'empêchait pas qu'un délateur vous attaque, mais les absents étaient systématiquement pris pour cibles. Très souvent, on les arrêtait afin de leur donner une «chance de se repentir». Parfois, les personnes dénoncées lors d'une réunion préféraient le suicide à la prison...

—Neal, un des disciples de Narev, est venu hier me passer une nouvelle commande. Ce que tu viens de me livrer suffira jusqu'à demain, mais après, j'aurai besoin de cet acier.

—Et tu l'auras!

—C'est sûr?

—T'ai-je déjà déçu, Victor?

Le forgeron sourit puis coupa à son ami une nouvelle tranche de lardo.

—Non, jamais. Pourtant, je n'espérais plus rencontrer un homme capable de tenir sa parole.

—Je ferais bien d'y aller, maintenant... Mes chevaux ont eu une nuit difficile, et ils ont besoin de repos. Combien te faut-il de barres d'acier?

—Cent carrées et cent rondes.

—Si tu ne me tues pas avant, tu feras de moi un colosse, Victor.

Le forgeron sourit, parfaitement d'accord avec ce pronostic.

—Il te faut de l'or pour payer?

—Non, tu me régleras à la livraison.

Richard n'avait plus besoin d'avance de ce type. Propriétaire d'un solide chariot et d'un bel attelage, il payait Ishaq pour qu'il prenne soin des bêtes dans les écuries de la compagnie de transport.

Ishaq aidait également Richard à obtenir les divers passe-droits dont il avait besoin. Presque aussi mal payés que tout le monde, les responsables de l'Ordre qui vivaient dans les belles maisons ne crachaient pas sur tout ce qui pouvait arrondir leurs fins de mois.

—Méfie-toi de Neal, dit soudain Richard.

—Pourquoi?

—Il semble croire que je dois être remis sur le bon chemin. À ses yeux, l'Ordre est vraiment le sauveur de l'humanité, et il place les intérêts de la Confrérie au-dessus de ceux des gens.

Victor se leva, noua son tablier de cuir et lâcha un gros soupir.

—Oui, il me semblait avoir remarqué ça…

Alors qu'ils traversaient l'entrepôt, Richard caressa du bout des doigts le bloc de marbre, comme chaque fois qu'il passait à côté. Sous sa peau, la pierre paraissait vivante…

—Victor, le premier jour, je t'ai demandé ce que c'était. Ça t'ennuierait de me répondre?

—C'est ma statue.

—Pardon?

—Celle que je sculpterai un jour. Dans ma famille, il y a beaucoup de sculpteurs, et j'ai toujours voulu les imiter. Je rêvais de devenir un grand artiste…

» Au lieu de ça, j'ai dû travailler chez le forgeron installé près de la carrière. Ma famille avait besoin de manger, et j'étais le fils aîné. Le forgeron étant son ami, mon père lui a demandé de m'engager. Il ne voulait pas qu'un Cascella de plus sacrifie son existence à la pierre. Tu sais, travailler dans une carrière, à flanc de falaise, est très dur et très dangereux.

—Tu sculptes d'autres matériaux, par exemple le bois?

—Non, seule la pierre m'intéresse. J'ai acheté ce bloc avec mes économies. Il est à moi, et peu d'hommes peuvent se vanter de posséder un fragment de montagne. Surtout si magnifique…

Richard comprit parfaitement ce que son ami voulait dire.

—Et que vas-tu sculpter, Victor?

—Je n'en sais trop rien… On dit que la pierre parle à l'artiste et lui révèle ce qu'elle veut devenir.

—Et tu y crois?

Le forgeron éclata de rire.

—Pas un instant! Mais c'est un bloc de marbre de Cavatura, et il n'y a rien de mieux pour les statues. Pas question qu'on en fasse une des horreurs à la mode aujourd'hui.

» Jadis, un bloc si beau devenait une magnifique statue. Désormais, toute représentation de l'humanité doit être hideuse et inspirer la honte.

Ayant livré sur le chantier les burins que fabriquait Victor, Richard avait pu voir de près les statues géantes. Semblables à toutes celles qu'on produisait dans l'Ancien Monde, elles constituaient un musée des horreurs qui dépassait l'imagination. Le Fief entier illustrerait la vision du monde de l'Ordre: la vie était souillée par nature, et la seule rédemption s'obtenait dans le royaume des morts.

Les personnages sculptés, toujours distordus, reflétaient le mépris qu'éprouvaient les chefs de l'Ordre pour leur propre espèce. La haïssable anatomie humaine – cet amas dégoûtant de muscles, d'os et de sang – était volontairement contrefaite pour inspirer la répulsion. Privés de toute expression quand ils étaient censés incarner la vertu, les personnages arboraient d'immondes rictus lorsqu'ils illustraient le destin sinistre des pécheurs invétérés. Les gens ordinaires, toujours représentés au travail, affichaient une résignation proche de l'hébétude. Le plus souvent, il était impossible de distinguer les hommes des femmes, car tous portaient des vêtements neutres semblables à ceux des prêtres de l'Ordre. Comme l'imposait la doctrine officielle, la nudité était réservée aux damnés, leurs corps tordus adressant un avertissement limpide à tous ceux qui envisageaient de s'éloigner de la Lumière du Créateur.

Selon l'Ordre, l'être humain, stupide et méchant par nature, méritait d'être impitoyablement malmené par la vie.

Craignant d'être arrêtés et torturés, la plupart des sculpteurs faisaient mine d'adhérer à une esthétique qui devait secrètement les révulser. Une minorité, cependant, croyait dur comme fer aux enseignements de l'Ordre. Quand il les côtoyait, le Sourcier faisait toujours très attention à ce qu'il disait.

—Richard, soupira Victor, je voudrais tant que tu puisses admirer de belles statues, au lieu des abominations qu'on nous impose.

—J'ai vu de véritables œuvres d'art, mon ami, souffla le Sourcier.

—Vraiment? Je suis content pour toi. Les gens devraient être émerveillés par l'art, pas avoir envie de se vomir sur les pieds…

—Un jour, ton bloc deviendra une superbe statue?

—Je n'en sais rien, Richard… L'Ordre surveille tout. Pour ses chefs, l'individu n'a aucune importance, sauf quand il contribue au bien commun. Et l'art n'a pas échappé au massacre…

» Tant que mon bloc sera intact, je pourrai rêver au chef-d'œuvre qui se cache dans la pierre…

—Je comprends ce que tu veux dire, Victor… Quand je regarde ton marbre, je le vois aussi…

—Donc, ma statue a au moins deux admirateurs… (Le forgeron désigna la base du bloc.) Tu vois cette imperfection, qui court à travers tout le monolithe? C'est à cause de ça que j'ai pu me l'offrir. La plupart des sculpteurs abîmeraient la pierre… Si on ne travaille pas prudemment, en tenant compte du défaut, le bloc peut très bien se fendre en deux. Jusque-là, je ne sais toujours pas comment m'y prendre pour éviter ça.

—Ne perds pas espoir. Un jour, tu trouveras la solution, et tu offriras au monde une œuvre pleine de noblesse.

—De noblesse, dis-tu? C'est la beauté qui m'intéresse, mais au fond, la noblesse est sa forme la plus sublime… Cela dit, je ne ferai rien du tout… Pas avant que la révolte éclate.

— Quelle révolte ?

Victor regarda attentivement autour de lui avant de répondre.

— Eh bien, l'insurrection… Elle viendra tôt ou tard. L'Ordre ne tiendra pas indéfiniment. Tout ce qui est maléfique finit par disparaître. Dans mon pays, quand j'étais jeune, la liberté et la beauté existaient. Mais les gens ont été convaincus – par des mensonges, bien sûr – de tout sacrifier à la « cause de l'humanité ». Une course à l'égalité qui finira dans un gouffre, tu peux me croire. Parce qu'ils ne savaient pas quel bien ils possédaient, les peuples de l'Ancien Monde ont renoncé à l'indépendance et se sont laissé endormir par des promesses creuses : le bonheur pour tous, sans effort, sans combat et sans travail. On leur a fait croire que d'autres leur rendraient la vie plus facile, et ils ne se sont pas posé les bonnes questions.

» À l'époque, mon pays était prospère. Aujourd'hui, la nourriture pourrit en attendant qu'un comité décide de la faire transporter et de fixer son prix. Pendant ce temps, les gens crèvent de faim.

» Les « insurgés », c'est-à-dire les ennemis de l'Ordre, sont accusés de tous les maux qui frappent la population. En conséquence, de plus en plus d'hommes et de femmes sont arrêtés et exécutés. L'Ancien Monde est devenu la patrie de la mort. L'Ordre prétend aimer l'humanité. En réalité, il complote son extinction. Quand je voyageais pour gagner le chantier, j'ai vu des milliers de cadavres pourrir dans des champs. Dès qu'il y a un drame, l'Ordre affirme que le Nouveau Monde en est responsable, et de jeunes hommes, avides de se venger, partent pour la guerre en chantant.

» Mais beaucoup de gens ont fini par voir la vérité. Comme moi et tant d'autres, ces révoltés rêvent de reconquérir leur liberté et de se débarrasser du joug de l'Ordre. Il y a des troubles dans mon pays natal, comme ici. La colère gronde…

— Des troubles, ici ? Je n'ai jamais rien vu…

— Ceux qui se rebellent au fond de leur cœur ne le crient pas sur tous les toits… Effrayés par l'idée d'une insurrection, l'Ordre arrache des confessions imaginaires à ses prisonniers. Chaque jour, les exécutions se multiplient. Quand on veut voir changer les choses, on ne s'expose pas avant que le moment soit venu. Crois-moi, Richard, un jour, une révolte éclatera.

— Je n'en suis pas si sûr que toi, Victor… Pour se rebeller, il faut une grande détermination, et je doute que beaucoup de gens la possèdent.

— N'as-tu pas vu des dizaines de mécontents ? Ishaq, l'homme de la fonderie, mes ouvriers, moi-même… À part les chefs locaux de l'Ordre, ceux que tu corromps, tout le monde désire que les choses changent. Et même ceux-là… As-tu remarqué qu'aucun ne t'a dénoncé à un comité ou à un bureau ? Tu ne veux peut-être pas t'en mêler, ce qui est ton droit, mais nous sommes nombreux à entendre les murmures venus du nord qui parlent de liberté et de justice.

—Venus du nord, dis-tu?

—Là-bas, les gens ont un sauveur, Richard Rahl. Il les conduit au combat, et on dit qu'il nous aidera à faire la révolution.

Si tout cela n'avait pas été si tragique, Richard aurait volontiers éclaté de rire.

—Comment sais-tu que ce Rahl est digne de confiance?

Victor foudroya le Sourcier du regard – comme le jour de leur rencontre, une habitude qu'il avait perdue, ces derniers temps.

—On juge un homme à ses ennemis! L'empereur et le frère Narev détestent Richard Rahl, et ça me suffit. C'est lui qui mettra le feu aux poudres dans l'Ancien Monde.

—Ce n'est qu'un homme, mon ami, dit Richard avec un petit sourire mélancolique. Il ne faut pas l'idolâtrer. Vénère la cause, pas l'individu qui l'incarne un bref moment.

—C'est exactement ce que dirait Richard Rahl! Et c'est pour ça qu'il est l'homme qu'il nous faut.

Le Sourcier estima qu'il était temps de changer de sujet.

—Bon, il faut que j'y aille... Je suis sûr que tu sauras que faire avec ton bloc de marbre. Le moment venu, l'idée s'imposera à toi d'elle-même.

Le forgeron eut un nouveau regard noir – une pâle imitation de celui qui ne s'adressait pas à ses interlocuteurs, en réalité, mais à ses oppresseurs invisibles.

—C'est ce que je pense depuis toujours...

—As-tu déjà sculpté quelque chose, Victor?

—Non.

—Dans ce cas, es-tu sûr d'en avoir les capacités?

Le forgeron se tapota la tempe.

—Le talent est là-dedans, et la beauté aussi. Pour moi, c'est tout ce qui importe. Si je touche à ce bloc avec un burin, je créerai de la beauté, et l'Ordre ne pourra jamais m'enlever ce bonheur-là.

Chapitre 51

Alors qu'elle longeait les cordes à linge pour aller voir si sa lessive était sèche, Nicci essuya la sueur qui ruisselait sur son front. L'été n'était pas encore là, et il faisait déjà très chaud. Le dos en compote après des heures passées au lavoir – sans parler de ses autres corvées ménagères –, elle était épuisée à en avoir la nausée.

Autour d'elle, les autres femmes bavardaient, riant parfois aux éclats quand l'une d'entre elles, après s'être fait un peu prier, révélait un secret croustillant au sujet de son mari. Avec le printemps, tous les habitants de l'immeuble semblaient être joyeusement revenus à la vie.

La Sœur de l'Obscurité savait que le beau temps n'était pas pour grand-chose là-dedans.

Rien ne l'avait jamais autant énervée ! Comment Richard faisait-il ? Si fort qu'elle essaie, elle ne parvenait jamais à briser l'emprise qu'il avait sur le monde. Même dans la grotte la plus obscure, soupçonnait-elle, le soleil aurait trouvé un moyen de venir briller pour lui faire plaisir. Il aurait pu s'agir de la chance proverbiale des sorciers, mais elle était certaine qu'il n'avait pas utilisé son pouvoir.

L'arrière-cour, jadis jonchée d'immondices puantes, était désormais un adorable jardin. Tous les hommes de l'immeuble, après leur journée de travail, s'étaient associés pour la nettoyer. Pis encore, plusieurs chômeurs professionnels avaient consenti à sortir de leur chambre pour les aider. Ensuite, les femmes avaient retourné la terre et planté des légumes.

Des légumes, dans un taudis de l'Ancien Monde ! Il était même question d'élever des volailles…

L'unique cabinet d'aisance de jadis, déglingué et puant, avait été remplacé par deux toilettes parfaitement propres. Désormais, on faisait rarement la queue pour y aller, et cela réduisait beaucoup les disputes et les bagarres. Utilisant tout ce qui leur tombait sous la main, Kamil et Nabbi avaient aidé Richard à construire ces commodités.

Nicci avait cru rêver quand elle avait vu les deux adolescents – en chemise! – creuser allégrement des trous dans le coin de la cour. Tout le monde les avait remerciés, et ils ne se sentaient plus de fierté.

Richard avait aussi réparé la cheminée commune, afin que davantage de femmes puissent cuisiner en même temps. Avec les autres hommes, il avait également modifié le lavoir, histoire que ces dames n'aient plus besoin de se pencher autant et ne risquent plus de s'écorcher les genoux. Comble de raffinement, la cour était à présent équipée d'un auvent, pour que les épouses puissent cuisiner et laver au sec, les jours de pluie.

D'abord soupçonneux, les résidents des immeubles voisins s'étaient intéressés à cette soudaine explosion d'activité. Avec Kamil et Nabbi, Richard était allé leur expliquer ce qui se passait et les aider à se lancer dans les mêmes rénovations.

Quand Nicci lui avait reproché de passer son temps chez les autres, son prisonnier ne s'était pas démonté. N'était-ce pas elle qui lui avait dit d'aider les gens?

La Sœur de l'Obscurité n'avait trouvé aucun argument à lui opposer. Préférant ne pas passer pour une imbécile en racontant n'importe quoi, elle avait dû s'incliner.

Quand il montrait aux gens comment améliorer leur environnement, Richard ne jouait jamais les professeurs. Non, il leur communiquait son enthousiasme, tout simplement, et le résultat était dix fois meilleur. Il ne donnait aucune directive, incitant les autres à laisser libre cours à leur imagination. Du coup, tout le monde l'adorait – de quoi rendre Nicci folle de rage.

Constatant qu'elle était sèche, la Sœur de l'Obscurité rangea sa lessive dans le panier en osier que Richard – qui d'autre? – avait imaginé pour les femmes. Ces gourdes en avaient fabriqué des dizaines avec une allégresse de fillettes!

Si furieuse qu'elle fût, Nicci devait reconnaître que ces paniers très ingénieux étaient parfaits pour le linge.

Elle monta les marches – réparées par Richard – où elle avait tant de fois eu peur de se casser le cou, au début de son séjour. Comme le reste de l'immeuble, le couloir était immaculé. Après que les hommes eurent décapé le parquet, Richard avait réussi à se procurer de la peinture, et le chantier subséquent avait été un grand moment d'excitation joyeuse.

Un des résidents exerçait la profession de couvreur. Sans demander de salaire, il avait réparé le toit pour que les fuites ne souillent plus les murs.

Alors qu'elle remontait le couloir, Nicci aperçut Gadi dans la pénombre de la cage d'escalier. Torse nu, il taillait sauvagement un morceau de bois avec son couteau. Un moyen de montrer qu'il restait un type dangereux et indépendant.

Plus tard, en soupirant, les femmes balaieraient les copeaux...

Très mécontent que les résidents se plaignent sans cesse de lui, Gadi reluqua ouvertement Nicci. Et maintenant qu'elle avait repris du poids, ce n'était pas seulement parce qu'il voulait l'embêter...

Grâce à son second travail, Richard rapportait chaque jour des délices dont Nicci se languissait depuis des mois. Du poulet, de l'huile, des épices, du bacon, du fromage, des œufs... Bref, tout ce qu'on ne trouvait pas dans les boutiques de la ville. Où dénichait-il tout ça? Dans des fermes, comme il le prétendait? Au fond, c'était possible, puisqu'il sillonnait tout le temps la campagne...

Assis sous le porche, la porte d'entrée ouverte, Kamil et Nabbi se levèrent dès qu'ils aperçurent Nicci.

— Bonjour, maîtresse Cypher, dit Kamil.

— On peut vous aider à porter votre linge? demanda Nabbi.

Nicci trouva horripilante la gentillesse des deux garçons. De plus, ils étaient sincères! Ces idiots l'adoraient parce qu'elle était l'épouse de Richard.

— Merci, mais je suis presque arrivée...

Les adolescents lui ouvrirent la porte et la refermèrent doucement dans son dos.

En secret, Nicci avait surnommé les deux adolescents «les soldats de Richard». En réalité, il disposait d'une petite armée de gens qui souriaient jusqu'aux oreilles dès qu'ils l'apercevaient. Et tous brûlaient d'envie de faire plaisir à leur «chef». S'il le leur avait demandé, Kamil et Nabbi auraient lavé des couches de bébé! Surtout s'il leur avait promis, en échange, de les emmener avec lui lors de ses livraisons nocturnes.

Il le faisait rarement, pour ne pas s'attirer d'ennuis avec le groupe de travailleurs. Ne voulant pas qu'il perde son travail, les deux anciens petits voyous attendaient patiemment qu'il les invite à l'accompagner.

Comme le reste, la chambre était métamorphosée. Le plafond nettoyé et repeint, les murs couleur saumon – à la demande de Nicci, certaine qu'il ne trouverait pas une peinture si chère et si rare. À présent, même les murs lui rappelaient sa défaite...

Un jour, un type bizarre bardé d'outils était venu frapper à la porte de la chambre. Pour faire des réparations, avait expliqué Kamil, chargé par Richard de superviser les travaux.

L'homme parlait une langue que Nicci ne comprenait pas. Exubérant au possible, il avait pourtant tenu un long discours à la Sœur de l'Obscurité. Puis il avait désigné les murs et posé un tombereau de questions.

Totalement dépassée, Nicci avait supposé que ce menuisier était là pour réparer la table branlante. Après lui avoir montré que le meuble ne tenait pas bien sur ses pieds, elle était sortie pour le laisser travailler en paix et aller acheter du pain.

Devant la boulangerie, la queue avait duré jusqu'à midi. Ensuite, il avait fallu recommencer pour le millet.

Au retour de Nicci, le menuisier était parti. La vieille fenêtre était repeinte et munie d'une nouvelle vitre ! Mais ce n'était pas tout, car le mur d'en face était lui aussi équipé d'une fenêtre. Ainsi, la petite chambre serait beaucoup mieux aérée.

Bouche bée, Nicci était restée un long moment devant sa seconde fenêtre. De là, on voyait la rue, et une voisine, maîtresse Sha'Rim, l'avait saluée joyeusement en passant.

Soupirant d'agacement, la Sœur de l'Obscurité posa son panier de linge, ouvrit la fameuse fenêtre et tira le rideau. Avec des vitres transparentes, avait-elle affirmé, il fallait absolument des rideaux ! Bien entendu, Richard avait réussi à lui dénicher du tissu, et il s'était extasié devant son travail, quand elle lui avait montré sa broderie.

Comme tous les autres imbéciles, Nicci avait souri, ravie d'être complimentée par le grand Richard.

Elle l'avait entraîné dans la pire ville de l'Ancien Monde, au cœur du taudis le plus infect qu'elle avait pu trouver, et il s'était arrangé pour améliorer les choses. En prétendant obéir aux consignes de sa geôlière, qui plus est !

Mais Nicci n'avait jamais prévu que les choses se passeraient comme ça.

En réalité, elle ne savait plus trop pourquoi elle avait fait tout ça…

À vrai dire, il lui restait une certitude : elle ne vivait plus que pour les moments où Richard était avec elle ! Même s'il la haïssait, et rêvait de la fuir pour retrouver Kahlan, elle ne pouvait empêcher son cœur de battre la chamade dès qu'il rentrait à la maison. À travers le lien magique, elle sentait parfois la Mère Inquisitrice se languir de lui. Et elle comprenait parfaitement le désespoir de cette pauvre femme.

La pénombre s'installa dans la chambre pendant que Nicci attendait. Ici, la vie recommençait uniquement quand Richard revenait…

La Sœur de l'Obscurité finit quand même par allumer la lampe – une vraie, pas une mèche passée dans un bouton en bois et flottant dans de l'huile de graines de lin !

La porte s'ouvrit enfin. Entrant à demi, Richard dit au revoir à Kamil, qui s'apprêtait à aller dîner avec ses parents.

Un sourire aux lèvres, Richard ferma la porte. Comme toujours, dès qu'il fut seul avec Nicci, son sourire s'effaça.

—J'ai rapporté des oignons, des carottes et un morceau de porc, pour faire un ragoût, dit-il en tendant un sac d'épicerie à sa compagne.

Nicci désigna le millet qu'elle avait acheté après des heures de queue.

— Je voulais te faire une soupe…

— Si tu préfères… Ton millet nous a plus d'une fois sauvé la mise, quand nous n'avions pas un sou.

Nicci se sentit très fière qu'il reconnaisse ses mérites.

Elle alla fermer les fenêtres et tira soigneusement les rideaux.

Debout au milieu de la chambre, Richard la regardait, le front plissé de perplexité.

Nicci approcha, consciente que son décolleté, depuis qu'elle s'était remplumée, donnait de nouveau un aperçu troublant sur une poitrine digne de ce nom. La réaction de Gadi, un peu plus tôt, le lui avait prouvé. Ce soir, elle voulait que Richard la voie comme une femme désirable.

Hélas, il se contentait de croiser son regard.

— Fais-moi l'amour, souffla Nicci, ses mains se refermant sur les bras musclés du Sourcier.

— Quoi ?

— Richard, je veux que tu me fasses l'amour. Tout de suite !

Sous le regard de son prisonnier, Nicci sentit son cœur battre la chamade. Elle n'avait jamais désiré personne ainsi. Sa vie même semblait suspendue aux gestes que Richard ferait… ou ne ferait pas.

— Non, dit-il d'un ton très calme.

Nicci crut y déceler une certaine tendresse. Mais aussi une inébranlable détermination.

Ce refus la stupéfia. Aucun homme n'avait jamais osé repousser ses avances ! C'était plus douloureux que tout ce que lui avaient fait subir Jagang, Kardeef et d'autres monstres dans leur genre.

Pourtant, elle avait pensé que…

Sa colère explosant soudain, elle alla ouvrir la porte.

— Sors dans le couloir et attends ! ordonna-t-elle d'une voix tremblante.

Toujours debout au milieu de la chambre, Richard continuait à la regarder dans les yeux. Il était si grand, si musclé, si… Que n'aurait-elle pas donné pour pouvoir l'enlacer ? Mais là encore, il lui infligeait une défaite…

Au lieu de crier, comme elle en avait envie, Nicci parla avec toute la froide autorité dont elle était capable.

— Sors dans le couloir et attends. Sinon…

Formant un ciseau avec son index et son majeur, la Sœur de l'Obscurité fit mine de couper un cordon.

Richard comprit aussitôt que ce n'étaient pas des menaces en l'air. La vie de Kahlan ne tenait plus qu'à un fil, et s'il n'obéissait pas, Nicci n'hésiterait pas à le sectionner…

Sans la quitter des yeux, il sortit.

—Attends ici, contre ce mur, et ne bouge pas tant que tu n'auras pas mon autorisation. Sinon, Kahlan mourra. C'est compris?

—Nicci, tu vaux mieux que ça... Pense à ce que...

—Elle mourra, tu m'as entendu?

—Oui...

Assis dans l'escalier, son fief préféré, Gadi se leva dès qu'il aperçut «maîtresse Cypher».

—Je veux que tu me fasses l'amour, dit Nicci à brûle-pourpoint.

—Quoi?

—Mon mari ne me satisfait plus, et je désire que tu le remplaces.

Après avoir jeté un regard mauvais à Richard, Gadi baissa les yeux sur le décolleté de sa «conquête».

Ce jeune coq était assez idiot pour se croire irrésistible. À force de s'exhiber devant Nicci, il pensait l'avoir poussée jusqu'à un point où elle jetterait ses inhibitions aux orties.

Il la prit par la taille, écarta ses cheveux de sa main libre et l'embrassa. Quand ses dents heurtèrent les lèvres de Nicci, elle gémit pour l'encourager à se montrer brutal. Ce soir, elle ne voulait surtout pas de tendresse! Si Gadi était attentionné, Richard ne souffrirait pas assez...

Le petit voyou lui pétrit les seins, se plaqua contre elle et ondula lascivement. Nicci haleta pour stimuler ses ardeurs.

—Dis-moi pourquoi tu veux tromper ton mari!

—Parce que j'en ai assez de sa tendresse, de ses douces caresses et de son respect. Une vraie femme n'a rien à faire de tout ça! Je veux lui montrer comment se comporte un homme digne de ce nom. Donne-moi ce qu'il ne peut pas m'offrir.

Nicci faillit crier de douleur quand Gadi lui pinça les tétons.

—Sans blague?

—Oui! Je veux avoir ce qu'un authentique mâle comme toi peut apporter à une femme.

—Eh bien, tout le plaisir sera pour moi...

—Non, pour moi! s'exclama Nicci.

C'était vrai, mais pas dans le sens où l'entendait cette brute sans cervelle.

Après un nouveau regard haineux à Richard, Gadi glissa une main sous la robe de sa conquête, histoire de s'assurer qu'elle le désirait vraiment. Soumise, Nicci écarta docilement les cuisses.

Elle s'accrocha aux épaules du voyou pendant qu'il explorait son intimité. Des larmes aux yeux, car il lui faisait atrocement mal, elle dut se mordre l'intérieur d'une joue pour ne pas crier. Prenant sa souffrance pour de l'extase, Gadi se déchaîna.

Jagang et son ami Kadar Kardeef, entre autres salauds, l'avaient souvent prise de force. Pourtant, elle n'avait jamais autant eu l'impression d'être violée que ce soir.

Elle baissa les bras et prit les mains de Gadi.

—As-tu peur de Richard ? demanda-t-elle. Ou es-tu assez courageux pour me faire hurler de plaisir pendant qu'il attendra dans le couloir, bouillant de rage parce que tu es meilleur au lit que lui ?

—Moi, peur de ce crétin ? Dis-moi simplement quand tu veux que je te prenne.

—Ce soir, Gadi ! Je meurs de désir pour toi.

—Je m'en suis aperçu…

Nicci sourit intérieurement. S'il y avait un crétin dans ce couloir, ce n'était sûrement pas Richard.

—Mais il faut que tu me le demandes gentiment, petite putain !

—Gadi, je t'en prie, fais-moi l'amour ! implora Nicci alors qu'elle aurait donné cher pour faire éclater comme une noix le crâne de cet imbécile. Je t'en prie, Gadi…

Tenant sa conquête par la taille, le jeune homme toisa Richard du regard quand il passa devant lui.

—Entre et attends-moi une minute, lui souffla Nicci.

Rayonnant, Gadi obéit.

—Kahlan et moi sommes liées, rappela la Sœur de l'Obscurité à Richard. Tout ce qui m'arrive lui arrive aussi ! Et tu n'es pas assez stupide, j'espère, pour croire que je ne me vengerai pas si tu t'éloignes de cette porte. Ose t'en aller, et Kahlan mourra cette nuit !

—Nicci, ne fais pas ça… C'est toi-même que tu tortures…

Toujours la même tendresse, et cette incroyable compassion… Un instant, la Sœur de l'Obscurité fut tentée de se jeter dans les bras de son prisonnier, pour qu'il la tire de ce piège. Mais il l'avait repoussée, et rien ne pourrait apaiser la colère et la honte qu'elle éprouvait.

Elle se tourna vers la porte et eut un sourire vicieux.

—J'espère que Kahlan prendra autant de plaisir que moi, ce soir… Après ça, elle ne te fera jamais plus confiance.

Kahlan poussa un petit cri puis ouvrit les yeux. Dans la pénombre, elle ne distinguait que des formes indistinctes.

Elle cria de nouveau.

Une sensation qu'elle ne pouvait ni définir ni interpréter la submergeait. Ce qui lui arrivait était totalement inédit, et pourtant familier, comme si…

Une expérience… déplacée…, mais qu'elle désirait pourtant. En elle montait une terreur mêlée de passion qui la poussait vers un plaisir indécent… et semblait charrier avec elle une menace sans substance mais pourtant bien réelle.

Une ombre pesait sur son corps, invisible et en même temps présente.

Des sentiments et des sensations qu'elle ne pouvait contrôler l'envahirent alors même qu'elle luttait pour les repousser. Rien de tout ça ne paraissait réel. Désorientée, elle eut l'impression d'avoir mal – mais une douleur qui éveillait en elle un désir étouffé depuis si longtemps.

On eût dit que Richard était de nouveau avec elle. C'était si bon… Le souffle court, elle en avait la gorge sèche…

Dans les bras de Richard, elle avait toujours eu le sentiment que leur désir sans limite ne pourrait jamais être assouvi. Même au plus fort de l'extase, il restait un territoire à explorer, une étincelle de plaisir qui n'avait pas encore jailli et attendait qu'on la découvre…

Cette éternelle quête de l'impossible et de l'inaccessible l'avait toujours fascinée. Et ce soir, elle se sentait entraîner vers ce territoire mystérieux où tant de choses restaient en gésine.

Mais rien ne se passait comme d'habitude. Les mains serrant son drap, la bouche ouverte sur un cri silencieux, Kahlan avait atrocement mal.

C'était inhumain. Absurde. Une étreinte qui ne ressemblait à rien qu'elle eût connu et qui la répugnait. Pourtant, le plaisir était là, comme en filigrane…

Soudain, elle comprit.

Oui, tout était clair.

Des larmes aux yeux, elle roula sur le côté, déchirée entre la joie de sentir Richard et la douleur de savoir que Nicci le sentait exactement de la même façon.

Une main invisible la força à se remettre sur le dos.

Cette fois, elle cria de douleur, se débattit et se couvrit les seins avec les bras. Sans comprendre pourquoi cela lui faisait si mal, elle sentit que la souffrance lui arrachait des larmes.

Richard lui manquait tellement. Le désirer à ce point était une torture.

Elle s'abandonna à lui, même dans ces ignobles conditions, et un râle d'extase s'échappa de sa gorge.

Les muscles durs comme du bois, elle dut subir le déferlement de vagues de douleur mêlée de plaisir. Puis ce plaisir même devint insupportable et lui inspira une fantastique révulsion.

Un instant, elle crut qu'elle ne parviendrait plus jamais à reprendre son souffle.

Quand cela cessa, elle éclata en sanglots, de nouveau libre de bouger, mais trop épuisée pour essayer.

Chaque seconde de cette étreinte violente l'avait révulsée. Pourtant, elle regrettait que ce soit déjà fini, parce qu'elle avait au moins senti Richard en elle.

Une immense source de joie… et de fureur, dès qu'elle pensait à ce que ça impliquait.

—Mère Inquisitrice? demanda une voix familière. (Plissant les yeux, Kahlan vit Cara entrer sous sa tente.) Tout va bien?

La Mord-Sith alluma la bougie posée sur la table.

Kahlan prit une inspiration haletante. Elle était étendue sur le dos, la couverture enroulée autour des jambes, les joues certainement couleur pivoine…

Ce n'était peut-être qu'un rêve… Même si elle aurait donné cher pour que ce soit le cas, elle ne se faisait pas d'illusions…

Elle s'assit sur la couche et repoussa ses cheveux en arrière.

—Cara, je…

La Mord-Sith s'agenouilla et prit sa Sœur de l'Agiel par les épaules.

—Que s'est-il passé? Que puis-je faire pour vous? Vous êtes blessée? Malade, peut-être…

—Cara, il a… Richard… Richard et Nicci ont…

—De quoi parlez-vous? Qu'est-il arri…

La Mord-Sith n'alla pas jusqu'au bout de sa question, parce qu'elle venait de comprendre.

—Comment a-t-il pu…? gémit Kahlan.

—Elle a dû le forcer, assura Cara. Il a sûrement obéi pour vous sauver la vie. Nicci l'aura menacé, et…

—Non! Non! Il y prenait plaisir, avec une bestialité que je ne lui ai jamais connue… Cara, il est tombé amoureux d'elle… Au bout du compte, il n'a pas pu résister, et…

Cara secoua son amie comme un prunier.

—Réveillez-vous, Mère Inquisitrice! Vous êtes encore dans votre cauchemar…

Kahlan sursauta et regarda autour d'elle. Toujours haletante, elle avait au moins cessé de pleurer.

Cara avait raison. Elle n'avait pas rêvé, c'était certain, mais cet événement l'avait surprise dans son sommeil, la privant de toute sa lucidité.

—Je vais me reprendre, ne t'inquiète pas…

—Très bien… Dites-moi ce qui est arrivé.

Se sentant rougir, Kahlan regretta que la Mord-Sith ait allumé la bougie. Comment pourrait-elle raconter ça à quelqu'un? Hélas, Cara l'avait entendue crier…

—À travers le lien, j'ai senti que Richard faisait l'amour avec Nicci.

—Vous êtes sûre que c'était lui?

—Eh bien… pas vraiment, je crois… En fait, je n'en sais rien… (Kahlan se couvrit les seins avec les mains.) J'ai senti ses dents sur moi… il mordait…

Cara se grattouilla la tête, hésitant sur la façon de formuler sa question. Kahlan lui épargna cet embarras.

— Il ne m'a jamais traitée comme ça.

— Dans ce cas, ce n'était pas lui.

— Comment ça ? Qui d'autre, selon toi ?

— Je n'en sais rien, mais vous pensez qu'il désire Nicci ?

— Elle a pu le forcer, comme tu l'as dit.

— Croyez-vous que Nicci soit une personne honorable ?

— Bien sûr que non !

— Dans ce cas, réfléchissez un peu… Pourquoi s'agirait-il du seigneur Rahl ? Nicci a pu prendre un amant de rencontre, tout simplement.

— Tu crois vraiment que…

— Cet homme ne se comportait pas comme le seigneur Rahl. Réveillée en sursaut, vous n'avez pas pu en prendre vraiment conscience, mais à présent, ça vous paraît évident.

— Oui, ça doit être ça… Désolée de t'avoir tirée du lit, Cara, et merci d'avoir accouru si vite. Je n'aurais pas aimé que ce soit Zedd, ou quelqu'un d'autre…

— Si vous voulez mon avis, nous devrions garder cette histoire pour nous.

— Oui… Si Zedd me bombarde de questions, je risque de mourir d'embarras…

Kahlan s'avisa soudain que Cara était enveloppée dans une couverture. Dessous, elle était nue comme un ver. Sur ses seins, l'Inquisitrice remarqua des petites marques violacées. Ayant déjà vu son amie nue, elle n'avait jamais aperçu ces traces. À part son impressionnante collection de cicatrices, la Mord-Sith avait une peau parfaite.

— Cara, que t'est-il arrivé ? demanda Kahlan en désignant les marques.

— C'est… hum… eh bien, j'ai dû me cogner.

Comprenant soudain, Kahlan s'empourpra de nouveau.

— Benjamin était sous ta tente cette nuit ?

La Mord-Sith se releva dignement.

— Mère Inquisitrice, vous n'êtes pas bien réveillée, et vous continuez à rêver. Rendormez-vous donc !

Avec un petit sourire, Kahlan regarda sortir son amie.

Dès qu'elle se rallongea, les doutes revinrent, et son sourire s'effaça.

Se tâtant les seins, elle constata que ses tétons lui faisaient très mal. Quand elle voulut se tourner sur le côté, ses muscles douloureux lui arrachèrent un petit cri.

Même dans ces circonstances, il lui semblait incroyable qu'une partie de la chose ait pu être…

Elle frémit, car tout cela lui laissait comme un vague sentiment de honte…

Non, il ne fallait pas, car elle n'avait rien fait ! C'était arrivé à Nicci, et elle l'avait senti à travers leur lien. Il n'y avait rien de plus. L'expérience appartenait à la Sœur de l'Obscurité, même si sa « fille » en subissait aussi les conséquences.

Comme cela arrivait parfois, Kahlan se sentait très proche de Nicci, ce soir, et elle éprouvait une sorte d'inquiétude affectueuse pour elle. Ce qu'elle avait vécu par procuration était très triste. Elle aurait pu jurer que la Sœur de l'Obscurité avait désespérément désiré quelque chose qu'on lui avait refusé.

Kahlan glissa une main entre ses jambes et sursauta en touchant son intimité. Quand elle passa les doigts dans le cercle de lumière de la bougie, elle constata qu'ils étaient rouges de sang.

Malgré la douleur et la révulsion d'avoir été traitée ainsi – même indirectement –, elle se sentit infiniment soulagée.

Cara avait raison : ce n'était pas Richard !

Chapitre 52

Anna sonda le bois de grands bouleaux qui poussaient à l'ombre d'une falaise. L'endroit tenait son nom de ces murailles de roche rouge. Quant au bois, les arbres à l'écorce blanche constellée de taches sombres y étaient tellement serrés qu'on avait du mal à voir quoi que ce soit et à s'orienter. Et s'égarer, ici, risquait fort d'être la dernière erreur qu'un voyageur pouvait commettre...

Depuis sa jeunesse, Anna n'était plus venue voir les guérisseurs des Falaises Rouges. Elle s'était promis de ne jamais revenir, et l'avait également juré aux guérisseurs. En près de mille ans, elle espérait qu'ils avaient oublié...

Très peu de gens connaissaient ce lieu, et moins encore s'y aventuraient. Pour ça, il fallait avoir une sacrée bonne raison...

Le mot « guérisseur » était une étrange et imprécise façon de désigner des personnages si dangereux. Pourtant, il exprimait une part de vérité. Les guérisseurs des Falaises Rouges ne se souciaient pas de soigner les êtres humains. Mais ils étaient très attentifs à tout ce qui importait à leurs yeux. Des choses très bizarres, pour dire la vérité...

Après tout ce temps, Anna doutait que ces gens existent encore. Paradoxalement, car elle avait désespérément besoin de l'aide qu'ils pouvaient lui apporter, elle espérait que les guérisseurs ne chassaient plus dans le bois des Falaises Rouges.

— Une visiteuse..., dit une voix sifflante et moqueuse.

Le son venait de derrière les arbres, sans doute d'une des grottes naturelles dont les falaises étaient truffées.

Anna se tint parfaitement tranquille, même si de la sueur ruisselait sur son front. Une silhouette bougeait au milieu des arbres, mais elle ne parvenait pas à la distinguer clairement. Aucune importance ! Elle avait entendu la voix d'un des guérisseurs, et personne au monde n'en avait de semblable.

La Dame Abbesse tenta de parler d'un ton assuré.

—Oui, je suis une visiteuse, et j'ai plaisir à savoir que vous allez bien.

—Il reste peu d'entre nous, répondit la voix sifflante. Les Carillons ont fait des ravages.

Exactement ce qu'Anna avait redouté... et appelé de tous ses vœux.

—Je suis navrée, mentit-elle.

—Nous avons essayé, dit la voix, désormais plus proche, mais nous n'avons pas pu guérir les Carillons pour qu'ils s'en aillent.

Anna se demanda si ces créatures étaient encore capables de guérir, et combien de temps il leur restait à vivre.

—La visiteuse vient pour être soignée? demanda une autre voix sifflante, beaucoup plus lointaine.

—Plutôt pour être examinée, dit Anna, informant ses interlocuteurs qu'elle savait de quoi elle parlait.

Il n'était pas question qu'elle les laisse mener le jeu à leur guise.

—Il faut payer, tu le sais?

—Oui...

Anna avait tout essayé sans obtenir de résultat. Les guérisseurs étaient son dernier recours. De toute façon, elle n'était pas très sûre que ne pas sortir du bois des Falaises Rouges l'inquiète vraiment. Puisqu'elle n'avait jamais fait la moindre bonne action de sa vie, mourir maintenant ou un peu plus tard ne changeait rien...

—Alors? demanda-t-elle. Vous acceptez?

Une silhouette apparut brièvement entre les arbres, comme pour l'inviter à venir la rejoindre. En se massant les doigts, qui lui faisaient toujours mal bien qu'ils fussent guéris depuis longtemps, la Dame Abbesse s'enfonça dans le bois, déboucha assez vite dans une minuscule clairière et aperçut dans la roche rouge la gueule béante d'une grotte.

Des yeux la regardaient, tapis dans l'obscurité.

—Entre! ordonna une voix sifflante.

Avec un soupir fataliste, Anna s'apprêta à pénétrer de nouveau dans un lieu qu'elle n'avait jamais oublié, si fort qu'elle ait essayé...

Agacée que le vent les fasse voler devant ses yeux, Kahlan saisit ses cheveux d'une main et les plaqua contre son épaule. Alors qu'elle entrait dans le camp en ébullition, la foudre s'abattait sur les montagnes, à l'est de la vallée. Un orage s'annonçait, et des bourrasques malmenaient les arbres, dont les feuilles, vues de loin, semblaient trembler d'indignation et de colère.

En général, le camp était relativement calme, afin de ne pas fournir d'indications à l'ennemi. Aujourd'hui, un épouvantable vacarme en montait. Le bruit seul aurait suffi à énerver l'Inquisitrice, mais il n'y avait hélas pas que cela...

Alors qu'elle fendait la foule de soldats – qu'un profane aurait pu croire plongée dans la confusion –, Cara, en uniforme rouge, flanquait des coups de coudes pour frayer un passage à sa protégée. Connaissant la Mord-Sith, Kahlan n'avait même pas tenté de la dissuader de jouer ainsi les gros bras. Par bonheur, dès que les hommes voyaient l'épouse du seigneur Rahl en tenue de combat – une cuirasse, des jambières et une épée d'harane au côté –, ils s'écartaient sans avoir besoin des encouragements musclés de Cara.

Comme toujours, la garde de l'Épée de Vérité dépassait de l'épaule gauche de Kahlan. Une raison de plus pour que les hommes lui cèdent le passage…

Non loin de là, des chevaux protestaient parce qu'on tentait de les atteler à un chariot. Autour, des hommes criaient de rage, dépassés par cette révolte inattendue.

Des messagers couraient partout dans le camp, sautant sur le côté pour éviter des chariots lancés à grande vitesse.

Une longue colonne de lanciers s'était déjà mise en marche, suivie par le détachement d'archers qui assurerait sa sécurité.

Dès qu'elle entra dans la cabane, Kahlan sentit que l'atmosphère était tendue. Zedd était là avec Adie, le général Meiffert – accompagné de plusieurs de ses officiers –, Verna et Warren.

Sur la table, qu'on avait tirée au milieu de la pièce, une demi-douzaine de cartes étaient déroulées.

— Depuis quand ? demanda Kahlan, coupant court aux formules de politesse.

— C'est très récent, répondit Meiffert. Nos ennemis lèvent le camp, ils ne préparent pas une attaque. Simplement, ils semblent avoir décidé de s'en aller.

— Quelqu'un sait où ils vont ?

— Selon les éclaireurs, vers le nord, mais je n'ai rien de plus précis.

— Ils ne s'intéressent plus à nous ?

— Il se peut que ce soit une ruse, et qu'une force importante revienne nous attaquer… Mais pour le moment, on dirait bien que l'Ordre n'en a plus rien à faire de nous.

— Jagang n'a pas besoin de s'occuper de nous, dit Warren. (Kahlan le trouva un peu pâle, mais ça ne l'étonna pas. Ils devaient tous être blêmes…) Il sait que nous allons être obligés de le suivre. Alors, pourquoi viendrait-il nous débusquer ici ?

L'Inquisitrice ne trouva rien à redire à ce raisonnement.

— S'il part pour le nord, il se doute bien que nous n'allons pas rester dans la vallée à lui faire au revoir de la main…

L'empereur changeait une nouvelle fois de stratégie. Kahlan n'avait jamais eu affaire à un chef militaire tel que lui. En général, les guerriers s'en tenaient à leur méthode favorite. Quand ils remportaient une bataille grâce à une tactique donnée, ils pouvaient en perdre dix autres d'affilée sans changer de procédure, parce qu'elle avait marché une fois. Certains n'étaient pas très intelligents. Les plus faciles à affronter, il fallait l'avouer… Se fiant aveuglément à la supériorité numérique, ils envoyaient leurs hommes à l'abattoir, sûrs de vaincre au bout du compte. D'autres, plus imaginatifs, inventaient des tactiques au gré des besoins. Souvent trop arrogants, il leur arrivait de finir embrochés par la pique d'un soldat adverse moins brillant mais plus pragmatique. D'autres encore, tenant la guerre pour un jeu, se fiaient aveuglément aux traités de tactique et s'indignaient quand leurs ennemis s'écartaient de la théorie.

Jagang était différent. Capable de deviner les intentions de ses adversaires, il ne sombrait jamais dans la routine. Après que Kahlan lui eut infligé de lourdes pertes en lançant des raids incessants au cœur même de son camp, il avait repris la technique à son compte, et ses « contre-raids » avaient eu des effets dévastateurs. Contrairement à beaucoup d'imbéciles, qu'on pouvait pousser à commettre d'énormes erreurs, Jagang ne tombait jamais deux fois dans le même piège. Ravalant sa fierté, il s'adaptait à toutes les situations et n'entrait jamais longtemps dans le jeu de ses ennemis.

Les D'Harans avaient pourtant réussi à porter des coups terribles à l'armée de l'Ordre. Leurs propres pertes, si lourdes fussent-elles, restaient minimes par rapport à celles qu'ils avaient infligées aux bouchers de Jagang.

L'hiver les avait bien aidés, tuant un nombre incroyable de soudards. Habitués au climat du sud, dans l'Ancien Monde, les officiers n'avaient pas su faire face aux rigueurs de la mauvaise saison dans le Nouveau. Un demi-million d'hommes étaient morts de froid, et des centaines de milliers d'autres avaient succombé à diverses maladies.

Le seul climat avait coûté quelque sept cent cinquante mille hommes à l'empereur. Une inconcevable hécatombe…

Kahlan commandait désormais une force de quelque trois cent mille soldats. Dans des circonstances habituelles, cette armée aurait pu écraser n'importe quel ennemi. Hélas, les renforts impériaux n'avaient cessé d'affluer, faisant bien plus que compenser les pertes. À ce jour, la horde de Jagang comptait près de deux millions et demi de guerriers. Et elle grossissait encore…

Jagang avait accepté la relative trêve hivernale, parce que se battre par un froid pareil était quasiment impossible. Au printemps, il ne s'était pas précipité, assez malin pour comprendre que guerroyer dans la boue, au moment de la fonte des neiges, n'était pas très facile non plus. À cette période de l'année, les chariots s'embourbaient trop facilement, les cours d'eau en crue étaient impossibles à franchir, et la cavalerie ne servait pratiquement à rien sur un terrain glissant. En cas de charge, on réussissait surtout à perdre des montures de valeur – sans même parler de leurs cavaliers. Les fantassins pouvaient toujours attaquer, mais sans soutien monté, ils couraient au massacre.

En revanche, l'empereur avait tiré parti du printemps pour faire connaître partout son nouveau surnom : « Jagang le Juste ». Quand elle avait appris que des « émissaires de la paix » avaient sillonné les Contrées du Milieu, Kahlan était entrée dans une colère noire. Lorsqu'on les acceptait dans une ville, ces hérauts du mensonge promettaient la paix et la prospérité universelles…

L'été étant enfin arrivé, Jagang repartait en campagne. Et il prévoyait d'envoyer ses troupes dans les cités que ses émissaires avaient visitées.

Kahlan sursauta, car la porte de la cabane venait de s'ouvrir à la volée. Ce n'était pas à cause du vent, mais de l'irruption de Rikka. Peu assurée sur ses jambes, la Mord-Sith semblait n'avoir pas dormi depuis des jours.

Cara approcha de sa collègue, au cas où elle aurait besoin d'aide, mais elle n'esquissa pas un geste, attendant une éventuelle demande. Les femmes en rouge détestaient afficher leur faiblesse en public…

Rikka approcha de la table et jeta deux Agiels sur les cartes d'état-major.

—Qu'est-il arrivé ? demanda Kahlan, accablée.

—Je n'en sais rien, Mère Inquisitrice. J'ai découvert leurs têtes, chacune piquée au bout d'une lance. Les Agiels étaient attachés aux hampes…

Kahlan tenta de contenir sa colère.

—As-tu compris, à présent, Rikka ?

—Galina et Solveg ont eu une fin digne de Mord-Sith.

—Non, elles sont mortes pour rien ! Après avoir perdu les quatre premières Mord-Sith, nous savions que ça ne fonctionnait pas ! Quand celui qui marche dans les rêves contrôle leur esprit, les magiciennes et les sorciers ne sont pas sensibles au pouvoir de tes collègues…

—Il y a peut-être une autre explication… Si les Mord-Sith peuvent neutraliser les forces magiques adverses, il faut continuer ! D'un seul geste, les magiciennes et les sorciers sont capables de tuer mille de nos soldats.

—Je comprends ton point de vue, Rikka, mais il n'est pas réaliste. Six de tes amies sont mortes pour le prouver. Il faut arrêter le massacre !

—Je pense quand même que…

—Rikka, nous sommes là pour prendre des décisions capitales. Désolée, mais je n'ai pas le temps de discutailler… (Kahlan s'appuya à la table et dévisagea la Mord-Sith.) Je suis la Mère Inquisitrice et l'épouse du seigneur Rahl. Si tu ne m'obéis pas, tu devras quitter ce camp. C'est compris ?

Rikka regarda Cara, qui ne broncha pas.

—Je veux rester avec nos forces et faire mon devoir.

—Parfait… À présent, va manger quelque chose tant qu'il est encore possible de se faire servir… Nous avons besoin que tu sois en forme.

Rikka hocha vaguement la tête – ce qui se rapprochait le plus d'un salut pour une Mord-Sith – et sortit à grandes enjambées.

Kahlan chassa le nuage de moustiques qui tournaient autour de sa tête et se concentra sur les cartes.

—Bien, dit-elle en écartant les deux Agiels, quelqu'un a une suggestion ?

—Restons sur leurs flancs, proposa Zedd. Une attaque massive étant impossible, continuons à harceler les forces de Jagang.

—Je suis aussi pour cette solution, dit Verna.

—L'ennui, intervint Meiffert, c'est la taille de l'armée ennemie…

—Tout le problème est là, approuva Kahlan. Jagang a assez d'hommes pour les diviser en plusieurs forces trop importantes pour les nôtres. Je suis sûre qu'il le fera, et je veux savoir comment nous réagirons. À sa place, j'aurais recours à cette tactique, parce que c'est la plus gênante pour nous.

Quelqu'un frappa à la porte, et Warren, qui s'était campé devant la fenêtre, alla ouvrir.

Le capitaine Zimmer entra, salua en se tapant du poing sur le cœur et alla se placer face à Kahlan.

Décidé à broyer du noir, Warren retourna devant la fenêtre.

—Jagang divise ses forces, annonça Zimmer.

Le pire advenait, comme toujours…

—Ses objectifs ? demanda Kahlan.

—Apparemment, il envoie environ un tiers de ses hommes vers la vallée de Callisidrin, d'où ils pourront attaquer Galea. Les autres foncent vers le nord-est, sans doute pour traverser la vallée de Kern…

… Et fondre sur Aydindril. Car la cible finale de cette expédition ne faisait pas de doute.

—Avoir raison ne me ravit pas, dit Zedd, mais c'est ce que Kahlan et moi avions prévu.

—C'est une manœuvre évidente, dit Meiffert, penché sur la carte principale, mais avec une force de cette taille, il faut s'attendre à tout.

Consciente que personne n'aborderait le sujet le plus délicat, Kahlan décida de prendre les choses en main.

—Galea a décidé de faire cavalier seul. Donc, nous n'interviendrons pas.

Le capitaine Zimmer désigna un point, sur la carte.

—Il faudra placer nos troupes devant les leurs, pour les ralentir. Les suivre et les harceler ne suffira pas. Sauf si nous voulons passer notre temps à enterrer les cadavres, dans les cités mises à sac.

—Je suis d'accord, annonça Meiffert. Nous devons ralentir l'ennemi.

Au bout du compte, nous céderons du terrain, c'est inévitable, mais c'est le seul moyen de gagner un peu de temps et d'accorder un répit aux Contrées du Milieu.

Zedd se tourna vers son « jeune » collègue.

— Qu'en penses-tu, Warren ?

Le futur prophète sursauta en entendant son nom, comme si son esprit avait été très loin de là…

Kahlan s'inquiétait, car elle trouvait que le mari de Verna n'allait pas bien. Le voyant approcher, le dos bien droit et l'air confiant, elle pensa s'être trompée. Au fond, ils étaient tous bizarres, en ce moment.

— Oublions Galea, dit Warren, car c'est une cause perdue. Aider ces gens est impossible, et ils connaîtront le sort que leur a prédit la Mère Inquisitrice. Pas parce qu'elle leur souhaitait du mal, mais parce qu'elle avait compris bien avant tout le monde. Si nous envoyons des troupes, elles se feront massacrer.

— Et qu'as-tu à dire d'autre ? demanda Zedd, étonné que Warren se soit contenté d'enfoncer des portes ouvertes.

Le futur prophète se plaça entre Verna et Meiffert, se pencha, et posa un index sur la carte – très loin au nord, pratiquement devant Aydindril.

— C'est là qu'il faudra poster nos forces.

— Si loin ? demanda le général. Pourquoi ?

— Parce que c'est le seul moyen d'obliger Jagang à s'arrêter jusqu'à la fin de l'hiver prochain. En l'affrontant là, il devra attendre le beau temps pour nous submerger et foncer sur Aydindril.

— Nous submerger ? répéta le général, indigné.

— Bien entendu… D'ici là, l'empereur disposera de trois ou quatre millions d'hommes. Vous pensez pouvoir les arrêter, général ?

— Dans ce cas, pourquoi nous envoyer à la boucherie ?

— Pour offrir un an de sursis à Aydindril… (Warren se tourna vers Kahlan.) Dans douze mois, presque jour pour jour, Aydindril tombera. Essayez de préparer ses habitants au pire, mais ne vous faites pas d'illusions : sa chute est inévitable.

Absurdement, Kahlan eut envie de gifler Warren. L'entendre dire à voix haute ce qu'elle pensait en secret était intolérable.

L'Ordre ne pouvait pas conquérir le cœur même des Contrées du Milieu et du Nouveau Monde ! Imaginer Jagang et ses sbires dans le Palais des Inquisitrices donnait envie de vomir à Kahlan.

— Zedd, continua Warren, il faudra protéger la Forteresse du Sorcier. Vous le savez aussi bien que moi… Si les forces magiques de Jagang l'investissent, tout sera perdu, car elles disposeront d'un pouvoir sans limites. Défendre la Forteresse est vital. Nous devrons nous souvenir qu'il s'agit d'une priorité absolue.

— S'il le faut, je m'en chargerai seul, dit le vieux sorcier.

—Il se peut que ce soit nécessaire, souffla Warren. Quand nous serons en position, et que la fin approchera, vous devrez nous laisser et aller défendre la Forteresse.

—Warren, explosa Kahlan, vous parlez comme si tout était joué! Accepter la défaite ainsi est inacceptable!

Warren eut un sourire timide.

—Mère Inquisitrice, si je vous donne cette impression, vous m'en voyez désolé… C'est une analyse lucide, pas un manifeste de défaitisme. Nous n'arrêterons pas l'armée de Jagang, il faut regarder la vérité en face. D'autant plus que certains pays, à l'instar d'Anderith et de Galea, auront peur de l'Ordre et préféreront une alliance à un massacre…

» J'ai vécu dans l'Ancien Monde à l'époque où il tombait peu à peu sous la domination de Jagang. Cet homme est méthodique, et il n'ignore rien des vertus de la patience. Conquérir l'Ancien Monde semblait impossible, pourtant il a réussi. Il peut attendre des années s'il le faut, et il ne se détourne jamais de ses objectifs. En l'énervant, il est possible de le pousser à l'erreur, mais il se ressaisit très vite.

» Savez-vous pourquoi il reprend très vite son calme? Parce que la cause qu'il défend est ce qui compte le plus à ses yeux. Pour comprendre l'empereur, il ne faut jamais perdre de vue un point essentiel: il est persuadé d'être dans le vrai et d'agir pour le bien de l'humanité. Il aime être un conquérant couvert de gloire, c'est indéniable, mais sa véritable gratification est de penser qu'il aura ramené sous la Lumière du Créateur des gens qu'il tient pour des païens. Pour progresser, il en a l'absolue conviction, l'humanité doit se soumettre à l'autorité hautement morale de l'Ordre.

—Un tissu d'absurdités! s'exclama Kahlan.

—Vous avez le droit de le penser, mais Jagang croit sincèrement œuvrer pour le bien de l'humanité. C'est son credo et celui de tous ses principaux collaborateurs.

—L'empereur pense que le meurtre, le viol et l'esclavagisme sont les mamelles de la justice? demanda Meiffert. Dans ce cas, il est fou à lier!

—N'oubliez pas qu'il a grandi sous la tutelle des prêtres de la Confrérie de l'Ordre, dit Warren. C'est capital! Ayant assimilé leur enseignement, Jagang est persuadé que les horreurs que vous venez de citer sont justifiées. Pour lui, seul l'autre monde importe, parce que c'est là qu'on se retrouve dans la Lumière du Créateur. Pour ces gens, se sacrifier au nom des autres dans le royaume des vivants permet d'obtenir la récompense suprême après la mort. Tous ceux qui n'acceptent pas cette vision de la vie – nous, en l'occurrence – doivent être convertis ou tués.

—Donc, récapitula Meiffert, le devoir sacré de Jagang est de nous écraser. Le butin n'est pas sa motivation principale, car il cherche, à son étrange façon, à sauver l'humanité.

—C'est ça, oui…

—Admettons…, soupira Kahlan. Warren, selon vous, que va faire ce saint homme en quête de justice ?

—Pour conquérir le Nouveau Monde, il doit s'emparer de deux lieux essentiels. Sinon, sa victoire sera incomplète. Ses cibles sont Aydindril, le siège du pouvoir dans les Contrées du Milieu, et le Palais du Peuple, en D'Hara. Si ces deux bastions tombent, tout le reste s'écroulera. Apparemment, il a choisi sont premier objectif.

» L'Ordre fonce vers Aydindril pour diviser les Contrées. Sinon, qu'irait-il faire dans le Nord ? Ensuite, il se concentrera sur D'Hara, qui sera isolé. Briser les alliances est un des meilleurs moyens de vaincre. Et pour démoraliser un adversaire, le frapper au cœur est idéal.

» Je ne dis pas que tout est joué, mais voilà en gros le plan de Jagang. Richard l'avait deviné avant nous, d'où sa décision… Sachant que nous n'avons aucune chance d'arrêter les envahisseurs, il nous faut regarder la réalité en face…

Kahlan baissa les yeux sur la carte principale.

—Aux heures les plus sombres, dit-elle, il est vital de continuer à croire en soi. L'empire d'haran ne se rendra pas sans combattre. Il faut lutter avec tous les moyens dont nous disposons, et guetter une occasion de renverser la situation.

—La Mère Inquisitrice a raison, dit Zedd. Lors de la dernière grande guerre que j'ai vécue, dans ma jeunesse, mon camp semblait condamné. Nous avons résisté, et finalement, les envahisseurs ont dû retourner d'où ils venaient.

Aucun officier d'haran ne fit de commentaire. À l'époque, l'agresseur était D'Hara…

—Mais tout a changé, aujourd'hui, s'empressa de préciser le vieux sorcier. Cette guerre avait été déclenchée par un dirigeant maléfique… (Il regarda Meiffert, Zimmer et les autres D'Harans.) Dans un conflit, chaque camp compte des hommes d'honneur et des salauds. Grâce au nouveau seigneur Rahl, tous les combattants de bonne volonté peuvent aujourd'hui défendre une juste cause.

» Nous finirons par vaincre, j'en suis sûr. Je sais que c'est difficile à croire, en ce moment, mais il doit y avoir aussi dans l'Ancien Monde des gens de valeur qui souffrent sous le joug de l'Ordre et ne partagent pas ses objectifs de guerre. Quoi qu'il en soit, nous devons endiguer l'invasion.

—Warren, dit Kahlan en désignant la carte, comment Jagang mènera-t-il cette campagne, selon vous ?

Le futur prophète tapota la carte, un peu au sud d'Aydindril.

—Connaissant Jagang et sa stratégie habituelle, il s'en tiendra à son plan de base. Il a un objectif, et il continuera à avancer vers lui. Jusqu'à présent, nous ne lui avons rien opposé d'inédit. Pour un chef de guerre expérimenté comme lui, ce conflit doit paraître très banal. Ne croyez pas que je veuille minimiser nos succès. Nous lui avons réservé quelques mauvaises surprises, et c'était une bonne chose. Mais globalement, tout se déroule comme il le prévoyait.

» En positionnant nos forces là où je l'ai dit, vous protégerez Aydindril jusqu'à l'été prochain. Jagang a compris que les hivers, ici, n'étaient pas propices aux batailles. Mais quand le beau temps sera revenu, il se mettra en marche, et rien ne l'arrêtera. Alors, quoi que vous fassiez, Aydindril tombera, et il faudra coûte que coûte tenir la Forteresse du Sorcier. C'est tout ce qui restera à faire…

Un lourd silence tomba sur la pièce. Dans la cheminée, le feu agonisait, et c'était le dernier qui y aurait brûlé. Leurs bagages déjà faits, Warren et Verna étaient prêts à partir avec l'armée. Ils perdaient leur foyer, et c'était peut-être pour ça que le futur prophète se montrait si mélancolique.

Kahlan regarda les rideaux qu'elle avait fabriqués pour eux, des mois plus tôt. Leur mariage semblait remonter à une éternité…

Le sien paraissait être un rêve très lointain… Chaque matin, au réveil, elle avait le sentiment que Richard n'était plus qu'un fantôme. La guerre devenait la seule réalité pour tous ceux qui y participaient, leur dévorant l'âme et le cœur.

À certains moments, Kahlan aurait juré que Richard n'avait jamais existé. Un songe éveillé, voilà ce qu'avait été sa vie. Et ce long été de bonheur, dans les montagnes, ne pouvait pas avoir vraiment eu lieu…

Ces instants de doute terrifiaient davantage l'Inquisitrice que la horde de soudards de Jagang.

— Warren, que se passera-t-il après la chute d'Aydindril ?

— Je n'en sais rien… Jagang se contentera peut-être de digérer sa proie, le temps d'avoir assis son emprise sur les Contrées du Milieu. Mais tôt ou tard, parce qu'il est certain que son devoir l'y oblige, il se mettra en route pour D'Hara.

Kahlan se tourna vers le capitaine Zimmer.

— Capitaine, préparez vos hommes à l'action. Pendant que nous finissons de démonter le camp, ils montreront à Jagang que nous n'avons aucune intention de le laisser en paix.

L'officier sourit, puis se tapa du poing sur le cœur.

— Mes amis, dit l'Inquisitrice, l'Ordre devra verser du sang pour chaque pouce de terrain qu'il annexera. Même si je ne peux rien faire de plus, je m'acharnerai à ce qu'il en soit ainsi tant qu'il me restera un peu de force.

Chapitre 53

Les rues empestaient les égouts, et il n'y avait pas un souffle de vent. Accablé de chaleur, Richard essuya d'un revers de la main la sueur qui ruisselait sur son front. Au moins, tant que son chariot roulait, le déplacement d'air le rafraîchissait un peu.

Cette nuit, il était morose, car il avait la certitude, à présent, que Kahlan et Cara avaient quitté la cabane. Bien qu'il fût plongé dans ses pensées, il avait quand même remarqué que la cité grouillait d'une activité inhabituelle pour cette heure tardive. Des silhouettes furtives passaient devant lui, puis s'engouffraient dans des maisons dont on refermait aussitôt la porte. La lune étant pleine, il avait repéré dans des ruelles d'autres silhouettes qui attendaient visiblement qu'il se soit éloigné pour traverser la voie. Les roues de son chariot faisant un abominable vacarme, il ne pouvait rien entendre de ce que disaient ces curieux noctambules.

Alors qu'il empruntait la rue qui conduisait chez le marchand de charbon, avec qui il avait rendez-vous, Richard dut s'arrêter net pour ne pas percuter un barrage de gardes équipés de longues lances.

Un des hommes saisit les chevaux par le mors, et ses compagnons pointèrent leurs armes sur le Sourcier.

— Que fiches-tu dehors ? demanda une voix, sur le flanc droit du chariot.

Richard tira calmement le frein.

— J'ai un permis spécial qui m'autorise à faire des livraisons la nuit. C'est pour le palais de l'empereur.

En général, mentionner le Fief suffisait à lui dégager le chemin.

— Si tu as un permis, montre-le ! dit un des gardes.

Ce soir, les choses semblaient plus compliquées… Richard sortit le document, rangé sous sa chemise dans une pochette en cuir, et le tendit à l'homme, qui leva sa lanterne pour mieux voir.

Des camarades à lui l'entourèrent afin d'étudier le permis et ses cachets officiels. Le document était parfaitement authentique. Au prix où Richard l'avait payé, c'était la moindre des choses.

— Tu peux y aller, dit le garde en rendant son permis à Richard. En traversant la ville, tu as vu quelque chose de bizarre ?

— Bizarre ? Que voulez-vous dire ?

— Si tu avais remarqué, tu ne poserais pas la question. Allez, continue ton chemin.

Richard décida de jouer un peu la comédie.

— Il y a du danger ? Des bandits rôdent dans le coin ? Vous êtes sûr qu'un honnête citoyen ne risque rien ? Si c'est pour me faire égorger, je préfère rentrer chez moi.

— Ne t'en fais pas, il ne t'arrivera pas malheur. Mais une bande de crétins sèment le désordre parce qu'ils n'ont rien de plus intéressant à faire.

— C'est tout ? Vous en êtes certain ?

— Si tu travailles pour le palais, tu ferais mieux de te dépêcher, mon gars.

— Oui, oui, vous avez raison…

Richard desserra le frein et secoua les rênes. Aussitôt, le chariot s'ébranla.

Bien qu'il ignorât ce qui se passait, Richard aurait parié que les gardes étaient là pour interpeller des « insurgés », comme ils les appelaient. Pressés de rentrer au poste, ils arrêteraient sans doute tous les malheureux qui leur tomberaient sous la main. Quelques jours plus tôt, un employé d'Ishaq avait subi ce triste sort. Mort soûl pour avoir abusé de l'eau-de-vie qu'il distillait en toute illégalité, le pauvre avait eu la mauvaise idée de partir avant qu'une réunion soit terminée. Il n'était jamais rentré chez lui…

Le surlendemain, Ishaq avait été informé que l'homme venait de confesser d'abominables crimes contre l'Ordre Impérial. Sa femme et sa fille avaient également été incarcérées. Après avoir subi le fouet – pour la punir d'avoir dit du mal de l'Ordre –, l'épouse avait été relâchée. La fille, plus jeune et plus jolie, n'était toujours pas revenue chez elle, et nul ne savait où on la détenait.

Dès qu'il fut sorti de la ville, Richard s'emplit les poumons de la délicieuse odeur de la terre récemment retournée.

Quand il entra dans la cour du charbonnier, le patron, un type très nerveux nommé Faval, courut à sa rencontre.

— Richard Cypher, te voilà ! J'avais peur que tu ne viennes pas.

— Pourquoi ?

Faval gloussa bêtement. C'était un tic, chez lui, surtout quand une situation n'avait rien de drôle. Le Sourcier ne s'en formalisait plus depuis longtemps. Le charbonnier était simplement surexcité, et il ne pensait pas à mal. Pourtant, beaucoup de gens l'évitaient à cause de son innocente manie. Certains affirmaient qu'il était fou, une punition, selon eux, que le Créateur réservait aux plus grands pécheurs. D'autres le détestaient, persuadés qu'il se moquait d'eux. Bien entendu, cela aggravait la nervosité de Faval, qui gloussait encore plus que d'habitude.

Toutes les dents de devant cassées, le charbonnier avait le nez comme une patate, à force de se faire taper dessus. Ayant compris qu'il n'était pas méchant, Richard ne l'avait jamais rudoyé. Du coup, Faval l'aimait bien.

— J'avais peur que tu manques notre rendez-vous, voilà tout…

— Faval, je t'ai donné ma parole. Pourquoi as-tu eu des doutes ?

— Comme ça, sans véritable raison, répondit le charbonnier en se triturant frénétiquement le lobe d'une oreille.

— Les gardes m'ont intercepté, dit Richard en sautant à terre.

— Non ! s'écria Faval avant de glousser comme un dindon. Que voulaient-ils ? Ils t'ont posé des questions ?

— Ils m'ont demandé si j'avais vu quelque chose de bizarre.

— Mais tu as répondu que non, et ils t'ont laissé passer.

— Exact. Pourtant, j'ai quand même aperçu un homme à deux têtes…

Faval écarquilla les yeux, pétrifié.

— Tu… tu… vraiment ? Un homme à deux têtes ?

Cette fois, ce fut Richard qui gloussa.

— Mais non, c'était une blague !

— Pas très drôle, si tu veux mon avis…

— J'en conviens volontiers. Mon chargement est prêt ? Victor a besoin d'acier, et Priska risque de mettre la clé sous la porte s'il n'a pas de charbon. Il paraît que tu n'as pas honoré sa dernière commande.

Bien entendu, Faval gloussa avant de répondre.

— Je n'ai pas pu, Richard Cypher ! Pourtant, j'ai besoin de cet argent. Je dois une somme folle aux types qui me fournissent du bois. Et si je ne paie pas, ils cesseront de me livrer.

Faval était installé à la lisière de la forêt. Son indispensable matière première, pour fabriquer du charbon, était à portée de sa main, mais il n'avait pas le droit de toucher aux arbres. Selon la curieuse philosophie de l'Ordre, qui détenait toutes les ressources naturelles, on coupait du bois quand les bûcherons avaient besoin de travailler – à condition d'avoir une licence –, et pas simplement parce que quelqu'un en avait besoin. Du coup, des centaines de branches mortes pourrissaient dans la forêt. Quiconque se serait aventuré à les ramasser risquait d'être arrêté pour vol de la propriété collective.

— J'ai essayé de faire parvenir du charbon à Priska, mais le comité me l'a interdit. Selon ses membres, je n'ai pas besoin d'argent. Tu te rends compte! Il paraît que je suis un riche entrepreneur dont les besoins passent après ceux des déshérités. Bon sang, j'essaie simplement de gagner ma vie!

—Je sais, Faval, et j'ai dit à Priska que ce n'était pas ta faute. Il a compris, parce qu'il connaît ce genre de problème. Mais il a tellement besoin de cette livraison qu'il s'en prend à n'importe qui, et surtout à ceux qui n'y peuvent rien. J'ai promis de lui livrer un chargement cette nuit, et deux demain soir. Tu as de quoi me fournir?

Richard sortit de sa bourse une pièce d'argent.

Faval se tapa joyeusement dans les mains.

—Merci, Richard Cypher, tu es mon sauveur! Les bûcherons ne sont pas commodes, tu sais... Un ce soir et deux demain, as-tu dit? Aucun problème! Tu es un fils pour moi, Richard! Regarde, ton charbon est en train de mijoter!

Richard tourna la tête vers les dizaines de fours en terre où Faval préparait son charbon. De loin, on eût dit de petites meules de foin.

Le principe était assez simple. On commençait par empiler des morceaux de bois autour d'un tas d'herbes sèches, puis on les recouvrait de fougères et de genêts. Ensuite, on enveloppait le tout de glaise. Après avoir mis le feu au bois à travers une ouverture dans la base du four – qu'on refermait aussitôt –, on laissait s'échapper la fumée et l'humidité pendant environ une semaine. Quand plus rien ne sortait des trous de ventilation, en haut du four, on les obstruait pour éteindre le feu. Il suffisait alors d'attendre le refroidissement pour ouvrir le four et récupérer le charbon. Un travail très prenant, mais pas vraiment compliqué.

—Je vais t'aider à charger, dit Faval.

Richard retint le charbonnier par le pan de sa chemise.

—Tu vas enfin me dire ce qui se passe?

Faval gloussa en se tapotant pensivement la lèvre inférieure.

Puis il se jeta à l'eau.

—La révolte a commencé!

Richard se doutait qu'il s'agissait de cela.

—Que peux-tu m'en dire de plus, Faval?

—Absolument rien! Je ne suis pas informé de...

—C'est moi, Richard! Tu sais bien que je ne te dénoncerai pas.

—Oui, oui... Excuse-moi, mon ami... Je suis si nerveux que je n'ai plus les idées claires.

—Alors, cette révolte?

—L'Ordre empêche les gens de vivre. Prends mon cas, par exemple. Sans toi, je serais... Bon sang, je préfère ne pas y penser! Mais tout le monde n'a pas ma chance. Les citoyens crèvent de faim parce que l'Ordre réquisitionne la nourriture. Leurs proches sont arrêtés et avouent des crimes qu'ils n'ont pas commis...

» Tu savais ça, Richard Cypher ? Je n'y croyais pas moi-même, pour tout te dire. Au fond, un homme qui avoue doit être coupable, pas vrai ? Oui, je pensais que de sales conspirateurs voulaient nuire à l'Ordre. Je me disais qu'ils méritaient leur sort, et je me réjouissais quand on les punissait.

— Qu'est-ce qui t'a fait changer d'avis ?

— Mon frère..., gémit Faval. Il travaillait avec moi, et nous faisions vivre ma famille en fabriquant du charbon du matin au soir. Nous habitions dans la même maison, qui n'avait qu'une seule pièce. Bref, nous ne nous quittions jamais.

» L'an dernier, à la sortie d'une réunion où nous étions tous obligés de couvrir l'Ordre d'éloges, des hommes l'ont arrêté. Quelqu'un l'avait dénoncé, prétendant qu'il était un insurgé. Au début, je ne me suis pas inquiété, parce que mon frère ne se mêlait pas de politique. Un simple charbonnier, voilà ce qu'il était...

» Une semaine durant, je suis allé tous les jours à la prison dire qu'il n'aurait jamais rien fait contre l'Ordre. À l'époque, nous aimions nos chefs, parce qu'ils affirmaient vouloir le bonheur de tous...

» Un matin, un garde m'a informé que mon frère avait avoué. De la « haute trahison », m'a-t-il expliqué. Un complot pour renverser l'Ordre. Il avait donné tous les détails de la machination...

» Le lendemain, j'ai voulu retourner à la prison pour insulter les monstres qui avaient torturé mon frère. Craignant de ne plus me revoir, ma femme m'a supplié de ne pas le faire, et je l'ai écoutée. De toute façon, ça n'aurait servi à rien, puisque le détenu avait signé ses aveux. Un homme qui avoue ne peut pas être innocent, tout le monde sait ça !

» Il a été exécuté... Sa femme et ses enfants vivent encore avec nous, et nous parvenons à peine à...

La voix de Faval mourut sur un sanglot.

— Je comprends, mon ami, dit Richard en tapotant l'épaule du charbonnier. Tu n'aurais rien pu faire, alors, console-toi...

— Aujourd'hui, je suis coupable d'avoir de mauvaises pensées envers l'Ordre. C'est un crime, tu sais, et je le commets chaque jour ! Je rêve de vivre sous un autre régime. D'avoir une charrette, par exemple, pour que mes fils et mes neveux puissent livrer mon charbon. Ce serait merveilleux, n'est-ce pas ? Je pourrais acheter...

» Oublions ça ! Pour l'Ordre, je suis un insurgé parce que je pense à mes besoins, pas à ceux des autres. Mais en quoi sont-ils plus importants que les miens ?

» J'ai demandé l'autorisation d'acheter une charrette. Bien entendu, on me l'a refusée pour ne pas priver de travail les charretiers ! On m'a traité d'égoïste, parce que je voulais enlever le pain de la bouche des autres.

— Ce n'est pas toi le criminel, Faval, dit Richard. Tes aspirations sont normales. Tu n'as qu'une vie, et tu es libre de la mener comme tu l'entends. Acheter une charrette afin de mieux nourrir ta famille devrait être un droit.

— Tu parles comme un révolutionnaire, Richard Cypher !

Richard soupira, conscient que toute rébellion était vouée à l'échec.

— Non, Faval…

— La révolte a commencé ! C'est parti !

— Et moi, j'ai du charbon à livrer…

Richard s'empara d'un sac et le jeta dans le chariot.

Faval souleva un autre sac.

— Tu devrais te joindre aux insurgés, Richard Cypher. Tu es très intelligent, et ton aide leur serait précieuse.

— Que veulent-ils faire ? demanda le Sourcier. Quel est leur plan ?

Y avait-il de l'espoir, malgré ce qu'il avait cru jusque-là ?

— Demain, ils manifesteront dans les rues et ils exigeront que les choses changent.

— Lesquelles, exactement ?

— Avant tout, ils réclameront du travail. Et le droit de le faire comme ils l'entendent. (Faval gloussa.) Tu crois que je pourrai m'acheter une charrette ? Après la révolte, tu penses que je serai libre de vendre mon charbon ?

— Je n'en sais rien, mon ami… Mais que feront les insurgés si l'Ordre refuse de céder à leurs exigences ? Ce qui est à prévoir.

— Eh bien, ils seront furieux et refuseront de reprendre le travail. Certains parlent de piller les boulangeries, pour avoir au moins un peu de pain.

Richard comprit qu'il n'y avait *aucun* espoir.

— Que dois-je faire, mon ami ? demanda Faval. Me joindre aux insurgés ?

— Faval, dans un cas comme celui-là, on ne demande pas l'avis des autres. Veux-tu mettre en danger ta vie et celle de ta famille en te fiant à un livreur de charbon ?

— Tu es un type intelligent, Richard Cypher. Pas moi…

Le Sourcier tapota le front du charbonnier.

— Dans ta tête, tu as tout ce qu'il faut pour prendre une décision. Tu as compris que l'Ordre n'aiderait pas les gens en leur disant comment il faut vivre. Tout seul, mon ami ! Toi, un simple charbonnier, tu es plus intelligent que l'Ordre Impérial.

— Tu crois, Richard ? Personne ne m'a jamais dit ça.

— Tu es assez malin pour savoir ce que cette révolte représente pour toi, et décider ce que tu dois faire demain…

— J'ai peur pour ma femme, ma belle-sœur et tous nos enfants… Je ne veux plus de l'Ordre, mais qu'arrivera-t-il aux miens si on m'arrête ? Comment survivront-ils ?

Richard souleva un nouveau sac.

— Écoute-moi bien, mon ami. Quand on se révolte, il faut être sûr de ce qu'on fait, parce que c'est très dangereux. Si tu t'en mêles, tu devras être prêt à sacrifier ta vie, le cas échéant.

— Vraiment ? Tu crois que ça va si loin, Richard Cypher ?

— Faval, reste ici et fabrique le charbon dont Priska a besoin. L'Ordre arrêtera les insurgés, et l'affaire en restera là. Tu es un brave homme, et je détesterais te savoir en prison.

— Très bien, Richard Cypher. Si tu le dis, je ne m'en mêlerai pas.

— Tu m'en vois ravi… Bien, je reviendrai demain soir, en principe. Mais s'il y a trop de troubles, les rues étant bloquées, ne t'inquiète surtout pas si tu ne me vois pas.

— Je comprends, Richard Cypher. Et je te fais confiance, parce que tu ne m'as jamais laissé tomber.

— Faval, puisque je risque d'être… empêché… demain, voilà les deux pièces d'argent, pour la seconde livraison. Il faut que les bûcherons continuent à te fournir du bois, parce que la fonderie a besoin de charbon.

Faval n'était pas le seul charbonnier qui approvisionnait Richard. Tous étaient de braves types qui s'échinaient à faire correctement leur boulot malgré les tracasseries administratives.

Sur la revente du charbon, Richard faisait un bénéfice minuscule, mais il se rattrapait sur l'acier et le fer. Cela dit, cette activité secondaire amortissait en gros les pots-de-vin qu'il devait verser. Évidemment, il gagnait beaucoup plus sur les livraisons de minerai, de glaise, de plomb, de mercure, d'antimoine, de sel et de sable de moulage dont le fondeur Priska avait besoin et qu'il ne parvenait pas à obtenir. En fait, il était débordé de travail, à ce niveau, et les bénéfices qu'il dégageait de cette activité couvraient tous ses frais. Du coup, les chargements de fer et d'acier devenaient du pur profit.

Quand il arriva à la fonderie, Priska faisait déjà nerveusement les cent pas dans la cour.

— Eh bien, s'écria-t-il, ce n'est pas trop tôt !

— J'ai perdu une bonne heure, parce que les gardes ont voulu inspecter le chargement.

— Les salopards !

— Tout va bien, ne t'en fais pas… Ils n'ont rien prélevé…

Le patron de la fonderie soupira.

— Crois-moi, Richard, c'est un miracle que je parvienne à faire tourner mes fours !

— Priska, tu n'es pas… hum… impliqué dans ce qui se passe en ville ?

À la chiche lueur qui filtrait de la fenêtre de son bureau, le fondeur dévisagea un long moment Richard.

— Des changements s'annoncent, mon ami. Les choses vont s'améliorer.

— Vraiment ?

— Une révolte a éclaté.

De nouveau, Richard se laissa aller à espérer. Pas pour lui, car sa situation était inextricable, mais pour tous les pauvres gens qui aspiraient à la liberté. Faval était un brave homme dur à la peine, mais en matière d'intelligence, il n'arrivait pas à la cheville de Priska. Toujours informé de tout, le fondeur avait communiqué au Sourcier la liste des fonctionnaires à corrompre pour obtenir ses divers permis. À côté des noms, il avait indiqué la somme adaptée à chaque fonctionnaire.

— Une révolte ? Dans quel but ?

— Rendre aux gens le droit de vivre comme ils l'entendent. Un recommencement, Richard ! Et c'est déjà en marche ! (Priska alla ouvrir les portes de son entrepôt.) Quand tu passeras chez Victor, attends-le un moment, parce qu'il veut te parler…

— De quoi ?

Priska éluda la question d'un vague geste de la main.

— Allez, décharge mon charbon et embarque ton acier. Si je te retarde, Victor me tordra le cou.

Richard s'empara d'un sac, et son ami en prit un autre.

— Quel est le plan des insurgés ?

— Ils ont capturé plusieurs responsables de l'Ordre. Des gens très haut placés.

— Ils les ont déjà exécutés ?

— Exécutés ? As-tu perdu la tête ? Ils ne leur feront pas de mal, les détenant jusqu'à ce qu'ils acceptent d'assouplir les règlements.

— Pardon ? s'écria Richard. Que demandent les insurgés ?

— Du changement ! Les citoyens doivent avoir leur mot à dire sur leur vie, leur travail et tout ce qui les concerne. Ils veulent moins de palabres inutiles, moins de réunions et plus de considération pour leurs problèmes quotidiens.

Cette fois, Richard comprit définitivement qu'il n'avait aucune raison d'espérer.

En finissant de décharger le chariot – puis en y transférant l'acier – il ne prêta plus guère attention à Priska, qui continua pourtant à lui exposer le plan des révolutionnaires.

Ces idéalistes exigeaient des procès équitables pour les prisonniers de l'Ordre, ainsi qu'un droit de visite pour leurs amis et leur famille. Ils demandaient aussi que les autorités révèlent ce qui était arrivé aux nombreux « disparus » dont on était sans nouvelles depuis leur arrestation. Il y avait d'autres requêtes, mais Richard ne les enregistra pas, car il pensait à autre chose.

Alors qu'il allait remonter dans son chariot, Priska le prit par le bras.

—Richard, l'heure est venue pour les hommes de bonne volonté. Nous devons nous joindre aux insurgés.

—Priska, Victor m'attend…

Le fondeur lâcha le bras du Sourcier et sourit.

—C'est vrai… À bientôt, Richard. La prochaine fois, tu viendras peut-être en plein jour, sans avoir besoin d'un permis…

—Ce serait formidable, mon ami…

Quand il arriva chez Victor, Richard avait terriblement mal à la tête. Tout ce qu'il avait entendu le rendait malade, et il redoutait encore plus ce que le forgeron allait lui dire.

Son ami l'attendait devant l'atelier. D'habitude il n'arrivait pas si tôt, se « contentant » de commencer le travail un peu avant l'aube.

Victor ouvrit les portes de l'entrepôt et posa sa lanterne sur une étagère, pour que Richard y voie mieux pendant qu'il positionnait le chariot devant l'entrée.

—Décharge l'acier, dit Victor avec un sourire de conspirateur, puis viens me rejoindre pour manger un peu de lardo. Nous avons à parler…

Peu enthousiasmé par la conversation à venir, Richard prit tout son temps pour vider le véhicule. Hélas, il devinait de quoi Victor voulait converser…

Contrairement à Faval et à Priska, le forgeron ne l'aidait jamais à décharger. Étant le client final, il entendait qu'on le livre en temps et en heure et qu'on dépose le matériel là où il le demandait. Un service qu'il obtenait rarement auprès des compagnies de transport officielles, qui lui coûtaient pourtant beaucoup plus cher. Bien entendu, Richard ne voyait aucun inconvénient à travailler seul.

Si loin au sud, dans l'Ancien Monde, les étés étaient accablants, et la température ne baissait pratiquement pas durant la nuit. Ce n'était pas comme dans ses chères montagnes…

En manipulant les barres d'acier, il repensa aux moments merveilleux passés avec Kahlan, près du petit cours d'eau. Cela semblait si loin… Tout espoir de revoir un jour sa femme le quittait peu à peu, et il s'inquiétait de plus en plus pour elle. Parfois, il tentait de se convaincre de l'oublier, pour cesser de se torturer. Mais son souvenir, en réalité, était la seule chose qui lui permettait de tenir.

Quand il eut fini, l'aube approchant, il alla rejoindre Victor, assis près de son cher bloc de marbre, qu'il couvait du regard.

—Richard, dit-il quand il remarqua enfin son ami, viens manger un peu de lardo.

Les deux hommes s'assirent sur le seuil de l'entrepôt, d'où on avait une vue plongeante sur le chantier. Le soleil se levant, Richard aperçut quelques-unes des ignobles sculptures qui « orneraient » le Fief.

Victor coupa une tranche de lardo et la tendit au Sourcier.

— Mon ami, la révolte dont je te parlais vient de commencer. Mais tu le sais sans doute déjà…

— Rien n'a commencé, Victor…

— Tu te trompes !

— Des troubles ont éclaté… Pas la rébellion que nous évoquions ensemble.

— Ce n'est qu'un début… Demain, il y aura une grande manifestation. Richard, nous voulons que tu diriges les opérations.

Exactement la requête que redoutait le Sourcier.

— Pas question !

— Je sais, tu te dis que personne ne te connaît, et qu'on ne t'obéira pas. Mais c'est faux ! J'ai parlé de toi à beaucoup de mes amis. Priska et d'autres entrepreneurs m'ont imité. Tu es l'homme de la situation.

— Non.

— Pourquoi ?

— Parce que beaucoup d'innocents vont mourir.

— Allons, tu exagères ! Il ne s'agit pas d'une sanglante révolution ! Des hommes de bonne volonté vont se dresser contre l'oppression pour améliorer le sort de tous. C'est exactement ce que prône l'Ordre Impérial. Nous sommes le peuple, nos chefs gouvernent au nom du peuple, et ils finiront par nous écouter.

— Tu veux que je sois ton chef ? demanda Richard.

— Oui.

— Alors, je vais te donner un ordre, Victor !

— Je t'écoute.

— Reste à l'écart de tout ça. C'est ton chef qui l'exige. Travaille toute la journée, et ne te mêle de rien.

Victor sembla penser que Richard plaisantait. Puis il comprit que ce n'était pas le cas.

— Pourquoi ? Tu ne veux pas que les choses changent ? As-tu envie de vivre ainsi jusqu'à la fin de tes jours ?

— Vous êtes prêts à tuer vos otages ?

— Les tuer ? Il n'est pas question de semer la mort, mais de redonner une chance à la vie.

— L'ennui, c'est que vos adversaires ne joueront pas selon les mêmes règles.

— Mais ils vont…

— Reste ici et travaille, sinon, tu ne verras pas le soleil se lever demain. L'Ordre écrasera le mouvement en un jour ou deux, puis il traquera impitoyablement tous ceux qui y ont trempé. Beaucoup de gens vont mourir...

— Si tu nous diriges, tu présenteras nos requêtes, et tout ira bien. Nous te voulons comme chef pour éviter un désastre. Tu sais convaincre les gens... Pense à tous ceux que tu as aidés depuis ton arrivée : Faval, Priska, moi et tant d'autres. Nous avons besoin de toi pour donner un sens à cette révolte.

— Si les insurgés ne savent pas pourquoi ils combattent, personne ne peut le leur apprendre. Ils réussiront s'ils ont faim de liberté, et s'ils sont prêts à tuer et à mourir pour cette cause. (Richard se leva et épousseta son pantalon.) Ne t'en mêle pas, Victor, si tu tiens à la vie.

Le forgeron suivit Richard jusqu'à son chariot. Sur le chantier, les premiers ouvriers arrivaient.

— Richard, je comprends ton point de vue. Comme toi, je pense que ces hommes n'ont pas la même soif de liberté que moi. Mais ils n'ont pas grandi à Cavatura, et ignorent peut-être ce que c'est de maîtriser vraiment sa vie. Pour le moment, nous n'avons pas d'autre option. Alors, pourquoi ne pas essayer ? Le seigneur Rahl, qui dirige l'empire d'haran, comprendrait notre démarche et nous encouragerait sûrement.

En sautant sur le siège de son chariot, Richard se demanda comment des informations pareilles avaient pu arriver jusqu'au cœur de l'Ordre Impérial.

Il saisit les rênes et échangea un long regard avec le forgeron, d'habitude d'une imperturbable logique, mais grisé par le parfum de liberté qui flottait dans l'air.

— Victor, martèlerais-tu un morceau d'acier froid pour en faire un outil ?

— Bien sûr que non ! L'acier doit être chauffé avant qu'on le travaille.

— Il en va ainsi pour les hommes, mon ami. Ceux-là sont de l'acier froid, alors, ne te sers pas pour rien de ton marteau. Je suis sûr que Richard Rahl te dirait la même chose.

Chapitre 54

La révolte dura un jour. Richard resta chez lui, et il demanda à Nicci de ne pas sortir. Il y avait des troubles en ville, expliqua-t-il, et il ne voulait pas qu'elle soit blessée.

Comme il l'avait prévu, la répression fut féroce. Les manifestants qui avaient survécu furent arrêtés et torturés jusqu'à ce qu'ils livrent le nom de leurs « complices ». Tous se confessèrent, parce qu'il n'était pas possible de faire autrement quand on tombait entre les mains de l'Ordre.

Ce cycle infernal d'arrestations et d'aveux se prolongea toute une semaine. Des centaines d'hommes finirent inhumés dans le ciel, et la flamme de la rébellion fut étouffée dans l'œuf. Désireux d'oublier ce drame, les gens ne parlèrent plus de la « révolte » et finirent vraisemblablement par l'oublier.

Trop malin pour continuer à traverser la ville de nuit, Richard se contenta de travailler pour Ishaq. Alors que leur chariot passait devant des dizaines de pendus, Jori resta aussi taciturne que d'habitude. Se fichait-il des morts, ou gardait-il son opinion pour lui ?

Les deux hommes commencèrent par transporter du minerai, dont la fonderie avait besoin. Puis ils allèrent chercher du grès dans une carrière, un peu à l'est de la cité. Ce voyage leur ayant pris toute la journée, ils attendirent le lendemain pour livrer la pierre sur le chantier. À l'extérieur du site, Richard remarqua une soixantaine de gibets. Apparemment, la purge avait également frappé les ouvriers.

Sur le chemin du retour, le chariot emprunta la piste qui passait devant l'atelier de Victor. Sautant à terre, Richard annonça au cocher qu'il le rejoindrait plus tard, au gré d'un des innombrables lacets de la route. Pour justifier son départ, il prétendit devoir parler de leur prochaine livraison avec le forgeron.

Dans l'atelier, Victor martelait avec ardeur une pièce de métal chauffée au rouge. Dès qu'il reconnut Richard, il s'interrompit et avança à sa rencontre.

—Je suis content de te voir!

Le Sourcier constata que plusieurs ouvriers étaient absents.

—Tu as des malades?

Victor secoua tristement la tête.

Richard n'eut pas besoin d'explications supplémentaires.

—Je suis content de te voir en bonne forme, dit-il à son ami. Je passe pour m'assurer qu'il ne t'est rien arrivé de fâcheux…

—Je vais bien, parce que j'ai suivi ton conseil. (Le forgeron désigna le chantier.) Tu as vu? Essentiellement des sculpteurs, tous pendus…

Richard avait remarqué les cadavres, sans reconnaître les sculpteurs. Mais beaucoup d'entre eux, il le savait, détestaient les œuvres qu'on les forçait à produire. Ils avaient dû le dire un peu trop fort…

—Et Priska?

Victor secoua tristement la tête.

—Faval?

—Je l'ai vu hier… Il m'a dit que tu lui avais conseillé de rester chez lui. S'il s'écoutait, il rebaptiserait un de ses fils «Richard».

—Si Priska est… Comment auras-tu ton acier spécial?

—Son second prendra la relève. Tu peux me livrer du fer? Depuis le début des émeutes, je n'ai plus rien reçu. Le frère Narev est hors de lui, parce qu'il veut des renforts en métal pour les quais. Selon lui, un forgeron fidèle au Créateur devrait les lui fournir.

—Les rues sont redevenues assez calmes pour que je recommence à travailler. Quand veux-tu ton fer?

—Je te dirais bien «tout de suite», pourtant, ça pourra attendre jusqu'à après-demain. Je dois fabriquer des burins, mais mon effectif est loin d'être au complet, donc, ça ne presse pas trop.

—D'accord pour dans deux jours. Il ne devrait plus y avoir de risques…

Au crépuscule, Richard s'engagea dans la rue qui menait à son immeuble. Il pensait à Victor et à ses besoins en matière première quand une demi-douzaine d'hommes se campèrent devant lui.

—Richard Cypher?

Ces vigiles ne portaient pas l'uniforme de la garde communale, mais ça ne voulait pas dire grand-chose. En ce moment, des dizaines d'unités spéciales – vêtues en civil mais armées jusqu'aux dents – traquaient les insurgés.

—C'est moi, oui… Que me voulez-vous?

—Au nom du pouvoir que me confère l'Ordre, je vous arrête pour avoir conspiré contre les autorités.

Quand Nicci se réveilla, Richard n'était toujours pas rentré. Grognant d'insatisfaction, elle se mit sur le dos et vit qu'une pâle lumière filtrait déjà des rideaux. Peu après l'aube, son prisonnier aurait dû être de retour.

La Sœur de l'Obscurité s'étira, bâilla et contempla un moment le plafond, étincelant depuis qu'il avait été repeint.

Nicci était furieuse. Elle détestait que Richard s'absente la nuit, mais comment aurait-elle pu lui reprocher de travailler autant ? Elle l'avait amené ici pour qu'il découvre la vie d'un ouvrier ordinaire, et comprenne que l'Ordre était le seul espoir des classes laborieuses. Puisqu'il se prenait au jeu, protester l'aurait fait passer pour une idiote.

Elle lui avait ordonné de ne pas participer à l'émeute. À sa grande satisfaction, il n'avait pas discuté. Apparemment, il n'approuvait pas ce mouvement, et il s'était même abstenu d'aller travailler avant que le calme revienne. Mieux encore, il avait fermement conseillé à Kamil et à Nabbi de se tenir loin de tout ça.

À présent que l'insurrection était finie, la plupart des meneurs croupissant sous les verrous, Richard avait repris son poste et recommencé à faire des heures supplémentaires la nuit.

La rébellion avait été un choc pour beaucoup de citoyens. À l'évidence, l'Ordre n'en avait pas fait assez pour convaincre les gens de se sacrifier au bénéfice des autres. S'il réussissait à imposer son point de vue – ô combien justifié –, il n'y aurait jamais plus d'émeutiers dans les rues.

Suite à l'insurrection, de hauts responsables avaient été limogés pour incompétence et manque de conviction. Au moins, ces événements tragiques auraient servi à quelque chose…

Nicci se leva et alla s'asperger le visage d'eau. La cuvette toute neuve que Richard avait ramenée un jour était vraiment magnifique. Comme les vases remplis de fleurs qui égayaient le logement, et le tapis qu'il avait acheté avec ses économies. Malgré son maigre salaire, il faisait des prodiges…

La Sœur de l'Obscurité retira sa chemise de nuit, se débarbouilla avec un gant et s'habilla. Elle détestait paraître négligée quand Richard revenait du travail.

L'assiette de ragoût qu'elle avait laissée pour lui sur la table avait bien entendu refroidi.

Et si tout se passait comme d'habitude, Richard serait bientôt là.

Il serait affamé, bien entendu. Puisqu'il adorait les œufs, lui en préparer semblait être une très bonne idée.

Nicci s'avisa qu'elle souriait. Hors d'elle en se réveillant, il lui avait suffi de penser à ce qu'il aimait manger pour être de très bonne humeur. Quand il serait là, lui demander s'il voulait des œufs aurait des allures de petite fête. Chaque fois qu'elle pouvait lui faire plaisir, son cœur débordait de joie.

En revanche, elle n'aimait plus du tout le blesser, comme lors de cette terrible nuit, avec Gadi.

L'affaire remontait à assez longtemps, et elle avait regretté son acte très vite. Sur le coup, elle s'était plutôt réjouie. Pas parce qu'elle désirait le répugnant petit voyou, bien entendu. Mais Richard l'avait repoussée, et se venger de cet affront l'avait soulagée, dans un premier temps. Oui, pendant que Gadi la besognait – il n'y avait pas d'autre mot –, elle avait jubilé, parce que Kahlan souffrait en même temps qu'elle. La pire punition qu'elle pouvait infliger à Richard, qui se décomposait dès qu'on nuisait à sa bien-aimée.

Gadi détestait Richard. En lui prenant sa femme, lui aussi avait eu le sentiment de laver un affront. Ce nouveau venu l'avait privé de son royaume, et il pensait le spolier à son tour de son bien le plus cher.

Nicci était entrée dans le jeu du petit salaud. Chaque cri de douleur qu'elle avait poussé – parfaitement sincère – était comme un couteau enfoncé dans le flanc de Richard. Parce qu'il savait que Kahlan subissait le même calvaire…

Mais tandis que Gadi la violentait, convaincu d'humilier Richard en la traitant comme une catin, elle s'était souvenue de la phrase de son prisonnier : « Nicci, ne fais pas ça… C'est toi-même que tu tortures… »

Un moment, elle avait tenté d'imaginer qu'elle faisait l'amour avec Richard. Une façon de l'avoir pour elle seule, même par… procuration. Mais elle n'y avait pas cru un instant. Parce qu'il n'aurait jamais brutalisé et humilié une femme de cette façon…

Elle avait alors compris que la fameuse phrase ne visait pas seulement à épargner une terrible épreuve à Kahlan. Richard avait voulu secourir sa geôlière, même s'il la haïssait. Oui, sa compassion allait jusque-là. Cet homme était capable d'avoir pitié de ses pires ennemis.

Rien de ce qu'il aurait pu dire d'autre n'aurait pu blesser plus profondément Nicci. Cette… tendresse… était bien plus cruelle qu'un coup de poignard – et la plaie mettait plus longtemps à se refermer.

En guise de châtiment, Nicci avait souffert atrocement pendant des jours. Morte de honte, elle l'avait caché à Richard. Pour qu'il ne soit pas désespéré en pensant au calvaire de Kahlan ? Eh bien, c'était possible, même si ça semblait absurde, dans la situation présente.

Dès le lendemain, elle avait admis devant Richard que cette sinistre coucherie était une grave erreur. Certaine qu'il ne la pardonnerait pas, elle avait quand même voulu lui dire qu'elle était désolée.

Il n'avait rien répondu, la fixant de ses magnifiques yeux gris jusqu'à ce qu'elle ait fini son petit discours. Puis, sans un mot, il était parti travailler.

Nicci avait saigné sans interruption pendant trois jours.

Bien évidemment, Gadi s'était vanté d'avoir couché avec la femme de

Richard. Pour mieux humilier son ennemi, il n'avait pas lésiné sur les détails les plus obscènes.

À sa grande surprise, Kamil et Nabbi avaient été furieux contre lui. Conscient que leurs menaces – lui verser de la cire chaude dans les yeux, voire lui couper certains attributs virils – n'étaient pas à prendre à la légère, Gadi avait décidé de s'engager dans l'armée de l'Ordre. Deux jours après sa nuit avec Nicci, il était parti vers le nord avec un régiment de jeunes recrues. Avant d'aller en guerre, il s'était moqué de ses deux anciens amis – de sales lâches, selon lui, alors qu'il allait devenir un héros.

Entendant des pas dans le couloir, Nicci revint au présent. Le cœur plein de joie, elle alla prendre trois œufs dans le placard.

Mais on frappa à la porte. Ça ne pouvait pas être Richard…

—Nicci, c'est moi, Kamil!

Le ton angoissé de l'adolescent fit frissonner la Sœur de l'Obscurité.

—Je suis habillée, tu peux entrer.

Blanc comme un linge, Kamil poussa la porte et se campa sur le seuil de la pièce.

—Ils ont arrêté Richard cette nuit, dit-il, des larmes aux yeux. Il est en prison.

Nicci s'aperçut à peine qu'elle venait de laisser tomber ses œufs.

Chapitre 55

Kamil à ses côtés, Nicci gravit la dizaine de marches qui donnaient accès à la porte du « poste de garde » de la ville. En réalité, il s'agissait d'une énorme forteresse qui servait aussi de prison.

La Sœur de l'Obscurité n'avait pas demandé à l'adolescent de l'accompagner, mais rien n'aurait pu l'en empêcher, à part le tuer sur place. Comment Richard faisait-il pour s'attirer la loyauté de tant de gens ? Décidément, elle ne comprendrait jamais…

Bien qu'elle ait été en état de choc en quittant l'immeuble, Nicci avait remarqué la surexcitation de tous les résidents. Derrière leur fenêtre, des voisins et des voisines l'avait regardée partir en compagnie de Kamil. D'autres étaient sortis afin de les voir remonter la rue au pas de charge.

Tous semblaient à la fois énervés et accablés.

Pourquoi se souciaient-ils autant du sort de Richard ?

Et elle, pour quelle raison était-elle affolée à ce point ?

Le poste de garde crasseux grouillait de monde. Mal rasés, les joues creuses, des hommes y erraient comme des spectres, le regard perdu dans le vide. Sur les bancs, des femmes rondelettes, un foulard sur la tête, pleuraient tout en essayant de calmer les enfants qui s'accrochaient à leur jupe. D'autres attendaient debout, l'air faussement impassible, comme si elles étaient là pour acheter du pain ou du millet. Encore vêtu de sa chemise, mais sans pantalon au-dessous, un petit garçon solitaire sanglotait, un poing enfoncé dans la bouche.

On aurait cru assister à une veillée funèbre.

Les gardes de la ville, de jeunes brutes qui se fichaient de la détresse humaine, se frayaient sans ménagement un chemin dans la foule pour gagner les couloirs obscurs surveillés par leurs camarades. Une cloison de bois érigée à la hâte séparait la « salle d'attente » du hall où des dizaines de « défenseurs de l'ordre » conversaient entre eux en attendant de faire leur rapport à des supérieurs assis derrière une simple table.

À l'évidence, avec l'afflux de prisonniers, les autorités avaient dû improviser.

Nicci fendit la foule et approcha de la cloison où se pressaient des mères, des épouses et des filles qui espéraient avoir des nouvelles d'un homme aimé. Tout ce qu'elles récoltaient, pour le moment, c'étaient des échardes de bois dans les paumes…

Nicci saisit au vol la manche d'un garde de passage. S'arrêtant net, il la foudroya du regard comme si elle venait de commettre un sacrilège. Se souvenant qu'elle ne pouvait pas recourir à son pouvoir, la Sœur de l'Obscurité lâcha le bras du type.

— Puis-je savoir, s'il vous plaît, qui commande ici ?

L'homme reluqua impudemment Nicci. Une femme si jolie qui serait bientôt veuve avait tout pour l'intéresser. Du coup, il se fendit d'un sourire.

— L'homme assis au milieu… C'est le Protecteur du Peuple Muskin.

D'un certain âge, et franchement obèse, Muskin trônait derrière une montagne de documents. Affublé d'un énorme double menton, il semblait dégouliner sur sa chaise, comme un tas de saindoux qui fond au soleil. Sa chemise blanche constellée de taches de sueur, il devait largement contribuer à la puanteur qui régnait dans la salle.

Des gardes se penchaient pour murmurer à l'oreille du Protecteur, dont les petits yeux porcins tournaient sans cesse de droite à gauche, comme s'il lui était impossible de fixer quelque chose. Les hommes assis autour de lui travaillaient sur de mystérieux formulaires, parlaient entre eux ou écoutaient les comptes rendus d'autres gardes.

Muskin observait tout sans jamais s'attarder sur rien. Quand ses yeux se posèrent sur Nicci, il ne lui accorda pas plus d'une seconde d'attention. Tous les citoyens de l'Ordre, pour lui, étaient égaux dans leur insignifiance.

— Je voudrais lui parler, c'est très important.

Le sourire séducteur du garde devint un rictus ironique.

— Tout le monde dit ça, ma belle. Tu as vu la queue, derrière toi ? Va donc y prendre ta place, tout au bout…

Nicci et Kamil durent se résigner à attendre. Pour les avoir trop fréquentés, la Sœur de l'Obscurité savait que faire un esclandre, face à ces fonctionnaires, était le meilleur moyen de ne rien obtenir. Car ils adoraient débouter les gens qui se montraient trop nerveux.

La queue n'avançait pas – et pour cause, puisque les hommes assis à la table n'appelaient personne. Voyaient-ils seulement les citoyens angoissés qui attendaient d'en apprendre plus sur un proche ? Nicci n'aurait pas misé gros là-dessus…

Elle s'appuya contre un mur crasseux, et Kamil vint se placer à côté d'elle.

Les heures passèrent sans que la file avance d'un pas.

—Kamil, souffla Nicci, tu n'es pas obligé de rester avec moi. Rentre donc chez toi.

—Non, je veux attendre… Moi, je me soucie vraiment de Richard.

Une accusation à peine voilée…

—Tu crois que je me désintéresse de lui ? Que ficherais-je ici, dans ce cas ?

—Je suis venu te chercher parce que j'avais peur pour Richard, et personne d'autre à qui demander de l'aide. Je ne crois pas un instant que tu t'inquiètes pour lui, mais je n'avais pas le choix.

—Tu ne m'aimes pas beaucoup, pas vrai ?

—On peut le dire comme ça, oui…

—Puis-je te demander pourquoi ?

Kamil regarda autour de lui pour s'assurer que personne n'écoutait. Mais les gens, ici, avaient déjà assez à faire avec leurs propres problèmes…

—Tu es sa femme, et pourtant, tu l'as trahi en couchant avec Gadi. Pour moi, tu ne vaux pas mieux qu'une catin.

Nicci en sursauta de surprise. Avant de continuer, Kamil regarda de nouveau autour de lui.

—Personne ne comprend pourquoi Richard est avec toi. Toutes les célibataires de l'immeuble, et même de la rue, m'ont assuré qu'elles rêvaient de l'épouser et qu'elles ne regarderaient plus un autre homme si elles avaient cette chance. Elles ne comprennent pas pourquoi tu as fait ça. Tout le monde était triste pour lui, mais il ne nous a pas permis de le consoler…

Nicci détourna les yeux, incapable de regarder plus longtemps en face un adolescent qui venait de la traiter de « catin » – et qui avait hélas raison.

—Tu ne comprends pas ce qui s'est passé…, souffla-t-elle.

Du coin de l'œil, elle vit Kamil hausser les épaules.

—Pour ça, tu as raison ! Je ne comprends pas comment on peut faire ça à un mari comme Richard, qui travaille dur et s'occupe si bien de toi. Pour agir ainsi, il faut être une mauvaise personne qui se fiche de son époux !

—Je ne me fiche pas de lui, Kamil, dit Nicci, des larmes aux yeux. Tu me crois ?

L'adolescent ne répondit pas. Tournant la tête, la Sœur de l'Obscurité comprit qu'il avait trop honte pour elle – ou lui en voulait trop – pour la regarder dans les yeux.

—Kamil, tu te souviens du moment où nous sommes venus vivre dans l'immeuble ?

Le jeune homme hocha la tête.

—Au début, Nabbi et toi vous êtes moqués de Richard. Vous l'avez menacé avec vos couteaux, puis insulté…

—Une terrible erreur, marmonna Kamil, visiblement sincère.

—Eh bien, moi aussi, j'ai fait une erreur! (Nicci ne se donna pas la peine de cacher qu'elle pleurait. Dans la salle, presque toutes les femmes étaient en larmes.) Nous nous étions disputés, je ne peux pas te dire pourquoi, et j'étais furieuse. J'ai voulu lui faire mal, et c'était stupide. Une très lourde faute…

Kamil regarda Nicci de biais tandis qu'elle se tamponnait les yeux avec un mouchoir.

—J'admets que c'est une erreur plus grave que la vôtre, quand vous jouiez aux durs avec Richard, mais le principe est le même. Je voulais paraître plus forte que lui, comme vous.

—Tu ne désirais pas Gadi?

—Il me répugnait! Je me suis servi de lui parce que j'en voulais à Richard.

—Et tu le regrettes?

—Bien entendu…

—Tu ne le referas pas, si vous vous disputez encore?

—Non! Je me suis excusée auprès de Richard, et j'ai juré de ne plus recommencer. Crois-moi, je ne mentais pas.

Kamil réfléchit à tout ça en regardant une femme qui secouait violemment un enfant sans parvenir à le calmer, sans doute parce qu'il voulait être pris aux bras. Quand elle se pencha et lui murmura quelques mots à l'oreille, le gosse se blottit contre ses jambes en boudant, mais il cessa de pleurer.

—Si Richard t'a pardonnée, je n'ai pas le droit de t'en vouloir. C'est ton mari, et cette affaire ne concerne que vous. (Kamil tapota le bras de Nicci.) Tu as mal agi, mais c'est terminé. Alors, ne pleure plus à cause de ça. Nous avons des soucis plus urgents…

Nicci sourit à travers ses larmes.

—Nabbi et moi avons dit à Gadi que nous allions lui couper… eh bien, ce que tu sais… parce qu'il avait fait du mal à Richard. Mais il a sorti son couteau, pour qu'on le laisse passer, et il sait y faire avec une lame! Nous l'avons laissé filer, et en partant, il a dit qu'il allait s'engager dans l'armée. Il était content à l'idée de tailler en pièces des ennemis, de devenir un héros et d'avoir toutes les femmes qu'il voudrait.

—Je ne serai pas la seule à regretter de l'avoir rencontré, c'est une certitude…

En fin d'après-midi, le Protecteur Muskin consentit à donner des audiences. À force de rester debout, Nicci avait mal au dos, mais ce n'était rien comparé à son inquiétude pour Richard.

La file avança très vite, car le Protecteur ne tolérait pas qu'on lui tienne de longs discours. Dans le meilleur des cas, il baissait les yeux sur ses documents et marmonnait quelques mots que Nicci ne parvenait pas à entendre à cause du vacarme ambiant.

Quand le tour de la Sœur de l'Obscurité arriva, un garde repoussa Kamil.

—Une seule personne à la fois… C'est le règlement.

Nicci fit signe à l'adolescent de l'attendre et de ne pas s'énerver. La prenant chacun par un bras, deux colosses la traînèrent jusque devant la table.

Être traitée ainsi, comme une citoyenne ordinaire, l'irrita au plus haut point. Ayant toujours eu une certaine autorité, elle ne s'était jamais demandé ce qu'on éprouvait quand on était personne. Et dire qu'elle avait voulu montrer à Richard la vie des gens ordinaires!

Mais lui s'y était parfaitement bien adapté…

Les gardes restèrent sur ses flancs, au cas où elle ferait du grabuge. Humiliée, Nicci sentit qu'elle s'empourprait.

—Protecteur Muskin, mon mari a été…

—Son nom? coupa l'obèse.

Il étudiait la queue de requérants, se demandant dans combien de temps il pourrait aller dîner.

—Richard.

—Son nom complet!

—Richard Cypher. Il a été interpellé hier soir.

Nicci préféra ne pas utiliser le verbe «arrêter», pour ne pas dramatiser encore les choses.

Muskin consulta ses documents. Jusque-là, il avait à peine accordé un regard à la Sœur de l'Obscurité. D'habitude, les hommes la déshabillaient des yeux, imaginant ce qu'ils feraient avec elle au lit. Bien entendu, ces idiots croyaient qu'elle ne s'apercevait de rien. Comme les deux gardes, qui sondaient «discrètement» son décolleté.

—Ah! s'écria le Protecteur. Vous avez de la chance!

—Il a été libéré?

—Pas du tout, mais son nom est sur la liste. On détient des gens un peu partout, en ce moment. Les Protecteurs ne peuvent pas savoir où ils sont tous…

—Merci, dit Nicci, sans savoir pourquoi elle congratulait l'ignoble type. De quoi est-il accusé?

—Comment le saurions-nous, puisqu'il n'a encore rien avoué?

Nicci sentit ses jambes se dérober. Plusieurs femmes s'étant évanouies devant le Protecteur, les gardes lui tinrent plus fermement les bras.

Muskin leur fit signe que l'entretien était terminé. Mais la Sœur de l'Obscurité parvint à parler avant qu'on l'emmène.

— Protecteur Muskin, mon mari n'a rien fait de mal. Il travaille dur et ne médit jamais de personne. C'est un homme d'honneur qui tient toujours sa parole.

Un bref instant, Muskin sembla concerné par ces propos.

— Il a une qualification ?

— Richard est un travailleur très précieux pour l'Ordre Impérial. Il charge et décharge des chariots.

Avant d'avoir fini sa phrase, Nicci comprit que cette réponse était une erreur.

Agitant vaguement une main, Muskin la congédia – ou plutôt, la chassa comme si elle était un vulgaire moustique.

Les deux gardes la soulevèrent par les bras et l'entraînèrent loin du regard courroucé du fonctionnaire.

— Mon mari est un brave homme ! cria Nicci. Par pitié, Protecteur Muskin. Il n'a rien fait de mal. Pendant les troubles, il n'est pas sorti de chez nous.

Un plaidoyer sincère, comme tous ceux des femmes qui avaient précédé la Sœur de l'Obscurité. Furieuse de ne pas avoir convaincu Muskin que son « mari » était différent, elle avait cependant conscience que toutes les autres épouses devaient avoir tenu le même discours.

Kamil courut derrière les deux gardes, qui traversèrent un couloir obscur, puis ouvrirent une des portes latérales de la forteresse. Sans ménagement, ils poussèrent Nicci dehors. Dévalant les marches, elle s'étala dans la poussière et fut vite rejointe par Kamil, lui aussi éjecté comme un malpropre.

La Sœur de l'Obscurité se releva à demi, aida l'adolescent à se redresser, et regarda les deux hommes debout en haut de l'escalier.

— Et mon mari ? lança-t-elle. Comment savoir ce qu'il est devenu ?

— Reviens plus tard, lâcha un des types. Quand il aura avoué, le Protecteur pourra te dire de quoi il est accusé.

Connaissant Richard, Nicci était sûre qu'il ne confesserait pas des crimes imaginaires.

— Je ne pourrais pas le voir, au moins ? implora-t-elle, toujours agenouillée près de Kamil. S'il vous plaît !

Un des hommes marmonna quelques mots à l'oreille de l'autre.

— Tu as de l'argent ? demanda-t-il ensuite à Nicci.

— Non…, gémit la Sœur de l'Obscurité.

Les gardes se détournèrent.

— Attendez ! cria Kamil.

Voyant que les hommes s'immobilisaient, il gravit les marches quatre à quatre, s'arrêta près d'eux, remonta une jambe de son pantalon et retira une botte. Sans hésiter, il en sortit une pièce d'argent qu'il tendit à l'un des gardes.

—Ce n'est pas assez pour une visite…, dit l'homme, l'air déçu.

—J'en ai une autre chez moi. Laissez-moi une heure, et je serai de retour avec…

—Inutile de te presser, mon gars. Pour ceux qui peuvent payer, les visites sont prévues après-demain au coucher du soleil. Une seule personne à la fois, bien entendu…

Kamil désigna Nicci.

—C'est sa femme qui ira le voir.

Le garde regarda la Sœur de l'Obscurité, se demandant à l'évidence si elle était prête à payer en nature, au cas où deux pièces d'argent ne suffiraient pas.

—Mais n'oubliez pas le paiement! lança-t-il avant de rejoindre son camarade, déjà dans le couloir.

La porte se referma avec un grincement sinistre.

Kamil dévala les marches, approcha de Nicci et l'aida à se relever.

—Qu'allons-nous faire? Il va être entre leurs mains pendant deux jours! Deux jours entiers!

L'adolescent tremblait d'angoisse. Bien qu'il ne l'eût pas dit, Nicci savait à quoi il pensait: deux jours de torture pour arracher des aveux à Richard. Ensuite, il ne resterait plus qu'à l'inhumer dans le ciel…

—Kamil, écoute-moi bien! Richard est très fort et il tiendra le coup. Il en a vu d'autres, crois-moi. Tu sais qu'il est capable de résister à tout!

Kamil acquiesça puis se mordit la lèvre pour retenir ses larmes. En vain. Savoir son ami en danger refaisait de lui un enfant sans défense…

La première nuit, Nicci ne ferma pas l'œil. Le lendemain, elle alla faire la queue devant la boulangerie et songea, accablée, qu'elle devait avoir le même air dévasté que les autres femmes.

Désorientée et angoissée, la Sœur de l'Obscurité ne savait plus que faire. Son univers semblait s'être écroulé, et sa combativité naturelle l'abandonnait…

La seconde nuit, elle dormit moins de deux heures. Surexcitée, elle passa le reste du temps à compter les minutes qui la séparaient du lever du soleil. Quand l'aube fut venue, elle s'assit à la table, les yeux rivés sur la miche de pain qu'elle avait achetée pour Richard.

Vers midi, sa voisine, maîtresse Sha'Rim, lui apporta une assiette de soupe au chou. En mangeant, Nicci remercia la brave femme et assura que la soupe était délicieuse. En réalité, elle aurait été incapable de dire quel goût elle avait.

Dès le début de l'après-midi, elle décida d'aller patienter devant la forteresse. Quand elle sortit de chez elle, Kamil l'attendait au milieu d'une petite foule de gens angoissés.

— J'ai la pièce d'argent! annonça-t-il dès qu'elle l'eut rejoint.

Nicci aurait voulu dire à l'adolescent qu'elle paierait elle-même, mais il lui restait à peine trois sous de cuivre.

— Merci, Kamil. Je me débrouillerai pour te rembourser.

— Pas question! C'est pour Richard! Ma façon de l'aider, et de lui prouver mon amitié…

Nicci hocha simplement la tête. Alors qu'elle avait consacré sa vie à secourir les autres, elle aurait pu se dessécher sur pieds avant que quelqu'un sacrifie une piécette pour elle. Mais comme le lui avait appris sa mère, on ne devait jamais attendre de récompense quand on se montrait généreux…

Alors que Nicci s'éloignait, des voisins vinrent lui souhaiter bonne chance. Ils la prièrent de dire à Richard de tenir le coup, demandèrent si elle avait besoin d'argent et lui assurèrent qu'ils répondraient « présent! » s'il lui fallait quelque chose.

L'Ordre détenait Richard depuis des jours, et la Sœur de l'Obscurité ignorait s'il était encore vivant. Au fond, il était possible qu'on l'ait exécuté. Ou qu'il agonise, brisé par les méthodes des tortionnaires de Jagang, qu'elle était fort bien placée pour connaître.

Quand elle arriva devant la porte latérale, une demi-douzaine de femmes et quelques hommes d'âge mûr attendaient déjà en silence sous un soleil de plomb. Toutes les épouses ou les mères portaient des sacs de nourriture…

Nicci et Kamil restèrent côte à côte jusqu'au crépuscule. Puis l'adolescent tendit son outre d'eau à la femme de Richard.

— Il voudra sans doute boire un peu, en mangeant le pain et le poulet que tu lui apportes.

— Merci…, souffla Nicci.

Quand la porte s'ouvrit en grinçant, tout le monde releva la tête. Campé sur le seuil, un garde fit signe aux visiteurs d'approcher.

Une première femme s'engagea dans l'escalier. L'homme leva une main pour lui ordonner de s'arrêter, puis il lui demanda son nom. Quand elle eut répondu, il consulta la liste qu'il tenait, puis lui indiqua qu'elle pouvait entrer.

La deuxième femme n'eut pas cette chance. Indignée d'être obligée de rebrousser chemin, elle hurla qu'elle avait payé pour voir son mari. Impassible, le garde lui annonça que son époux, accusé de haute trahison sur la base de ses aveux, n'avait plus le droit de recevoir des visites.

La femme se laissa tomber dans la poussière. Sous le regard inquiet de ses compagnes et compagnons de malheur, qui redoutaient de s'entendre dire la même chose, elle éclata en sanglots.

La troisième et la quatrième femme furent autorisées à entrer. La cinquième apprit de la bouche du garde que son mari était mort.

Comme dans un cauchemar, Nicci se dirigea vers les marches. La retenant par le bras, Kamil lui glissa une pièce d'argent dans la main.

—Dis à Richard que… Dis-lui simplement de revenir vite à la maison.

—Merci, Kamil…

—Le nom du prisonnier ? demanda le garde quand la Sœur de l'Obscurité fut en haut de l'escalier.

—Richard Cypher.

L'homme consulta sa liste puis fit signe à la visiteuse d'entrer.

—Ce garde va vous conduire à lui…

Nicci en soupira de soulagement. Richard était toujours vivant !

—Suivez-moi, dit le soldat qui attendait dans le couloir obscur.

Il avança, une lampe dans chaque main, puis descendit deux volées de marches qui débouchaient dans un sous-sol mal éclairé et puant la moisissure.

Il guida Nicci jusqu'à une petite pièce où le Protecteur Muskin, à la lueur d'une torche, s'entretenait avec deux fonctionnaires. Des sans-grade, à voir la déférence qu'ils manifestaient à l'important personnage.

Muskin jeta un coup d'œil au document que lui tendit le garde, puis il se leva.

—Vous avez l'argent ? demanda-t-il.

—Oui, répondit Nicci.

Elle donna la pièce au Protecteur qui l'empocha après lui avoir jeté un rapide coup d'œil.

—L'amende pour infraction au Code civil est plus élevée que ça, dit-il.

L'espoir renaquit en Nicci. En réglant le pot-de-vin, pour la visite, elle avait triomphé de la première épreuve. À présent, le Protecteur, dont la cupidité n'avait pas de bornes, voulait monnayer la vie de Richard.

—Je le sais, Protecteur, et je parviendrai à réunir la somme.

—Un homme doit prouver que son repentir est sincère. Verser une amende qui le met sur la paille est un bon moyen de montrer qu'il regrette d'avoir violé la loi. S'il mégote, nous savons qu'il ment… Dans deux jours, tous ceux qui auront avoué cette infraction – et dont on aura réglé l'amende – passeront devant moi pour connaître leur sort.

Muskin avait donné son prix : tout ce que possédait Richard. Nicci aurait voulu lui déchirer la gorge avec ses dents, mais elle parvint à se maîtriser.

—Merci de votre compréhension, Protecteur Muskin. Si vous me permettez de le voir, je ferai en sorte qu'il regrette son acte, croyez-moi.

—Une excellente idée, jeune dame… Quand ils restent trop longtemps ici, face à face avec leur culpabilité, les hommes finissent par avouer d'atroces crimes.

—Je comprends, Protecteur Muskin.

L'allusion était limpide : tant que l'amende n'aurait pas été payée, on continuerait à torturer Richard.

Ses deux lanternes dans une seule main, le garde prit Nicci par le bras et l'entraîna dans un couloir noir comme de l'encre. Au pied d'un très long escalier, il tira la visiteuse à travers un dédale d'étroits corridors. Les cellules étaient construites au cœur même des entrailles de la forteresse. Avec la proximité du fleuve, de l'eau s'infiltrait partout, et l'odeur de moisissure était insupportable. Comme dans un égout, des rats détalaient à l'approche des deux intrus qui osaient s'aventurer dans leur royaume.

De l'eau boueuse jusqu'aux chevilles, Nicci repensa au cauchemar qu'elle faisait souvent dans son enfance. Ce lieu ressemblait vraiment au royaume des morts, cet endroit où, selon sa mère, finissaient tous ceux qui ne consacraient pas leur vie à aider les autres.

Toutes les portes basses, le long des couloirs, étaient munies d'un petit guichet pour que les gardes puissent surveiller à tout moment les prisonniers.

Les cellules n'étant pas éclairées, sauf quand un geôlier traversait les couloirs avec une lanterne, les détenus passaient la plus grande partie de leur temps dans le noir. En remontant les corridors, Nicci vit plusieurs paires d'yeux écarquillés briller derrière les guichets, et elle entendit un concert de cris d'angoisse ou de souffrance.

—Nous y sommes, dit le garde en s'arrêtant devant une porte.

Le cœur battant la chamade, Nicci attendit. Au lieu d'ouvrir la cellule, le soldat se tourna vers elle et lui plaqua les mains sur les seins. Pétrifiée, elle se laissa peloter, l'homme tâtant sa poitrine comme s'il avait voulu vérifier la qualité de deux melons, sur l'étal d'un marchand. Craignant qu'il refuse de la laisser voir Richard, Nicci ne se défendit pas, même quand le type glissa les doigts dans son décolleté et lui pinça douloureusement les tétons.

Les brutes de ce genre étaient indispensables pour que l'Ordre impose sa philosophie au monde entier. Avant de penser à la rédemption, il fallait regarder en face la perversion consubstantielle de l'humanité. Bref, les salauds étaient nécessaires quand on entendait élever le niveau de moralité des masses…

Le garde gloussa, content de son exploration, puis il se tourna vers la porte. Après avoir lutté un moment contre la serrure rouillée, il parvint à faire tourner la clé et tira d'un coup sec sur le battant, qui s'entrebâilla juste assez pour laisser passer Nicci.

—Quand je me serai occupé de deux ou trois choses, dit le soldat en suspendant une de ses lanternes à un piton, je reviendrai, et la visite sera terminée. Inutile de remonter tes jupes pour ton homme, il n'est pas en état d'en profiter. (Il poussa Nicci dans la cellule.) Regarde qui je t'amène, Cypher! Une belle poulette toute frétillante!

L'homme referma la porte, la verrouilla, puis s'éloigna d'un pas traînant dans le couloir.

La cellule au plafond très bas était presque aussi étroite que le corridor. Oppressée, Nicci faillit taper à la porte pour demander à sortir.

L'homme recroquevillé sur le sol respirait-il encore?

— Richard?

Un gémissement apprit à la Sœur de l'Obscurité que son prisonnier vivait toujours. Les mains liées dans le dos, il reposait dans une flaque de boue où il aurait tout aussi bien pu se noyer.

Des larmes aux yeux, Nicci s'agenouilla.

— Richard?

Elle prit le Sourcier déchu par l'épaule pour le tourner de son côté. Avec un cri de douleur, il se dégagea et se recroquevilla contre le mur.

Quand elle vit son visage, Nicci dut se plaquer les mains sur la bouche pour ne pas crier.

— Richard…

La Sœur de l'Obscurité se releva, déchira un morceau de son jupon, puis s'agenouilla et entreprit de nettoyer le sang qui maculait les joues de Richard.

— Tu m'entends? C'est moi, Nicci…

— Oui… Nicci…

Un œil tuméfié et fermé, les cheveux souillés de boue, Richard n'était plus vêtu que de haillons. À la lumière de la lanterne, Nicci vit qu'il était couvert de plaies.

— J'ai peur que tu ne puisses pas repriser cette chemise…, souffla Richard.

Nicci eut un pauvre sourire. Les mains tremblantes, elle continua à nettoyer le visage de son prisonnier. Pourquoi réagissait-elle ainsi? Elle avait vu bien pis que ça…

Richard inclina la tête sur le côté pour échapper à ses soins pourtant attentionnés.

— Je te fais mal?

— Oui.

— Désolée… Je t'ai apporté de l'eau.

Voyant briller le regard de son prisonnier, Nicci déboucha l'outre et le fit boire, prenant garde à ce qu'il ne s'étrangle pas, tant il était assoiffé.

— Kamil m'a donné deux pièces d'argent pour que je puisse venir te voir… Il a hâte que tu sortes d'ici.

— Pas autant que moi…, souffla Richard d'une voix qui ne lui ressemblait pas.

Un pauvre petit filet, à peine audible…

— Le Protecteur…

— Qui ça?

— Le fonctionnaire responsable de cette prison… Selon lui, tu as un moyen de t'en sortir. Tu dois plaider coupable d'infraction au Code civil et payer une amende.

— Je m'en doutais… Il m'a demandé si j'avais de l'argent, et j'ai répondu que oui…

— C'est vrai? Tu as des économies?

— Oui.

— Richard, je ne pourrai pas payer avant deux jours. Tu tiendras le coup? Dis-moi que tu résisteras!

— Ne t'inquiète pas, je serai toujours là quand tu reviendras…

Nicci sortit la miche de pain de son sac.

— Je t'ai apporté à manger… Du pain et du poulet rôti.

— Le poulet d'abord… On ne nous nourrit pas… Le pain ne me fournira pas assez de forces.

Nicci coupa le poulet avec ses doigts et donna la becquée à Richard. Le voir dans un tel état de faiblesse et d'impuissance lui serrait le cœur.

— Mange! implora-t-elle quand il baissa la tête, comme s'il allait s'endormir. J'en ai encore beaucoup…

» Tu arrives à te reposer, dans cette boue?

— On ne nous laisse pas de répit. Ces gens…

Nicci poussa un morceau de poulet dans la bouche de Richard. Elle connaissait parfaitement les différentes techniques d'interrogatoire de l'Ordre. Savoir laquelle on appliquait dans le cas de Richard ne l'intéressait pas…

— Je vais te sortir de là! dit-elle. Surtout, ne baisse pas les bras.

— Pourquoi? Tu es jalouse parce que d'autres me malmènent à ta place? Aurais-tu peur qu'ils me tuent avant toi?

— Richard, je…

— Je ne suis qu'un individu. Seul le bien commun importe. Mon innocence ne compte pas, parce qu'une seule vie n'a aucune valeur. Si je dois souffrir et mourir pour que des pécheurs se convertissent et vénèrent le Créateur, en quoi cela te dérange-t-il? Que valent nos souhaits, face à l'idéal de l'Ordre? Et comment peux-tu placer ta survie, ou la mienne, au-dessus de celle de l'humanité?

Nicci avait servi ce sermon à Richard des dizaines de fois. Dans la bouche du Sourcier, il semblait mesquin, méprisant et néfaste.

À cet instant, la Sœur de l'Obscurité se détesta d'être tellement touchée par cet homme. Enfin, il ridiculisait tout ce que prônait l'Ordre – l'idéal pour lequel elle avait lutté toute sa vie! Avec lui, le bien devenait le mal, et inversement. Voilà pourquoi il était si dangereux. Sa seule existence menaçait tout ce qu'elle tenait pour positif et utile...

Nicci n'avait jamais été si près de découvrir ce qu'elle cherchait désespérément. Les larmes qui ruisselaient de ses yeux prouvaient qu'elle vivait un moment capital. L'étincelle qu'elle avait vue briller dans le regard de Richard, le premier jour, au Palais des Prophètes, n'avait rien d'une illusion.

Si elle parvenait au terme de sa quête, ce soir, elle pourrait faire ce qui s'imposait. Pour Richard, ce serait un bien. Quel avenir l'attendait? Combien de souffrance pourrait-il encore encaisser avant de craquer? Oui, le tuer aurait été une bonne action...

—Regarde autour de toi, Nicci. Tu voulais me montrer la splendeur de l'Ordre Impérial. La vois-tu ici?

Avec son œil fermé, Richard semblait si misérable. Une fois encore, Nicci en eut le cœur serré.

—Richard, il me faut tes économies. Pour te sauver, c'est indispensable. Le Protecteur veut que tu lui verses tout ce que tu as.

—L'argent est dans notre chambre...

—Où? Dis-moi où tu l'as mis!

—Tu risques de ne pas le trouver... Si on ne connaît pas le truc, ouvrir la cachette est impossible. Va voir Ishaq.

—L'homme de la compagnie de transport? Pourquoi?

—C'était son salon, jadis... Il y a un compartiment secret dans le plancher. Dis-lui pourquoi tu veux l'argent, et il l'ouvrira pour toi.

Nicci donna un nouveau morceau de poulet au Sourcier.

—Très bien, j'irai voir Ishaq. Richard... eh bien, je suis navrée que tu doives sacrifier tes économies. Je sais que tu as travaillé dur. Il n'est pas juste qu'on te dépouille.

—Je préfère être pauvre et vivant que riche et mort...

Nicci essuya ses larmes et sourit.

C'était la meilleure chose qu'elle pouvait espérer entendre...

À cet instant, la porte s'ouvrit.

—Remonte tes jupes, femme! cria le garde. La visite est terminée.

Alors que la brute la tirait impitoyablement par le bras, Nicci glissa un dernier morceau de poulet entre les lèvres de Richard.

—Infraction au Code civil! lança-t-elle. Surtout, n'oublie pas!

Pour ce délit-là, une amende suffirait. Tous les autres conduisaient à la potence.

—Je m'en souviendrai, n'aie pas peur...

Alors que le garde la tirait dehors, Nicci tendit une main vers Richard.

—Je reviendrai te chercher! C'est promis! Ne perds pas espoir, c'est tout ce que je te demande!

Chapitre 56

Très énervée, Nicci regardait Ishaq, accroupi devant une sorte de trappe, dans un coin de la chambre. Pour y accéder, il avait dû déplacer l'armoire. Depuis vingt bonnes minutes, il s'échinait sur le système d'ouverture en marmonnant qu'il avait été idiot de compliquer autant les choses.

—Enfin! s'écria-t-il en se relevant.

Nicci espérait sans trop y croire que les maigres économies de Richard satisferaient le Protecteur. Sinon, elle devrait s'adresser à tous les voisins qui lui avaient proposé une contribution financière.

—Voici l'objet, dit Ishaq en approchant.

Quand il lui posa la bourse dans la main, Nicci fut surprise par son poids. Comment pouvait-il y avoir autant d'argent? Non, c'était impossible... Richard avait dû cacher d'autres objets métalliques avec les pièces.

Pour s'en assurer, la Sœur de l'Obscurité ouvrit la bourse et la vida dans sa paume.

Des pièces d'or! Au moins une vingtaine!

—Où Richard a-t-il trouvé une somme pareille? demanda-t-elle, stupéfaite.

Ishaq retira son chapeau rouge et haussa les épaules.

—Il l'a gagnée, tout simplement...

—Comment? Personne ne peut s'enrichir si vite – honnêtement, en tout cas. Il a volé ces pièces, n'est-ce pas?

—Ne soyez pas stupide! Richard a gagné cet argent en faisant du commerce.

—Quel commerce?

—Eh bien, comme tout le monde, il a acheté des produits et il les a revendus.

—Quels produits ? De la contrebande ? Il a trempé dans le marché noir ?

—Non, je parle d'acier et de fer…

—Foutaises ! Comment les aurait-il transportés ? Sur son dos ?

—Au début, oui… Ensuite, il a acheté un chariot.

—Quoi ?

—Et des chevaux, évidemment. Il achetait du minerai et du charbon pour les revendre à la fonderie. Mais surtout, il fournissait du métal au forgeron du chantier…

Nicci saisit Ishaq par le col.

—Je veux voir ce forgeron !

La Sœur de l'Obscurité était furieuse. Pendant des mois, elle avait pris Richard pour un honnête travailleur, et voilà qu'elle découvrait qu'on avait eu raison de l'emprisonner. Un profiteur ! Un escroc qui enlevait le pain de la bouche de pauvres pères de famille…

Ce qu'il subissait à la prison était largement mérité. Un criminel qui dépouillait le peuple devait finir pendu. Et dire qu'elle s'était laissé abuser par ce monstre !

Nicci avait déjà vu le chantier, mais seulement de loin. Le découvrant de près, elle comprit que le Fief serait exactement ce que Jagang lui avait décrit. Une merveille !

Tous les discours du frère Narev entendus dans sa jeunesse lui revinrent en mémoire. Oui, un très vieux rêve allait enfin se réaliser…

Les murs étaient déjà assez hauts pour qu'on ait mis en place les encadrements de fenêtre du rez-de-chaussée. À certains endroits, les poutres qui soutiendraient le plancher du premier étage étaient déjà installées.

Mais l'extérieur, surtout, était à couper le souffle. Les statues qui décoraient les murs, d'une taille inimaginable, avaient de quoi bouleverser le cœur le plus endurci. En accord avec les enseignements du frère Narev, elles représentaient l'humanité dans toute sa perversité. À leurs pieds, Nicci remarqua une foule de gens écrasés par la beauté et la véracité de ces œuvres. Devant ces représentations, qui pouvait douter que l'Ordre seul parviendrait à arracher un jour les hommes à leur misérable condition ? Comme Jagang le disait, ce palais stimulerait les peuples et leur montrerait le bon chemin.

—Que sont ces étranges piliers ? demanda-t-elle à Ishaq alors qu'ils approchaient de l'atelier du forgeron.

—Des potences…, répondit l'homme en enlevant son chapeau rouge. Vous ne voyez pas les cadavres ? Des tailleurs de pierre et des sculpteurs accusés d'avoir participé à la révolte.

Nicci plissa les yeux et distingua effectivement des corps décomposés.

— Pourquoi ces gens se sont-ils mêlés de ça ? Ils avaient un emploi…

Et l'incroyable chance de contribuer à la glorieuse œuvre de l'Ordre, pour l'édification des peuples. Plus que n'importe qui, ils auraient dû savoir qu'il fallait souffrir dans ce monde pour obtenir une récompense dans le suivant…

— J'ai dit « accusés », pas « coupables »…

Nicci ne prit pas la peine de corriger l'erreur d'Ishaq. Tous les êtres humains étaient coupables. Aucun condamné à mort n'était exécuté injustement. Et cela valait aussi pour Richard…

À l'intérieur du Fief, des esclaves travaillaient déjà à aménager les cellules souterraines où l'Ordre ferait ce qu'il fallait pour arracher des aveux aux criminels, aux profiteurs et aux exploiteurs. Ce n'était pas une idée très réjouissante, mais quand on voulait avoir un beau jardin, il fallait savoir être impitoyable avec les mauvaises herbes…

L'atelier du forgeron était le plus grand que Nicci eût jamais vu. En réalité, il ressemblait à une fabrique.

Quand elle y entra, le son des marteaux, l'odeur de la forge et le vacarme ambiant lui rappelèrent l'armurerie de son père. Un bref instant, redevenue une petite fille, elle s'attendit à voir Howard approcher d'elle et lui sourire, ses magnifiques yeux bleus pétillants d'énergie.

Mais l'homme qui vint à sa rencontre ne ressemblait pas à Howard. Costaud, les cheveux ras – une saine précaution quand on travaillait près d'une forge –, le maître des lieux, l'air morose, jeta à sa visiteuse un regard qui aurait pu faire fondre de la glace.

— Vous désirez ? demanda-t-il, le regard rivé dans celui de Nicci.

À part Richard, très peu d'hommes s'intéressaient à ses yeux, surtout lorsqu'ils la voyaient pour la première fois…

— Je suis la femme de Richard…

Désireux de se faire aussi discret que possible, Ishaq recula de quelques pas.

— C'est étrange, mais il ne m'a jamais parlé de vous… En fait, j'ai supposé qu'il était marié, mais il…

— Richard est en prison, coupa Nicci.

— Quoi ? Pour quelle raison ?

Sa morosité oubliée, le forgeron avait pâli d'inquiétude. Encore un des inexplicables admirateurs de Richard ?

— Pour le crime le plus vil qui soit : l'escroquerie.

— Richard, un escroc ? Ces gens sont fous !

— J'ai bien peur que non… Il est coupable, et j'en ai la preuve.

— Quelle preuve ?

Incapable de se contenir, Ishaq avança.

— L'argent de Richard, dit-il. Celui qu'il a gagné.

—Gagné? explosa Nicci. (Du coup, Ishaq recula de nouveau d'un pas.) Volé, oui!

—Volé? répéta le forgeron, son regard redevenu noir. Qui a-t-il dépouillé? Où sont ses accusateurs? Et ses victimes?

—Eh bien, vous en faites partie…

—Moi?

—Oui… Je pense qu'il vous a escroqué, et je suis ici pour vous rembourser. Je n'utiliserai pas de l'argent sale pour épargner un juste châtiment à un criminel. Richard devra payer pour ses fautes. Et l'Ordre s'assurera qu'il les paie cher.

—Richard n'a jamais volé un sou à personne! s'écria le forgeron. Et surtout pas à moi! Il a mérité tout ce qu'il a gagné.

—Non, parce qu'il vous a escroqué.

—En me vendant l'acier et le fer dont j'ai besoin pour le chantier? Le frère Narev est venu me menacer de ses foudres si je ne lui livrais pas des outils, mais il ne s'est pas soucié de me fournir le métal nécessaire à leur fabrication. Sans Richard, j'aurais fini inhumé dans le ciel parce que Ishaq ne me livrait pas assez de matière première.

—Je ne pouvais pas! intervint celui-ci. Si j'avais dépassé les quotas que m'alloue le comité, c'est moi qui aurais été inhumé dans le ciel! Au travail, tout le monde m'espionne, et on me dénonce au groupe de travailleurs dès que je fronce les sourcils!

—Si je comprends bien, dit Nicci en croisant les bras, Richard jouait sur du velours. La nuit, il vous livrait du fer, certain que vous seriez obligé de le payer au prix qu'il voulait. Bref, il s'est enrichi en vous escroquant. La pire façon de voler les autres… J'aime encore mieux les bandits de grand chemin!

Le forgeron regarda Nicci comme s'il la trouvait incroyablement stupide.

—Richard m'a vendu du métal beaucoup moins cher que tous ses concurrents, comme par exemple Ishaq.

—Le comité fixe mes prix, et je n'ai rien à dire! se défendit Ishaq.

—C'est absurde…, marmonna Nicci, ignorant la remarque du transporteur.

—Non, c'est parfaitement logique. Les fonderies produisent plus qu'elles ne peuvent vendre, parce qu'il leur est impossible de faire livrer leur acier et leur fer. Mais il leur faut chauffer leurs fours, qu'elles fabriquent une tonne de métal ou dix. Pour payer le charbon, leurs employés et leurs charges, elles ont besoin de vendre. De plus, si elles cessent d'acheter du minerai, les mines fermeront, et elles n'auront plus de matière première. L'ennui, c'est que l'Ordre ne permet pas aux transporteurs d'assurer la distribution des produits. Pour délivrer un permis de transport, les autorités traînent pendant des semaines. Désespérés, les fondeurs ont proposé de vendre moins cher leur surplus à Richard…

— Donc, eux aussi ont été ses victimes.

— Pas du tout! En écoulant leur production, ils ont pu se renflouer, au contraire. Richard me faisait des prix parce qu'il avait lui-même une ristourne.

— Et pour couronner le tout, il a privé de travail des pères de famille… Les pires criminels sont ceux qui s'enrichissent sur le dos des pauvres, des nécessiteux et des ouvriers.

— Pardon? s'écria Ishaq. Je n'ai pas le droit d'embaucher, et on me refuse les permis nécessaires pour transporter les choses dont les gens ont besoin. Richard n'a pas généré du chômage, mais de l'emploi! Depuis qu'il les aide à vendre, les fonderies ont engagé de nouveaux ouvriers.

— C'est la stricte vérité, confirma le forgeron.

— Vous ne comprenez donc pas? explosa Nicci. Richard vous a tondu la laine sur le dos! Vous êtes ses vaches à lait, et vous vous appauvrissez à cause de lui.

— Seriez-vous bornée, maîtresse Cypher? Richard a fait gagner de l'argent à une demi-douzaine de fonderies. En transportant leur fer et leur acier, il a aussi permis à une multitude de charbonniers de ne pas crever de faim. Et je ne parle même pas des mineurs… Quant à moi, mon chiffre d'affaires n'a jamais été meilleur.

» Votre mari nous a tous enrichis en nous fournissant un service indispensable. C'est grâce à lui que nous continuons à travailler. L'Ordre, avec ses comités, ses bureaux et ses groupes, a failli nous faire crever.

» Sans Richard, j'aurais dû licencier la moitié de mon personnel. Pour lui, rien n'est jamais impossible, et il trouve toujours une solution. En quelques mois, il s'est gagné la confiance de tous ses clients. Pour nous, sa parole vaut de l'or.

» Le frère Narev lui-même l'a encouragé à me livrer de l'acier. Richard a juré de le faire, et il ne mentait pas. Sans lui, le chantier ne serait sûrement pas si bien avancé.

» L'Ordre devrait lui être reconnaissant, au lieu de l'emprisonner et de le torturer. Les quais que vous avez dû voir ne seraient pas en cours de construction s'il ne m'avait pas livré de quoi fabriquer les armatures métalliques. Et si je n'avais pas pu produire des burins, il n'y aurait toujours pas l'ombre d'une sculpture sur les murs… Je pourrais multiplier les exemples à l'infini, maîtresse Cypher. Mais à quoi bon? Sachez seulement que votre mari a beaucoup fait pour le Fief, et que tous ceux qui ont travaillé avec lui le tiennent pour un ami.

Nicci ne parvenait pas à assimiler et analyser toutes ces informations. Pourtant, l'histoire se tenait, et Richard lui avait même brièvement raconté sa rencontre avec le frère Narev. Comment avait-il fait pour s'enrichir, aider l'Ordre et avoir la confiance de ses clients ?

— Mais il y a quand même ces énormes profits…

Le forgeron secoua la tête, accablé.

— Maîtresse Cypher, « profit » est un mot infâme pour toutes les sangsues qui se nourrissent du pauvre monde. Ces gens crachent sur cette notion pour mieux s'approprier ce qu'ils n'ont pas mérité.

» Maintenant, j'ai une question : pendant que Richard est en prison, soumis à la torture, pourquoi sa femme est-elle ici à tenir des discours idiots sur le bien qu'il a fait à tout le monde ? Ne devrait-elle pas plutôt courir le libérer ?

— Je dois attendre demain soir pour régler l'amende…, avoua piteusement Nicci.

— Avant de vous connaître, soupira le forgeron, je pensais que Richard n'avait jamais commis d'erreur de sa vie… (Il retira son tablier de cuir et le suspendit à un piton.) Avec autant d'argent, nous pouvons le faire sortir plus tôt de prison. J'espère seulement qu'il n'est pas déjà trop tard… Ishaq, tu m'accompagnes ?

— Bien entendu ! Je suis connu, et on me fait relativement confiance.

— Donnez-moi l'argent, maîtresse Cypher.

Nicci remit la bourse au forgeron. Finalement, Richard n'était pas un voleur. Par elle ne savait quel miracle, tous ces hommes étaient ravis de travailler avec lui. Parce qu'il les avait enrichis, paraissait-il… Pour elle, tout ça n'avait aucun sens.

— Si vous m'aidez, je vous serai très reconnaissante.

— Je n'agis pas pour vous, maîtresse Cypher, mais pour un ami qui mérite d'être secouru.

— Je m'appelle Nicci…

— Pour vous, je serai maître Cascella…

Maître Cascella jeta quatre pièces d'or sur la table qui tenait lieu de bureau au Protecteur Muskin. Il avait décidé d'y aller par « petits pas », afin de garder une marge de négociation si les choses coinçaient.

Le forgeron se redressa de toute sa hauteur, dominant le fonctionnaire assis. Intrigués par le bruit des pièces, les gardes et les collègues de Muskin avaient tous tourné la tête.

— Vous détenez Richard Cypher, et nous sommes là pour payer son amende.

Le gros Protecteur regarda les pièces avec l'air blasé d'une carpe trop bien nourrie pour avoir envie de gober un ver.

— Le paiement des amendes commencera demain soir… Revenez à ce moment-là, et si cet homme n'a pas avoué un crime plus grave, vous pourrez le faire libérer.

—Je travaille sur le chantier, dit maître Cascella, et le frère Narev me passe sans cesse des commandes. Puisque je suis là, pourquoi ne pas en finir maintenant ? Le frère Narev sera content de savoir que son forgeron ne perd pas son temps en voyages inutiles...

Muskin rapprocha de la table sa pauvre chaise, qui grinça sinistrement sous son poids.

—Je détesterais déplaire au frère Narev..., dit-il.

—Et je vous comprends.

—En même temps, il n'aimerait pas que je néglige mon devoir...

—Sûrement pas ! approuva Ishaq. (Muskin tournant la tête vers lui, il enleva son chapeau rouge.) Soyez assuré que nous ne vous le demandons pas.

—Et vous, qui êtes-vous ? demanda le Protecteur à Nicci.

—La femme de Richard Cypher, Protecteur... Je suis déjà venue... J'ai payé pour voir Richard, et vous m'avez parlé de l'amende.

—C'est possible... Je reçois tant de monde...

—Protecteur, dit maître Cascella, nous avons pas mal d'argent, et tout ira bien si Richard est libéré dès ce soir. Demain, certains donateurs, pour l'amende, risquent d'avoir changé d'avis...

Le forgeron jeta quatre nouvelles pièces sur la table. Muskin ne daigna même pas les regarder.

—L'argent appartient au peuple, dit-il. Il y a tellement de besoins...

Nicci soupçonna l'homme de penser d'abord à ses poches, qu'il entendait remplir le plus possible. Comme pour lui répondre, le Protecteur fit glisser les huit pièces d'or – une véritable petite fortune – vers maître Cascella.

—L'argent n'est pas la question..., dit-il. Nous sommes de simples et humbles serviteurs de l'Ordre, et nous n'avons que faire de la fortune. Le montant de l'amende sera noté dans le livre de comptes, mais vous devrez remettre l'argent à un comité de citoyens qui le distribuera aux plus démunis.

Nicci ne cacha pas sa surprise. Elle s'était trompée au sujet du Protecteur, qui semblait finalement être un fonctionnaire scrupuleux. Tout cela changeait la donne, et sauver Richard serait peut-être moins difficile que prévu.

Derrière elle, de l'autre côté de la cloison, des femmes sanglotaient, des hommes priaient et des enfants hurlaient. La puanteur était abominable. Si Muskin ne prenait pas vite une décision, la Sœur de l'Obscurité redoutait de se sentir mal.

—Mais vous faites erreur, dit le Protecteur, si vous pensez que ces pièces peuvent acheter la liberté d'un homme. L'Ordre ne se soucie pas du destin des individus, car aucun n'est irremplaçable. Gardez votre argent, au moins jusqu'à ce que nous ayons pu enquêter sur sa provenance… S'il mobilise tant de gens pour le soutenir, Richard Cypher est potentiellement dangereux pour l'ordre public. Si vous êtes tous prêts à payer une fortune afin de lui épargner un juste châtiment, ça confirme mes soupçons à son sujet : il doit avoir quelque chose de très grave à cacher.

» Apparemment, vous pensez qu'il vaut plus cher et qu'il est plus important que d'autres hommes. Ce n'est pas la philosophie de l'Ordre.

— Nous ne pensons rien du tout, grogna maître Cascella. C'est notre ami, et ça nous suffit.

— L'Ordre est votre unique ami, et seul le bien-être des plus démunis doit compter à vos yeux. S'intéresser à un individu en particulier est un blasphème jeté à la face du Créateur.

Nicci, Ishaq et maître Cascella ne répondirent pas. Derrière eux, les femmes continuaient à se lamenter, les enfants hurlaient de plus en plus fort et les hommes priaient à haute voix pour les malheureux qui croupissaient en prison.

— S'il avait une compétence, ce serait différent…, continua Muskin. Les travailleurs qualifiés peuvent apporter une contribution décisive au succès de l'Ordre. Trop de gens doués se contentent de faire le minimum alors que…

Nicci sut d'un seul coup ce qu'il fallait faire.

— Protecteur, il a une qualification…

— Laquelle ? demanda Muskin, mécontent d'avoir été interrompu.

— Richard est le meilleur…

— La notion de « meilleur » est l'illusion favorite des pervertis, coupa Muskin. Tous les hommes sont égaux. Mauvais par nature, ils doivent se racheter en consacrant leur existence au salut des autres. Seuls les actes altruistes nous permettent d'être récompensés dans l'autre monde.

Le forgeron serra les poings et se pencha un peu en avant. S'il explosait, la cause de Richard serait perdue. Nicci lui flanqua discrètement un coup de pied dans le tibia, espérant le convaincre de la laisser gérer la situation. Au cas où il n'aurait pas compris, elle inclina la tête et recula d'un pas. Par réflexe, Cascella l'imita…

— Vous êtes un homme d'une grande sagesse, Protecteur Muskin, dit Nicci. À votre contact, on apprend de précieuses leçons. Je vous prie d'excuser l'inepte bavardage d'une épouse. En face d'un si noble représentant de l'Ordre, j'ai bien peur de perdre l'essentiel de mes chiches moyens…

Surpris, Muskin ne dit rien. Utilisant cette tactique depuis des décennies, Nicci savait qu'elle marchait à tous les coups. En flattant ce fonctionnaire, elle l'avait touché au cœur, car il rêvait de reconnaissance sociale. Pour les crétins de son genre, passer pour un grand homme suffisait, car ils ne se souciaient que de la surface des choses. C'était d'ailleurs en partie à cause de ça qu'ils participaient en toute bonne conscience aux pires abominations.

— Quelle est la qualification de votre mari ?

— Richard est un tailleur de pierre et un sculpteur de qualité moyenne, Protecteur Muskin.

Les collègues de l'obèse en écarquillèrent les yeux de surprise.

— Vraiment ? souffla Muskin.

— Un artisan anonyme qui rêve de contribuer à la grande œuvre qui immortalisera la perversité de l'humanité… Oui, Protecteur, Richard aurait conscience, en travaillant sur le chantier, de contribuer à l'édification de ses semblables.

Ayant compris en un clin d'œil la stratégie de Nicci, maître Cascella vola à son secours.

— Comme vous le savez, Protecteur, la plupart des sculpteurs du chantier étaient des traîtres. Remercions le Créateur qu'on les ait démasqués ! Maintenant, il faut les remplacer, et ce n'est pas si facile. Posez donc la question au frère Narev, qui vous le confirmera.

— Combien d'argent avez-vous ? demanda Muskin.

— Vingt-deux pièces d'or.

Sans cacher sa désapprobation – comment pouvait-on être si riche ? –, Muskin prit son livre de comptes, l'ouvrit, trempa sa plume dans un encrier et enregistra consciencieusement l'amende. Puis il rédigea quelques lignes sur une feuille de parchemin et la tendit à Cascella.

— Apportez ce document au bureau des travailleurs, sur les quais. Je libérerai le prisonnier quand vous me rendrez cette feuille revêtue d'un sceau officiel, afin de me prouver que l'argent a été versé à des nécessiteux. Richard Cypher doit être dépouillé de tous ses gains illégitimes.

Illégitimes ? se répéta mentalement Nicci. Il avait gagné chaque pièce en travaillant jour et nuit, le plus souvent sans prendre le temps de manger. Combien de fois l'avait-elle vu s'allonger en grimaçant, tellement il avait mal au dos ? Richard avait mérité cet argent, elle en était sûre, à présent. Ceux qui en profiteraient n'avaient rien fait pour ça, mais ça ne les dérangerait pas le moins du monde…

— Vous avez raison, Protecteur Muskin, dit la Sœur de l'Obscurité en s'inclinant. Merci de votre sens de la justice.

Entendant soupirer maître Cascella, Nicci jugea judicieux d'en rajouter.

— Nous exécuterons immédiatement vos très équitables instructions… (Elle se pencha et sourit.) Puisque vous avez fait montre de clémence et de sagesse, puis-je vous demander une toute petite chose ? (Muskin serait louangé pour avoir collecté autant d'or. En principe, il devait se sentir d'humeur généreuse.) Pour être franche, il s'agit surtout de satisfaire ma curiosité.

—Que voulez-vous encore ?

Nicci se pencha un peu plus vers le Protecteur.

—Savoir le nom de l'homme qui a dénoncé mon mari. Ce brave citoyen qui a admirablement fait son devoir…

Muskin devait penser à la gloire qui l'attendait après avoir récupéré une telle fortune. Du coup, révéler l'identité du délateur ne le gênerait pas. De toute façon, il se fichait de ce qui arriverait à ce « brave citoyen »…

Il prit un document et l'étudia quelques secondes.

—Tout est là… Richard Cypher a été signalé aux autorités par une jeune recrue de l'armée impériale. Ce futur héros se nomme Gadi, et cela fait un mois qu'il a accompli son devoir civique en démasquant un agitateur. Même s'il faut du temps, la justice de l'Ordre ne laisse rien passer. C'est pour cela qu'on surnomme notre empereur « Jagang le Juste ».

Nicci se redressa.

—Merci, Protecteur Muskin.

Apparemment impassible, la Sœur de l'Obscurité bouillait de rage. Si le sale petit voyou lui tombait un jour entre les mains, il regretterait d'être né.

—Apportez le document au bureau des travailleurs, dit Muskin, puis revenez avec le sceau prouvant que les pièces d'or lui ont bien été versées. Ensuite, Richard Cypher devra se présenter au comité des tailleurs de pierre. Désormais, il est un des sculpteurs qui œuvrent pour la gloire de l'Ordre.

Le soleil se couchait quand Nicci et ses deux compagnons revinrent avec le document dûment estampillé.

Le forgeron avait été impressionné par la façon dont la femme de Richard avait traité l'affaire, alors qu'elle était si mal engagée, et Ishaq l'avait remerciée une bonne centaine de fois.

Nicci était surtout soulagée de savoir que Richard n'était ni un voleur ni un escroc. Penser du mal de lui lui avait déplu. Comme si le monde avait soudain perdu ses couleurs… Bref, s'être trompée ne lui avait jamais autant fait plaisir.

Et Richard serait bientôt libre ! Oui, il allait revenir vers elle…

Dans la pénombre, Nicci, maître Cascella et Ishaq attendirent que la porte latérale de la prison s'ouvre. Quand cela arriva enfin, Richard sortit, flanqué par deux gardes.

Voyant ce qu'on avait fait à leur ami, les deux hommes s'empourprèrent de rage.

Les soldats poussèrent sans ménagement le prisonnier dans l'escalier. Ishaq et Cascella se précipitèrent pour le soutenir.

Richard se redressa et fit signe aux deux hommes de rester où ils étaient. Se pétrifiant, ils attendirent leur ami au pied des marches.

Nicci se demanda où Richard trouvait la force de descendre l'escalier d'un pas régulier, la tête haute et le dos bien droit comme s'il n'avait jamais cessé d'être un homme libre.

Il ne savait pas encore ce qu'elle lui avait fait…

Le destin qui l'attendait lui serait insupportable. Plutôt que de subir la peine à laquelle elle l'avait condamné – pour le sauver –, il aurait sans doute préféré mourir dans sa cellule.

Mais ce qui allait arriver maintenant, Nicci l'aurait juré, l'aiderait à trouver la réponse qu'elle cherchait depuis le début.

Si elle existait…

Chapitre 57

Furtif comme une ombre, le frère Narev s'arrêta derrière Richard. Il venait souvent inspecter le travail des sculpteurs, mais c'était la première fois qu'il s'intéressait à celui du Sourcier déchu.

— T'ai-je déjà rencontré ? demanda Narev de sa voix rauque.

Richard se retourna, baissa le bras droit, qui tenait un marteau, et, sans lâcher son burin, s'essuya le front avec le dos de la main gauche.

— Oui, frère Narev. Je livrais du métal, à l'époque, et j'ai eu l'honneur de vous croiser chez le forgeron.

Soupçonneux, Narev plissa le front. Sous son regard inquisiteur, Richard ne broncha pas.

— D'abord livreur, puis sculpteur ?

— J'ai un certain talent qui m'autorise à contribuer joyeusement au bien-être de la communauté. Je remercie l'Ordre de me permettre de me sacrifier dans cette vie pour être récompensé dans l'autre.

— Joyeusement ? répéta Neal en avançant vers Richard. (Il suivait presque toujours son maître, plus discret encore que lui.) Tu prends plaisir à sculpter ?

— Oui, frère Neal.

En réalité, Richard était heureux de savoir Kahlan vivante. Le reste ne l'intéressait pas. Prisonnier de Nicci, il faisait tout ce qu'il fallait pour que sa bien-aimée survive et ne se souciait de rien d'autre.

Neal eut un petit sourire supérieur. Il venait souvent donner des directives aux sculpteurs, et Richard avait fini par bien le connaître. Pour la Confrérie de l'Ordre, les statues étaient d'une importance vitale. Une question de vision du monde, tout simplement.

Neal était un sorcier, pas un magicien, et il semblait avoir un besoin compulsif d'affirmer son autorité sur Richard. Bien qu'il ne lui opposât aucune résistance, le prisonnier de Nicci restait pour lui une victime de choix.

Le frère Narev croyait fermement aux âneries qu'il prêchait. Pour lui, l'homme était mauvais, et il devait se sacrifier au nom des autres. Il n'y avait rien de joyeux dans sa foi, au moins aussi sinistre que lui…

Neal était plus… exubérant. Il adhérait à la doctrine de l'Ordre avec un enthousiasme et une arrogance hors du commun. Convaincu que le salut du monde dépendait de brillants intellectuels tels que lui, il se rengorgeait ouvertement d'occuper une position de pouvoir – sans omettre de témoigner toute la déférence voulue à Narev, bien entendu.

Richard avait souvent entendu Neal se vanter qu'il n'hésiterait pas à faire couper la langue d'un million d'innocents si cela pouvait empêcher un seul blasphémateur de proférer d'atroces contrevérités sur l'Ordre.

Avec son visage de jeune homme – une simple façade, puisqu'il avait longtemps vécu au Palais des Prophètes, selon Nicci –, ce fanatique accompagnait aussi souvent que possible son supérieur, dont il quêtait sans cesse l'approbation. En somme, il était le bras droit de Narev – ou plutôt son âme damnée.

S'il avait l'air juvénile, ses idées étaient archaïques, car la tyrannie, malgré ce qu'il semblait croire, n'avait pas été inventée par l'Ordre. Et la version de Jagang, comme les autres, n'apporterait pas le bonheur à l'humanité.

Neal s'en fichait, parce qu'il croyait passionnément à sa cause. La vérité révélée, pour lui, était comme une femme aimée qu'on prend avec un désir jamais épuisé.

Assez logiquement, il ne supportait pas la contradiction, si raisonnée fût-elle. Dans son exaltation, il était prêt à écraser, torturer et détruire tous ceux qui n'étaient pas disposés à partager sa foi et à s'agenouiller devant sa cause.

La misère, les échecs, le malheur des gens, les massacres… Rien de cela ne parvenait à entamer ses convictions, et il était capable de proférer les pires énormités pour justifier les calamiteuses interventions de l'Ordre dans l'Ancien et le Nouveau Monde.

Vêtus d'une soutane marron à capuche comme Neal, les autres disciples composaient une incroyable brochette de crétins cruels, pompeux, idéalistes, méprisables, haineux et – le pire de tout – dangereusement hallucinés. Tous méprisaient souverainement les gens ordinaires. En conséquence, tout ce qui pouvait être agréable pour le peuple les révulsait. Car les hommes et les femmes, à leurs yeux, ne valaient rien sauf s'ils consentaient à se sacrifier pour l'abstraction commode qu'ils appelaient «le bien commun».

Ces imbéciles vénéraient le frère Narev comme s'il avait été le représentant du Créateur dans le royaume des vivants. Chaque mot qui sortait de sa bouche les plongeait en transe, et ils se seraient sans doute volontiers tranché la gorge s'il le leur avait demandé.

Neal était à part parce qu'il accordait au moins autant d'importance à ses propres palinodies. Mais après tout, il fallait bien qu'un chef ait un successeur. Et dans l'esprit de Neal, en tout cas, l'identité du remplaçant de Narev ne faisait pas de doute.

— «Joyeusement» est un mot étrange, dans ce contexte, dit Narev après une longue réflexion. (Il désigna les monstrueux personnages que Richard était en train de sculpter.) Tout cela te réjouit?

Richard tendit un bras vers la flamme qui incarnait la Lumière du Créateur.

— Voilà ce qui me rend joyeux, frère Narev! Montrer des hommes et des femmes tremblants de peur quand ils découvrent la perfection de la Lumière. Je jubile à l'idée de faire découvrir au peuple la perversité naturelle de l'humanité. Car ainsi, il comprendra que servir l'Ordre est la seule voie qui mène à la rédemption.

Le frère Narev ne parut pas convaincu, ses yeux noirs rivés sur Richard exprimant une méfiance et une... appréhension... qui ne lui étaient pas habituelles. Cet homme ne tremblait devant personne, et pourtant, ce sculpteur l'inquiétait. Mais il ne parvenait pas à trouver la faille dans son discours enflammé à la gloire de l'Ordre...

— Si tu vois les choses comme ça, je suis d'accord, mon cher... Eh bien, désolé, mais j'ai oublié ton nom. Quelle importance, au fond? Les individus ne comptent pas. De simples maillons de la grande chaîne qu'on appelle «l'humanité». Ou mieux encore, les modestes rayons d'une gigantesque roue. L'important c'est qu'elle tourne, n'est-ce pas?

— Je m'appelle Richard Cypher.

— Oui... oui... Je suis content de ton travail, Richard Cypher. Tu as un don certain pour représenter nos pitoyables frères humains.

Richard s'inclina humblement.

— Je n'y suis pour rien, frère Narev, car le Créateur guide ma main.

Sa méfiance envolée, sans doute à cause de l'expression béate de Richard, le chef de la Confrérie s'éloigna, les mains croisées dans le dos. Comme un gosse qui ne veut pas être trop loin des jupes de sa mère, Neal le suivit d'un pas sautillant. À un moment, il se retourna pour foudroyer du regard le sculpteur trop zélé. Richard n'aurait pas été surpris qu'il lui tire la langue...

Selon ses observations, cinquante disciples gravitaient autour du frère Narev. D'après Victor, une fonderie avait moulé – en or pur – une cinquantaine d'exemplaires de la rune géante dont il avait fabriqué le modèle. Le forgeron pensait qu'il s'agissait d'objets décoratifs. Sur le chantier, plusieurs avaient déjà été installées au sommet de grandes colonnes qui semblaient devoir délimiter la circonférence d'une immense place. Des ornements? Richard en doutait fort...

Haussant les épaules, il recommença à ciseler une jambe distordue. Au moins, les siennes le portaient de nouveau. Il avait fallu du temps, mais il était enfin guéri.

Cela dit, son travail valait à peine mieux qu'un séjour en prison…

Tous les jours, des gens affluaient pour admirer les œuvres en cours de sculpture. Certains s'agenouillaient à même les pavés et priaient jusqu'à ce que la peau de leurs genoux éclate. D'autres apportaient des carrés de tissu pour s'épargner ce désagrément…

Sur le visage de ces malheureux, Richard lisait souvent un vague espoir, comme s'ils venaient là pour trouver la réponse à une question qu'ils ne parvenaient même pas à formuler. Leur regard vide, quand ils partaient, lui déchirait le cœur. Autant que les prisonniers torturés dans les donjons, ces gens étaient vidés de leur sang par l'Ordre, la sangsue la plus insatiable que le monde eût jamais portée.

Quelques curieux se massaient derrière les sculpteurs pour les regarder travailler. Depuis deux mois qu'il œuvrait sur le chantier, Richard était devenu une sorte d'attraction. Parfois, les spectateurs pleuraient en découvrant les personnages que faisait naître son burin.

Même s'il haïssait les horreurs qu'il devait sculpter, Richard adorait de plus en plus travailler la pierre. Sous ses mains, le marbre paraissait vivant, et il s'arrangeait toujours pour gratifier ses personnages d'un détail qui leur rendait discrètement grâce. Un œil plein de sagesse, un index qui ne ressemblait pas à une serre, une poitrine où pouvait battre un cœur digne de ce nom…

Richard donnait naissance à des monstres de pierre pour sauver la vie de Kahlan. S'il le fallait, il continuerait jusqu'à la fin de ses jours, et tant pis si ses spectateurs en avaient les larmes aux yeux d'effroi. Au fond, ils pleuraient à sa place, puisqu'il ne lui était pas permis de manifester le dégoût que lui inspiraient ses propres créations.

Cette maigre consolation lui permettait de supporter l'enfer qu'était devenue sa vie. Car il souffrait à chaque seconde de devoir transmettre fidèlement – et avec tout son talent – une vision du monde qui le répugnait. Les maîtres qu'il servait parce qu'il ne pouvait pas faire autrement incarnaient tout ce qu'il détestait, et il devait se taire pour ne pas mettre en danger la seule personne qui comptât à ses yeux…

Au crépuscule, les sculpteurs rangeaient leurs outils dans de simples boîtes de bois et rentraient chez eux. Dès l'aube, ils se remettraient à l'ouvrage, chacun retrouvant les créatures de cauchemar qui avaient sans nul doute hanté jusqu'à son sommeil.

L'architecte déterminait les zones à couvrir de statues et c'était lui qui décidait de leur taille. Pour le reste, les disciples du frère Narev détenaient l'autorité, et c'étaient leurs horribles fantasmes que Richard devait immortaliser dans la pierre.

La laideur et la violence les fascinaient. Étrange pour des hommes qui tenaient d'interminables discours sur la charité et l'esprit de sacrifice…

Le bloc que sculptait Richard était destiné à l'entrée principale du Fief. Un demi-cercle de colonnes reliées par un mur d'enceinte formerait le fond de l'esplanade. Richard avait été chargé de sculpter les scènes qui orneraient le frontispice de l'arche qui dominerait le grand escalier de marbre donnant accès à la place.

Cette entrée devrait immédiatement préparer à l'esthétique très particulière du palais. Selon Neal, le frère Narev entendait que la statue qui se dresserait au centre de l'esplanade soit la plus frappante de toutes. En l'apercevant, les visiteurs seraient accablés par le poids de leur culpabilité et révulsés par l'ignoble perversité de l'humanité. Entourée d'un cadran solaire, cette œuvre colossale montrerait des pêcheurs prosternés devant la Lumière du Créateur. Un appel au sacrifice et à l'oubli de soi des plus frappants…

Les descriptions détaillées de Neal avaient donné la nausée à Richard…

Dernier à quitter le chantier, il s'engagea sur la route sinueuse qui conduisait à l'atelier de Victor. Avec l'arrivée de l'automne, la forge redevenait un endroit fréquentable, car on n'y mourait plus de chaud. Dans la région, les hivers n'étaient jamais très rudes, mais quand on en serait là, venir se réchauffer dans l'atelier, les jours de pluie, aurait certainement son charme.

—Richard! s'écria Victor dès qu'il aperçut son ami. (Sans nul doute, il devinait la raison de sa visite.) Je suis sacrément content de te voir! Va donc t'asseoir devant la porte de derrière de l'entrepôt. Quand j'aurai fini d'entasser le charbon pour demain, il se peut que je vienne te tenir compagnie.

—J'en serai ravi, répondit Richard avec un sourire.

Il fit le tour de l'atelier, ouvrit la double porte de l'entrepôt et admira le bloc de marbre à la lueur du soleil couchant. Il venait souvent contempler le monolithe. Après une journée passée à créer des horreurs, imaginer la beauté qui se cachait encore dans les entrailles du marbre lui remontait le moral. Parfois, cette manière subtile d'équilibrer les choses lui semblait la seule façon de ne pas sombrer dans la folie.

Il approcha du bloc, le caressa du bout des doigts et frissonna.

Quand il se retourna, il découvrit Victor, campé sur le seuil de l'entrepôt, un sourire amical sur les lèvres.

—Après le musée des horreurs, tu te purifies l'œil devant ma statue?

Richard hocha simplement la tête.

—Allez, viens t'asseoir avec moi et savourer un peu de lardo.

Les deux amis s'assirent à leur place habituelle et mangèrent en silence.

—Tu n'aurais pas besoin de venir ici pour te purifier, dit Victor quand ils eurent fini de se régaler. Ta femme aussi est très belle…

Richard ne fit pas de commentaire.

— Tu ne m'avais jamais parlé d'elle… À vrai dire, j'ignorais son existence jusqu'au jour où elle est venue me voir. Je supposais que tu étais marié, et je pensais que ton épouse te ressemblait. Pourquoi ne l'as-tu même jamais évoquée devant moi ?

Richard haussa les épaules.

— J'espère que tu ne m'en voudras pas, mais elle n'est pas le genre de compagne que j'imaginais pour toi… Tu permets que je te pose quelques questions à son sujet ?

— Victor, je suis fatigué, et je préférerais ne pas parler d'elle. De toute façon, il n'y a rien à dire. C'est ma femme, et voilà tout.

— Peut-être, mais il n'est pas bon, pour un homme, de sculpter des ignominies pendant la journée, et de rentrer chez lui pour retrouver une… Bon sang ! quelle mouche me pique ? Excuse-moi, Richard, je raconte n'importe quoi. Nicci est une très jolie femme.

— C'est ce qu'on dit, oui…

— Et elle se soucie vraiment de toi.

Là non plus, Richard n'émit pas de commentaire.

— Ishaq et moi avons tenté de te tirer de prison en proposant des pièces d'or. Ça n'aurait pas suffi, avec ce crétin pompeux de Muskin ! Nicci l'a admirablement bien manœuvré. Sans elle, tu aurais fini inhumé dans le ciel.

— Donc, elle a parlé de mes talents de sculpteur pour me sauver ?

— Exactement ! C'est elle qui t'a fait libérer et qui t'a obtenu ce travail.

Victor attendit une réaction de son ami, n'en obtint aucune et se résigna à changer de sujet.

— Comment trouves-tu mes nouveaux burins ?

— Excellents, mais il m'en faudrait un avec une lame plus fine…

— Tu l'auras, ne t'inquiète pas ! Tiens, prends une autre tranche de lardo…

— Et tes livraisons de métal, ça se passe bien ?

— Ne te fais pas de souci… Ishaq te remplace très bien. Il n'est pas aussi bon que toi, mais il se débrouille. Il m'approvisionne bien, et tout le monde l'apprécie. Lui, il se réjouit d'avoir pris le taureau par les cornes, et d'oublier un peu les comités. Les autorités veulent que le chantier avance, du coup, elles ferment les yeux. Faval m'a demandé de tes nouvelles. Il est content d'Ishaq, mais tu lui manques…

Richard sourit en repensant au petit charbonnier surexcité.

— Je suis heureux qu'Ishaq continue à lui acheter sa production.

Il y avait décidément beaucoup de braves gens dans l'Ancien Monde. Richard les avait toujours tenus pour des adversaires, et voilà qu'il était ami avec plusieurs d'entre eux. Ce n'était pas la première fois qu'il faisait cette expérience. Quand on les connaissait, tous les hommes se ressemblaient.

Ils se rangeaient immanquablement dans deux catégories. Ceux qui avaient soif de liberté et luttaient pour mieux vivre, et ceux qui se laissaient porter par les événements, convaincus qu'un chef ou un gouvernement prendrait soin d'eux. En échange d'un confort très relatif, ceux-ci renonçaient à tout ce qui faisait la valeur de la vie...

Kamil et Nabbi se levèrent d'un bond et sourirent pour accueillir Richard.

— Nous avons travaillé sur nos sculptures, annonça Kamil. Tu veux venir y jeter un coup d'œil?

Richard passa un bras autour des épaules de l'adolescent.

— Bien sûr! Allons voir ce que vous avez fait aujourd'hui.

Les trois amis gagnèrent la cour, où les deux garçons s'échinaient à sculpter des visages sur une bûche. Jusqu'à présent, le résultat n'avait rien de renversant.

— Eh bien, Kamil, dit Richard, c'est pas mal du tout. Toi aussi, Nabbi.

Si rudimentaire que fût la technique des adolescents, leurs personnages souriaient, et cela suffisait à les rendre superbes aux yeux de Richard. Ces ébauches étaient plus vivantes que le travail des maîtres sculpteurs qu'il voyait chaque jour à l'œuvre sur le chantier.

— C'est vrai? demanda Kamil. Tu penses que nous pourrions faire ce métier?

— Plus tard, peut-être... Il vous reste beaucoup à apprendre, puis il faudra vous exercer, comme tous les artistes. Regardez ce visage, sur la droite. Quel est le problème, selon vous?

— Je n'en sais trop rien, avoua Kamil après avoir étudié la sculpture.

— Et toi, Nabbi?

— Il n'a pas l'air réel, mais j'ignore pourquoi...

— Regarde mes yeux. Tu vois la différence?

— Ils n'ont pas la même forme, avança Kamil.

— Et ils sont plus près l'un de l'autre, pas de chaque côté de la tête, ajouta Nabbi.

— Bien observé!

Richard lissa un petit carré de terre d'où on avait récemment retiré des carottes et y dessina du bout d'un index l'esquisse d'un visage.

— Vous voyez? En rapprochant les yeux, on obtient plus de réalisme.

Les deux adolescents observèrent attentivement l'ébauche.

— J'ai compris, dit Kamil. Je vais faire une autre sculpture, et elle sera meilleure.

—C'est la bonne réaction, approuva Richard en tapotant l'épaule de son ami.

—Un jour, nous pourrons peut-être travailler avec toi, fit Nabbi, plein d'espoir.

—Rien n'est impossible, se contenta de répondre Richard.

Il quitta ses amis et gagna sa chambre, où Nicci l'attendait, le repas déjà prêt. Sur la table, un bol de soupe fumait près de la lampe à huile.

—Comment était le travail, aujourd'hui? demanda la Sœur de l'Obscurité pendant que Richard se lavait les mains dans la cuvette.

—Comme tous les jours…

—Et tu parviens à supporter ça?

—Ai-je un autre choix? Je peux m'accrocher ou laisser tomber. Tu veux savoir si j'ai l'intention de me suicider?

—Ce n'était pas le sens de ma question.

Richard s'essuya les mains et reposa la serviette près de la cuvette.

—D'ailleurs, comment pourrais-je ne pas être content de l'emploi que tu m'as trouvé?

—Victor t'a raconté?

—Pas vraiment, mais c'était facile à reconstituer. Il m'a dit que tu étais très belle, et que tu m'avais sauvé la vie.

—Je n'ai pas pu faire autrement! L'Ordre ne t'aurait pas libéré si tu n'avais pas eu une qualification.

Ce soir, Richard avait une conscience plus aiguë du ballet mortel que Nicci et lui dansaient jour après jour. Elle se sentait en sécurité derrière un bouclier bien commode: avoir agi pour le sauver. Mais cela lui donnait en même temps l'occasion de voir comment il réagissait. Bref, elle poursuivait son étrange quête…

La journée de travail avait vidé Richard de ses forces. Et maintenant, voilà qu'il devait se battre contre Nicci. Épuisé, il se laissa tomber sur son lit.

La fatigue était un élément essentiel de toute bataille. Elle l'écrasait autant que lorsqu'il maniait l'épée, jadis, et l'enjeu de son combat contre Nicci était le même que celui de ses précédentes guerres. La vie, la mort, la liberté…

Un ballet mortel, oui… Comme l'existence elle-même, au fond, puisque tout être vivant était tôt ou tard condamné à mourir.

—Je veux te demander quelque chose, Nicci…

—Quoi donc?

—Sais-tu si Kahlan est toujours vivante?

—Bien sûr! Je la sens en permanence à travers le lien.

—Et elle n'est pas…

—Richard, elle se porte très bien! Ne laisse pas cette angoisse te dévorer l'âme.

Richard dévisagea un long moment sa geôlière.

Puis il baissa les yeux, s'allongea et se tourna sur le côté.

—Je t'ai fait de la soupe… Tu devrais manger un peu, après une si longue journée de travail.

—Je n'ai pas faim.

Chassant Nicci de ses pensées, Richard tenta de se souvenir des magnifiques yeux verts de Kahlan.

Hélas, il s'endormit comme une masse.

Chapitre 58

Richard sentait le souffle du frère Neal sur sa nuque. Le second de Narev l'observait tandis qu'il ciselait la bouche d'un pêcheur hurlant de douleur pendant que les sbires du Gardien le taillaient en pièces.

—Excellent…, murmura Neal, ravi par ce spectacle.

—Merci, frère Neal, dit Richard en se retournant.

Le « jeune » fanatique défia le Sourcier déchu du regard.

—Cypher, tu sais que je ne t'aime pas ?

—Aucun individu ne mérite d'affection, frère Neal.

—Tu as réponse à tout, pas vrai ? (Le sorcier sourit puis glissa une main sous sa capuche pour lisser ses courts cheveux bouclés.) Sais-tu pourquoi tu as obtenu ce travail ?

—Parce que l'Ordre m'a donné une chance de…

—Non, non, pas de bla-bla ! Sais-tu pourquoi ce poste était libre ? Nous manquions de sculpteurs, c'est pour ça que tu es là.

Richard n'ignorait rien de cette affaire, mais il préféra jouer les imbéciles.

—J'étais un simple ouvrier, à l'époque, et…

—Beaucoup de sculpteurs ont été pendus.

—Si c'étaient des traîtres, je me réjouis que l'Ordre les ait démasqués et châtiés.

—Des traîtres, oui… En tout cas, ils avaient une très mauvaise attitude. Des prétentieux qui parlaient à tout bout de champ de leur talent. Une notion archaïque, n'est-ce pas, Richard ?

—Je ne saurais le dire, frère Neal. Pour ma part, je suis content de savoir sculpter et de mettre cette aptitude au service de la communauté.

Neal recula et étudia Richard pour déterminer s'il était sincère ou s'il se fichait de lui. Ne trouvant aucun indice qu'il s'agissait de mensonges, il laissa tomber.

—Certains de ces hommes profitaient de leur travail pour tourner l'Ordre en dérision. Ils croyaient malin d'utiliser leur «art» pour saboter une noble et juste cause.

—Vraiment, frère Neal? Je n'aurais jamais cru ça possible.

—C'est pour ça que tu n'es rien, et que tu resteras un miteux. Tu ne vaux pas plus que tes défunts collègues.

—J'en ai conscience, frère Neal. Ma seule valeur, c'est la tâche que j'accomplis pour l'Ordre. En travaillant dur, je gagnerai peut-être ma récompense, dans l'autre monde.

—J'ai ordonné qu'on pende ces hommes, lâcha Neal, après leur avoir fait cracher des aveux…

Richard serra plus fort le manche de son burin. Toujours aussi impassible, il envisagea d'enfoncer la lame dans le crâne du successeur potentiel de Narev. Avec sa vitesse d'exécution, Neal serait mort avant d'avoir compris ce qui lui arrivait.

Mais qu'aurait Richard à gagner dans cette affaire?

Absolument rien…

—Je suis soulagé, frère Neal, que vous ayez découvert les vipères que nous réchauffions dans notre sein.

De nouveau, le fanatique sembla se demander si c'était du lard ou du cochon. Puis il haussa les épaules comme si ça n'avait aucune importance et se détourna dignement.

—Suis-moi! ordonna-t-il.

Richard emboîta le pas de Neal le long du chemin pavé souillé de boue par le passage de milliers d'ouvriers et d'incessantes colonnes de chariots. Lentement, ils remontèrent l'interminable façade du palais. Tous les encadrements de fenêtre du rez-de-chaussée étaient déjà en place, moulures comprises. Les poutres qui soutiendraient le plancher du premier étage formaient désormais un solide treillis, et on commençait déjà à ériger les cloisons qui détermineraient la configuration intérieure du Fief. Les couloirs du palais courraient sans doute sur des lieues, et compter les marches des divers escaliers serait un travail de titan.

Selon Victor, la pose d'une partie des planchers en chêne ne tarderait plus. Pour ça, il faudrait attendre d'avoir achevé certaines sections du toit, déjà plus qu'ébauchées, afin que les intempéries n'abîment pas le bois précieux. Pour ajouter de la majesté au bâtiment, le toit serait plus bas sur les côtés, alors que la section centrale aurait des allures de tour prête à tutoyer les étoiles. Toujours d'après le forgeron, les flancs de l'édifice seraient achevés avant le début de l'hiver.

Richard resta sur les talons de Neal tandis qu'ils approchaient de l'entrée principale. À cet endroit, les murs avaient pratiquement leur hauteur définitive, et ils arboraient quasiment toutes leurs «décorations».

À grandes enjambées, le dauphin de Narev descendit les marches qui menaient à la future esplanade. Les colonnes étaient déjà en place, et certaines soutenaient les imposantes et ignobles statues de pêcheurs terrifiés censées contribuer à l'édification des foules.

À demi entouré de colonnes, le sol de l'esplanade – en marbre blanc veiné de gris, la plus belle qualité venue de Cavatura – brillait de mille feux sous les rayons ardents du soleil. Les statues perchées sur les colonnes semblaient terrorisées par cette lumière presque divine – exactement l'effet que le frère Narev avait voulu obtenir.

Neal désigna un point, sur la place.

— La formidable statue qui ornera l'entrée du Fief de l'empereur se dressera ici, dit-il. (Il pivota sur lui-même.) Les visiteurs approcheront du palais par l'esplanade, et ils auront le sentiment d'avancer pas à pas vers le Créateur en personne.

Richard n'estima pas utile d'émettre un commentaire. Neal le dévisagea un moment, puis écarta théâtralement les bras.

— Oui, ils verront le superbe chef-d'œuvre érigé à la gloire du Créateur, dont la Lumière se reflétera sur le cadran solaire. Cette même Lumière éclairera les statues méprisables qui incarnent l'humanité, créant ainsi un monument à la médiocrité de l'être humain, cette créature malfaisante condamnée à une existence misérable semée d'humiliations et de déroutes. Ainsi sera révélée à tous et pour l'éternité la haïssable réalité de l'âme et de la chair des hommes. Après avoir contemplé ce spectacle, nul ne pourra plus jamais douter de l'irréversible perversion de cette engeance maudite.

Si la folie avait besoin d'un champion, pensa Richard, elle l'avait trouvé en la personne de Neal et de tous ceux qui partageaient sa dévotion pour l'Ordre Impérial.

Le fanatique baissa les bras comme un chef d'orchestre qui vient de conclure une représentation triomphale.

— Et c'est toi, Richard Cypher, qui sculptera cette œuvre magistrale !

— Oui, frère Neal, répondit Richard.

N'ayant lâché ni son marteau ni son burin, il aurait volontiers utilisé le crâne du dément comme matière première…

— Ce n'était pas une simple figure de style, Richard ! s'écria Neal. Attends-moi donc ici une minute !

Il s'éloigna, alla récupérer quelque chose derrière une des colonnes et revint au pas de charge.

Il s'agissait d'une statuette… Le modèle miniature du « chef-d'œuvre » que le frère venait de décrire – encore plus répugnant que ses évocations pourtant terrifiantes.

Quand Neal l'eut posé à l'endroit où se dresserait la version définitive, Richard dut se retenir d'aller le réduire en poudre avec son marteau. Mourir pour avoir l'honneur de détruire cette abomination semblait valoir la peine…

… Enfin, presque…

— Et voilà! triompha Neal. Un maître sculpteur a réalisé cette maquette à partir des instructions du frère Narev. Cet homme est décidément un visionnaire! Tu ne trouves pas, Richard Cypher?

— C'est aussi impressionnant que votre description, frère Neal. Et encore plus horrifiant…

— Et c'est toi qui sculpteras cette merveille… Bien entendu, la taille ne sera pas la même, mais pour le reste, il te suffira de copier cette maquette.

— Je comprends, frère Neal, souffla Richard, accablé.

— Encore une fois, j'en doute fort! (Le dauphin de Narev eut un sourire de prédateur – ou plutôt de commère qui vient de glaner un chapelet de ragots croustillants.) Vois-tu, j'ai enquêté sur toi. Le frère Narev et moi nous méfions de toi depuis toujours. Maintenant, nous savons tout sur ton compte. Oui, Richard Cypher, j'ai découvert ton secret!

Richard se pétrifia, tous les muscles tendus à craquer. S'il fallait se battre, ce qui semblait inévitable, il n'hésiterait pas, et la dernière heure de Neal n'allait pas tarder à sonner.

— Figure-toi que j'ai parlé au Protecteur Muskin!

— Qui ça? s'exclama Richard, stupéfait.

— L'homme qui t'a condamné à travailler comme sculpteur. Il se rappelait ton nom, et j'ai pu consulter ton dossier. Une infraction au Code civil? Et tu veux que je gobe ça, avec le montant de l'amende que tu as réglée? Allons, un simple ouvrier ne détient pas une somme pareille! C'était une erreur judiciaire, Cypher, et tu le sais. En ta faveur, bien entendu… Aucun homme ne peut s'enrichir autant en ne commettant qu'une banale infraction. Une telle fortune est toujours mal acquise!

Richard se détendit et serra un peu moins fort son marteau et son burin.

— Tu as sans doute commis d'atroces crimes, pour posséder vingt-deux pièces d'or. À l'évidence, tu dois avoir des horreurs sur la conscience. (Neal écarta les bras comme s'il se prenait pour le Créateur en train de bénir Ses enfants.) Mais j'ai décidé de me montrer clément avec toi.

— Et le frère Narev soutient cette démarche?

— Bien sûr que oui! Cette statue sera ta manière de te racheter, Cypher! Tu la créeras hors de tes heures de travail, et tu ne recevras pas un sou. Comme matière première, il t'est interdit d'utiliser le marbre que l'Ordre a payé de ses deniers afin de construire le Fief de l'empereur. Tu devras acheter le bloc, et tant pis si tu dois travailler dix ans pour le payer.

— Je serai sur le chantier la journée, et je sculpterai cette œuvre pendant mes heures de liberté – à savoir la nuit?

—Tes heures de liberté ? Que signifie cet étrange concept ?

—Et quand serai-je censé dormir ?

—L'Ordre se fiche du sommeil des injustes. Seule l'équité l'intéresse.

Richard prit une profonde inspiration pour se calmer, puis il désigna la maquette en plâtre, sur le sol.

—Et je devrai copier cette... chose ?

—C'est ça, oui... Tu achèteras le marbre, et ton travail bénéficiera à l'humanité tout entière. Le cadeau que tu feras aux citoyens de l'Ordre, en pénitence de tes crimes. Les hommes qui ont une compétence, comme toi, doivent la mettre au service de l'Ordre Impérial.

» Cet hiver, le palais sera officiellement inauguré et béni. Les gens ont besoin de voir que l'Ordre est capable de mener à bien un projet si grandiose. Avec un peu de chance, la leçon que leur enseignera cet édifice les rendra moins mauvais...

» Le frère Narev a hâte de présider cette cérémonie où seront présents presque tous les dignitaires impériaux. La guerre avance favorablement, et le peuple verra que le palais aussi grandit à vue d'œil. Il faut bien qu'il sache que ses sacrifices ne sont pas vains.

» Richard Cypher, ta sainte mission sera de sculpter cette statue.

—C'est un honneur, frère Neal.

—Je l'espère bien...

—Et que se passera-t-il si je ne suis pas à la hauteur de la tâche ?

—Tu retourneras en prison, et les hommes du Protecteur Muskin t'arracheront des aveux complets. Ensuite, tu seras pendu, afin que les oiseaux se repaissent de ta chair. (Neal désigna la maquette.) Emporte-la ! Désormais, c'est à elle que tu devras consacrer ta vie.

Nicci releva la tête dès qu'elle entendit la voix de Richard dans le couloir. Il parlait avec Kamil et Nabbi, leur expliquant qu'il irait voir leurs sculptures le lendemain, parce qu'il était trop fatigué. Les deux adolescents seraient très déçus, et ce comportement ne ressemblait pas à Richard.

Nicci remua la bouillie de sarrasin et de pois qui chauffait sur le feu et en versa dans une assiette creuse qu'elle posa sur la table à côté d'une cuiller en bois.

Elle aurait aimé préparer de meilleurs repas à Richard, mais après l'amende, et avec tout ce qu'on prélevait sur le salaire de son « mari », ils n'avaient plus un sou. Sans le potager, dans l'arrière-cour, ils seraient déjà morts de faim. Courageusement, Nicci s'était initiée au jardinage pour pouvoir nourrir son prisonnier.

Richard entra, les épaules voûtées et le regard lointain. La Sœur de l'Obscurité remarqua qu'il tenait un objet de la main gauche.

—Ton dîner est prêt. Viens donc manger...

Richard posa l'objet sur la table, près de la lampe. C'était une maquette représentant de petites silhouettes terrorisées entourées par un mystérieux demi-cercle. Un éclair, symbolisant sans doute le courroux du Créateur, transperçait certains de ces pécheurs, les clouant au sol. Une saisissante illustration de la perversité humaine et de la colère du Créateur devant la déchéance de Ses enfants.

— Qu'est-ce que c'est ? demanda Nicci.

Richard se laissa lourdement tomber sur une chaise et se prit la tête à deux mains.

— Ce que tu voulais…, dit-il après un long moment.

— Pardon ?

— Mon châtiment !

— De quoi parles-tu ?

— Le frère Narev a découvert l'histoire de l'amende, et il pense que j'ai dû commettre de grands crimes pour m'enrichir ainsi. En guise de punition, il m'a condamné à sculpter la statue qui ornera l'entrée du Fief.

Nicci regarda de nouveau la maquette.

— Et que représente cet anneau ?

— C'est un cadran solaire. L'éclair reflétera dessus un rayon de la lumière du Créateur qui indiquera l'heure…

— Je ne comprends toujours pas… En quoi est-ce une punition ? Sculpter est ton métier.

— Je dois payer moi-même le bloc de marbre et travailler la nuit, pour racheter mes péchés.

— Pourquoi dis-tu que je voulais cela ?

Richard étudia la maquette et suivit du bout d'un index les contours de l'éclair.

— Tu m'as amené dans l'Ancien Monde pour me montrer que j'étais dans l'erreur. Tu avais raison. J'aurais dû avouer les pires crimes possibles, et les laisser me pendre…

Cédant à une impulsion, Nicci se pencha sur la table et posa une main sur celle de Richard.

— Je n'ai jamais voulu ça, crois-moi !

Le Sourcier déchu retira sa main.

— Mange, dit la Sœur de l'Obscurité en poussant l'assiette vers lui. Tu dois reconstituer tes forces.

Richard obéit paisiblement. Un prisonnier docile et détaché de tout… Elle détestait le voir ainsi !

Dans ses yeux, les étincelles avaient disparu, comme dans ceux de son père.

Quand il regardait la maquette, on eût dit qu'il n'y avait plus de vie en lui. Où étaient donc passés son enthousiasme, son énergie et son courage ?

Dès qu'il eut fini de manger, il alla se coucher et tourna le dos à Nicci.

Elle resta assise à la table et le regarda s'endormir.

L'esprit de Richard était dévasté. Pendant longtemps, Nicci avait cru qu'elle apprendrait de précieuses choses en le poussant à bout. Mais il venait de baisser les bras, et elle ne savait toujours rien de plus. Désormais, elle ne tirerait plus grand-chose de lui.

La comédie touchait à son terme, et il n'y avait plus rien à faire. Un instant, Nicci éprouva une terrible déception, mais ça ne dura pas.

Vide et glacée, elle ramassa l'assiette et la cuiller et alla les poser dans le seau à vaisselle. Elle les lava sans faire de bruit, pour laisser dormir Richard, et tenta de se convaincre que retourner auprès de Jagang n'était pas un sort si terrible.

Richard n'avait rien pu lui apprendre... Ce n'était pas sa faute, car il n'y avait tout simplement rien à attendre de la vie... Sa mère avait raison : cette existence ne valait pas la peine d'être vécue.

Nicci prit le couteau à découper et le posa sur la table.

Richard avait assez souffert.

Elle allait agir pour son bien...

Chapitre 59

Le couteau à portée de la main, Nicci resta assise pendant ce qui lui parut une éternité. Les yeux rivés sur le dos de Richard, elle se dit qu'elle avait bien le temps de lui planter la lame au-dessous de l'omoplate gauche, afin qu'elle transperce le cœur.

Oui, cela pouvait attendre jusqu'à l'aube.

La mort emportait tout, elle le savait depuis qu'elle avait vu le cadavre d'Howard. Elle voulait regarder encore un peu Richard – vivant. Pour une raison qui la dépassait, elle ne se lassait jamais de le voir…

Après, elle ne pourrait plus poser les yeux sur sa dépouille, parce qu'il aurait disparu à jamais. Avec les dégâts provoqués par les Carillons, elle doutait qu'une âme puisse encore gagner le monde des esprits. Le royaume des morts existait-il toujours ? Peut-être bien que non… Dans ce cas, tout ce qui avait été Richard cesserait simplement d'exister, comme s'il n'avait jamais arpenté cette terre.

Comme anesthésiée, Nicci perdit toute notion du temps. Quand elle jeta un coup d'œil à la fenêtre que Richard avait fait installer avec son argent, elle constata que le ciel rougeoyait déjà.

À cause du sort de maternité, elle ne pourrait pas utiliser son pouvoir pour tuer Richard. Évidemment, elle avait son dacra, l'arme pointue (et en temps normal, magique) qu'elle gardait en permanence dans sa manche, mais s'en servir contre le Sourcier déchu lui semblait inadéquat. Tous les deux avaient renoncé à leur passé – provisoirement, pour Nicci –, et recourir au dacra serait revenu à violer les règles du jeu.

Bien que cette idée lui répugnât, surtout depuis qu'elle avait achevé Hania, elle devrait se servir du couteau.

Nicci s'en empara. Il faudrait qu'elle fasse vite, car elle ne pouvait pas supporter l'idée que Richard souffre. Sa vie n'avait pas été facile. Il méritait une fin rapide et sans douleur.

Quelques convulsions, et tout serait fini…

Soudain, Richard roula sur le dos puis s'assit sur son lit. Toujours sur sa chaise, Nicci le regarda se frotter les yeux. Pourrait-elle le tuer alors qu'il était conscient ? Lui plonger une lame dans la poitrine en le regardant dans les yeux ?

Il faudrait bien, apparemment…

—Nicci, demanda Richard en se levant, que fiches-tu donc ? Tu n'as pas dormi ?

—Je… eh bien… j'ai dû m'assoupir sur la chaise…

—Ah… Où est… ? Tiens, le voilà !

Richard prit le couteau que tenait la Sœur de l'Obscurité.

—Tu permets que je te l'emprunte ? J'en ai besoin, et j'ai bien peur, après, de devoir l'aiguiser pour que tu t'en serves. Avant de partir, ça m'étonnerait que j'aie le temps… Tu peux me préparer à manger ? Après, je devrai filer, parce qu'il faut que je voie Victor avant de commencer à travailler.

Nicci n'en crut pas ses yeux et encore moins ses oreilles. Richard était redevenu lui-même. Dans ses yeux, elle voyait briller… eh bien… la vie et la détermination, comme d'habitude.

—Tu peux prendre le couteau, dit-elle, et je vais te faire à manger.

—Merci ! lança Richard par-dessus son épaule en sortant.

—Où vas-tu donc com…

Trop tard, il n'était déjà plus là. Voulait-il ramasser des légumes dans le jardin ? Mais pour ça, il n'aurait pas eu besoin du couteau…

Désorientée, Nicci éprouvait en même temps un intense soulagement. Richard n'avait plus rien d'un vaincu !

Elle sortit du placard des œufs qu'elle avait mis de côté pour lui, prit une poêle à frire et sortit à son tour.

Dans la cheminée commune, le charbon rougeoyait encore. Nicci ajouta quelques brindilles, de petites branches mortes et posa la poêle directement dessus. Pour des œufs, elle n'aurait pas besoin de la grille métallique…

Alors qu'elle attendait que la poêle chauffe, un drôle de petit bruit attira son attention. Richard n'était pas dans le jardin. Qu'était-il allé faire, et où ?

Elle cassa les œufs dans la poêle et jeta les coquilles sur le tas de compost, près de la cheminée.

Quand la cuisson fut terminée, elle se servit des plis de sa jupe pour saisir le manche brûlant de l'ustensile… et se pétrifia en voyant Richard sortir de derrière la grande cheminée.

—Que fichais-tu là ?

—J'ai repéré des briques branlantes… Avant de partir au travail, il fallait que je m'en occupe. Les joints sont nettoyés, et je rapporterai du mortier pour achever ma réparation.

Il ramassa une poignée d'herbe et s'en servit pour saisir le manche de la poêle, afin de soulager galamment sa compagne. De sa main libre, il lança le couteau en l'air, le rattrapa par la pointe et le tendit à Nicci.

Elle s'en empara, de plus en plus éberluée.

Richard mangea debout, avec une cuiller en bois que les femmes laissaient toujours sur le rebord de la cheminée.

—Tu vas bien? lui demanda Nicci.

—Très bien! Pourquoi cette question?

—Hier soir... tu semblais... abattu, et...

—Je n'ai donc pas le droit de me lamenter sur mon sort de temps en temps?

—Hum... oui, sans doute, mais ce matin...

—Entre-temps, j'ai réfléchi!

—Et alors?

—Je dois faire un don au peuple, n'est-ce pas? Offrir aux gens ce qu'ils désirent?

—De quoi parles-tu?

—Narev et Neal veulent que je fasse du bien aux gens, et je ne les décevrai pas!

—Tu vas sculpter cette statue?

Avant que Nicci ait fini de poser sa question, Richard était déjà en train de gravir les marches.

—Je vais chercher la maquette et je file!

La Sœur de l'Obscurité suivit son prisonnier dans l'escalier puis dans le couloir. De plus en plus soufflée, elle constata qu'il continuait à manger en marchant.

Dans la chambre, il finit son petit déjeuner en étudiant la maquette. Puis il sourit comme un enfant.

Ça n'avait pas de sens!

—Je rentrerai très tard, dit Richard. (Après avoir posé la poêle sur la table, il s'empara de son modèle en plâtre.) Si je peux, je commencerai dès ce soir à remplir la mission que m'a confiée l'Ordre. Qui sait, je travaillerai peut-être toute la nuit?

Sidérée, Nicci le regarda sortir en trombe.

Une fois de plus, il avait faussé compagnie à la mort! C'était invraisemblable, et il fallait l'avoir vu pour le croire...

Depuis quand n'avait-elle plus été si heureuse de s'être trompée? Et pourquoi la soudaine «résurrection» de Richard l'emplissait-elle d'un tel bonheur?

Richard entra dans l'atelier quelques minutes après que Victor l'eut ouvert. Les employés n'étaient pas encore arrivés, et le forgeron ne fut pas étonné de voir son ami. Richard passait souvent le matin, car ils aimaient contempler ensemble le lever de soleil.

— Richard, je suis sacrément content de te voir !

— C'est réciproque, Victor. Mais je dois te parler.

— Au sujet de la statue ?

— C'est ça, oui, répondit Richard, stupéfait. Tu es au courant ?

Son ami sur les talons, Victor avança dans l'atelier obscur, slalomant entre les ateliers, les piles d'outils et les tas de pièces en cours de fabrication.

— Et comment, que j'en ai entendu parler ! s'écria le forgeron.

S'arrêtant de temps en temps, il se baissait pour ramasser un marteau et le remettre dans un râtelier, ou jeter dans une poubelle une barre de fer tordue inutilisable. Comme s'il avait suffi d'enlever quelques cailloux et branches mortes pour mettre de l'ordre dans un éboulis.

— Comment as-tu été informé ?

— Le frère Narev est venu me voir hier soir. Il m'a parlé de l'inauguration du Fief, une grande fête qui rendra hommage au Créateur pour tous les bienfaits dont Il nous fait la grâce. (En passant à côté, Victor jeta un coup d'œil énamouré à son bloc de marbre.) Il m'a aussi révélé que tu devrais sculpter une statue pour la grande esplanade. Bien entendu, il faudra que tu aies terminé à temps pour la cérémonie...

» D'après ce que j'ai entendu dire par Ishaq et d'autres amis, l'Ordre pense que la révolte a été provoquée par les sacrifices imposés au peuple pour la conduite de la guerre et la construction du Fief. Des dizaines de milliers d'hommes travaillent directement sur le chantier, et il y a aussi tous ceux qui triment dans les carrières, les mines, les forêts... Comme tu le sais, même les esclaves doivent être nourris. La récente purge des fonctionnaires, des responsables et des travailleurs qualifiés n'a rien arrangé. Grâce à l'inauguration, le frère Narev espère stimuler les gens en leur montrant les résultats de leurs efforts. Les invités venus d'autres pays ne manqueront pas de s'extasier, ce qui gonflera de fierté les habitants de la ville. Bref, il pense pouvoir éviter de nouvelles émeutes...

Dans l'entrepôt obscur, la lumière qui filtrait de la haute fenêtre faisait briller le monolithe comme un petit soleil.

Victor ouvrit la double porte qui donnait sur l'extérieur.

— Le frère Narev m'a dit que ta statue serait également un cadran solaire, la Lumière du Créateur brillant sur l'humanité pécheresse. C'est moi qui serai chargé de la fabrication de la pièce métallique. Il est aussi question d'un éclair...

Entendant un bruit, Victor se retourna juste au moment où Richard posait la maquette sur une étagère.

— Par le Créateur, soupira le forgeron, c'est grotesque…

— Et ils veulent que je sculpte ça pour orner la grande esplanade !

— Oui, le frère Narev me l'a dit… Il a précisé la taille de cette horreur, et il veut que le cadran solaire soit en bronze.

— Tu peux couler du bronze ?

— Non. C'est la seule bonne nouvelle dans cette histoire. Très peu de gens sont capables de couler une telle pièce. Du coup, Narev a ordonné la libération de Priska.

— Il n'est pas mort ?

— Les têtes pensantes ont dû hésiter à inhumer dans le ciel un type de sa compétence. Jusque-là, il croupissait dans un donjon. Pour rester en vie, et en liberté, il devra couler la pièce de bronze à ses frais. Une façon de se racheter… Je dois lui communiquer les spécifications de la pièce, me charger de la finition et superviser son montage sur la statue.

— Victor, je veux t'acheter ton bloc de marbre.

Le forgeron se rembrunit et foudroya Richard du regard.

— Pas question !

— Narev et Neal ont découvert l'histoire de l'amende, et ils pensent que je m'en suis tiré à trop bon compte. Ils m'ont infligé un châtiment, comme à Priska. Je dois me procurer le marbre, et sculpter après mes heures de travail. Avec le début de l'hiver comme délai, c'est de la folie !

Victor regarda la maquette, sur l'étagère, comme si c'était un esprit du mal venu semer la désolation chez lui.

— Richard, tu sais ce que ce bloc représente pour moi…

— Mon ami, écoute-moi…

— Non ! Ne me demande pas ça ! Je refuse que ce marbre devienne une abomination, comme tout ce que touche l'Ordre. Plutôt crever que de voir ça !

— Sur ce point, je te soutiens totalement.

— Vraiment ? Tu as vu cette maquette ? Comment peux-tu envisager que mon marbre prenne la forme de cette immondice ?

Richard s'empara du modèle en plâtre, le posa sur le sol, saisit un marteau et fit exploser en mille morceaux la répugnante statuette.

— Victor, vends-moi ton marbre, dit-il alors qu'un nuage de poussière blanche tourbillonnait dans l'entrepôt.

— Non !

— Permets-moi de révéler la beauté qui se cache à l'intérieur.

Le forgeron parut ébranlé, mais il ne céda pas.

— Ce bloc a un défaut. Tu ne pourras pas le sculpter.

— J'ai réfléchi, et je sais comment m'y prendre.

Victor posa une main sur son monolithe. On eût dit qu'il voulait réconforter une femme aimée en détresse…

—Tu me connais, Victor! T'ai-je déjà fait du mal? Peux-tu citer une occasion où je t'aie menti?

—Non…

—J'ai besoin de ce marbre. Il est parfait pour ce que je dois faire. Tu as vu comment il reflète la lumière? Son grain est idéal pour une sculpture respectueuse du plus petit détail. Fais-moi confiance, mon ami, et tu ne seras pas déçu. Je ne trahirai pas l'amour que tu éprouves pour cette pierre, c'est juré!

De ses énormes mains calleuses, le forgeron caressa tendrement le marbre blanc immaculé.

—Que se passera-t-il si tu refuses la « commande » ?

—Je retournerai en prison, et on me torturera jusqu'à ce que j'avoue n'importe quoi, ou que je crève entre les mains de mes tortionnaires. Ensuite, on m'inhumera dans le ciel…

—Et si tu sculptes autre chose? Après ce que tu viens de faire au modèle, je suppose que c'est ton intention…

—Je mourrai aussi, mais après avoir vu la beauté une dernière fois.

—Foutaises! Que peux-tu créer d'assez beau pour valoir la peine de sacrifier ta vie?

—Un hommage à la noblesse humaine – la plus pure forme de beauté qui soit.

Les mains posées sur le marbre, Victor regarda Richard dans les yeux et ne dit rien.

—Mon ami, j'ai besoin de ton aide. Il n'est pas question que tu me fasses un cadeau, parce que je te paierai. Dis simplement ton prix…

Victor détourna les yeux, admirant de nouveau son monolithe.

—Dix pièces d'or, lâcha-t-il, certain que ça mettrait un terme à cette affaire, puisque son ami n'avait plus un sou.

Richard glissa une main dans sa poche, en sortit une poignée de pièces et en compta dix.

—Où as-tu eu cet argent? demanda Victor, stupéfait.

—J'ai travaillé dur et fait des économies. As-tu oublié que je me suis enrichi en aidant l'Ordre à construire son palais?

—Mais l'amende… Nicci m'a dit que toute ta fortune y était passée.

—Tu me prends pour un idiot? Un simple d'esprit qui cache toutes ses pièces au même endroit? J'en ai dissimulé un peu partout, mon vieux. Si tu veux augmenter ton prix, n'hésite pas.

Le bloc était précieux, Richard le savait, mais pas au point de valoir dix pièces d'or. Si Victor en voulait plus, il ne discuterait pas, parce qu'il avait conscience de lui demander de sacrifier bien plus qu'un monolithe – le rêve de sa vie, en réalité…

—Je ne prendrai pas ton argent, Richard, dit le forgeron. Je suis incapable de sculpter, et je le sais. C'était un songe éveillé, et tant que je n'avais pas commencé, je pouvais penser à la beauté qui se cachait sous la pierre. Ce marbre vient de mon pays natal, qui fut jadis une terre de liberté. Le marbre de Cavatura est une matière noble qui conviendra parfaitement à ton projet. Le bloc est à toi, mon ami.

— Victor, je ne veux pas te voler ton rêve, mais le réaliser à ta place. Tu es très généreux, pourtant, je ne peux pas accepter ce cadeau. Il faut que je te paie le bloc.

— Pourquoi ?

— Parce que je serai obligé de le donner à l'Ordre, et tu détesterais faire ça. Moi, j'y serai contraint, c'est différent… De plus, la statue sera très certainement détruite, et il faut qu'elle soit à moi quand ça arrivera. Je tiens à te payer.

— Alors, aboule les dix pièces d'or !

Richard posa l'argent dans la paume du forgeron et lui referma les doigts dessus.

— Merci…, souffla-t-il.

— Où veux-tu que je te livre la marchandise ?

Richard tendit une nouvelle pièce d'or à son ami.

— Et si je te louais cet entrepôt ? D'ici, quand j'aurai terminé ma nuit de travail, rejoindre mon poste sur le chantier sera très facile.

— Marché conclu !

— Tant que nous y sommes, voilà une douzième pièce, pour que tu me fabriques les outils dont j'aurai besoin. Il faudra que tu te surpasses, forgeron ! Pense aux burins qu'on fabriquait chez toi pour créer de la beauté. Ce marbre mérite d'être travaillé par le plus bel acier qui soit.

— Des burins à lame épaisse pour dégrossir et toute une gamme à pointe fine pour ciseler. Tu auras tout ça, c'est promis. Quant aux marteaux et aux masses, tu te serviras dans mon impressionnante collection.

— Il me faudra également des râpes et des rifloirs de différentes formes, pour intervenir sur tous les types de volume. Je compte aussi sur toi pour me procurer des pierres ponces, les meilleures, celles à grain très fin et très serré, spécialement taillées pour correspondre à la forme des râpes et des rifloirs. Bien entendu, il me faudra une énorme quantité de pâte à polir.

Victor écarquilla les yeux. Venant d'un pays où les sculpteurs étaient tous de grands artistes – avant l'avènement de l'Ordre –, il devinait ce que Richard avait l'intention de faire.

— Tu veux que la pierre imite à la perfection la chair, n'est-ce pas ?

— Exactement.

— Et tu en seras capable ?

Grâce aux statues qu'il avait vues en D'Hara et en Aydindril, Richard savait que c'était possible. En conversant avec ses collègues, sur le chantier, puis en se livrant à quelques expériences sur des fragments de statues, il avait conclu qu'un marbre de haute qualité, convenablement sculpté puis poli au maximum, pouvait refléter la lumière de telle manière qu'il perde ses caractéristiques minérales pour ressembler à s'y méprendre à de la peau et de la chair humaines. Quand on savait y faire, la statue finale était si réaliste qu'on s'attendait à tout instant à la voir bouger.

— J'ai vu de mes yeux le résultat que je veux obtenir, dit-il, et je sculpte depuis très longtemps. Ces deux derniers mois, tout en trimant pour l'Ordre, je me suis exercé sur de petites parties de mes personnages. L'idée de travailler sur ton bloc me trotte dans la tête depuis longtemps. Quand j'étais en prison, je crois que c'est ça qui m'a empêché de baisser les bras. Je m'imaginais devant le marbre, mes outils à la main, et tout le reste ne comptait plus.

— Tu veux dire que ça t'a aidé à supporter la torture ?

Richard hocha imperceptiblement la tête.

— Je peux le faire, Victor ! Sous mes mains, la pierre deviendra vivante ! Mais pour ça, j'ai besoin d'outils hors du commun.

— Tu les auras, parole de Cascella ! Je serais incapable de sculpter quelque chose, mais là, nous sommes dans ma partie, et ça me permettra de contribuer à la naissance de la beauté.

Les deux hommes se serrèrent la main pour conclure leur pacte.

— Victor, dit Richard, j'ai une faveur à te demander…

— Tu veux que je te fournisse en lardo pour que tu aies la force de travailler ce magnifique marbre ?

— Tu sais bien que je ne refuse jamais une bonne tranche de lardo… Mais ce n'est pas ça.

— Quoi d'autre, dans ce cas ?

Le Sourcier caressa du bout des doigts le bloc de marbre. Son bloc de marbre !

— Personne ne devra voir la statue avant qu'elle soit terminée. Toi compris, mon ami. Je voudrais une bâche, pour la recouvrir chaque matin, et il faudrait que tu me promettes de ne jamais la soulever.

— Pourquoi donc ?

— Parce que la statue devra n'être qu'à moi pendant que je la sculpterai. En travaillant, j'aurai besoin de solitude. Quand j'aurai fini, tout le monde pourra la regarder, mais jusque-là, mes yeux seuls auront le droit de se poser dessus. C'est très important pour moi, Victor…

» Mais ce n'est pas tout. Si quelque chose tourne mal, je refuse que tu aies des ennuis. Si tu sais ce que je fais, on t'inhumera dans le ciel quand on découvrira que tu ne m'as pas dénoncé.

— Si tu veux qu'il en soit ainsi, je n'y vois pas d'inconvénient. Je dirai à mes gars que l'entrepôt est loué, et qu'ils n'ont plus le droit d'y entrer. Par sécurité, je ferai poser un verrou sur la porte intérieure, et des chaînes sur l'extérieure. Bien entendu, toi seul auras la clé du cadenas...

— Merci... Tu ne sais pas à quel point c'est important pour moi.

— Quand te faudra-t-il les burins ?

— Peux-tu avoir fini pour ce soir les pointerolles et les bouchardes ? Le temps presse, et il faut que je m'y mette sans tarder.

— Ne t'inquiète pas, tu auras tout en temps et en heure ! Les pointerolles et les bouchardes ne posent aucun problème. Elles t'attendront quand tu viendras ce soir, après t'être échiné sur les horreurs de l'Ordre. Et les autres burins seront prêts quand tu en seras à peaufiner ta magnifique statue.

— Merci, Victor...

— Tu n'as pas bientôt fini de me remercier ? Nous avons conclu une affaire, et tu m'as même payé d'avance. Un marché équitable entre deux honnêtes hommes. Si tu savais ce que je suis content d'avoir un autre client que l'Ordre !

Victor sourit, puis il se gratta la tête, redevenant sérieux.

— Tes commanditaires vont vouloir voir le travail en cours, tu ne crois pas ? Ils désireront vérifier que tu suis leurs indications...

— J'en doute... Ils savent que je sculpte bien, et ils m'ont donné une maquette à copier. Ma vie dépend de cette statue, et Neal m'a parlé du sort qu'ont connu les sculpteurs contestataires. C'était pour m'effrayer, et il est assez arrogant pour penser avoir réussi.

— Mais que feras-tu si un frère vient quand même jeter un coup d'œil à ton œuvre ?

— Il faudra que je lui enroule une barre de fer autour du cou avant de le mettre à mariner dans ton baril de saumure !

Chapitre 60

Richard plaqua la lame du burin sur son front, comme il l'avait si souvent fait avec celle de l'Épée de Vérité, avant un combat.

Ce qui l'attendait était une sorte de bataille, il n'en doutait pas un instant. Un combat sans pitié entre la vie et la mort.

— Ma lame, sers-moi fidèlement aujourd'hui, murmura-t-il.

Le manche du burin était octogonal afin d'assurer une meilleure prise quand on avait les mains moites. Victor avait fait un travail magnifique, donnant à la pointerolle l'angle et le coefficient de taille parfaits pour ce que Richard voulait en faire. Très fier de sa réalisation, le forgeron avait gravé ses initiales sur une des facettes.

Très lourd, ce burin ferait éclater franchement la pierre et éliminerait en un temps record la matière superflue. Mais il fissurerait le marbre sur une profondeur d'environ deux pouces, générant un réseau de craquelures d'un diamètre cinq ou six fois supérieur. Un seul coup un peu trop appuyé sur un défaut invisible du marbre, et le bloc entier pouvait se fissurer puis éclater.

Un burin plus fin et plus léger « blesserait » moins le marbre, mais éliminerait peu de matière superflue. Cela dit, même avec une lame du plus petit calibre, Richard savait qu'il ne devrait pas approcher de plus d'un demi-pouce de ce qui serait la surface de la statue. Le réseau de craquelures en « toile d'araignée » laissé par un burin faisait perdre de la translucidité au matériau et interdisait l'obtention d'un poli de haute qualité.

Pour que le marbre ressemble à de la peau, il fallait approcher prudemment de la couche finale et éviter absolument qu'elle soit endommagée par un outil.

Après le dégrossissage, Richard utiliserait des gradines moyennes pour affiner les formes qu'il désirait donner à la pierre. Arrivé à un pouce de la couche finale, il utiliserait des gradines plus fines afin de travailler le marbre sans le fracturer. Passant sans cesse à des outils de plus en plus petits et précis, il aurait recours, pour la finition, à des burins droits souvent deux fois moins larges que son auriculaire.

Sur le chantier, les sculpteurs n'allaient jamais au-delà de cette phase. En travaillant ainsi, on obtenait des surfaces rugueuses qui ressemblaient plus à du bois qu'à de la chair, et il était impossible de modeler fidèlement les muscles et les os. Du coup, les personnages étaient privés de leur humanité.

Sur cette statue, le vrai travail commencerait là où les sculpteurs de l'Ordre s'arrêtaient. Avec ses râpes, Richard donnerait une forme parfaite aux muscles et aux os, et il parviendrait même à restituer les veines apparentes, sur les bras de ses personnages. Quand ce serait fait, les rifloirs élimineraient les dernières traces de coups de burin. Après plusieurs passages de pierre ponce, pour faire disparaître les traces des rifloirs, la surface serait prête pour la finition à la pâte à polir appliquée d'abord avec un morceau de cuir, puis un carré de tissu, et enfin une poignée de paille.

S'il ne commettait pas d'erreur, Richard réaliserait son rêve : transformer la pierre en chair et lui conférer toute la noblesse de l'humanité.

Sa pointerolle dans la main gauche, il posa la lame contre le marbre et leva la masse qu'il tenait dans la main droite.

Le cœur battant la chamade, il eut le sentiment de capter, au plus profond de la pierre, des pulsations qui faisaient écho aux siennes.

L'osmose était le maître mot de l'art, mais il fallait mettre la main à la pâte pour le savoir – d'où le gouffre qui existait presque toujours entre les critiques et les artistes…

Avant de frapper son premier coup de masse, Richard pensa à Kahlan. Près d'un an s'était écoulé depuis qu'il l'avait regardée dans les yeux pour la dernière fois. Après un hiver passé en sécurité, elle avait dû quitter la cabane pour aller braver des dangers qu'il pouvait hélas parfaitement imaginer.

Un instant, Richard faillit céder au désespoir. Pourquoi s'entêtait-il à vivre, puisqu'elle lui manquait tellement et qu'il ne la reverrait sûrement pas ? Quelle indomptable force, en lui, s'acharnait à le pousser en avant alors qu'il se serait volontiers arrêté sur le bord du chemin pour s'allonger et attendre la fin ?

Comme chaque soir, il souhaita une bonne nuit à sa bien-aimée. Puis il la chassa de ses pensées – conscientes, en tout cas – pour se concentrer sur la tâche qui l'attendait.

Après s'être assuré que la pointe du burin était bien positionnée à quatre-vingt-dix degrés de sa cible, le Sourcier donna son premier coup de masse.

Sous la violence du coup, des éclats de marbre volèrent dans les airs.

Voilà, la bataille était commencée !

À la lumière des lampes que lui avait laissées Victor, Richard s'immergea dans son travail, frappant coup après coup. Des éclats de pierre lui entaillèrent les bras et la poitrine, mais il ne s'en soucia pas, car le marbre, devant ses yeux, commençait à prendre la forme qu'il souhaitait lui donner.

Le bruit de la masse qui s'abattait sur la pointerolle évoquait à ses oreilles une musique militaire, et les éclats de marbre qui tombaient sur le sol ressemblaient à des ennemis abattus. Comme une colonne de poussière soulevée par les sabots de destriers, une brume blanche tourbillonnait autour de lui.

Richard savait très exactement quel résultat il voulait obtenir. Ayant réfléchi à ce qu'il fallait faire, et à la façon de s'y prendre, il n'avait plus besoin de méditer. Un observateur non initié aurait cru qu'il sculptait d'instinct, mais ce n'était pas ça du tout. À moins de postuler qu'il fût possible, à force de préparation et d'exercice, de se *fabriquer* un instinct...

Couverts de poussière blanche, ses vêtements noirs à l'origine étaient désormais de la même couleur que le marbre. L'osmose, la fusion... Oui, c'était bien cela, la clé de tout.

Pourtant, contrairement à la pierre, ses bras constellés de coupures saignaient. Mais dans une bataille, il fallait bien que quelqu'un verse son sang...

De temps en temps, Richard ouvrait la double porte et, avec un balai, poussait dehors la poussière blanche qui lui arrivait à certains moments jusqu'aux chevilles. Quand il sortait pour jeter les gravats dehors, l'air frais de la nuit le dégrisait un peu, le temps qu'il reprenne son souffle. Mais il ne tardait pas à rentrer et à refermer la porte pour reprendre son duel contre le monolithe.

Pour la première fois depuis un an, le Sourcier se sentait libre. En sculptant, il était le seul maître à bord, et personne ne pouvait lui dire ce qu'il devait faire ou ne pas faire.

Cet art ne lui imposait qu'une règle : rechercher à tout prix la perfection. Ses outils à la main, il n'était sous les ordres de personne et ne portait plus de chaînes. L'œuvre finale, qui lui coûterait sans doute sa tête, serait la négation de tout ce que représentait l'Ordre Impérial. Car il avait l'intention de représenter la vie.

Dès qu'ils verraient la statue, les frères le condamneraient à mort. Mais ce serait trop tard, puisqu'ils n'auraient pas pu l'empêcher de sculpter son œuvre.

Chaque coup de masse l'approchait de son objectif final, et il les portait avec la violence d'un guerrier. Mais sans sacrifier la précision, et en dosant néanmoins ses forces. Pour plus de sécurité, il avait d'ailleurs renoncé à commencer le dégrossissage avec une masse de tailleur de pierre. Cet outil à la tête spéciale évitait d'utiliser un burin, et on éliminait beaucoup plus vite la matière superflue. Mais en frappant ainsi le marbre, surtout quand il avait un défaut, comme celui-là, on risquait de faire éclater le bloc. Et même si la pierre, au début, était résistante et particulièrement difficile à casser, il s'agissait d'un risque que Richard ne pouvait pas courir.

Pour les trous qu'il devrait percer, il avait prévu de se faire fabriquer par Victor un jeu de trépans de tous les calibres. En enroulant une corde d'arc autour du manche de l'outil, puis en la déroulant très vite, on obtenait un mouvement de rotation assez rapide pour pénétrer dans le marbre.

Le défaut du bloc lui avait valu de longues heures de réflexion tourmentée. Le mieux, avait-il conclu, était d'éliminer toute la partie fragilisée du monolithe. Mais avant, afin d'éviter une fissuration en réseau, il devrait percer des trous pour réduire la résistance interne du matériau. D'abord dans la fissure – le travail le plus délicat – puis tout autour, pour affaiblir la pierre dans la zone défectueuse et, en quelque sorte, découper une grande « tranche » qui engloberait toute la craquelure.

L'œuvre finale représenterait deux personnages : un homme et une femme. Quand Richard aurait terminé la phase préliminaire, l'espace qui les séparerait correspondrait à la partie fissurée du bloc. Le « défaut de la cuirasse » éliminé, les deux colonnes de marbre restantes seraient assez solides pour supporter d'être sculptées. La fissure prenant naissance à la base du monolithe, il ne l'aurait pas totalement éradiquée, mais suffisamment réduite pour qu'elle ne risque pas de ruiner son travail. C'était tout le secret de la méthode qu'il avait imaginée : éliminer le point faible, et travailler sur la partie saine du marbre.

Loin de se lamenter parce que le bloc n'était pas parfait, Richard s'en réjouissait. *Primo*, parce que Victor n'aurait jamais pu s'offrir le monolithe s'il avait été impeccable. *Secundo*, parce que cet obstacle supplémentaire l'avait forcé à réfléchir à la façon de sculpter cette masse de marbre. Le concept même de la statue avait dérivé de là. Avec une matière première sans défaut, il ne serait sans doute pas parvenu au même résultat.

En travaillant, Richard se sentit de plus en plus gagné par la fièvre de la bataille. Le bloc se dressait devant lui, et il devait le délester de sa matière inutile pour atteindre l'essence même de sa création. Chaque fois qu'un gros fragment se détachait, s'écrasant sur le sol avec un bruit de fin du monde, on eût dit qu'il venait d'abattre un géant. Immanquablement, des éclats et de la poussière tombaient sur le « cadavre », l'ensevelissant dignement.

Chaque fois qu'il ouvrait la porte pour nettoyer son atelier improvisé, Richard jetait un coup d'œil au bloc et s'émerveillait de le voir peu à peu prendre la forme qu'il avait mentalement imaginée. Les personnages étaient encore enchâssés dans le marbre, leurs bras et leurs jambes loin d'être dégagés, mais ils venaient lentement au monde, comme des silhouettes qui se précisent en sortant d'un épais brouillard.

Pour les bras, Richard devrait être prudent. Afin qu'ils ne se cassent pas, il devrait utiliser ses trépans et procéder comme avec la partie défectueuse pour retirer le marbre qui les entourait.

Quand la lumière du jour filtra de la haute fenêtre, le Sourcier sursauta. Il avait travaillé toute la nuit sans s'en apercevoir !

Reculant un peu, il admira l'ébauche qu'il venait de réaliser. Les personnages n'étaient encore que deux cônes informes, mais on distinguait nettement leurs bras, qui seraient bientôt libérés de l'emprise de la pierre. Les personnages qu'il devait sculpter pour l'Ordre restaient toujours encastrés dans la masse, rigides comme des cadavres et incapables de donner l'illusion du mouvement.

En une nuit, Richard avait éliminé environ la moitié de la masse originelle du bloc. Il aurait aimé continuer à travailler, mais c'était impossible.

S'emparant de la bâche que Victor lui avait procurée, il recouvrit la statue.

Quand il ouvrit la double porte, le forgeron l'attendait, assis près d'un impressionnant monticule de gravats.

— Richard, tu as travaillé toute la nuit !

— On dirait bien, oui…

— Tout blanc, comme ça, tu as l'air d'un esprit du bien… Comment s'est passée ta bataille contre la pierre ?

Richard ne trouva pas les mots pour répondre. Mais son sourire en dit beaucoup plus long qu'un interminable discours.

— Je vois, je vois…, fit Victor sans cacher sa jubilation. Tu dois être épuisé, mon pauvre ami. Viens t'asseoir et repose-toi un peu avant de te régaler de lardo.

Nicci entendit Kamil et Nabbi saluer joyeusement Richard, qui devait venir d'apparaître dans la rue, puis dévaler les marches pour courir à sa rencontre. Se campant devant la fenêtre, elle vit les deux adolescents accueillir leur ami à grand renfort de tapes sur les épaules. Elle aussi était ravie qu'il rentre au crépuscule, pour une fois.

Depuis qu'il travaillait sur la statue commandée par le frère Narev, elle ne le voyait presque plus. Comment supportait-il de se consacrer à une œuvre qui le répugnait ? Chaque coup de burin devait lui retourner le cœur…

Pourtant, il semblait plein d'enthousiasme. Presque tous les jours, après avoir passé des heures à sculpter des scènes édifiantes, sur les murs du palais, il s'échinait sur sa commande jusqu'à très tard dans la nuit. Lorsqu'il rentrait, et bien qu'il fût épuisé, il semblait ne pas pouvoir tenir en place. Certains soirs, il dormait à peine deux heures, filait s'occuper de la statue et enchaînait sur sa journée de travail officielle.

Richard semblait indestructible, et la Sœur de l'Obscurité se demandait comment il faisait. Lorsqu'il dormait moins d'une heure, avant d'entamer sa séance de nuit, elle l'implorait de se reposer un peu, mais il ne l'écoutait jamais, arguant qu'il n'avait aucune envie de retourner en prison. Manquer de sommeil, disait-il, était préférable à dormir six pieds sous terre.

Depuis qu'il vivait dans l'Ancien Monde, Richard était plus élancé et musclé que jamais. Travailler physiquement avait développé et affiné sa silhouette. Quand il enlevait sa chemise pour aller la rincer à l'eau claire, au lavoir, Nicci était troublée au point d'en avoir les genoux tremblants.

Elle entendit des bruits de pas dans le couloir, puis capta les échos des voix excitées de Kamil et de Nabbi. D'un ton mesuré, comme toujours, Richard leur répondait avec une infinie patience.

Même mort de fatigue, il prenait toujours le temps de parler avec ses deux amis et les autres résidents de l'immeuble. Sans nul doute, il allait descendre dans l'arrière-cour pour jeter un coup d'œil aux sculptures des deux garçons.

Pendant la journée, Kamil et Nabbi tenaient lieu d'hommes d'entretien et de jardiniers – surtout quand il s'agissait de retourner la terre, un travail que les femmes n'aimaient pas. Passant leur temps à laver, peindre et réparer, ils attendaient avec impatience les louanges ou les critiques (assez rares) de Richard. Avec Nicci, les deux adolescents se montraient extrêmement serviables. Après tout, elle était l'épouse de leur idole.

Quand Richard entra, la Sœur de l'Obscurité était occupée à couper des carottes et des oignons pour une jardinière de légumes.

—Je suis juste passé manger un morceau, dit-il en se laissant tomber sur une chaise. Après, je filerai, parce que la statue ne doit pas prendre de retard.

—Le ragoût est pour demain, mais je t'ai préparé du millet.

—Tu l'as accommodé avec quelque chose de plus appétissant?

—Désolée, mais je n'avais pas assez d'argent pour ça…

Richard acquiesça sans se plaindre.

Malgré sa fatigue, il y avait dans son regard une passion intérieure qui accélérait les battements du cœur de Nicci. Cette vitalité qu'elle avait vue en lui au Palais des Prophètes, le premier jour, était à son zénith depuis le soir où elle avait failli lui transpercer le cœur avec un couteau.

—Demain, il y aura une bonne jardinière, avec les légumes du potager…

Perdu dans sa vision intérieure, Richard hocha distraitement la tête.

Nicci servit une assiette de millet et la posa devant Richard. Elle n'en avait pas laissé beaucoup dans la casserole, mais il avait plus besoin de manger qu'elle. Après avoir passé la matinée à faire la queue pour acheter le millet, il lui avait fallu des heures pour le débarrasser des asticots. Moins méticuleuses, certaines femmes faisaient cuire le tout assez longtemps pour qu'on ne remarque plus la présence des parasites, mais elle aurait détesté traiter ainsi Richard.

Tout en coupant ses carottes, elle parvint enfin à prononcer les mots qui lui brûlaient les lèvres :

— Richard, je veux t'accompagner sur le chantier et voir la statue que tu es en train de sculpter pour le frère Narev.

— Je souhaite que tu l'admires, Nicci, mais pas avant qu'elle soit terminée.

— Pourquoi ?

— Ne peux-tu pas me faire confiance, pour une fois ? Laisse-moi finir, et tu découvriras la statue…

Nicci sentit son estomac se nouer. Cette affaire était vraiment capitale pour lui…

— Tu ne copies pas le modèle, n'est-ce pas ?

Richard leva les yeux de son assiette de millet.

— Exact… Je sculpte ce que j'ai envie de créer, et ce que les gens ont besoin de voir…

Nicci déglutit péniblement. Le moment qu'elle attendait depuis le début était arrivé. Richard avait failli baisser les bras, puis son énergie lui était revenue, et à présent, il était prêt à mourir pour une idée.

Elle détourna la tête, fuyant ses magnifiques yeux gris.

— J'attendrai que tu aies fini, si c'est si important pour toi…

Maintenant, Nicci savait pourquoi Richard était tellement exalté, ces derniers temps. Les étincelles qu'elle avait vues briller dans les yeux de son père, puis dans ceux du Sourcier, avaient un lien avec cet état de surexcitation. Cette idée même donnait le tournis à la Sœur de l'Obscurité.

En dernière analyse, il s'agissait d'une affaire de vie ou de mort…

— Tu es sûr de ce que tu fais, Richard ?

— Oui.

— Dans ce cas, j'accéderai à ta requête.

Le lendemain, Nicci se leva très tôt pour être sûre d'obtenir du pain. Richard serait ravi d'en avoir avec ses légumes, et elle tenait à lui faire plaisir.

Kamil lui proposa de faire la queue à sa place, mais elle avait très envie de sortir. Elle demanda donc au garçon de surveiller la jardinière qui mijotait sur la cheminée, puis quitta l'immeuble.

Le ciel plombé et l'air mordant annonçaient l'arrivée imminente de l'hiver. Comme toujours, les rues grouillaient de malheureux à la recherche d'un emploi, de charrettes chargées de tout ce qu'on pouvait imaginer et de chariots qui, pour l'essentiel, transportaient du matériel destiné au chantier. Nicci marcha prudemment, car la chaussée était constellée de trous, et dut se concentrer pour fendre le plus vite possible la foule qui avançait à une lenteur exaspérante.

Les traîne-misère venus à Altur'Rang avec l'espoir de trouver du travail erraient comme des automates dans les artères d'une cité indifférente à leur malheur. Devant les boulangeries, les queues étaient plus longues que jamais. Au moins, l'Ordre s'assurait que les citoyens aient du pain, même s'il était le plus souvent rassis et sans saveur. Avec une telle affluence, il fallait arriver tôt, parce que les boulangeries étaient souvent en rupture de stock dès le début de l'après-midi.

Certains jours, tout le monde était excité parce qu'on murmurait que plusieurs variétés de pain seraient disponibles, pour une fois. Aujourd'hui, Nicci comptait bien acheter un peu de beurre, histoire de gâter Richard. Avec le pain, c'était le produit alimentaire le moins cher, mais on n'en trouvait quasiment jamais.

Après quelque cent quatre-vingts ans passés à aider les autres, Nicci devait reconnaître qu'ils allaient toujours aussi mal. Dans le Nouveau Monde, cependant, la situation était bien meilleure. Bientôt, quand l'Ordre Impérial y aurait pris le pouvoir, les nantis pourraient subvenir aux besoins des nécessiteux, et l'humanité entière vivrait dignement. C'était l'objectif de l'Ordre, et il ferait en sorte qu'il en aille ainsi.

La boulangerie étant à l'intersection de deux rues, la queue commençait sur un trottoir puis se prolongeait sur celui d'une autre voie.

Alors qu'elle franchissait l'angle du pâté de maisons, après des heures d'attente, Nicci aperçut dans la foule un visage qu'elle aurait reconnu entre mille.

Au début, elle n'en crut pas ses yeux. Que faisait cette femme ici ?

Au moment où sa quête approchait du dénouement, elle n'avait aucune intention de le découvrir. Avec Richard, elle n'était plus loin de la conclusion, et tout le reste devrait attendre…

Nicci tira son châle noir sur ses cheveux et le noua sous son menton. Puis elle se plaqua contre le mur, prenant garde à rester dissimulée derrière une femme à la silhouette plus que rondelette.

Sœur Alessandra remontait la rue en dévisageant les clients de la boulangerie. On eût dit un prédateur à la recherche d'une victime.

Deviner quel gibier elle chassait n'était pas difficile.

En temps normal, Nicci aurait été ravie de croiser le chemin de son ancienne formatrice. Et si possible, de régler avec elle de très anciens comptes. Mais ce n'était pas le moment.

Bien dissimulée, elle regarda Alessandra s'éloigner puis se perdre dans la foule.

Chapitre 61

Alors qu'elle sortait pour la dernière fois d'Aydindril, sa ville natale, Kahlan resserra les pans de son manteau en peau de loup pour se protéger d'un vent mordant. Un an auparavant, presque jour pour jour, elle s'était séparée de Richard alors que l'automne s'apprêtait à céder la place à l'hiver. Avec la guerre qui faisait rage, les événements s'enchaînant à une incroyable vitesse, elle était sans cesse préoccupée par des questions urgentes. Prendre le temps de repenser à Richard, même si c'était douloureux, la gratifiait d'un répit somme toute agréable.

Au sommet d'une colline, elle se retourna pour jeter un ultime coup d'œil au Palais des Inquisitrices. Le cœur serré, elle admira cet édifice qui impressionnait tant de gens, mais qu'elle continuerait jusqu'à son dernier souffle à tenir pour son foyer. Elle avait grandi entre ces murs, en gardant une foule de souvenirs joyeux et émouvants.

— C'est un au revoir, Kahlan, pas un adieu.

— Vous avez raison…, soupira l'Inquisitrice.

Elle aurait voulu croire à ce mensonge, mais après un an de guerre, regarder la réalité en face devenait hélas un réflexe.

— De plus, continua la Dame Abbesse, nous empêcherons l'Ordre de dominer le peuple, et c'est ce qui l'intéresse le plus. Le reste… Eh bien, il s'agit seulement de pierre et de bois… Qu'importe le sort des bâtiments, quand les gens sont en sécurité ?

À travers ses larmes, Kahlan réussit à sourire.

— C'est vrai, Verna. Le plus important est préservé… Merci de me l'avoir rappelé.

— Ne vous inquiétez pas, Mère Inquisitrice, dit Cara. Berdine, les autres Mord-Sith et les soldats veilleront sur les habitants d'Aydindril et les conduiront jusqu'en D'Hara.

Le sourire de Kahlan s'élargit.

— J'aimerais voir la tête que fera Jagang, au printemps prochain, quand il prendra possession d'une ville fantôme.

La saison des combats touchait à sa fin. Si l'automne et l'été précédents, passés avec Richard en montagne, avaient été merveilleux, ceux qui venaient de s'achever laisseraient dans la mémoire de Kahlan une marque indélébile – mais gravée au fer rouge de l'horreur, cette fois.

Les combats avaient été furieux, désespérés et sanglants. À certains moments, l'Inquisitrice avait cru que tout était fini. Mais à chaque fois, un miracle – et l'incroyable combativité des hommes – avait renversé la situation.

Plus d'un soir, Kahlan avait souhaité s'endormir et ne plus se réveiller. Voir tant de gens mourir était insupportable, surtout quand on savait la victoire impossible.

Opposées à plusieurs millions d'adversaires, les forces de l'empire d'haran étaient parvenues à tenir assez le terrain pour interdire l'invasion d'Aydindril cette année. Au prix de dizaines de milliers de morts, les soldats avaient gagné assez de temps pour qu'on puisse organiser puis mettre en application l'exode de la population de toutes les villes, dont Aydindril, qui se dressaient sur le chemin de l'Ordre.

Quand le temps avait tourné au froid, les forces de Jagang s'étaient arrêtées dans une grande vallée, près de l'endroit où un important affluent se jetait dans le fleuve Kern. Se souvenant de ses déboires de l'hiver précédent, l'empereur avait ordonné à ses troupes d'y camper jusqu'au printemps. Comme prévu, l'armée de l'alliance avait pris position au nord d'Aydindril, pour en interdire l'accès aux envahisseurs.

Confirmant la prédiction de Warren, la capitale des Contrées s'était révélée un trop gros morceau à avaler pour les soudards de l'Ordre – en tout cas, provisoirement. Une fois de plus, Jagang avait prouvé qu'il était un stratège avisé et patient. Au lieu de perdre pour rien des milliers de soldats, il avait choisi d'attendre des conditions favorables. Dans un premier temps, cette façon de mener la campagne offrait un répit aux forces de Kahlan. À long terme, elle les condamnait à une déroute totale…

L'Inquisitrice était contente que Warren ne se soit pas trompé, car les citoyens de la ville, dans cette configuration, échapperaient au massacre que l'Ordre aurait sans doute perpétré s'ils étaient tombés sous sa coupe. L'exode jusqu'en D'Hara serait sans doute une épreuve pénible et meurtrière, mais tout valait mieux qu'être livré aux sbires de Jagang.

Une partie des citadins avaient pourtant refusé de s'en aller. Comme dans les autres villes des Contrées, sur l'itinéraire de l'Ordre, certains idéalistes prenaient pour argent comptant le surnom « Jagang le Juste ». D'autres espéraient que les esprits du bien – voire le Créateur – veilleraient sur eux. Ayant appris qu'on ne sauvait pas ses semblables contre leur volonté,

Kahlan avait refusé d'intervenir. Les hommes et les femmes qui s'en allaient, se fiant à leur logique, auraient une chance de survivre. Ceux qui s'aveuglaient, dominés par leurs sentiments, finiraient par ployer l'échine sous le joug de l'Ordre Impérial.

Kahlan tendit une main en arrière et toucha la garde de l'Épée de Vérité qui dépassait toujours de son épaule gauche. À chaque fois, le contact de l'arme la réconfortait. En réalité, le Palais des Inquisitrices n'était plus vraiment son foyer. Sa patrie se trouvait là où était Richard, quand il vivait près d'elle. Pour l'instant, elle n'en avait plus, et il faudrait qu'elle se fasse à cette idée…

Prise par la fièvre du combat, il y avait eu des jours où elle n'avait pas pensé une fois à son bien-aimé. Quand il fallait se concentrer pour survivre, la moindre erreur risquant d'être fatale, on finissait par oublier tout le reste…

Persuadés que la guerre était perdue, quelques hommes avaient déserté. Kahlan comprenait leur sentiment. Depuis le début, ils avaient l'impression de battre en retraite devant une armée colossale qui finirait par les écraser. Rentrer chez eux pour y mourir près de leur famille avait dû leur sembler la seule solution logique…

Galea était tombé. Depuis, plus personne n'avait eu de nouvelles des principales villes du royaume. Un silence qu'il ne fallait pas être devin pour interpréter.

Kelton aussi avait succombé, mais une partie de la population s'était enfuie. La majorité des soldats keltiens restait avec l'armée de l'alliance. Désespérés, quelques-uns étaient repartis chez eux, résolus à mourir l'épée à la main.

De peur d'y perdre son courage, Kahlan pensait rarement à tout ce qui avait mal tourné. Au moins, ils auraient arraché aux griffes de l'Ordre des milliers de civils innocents. Pour l'instant, il n'y avait rien de plus à faire…

Durant la retraite vers le nord, près de cinquante mille soldats de l'alliance étaient tombés. Jagang avait perdu au bas mot dix fois plus d'hommes, mais les renforts continuaient d'affluer, et cette hécatombe n'avait eu aucune influence sur le déroulement du conflit.

Quand elle repensait à la position de Richard, Kahlan devait admettre à contrecœur qu'elle lui paraissait moins absurde qu'un an auparavant. La guerre semblait bel et bien perdue d'avance pour le Nouveau Monde, et toute résistance risquait de se solder par des pertes encore plus effroyables. Pourtant, elle n'envisageait toujours pas de renoncer.

Avant de reprendre son chemin, suivie par son importante escorte, elle plissa les yeux pour mieux distinguer la silhouette de la Forteresse du Sorcier.

Zedd devrait bientôt y aller, car il fallait à tout prix défendre cet ultime bastion…

Dix jours plus tard, le crépuscule tombait quand Kahlan et son escorte entrèrent dans le camp d'haran. Au premier coup d'œil, il était évident que quelque chose n'allait pas. Arme au poing, des soldats couraient en tous sens et d'autres se précipitaient vers les barricades avec des lances et des piques sous le bras.

Une scène qui aurait inquiété Kahlan un an plus tôt. Mais à présent, elle y était habituée et ne s'en émouvait plus.

— Je me demande ce qui se passe encore, marmonna Verna. J'espère que Jagang n'a pas l'intention de gâcher notre dîner…

Sans sa cuirasse, Kahlan eut soudain le sentiment d'être toute nue. Cet équipement étant gênant lors des longues chevauchées, elle l'avait attaché à l'arrière de sa selle. Pour traverser des territoires amis, il lui avait paru inutile de porter une protection encombrante.

Cara sauta à terre en même temps que sa protégée. Alors qu'un cercle défensif se formait autour des deux femmes, elles tendirent les rênes de leurs montures à un soldat.

Kahlan tenta en vain de se souvenir de la couleur qui marquait les tentes de commandement, aujourd'hui. Après une absence d'environ un mois, tout se brouillait dans sa tête…

— Où sont les officiers ? demanda-t-elle à un sergent.

— Allez par là, Mère Inquisitrice, et vous les trouverez dans cinq minutes.

— Vous savez ce qui se passe, sergent ?

— Non. Les cornes ont sonné l'alarme, et j'ai entendu une sœur dire que ce n'était pas une ruse de l'ennemi.

— Savez-vous où sont les sœurs et Warren, en ce moment ? demanda Verna.

— Dame Abbesse, j'ai vu des magiciennes courir dans toutes les directions. En revanche, je n'ai pas aperçu le sorcier Warren.

Avec l'obscurité, Kahlan, Cara et Verna durent se fier à la lumière des feux de camp pour s'orienter. Comme on les avait étouffés au maximum, à cause de l'alerte, elles errèrent dans le noir un long moment.

Des cavaliers et des fantassins traversaient le camp, en route pour leur poste de combat. Personne ne paraissait savoir ce qui arrivait, mais là encore, c'était habituel. Les raids de l'Ordre, en plus d'être terrifiants, étaient assez fréquents et variés pour désorienter les défenseurs les plus aguerris.

Quand les trois femmes et les soldats qui les escortaient atteignirent les tentes des officiers, elles étaient désertes.

— Où sont-ils passés à un moment pareil ? marmonna l'Inquisitrice.

Repérant sa tente, elle se campa sur le seuil, jeta un rapide coup d'œil à Bravoure, posée sur la table, et laissa tomber à ses pieds ses sacoches de selle et sa cuirasse.

—Attendons ici, proposa-t-elle, où les officiers penseront à nous chercher.

—Une excellente idée, approuva Verna.

Kahlan se tourna vers le sergent qui commandait son escorte.

—Dites à vos hommes de se séparer et de chercher les officiers supérieurs. Qu'ils leur fassent savoir que la Dame Abbesse et la Mère Inquisitrice sont là.

—Qu'ils préviennent aussi toutes les sœurs qu'ils verront, ajouta Verna. Et Zedd et Warren, s'ils les aperçoivent.

Le sergent fila transmettre les ordres à ses hommes.

—Je n'aime pas ça…, souffla Cara.

—Moi non plus, dit Kahlan.

Tandis que la Mord-Sith montait la garde avec les hommes de l'escorte restants, Kahlan entra sous la tente, retira son manteau de fourrure et mit sa cuirasse. Devant la vie à cet équipement, elle ne voyait pas pourquoi elle aurait dû s'en priver. Quand on était blessé à un membre, les magiciennes de Verna parvenaient en règle générale à faire des miracles. En revanche, tout coup porté à la poitrine, s'il touchait un organe vital, était presque systématiquement mortel.

Le cuir était remarquablement résistant. Même s'il pouvait être traversé par une flèche ou une épée – à condition que l'angle de pénétration soit précis, sinon, le fer ripait sur la cuirasse –, il offrait un haut degré de protection sans trop entraver les mouvements. Beaucoup d'hommes portaient en plus une cotte de mailles, mais l'Inquisitrice, gênée par le poids, y aurait perdu de l'efficacité au combat. Car la vitesse et la souplesse, sur un champ de bataille, restaient la meilleure façon de se protéger.

Kahlan faisait son possible pour ne pas s'exposer inutilement. Cette armée avait davantage besoin d'un chef que d'un combattant de plus. Cela dit, l'ennemi ne se souciait pas de ces considérations, et elle avait dû ferrailler plus souvent qu'à son tour.

Un sergent vint finalement faire son rapport à la Mère Inquisitrice.

—Des assassins infiltrés, dit-il simplement.

Il n'y avait pas besoin de plus longues explications. Kahlan avait redouté quelque chose de ce genre en voyant la panique qui régnait dans le camp.

—Nos pertes sont lourdes?

—Pour le moment, je sais seulement que le capitaine Zimmer a été blessé alors qu'il dînait avec ses hommes, près d'un feu de camp. Il a dévié le coup mortel, mais encaissé une sale blessure à la jambe. Il perd beaucoup de sang, et les chirurgiens sont autour de lui…

—Et son agresseur? demanda Verna.

Le sergent ne cacha pas sa surprise.

— Le capitaine l'a abattu, bien entendu. Le type portait un uniforme d'haran, et il a traversé le camp en passant inaperçu jusqu'à ce qu'il repère une cible de choix.

— Une de mes sœurs devrait pouvoir aider Zimmer, dit Verna, de plus en plus inquiète.

Kahlan fit signe au sergent qu'il pouvait disposer. Après l'avoir saluée, l'homme sortit au pas de course.

Par le rabat, l'Inquisitrice vit que Zedd approchait de la tente. Sa tunique poisseuse de sang, il avait des larmes aux yeux et semblait avoir vieilli de vingt ans.

Kahlan en eut la chair de poule.

Le vieux sorcier entra sous la tente, tituba un peu de fatigue, puis prit le bras de Verna.

— Vite ! lança-t-il.

Les deux femmes n'eurent pas besoin de longues explications.

Alors que Zedd entraînait Verna à travers le camp, Kahlan et Cara leur emboîtèrent le pas.

Le désordre régnait toujours entre les tentes. Partout, des officiers faisaient l'appel de leur unité.

C'était indispensable, puisque les tueurs infiltrés portaient des uniformes d'harans. Le seul moyen de les repérer consistait à les isoler – tout simplement en découvrant qu'ils étaient surnuméraires. Une tâche certes malaisée, mais de la première importance…

Zedd et les trois femmes atteignirent très vite les tentes où on soignait les blessés. Venant de toutes les directions, des hommes valides portaient ou aidaient à marcher des camarades agressés par les tueurs ennemis.

Voyant que Verna paniquait, Zedd s'arrêta et la prit par les épaules.

— Un type a voulu poignarder Holly. Warren s'est interposé, et… Verna, je le jure sur l'âme de ma défunte femme, j'ai fait tout ce que je pouvais ! Que les esprits du bien me pardonnent, mais c'est à moi qu'il revient de vous dire que… Warren est perdu, mon amie… Il a demandé à vous voir, ainsi que Kahlan.

L'Inquisitrice se pétrifia, les jambes coupées. Mais le vieil homme la poussa en avant, en même temps que Verna, et les deux femmes entrèrent sous une tente.

Une demi-douzaine de blessés ensanglantés étaient allongés au fond, contre la toile. L'un d'eux avait perdu une botte, et Kahlan, en état de choc, se demanda comment une chose pareille était possible. Il semblait si grotesque d'agoniser avec une chaussure en moins. À croire que la tragédie et la comédie avaient décidé de s'envelopper dans le même linceul.

Warren gisait sur une paillasse. Agenouillée près de lui, sœur Philippa lui tenait la main. En face d'elle, Phoebe lui serrait tendrement le bras.

— Warren, dit Philippa, c'est Verna... Kahlan est là aussi...

Les deux sœurs s'écartèrent pour laisser leurs places à la Dame Abbesse et à la Mère Inquisitrice. En sortant de la tente, elles se plaquèrent une main sur la bouche pour étouffer leurs sanglots.

Warren était aussi blanc que les bandes de gaze propres posées non loin de lui. Sa tunique poisseuse de sang, le front ruisselant de sueur, il écarquillait les yeux pour tenter de voir encore un peu le monde des vivants qu'il quitterait bientôt.

— Warren..., gémit Verna. Warren...

— Verna ? Kahlan ?

— Je suis là, mon amour, dit Verna.

— Moi aussi, souffla Kahlan.

Les deux femmes prirent chacune une main du moribond.

— Je devais vous attendre... parce que j'ai quelque chose à vous dire...

— Nous t'écoutons..., parvint à murmurer Verna.

— Kahlan ?

— Oui, je suis là... Mais il ne faut pas parler...

— Non, écoutez-moi !

— Oui, Warren...

— Richard a raison. Sa vision est juste... Il fallait que je vous le confirme...

L'Inquisitrice ne sut que dire.

— Verna ?

— Oui, mon amour ?

— Je t'aime. Depuis toujours...

— Warren, s'il te plaît, ne me quitte pas... Ne meurs pas, je t'en prie !

— Embrasse-moi tant qu'il me reste un souffle de vie... Surtout, ne pleure pas sur ce qui se termine, mais réjouis-toi en pensant à ce qui a été... Embrasse-moi, ma chérie !

Verna se pencha et posa ses lèvres sur celles de son mari.

Incapable d'en supporter plus, Kahlan se leva et sortit de la tente en titubant.

Puis elle se jeta dans les bras de Zedd, qui attendait dehors.

— À quoi sert tout ça ? cria-t-elle entre deux sanglots. Pourquoi nous battons-nous ? Chaque jour, nous perdons un ami de plus !

Zedd ne trouva rien à répondre. Après quelques minutes, Kahlan se força à redevenir l'indestructible Mère Inquisitrice que les hommes admiraient. S'ils la voyaient dans cet état, ils perdraient tout espoir.

Des soldats se tenaient un peu à l'écart, s'efforçant de ne pas regarder la tente où Warren agonisait.

Quand le général Meiffert sortit soudain des ombres, Cara ne tenta même pas de dissimuler son soulagement.

Benjamin vint se placer près d'elle, sans la toucher, mais son comportement voulait tout dire…

— Je suis content de vous voir de retour, dit-il à Kahlan. Comment va Warren ?

L'Inquisitrice étant incapable de parler, Zedd répondit à sa place.

— Je n'aurais pas cru qu'il tiendrait si longtemps… Mais il voulait voir sa femme.

Le général baissa tristement les yeux.

— Nous avons capturé son agresseur, annonça-t-il.

Cette nouvelle ramena Kahlan à la réalité.

— Qu'on me l'amène ! ordonna-t-elle.

Sans hésiter, Meiffert partit chercher le prisonnier. Encouragée par un geste discret de Kahlan, Cara le suivit.

— Que t'a-t-il dit ? demanda Zedd. Je sais qu'il voulait te parler.

— Il m'a dit que Richard a raison.

Le vieil homme détourna les yeux, l'air abattu. Warren était son ami, et Kahlan ne l'avait jamais vu se lier ainsi avec quelqu'un. Bien qu'il eût l'air juvénile, Warren avait plus de cent cinquante ans, comme Verna, et il pouvait partager avec Zedd des choses qu'eux seuls comprenaient. Habitué à être le vieux et sage sorcier de service, le grand-père de Richard avait dû se sentir rassuré d'avoir un interlocuteur qui ne lui demandait pas sans cesse des explications et que ses discours ne plongeaient pas dans la plus grande perplexité.

— Il m'a dit la même chose, souffla enfin le vieil homme.

— Pourquoi n'a-t-il pas utilisé son pouvoir ? demanda Kahlan.

— Il passait par là au moment où le tueur poignardait Holly. Pourquoi elle, je n'en sais rien ! L'homme n'avait peut-être pas repéré une cible de valeur. Où il était paniqué, et a décidé de tuer la première victime venue…

— Il y a une autre possibilité. Il avait peut-être l'ordre de tuer un sorcier. En voyant Warren, il a pu attaquer Holly pour créer une diversion, puis frapper à coup sûr sa véritable cible.

— Peut-être… Warren n'a pas su me dire. C'est arrivé très vite. Voyant Holly menacée, il a réagi d'instinct. Je lui ai posé la question, mais il ignore pourquoi il n'a pas utilisé son pouvoir. A-t-il eu peur de tuer Holly en même temps que son agresseur ? Là non plus, je n'en sais rien, mais il a eu le réflexe de saisir le couteau, et ça lui a coûté la vie.

— Et s'il avait hésité une fraction de seconde avant de déchaîner sa magie ?

— Beaucoup de sorciers ont fini six pieds sous terre à cause d'une hésitation de ce genre.

—Si j'avais frappé tout de suite, Nicci ne m'aurait pas piégée. Et Richard serait libre.

—Mon enfant, vouloir récrire l'histoire ne sert à rien.

—Et qu'en est-il du futur ?

—Pardon ?

—Quand nous avons quitté la vallée, à la fin de l'hiver dernier, vous vous souvenez ? Warren a désigné cet endroit, sur la carte d'état-major. Il a dit que nous devions arrêter l'Ordre ici.

—Tu suggères qu'il savait que la mort l'attendait dans ce camp ?

—C'est à vous de me le dire !

—Je suis un sorcier, pas un prophète !

—Mais Warren, lui, en était un… (Voyant le trouble du vieil homme, Kahlan changea de sujet.) Comment va Holly ?

—Je n'en sais rien… Je venais pour parler à Warren, et quand je suis arrivé, il se tordait de douleur sur le sol. Les soldats avaient maîtrisé son meurtrier, et il a trouvé la force de leur crier de ne pas le tuer. Selon moi, il a pensé que ce salaud pouvait détenir des informations intéressantes. Holly n'était pas loin, en état de choc. J'ai vu qu'elle saignait, mais des sœurs sont arrivées et l'ont entraînée sous une tente. À partir de là, je me suis exclusivement occupé de Warren.

» J'ai tout tenté, mais ça n'a pas suffi…

Kahlan passa un bras autour des épaules du vieil homme.

—Toute cette affaire vous dépassait depuis le début, Zedd. Vous n'avez rien à vous reprocher.

Comme il était curieux de voir l'incarnation de la force et du courage – Zedd, l'homme qui ne renonçait jamais – bouleversée à ce point. Espérer que le vieillard soit fort et rationnel en toutes circonstances était absurde, mais le voir désespéré restait désorientant. En des moments pareils, il repensait à tous les êtres chers qu'il avait perdus, cela se voyait dans son regard. Et chaque nouveau deuil ravivait la souffrance provoquée par ces anciennes disparitions…

Benjamin et Cara revenaient déjà. Derrière eux, entre deux colosses, avançait un jeune homme élancé. Presque un adolescent, à vrai dire… Pas mal musclé, il semblait pourtant chétif à côté des costauds qui le flanquaient.

Ses yeux noirs pleins de mépris, il affichait un rictus arrogant.

—Eh bien, fanfaronna-t-il, on dirait que j'ai percé le lard d'un type important. Me voilà devenu un héros de l'Ordre !

—Soldats, que ce chien s'agenouille devant la Mère Inquisitrice ! ordonna Meiffert.

À coups de pied, les deux colosses forcèrent leur prisonnier à se prosterner.

—Tu es donc la salope très importante dont j'ai tant entendu parler ? lança le tueur à Kahlan. Dommage que tu n'aies pas été dans le coin, j'aurais adoré t'ouvrir le ventre. Comme tu le sais, je me débrouille plutôt bien avec un couteau.

—C'est pour ça que tu t'en prends à des fillettes ?

—Pour m'entraîner, voilà tout ! Si ce grand crétin ne m'avait pas sauté dessus, j'aurais fait des ravages, tu peux me croire ! Mais j'ai quand même accompli la mission que m'ont confiée l'Ordre et le Créateur.

Les provocations d'un homme conscient qu'il paiera bientôt pour ses crimes… Avant de mourir, cet assassin voulait se convaincre qu'il avait agi noblement. S'il mourait en héros, le Créateur l'attendrait dans l'autre monde et le récompenserait…

Livide, des larmes roulant sur les joues, Verna sortit lentement de la tente. La voyant tituber, Kahlan la prit par un bras pour la soutenir.

Mais la Dame Abbesse se redressa de toute sa hauteur dès qu'elle aperçut le prisonnier.

—C'est lui ? demanda-t-elle.

—Oui, souffla Kahlan.

—Eh oui, ricana le prisonnier, c'est moi qui ai transpercé le ventre du sorcier ! Maintenant, je suis un héros ! L'Ordre apportera le bonheur et la justice à l'humanité, et j'aurai contribué à sa victoire. Les gens comme vous essaient toujours de rabaisser les miséreux dans mon genre !

—Les rabaisser ? répéta Verna d'une voix glaciale.

—Exactement ! Les privilégiés ne veulent rien partager. J'ai attendu, mais personne ne m'a jamais donné ma chance, à part l'Ordre Impérial. Je suis un héros pour tous les traîne-misère du monde ! Un type qui a poignardé un des oppresseurs de l'humanité. Un redresseur de torts qui agit au nom des déshérités. J'ai tué un ennemi du peuple, donc, je suis un libérateur.

Le silence des témoins de cette pitoyable scène fut comme souligné par le vacarme qui régnait partout ailleurs dans le camp.

Sans doute pour conjurer sa peur, le prisonnier en rajouta dans l'ignominie.

—Le sorcier finira entre les mains du Gardien. Moi, je serai récompensé par le Créateur. Alors, pourquoi aurais-je peur de mourir ? L'éternité à baigner dans la Lumière, voilà ce qui m'attend…

Verna regarda Kahlan, puis les autres amis qui l'entouraient.

—Je me fiche de ce que vous lui ferez, dit-elle, mais je veux l'entendre hurler de douleur toute la nuit. Il faut que tous nos hommes l'entendent aussi, et que les espions de l'Ordre en aient les tympans percés. Ce sera mon hommage funèbre à Warren.

Comprenant que les choses ne se passeraient pas comme il les avait imaginées, le prisonnier se mordilla les lèvres.

— Ce n'est pas juste! cria-t-il. Le sorcier est mort vite! J'ai droit au même sort...

Il s'attendait à une fin expéditive. Et voilà qu'un abîme sans fond s'ouvrait sous ses pieds.

— Tu parles de justice? lâcha Verna. La première injustice, te concernant, c'est que ta mère se soit laissé besogner par ton père. Mais nous allons rectifier cette erreur de la nature. Un peu trop tard, hélas... Crois-tu qu'il soit juste qu'un homme de qualité plein de bonté périsse sous les coups d'un petit lâche si stupide qu'il débite comme un perroquet les mensonges les plus éhontés de ses maîtres?

» Tu veux mourir en héros après avoir abattu un ennemi du peuple? Te sacrifier pour une cause que tu estimes juste, dans ton incommensurable bêtise? Eh bien, tu vas être servi, mon garçon! Mais avant, tu comprendras quel bien précieux tu as jeté aux orties pour servir des monstres. Oui, tu mesureras la valeur de ta vie. Et en crevant, tu regretteras le jour où ta mère t'a mis au monde, comme nous!

» J'ai dit ce que je désirais qu'il lui arrive. À présent, qu'on exécute mes ordres.

Cara fit un pas en avant.

— Verna, je m'en chargerai, dit-elle. Pour ce genre de travail, personne n'est plus qualifié que moi...

— Une femme? s'écria le prisonnier. Vous croyez qu'une putain blonde me fera crier de douleur? Bon sang, vous êtes aussi cinglés qu'on le dit!

— Je te serai éternellement reconnaissante, Cara, dit Verna. (Elle fit mine de partir mais se ravisa.) Surtout, qu'il ne meure pas avant l'aube, au moment où je viendrai le voir. Je veux le regarder dans les yeux, pour savoir s'il a compris. S'il saisit, à l'instant suprême, qu'il a sacrifié sa vie pour une cause qui n'en vaut pas la peine...

— Je vous promets, souffla Cara, que cette nuit lui semblera infiniment longue. Presque autant qu'à vous, qui la passerez à pleurer Warren...

Avant de s'éloigner, la Dame Abbesse tapota l'épaule de la Mord-Sith.

Dès que Verna eut disparu dans les ombres, Cara se tourna vers Kahlan.

— Je voudrais qu'on m'affecte une tente. Personne ne doit voir ce que je lui fais. Ses cris suffiront...

— Comme tu voudras...

— Mère Inquisitrice! cria le prisonnier en se débattant en vain entre les deux colosses. Si vous êtes la bonté même, comme vous le prétendez, ayez pitié de moi!

Terrorisé, le garçon bavait. Bientôt, il pleurerait comme un enfant.

— Désolée, mais j'ai déjà été clémente, répondit Kahlan. T'autoriser à subir la sentence de Verna est une faveur, car mon châtiment aurait été dix fois pire!

Cara fit signe aux deux soldats de la suivre et d'emmener le prisonnier.

— Que faisons-nous des autres tueurs que nous avons capturés? demanda Meiffert.

— Égorgez-les, répondit Kahlan en se dirigeant vers sa tente.

Chapitre 62

Kahlan s'assit sur sa couche, troublée parce qu'elle n'entendait plus les cris distants du prisonnier. Pourtant, l'aube était encore loin. Mais le cœur du soudard n'avait peut-être pas tenu le coup…

Non, Cara était une Mord-Sith, et les femmes comme elle savaient ce qu'elles faisaient.

Quelques heures plus tôt, quand l'Inquisitrice s'était couchée sans prendre la peine de se déshabiller, les hurlements de l'assassin de Warren l'avaient fait penser à Richard et à ce qu'il avait subi entre les mains de Denna.

Warren… Comment avait-il pu disparaître ainsi, presque pour rien, après tout ce qu'il avait surmonté ? Et Verna, comment retrouverait-elle un jour une once de joie de vivre ?

Pour chasser ses idées noires, justifiées mais pas moins désespérantes pour autant, Kahlan regarda Bravoure à la lueur de la lampe suspendue à un piquet de sa tente et réglée au minimum.

Cette statue était extraordinaire. À chaque fois qu'elle la regardait, l'Inquisitrice éprouvait le même émerveillement.

Au lieu de sombrer dans l'amertume, après ce qui était arrivé à sa femme, Richard avait décidé d'exprimer une fois de plus sa foi en la vie. Une démarche qui lui avait permis de préserver son aptitude au bonheur alors qu'il subissait la pire expérience de son existence.

Entendant du bruit dehors, Kahlan se leva d'un bond… et vit la silhouette de Cara se découper sur le seuil de la tente, dont elle avait laissé le rabat ouvert.

De la rage dans ses beaux yeux bleus, la Mord-Sith avança, tirant le prisonnier par les cheveux. Aveuglé par le sang qui coulait de son front, le tueur de l'Ordre tenait à peine debout.

Cara lui flanqua une bourrade qui l'envoya s'écraser aux pieds de Kahlan.

— Que se passe-t-il, Cara ?

Dans le regard de son amie, Kahlan vit soudain beaucoup plus que de la fureur. La Mord-Sith, au bord de la folie, semblait avoir perdu ou oublié tout ce qui faisait d'elle un être humain.

S'agenouillant, elle reprit le prisonnier par les cheveux, le cala contre elle et lui plaqua son Agiel sur la gorge.

— Dis-lui ! ordonna-t-elle au jeune soudard, qui toussait comme un perdu, du sang coulant de sa bouche.

— Je le connais ! Oui, je le connais !

— De qui parles-tu ? demanda Kahlan.

— De Richard Cypher ! Je le connais, et j'ai aussi rencontré sa femme, Nicci !

Comme assommée, l'Inquisitrice se laissa tomber à genoux devant le meurtrier de Warren.

— Comment t'appelles-tu ?

— Gadi ! Je me nomme Gadi !

Cara écrasa son Agiel entre les omoplates du tueur, qui hurla et bascula en avant. La Mord-Sith en profita pour lui enfoncer le visage dans la poussière.

— Cara, du calme… il faut qu'il nous parle…

— Je sais, et je fais en sorte de lui délier la langue.

Kahlan n'avait jamais vu son amie dans cet état. Au-delà de ce que lui avait demandé Verna, elle avait des motivations personnelles. La mort de Warren, qu'elle appréciait, ne l'avait déjà pas bien disposée. Mais si Richard était concerné…

Cara releva Gadi, dont le nez cassé pissait le sang.

— Maintenant, tu vas tout raconter à la Mère Inquisitrice !

Gadi hocha la tête en pleurnichant comme un enfant.

— Richard et sa femme sont venus vivre dans mon immeuble…

— Richard et Nicci, corrigea Kahlan.

— Oui, Nicci, répéta Gadi, sans comprendre ce que voulait dire l'Inquisitrice. Ils se sont installés dans une chambre, chez moi… Au début, mes amis et moi détestions Richard. Puis Kamil et Nabbi lui ont parlé, et ensuite, il est devenu leur idole. J'étais furieux…

La voix de Gadi s'étrangla, peut-être parce qu'il s'étouffait avec son sang. Impitoyable, Kahlan le saisit par le menton et lui secoua la tête.

— Parle, ou je vais demander à Cara de te rendre volubile.

— Mais que voulez-vous entendre ? Je…

— Dis-moi tout ce que tu sais sur Richard et Nicci. C'est compris ?

— Raconte la suite de ton histoire, grogna Cara à l'oreille de Gadi avant de le remettre debout.

Craignant de ne pas entendre un mot important, Kahlan se releva aussi.

— Richard a convaincu les gens d'entretenir et de réparer l'immeuble. Il travaillait pour Ishaq, dans une compagnie de transport, et le soir, il s'agitait pour améliorer nos conditions de vie. Kamil et Nabbi ont même appris à bricoler…

» Vraiment, je haïssais Richard !

— Parce qu'il améliorait ton existence ?

— Mes amis et d'autres résidents ont commencé à penser qu'ils pouvaient se débrouiller seuls. C'est faux ! Un dangereux mensonge… Les gens ont besoin de l'aide de personnes compétentes. Richard aurait pu réparer l'immeuble, s'il en était capable, mais il n'avait pas le droit de convaincre Kamil et les autres qu'ils devaient prendre leur destin en main. C'est impossible ! Le peuple a besoin d'être assisté.

» Ensuite, j'ai découvert que Richard faisait un deuxième travail, la nuit, et qu'il gagnait de l'argent qu'il n'avait pas le droit d'avoir.

» Un soir, alors que j'étais assis sous le porche, j'ai entendu Nicci lui crier après. Puis elle est venue me demander de coucher avec elle. Toutes les femmes sont folles de moi… Malgré ses grands airs, celle-là était une putain, comme les autres. Elle m'a dit que Richard ne savait pas y faire au lit…

» Je lui ai donné ce qu'elle voulait, croyez-moi ! Cette salope a eu rudement mal, comme elle le méritait.

Kahlan propulsa son genou dans l'entrejambe de Gadi, qui se plia en deux, le souffle coupé. Les yeux révulsés, il retomba dans la poussière.

— J'étais sûre que cette partie de l'histoire vous intéresserait, dit Cara avec un sourire mauvais.

— Ce n'était pas Richard ! Je le savais ! Il s'agissait de ce porc !

Gadi faisant mine de se relever, l'Inquisitrice lui flanqua un grand coup de pied dans les côtes.

Cara le saisit par les cheveux et le força à se relever.

— La suite ! lâcha Kahlan d'une voix vibrante de rage.

Gadi était blanc comme un mort. Pour qu'il cesse de se masser les parties génitales, la Mord-Sith lui retourna les bras dans le dos.

— Parle, ou je recommence ! menaça Kahlan.

— Pitié ! Quand vous m'avez frappé, j'étais en train de raconter…

— Eh bien, continue !

— Quand j'en ai eu fini avec la pu… avec Nicci, Kamil et Nabbi étaient furieux.

— Pourquoi ?

— Parce que c'était l'épouse de Richard ! Ils m'en voulaient à cause de leur héros, et ils allaient me torturer. J'ai décidé d'éviter ça en m'engageant dans l'armée, pour combattre les incroyants sous la bannière de l'Ordre. Mais avant…

Voyant qu'il hésitait à continuer, Kahlan fit un petit signe à Cara, qui appliqua de nouveau son Agiel entre les omoplates du tueur.

—Assez, par pitié! Avant de partir, j'ai dénoncé Richard.

—Quoi?

—Je suis allé dire aux gardes et au Protecteur Muskin qu'il était un criminel et un exploiteur du peuple. Chez nous, on ne tolère pas les profiteurs.

—Que nous racontes-tu là? Et que se passe-t-il quand on dénonce quelqu'un?

Tremblant de peur, Gadi n'avait aucune envie de répondre. Mais l'Agiel de Cara, s'écrasant sur son flanc, lui brisa net une côte.

—Parle, dit la Mord-Sith, sinon, je te les casse toutes.

—Quand une personne est dénoncée, on l'arrête, puis on la force à se confesser.

—Que veux-tu dire?

—Eh bien, on la torture jusqu'à ce qu'elle avoue ses crimes. Et s'ils sont graves, on la pend à un gibet pour que les oiseaux dévorent sa dépouille.

Kahlan crut qu'elle allait vomir. Le monde avait basculé dans la folie, c'était certain…

Approchant de la caisse où on rangeait les cartes d'état-major, elle sortit celle qui l'intéressait, approcha de la table, posa Bravoure sur le sol et déroula la carte là où la statue trônait quelques secondes plus tôt.

S'emparant d'une plume et d'un encrier, elle fit signe à Gadi d'approcher puis lui fourra la plume dans la main droite.

—Nous sommes ici, dit-elle en tapotant la carte. Montre-moi l'itinéraire que tu as suivi avec l'armée de l'Ordre.

—Après un court entraînement, je suis parti avec un contingent de renfort. Nous avons rejoint le gros de l'armée et remonté ce fleuve pendant tout l'été.

Kahlan désigna l'Ancien Monde.

—Maintenant, fais une croix à l'endroit où tu vivais.

—Ma ville s'appelle Altur'Rang… Elle est ici…

Gadi dessina un cercle bien rond et écrivit à côté le nom de la cité. Elle était située très au sud – le cœur même de l'Ordre Impérial.

—À présent, trace une ligne pour matérialiser la route que tu as suivie jusqu'à la frontière du Nouveau Monde, sans oublier d'indiquer les villes et les villages que tu as traversés.

Cara et Kahlan regardèrent Gadi travailler avec une application qui aurait pu être touchante, dans d'autres circonstances. Grâce à Verna et Warren, la carte était très précise…

Quand il eut fini, Gadi releva les yeux.

Kahlan retourna la carte.

—Maintenant, fais-moi un plan d'Altur'Rang, avec les artères principales, et indique l'endroit où Richard vit avec Nicci.

Docile comme un agneau, Gadi obéit.

—Vous savez, il n'y est peut-être plus… S'il a été arrêté, les frères ont pu le condamner à mort.

—Les frères ? répéta Kahlan.

—Le grand Narev et ses disciples… Ils dirigent la Confrérie de l'Ordre, et le frère Narev est notre guide spirituel. Il est l'âme de l'Ordre, si vous préférez…

—Décris-nous ces frères ! ordonna l'Inquisitrice.

—Ils portent une soutane sombre à capuche… Tous ont renoncé au luxe pour servir le Créateur et soulager l'humanité souffrante. Le frère Narev est le représentant du Créateur en ce monde. Notre sauveur à tous !

Fasciné par ce « saint » homme, Gadi ne se fit pas prier pour raconter tout ce qu'il savait au sujet de la confrérie.

Quand il eut terminé, il s'avisa que Kahlan ne le regardait plus.

—Comment allait Richard, la dernière fois que tu l'as vu ? demanda-t-elle.

—Très bien. Il est grand et fort, et un tas d'imbéciles l'adorent.

Kahlan gifla le sale petit tueur assez fort pour l'envoyer de nouveau mordre la poussière.

—Cara, sors-moi cette charogne de là !

—Vous devez être clémente ! s'écria Gadi. J'ai collaboré… (Il éclata en sanglots.) Ayez pitié de moi !

—Cara, dit simplement Kahlan, tu as un travail à finir…

Kahlan écarta le rabat et jeta un coup d'œil dans la tente. Sœur Dulcinia ronflait doucement… Mais Holly était réveillée, et elle leva la tête.

Des larmes plein les yeux, elle se redressa et tendit les bras. Le cœur serré, Kahlan s'agenouilla et enlaça la pauvre petite.

—Mère Inquisitrice ? s'étonna Dulcinia, réveillée en sursaut.

—Il est tard, mon amie… Vous devriez aller vous coucher… Holly n'est plus seule, désormais…

La sœur sourit, se releva péniblement et sortit de la tente.

Très loin de là, à l'autre bout du camp, Gadi hurlait toujours…

Kahlan caressa les cheveux de Holly puis lui posa un baiser sur le front.

—Comment vas-tu, ma chérie ? Tu t'es remise ?

—Mère Inquisitrice, c'était affreux ! Le sorcier Warren a été blessé…

—Je sais…

—Il va bien? On l'a guéri, comme moi?

Kahlan prit la fillette par le menton et écrasa une grosse larme qui roulait sur sa joue.

—Je suis désolée, ma chérie… Il est mort…

—Il n'aurait pas dû essayer de me sauver. Tout ça est ma faute!

—Non, tu te trompes… Warren s'est sacrifié pour nous tous, parce qu'il adorait la vie. Il refusait que le mal règne sur ceux qu'il aimait.

—Vraiment?

—Vraiment! Quand tu te souviendras de lui, pense qu'il adorait ses amis et souhaitait qu'ils soient libres.

—Le jour de son mariage, il a dansé avec moi… Je n'avais jamais vu un si beau marié…

—Il était superbe, approuva Kahlan, souriant à ce souvenir. Warren était un des meilleurs hommes que j'aie connus, et il est mort en défendant la liberté. Pour l'honorer, nous devons être le plus heureux possible…

Kahlan voulut se lever, mais la fillette la retint.

—Vous voulez bien rester avec moi, Mère Inquisitrice?

—Un petit moment, oui…

Quand l'enfant se fut endormie, Kahlan ne put retenir ses larmes à l'idée que des brutes voulaient lui dénier le droit de vivre comme elle l'entendait. Holly méritait d'être libre, mais certains hommes cherchaient à l'en empêcher par la force…

Certaine de ce qu'il lui restait à faire, l'Inquisitrice se leva, sortit de la tente et gagna la sienne pour y faire ses bagages.

L'aube pointait lorsque Kahlan sortit de sa tente, ses sacoches de selle et son sac de voyage sur l'épaule. Elle emportait bien entendu son arme d'harane, l'Épée de Vérité et Bravoure, enveloppée dans une couverture.

Quelques flocons de neige tourbillonnaient dans l'air, annonçant que l'hiver s'était bel et bien installé sur les Contrées du Milieu.

Il régnait dans le camp une atmosphère de fin du monde. Et c'était bien de cela qu'il s'agissait. La mort de Warren, dans toute son absurdité, avait mis un point final à beaucoup de choses. Kahlan ne pouvait plus s'aveugler, et la vérité lui blessait les yeux. Depuis le début, Richard avait raison.

La victoire de l'Ordre serait totale. Un jour ou l'autre, l'Inquisitrice serait capturée puis tuée, comme tous ceux qui combattaient avec elle. Ensuite, Jagang réduirait le Nouveau Monde en esclavage. Il tenait déjà une partie des Contrées, dont certains royaumes s'étaient rendus sans combattre. Face à une armée si puissante – et à une propagande dévastatrice –, le combat était perdu d'avance.

Au moment de mourir, Warren avait prononcé l'ultime sentence : Richard ne s'était pas trompé.

Kahlan avait cru pouvoir inverser le cours de la guerre. De la pure arrogance ! Les forces de l'alliance étaient en déroute…

Dans les royaumes vaincus, beaucoup de gens s'étaient ralliés à l'Ordre au prix de leur liberté.

Que restait-il à Kahlan ? La fuite ? La terreur ? La mort ?

Désormais, elle n'avait plus rien à perdre. Mais elle vivait toujours, et elle refusait d'attendre la fin sans rien faire.

Elle partait en voyage. Avec l'enfer pour destination.

— Qu'est-ce que vous faites, exactement ? lança une voix.

Kahlan se retourna et baissa les yeux pour ne pas croiser le regard de Cara.

— Je… eh bien… je m'en vais…

— Excellente idée ! J'y pensais aussi depuis un moment. Pendant que je fais mes bagages, allez donc chercher les chevaux. Puis j'irai…

— Je pars seule, mon amie. Toi, tu restes ici.

D'un geste vif, la Mord-Sith repoussa sa tresse blonde derrière son épaule.

— Et où allez-vous ?

— Ici, je ne peux plus rien faire… Je pars pour Altur'Rang, afin de transpercer le cœur même de l'Ordre : le frère Narev et ses disciples. C'est la seule façon de continuer le combat.

— Et vous croyez que je ne vous suivrai pas ?

— Ta place est ici, avec Benjamin…

— Désolée, Mère Inquisitrice, mais je ne peux pas vous obéir. Je suis une Mord-Sith, et j'ai juré de servir le seigneur Rahl. Il m'a chargée de vous protéger, pas de filer le parfait amour avec Benjamin.

— Cara, je veux que tu restes ici.

— C'est ma vie, Mère Inquisitrice ! Si elle doit bientôt finir, laissez-moi au moins en faire ce que je veux. Je suis libre, comme vous me le répétez sans cesse, et je vous accompagnerai parce que c'est mon choix.

Kahlan n'avait jamais entendu la Mord-Sith affirmer avec autant de force son indépendance. Elle avait raison : c'était sa vie… De plus, elle savait où la femme du seigneur Rahl comptait aller. Tenter de lui fausser compagnie serait inutile, car elle était capable de suivre une piste.

Décidément, faire obéir une Mord-Sith était aussi difficile que d'imposer une direction à une colonie de fourmis.

— D'accord, Cara… Mais quand nous serons dans l'Ancien Monde, tu devras porter d'autres vêtements que ton uniforme. Le cuir rouge ferait de toi une cible…

— Pour vous protéger, je suis prête à tout.

— Je n'en doute pas, fit Kahlan avec un petit sourire.

Voyant que la Mord-Sith ne se déridait pas, elle aussi se rembrunit.

— Excuse-moi d'avoir essayé de te fausser compagnie, Cara. Je n'aurais pas dû faire ça à une Sœur de l'Agiel. Pour te témoigner du respect, j'aurais dû en parler d'abord avec toi.

— Eh bien, vous avez mis du temps à comprendre…, soupira la Mord-Sith avec l'ombre d'un sourire.

— Tu sais que nous ne reviendrons sans doute pas de ce voyage ?

— Et si nous restons, vous croyez que nous ferons de vieux os ?

— J'en doute fort. C'est pour ça que j'ai décidé de partir.

— Et je n'ai rien à dire contre ça…

Kahlan jeta un coup d'œil inquiet aux flocons de neige, de plus en plus serrés. L'hiver précédent, Cara et elle avaient échappé de justesse au mauvais temps.

— Vous savez que le seigneur Rahl est vivant ? demanda la Mord-Sith. (Elle brandit son Agiel.) Vous n'avez pas oublié ?

Si Richard avait été mort, l'arme n'aurait plus eu de pouvoir…

— Et Gadi ? demanda Kahlan.

— Il est mort comme Verna le voulait. Elle est venue le voir et ne lui a pas accordé une once de pitié.

— C'est très bien… Avoir de la compassion pour les coupables revient à trahir les innocents.

Moins d'une heure plus tard, alors que Cara était partie s'occuper des chevaux, Kahlan s'immobilisa devant la tente de Zedd.

— Je peux entrer ? demanda-t-elle.

— Bien sûr, répondit le vieil homme.

Dès que l'Inquisitrice fut à l'intérieur, il se leva du banc où il était assis avec Adie.

— Que se passe-t-il ?

— Je viens vous dire au revoir…

Le vieux sorcier ne parut pas étonné.

— Pourquoi ne te reposes-tu pas un peu, avant de partir ? Attends demain…

— Avec le mauvais temps, chaque jour est précieux. Pour réussir, je ne peux pas me permettre de perdre une journée…

Zedd prit la jeune femme par les épaules.

— Kahlan, avant de mourir, Warren a voulu te voir et te dire que Richard avait raison. Pour lui, il était très important que tu le saches. Mon petit-fils pense que nous ne devons pas attaquer le cœur même de l'Ordre avant que les gens lui aient prouvé leur valeur. Aujourd'hui, nous sommes loin d'en être à ce point, tu le sais…

—Et si les derniers mots de Warren avaient eu un sens caché ? S'il avait voulu me dire qu'il était temps, puisque tout est perdu, d'aller retrouver Richard tant que je suis vivante et lui aussi ?

—Que fais-tu de Nicci ?

—Je trouverai une solution quand je serai sur place.

—Mais tu ne peux pas espérer…

—Zedd, quel choix me reste-t-il ? Assister à la chute des Contrées du Milieu ? Puis me cacher jusqu'à la fin de mes jours, pour ne pas tomber entre les mains des tortionnaires de l'Ordre ?

» Même si Warren n'avait rien dit, je serais arrivée à la conclusion que Richard ne s'était pas trompé. L'Ordre sera bloqué pendant l'hiver, nous laissant le temps d'évacuer la ville, mais après, il envahira Aydindril. Ensuite, il se tournera vers D'Hara. Au bout du compte, il régnera sur le Nouveau Monde.

» Je n'ai plus d'avenir, Richard l'avait bien compris. Mais je peux encore vivre pour moi-même et pour lui. Et c'est ce que je compte faire.

Le regard du vieil homme s'embua.

—Tu me manqueras, mon enfant… Tu me rappelais tant ma fille, et nous avons eu tellement de bons moments…

Kahlan se jeta dans les bras du vieillard.

—Zedd, je vous aime tant !

L'Inquisitrice ne put retenir ses larmes. En partant, elle privait le vieil homme de la seule personne qui…

Non, elle se trompait. Il y avait quelqu'un d'autre !

—Zedd, dit-elle en s'écartant du vieux sorcier, l'heure de partir a également sonné pour vous. Vous devez gagner la Forteresse.

—Je sais, oui…

Kahlan s'agenouilla devant Adie et lui prit la main.

—Vous voulez bien y aller avec lui et lui tenir compagnie ?

La dame des ossements eut un sourire d'enfant émerveillée.

—Eh bien… hum… Zedd, qu'en penses-tu ?

—Fichtre et foutre, moi qui voulais te faire la surprise en t'invitant !

—Pas de jurons devant des dames ! lança Kahlan, faussement offusquée. Et arrêtez de jouer les vieux ronchonneurs. J'aimerais savoir que vous ne serez pas seul dans la Forteresse.

—Adie m'accompagnera, c'est évident !

—Et comment le sais-tu, vieil homme ? M'as-tu demandé mon avis ? En fait, j'avais l'intention de…

—S'il vous plaît, arrêtez ça, tous les deux ! dit Kahlan. C'est trop important pour râler comme des…

—Râler est un des droits inaliénables de l'homme, coupa Zedd.

—Et de la femme, ajouta Adie. Surtout à nos âges…

Kahlan sourit à travers ses larmes.

— Je sais bien, mais… La mort de Warren m'a rappelé qu'il est absurde de perdre son temps en futilités.

Vraiment mécontent, Zedd foudroya l'Inquisitrice du regard.

— Si tu ignores à quel point râler est important, ma fille, il te reste beaucoup de choses à apprendre sur la vie !

— Je suis d'accord ! déclara Adie. C'est un excellent moyen de garder l'esprit vif, et en vieillissant, ce n'est pas si facile que ça.

— Bien dit, gente dame ! J'ajouterai même que…

Kahlan réduisit le vieux sorcier au silence en l'enlaçant. Émue, Adie vint se joindre à l'étreinte.

— Es-tu sûre d'avoir raison, mon enfant ? demanda Zedd après cette manifestation de tendresse.

— Certaine ! Je vais enfoncer ma lame dans le ventre de l'Ordre !

Zedd posa un baiser sur le front de l'Inquisitrice.

— Dans ce cas, mets toutes tes forces dans le coup !

— Voilà qui est bien parlé ! lança Cara en entrant sous la tente.

Kahlan trouva que la Mord-Sith avait les yeux un peu trop rouges, même par un temps glacial.

— Tu vas bien, mon amie ?

— Pourquoi cette question ?

— Pour rien… N'en parlons plus !

— Le général Meiffert nous a trouvé six chevaux plus rapides que le vent. Avec des montures de rechange, nous voyagerons vite. En partant tout de suite, nous ne serons pas ralenties par l'hiver. Grâce à la carte de Gadi, nous éviterons les itinéraires qu'empruntent les renforts de l'Ordre et nous contournerons les plus grandes villes. En chevauchant bien, nous en aurons pour un mois, au maximum.

— Mais l'Ordre contrôle le sud des Contrées, rappela Zedd. Le traverser sera très risqué.

— Nous ne passerons pas par là, dit Cara. Nous irons vers l'est, franchirons les montagnes et gagnerons le sud en traversant D'Hara, un pays que je connais bien. Les plaines d'Azrith nous conduiront jusqu'au fleuve Kern, très loin au sud. Ensuite, nous irons vers le sud-est, en direction d'Altur'Rang.

Zedd eut un hochement de tête approbateur.

— Quand partirez-vous pour la Forteresse du Sorcier ? demanda Kahlan.

— Demain matin… Adie et moi ne devons pas traîner ici trop longtemps… Aujourd'hui, nous aurons une ultime réunion avec les officiers et les Sœurs de la Lumière. Dès que la population aura quitté Aydindril, et quand nous serons sûrs que l'Ordre ne bougera plus jusqu'au printemps, l'armée et les civils devront se mettre en route pour D'Hara. Avec ce temps, ils n'avanceront pas vite, mais ne pas être obligés de se battre leur facilitera un peu les choses.

—Un très bon plan, dit Kahlan. Au moins pendant un temps, nos hommes seront en sécurité.

—Je ne serai plus là pour m'opposer à la magie ennemie, mais Verna et ses sœurs en savent assez pour s'en charger…

« Si ce n'est pas trop difficile… », n'ajouta pas Zedd – mais tout le monde l'avait entendu dans sa voix.

—Avant de partir, je veux aller voir Verna, dit Kahlan. Devoir protéger les soldats et les civils l'aidera à oublier sa peine. Ensuite, j'irai parler au général Meiffert. Puis nous filerons…

L'Inquisitrice enlaça une dernière fois Zedd.

—Quand tu le verras, souffla le vieil homme, dit à Richard qu'il me manque et que je l'aime beaucoup.

—Vous nous reverrez tous les deux, Zedd, ne vous inquiétez pas.

Un mensonge, bien entendu, mais qui leur ferait du bien à tous…

En sortant de la tente, Kahlan constata que le paysage était couvert de neige – comme si le monde avait été sculpté dans un énorme bloc de marbre blanc.

Chapitre 63

La main ferme et sûre, Richard fit glisser sa gradine le long des plis du pagne de marbre blanc de son personnage. Concentré pour éliminer une très fine couche de matériau, il était immergé dans son travail, et plus rien au monde ne pouvait l'atteindre.

Composée d'une multitude de petites pointes, la gradine était réservée au travail de précision, et le Sourcier la maniait avec le même respect que son épée. Quand il eut terminé la finition, il tendit la main en arrière et posa l'outil sur un établi, prenant garde à le poser sur le bois, et non sur un autre burin dont le contact risquerait d'émousser ses pointes. Toujours à l'aveugle, il saisit une autre gradine – d'un calibre encore plus fin – et élimina les traces laissées par l'intervention de la précédente.

Du bout des doigts – aussi blancs que ceux d'un boulanger travaillant de la farine –, Richard vérifia la texture de la surface qu'il venait de rectifier. Jusqu'au polissage final, les défauts mineurs se détectaient plus facilement au toucher que par un examen visuel.

Prenant une gradine encore plus fine, le Sourcier corrigea de minuscules imperfections. Désormais, il faisait davantage de la dentelle que de la sculpture.

Il lui avait fallu des semaines pour en arriver à ce qui serait la couche finale, et en être à travailler la «chair» le remplissait de bonheur. Depuis la commande de Neal, il avait passé ses journées à transformer la pierre en symbole de mort et de dévastation. La nuit, au contraire, il donnait la vie à ce qui serait son chef-d'œuvre. Un perpétuel numéro d'équilibriste entre l'esclavage et la liberté.

Chaque fois qu'un frère lui demandait où en était la statue, Richard s'efforçait de dissimuler sa satisfaction. Pour y parvenir, il avait un petit truc : repenser au modèle qu'on lui avait remis.

Tête baissée, il assurait à son interlocuteur que la statue serait prête à temps pour la cérémonie, car il faisait tout son possible pour racheter ses fautes.

La notion de « rachat » aiguillait les frères sur une voie mystico-philosophique qui leur faisait oublier complètement la statue. Voir que le pénitent était épuisé les comblait d'aise, et la nature de son travail passait au second plan. Après tout, il y avait des œuvres d'art partout sur le site du futur Fief, et toutes avaient pour but de stigmatiser l'humanité. Alors, une de plus ou de moins…

Comme les individus, les œuvres n'importaient pas pour ces hommes. En tout cas, pas individuellement… Seul l'effet de masse comptait, et avec le nombre de sculpteurs qui s'échinaient sur le chantier, le frère Narev et ses successeurs auraient largement assez de représentations réalistes pour prêcher pendant mille ans la culpabilité et le sens du sacrifice.

Très intelligemment, Richard insistait sur ses nuits sans sommeil et ses chiches repas. Convaincus que la souffrance librement consentie était le chemin royal menant à la rédemption, les frères n'insistaient pas…

Passant aux bras de son personnage masculin, le Sourcier sélectionna une gradine encore plus fine et entreprit de les peaufiner. Ayant observé ses collègues pendant qu'ils travaillaient, il savait qu'un muscle vivant était soumis à une tension interne chaque fois qu'il effectuait un mouvement. Avec le marbre, toute la difficulté était de rendre cette vie qui se manifestait *sous* la peau. Souvent, il observait son propre bras, remuant les doigts pour observer le subtil frémissement des veines et des tendons. Comme dans beaucoup de domaines, tout le secret était une affaire d'équilibre. Si on forçait le trait, l'œuvre devenait une caricature, un peu comme les horreurs dont l'Ordre raffolait. Si on ne l'appuyait pas assez, le personnage avait l'air d'un cadavre – paisible, certes, mais un cadavre quand même…

Pour la femme, ses souvenirs suffisaient, et il n'avait pas besoin de modèle.

Richard voulait que la statue célèbre le mouvement, la vivacité d'esprit et la lucidité. Trois qualités, en somme, très éloignées du monde minéral. Mais l'art, pour lui, était une transmutation, et cela n'avait donc rien de paradoxal.

Dans l'Ancien Monde, toutes les sculptures représentaient la misère et la mort. La sienne serait une ode à la vie – et plus encore, à la volonté de rester vivant envers et contre tout.

Les deux personnages l'aidaient à oublier sa captivité et son impuissance. Ils incarnaient la liberté et, par conséquent, le triomphe de la raison contre les sentiments primaux. Bref, la prédominance de la pensée sur la matière…

Non sans agacement, Richard constata que la lumière du jour filtrait déjà de la haute fenêtre de l'entrepôt. Une fois de plus, il avait travaillé toute la nuit… Artistiquement, la lumière naturelle ne le gênait pas, car elle flattait franchement les volumes de son œuvre. Mais avec l'arrivée du jour, il allait devoir abandonner la vie pour se remettre au service de la mort, sur le chantier. Au moins, ce travail-là ne lui demandait aucun effort, et il pouvait reconstituer un peu ses forces créatrices.

Alors qu'il rectifiait une ultime mâchure, sur le bras du personnage, quelqu'un frappa à la porte. C'était Victor, sans aucun doute… Qu'il le veuille ou non, Richard allait devoir cesser de travailler.

Il dénoua le foulard rouge qu'il portait sur le nez et la bouche pour ne pas respirer trop de poussière de marbre. Un petit truc que lui avait appris Victor, qui le tenait des tailleurs de pierre et des sculpteurs de Cavatura.

—J'arrive ! lança-t-il à l'attention du forgeron.

Sautant du socle de la statue, d'où les jambes des personnages émergeaient un peu au-dessus des chevilles, il s'étira, tous les muscles douloureux, et bâilla à s'en décrocher la mâchoire. Passion ou pas, le manque de sommeil le minait…

Ramassant la bâche, il la posa à regret sur ses personnages, le cœur serré à l'idée de ne plus les voir jusqu'au soir. Puis il alla ouvrir la porte.

—Tu as l'air d'un fantôme ! lança Victor.

Richard épousseta ses vêtements aussi blancs qu'un tapis de neige.

—J'ai peur d'avoir perdu toute notion du temps…

—Tu as jeté un coup d'œil dans l'atelier, hier soir ?

—Non. Pourquoi, j'aurais dû ?

Victor eut un grand sourire.

—Priska m'a livré le cadran solaire. C'est Ishaq qui s'est chargé du transport… Viens voir…

Richard suivit son ami dans la remise où avait été entreposé le modèle en fer de la rune géante. Pour le moment, le cadran solaire était encore en pièces détachées, car Priska n'avait pas pu le couler en un seul bloc. Le moment venu, Victor se chargerait du montage et du soudage. Le piédestal qui soutiendrait le cadran était impressionnant, mais d'une rare finesse pour une pièce si massive. Sachant qu'il travaillait pour Richard, Priska avait donné le meilleur de lui-même.

—C'est magnifique, dit Richard.

—N'est-ce pas ? Priska a toujours été bon, mais là, il s'est surpassé !

Victor passa un doigt sur les curieux symboles noirs enchâssés dans le bronze.

—Notre ami le fondeur m'a expliqué qu'Altur'Rang, il y a très longtemps, était une ville libre. En hommage à cette époque, il a orné le cadran de lettres tirées de l'alphabet de son ancienne langue natale. Le frère Neal les a vus, et il a beaucoup aimé, parce qu'il a cru que c'était pour flatter l'empereur, lui aussi natif d'Altur'Rang.

—La langue de notre ami était esthétique, dit Richard. Je ne m'étonne pas qu'il ait un esprit si subtil…

—Tu viens manger un peu de lardo ? demanda Victor.

—Non, le soleil est déjà levé, et je dois aller prendre mon poste sur le chantier. Mais d'abord, laisse-moi te montrer où ira la partie en bronze.

Les deux hommes soulevèrent le piédestal et le portèrent à travers l'atelier. Quand ils y entrèrent, Victor aperçut pour la première fois la statue. Malgré la bâche, il écarquilla les yeux, comme si son imagination lui permettait de voir à travers.

—Alors, ton travail avance ? lança-t-il. Et tu en es content ?

—Mon ami, tu en jugeras bientôt par toi-même. La cérémonie aura lieu dans deux semaines, et je serai prêt. Avant qu'on me tue, nous aurons le temps de nous gorger de beauté ensemble.

Victor haussa les épaules.

—Ne sois pas pessimiste, mon ami. En voyant tant de beauté, les frères seront peut-être conquis.

Richard n'entretenait aucune illusion à ce sujet, mais il ne voulut pas ruiner le moral de son compagnon.

Une idée lui revenant à l'esprit, il sortit une feuille de parchemin et la tendit au forgeron.

—Je ne voulais pas que Priska grave des mots entiers à l'intérieur du cadran, parce qu'il ne fallait pas que les mauvaises personnes les voient. Pourras-tu graver ceux-là sur la face arrière, au même niveau que les symboles noirs ?

Victor déplia la feuille… et se décomposa.

—Les frères vont t'accuser de trahison !

—Et alors ? Ils ne pourront pas me tuer deux fois !

—Tu as pensé à la torture ? Ce sont des experts, sais-tu ? Tu as déjà vu un homme inhumé dans le ciel alors qu'il est encore vivant ? On ne le pend pas, on l'attache à un poteau, et les vautours, alléchés par ses blessures, viennent le dévorer vif.

—Les vautours de l'Ordre m'ont déjà arraché des lambeaux de chair, mon ami. Depuis des mois, je suis un mort en sursis… Alors, feras-tu ce que je te demande ?

Victor jeta un nouveau coup d'œil à la feuille.

—Trahison ou pas, j'aime ces mots, soupira-t-il. Tu peux compter sur moi.

Richard tapota l'épaule du forgeron et lui sourit.

—Je n'en attendais pas moins de toi. Maintenant, regarde où doit être fixé le piédestal.

Le Sourcier souleva la bâche juste ce qu'il fallait pour dévoiler le socle.

—J'ai prévu une surface plane, à l'arrière de la statue. Comme j'ignorais où seraient les trous de fixation du moulage, ce sera à toi de les percer et de les remplir de plomb, pour les pas de vis. Quand le piédestal sera en place, je calculerai l'angle du trou qu'il me faudra percer dans la main du personnage pour y glisser le gnomon.

—Tu l'auras bientôt, et je te fabriquerai un trépan de la dimension voulue.

—Et une râpe ronde, pour la finition du trou ?

—Bien entendu… (Les deux hommes se dirigèrent vers la double porte de l'entrepôt.) Tu n'as pas peur que je vienne jeter un coup d'œil pendant que tu travailles sur tes ignobles statues ?

—Victor, je sais que tu attends de voir toute la noblesse qu'aura cette statue lorsqu'elle sera terminée. Tu n'es pas homme à te priver bêtement d'une expérience pareille…

—Tu as raison… Ce soir, viens me voir après ton travail. Tu auras du lardo, nous parlerons de beauté, et nous évoquerons l'époque lointaine où le monde était un endroit fréquentable…

Richard écoutait à peine son ami. Tournant la tête vers la statue, il devina sous la bâche les formes qu'il connaissait si bien. Le soir même, il passerait au polissage. Enfin, il allait transformer la pierre en chair !

Un fichu sur la tête pour se protéger du vent mordant, Nicci se hâtait dans la ruelle étroite. Un homme qui marchait dans le sens inverse la percuta, non qu'il fût pressé, plutôt parce qu'il ne semblait pas savoir où il allait. Nicci le foudroya du regard, mais il ne parut pas s'en apercevoir.

Son sac de graines de tournesol serré contre la poitrine, la Sœur de l'Obscurité continua son chemin. Pour éviter d'être bousculée, elle marcha le plus près possible des façades en bois vermoulu des maisons.

Des malheureux erraient partout dans les quartiers pauvres de la ville. À la recherche d'un travail, d'un logement et de nourriture, ils finissaient souvent, à la nuit tombée, par s'endormir sous le premier porche venu ou dans un caniveau.

Nicci voulait faire la queue devant la boulangerie. Selon les rumeurs, il y aurait peut-être du beurre, aujourd'hui… Richard avait promis de rentrer dîner, et il fallait que le repas de ce soir soit particulièrement bon. Même si ses muscles devenaient de plus en plus impressionnants, Richard avait perdu du poids.

Quand Nicci était enfant, les cuisinières de sa mère faisaient souvent des gâteaux à base de graines de tournesol. Lorsqu'on beurrait les tranches, c'était un vrai délice…

La Sœur de l'Obscurité s'inquiétait de plus en plus. La cérémonie approchait, et Richard affirmait que sa statue serait prête. Il en parlait avec un calme qui n'augurait rien de bon, comme s'il avait fait la paix avec son destin.

On aurait cru entendre un condamné qui ne se rebellait plus contre son imminente exécution.

Quand il conversait avec Nicci, et quel que soit le sujet, il semblait absent, et la fascinante lueur brillait dans ses yeux. Dans la vallée de larmes qu'était le monde, la Sœur de l'Obscurité n'avait plus qu'un espoir : comprendre pourquoi les hommes comme son père et Richard gardaient le désir de vivre et de lutter alors que tout semblait perdu. S'il y avait une raison d'aimer la vie, comme cela le laissait penser, elle devait absolument la découvrir.

Un bruit qu'elle connaissait bien attira son attention. Assis sous un porche, un mendiant faisait tintinnabuler deux ou trois piécettes dans une sébile en métal.

Nicci crut entendre le cliquetis des chaînes invisibles qu'elle portait aux chevilles. Depuis toujours, elle était l'esclave des nécessiteux, et partout où elle allait, la sébile d'un mendiant lui rappelait qu'elle n'échapperait pas à sa malédiction.

Une fois encore, elle ne put se résoudre à faire comme si elle était sourde.

Des larmes aux yeux, car Richard n'aurait pas le beurre qu'il méritait tant, Nicci se prépara à sacrifier son dernier sou. Le mendiant n'avait rien. Elle possédait au moins un sac de graines de tournesol. Une équation impitoyable. Acheter du beurre à Richard, alors que cet homme crevait de faim, aurait été le comble de l'égoïsme.

Le désir de garder son dernier sou montrait à quel point elle était mauvaise. Même si Richard l'avait gagné à la sueur de son front, penser à lui acheter du beurre avec était un crime. Pourquoi Richard aurait-il eu une friandise ? Il était en bonne santé, capable de travailler et fort comme un taureau. Au nom de quoi aurait-il eu en plus des privilèges ?

Nicci crut voir sa mère la regarder, déçue que le sou ne soit pas déjà tombé dans la sébile du pauvre homme.

Pourquoi ne pouvait-elle jamais se montrer à la hauteur des critères moraux de sa mère ? Quand on naissait maléfique, ne pouvait-on jamais s'amender ?

Nicci se retourna et laissa tomber la pièce dans la sébile du mendiant.

Les autres passants faisaient de grands détours pour éviter le loqueteux. S'efforçant de ne pas le regarder, ils restaient sourds au chant désespéré de sa sébile. Comment pouvaient-ils ignorer à ce point les enseignements de l'Ordre ? Pourquoi devait-elle toujours faire le bien à la place des gens ?

Baissant les yeux sur le mendiant, Nicci eut la nausée en découvrant à quel point il était crasseux. Pis que tout, on voyait des poux grouiller dans ses cheveux gris sales et huileux.

À travers la fente de l'écharpe souillée d'immondices qui lui enveloppait le visage, le miséreux regarda sa bienfaitrice.

Le peu que Nicci vit de sa peau la fit frissonner. On eût dit du parchemin brûlé, comme si l'homme avait rôti dans les flammes du royaume des morts. Mais ses yeux…

… Oui, ses yeux étaient atroces. Le regard d'un…

Lançant une main aux doigts racornis, le mendiant saisit le poignet de la Sœur de l'Obscurité.

— Nicci! grogna-t-il, l'attirant inexorablement vers lui.

À cet instant, alors qu'elle était assez près de lui pour que ses poux lui sautent dessus, Nicci identifia le miséreux.

— Kadar Kardeef?

— Tu me reconnais? Même dans cet état?

Nicci ne répondit pas, mais Kardeef dut lire dans son regard qu'elle l'avait cru mort depuis longtemps.

— Tu te souviens de la fillette dont tu t'es si gentiment occupée? C'est elle qui a convaincu les villageois de me sauver. Elle ne m'a pas laissé rôtir parce qu'elle te détestait, comprends-tu? Pour se venger de toi, elle m'a soigné avec un dévouement admirable. Au fond, elle aidait un de ses frères humains, comme ton enseignement le prescrit.

» Moi, j'aurais donné cher pour mourir! Tu veux une confidence? Je n'aurais jamais cru qu'on pouvait souffrir autant et continuer à vivre. Mais j'ai résisté, parce que je rêvais au jour où je te verrais crever! Après ce que tu m'as fait, je veux que le Gardien enfonce à tout jamais ses griffes dans ton âme.

Nicci plissa les yeux pour étudier les grotesques cicatrices de l'ancien commandant.

— Et tu veux te venger parce que je t'ai mis à cuire?

— Non, parce que tu m'as forcé à te supplier alors que mes hommes étaient là. Sans compter ces maudits villageois. Ils m'ont sauvé à cause de mes cris, et parce qu'ils te détestaient. C'est cet affront que je veux laver. En ne t'assurant pas que j'étais mort, tu m'as condamné à devenir un monstre auquel on jette des pièces en plissant le nez de dégoût.

Nicci eut un sourire glacial.

— Eh bien, Kadar, si tu veux crever, je suis à ton service.

L'homme lâcha le poignet de Nicci comme s'il était brûlant. Dans sa démence, il avait cru sentir le pouvoir qu'elle ne possédait plus.

— Tue-moi! cria-t-il en crachant au visage de celle qu'il prenait toujours pour la Maîtresse de la Mort. Foudroie-moi sur place, maudite sorcière!

D'un coup de poignet, Nicci fit glisser jusqu'à sa paume le dacra qu'elle gardait en permanence sous sa manche. Cette arme magique était la préférée des sœurs des deux obédiences. Où qu'on enfonçât la lame pointue, le coup était mortel. Nicci ne disposait plus de cette magie, mais Kardeef l'ignorait. Et de toute façon, même sans pouvoir, un dacra était tout à fait apte à transpercer la poitrine ou le crâne d'un homme.

Kardeef recula. Même s'il désirait mourir, l'idée de sombrer dans le gouffre du néant le terrorisait.

— Pourquoi n'es-tu pas allé voir Jagang ? lui demanda Nicci. Il ne t'aurait pas laissé dans la misère. Vous étiez des frères d'armes, et c'est un lien qui compte pour lui.

— Tu adorerais ça, pas vrai ? Me voir vivre des miettes qui tombent de la table de l'empereur te plairait ! La reine esclave, assise à côté de son maître, et ravie de jeter un os à un chien nommé Kadar Kardeef. Montrer ma déchéance à Jagang ? Jamais, tu m'entends ?

— Quelle déchéance ? Tu as été blessé, c'est tout. Vous êtes tous les deux des soldats, et vous savez ce que c'est…

Kadar saisit de nouveau le poignet de Nicci.

— Aux yeux de Jagang, je suis mort en héros. Pas question qu'il sache que j'ai pleurniché, comme tous les minables que nous avons écrasés sous nos bottes.

Nicci appuya la pointe de son dacra sur le ventre de Kardeef.

— Tue-moi, te dis-je ! (L'homme la lâcha et écarta les bras.) Achève-moi, comme tu aurais dû le faire ce jour-là. Dans ce village, tu n'as pas fini le travail, alors profite de l'occasion…

Nicci sourit de nouveau.

— La mort n'est pas vraiment une punition… Chaque jour que tu vis est une torture. Mais tu n'as pas besoin de moi pour te le dire…

— Nicci, ai-je jamais été cruel ou brutal avec toi ? Que t'avais-je fait pour mériter que tu me traites ainsi ?

Comment pouvait-il poser une telle question ? Quand il s'« amusait » avec elle, ne s'était-il jamais aperçu du calvaire qu'elle vivait ? Mais l'Ordre avait besoin d'hommes comme lui pour améliorer le sort de l'humanité. Qu'importaient les tourments d'une simple femme face à un objectif si élevé ?

La Sœur de l'Obscurité se détourna et s'enfuit comme si elle avait le Gardien à ses trousses.

— Merci pour la pièce ! lui lança ironiquement Kardeef. Tu aurais dû me donner ce que je te demandais, Nicci ! Oui, tu aurais dû me tuer !

Nicci l'entendit à peine, car elle n'avait plus qu'une idée en tête : rentrer chez elle et se laver la tête pour noyer les poux qu'elle sentait ramper sur son cuir chevelu.

Chapitre 64

Richard jeta sur le sol sa poignée de paille, puis il épousseta les brins accrochés au tablier de cuir qu'il avait revêtu pour l'occasion. Après des heures passées à frotter contre le marbre la paille enduite de pâte à polir, ses bras lui faisaient un mal de chien.

Mais devant la qualité de son polissage, visible à la manière dont la pierre reflétait la lumière, il oublia ces petites misères.

Les deux personnages émergeaient du socle brut de la statue. Sur la base de leurs mollets, Richard n'avait pas utilisé de rifloir pour éliminer les marques des différentes gradines dont il s'était servi tout au long du processus. Une omission volontaire, pour que tout le monde voie que le miracle de la pierre transformée en chair était le résultat du travail d'un homme, pas d'une intervention bienveillante de quelque improbable Créateur.

L'homme et la femme étaient deux fois plus grands que le Sourcier. Si le personnage féminin symbolisait son amour pour Kahlan – il n'aurait pas pu l'exclure de son travail, car elle incarnait pour lui la compagne idéale –, il ne s'agissait pas exactement d'elle, mais plutôt de son essence, comme avec Bravoure…

Un homme et une femme de bien se tenaient côte à côte, unis par leurs objectifs communs et la détermination de les atteindre. Ils se complétaient, illustrant les deux composantes de la nature humaine.

Quelques jours auparavant, alors que Richard travaillait sur le chantier, Victor et ses ouvriers avaient mis en place le piédestal et le cadran solaire. Bien entendu, ils n'avaient à aucun moment soulevé la bâche plus qu'il n'était nécessaire. Peu après, le Sourcier avait percé dans la main de l'homme le trou qui permettrait de lui faire « tenir » le gnomon. Après une finition à la râpe ronde, comme prévu, il avait glissé la longue tige d'or terminée par une boule dans la paume du personnage, puis procédé à l'ultime polissage de la main.

Victor ne se tenait plus d'impatience à l'idée de voir la statue. Dans quelques jours, toutes ses attentes seraient comblées…

À la lumière de la haute fenêtre, Richard s'autorisa à admirer son œuvre pendant quelques minutes. Aujourd'hui, il n'était pas allé sur le chantier afin de pouvoir préparer la statue à son transfert sur l'esplanade, le soir même. Dans l'atelier, de l'autre côté de la porte communicante, les ouvriers de Victor travaillaient d'arrache-pied sur les dernières commandes du frère Narev.

Dans la pénombre, car le soir tombait déjà, Richard constata que son œuvre était exactement comme il l'avait rêvée. Les personnages semblaient sur le point de prendre leur première inspiration et de faire leur premier pas. Ils avaient des os, des muscles, une peau presque vivante…

La transmutation du marbre en chair.

Il ne restait plus qu'un détail à ajouter. Richard s'empara d'un maillet et d'un burin très pointu.

Quand il regardait la statue, le Sourcier se demandait souvent si Kahlan n'avait pas raison de croire que sa magie l'aidait à sculpter. À chaque fois, il se répondait par la négative. Il s'agissait d'un acte conscient contrôlé par son intelligence, et rien de plus !

Ses outils à la main, Richard vécut un moment fabuleux : savourer la fierté d'avoir réalisé une œuvre qui correspondait en tout point à ce qu'il avait imaginé.

Pendant ces quelques minutes, la statue, parfaitement achevée, n'appartenait qu'à lui.

En cet instant-là, ce que pensaient les autres n'avait aucune importance. Face à sa création, Richard savait qu'il avait atteint son but, et rien ne viendrait jamais gâcher cette certitude.

S'agenouillant, il plaqua la lame du burin contre le marbre et s'apprêta à donner ses ultimes coups de maillet.

Tirant sur son nez et sa bouche le foulard rouge protecteur, il grava sur le socle le titre de sa statue…

Tapie à l'angle d'un bâtiment, Nicci observait le flanc de la colline, où Richard quittait l'atelier dans lequel il avait sculpté la commande du frère Narev. Il partait sans doute chercher les hommes qui se chargeraient du transport.

La Sœur de l'Obscurité remarqua qu'il avait fermé la porte, mais sans remettre la chaîne en place. À l'évidence, il prévoyait de ne pas être absent longtemps.

Sur tout le flanc de la colline, on avait installé des ateliers qui produisaient un vacarme assourdissant. Des hommes grouillaient partout, et beaucoup de ceux qui étaient passés à côté de Nicci lui avaient jeté des œillades plus ou moins lubriques. Les foudroyant du regard, la Sœur de l'Obscurité n'avait eu aucune peine à se débarrasser de ces importuns.

Dès que Richard ne fut plus en vue, elle prit le chemin de l'atelier du forgeron. Pour découvrir la statue, elle avait promis d'attendre que Richard en ait terminé. C'était le cas, et elle ne reniait donc pas sa parole.

Pourtant, elle se sentait mal à l'aise, comme si elle était sur le point de profaner un site sacré. Richard ne l'avait pas invitée à venir voir la statue. Puisque l'œuvre était achevée, pourquoi aurait-elle attendu plus longtemps ?

Elle ne voulait pas découvrir l'œuvre de Richard sur l'esplanade, en même temps que tout le monde. Seule devant la statue, elle saurait peut-être enfin ce qu'elle cherchait auprès du Sourcier déchu. Ce que l'Ordre attendait de cette inauguration ne l'intéressait pas davantage que les réactions de la populace, qui ne verrait rien, de toute façon. Elle était personnellement impliquée dans cette affaire, et pour en dénouer tous les fils, elle avait besoin d'intimité.

Elle arriva devant la porte sans qu'aucun malotru ne l'importune. Regardant autour d'elle, elle vit que les travailleurs, très affairés, ne lui accordaient aucune attention.

Ouvrant un des battants, elle se glissa dans l'entrepôt.

Il y faisait sombre, mais la statue était éclairée par la lumière qui filtrait d'une haute fenêtre. Sans regarder la création de Richard, car elle voulait la découvrir de face, Nicci la contourna lentement, les yeux rivés sur le sol.

Une fois en position, elle leva la tête.

Son regard erra sur les jambes, les vêtements puis le torse des deux personnages. Un instant, elle eut l'impression qu'un poing géant lui serrait le cœur pour l'empêcher de battre.

Ce qu'elle voyait était l'exact reflet des étincelles qui dansaient dans les yeux de Richard. Une transmutation de la matière en pure pensée…

Et pour Nicci, cette révélation était un choc, comme si elle avait été frappée par la foudre.

À cet instant, sa vie entière, avec tout ce qu'elle avait vu, entendu ou fait, sembla se concentrer en un vortex de violence émotionnelle qui lui arracha un cri de douleur mêlée d'extase.

La beauté de ce travail était hallucinante. Mais ce n'était rien comparé à la splendeur de ce que Richard avait voulu représenter.

Nicci remarqua les deux mots gravés sur le socle de marbre :

La Vie.

Submergée par un torrent de sentiments contradictoires – la honte, la fierté, la terreur, la béatitude, le dégoût et l'admiration –, la Sœur de l'Obscurité tomba à genoux et éclata en sanglots.

Mais pour verser de pures larmes de joie.

Chapitre 65

Quand Richard fut revenu à l'entrepôt avec le joli carré de toile de lin qu'il avait acheté pour couvrir la statue jusqu'à la cérémonie du lendemain, il aida Ishaq et une équipe d'hommes recrutés sur le chantier à tracter son œuvre jusqu'à l'entrée de l'esplanade. Par bonheur, il n'avait pas plu depuis un moment, et le sol n'était pas glissant.

Connaissant son travail, Ishaq avait prévu des sortes de patins en bois enduits de graisse que les ouvriers plaçaient devant les glissières dont était munie la plate-forme qui supportait la statue. De cette manière, les chevaux pouvaient plus facilement tirer leur charge sur quelques pas. Ensuite, on remettait les glissières devant la plate-forme, et on recommençait l'opération.

Avec toute la matière retirée par Richard, le bloc de marbre était beaucoup moins lourd qu'à l'origine. Pour le premier transport, Victor avait dû louer un chariot spécial utilisé dans les carrières. Cette solution n'était pas applicable avec l'œuvre terminée, beaucoup trop fragile pour être maniée ainsi.

Son chapeau rouge au poing, qu'il agitait comme un sémaphore, Ishaq criait des ordres, des avertissements et marmonnait des prières chaque fois que quelque chose semblait vouloir mal tourner.

Richard savait que sa statue n'aurait pas pu être dans de meilleures mains. Motivés par Ishaq, les hommes de l'équipe se concentraient plus que d'habitude. Sentant que la tâche était importante, ils paraissaient y prendre plus de plaisir qu'à leur labeur quotidien sur le chantier, et ne se plaignaient pas des efforts qu'on leur demandait.

Il fallut jusqu'à la fin de l'après-midi pour transporter l'œuvre de Richard jusqu'au pied de l'escalier qui menait à l'esplanade.

Les hommes recouvrirent les marches de terre et la tassèrent pour former une sorte de rampe d'accès. De l'autre côté des colonnes, dix chevaux attendaient de passer à l'action. Des cordes arrimées aux encadrements de porte et de fenêtre du futur Fief furent enroulées autour du socle de la statue. La plate-forme serait soulevée par petites tractions et glisserait sur les patins posés à même la terre. Obéissant aux ordres d'Ishaq, près de deux cents hommes bandèrent leurs muscles pour aider les chevaux à déplacer la statue.

Très lentement, le chef-d'œuvre de Richard s'éleva le long de l'escalier.

Le Sourcier préféra ne pas regarder. Au moindre problème, le marbre risquait d'encaisser un choc qui lui serait probablement fatal à cause du défaut structurel qui continuait à l'affaiblir. Malgré son angoisse, Richard trouva paradoxal de s'inquiéter pour une statue qui lui vaudrait sans nul doute la prison, la torture et la mort dès que ses commanditaires auraient posé l'œil dessus.

Quand la statue fut enfin sur l'esplanade, les hommes mirent du sable sous la plate-forme, pour équilibrer le poids, puis retirèrent les patins. À partir de là, la suite de l'opération se révéla assez facile. Faisant d'abord glisser la plate-forme de son lit de sable, les ouvriers soulevèrent la statue et la déposèrent à son emplacement définitif, sur les dalles de marbre. Utilisant des cordes, ils la firent riper juste ce qu'il fallait pour qu'elle soit dans la position demandée par le frère Neal.

Quand ce fut terminé, Ishaq vint se camper à côté de Richard. Même si le drap de lin dissimulait tout de l'œuvre, y compris le cadran solaire, l'ami du Sourcier avait conscience de vivre un moment très important.

— Et maintenant? demanda-t-il.

Richard comprit sans peine le sens de cette question.

— Eh bien, je n'en sais trop rien... Demain, le frère Narev inaugurera le Fief et le dédiera à la gloire du Créateur. Il pérorera devant tous les responsables de l'Ordre venus voir comment on a dépensé l'argent qu'ils ont volé au peuple. Selon moi, la statue aura déjà été dévoilée à ce moment-là. Il n'y aura pas de cérémonie particulière la concernant, parce qu'elle n'est qu'un pion comme un autre dans la stratégie de l'Ordre.

D'après ce qu'il avait entendu dire, les frères tenaient à ce que l'inauguration soit réussie. La guerre et la construction du Fief avaient vidé les coffres de l'Ordre Impérial, forçant le peuple à les remplir à la sueur de son front. À présent, il fallait justifier tous ces sacrifices. Mais il y avait plus que cela...

La Confrérie de l'Ordre régnait sur l'Ancien Monde par l'intermédiaire de l'Ordre Impérial – un ramassis de brutes auxquelles les frères étaient bien obligés d'accorder leur caution morale. Alors que les soudards avaient impitoyablement écrasé tous ceux qui s'étaient aventurés à les affronter arme au poing, les disciples de Narev entendaient étouffer dans l'œuf les *idées* subversives. Car pour eux, le véritable danger venait de là...

Cette stratégie reposait en grande partie sur les fonctionnaires, petits et grands, qui assuraient le fonctionnement quotidien de la machine à broyer la liberté. En découvrant le Fief, avec ses sculptures cauchemardesques, ils seraient impressionnés et, une fois de retour chez eux, recommenceraient à dépouiller le peuple avec un enthousiasme débordant. Heureux de participer à une œuvre noble, ils piocheraient sûrement un peu moins dans les caisses publiques et se contenteraient pour un temps des miettes dont les gratifiaient leurs chefs.

Bien qu'il fût dirigé par les frères, l'Ordre – comme tous les régimes autocratiques – avait besoin pour fonctionner du consentement passif du peuple. Afin de l'obtenir, tout était bon : l'intimidation, la violence physique, la propagande éhontée… Comme un ragoût qui mijotait sur le feu, la tyrannie devait être constamment surveillée. Car si l'illusoire notion d'«autorité légitime» s'évanouissait, tout se craquelait, et les soudards et autres miliciens ne parvenaient plus à contenir la population, beaucoup plus nombreuse qu'eux.

C'était pour ça que Richard avait refusé de prendre la tête de la révolte. Comment aurait-il pu, en imposant ses idées par la force, faire comprendre aux gens qu'il n'était pas bon de se soumettre parce que leur vie avait une inestimable valeur ? Pour régner sur le peuple, l'Ordre avait commencé par le convaincre qu'il était indigne d'exister. Les hommes libres ne pouvaient pas être lancés dans des guerres injustes ou des entreprises absurdes comme la construction du palais. Mais pour exiger la liberté, il fallait d'abord avoir mesuré son importance. Bref, tout cela se mordait la queue…

— D'après ce que j'ai entendu, dit Ishaq, ce sera un grand événement. Des gens viennent de partout pour y assister. La ville est pleine de visiteurs…

Richard jeta un regard circulaire au chantier, où des ouvriers s'affairaient encore.

— Je m'étonne qu'aucun dignitaire ne soit venu jeter un petit coup d'œil au Fief.

— Ils sont tous à la grande réunion de la Confrérie de l'Ordre, au centre de la ville. Une grosse affaire, là encore. Un banquet bien arrosé, les discours des frères… Tu sais que l'Ordre raffole de ce genre de fadaises… Moi, je m'y ennuierais à mourir ! D'après ce que je sais, les têtes pensantes parleront pendant des heures des besoins de l'Ordre et de la meilleure façon de contraindre le peuple à se sacrifier pour les satisfaire. Les frères ne veulent surtout pas laisser la bride sur le cou à leurs sbires, et ils font tout ce qu'il faut pour que ça n'arrive pas.

En conséquence, pensa Richard, Narev et ses disciples seraient bien trop occupés pour venir voir à quoi ressemblait la statue sculptée par un de leurs esclaves. Pour eux, l'œuvre du Sourcier n'avait aucune importance. Une simple introduction aux dizaines de statues – toutes centrées sur la déchéance de l'humanité – que Narev avaient commandées pour l'édification des masses.

Contrairement aux dignitaires, aux fonctionnaires et aux frères, les gens ordinaires n'étaient pas trop pris pour se promener sur l'esplanade. Presque tous viendraient assister à l'inauguration, le lendemain, mais ça ne les empêchait pas de vouloir découvrir les lieux en paix, sans avoir dans les oreilles les discours assommants qui émailleraient la cérémonie. Sur le visage de ces curieux, Richard voyait s'afficher une insondable mélancolie à mesure qu'ils découvraient les œuvres déprimantes imaginées par la confrérie.

Des gardes tenaient les curieux à distance des entrées du Fief, dont l'intérieur avait encore bien avancé. Depuis que la statue était en place, ces mêmes soldats essayaient de disperser la foule qui se pressait à l'entrée de l'esplanade.

Depuis des semaines, Richard dormait très peu, et il avait à peine fermé l'œil les quatre ou cinq nuits précédentes. Maintenant que tout était fini, la fatigue le rattrapait. Mal nourri, épuisé, il se serait volontiers allongé à même le sol.

Alors que la nuit tombait – transporter la statue avait pris une petite éternité –, le Sourcier s'avisa que Victor approchait de lui à grandes enjambées. Comme la majorité des ouvriers du chantier, il avait fini sa journée de travail.

—Tu as l'air fourbu, dit le forgeron quand il eut rejoint son ami. Tiens, pour fêter ta réussite, mange donc une tranche de lardo.

Richard prit le temps de remercier Victor, puis il dévora la délicieuse spécialité culinaire. Tremblant de froid dans sa chemise trempée d'une sueur glacée par le vent, il tenait debout par miracle. Des semaines durant, il s'était échiné pour montrer aux gens ce qu'ils avaient vitalement besoin de voir. Sa tâche achevée, il se sentait perdu et vidé de ses forces. Savoir qu'il ne travaillerait plus sur la statue lui dévastait l'âme. Parce que cette création, comprit-il, avait été sa raison de vivre.

—Ishaq, dit-il, je suis mort de fatigue. Ça t'ennuierait de me raccompagner chez moi dans un de tes chariots ?

—Jori ne verra pas d'inconvénient à ce que tu voyages à l'arrière du sien. Il ne voudra sûrement pas faire un détour, mais ça t'économisera une bonne partie du chemin. Moi, je dois rester ici pour superviser le départ de mes équipes et de mes véhicules.

—Merci pour le lardo, Victor, dit Richard. Demain matin, mes amis, à la lumière du jour, nous dévoilerons la statue et verrons la beauté une dernière fois. Ensuite… eh bien, qui sait ce qui arrivera ?

—Rendez-vous demain, dans ce cas. Cette nuit, je doute de dormir beaucoup…

Au bord de l'évanouissement, Richard sauta dans le chariot, puis souhaita une bonne nuit à Ishaq.

Se roulant en boule sur une bâche, il s'endormit avant même l'arrivée de Jori.

Nicci regarda le chariot emmener Richard, puis elle sortit des ombres où elle se tapissait. Elle allait agir seule, jouer un rôle essentiel, et apporter enfin sa contribution à quelque chose qui en valait la peine...

Ensuite, elle pourrait de nouveau regarder Richard en face.

Elle n'avait aucun doute sur la réaction des frères, quand ils verraient la statue. À leurs yeux, elle constituerait une menace, et ils feraient tout pour que le moins de gens possible posent les yeux dessus. Ils ordonneraient qu'on la détruise, et cette merveille serait perdue à tout jamais.

Tout en se tordant nerveusement les mains, la Sœur de l'Obscurité se demanda comment elle allait s'y prendre. Puis la solution s'imposa à son esprit. Elle était déjà allée voir cet homme ! C'était un ami de Richard, prêt à tout pour l'aider.

Elle traversa le chantier et entreprit de gravir le flanc de la colline.

Essoufflée quand elle arriva devant l'atelier, elle fut soulagée de voir que le forgeron y était encore, occupé à ranger des outils. Il avait déjà couvert le feu de sa forge, et l'odeur caractéristique, ajoutée à la couche de suie qui couvrait les murs, rappela à Nicci l'armurerie de son père. Un souvenir, bizarrement, qui la remplit de joie.

À présent, elle savait ce qu'il y avait dans les yeux d'Howard. Il n'en était sans doute pas conscient lui-même, mais c'était évident.

Le forgeron braqua un regard noir sur sa visiteuse nocturne.

— Maître Cascella, j'ai besoin de vous !

— Pour quoi faire ? Mais vous pleurez, on dirait ? C'est Richard ? On l'a...

— Non, coupa Nicci. (Elle prit la main du forgeron et tenta de l'entraîner avec elle. Autant essayer de faire bouger un rocher !) Venez avec moi, je vous en prie ! C'est important.

— Je n'ai pas fini de nettoyer, et...

— S'il vous plaît ! C'est vital !

— Bon, je vous suis...

Tandis qu'elle descendait le flanc de la colline, tenant le colosse par la main, Nicci se sentit vaguement idiote. Cascella avait voulu savoir où ils allaient, mais elle n'avait pas répondu. Il fallait qu'ils soient sur place avant qu'on n'y voie plus rien !

Quand ils arrivèrent, des soldats patrouillaient autour de l'esplanade, en interdisant l'accès. Avisant Ishaq, qui finissait de charger des planches dans un chariot, Nicci l'appela. Voyant qu'elle était avec le forgeron, il vint la rejoindre.

— Que se passe-t-il ? Vous semblez affo...

—Je veux vous montrer la statue à tous les deux. Maintenant !

—Elle sera dévoilée demain, grogna Victor, quand Richard…

—Non, on ne le laissera pas faire ! Vous devez la voir ce soir.

—Et comment nous y prendre ? demanda Ishaq. Il y a des gardes partout…

—Je vais m'en charger.

Nicci essuya rageusement les larmes qui ruisselaient sur ses joues. Soudain, sa voix avait retrouvé toute l'autorité de l'époque où elle condamnait les gens à mort presque sans y penser.

—Attendez-moi là !

Les deux hommes reculèrent, impressionnés par le ton et le regard de « maîtresse Cypher ».

Nicci se tint bien droite et redressa le menton. Après tout, elle était une Sœur de l'Obscurité.

Elle gravit les marches d'un pas nonchalant, comme si le palais lui appartenait. En fait, c'était le cas ! Devant la reine esclave, ces soldats devaient s'incliner bien bas.

Personne ne s'opposait à la Maîtresse de la Mort.

Les gardes lui barrèrent le chemin, mal à l'aise comme s'ils sentaient qu'elle était dangereuse.

Très sûre d'elle, Nicci parla la première.

—Que fichez-vous ici ? demanda-t-elle.

—Pardon ? s'exclama un des gardes. Tu veux savoir ce que nous faisons, femme ? Nous gardons le palais de l'empereur, rien que ça !

—Comment oses-tu me tutoyer, soldat ? Ne sais-tu pas à qui tu parles ?

—Eh bien… je ne crois pas te… vous…

—La Maîtresse de la Mort. Ce nom te dit quelque chose ?

Tous les hommes sursautèrent. Nicci les vit regarder sa robe noire, ses longs cheveux blonds, ses yeux bleus… Apparemment, la réputation de la Sœur de l'Obscurité était arrivée jusqu'ici.

Poussant son avantage, elle reprit la parole :

—Et si la compagne de l'empereur est ici, pensez-vous qu'elle soit venue sans lui ? Bien entendu que non, bande d'idiots !

—L'empereur…, murmurèrent quelques hommes.

—En personne, oui ! Il entend assister à l'inauguration, demain. Par prudence, je suis venue inspecter les lieux, et qu'est-ce que je découvre ? Des crétins qui se tournent les pouces sur une esplanade au lieu d'aller accueillir leur empereur, qui entrera bientôt en ville !

—Mais… personne ne nous a dit que… Par où passera-t-il ? On ne nous a pas informés…

—Selon vous, Jagang devrait s'annoncer des jours à l'avance, en précisant son itinéraire, pour que tous les assassins du coin puissent lui tendre une embuscade ? S'il a besoin de protection, vous croyez pouvoir l'aider à distance ?

—Par où l'empereur entrera-t-il en ville ? demanda le chef des gardes, blanc comme un linge.

—Il viendra du nord, bien entendu.

—Certes, mais par quelle route ?

—Il choisit ses itinéraires au dernier moment, espèce d'imbécile ! De plus, si une seule voie était surveillée, les assassins sauraient où l'attendre. Il faut les garder toutes, évidemment ! Mais vous préférez traîner par ici…

Les hommes sautaient d'un pied sur l'autre, pressés de partir faire leur devoir, mais troublés de ne pas savoir où aller.

—Avec vos hommes, dit Nicci au sergent, filez surveiller une des routes qui viennent du nord. C'est votre devoir, et toutes doivent être sécurisées. Choisissez celle qui vous plaira !

Les gardes s'inclinèrent bien bas puis détalèrent sans demander leur reste. Au passage, ils entraînèrent avec eux tous leurs camarades.

Alors qu'ils quittaient l'esplanade, Nicci se tourna vers ses compagnons, aussi stupéfaits l'un que l'autre. Soudain très dociles, ils gravirent les marches. Intrigués par le raffut, les passants venus admirer de loin les statues regardaient tous Nicci. Il en allait de même pour les femmes agenouillées devant certaines sculptures qui montraient des pécheurs frappés par la Lumière du Créateur.

Alors que Victor et Ishaq la rejoignaient, Nicci dénoua les coins du morceau de tissu blanc puis libéra la statue de son suaire.

Les deux amis de Richard s'immobilisèrent net.

Les murs du Fief et les statues des colonnes représentaient l'humanité sous ses pires aspects. Partout, les hommes et les femmes étaient petits, tordus, dépravés, infirmes, terrifiés, cruels, brutaux, corrompus, pervertis, jaloux et malfaisants.

Livré à des forces surnaturelles qui contrôlaient ses actes et ses pensées, l'être humain, perdu dans un monde sans pitié, n'avait d'autre issue que la mort.

Les rares « élus » touchés par la Lumière du Créateur – les Justes de ce monde – ressemblaient à des cadavres, dont ils partageaient le regard vide et les traits dépourvus d'émotions. Comme des automates, ils marchaient dans une vallée de larmes sans voir les serpents qui grouillaient à leurs pieds, les rats qui dansaient autour d'eux et les vautours qui volaient au-dessus de leurs têtes.

Au milieu de ce tourbillon de souffrance, de perversité, de débauche et de haine, la statue de Richard affirmait haut et fort qu'il existait autre chose.

Par sa seule existence, elle portait un témoignage accablant sur les mensonges de l'Ordre.

Alors qu'elle aurait pu être noyée par les horreurs qui l'entouraient, elle les réduisait à l'insignifiance la plus totale. Les monstres représentés partout sur le site semblaient accablés par leur propre malhonnêteté, comme si la beauté les faisait regretter d'avoir été sculptés dans la pierre.

Les deux personnages de Richard incarnaient l'harmonie et l'équilibre. L'homme arborait une fière virilité, et la femme, bien qu'elle fût vêtue, possédait tous les attributs désirables de son sexe. Leurs corps sensuels, nobles et purs reflétaient l'amour de l'humanité qui avait guidé la main de l'artiste. Devant tant de grâce, les caricatures environnantes semblaient se recroqueviller de honte et de terreur.

Plus important encore, ces personnages paraissaient au-delà de tous les conflits qui faisaient le lot quotidien des peuples. Débordant de confiance en eux, ils semblaient à la fois déterminés et sereins, comme s'ils avaient atteint un stade supérieur de conscience. Avec une grâce tranquille, ils symbolisaient la puissance, l'intelligence et la force de volonté de l'humanité, quand elle ne ployait pas l'échine sous le joug d'un tyran.

La vie vécue pour le bonheur d'exister… La liberté reçue à la naissance et jamais menacée…

Le titre de la statue, gravé sur son socle, n'aurait pas pu être plus explicite :

La Vie.

L'existence même de cette œuvre prouvait la validité de la philosophie de Richard. Cette vie-là, fièrement assumée et guidée par l'intelligence, ne pouvait pas se réduire en esclavage. En glorifiant l'individu, le Sourcier avait en fait rendu hommage à la noblesse de l'esprit humain.

Les autres sculptures, sur l'esplanade, entonnaient une sinistre homélie dédiée à la mort.

La statue au cadran solaire chantait les merveilles de la vie.

Tombés à genoux, Victor et Ishaq pleuraient sans retenue.

— Il a réussi ! s'écria le forgeron. La pierre est devenue chair ! La noblesse et la beauté ont de nouveau droit de cité !

Les curieux et les mystiques venus voir les autres œuvres se pressaient à présent autour de celle du Sourcier. Beaucoup écarquillaient les yeux, surpris de voir pour la première fois une représentation de l'être humain lavé de ses souillures et de sa déchéance. Un être certes prêt à affronter les difficultés de la vie, mais résolu à saisir au vol les moments de bonheur.

La majorité des gens, à l'évidence, était frappée par la même révélation que Nicci.

Les sculpteurs, les maçons, les charpentiers, les couvreurs et les apprentis qui travaillaient encore abandonnèrent leur ouvrage pour venir voir l'incroyable statue. Bientôt, des cochers et des terrassiers les rejoignirent, affluant de toutes les directions.

Attirés par le bruit et le mouvement, des citadins arrivaient en masse. Beaucoup s'agenouillaient dès qu'ils apercevaient le chef-d'œuvre, et pleuraient comme des enfants.

Mais cette fois, il s'agissait de larmes de joie.

Comme le forgeron, d'autres, entre le rire et les sanglots, rayonnaient de béatitude.

Un plus petit nombre, terrorisés, se couvraient les yeux avec les mains.

Des hommes et des femmes, sourire aux lèvres, partirent chercher leurs amis, leurs parents, leurs enfants, pour leur montrer la merveille qui se dressait devant le Fief de l'empereur.

De leur vie, ils n'avaient jamais rien contemplé de pareil.

La vue rendue aux aveugles.

L'eau offerte aux assoiffés.

Le souffle de la vie restitué aux agonisants…

Chapitre 66

K ahlan sortit sa carte et y jeta un rapide coup d'œil. Se repérer n'était pas facile… Mais les autres bâtiments de la rue semblaient beaucoup moins bien entretenus que celui-là…,

— Qu'en pensez-vous ? demanda Cara.

L'Inquisitrice remit la carte sous son manteau, dont elle ajusta le col pour qu'il dissimule la garde de l'épée de Richard, toujours accrochée dans son dos. Sa propre lame, sur son flanc, était également cachée par le vêtement.

— Je ne sais pas trop… Avec la tombée de la nuit, c'est difficile à dire. Pour être sûres, il faudra entrer…

Cara regarda autour d'elle et constata que personne ne leur accordait d'attention. Dans cette ville, les gens semblaient ne pas se soucier des autres – peut-être parce que c'était le meilleur moyen d'éviter les ennuis. Leurs chevaux étant dans une écurie, hors de la cité, les deux femmes ne pourraient pas fuir rapidement si quelque chose tournait mal. Mais l'indifférence des passants, de ce point de vue là, était très rassurante.

Cara et Kahlan avaient décidé d'être le plus naturelles possible, histoire de ne pas se faire remarquer. L'Inquisitrice avait pensé que leurs vêtements de voyage seraient parfaits pour passer inaperçues. Mais dans une ville miteuse comme Altur'Rang, leurs tenues juraient atrocement, et elles devaient être aussi discrètes que deux courtisanes peinturlurées égarées dans une kermesse de village. Si elles restaient longtemps, il leur faudrait trouver des habits vraiment atroces…

Kahlan gravit les marches du porche, poussa la porte, par bonheur ouverte, avança dans le couloir – récemment lavé, il embaumait la citronnelle – et marcha jusqu'à la première porte, sur la droite. Si les informations supplémentaires que Cara avait arrachées à Gadi étaient justes – et s'il s'agissait du bon bâtiment –, Richard devait habiter là.

Après avoir regardé à droite et à gauche, pour s'assurer que personne ne venait, Kahlan frappa doucement au battant. N'obtenant pas de réponse, elle frappa un peu plus fort. Puis elle essaya la poignée, et constata qu'elle était bloquée.

Tirant un couteau de sous son manteau, elle s'attaqua à la serrure et en vint rapidement à bout.

Sans hésiter, elle ouvrit la porte, prit Cara par la manche et l'entraîna dans la petite chambre.

Prêtes à tout, y compris à se battre, les deux femmes se détendirent en constatant qu'il n'y avait personne dans la pièce. À la lumière qui filtrait des deux fenêtres, Kahlan vit d'abord les deux lits installés dans un coin, à bonne distance l'un de l'autre. Puis elle aperçut le sac de voyage de Richard.

S'agenouillant, elle l'ouvrit et y trouva bien les affaires qu'avait emportées son mari. Au bord des larmes, elle serra le sac contre sa poitrine.

Richard avait été contraint de la quitter plus d'un an auparavant. Depuis qu'ils se connaissaient, ils avaient été beaucoup plus souvent séparés qu'ensemble. Et cela ne pouvait plus durer ainsi…

Entendant du bruit dans son dos, l'Inquisitrice se retourna à temps pour voir Cara saisir au vol le poignet d'un jeune homme qui venait de faire irruption dans la chambre.

Sans effort apparent, la Mord-Sith immobilisa le garçon, lui retourna le bras dans le dos et leva son Agiel.

— Cara, non! cria Kahlan.

Déçue, Cara s'abstint d'abattre son arme sur la trachée-artère de l'intrus, qui écarquillait les yeux de peur et d'indignation.

— Voleuse! Voleuse! Laissez ce sac, il n'est pas à vous!

Kahlan approcha du garçon et lui fit signe de ne plus crier.

— Tu es Kamil, ou Nabbi?

— Kamil… Et vous, qui êtes-vous? D'abord, comment connaissez-vous mon nom?

— Je suis une amie. Gadi m'a dit que…

— Gadi? Vous n'êtes pas une amie! Je…

Pour l'empêcher d'appeler à l'aide, Cara plaqua une main sur la bouche de Kamil.

— Kamil, Gadi a tué un de nos amis… Nous l'avons capturé et interrogé. C'est là qu'il nous a dit ton nom.

Voyant que l'adolescent était soufflé par cette nouvelle, Kahlan fit signe à Cara de baisser sa main.

— Gadi a assassiné quelqu'un? souffla Kamil.

— Oui, grogna Cara.

— Et qu'avez-vous fait pour le punir?

— Il a été exécuté, répondit Kahlan sans s'étendre sur les détails.

—Alors, vous êtes vraiment une amie. Gadi était un sale type. J'espère qu'il n'est pas mort paisiblement…

—Il a agonisé pendant longtemps, dit Cara.

D'un geste, Kahlan lui ordonna de lâcher Kamil.

—Alors, qui êtes-vous ?

—Je m'appelle Kahlan, et voici Cara.

—Et que faites-vous ici ?

—Tout t'expliquer prendrait trop de temps, mais nous cherchons Richard.

—Sans blague ? demanda Kamil, de nouveau soupçonneux.

Kahlan eut un petit sourire. Ce garçon était vraiment un ami fidèle de Richard !

—Je suis sa femme, dit-elle en posant une main sur l'épaule de l'adolescent. La vraie !

—Mais, mais…

—Nicci n'a jamais été mariée avec lui !

Des larmes perlant à ses paupières, Kamil eut un soupir de soulagement.

—Je le savais… J'étais sûr qu'il ne l'aimait pas, et je me suis toujours demandé pourquoi il l'avait épousée.

Cédant à une impulsion, Kamil enlaça la jeune femme et la serra contre lui. Très émue et un peu gênée, l'Inquisitrice lui ébouriffa les cheveux en souriant.

Cara finit par prendre Kamil par le col pour le tirer en arrière. Mais avec une relative délicatesse, cette fois.

—Et vous, qui êtes-vous ? lui demanda-t-il.

—Une Mord…

—Cara est la meilleure amie de Richard, coupa Kahlan.

Sans mesurer l'incongruité de son geste, Kamil étreignit également la Mord-Sith. Un instant, Kahlan redouta que ça finisse mal pour le garçon, mais Cara supporta poliment cette manifestation de tendresse. À un moment, l'Inquisitrice crut même la voir sourire…

Quand il eut lâché sa « proie », Kamil se tourna vers Kahlan :

—Mais que fait Richard avec Nicci, dans ce cas ?

—C'est une très longue histoire…

—Eh bien, racontez-la-moi !

L'Inquisitrice sonda les yeux noirs de Kamil et aima ce qu'elle y lut. Cependant, elle jugea préférable de lui livrer une version simplifiée des faits.

—Nicci est une magicienne. Elle a utilisé son pouvoir pour obliger Richard à la suivre.

—Quel pouvoir ? demanda Kamil.

—Si Richard ne lui avait pas obéi, elle aurait pu me faire souffrir, voire me tuer, et tout ça à distance!

Kamil réfléchit quelques instants.

—Je comprends, oui… Pour sauver la femme qu'il aime, Richard ne reculerait devant rien. Et j'ai toujours su qu'il n'aimait pas Nicci.

—Et comment le savais-tu?

—Vous avez vu les deux lits? Il ne dort pas avec elle. Quand vous étiez ensemble, je suis sûr qu'il partageait votre lit!

Kahlan sentit qu'elle rosissait.

—Comment peux-tu affirmer ça?

—Eh bien… (Kamil se gratta la tête.) On a l'impression que vous êtes faits l'un pour l'autre. Quand vous prononcez son prénom, je sens à quel point vous aimez Richard.

Bien qu'elle fût épuisée, Kahlan ne put s'empêcher de sourire.

Pour arriver plus vite, les deux femmes ne s'étaient pas ménagées. En chemin, elles avaient perdu quelques chevaux et dû en acheter d'autres. Dormant très peu, surtout la dernière semaine, elles étaient à bout de force.

—Kamil, tu sais où est Richard?

—Au travail, sûrement… En général, il rentre autour de cette heure de la journée, sauf quand il double son poste.

—Et Nicci, où est-elle?

—Je n'en sais rien… Elle est peut-être allée acheter du pain. Mais c'est bizarre quand même… En général, elle revient plus tôt que ça, pour préparer le repas de Richard.

Kahlan fit le tour de la pièce du regard. Devait-elle s'en aller, au risque de rater Richard à quelques minutes près? Selon Kamil, l'absence de Nicci n'était pas normale. Quelque chose clochait…

—Où travaille Richard?

—Sur le chantier…

—Quel chantier?

—Le palais de l'empereur… Demain, il y aura une grande inauguration.

—La construction est terminée?

—Non, il y en a encore pour des années. Mais les frères veulent consacrer l'édifice au Créateur, et beaucoup de gens sont venus à Altur'Rang pour assister à la cérémonie.

—Richard aide à bâtir le palais de l'empereur?

—Il est sculpteur… Enfin, maintenant. Au début, il travaillait pour Ishaq, le transporteur, mais quand il a été arrêté…

—Ils l'ont mis en prison? (Kahlan saisit Kamil par les pans de sa chemise.) A-t-il été… torturé?

—J'ai donné tout mon argent à Nicci pour qu'elle puisse le voir... Avec l'aide d'Ishaq et de Victor, le forgeron, elle a tiré Richard de ce mauvais pas. Il était dans un sale état, mais il s'est vite remis. Après, les autorités l'ont forcé à travailler comme sculpteur.

Submergée d'informations, Kahlan en eut le tournis. Mais une nouvelle parvenait quand même à surnager : si Richard avait souffert, il s'était rétabli...

—Il travaille sur des statues ?

—Pour décorer les murs du palais, oui... Il m'aide à me lancer dans le métier. Si vous voulez, je vous montrerai mes œuvres...

Richard sculptait ! En soi, c'était une bonne chose. Hélas, toutes les statues que Kahlan et Cara avaient vues dans l'Ancien Monde étaient laides à vomir. S'il devait créer des horreurs pareilles, Richard n'était sûrement pas heureux. Mais il n'avait pas eu le choix...

—Je les verrai avec plaisir, répondit Kahlan à Kamil, mais plus tard... (Elle se massa le front pour s'aider à réfléchir.) Peux-tu me conduire sur le chantier ?

—Bien sûr, mais ne feriez-vous pas mieux d'attendre ici ? Richard sera peut-être bientôt là...

—Tu m'as dit qu'il travaille parfois la nuit.

—Ces derniers mois, c'était presque tous les soirs... Il avait une commande spéciale, pour l'inauguration. Demain, je pourrai enfin voir sa statue. La cérémonie étant proche, il doit avoir terminé. Je n'ai jamais su où il sculptait, la nuit, mais son ami Victor le forgeron pourra sans doute nous le dire.

—Dans ce cas, allons voir Victor !

—L'ennui, dit Kamil, c'est qu'il ne sera pas dans son atelier. Et j'ignore où il habite.

—Il y a beaucoup de monde dehors, la nuit ?

—Ce soir, sûrement, parce que les gens viennent voir l'esplanade, avant l'inauguration de demain...

La présence d'une foule serait un avantage. Si des gens grouillaient partout, Kahlan et Cara n'attireraient pas l'attention tandis qu'elles chercheraient Richard.

—Nous allons attendre une heure, trancha l'Inquisitrice. S'il n'est pas de retour d'ici là, nous tenterons de trouver Richard à son travail...

—Et si Nicci revient ? demanda Cara.

—Je vais monter la garde dehors, dit Kamil. Attendez ici, où vous serez en sécurité. Si elle se montre, je viendrai vous prévenir, et ça vous laissera le temps de sortir par l'arrière du bâtiment.

—Un bon plan, Kamil, dit Kahlan en tapotant l'épaule de l'adolescent.

— Vous devriez dormir un peu, souffla Cara dès que le jeune homme fut sorti. Je resterai éveillée… La dernière fois, c'est moi qui me suis reposée.

Épuisée, Kahlan baissa les yeux sur le lit le plus proche des affaires de Richard. Puis elle s'y étendit, heureuse d'être si proche de son bien-aimé après une si longue séparation.

Bien entendu, elle ne parvint pas à fermer l'œil.

Nicci eut le cœur serré quand elle constata que Richard n'était pas rentré. Kamil aussi restait introuvable…

Sur l'esplanade, Nicci avait vécu un vrai moment de bonheur en voyant tant de gens accourir pour découvrir la statue.

Presque tous s'étaient réjouis devant tant de beauté.

Quelques-uns, cependant, avaient semblé bouleversés par ce spectacle. Au fond, la Sœur de l'Obscurité pouvait les comprendre. En revanche, elle avait eu du mal à saisir pourquoi la beauté éveillait tant de haine chez quelques personnes. Puis elle s'était souvenue de sa propre existence… Certains individus détestaient la vie, et tout ce qui la glorifiait les blessait.

Mais la majorité des gens avaient réagi comme elle devant l'œuvre de Richard.

Désormais, tout était clair dans l'esprit de Nicci. Pour la première fois depuis sa naissance, la vie avait un sens pour elle. Richard avait tenté de le lui faire découvrir, mais elle s'était acharnée à ne pas l'écouter. Ce n'était pas la première fois que quelqu'un lui disait la vérité. Mais les cris de ses maîtres – sa mère, le frère Narev, l'Ordre Impérial – l'avaient empêchée d'entendre.

Programmée par son éducation, dès qu'elle avait rencontré Narev, Nicci était devenue un « petit soldat » de l'Ordre. En voyant la statue, elle avait enfin accepté la vérité qu'elle s'ingéniait à fuir depuis près de deux siècles. La vie était vraiment comme Richard la représentait, et elle avait passé toute son existence à nier une évidence qui aurait pourtant dû lui crever les yeux.

À présent, elle comprenait pourquoi l'existence lui avait toujours paru vide et dépourvue de sens. C'était elle qui l'avait rendue ainsi en refusant de recourir à son intelligence. Esclave des nécessiteux de tout poil, elle avait donné à ses maîtres la seule arme qu'il leur fallait pour la dominer : la culpabilité ! Un collier qu'elle avait placé elle-même autour de son cou, se livrant aux désirs et aux besoins des autres au lieu de mener sa vie comme elle l'aurait dû, à savoir en pensant d'abord à elle. Trop bien conditionnée, elle n'avait jamais demandé au nom de quoi il était juste qu'elle se sacrifie pour les autres, et pas immoral du tout qu'ils profitent impudemment d'elle. En se laissant enrôler dans cette folie, elle n'avait pas contribué à l'amélioration du sort de l'humanité, mais simplement exécuté les volontés d'une horde de petits tyrans. Le mal n'était pas une entité énorme et puissante, mais la somme de toutes les minuscules injustices qu'on ne redressait pas, et qui finissaient par devenir des monstres.

Depuis toujours, Nicci avançait sur des sables mouvants qui la contraignaient à négliger la raison et l'intelligence. Dans ce marécage, seule la foi avait quelque valeur, et la foi *aveugle* primait sur tout. En ne se rebiffant pas, elle avait entériné cette sinistre philosophie fondée sur la conformité et le vide. Au nom du bien, elle avait forcé des centaines d'individus à se passer autour du cou le même collier que celui qui l'empêchait de respirer...

La statue de Richard, avec les quelques mots gravés derrière le cadran solaire, était une réponse définitive à un torrent de mensonges.

Désormais, Nicci savait que sa vie lui appartenait – à elle, et à personne d'autre !

La liberté existait d'abord et avant tout dans l'esprit des êtres pensants et rationnels. C'était le message profond de la statue, et en la sculptant, Richard avait directement démontré sa véracité. Prisonnier d'une Sœur de l'Obscurité et de l'Ordre Impérial, il s'était élevé au-dessus de sa condition grâce à la force de son esprit.

Sur l'esplanade, Nicci avait compris que son père incarnait et défendait les mêmes valeurs, même s'il aurait été incapable de le formuler clairement. C'était cela qu'elle voyait briller dans ses yeux, et au fond, elle savait depuis toujours de quoi il s'agissait. N'étant pas un homme de discours, Howard avait exprimé sa philosophie à travers sa façon de travailler. Enfant, Nicci aurait voulu devenir armurier, comme lui, et il y avait une raison profonde à cela. Elle désirait adopter la vision du monde de son père, puis la perpétuer. Mais sa mère et ses amis avaient étouffé ce désir en elle jusqu'à ce qu'elle l'oublie. Le premier jour, au Palais des Prophètes, elle avait reconnu – sans le savoir – l'amour de la vie qui avait toujours animé son père.

Nicci avait pris conscience d'autre chose : si elle portait du noir depuis la mort de sa mère, c'était, symboliquement, parce qu'elle aurait voulu enterrer avec elle ses idéaux pervertis.

Si Richard avait été là, elle aurait eu la joie de lui dire qu'il lui avait fourni la réponse qu'elle cherchait.

Quant à lui demander pardon, c'était impossible, parce qu'elle lui avait fait trop de mal. À présent, elle devrait réparer, puis accepter de traîner ses remords jusqu'à la fin de sa vie...

Dès qu'elle l'aurait retrouvé, ils partiraient pour le Nouveau Monde. Quand ils auraient localisé Kahlan, Nicci remettrait les choses dans l'ordre. Pour neutraliser le sort de maternité, elle devrait être à proximité de l'Inquisitrice – au minimum à portée de vue. Ensuite, Kahlan serait libre et Richard aussi.

Même si elle aimait cet homme, Nicci comprenait, maintenant, qu'il devait être avec la femme qu'il s'était choisie. Sa passion pour lui ne lui donnait aucun droit d'intervenir dans sa vie. Personne ne lui appartenait – inversement, elle n'appartenait à personne.

S'étendant sur son lit, Nicci pleura en pensant au mal qu'elle avait fait à Richard et à Kahlan. Comment avait-elle pu être aveugle si longtemps ? La honte la submergeait…

Pourquoi avait-elle gaspillé sa vie à lutter au nom du mal, simplement parce qu'il se parait des atours de la vertu ? Elle avait été une Sœur de l'Obscurité convaincue…

Heureusement, il lui restait encore la possibilité de réparer ses fautes.

Quand elle vit la foule qui se pressait sur l'esplanade – maintenant éclairée par des torches –, Kahlan eut du mal à en croire ses yeux. Il devait y avoir des dizaines de milliers de personnes. Peut-être des centaines…

Kamil aussi était stupéfait.

—Je n'ai jamais vu autant de gens dehors au milieu de la nuit ! s'exclama-t-il. Que font-ils donc ?

—Comment veux-tu que nous le sachions ? marmonna Cara, très mécontente que le seigneur Rahl soit toujours introuvable.

Toute la ville grouillait de gens, et les gardes patrouillaient sans cesse, énervés par cette étrange activité nocturne. Jugeant que la prudence s'imposait, Kamil avait préféré rejoindre le chantier par des chemins détournés, et il leur avait fallu plus d'une heure pour y arriver.

—C'est là, sur le flanc de cette colline, dit l'adolescent.

Ils s'engagèrent sur une piste qui serpentait entre des ateliers pour la plupart déserts. Dans un tout petit nombre, des hommes travaillaient encore, penchés sur un établi chichement éclairé par des bougies ou des lampes.

Voyant un homme courir vers elle, Kahlan glissa la main sous son manteau et la posa sur la garde de son épée.

—Vous avez vu ? lança le type en s'arrêtant net.

—Vu quoi ? demanda Kahlan.

—Sur l'esplanade ! Vous devez y aller ! (L'homme repartit au pas de course.) Je file chercher ma femme et mes fils. Il faut qu'ils voient ça !

Cara et Kahlan échangèrent un regard perplexe.

—Victor n'est pas là, annonça Kamil en revenant vers les deux femmes. J'ai frappé à la porte de son atelier, mais il est trop tard…

—Sais-tu ce qui se passe sur l'esplanade ? demanda Kahlan.

—L'esplanade… C'est là que Richard m'a dit de venir demain, mais… Eh bien, à vrai dire, j'ignore ce qui se passe.

—Allons y jeter un coup d'œil, dit Kahlan.

—Suivez-moi, je connais un raccourci ! lança Kamil.

Avec la foule qui se pressait partout, il leur fallut une bonne heure pour atteindre le pied de la colline puis la lisière de l'esplanade. Bien qu'il fût très tard, des milliers de citadins continuaient à affluer.

Kahlan comprit très vite qu'ils ne parviendraient pas à atteindre l'esplanade. L'entrée était prise d'assaut, et la queue menaçait de durer des heures. Quand Kamil et les deux femmes tentèrent de remonter la file pour voir au moins ce qui se passait, cela faillit déclencher une émeute. Les gens attendaient depuis des heures, et ils ne toléraient pas les resquilleurs.

Cara sortit la main de sous son manteau et fit ostensiblement osciller l'Agiel accroché à son poignet.

L'Inquisitrice secoua la tête.

—Je veux bien affronter l'armée de Jagang en étant en infériorité numérique, dit-elle, mais trois contre cent ou deux cent mille, voilà qui me paraît un peu beaucoup…

—Vraiment? demanda Cara. Moi, ça me semble une très bonne cote.

Kahlan sourit de cette plaisanterie. Si téméraire qu'elle fût, la Mord-Sith ne se serait pas risquée à charger une foule.

Kamil, en revanche, parut désorienté par l'humour de Cara – ou peu sûr que ça en soit…

Résignés, les deux femmes et l'ami de Richard battirent en retraite et allèrent se placer au bout de la file.

En quelques minutes, il y eut presque autant de gens derrière eux que devant. Tous étaient excités, mais pas d'humeur violente, bien au contraire…

Une femme rondelette pauvrement vêtue se retourna et leur sourit. Puis elle tendit vers eux une miche de pain.

—Vous en voulez un peu? demanda-t-elle.

—Non, merci, répondit Kahlan, mais c'est très gentil à vous de le proposer.

—C'est la première fois de ma vie que je fais ça! (La femme eut un petit rire.) Ce soir, ça semble approprié, n'est-ce pas?

Kahlan n'avait pas la moindre idée de ce que voulait dire son interlocutrice, mais elle ne vit aucune raison de la contrarier.

—Oui, on peut voir les choses comme ça…

La queue s'éternisa. Le dos douloureux à force de rester debout, Kahlan crut même voir Cara grimacer en sautillant sur place.

—Je crois que nous devrions dégainer nos armes et nous frayer un passage par la force, marmonna-t-elle, à bout de patience.

—Pourquoi t'énerver? demanda Kahlan. Jusqu'à demain matin, nous n'avons rien d'autre à faire. Après le lever du soleil, nous irons voir le forgeron, et s'il ne sait pas où est Richard, nous le chercherons sur le chantier.

—Il est peut-être rentré chez lui…

—Tu voudrais que nous nous retrouvions face à Nicci? Tu sais de quoi elle est capable. Cette fois, nous risquerions de ne pas nous en sortir. Cara, nous n'avons pas fait tout ce chemin pour l'affronter, mais pour voir Richard. S'il passe par sa chambre, ce qui n'est pas sûr, il devra revenir ici demain matin, de toute façon…

— Oui, ce n'est pas trop mal raisonné…

Le ciel se colorait de rouge quand l'Inquisitrice et ses deux compagnons atteignirent le pied des marches de marbre. Des gémissements et des murmures extatiques retentissaient sur l'esplanade. Bien qu'elle ne pût pas voir pourquoi, Kahlan comprit que les gens, là-haut, pleuraient sans retenue. Bizarrement, quelques-uns riaient de joie, et d'autres éructaient des jurons, comme si un bandit armé d'un couteau venait de les délester de leurs économies.

Pendant qu'elles montaient les marches, Cara et Kahlan tentèrent de se faire toutes petites pour ne pas attirer l'attention. Des centaines de torches brillaient sur l'esplanade, et l'odeur âcre de leur fumée se mêlait à celle de la transpiration.

À travers une brèche fugitive, dans la muraille humaine qui la précédait, Kahlan crut apercevoir quelque chose qui la fit sursauter. Hélas, la brèche se referma aussitôt. Mais devant elle, les personnes qui voyaient l'esplanade s'étaient également mises à pleurer.

Kahlan entendit des voix d'hommes demander fermement mais poliment à la foule d'avancer pour laisser une chance à tout le monde d'atteindre l'esplanade.

Le soleil se leva, occultant la lumière des torches. Quand il fut assez haut dans le ciel, sa lumière inonda les murs du palais.

Les statues qui les décoraient ressemblaient à toutes celles que Kahlan avait vues dans l'Ancien Monde – en plus horrible, si c'était possible…

Kahlan repensa aux formes délicates de Bravoure. L'idée que Richard ait dû sculpter de telles abominations lui retournait l'estomac.

L'Ordre Impérial marchait sous la bannière de la douleur, du désespoir et de la mort. Quand il aurait gagné la guerre, c'était ce qu'il gardait en réserve pour le Nouveau Monde. Sur les murs du palais, Kahlan pouvait contempler le destin qui guettait les peuples des Contrées du Milieu.

Soudain, les gens qui la précédaient s'écartèrent, et elle vit enfin la raison de l'agitation nocturne. Une fabuleuse statue de marbre qui reflétait glorieusement la lumière.

Le souffle coupé, Cara prit le bras de son amie et le serra très fort.

L'homme et la femme ciselés dans la pierre étaient magnifiques, mais c'était surtout leur évidente noblesse d'esprit qui frappait l'imagination.

Kahlan sentit des larmes rouler sur ses joues. Comme tout le monde, elle pleurait devant cette œuvre entièrement dédiée à la vie et à l'espoir. Curieusement, les abominations qui servaient de toile de fond à cette merveille en perdaient toute leur puissance d'évocation.

« La vie », lut l'Inquisitrice sur le socle de la statue.

Prenant le bras de Cara, qui tenait toujours le sien, elle s'y accrocha comme à une bouée de sauvetage, car ses jambes menaçaient de se dérober. Le personnage masculin de la statue n'était pas Richard, mais il lui ressemblait beaucoup. Pareillement, si la femme n'était pas Kahlan, elles avaient assez de points communs pour que l'épouse du Sourcier rougisse à l'idée d'être ainsi exposée aux yeux de tous.

— S'il vous plaît, dit une voix masculine, avancez pour que les autres puissent voir.

Les hommes qui se chargeaient de canaliser la foule n'étaient pas des gardes, mais de simples citoyens aussi humbles et démunis que les autres.

La femme à la miche de pain s'était laissée tomber à genoux. Respectueux de ses larmes, deux braves types vinrent la relever délicatement et la firent avancer pour qu'elle ne provoque pas une bousculade. De sa vie, la pauvre citoyenne de l'Ancien Monde n'avait jamais dû voir une telle beauté.

Quand Kahlan passa à côté de la statue, elle tendit une main pour l'effleurer, comme tout le monde. Sentant sous ses doigts le marbre que Richard avait amoureusement travaillé, elle sanglota de plus belle.

Puis elle vit que quelques mots étaient gravés sur la face arrière du cadran solaire.

« Votre vie n'appartient qu'à vous. Relevez la tête et vivez-la pleinement. »

Beaucoup de gens, sur l'esplanade, répétaient inlassablement ces deux phrases.

La foule qui continuait d'arriver forçait ceux qui avaient vu la statue à s'en éloigner. D'autres hommes, tout aussi bénévoles que les précédents, dirigeaient les visiteurs vers l'arrière du palais à demi construit, d'où il était possible de quitter l'esplanade.

— J'aimerais que Benjamin voie ça…, souffla Cara.

— Et moi, dit Kahlan, j'allais murmurer : « Il faudrait que Richard voie ça. »

Les deux femmes échangèrent un sourire complice.

Kamil prit la main de Kahlan, et il vit que la vraie femme de Richard tenait celle de son amie.

— Et c'est lui qui l'a sculptée ! lança-t-il triomphalement.

— Où pourrons-nous le trouver, d'après toi ?

— Nous devrions retourner chez le forgeron. Si Richard n'y est pas, Victor pourra peut-être nous aider à le dénicher…

Kahlan hocha la tête. Dans son esprit, quelques mots très simples résonnaient comme une délicieuse musique :

« Et c'est lui qui l'a sculptée ! »

Chapitre 67

Richard sauta du rebord de la fenêtre et se laissa tomber sur le sol. Comment avait-il pu passer la nuit à dormir à l'arrière du chariot, enveloppé dans une bâche ? Et pourquoi Jori ne l'avait-il pas réveillé ? Parce que ce n'était pas son travail, selon lui ? Ou parce qu'il ignorait la présence d'un passager dans son véhicule ?

Richard s'épousseta et regarda autour de lui. Il était devant l'entrepôt de la compagnie de transport, là où il avait obtenu son premier emploi en arrivant à Altur'Rang. Épuisé, il y avait passé la nuit sans même le savoir…

Et maintenant, où devait-il aller ? Chez lui, ou sur le chantier ? Le soleil était déjà haut. S'il rentrait à la maison, il serait en retard au travail. Donc, la réponse était simple.

Mais de quel travail parlait-il ? On était le jour de l'inauguration. Quand le frère Narev aurait vu la statue, Richard n'aurait plus de souci à se faire pour son poste de sculpteur…

S'il tentait de s'enfuir, Nicci serait furieuse, et Kahlan en subirait les conséquences. Après un an passé aux côtés de la Sœur de l'Obscurité, il ne doutait pas qu'elle mettrait ses menaces à exécution.

Le Sourcier était piégé. Au moins, il allait avoir le plaisir de voir la tête que ferait Victor, quand il découvrirait la statue. Sans doute le seul moment agréable de la terrible journée qui s'annonçait.

Richard la terminerait sans doute dans le trou à rats puant où on l'avait déjà incarcéré. À cette idée, il faillit se prendre les pieds dans des cailloux. Il refusait de retourner dans cette cellule minuscule. Les endroits exigus lui déplaisaient, surtout quand il y était piégé.

Que son avenir lui semble agréable ou pas, il avait sculpté la statue en toute connaissance de cause, et en sachant le prix à payer. Le résultat valait la peine. L'esclavage n'était pas tolérable, à long terme. Et s'il mourait, Nicci avait promis de laisser Kahlan en paix, puisqu'elle aurait obtenu la réponse à sa mystérieuse question.

Pouvait-on se fier à la parole de la Sœur de l'Obscurité ? Il n'en savait rien, et il devrait faire avec.

La statue existait, et c'était l'essentiel. La *vie* existait, et les habitants de l'Ancien Monde avaient besoin de la voir et de découvrir qu'elle méritait d'être vécue.

Pour une heure si matinale, les rues d'Altur'Rang grouillaient d'activité. Des patrouilles de gardes allaient et venaient partout. Avec la foule d'étrangers venus assister à l'inauguration, tout le monde devait être un peu nerveux.

Pour l'instant, les soldats ne prêtaient aucune attention à Richard. Mais ça changerait bientôt.

Quand il fut en vue du chantier, le Sourcier n'en crut pas ses yeux. L'esplanade et les alentours du Fief étaient noirs de monde. Cette foule bigarrée semblait tellement étrange, dans un endroit d'habitude désert… Jusque-là, Richard n'avait jamais imaginé que la cérémonie se déroulerait devant autant de spectateurs. Mais il avait travaillé jour et nuit pendant des mois, se coupant de la réalité…

Par des chemins détournés, mais plus dégagés, il réussit à rejoindre assez rapidement la route qui menait à l'atelier de Victor. Il voulait montrer la statue à son ami avant l'arrivée des frères et des responsables de l'Ordre. Car après, il lui resterait très peu de temps…

Les hommes, les femmes et les enfants que Richard croisa en chemin lui semblèrent inhabituellement joyeux, pour des habitants de l'Ancien Monde. Sans doute parce qu'une fête, même comme celle-là, leur faisait oublier un peu leurs tracas quotidiens.

Alors qu'il était à mi-chemin de l'atelier, le frère Neal, les yeux fous, se campa devant lui et le désigna d'un index vengeur.

— C'est lui ! Capturez-le !

Des gardes jaillirent de partout et encerclèrent leur proie. D'instinct, Richard se prépara à un combat. Ses ennemis n'étant pas si nombreux que ça, il aurait une bonne chance de vaincre s'il parvenait à subtiliser son épée au premier qui l'attaquerait. Oui, ça paraissait jouable…

Ensuite, il resterait le problème de Neal. Mais vaincre ce sorcier sans grand talent ne lui semblait pas un exploit trop difficile, surtout avec la rage qu'il sentait monter en lui – celle-là même que l'Épée de Vérité décuplait pour le transformer en messager de la mort.

Mais s'il utilisait son pouvoir, cela signerait l'arrêt de mort de Kahlan. Nicci le lui avait dit, et là non plus, ce n'étaient pas des paroles en l'air.

Saurait-elle qu'il lui avait désobéi ? Tôt ou tard, ce serait inévitable…

Richard baissa les bras et se laissa ceinturer par une demi-douzaine de gardes.

Au fond, plus rien n'importait. S'il résistait, Kahlan en souffrirait. En revanche, après sa mort, Nicci la laisserait tranquille…

Mais il ne retournerait pas dans les geôles de l'Ordre.

—Que croyais-tu faire, Cypher? cria le frère Neal, hors de lui. (Il se campa devant le prisonnier.) Tu as voulu jouer au plus malin, c'est ça?

—Puis-je savoir de quoi vous parlez, frère Neal?

—De la statue!

—Dois-je conclure qu'elle n'est pas à votre goût?

Neal gifla Richard à la volée. Sous les ricanements des gardes, le Sourcier, qui avait pourtant prévu le coup et durci ses muscles, en eut le souffle coupé.

Content du résultat, Neal frappa une seconde fois.

—Tu paieras cher ce blasphème, Cypher! Cette fois, n'espère pas t'en tirer par miracle. Tu avoueras tous tes crimes, avant de mourir. Mais d'abord, tu assisteras à la destruction de ta perverse création. Gardes, conduisez-le sur l'esplanade. Et ne prenez pas de gants pour vous frayer un chemin dans la foule!

Au milieu de la matinée, Kahlan cessa d'espérer que le forgeron se montre enfin.

—Je suis désolé, dit Kamil, penaud. Je ne sais pas où est Victor. Il devrait venir, mais…

Kahlan cessa de faire les cent pas et tapota gentiment l'épaule du jeune homme.

—Ne te tracasse pas, Kamil… Avec l'inauguration, et ce qui s'est passé autour de la statue, ce n'est pas une journée habituelle…

—Regardez! lança soudain Cara. Des gardes armés de lances dispersent la foule, sur l'esplanade.

Kahlan plissa les yeux… en vain.

—Ta vue est meilleure que la mienne. Moi, je n'aperçois rien… Mais de toute façon, rester ici est une perte de temps. Essayons d'aller voir ce qui se passe. Mais surtout, Cara, ne nous entraîne pas dans une bataille rangée contre cette foule.

La Mord-Sith eut une moue agacée.

—Kamil, continua Kahlan, tu veux bien faire quelque chose pour moi?

—Évidemment! De quoi s'agit-il?

—Il faudrait que tu attendes ici, au cas où Richard viendrait. Voire le forgeron, s'il finit par arriver…

Kamil tendit le cou pour sonder l'esplanade, en contrebas.

—D'accord. Si Richard monte ici, je lui dirai que vous êtes là. Vous avez un message à lui transmettre?

Oui, que je l'aime..., pensa Kahlan avec un petit sourire.

— Dis-lui que nous sommes en bas, en train de le chercher. Qu'il ne bouge pas, surtout, et attende notre retour. Sinon, nous risquons de passer des semaines à nous croiser.

Avec la foule qui se pressait partout, rejoindre l'esplanade se révéla plus difficile encore que la veille. Dans la bousculade, l'Inquisitrice craignit plusieurs fois d'être séparée de la Mord-Sith.

Coincées dans la marée humaine, les deux femmes comprirent qu'il ne leur restait plus qu'une solution : se laisser docilement entraîner.

Autour d'elles, toutes les conversations tournaient autour d'un seul sujet : la statue.

En fin d'après-midi, et après des heures à piétiner sur place, Nicci était parvenue au bord de l'esplanade. Depuis, elle n'avançait plus d'un pouce. Prisonnière de la foule, elle réussissait à peine à bouger les bras. Et dans ces conditions, elle en avait conscience, une chute malencontreuse pouvait avoir des conséquences fatales.

Si elle avait au moins pu recourir à son pouvoir...

Elle s'en était privée par pure arrogance, sans mesurer ce que ça impliquait. En échange, elle avait reçu un cadeau inespéré : la vie ! Mais cela avait coûté leur liberté à Richard et Kahlan.

Si Nicci se retirait du lien – brisant le sort de maternité –, elle récupérerait sa magie, mais l'Inquisitrice cesserait de vivre dans la seconde même. Naguère, cette idée ne l'aurait pas gênée. Aujourd'hui, elle refusait de prendre une vie pour préserver la sienne. Car elle avait compris que c'était cela, le mal absolu...

Jusque-là, elle n'avait pas trouvé Richard – et pas davantage maître Cascella et Ishaq. Dès qu'elle reverrait son ancien prisonnier, elle lui dirait qu'elle avait enfin tout compris, puis ils quitteraient Altur'Rang. Elle brûlait d'impatience de voir la réaction de Richard, quand il saurait qu'elle voulait le ramener à Kahlan et neutraliser le sort de maternité. Mais ça n'était que justice, les deux époux ne devaient pas souffrir à cause de ce qu'elle avait mis si longtemps à apprendre parce qu'elle s'était aveuglée...

En désespoir de cause, Nicci avait décidé de voir si Richard était sur l'esplanade. À présent, coincée dans la foule, elle ne parvenait pas à atteindre son objectif, et rebrousser chemin était tout simplement hors de question, si elle ne voulait pas se faire piétiner.

Se dressant sur la pointe des pieds, elle parvint à voir que le frère Narev et ses disciples venaient d'entrer sur l'esplanade. Derrière eux se pressaient les centaines de fonctionnaires et de dignitaires venus assister à l'inauguration.

Avec son pouvoir, Nicci aurait pu les tuer tous en un clin d'œil.

Derrière les spectateurs de haut rang, Nicci aperçut soudain Richard, entouré par des gardes armés jusqu'aux dents. En fait, les soldats avaient chassé les gens du centre de l'esplanade, et ils tenaient à présent la position, arme au poing.

Le frère Narev se campa devant la foule et la balaya du regard. Son apparition n'imposant pas tout de suite le silence, le guide spirituel de l'Ordre parut fort mécontent. Mais de toute façon, il n'avait jamais l'air satisfait, parce qu'éprouver le moindre plaisir, à ses yeux, était le premier pas vers la damnation.

Il leva les bras pour demander à la foule de se taire.

Quand elle lui eut obéi, il prit la parole.

Nicci frissonna en entendant l'horrible voix qui la hantait depuis ce premier soir, chez les amis de sa mère. Une voix, comme celle de la femme d'Howard, qui s'était insinuée dans sa tête pour l'empêcher de penser et le faire à sa place. Se pardonnerait-elle jamais de ne pas avoir résisté, quitte à y perdre la vie ?

— Chers citoyens de l'Ordre Impérial, dit Narev, aujourd'hui, nous allons vous offrir un spectacle extraordinaire. Pour commencer, vous verrez de vos yeux la tentation… (Il tendit une main vers la statue.) Regardez cette criante illustration du mal ! Oui, regardez-la !

Des murmures nerveux coururent dans la foule.

Le frère Narev eut un sourire qui dévoila ses dents et lui creusa les joues – le rictus d'une tête de mort, pensa Nicci, les sangs glacés.

Narev avait volontairement attendu le coucher du soleil pour commencer la cérémonie. Dans la pénombre, et devant des gens fatigués par une journée passée debout dans le froid, tous ses effets de manche et de verbe gagnaient en force et en impact. Bientôt, la lune se lèverait, ajoutant sa lumière spectrale à une atmosphère déjà sinistre – en tout cas depuis l'arrivée du frère, de ses disciples, des gardes et des prétendus protecteurs du peuple de l'Ordre.

— Citoyens, continua Narev, ce soir, vous serez témoins de ce qui arrive au mal quand il ose affronter en face les forces bienfaisantes de l'Ordre Impérial.

Il tendit un index squelettique, faisant signe à quelqu'un, derrière les rangs de dignitaires. Aussitôt, des gardes poussèrent Richard en avant. Nicci en cria d'horreur, mais sa voix fut noyée par celles de milliers d'autres personnes.

Le frère Neal avança, une énorme masse entre les mains.

Nicci fit du regard le tour de l'esplanade et constata que des milliers de gardes formaient un cordon protecteur tout autour des officiels. Narev n'avait pris aucun risque, comme à son habitude.

S'inclinant devant son chef, Neal lui tendit la masse puis lui sourit mielleusement.

Le guide spirituel de l'Ordre leva l'outil au-dessus de sa tête comme s'il s'agissait du glaive de la justice.

—Où qu'il soit, le mal doit être détruit. (Narev braqua la tête de la masse vers la statue.) Regardez cette œuvre maléfique, née des mains d'un subversif qui déteste ses semblables et entend humilier les faibles. Ce parasite ne contribue en rien aux progrès de l'humanité! Il ne se soucie pas de l'aider, et encore moins de participer à son édification. Tout au contraire, il produit des images perverses afin d'inciter au péché les plus faibles et les plus vulnérables d'entre nous.

La foule se taisait, accablée par la déception. D'après ce que Nicci avait entendu au cours de la journée, beaucoup de gens avaient cru que la statue était un cadeau de l'Ordre destiné à remercier le peuple de ses efforts. Une splendeur que chacun pourrait contempler devant le palais de l'empereur en pensant à l'avenir radieux qui attendait l'humanité.

Le discours de Narev dissipait leurs illusions, et ils en étaient abattus.

Le maître à penser de l'Ordre leva sa masse.

—Avant que le criminel soit pendu pour avoir comploté contre l'Ordre, il assistera à la destruction de son ignoble création et entendra les cris de joie des citoyens vertueux, ravis de voir disparaître à jamais cette insulte lancée à la face du Créateur.

Alors que le soleil sombrait à l'horizon, Narev se campa devant la statue et abattit sa masse sur la jambe du personnage féminin. Au moment de l'impact, un cri d'angoisse monta de milliers de gorges. Mais le coup avait à peine fait sauter quelques fragments de marbre…

Quand le silence fut revenu, Richard éclata de rire, raillant ouvertement la piteuse prestation de Narev.

Bien qu'elle fût très loin, Nicci vit que le frère s'était empourpré de rage. Dans la foule, les citoyens murmuraient, stupéfaits que quelqu'un ait osé rire au nez d'un des frères de l'Ordre – et plus encore de leur chef.

Narev lui-même n'en croyait pas ses yeux et ses oreilles.

Les gardes qui surveillaient Richard en étaient bouche bée.

Quand l'écho du rire du Sourcier eut fini de se répercuter sur l'esplanade, Narev prit la masse par la tête, approcha du prisonnier et lui tendit l'outil.

—Détruis toi-même ta création impie! ordonna-t-il.

Il ne précisa pas que Richard, s'il refusait, serait exécuté sur-le-champ, mais tout le monde le devina.

Richard saisit le manche de l'outil avec autant de respect que s'il s'était agi de la garde incrustée de joyaux d'une épée.

Avançant vers la foule, le Sourcier la regarda un moment en silence. Discrètement, Narev fit signe aux gardes de ne pas le cribler de lances.

Comme Neal, son bras droit, il était certain que les citoyens de l'Ordre n'accorderaient aucune attention à la parole d'un pécheur.

—Vous êtes dirigés par des hommes mesquins et cruels! lança le Sourcier d'une voix puissante qui atteignit jusqu'aux derniers rangs de spectateurs.

Des cris montèrent de la foule. Médire des frères était au minimum une trahison, et plus vraisemblablement, une hérésie.

—Quel crime ai-je commis? demanda Richard. Vous proposer une belle œuvre d'art, en postulant que vous avez le droit de l'admirer si cela vous chante… Pis encore, j'ai osé affirmer que vos vies vous appartenaient.

» Le mal, mes amis, n'est pas une seule et puissante entité, mais la somme des petites dépravations que se permettent des hommes indignes de porter ce nom. Sous le règne de l'Ordre, vous avez renoncé à la lumière pour végéter dans le brouillard grisâtre de la médiocrité. Renonçant à vous épanouir, vous acceptez une décadence inexorable qui conduit à la mort de l'intelligence. Devenus apathiques, vous n'osez plus prendre des initiatives, car tous les territoires inconnus vous effraient.

À présent, la foule écoutait, suspendue aux lèvres de Richard.

Maniant la masse comme une épée, il la fit tournoyer au-dessus de sa tête.

—Vous avez jeté aux orties la liberté en échange d'un bol de soupe. Que dis-je? C'est bien plus grave que ça! En échange de la *promesse* d'un bol de soupe que quelqu'un d'autre est censé vous fournir.

» Le bonheur, la joie, la plénitude, l'ivresse de l'effort ne sont pas un gâteau qu'on peut découper en tranches égales. Peut-on se partager équitablement le rire d'un enfant? Non, mais on peut lui donner des raisons de rire plus souvent!

Cette image plut beaucoup à la foule, qui la ponctua de joyeux gloussements.

—Nous t'avons assez entendu! cria le frère Narev, furieux. Détruis sans plus tarder ta monstrueuse statue!

—Dois-je comprendre que les frères et les responsables de l'Ordre redoutent ce que pourrait dire un individu sans importance? Les mots vous inquiètent tant que ça, frère Narev?

Les yeux noirs du frère sondèrent rapidement la foule, qui paraissait fascinée par ce dialogue.

—Aucune parole ne nous effraie! La vertu est de notre côté, et elle nous aide à triompher du mal. Continue à divaguer, ainsi, tout le monde comprendra pourquoi un authentique enfant du Créateur ne saurait prendre ton parti.

Richard sourit à la foule – mais il ne tenta pas le moins du monde d'édulcorer ses propos.

—Chaque individu est propriétaire de sa vie. Si elle appartient à la société, ou à un quelconque régime, il devient tout simplement un esclave. Nul n'a le droit de priver quelqu'un de sa liberté ni de réquisitionner les biens qu'il produit, parce que cela revient à le priver de ce qui lui permet de subsister. Plaquer un couteau sous la gorge d'un être humain pour le forcer à vivre d'une certaine manière est une trahison ! Aucune société n'est plus importante que les individus qui la composent. Sinon, on crée une abstraction qui justifie les guerres et les massacres. Les lois doivent être fondées sur la raison et une saine vision de la réalité. Quand on la laisse prendre le dessus, la foi aveugle est un fléau !

» Vous détourner de l'intelligence et croire aux mensonges de vos chefs leur permet de vous réduire en esclavage et de vous assassiner. Vous avez le pouvoir de prendre en charge votre vie. Si vous le décidez, les dirigeants que vous voyez devant vous n'auront pas plus de valeur que des cancrelats. À part celui que vous leur concédez, ils n'ont aucun pouvoir sur vous !

Du bout de sa masse, Richard désigna la statue.

—Voici la vie, celle qui pourrait être la vôtre. (Il pointa la tête de l'outil vers les statues.) Et voilà ce que vous offre l'Ordre : la mort !

—Assez de blasphème ! explosa le frère Narev. Détruis cette statue, si tu ne veux pas mourir dans la seconde qui suit.

Les gardes levèrent leurs lances.

Richard les toisa du regard, puis approcha de la statue.

Nicci sentit son cœur battre la chamade. Il ne fallait pas que cette œuvre disparaisse. L'Ordre n'avait pas le droit de voler la beauté aux gens.

Richard posa la tête de la masse sur son épaule, tendit sa main libre vers la statue et parla une dernière fois à la foule :

—Regardez ce que l'Ordre vous dérobe : votre humanité, votre personnalité, et la liberté de vivre comme vous l'entendez.

Comme s'il s'agissait de l'Épée de Vérité, il se toucha le front avec la tête en acier de la masse.

Puis il abattit l'outil sur le socle de la statue.

Nicci entendit la pierre se craqueler de l'intérieur, comme si elle poussait de petits cris de douleur.

Puis la statue explosa en un tourbillon de fragments et de poussière blanche.

Les frères, les dignitaires et les gardes se réjouirent bruyamment devant ce spectacle, mais ils étaient bien les seuls.

Les citoyens, silencieux comme à des funérailles, regardaient leurs espoirs disparaître, et des larmes perlaient à leurs paupières.

La gorge serrée, Nicci, comme tous les autres, avait le sentiment qu'on venait de tuer un innocent devant ses yeux.

Lances levées, les gardes poussèrent Richard vers d'autres soldats, qui le couvriraient bientôt de chaînes.

— Non, nous n'accepterons pas ça ! cria une voix dans la foule.

Malgré la pénombre, Nicci reconnut l'homme qui avait lancé ce défi et jouait à présent des coudes pour se frayer un passage jusqu'au premier rang.

C'était maître Cascella, le forgeron.

— Nous n'accepterons pas ça ! répéta-t-il. Je refuse de rester un esclave. Vous m'entendez ? Je suis un homme libre ! Oui, un homme libre !

Des milliers de gorges reprirent cette affirmation.

Puis la foule chargea.

Des gardes voulurent s'interposer, mais ils furent submergés par le nombre.

Nicci cria à s'en casser les cordes vocales afin d'attirer l'attention de Richard. Mais dans ce vacarme, c'était peine perdue…

Chapitre 68

Richard n'aurait su dire ce qui le stupéfiait le plus : la triste fin de sa statue, ou la charge héroïque de la foule, après que Victor se fut déclaré un homme libre.

Les citoyens déferlaient sur les gardes, pas assez nombreux pour résister, même s'ils réussissaient à blesser ou à tuer quelques insurgés. Poussés par des milliers de gens en colère, les révoltés du premier rang n'auraient pas pu s'arrêter s'ils l'avaient voulu. À l'évidence, ils n'en avaient pas l'intention…

Les frères, les officiels et les gardes restants cédèrent à la panique. En quelques instants, ces fiers défenseurs de l'Ordre – quand il n'était pas en danger – se convertirent à une philosophie des plus pragmatiques : chacun pour soi, et sauve qui peut !

Richard voulait la peau de Narev. Mais pour cela, il devrait d'abord se débarrasser des gardes qui fonçaient sur lui.

Abattant sa masse sur la poitrine d'un idiot qui chargeait comme un taureau, l'épée devant lui, Richard le délesta de sa lame au moment où il s'écroulait, le souffle coupé et le thorax défoncé.

Jetant l'outil, désormais inutile, le Sourcier se prépara à danser avec les morts.

En quelques coups, il tailla en pièces une dizaine de soldats qui avaient l'idée saugrenue de vouloir lui barrer le chemin.

Mais tuer des gardes ne l'intéressait pas. S'il devait tout perdre aujourd'hui, y compris la vie, il voulait se consoler en entraînant Narev avec lui dans le royaume des morts. Hélas, le guide spirituel de l'Ordre s'était volatilisé…

En revanche, Richard repéra Victor, qui tenait un frère par les cheveux. D'autres hommes l'avaient rejoint et l'aidaient à neutraliser le sorcier, qui semblait avoir du mal à reprendre ses esprits après avoir reçu un coup à la tête.

—Richard ! cria le forgeron dès qu'il aperçut son ami.

Avec ses compagnons, il approcha du Sourcier et se campa devant lui.

—Que devons-nous faire du frère ? demanda un des hommes.

Richard reconnut parmi ces combattants des travailleurs qu'il avait côtoyés sur le chantier. Ishaq était également présent, et Priska aussi.

—Pourquoi me poser votre question ? C'est votre révolution ! Que comptez-vous faire de cet homme ?

—C'est à toi de nous le dire ! lança un sculpteur avec qui Richard avait un peu sympathisé.

—Non, la décision vous revient. Mais sachez que cet homme est un sorcier. Dès qu'il se sera ressaisi, il tuera impitoyablement vos amis. C'est une affaire de vie ou de mort, et il en a conscience. Qu'en est-il de vous ? Vos vies sont l'enjeu de cette affaire. Le sort de ce frère est entre vos mains.

—Richard, dit Priska, cette fois, nous aimerions que tu sois avec nous. Mais si tu refuses, nous irons quand même jusqu'au bout. Avec ou sans toi, il faut que les choses changent !

Tous les hommes brandirent le poing en signe d'assentiment.

Victor tira le frère contre lui, lui prit la tête à deux mains et lui brisa la nuque.

—Et voilà ce que nous entendons faire de lui ! dit-il.

Richard tendit la main au forgeron et sourit.

—Je suis toujours heureux de rencontrer un homme libre. (Alors qu'ils se serraient la main, le Sourcier regarda son ami dans les yeux.) Je suis Richard Rahl.

Victor en resta bouche bée, puis il éclata de rire.

—Bien entendu que tu es Richard Rahl ! Nous le sommes tous. Pendant une seconde, j'ai cru que… Vraiment, tu as failli m'avoir, Richard !

Alors que la foule le poussait vers les colonnes avec ses amis, le Sourcier se baissa, prit le cadavre du frère par le col et le traîna derrière lui.

Soudain, la terre trembla, puis un éclair frappa une des colonnes de marbre, qui explosa, aspergea la foule d'éclats coupants et fit des dizaines de blessés.

—Qu'est-ce que c'était ? cria Victor.

Ignorant le danger, les insurgés continuaient d'avancer vers leurs anciens maîtres. À l'endroit où se dressait un peu plus tôt la statue, des gens se baissaient pour ramasser des fragments de l'œuvre. D'autres s'embrassaient les doigts, puis les posaient en passant sur les mots gravés au dos du cadran solaire gisant sur le sol. Ils choisissaient la vie et entendaient le montrer.

Les frères et les officiels capturés – un nombre important – hurlaient de douleur tandis que des citoyens déchaînés les battaient à mort avec les plus gros débris de la statue.

—Le frère Narev est un magicien, dit Richard à Victor. Il faut canaliser cette foule, mon ami. J'approuve le désir de liberté de ces gens, mais face à un tel pouvoir, beaucoup mourront si nous ne leur imposons pas un minimum d'organisation.

—Je comprends…, fit Victor tout en luttant pour ne pas être emporté par la marée humaine.

D'autres compagnons du forgeron avaient entendu le conseil du Sourcier, et ils firent passer le mot autour d'eux. Après un si long esclavage, ces hommes et ces femmes voulaient réussir. Résolus à atteindre leur objectif, ils comprenaient que ce serait impossible dans un désordre total.

Habitués à diriger des équipes, des contremaîtres et des chefs de chantier prirent les choses en main.

Richard se pencha sur le frère mort et commença à lui retirer sa soutane.

—Victor, il faut surtout empêcher les gens d'entrer dans le palais. Narev s'y est retranché, et il tuera impitoyablement tous les intrus. Truffé de frères, le Fief va devenir un piège mortel.

—J'ai saisi, dit le forgeron.

—On va s'occuper de ça! crièrent plusieurs autres hommes.

Richard enfila la tenue du frère mort.

—Que fais-tu donc? lui demanda Victor.

—Moi, je vais entrer… Dans la pénombre, Narev me prendra pour un de ses disciples, et je pourrai m'approcher de lui. (Richard glissa son épée sous le vêtement.) Restez loin du Fief. Narev est un dangereux magicien. Je dois le neutraliser…

—Sois prudent, dit simplement le forgeron.

Les hommes qui avaient décidé de diriger les opérations s'éparpillèrent pour aller prendre leur poste. Puis ils crièrent des ordres auxquels quelques personnes obéirent. S'en avisant, d'autres les imitèrent, et un semblant d'organisation commença à régner sur l'esplanade. Ce n'était pas trop tôt, car la course folle des insurgés commençait à devenir dangereuse pour tout le monde.

Richard regarda autour de lui et constata que tous les frères et les responsables de l'Ordre capturés avaient été exécutés. Autour de la statue brisée, des « pèlerins » continuaient à ramasser des fragments qu'ils serraient contre leur cœur.

En position de choisir la vie, ces hommes et ces femmes avaient accepté ce cadeau. En agissant ainsi, ils avaient montré leur valeur à Richard.

—Mon ami, dit Victor, je suis navré, pour la statue…

Un nouvel éclair s'abattit et déchiqueta au minimum une centaine de personnes. Renversée par l'onde de choc, une colonne s'écroula et écrasa d'autres malheureux.

—Nous parlerons plus tard! cria Richard. Je dois neutraliser Narev. Empêche les gens d'entrer dans le palais, ou ils mourront tous!

Victor acquiesça puis alla rejoindre les hommes qui tentaient d'organiser les émeutiers.

Richard courut jusqu'au palais, franchit une porte et s'engouffra dans les ténèbres.

Dans les interminables couloirs encore inachevés, le Sourcier vit des centaines de cadavres carbonisés. Lors de la première charge, les insurgés avaient suivi dans le Fief les frères et les dignitaires qui s'y étaient réfugiés. Narev et ses disciples avaient fait un massacre, brûlant indifféremment les hommes, les femmes et même quelques enfants.

Longtemps avant d'être le Sourcier puis le seigneur Rahl, Richard Cypher exerçait la profession de guide forestier. Pour lui, l'obscurité était une amie, et en cas de danger, il savait en faire une complice.

Dans les entrailles du Fief, les échos de l'émeute qui continuait sur l'esplanade atteignaient à peine ses oreilles. À travers les plafonds et le toit à demi construits, les rayons de lune parvenaient parfois à déchirer les ombres, y faisant danser des silhouettes plus menaçantes les unes que les autres.

Richard vit une vieille femme étendue sur le sol et s'accroupit près d'elle. Constatant qu'elle était blanche comme un linge, il lui posa une main sur l'épaule et la sentit trembler sous ses doigts.

—Où êtes-vous blessée? (Il abaissa sa capuche.) N'ayez pas peur, je suis Richard.

La femme sourit quand elle le reconnut.

—C'est ma jambe…, gémit-elle.

Elle releva sa jupe, dévoilant à la chiche lueur de la lune la plaie noirâtre qu'elle portait juste au-dessus d'un genou.

Avec son épée, Richard coupa l'ourlet de la jupe et en fit un bandage de fortune.

—Je veux vivre! dit la femme. J'étais venue ici pour aider mes amis… Donnez-moi cette bande de tissu, Richard. Maintenant que vous l'avez coupée, je peux me soigner toute seule. Votre statue nous a montré ce qu'était la vie. Merci beaucoup…

» Je voulais avoir une vermine nommée Narev… Vous le ferez à ma place?

Richard s'embrassa les doigts puis les posa sur le front de la vieille femme.

—C'est promis! Occupez-vous de votre jambe, puis attendez que nous ayons la situation bien en main, et je vous enverrai du secours…

Richard repartit. Devant lui, il entendait des cris de fureur et de souffrance. Les gardes qui avaient battu en retraite dans le palais affrontaient les insurgés qui s'étaient lancés à leur poursuite.

Dans un coin sombre, il repéra la silhouette d'un frère qui tremblait de terreur. Ce n'était pas Narev, car l'homme avait la tête couverte par un capuchon, pas un calot.

Jouant son rôle, le Sourcier releva sa capuche et approcha du disciple, qui parut soulagé de voir un collègue.

— Qui es-tu? demanda-t-il en invoquant une petite flamme de paume.

— La justice, répondit Richard.

Sans hésiter, il transperça le cœur du sorcier avec sa lame. Puis il la dégagea, l'essuya sur la soutane du mort et la cacha de nouveau sous la sienne.

Nicci se vengerait sûrement de tout ce qu'il était en train de faire, et il ne voyait pas comment l'en empêcher. Dès le début de cette affaire, elle avait été très claire sur ce point : s'il désobéissait, il le paierait. Mais il était déterminé à nuire à l'Ordre autant qu'il le pourrait, et la Sœur de l'Obscurité n'apprécierait certainement pas…

Depuis des mois, il cherchait un moyen de ramener Nicci à la raison, afin qu'elle se range dans son camp. Parfois, il croyait lire dans ses yeux qu'elle comprenait… mais ça ne durait jamais. Elle avait des sentiments pour lui, il le savait pertinemment. Mais comment aurait-il pu s'en servir pour la convaincre de changer de vision du monde et de briser ses chaînes? Si un moyen existait, il ne l'avait pas trouvé…

Entendant des bruits de pas, Richard entra dans une pièce obscure. Quand deux gardes passèrent devant lui, il tira son épée, sortit de sa cachette et décapita le premier. L'autre se retourna, prêt à se battre, mais il lui enfonça sa lame dans le ventre. En un effort désespéré, le blessé recula, dégageant l'acier de sa chair. Hélas, d'autres bruits de pas retentirent avant que Richard ait pu l'achever. Dommage pour ce soldat, car une plaie de ce genre impliquait une agonie de plusieurs heures.

Richard retourna dans la pièce en faisant assez de bruit pour que les nouveaux venus le suivent. Avec la complicité de l'obscurité, il n'eut aucun mal à tailler en pièces une demi-douzaine d'hommes. Quand on ne savait pas se battre à l'oreille, il valait mieux éviter de ferrailler dans le noir.

Quittant la pièce, le Sourcier reprit son chemin et se laissa guider par le bruit des explosions. Chaque fois qu'un éclair déchirait les ténèbres, à travers les plafonds et le toit inachevés, il se couvrait les yeux d'une main pour ne pas altérer sa précieuse vision nocturne.

Les couloirs du palais étaient interminables, et certains débouchaient sur des zones où rien n'était encore construit. Se repérant toujours au bruit, Richard s'engagea dans un escalier qui devait conduire aux sous-sols du Fief.

Arrivé en bas, il traversa une enfilade de petites pièces, souvent en passant à travers les trous des cloisons incomplètes, puis déboucha dans un grand couloir.

Apercevant une silhouette qui brandissait une épée, droit devant lui, le Sourcier s'immobilisa. En principe, aucun des insurgés n'était armé…

L'homme leva son épée et se mit en garde. Richard étant déguisé en frère, pourquoi cet idiot voulait-il en découdre avec un allié ?

À la faveur d'un éclair, le Sourcier vit que la garde de l'Épée de Vérité dépassait de derrière l'épaule gauche de son adversaire.

Ce n'était pas un homme. Et encore moins un ennemi.

Kahlan se dressait devant lui !

Et elle pensait avoir affaire à un des disciples de Narev…

Derrière sa bien-aimée, Richard aperçut une autre silhouette, qui courait vers eux.

Et là, il s'agissait de Nicci.

En un éclair, le Sourcier comprit ce qu'il devait faire. C'était sa seule chance de recouvrer sa liberté – et de mettre Kahlan définitivement hors de danger.

Le plan qui venait de germer dans son esprit le terrifia. Serait-il assez fou pour prendre un tel risque ? Avait-il vraiment mesuré tous les dangers… ?

Aucune importance ! Il devait agir ainsi.

Au lieu de lui crier d'arrêter, Richard laissa Kahlan porter la première attaque. Après l'avoir parée, il passa à la contre-offensive.

Bien entendu, il retint ses coups, pour ne pas risquer de blesser sa femme. Par bonheur, il savait presque tout de sa façon de manier l'épée, puisqu'il la lui avait en partie enseignée.

En maître de la lame, il joua le rôle d'un escrimeur pas très adroit mais sacrément chanceux.

Nicci n'était plus très loin…

Richard ne devait pas faire traîner les choses, mais le minutage avait intérêt à être précis. Attendant que Kahlan soit en léger déséquilibre vers l'avant, il porta un coup très violent qui percuta l'arme de sa femme au niveau des quillons et la lui arracha de la main.

Kahlan cria de douleur à cause de la puissance de l'impact, qui se répercutait sûrement dans tout son bras, puis elle tourna sur elle-même tandis que sa lame volait dans les airs.

Exactement ce que voulait Richard.

Sans hésiter, en pleine pirouette involontaire, l'Inquisitrice lança la main droite derrière son épaule et dégaina l'Épée de Vérité. Dans l'air retentit la note métallique si particulière que Richard connaissait tellement bien.

Kahlan se fendit, lame pointée. Dans ses yeux, le Sourcier vit briller une fureur qu'il n'eut aucun mal à identifier. C'était la colère induite par la magie de l'arme… Il en eut le cœur serré, car il savait mieux que quiconque quels tourments devait endurer sa bien-aimée.

Plongeant au plus profond de lui-même, où aucune émotion ne venait troubler son calme intérieur, le Sourcier passa à la dernière phase de son plan. Contrôlant les attaques de Kahlan, il dévia tous les coups qu'elle portait en hauteur, la guidant subtilement vers la cible qu'il voulait la voir frapper. S'il voulait avoir une chance de s'en sortir, il fallait être précis…

Les dents serrées, Kahlan s'engouffra dans l'ouverture qu'il lui laissa délibérément.

L'Inquisitrice n'avait jamais été dans un tel état de fureur. Dès qu'elle avait saisi sa garde, l'Épée de Vérité lui avait communiqué son inextinguible colère. À l'idée de tuer quelqu'un avec, Kahlan exultait. Et comme elle, l'arme magique avait soif de sang.

Ces gens détenaient Richard, et les frères, les véritables inspirateurs de l'Ordre, avaient gâché leurs deux vies. Dans les Contrées du Milieu, les hordes de Jagang massacraient des innocents. Et un tueur envoyé par l'empereur avait assassiné Warren.

Mais elle allait pouvoir se venger sur un des responsables.

Elle cria de rage, exaltée à l'idée de traverser avec sa lame la poitrine d'un des monstres coupables de tous ces crimes.

Le frère fit une erreur, lui laissant une ouverture.

Kahlan n'aurait pas besoin d'une deuxième chance…

Richard sentit la lame s'enfoncer dans sa chair. Il fut surpris, car cela ne ressemblait pas à l'expérience qu'il s'attendait à vivre. Au lieu d'un déchirement, il eut l'impression qu'une masse énorme s'écrasait sur son ventre – un peu ce qu'avait dû « éprouver » sa statue, quand il l'avait frappée.

Il ouvrit la bouche pour parler. C'était le moment, car il devait empêcher Kahlan de tourner la lame dans la plaie. S'il n'intervenait pas, et qu'elle lui dévaste les entrailles, Nicci ne pourrait pas le guérir, parce que son pouvoir avait des limites.

Pour utiliser sa magie, la Sœur de l'Obscurité devrait neutraliser le sort de maternité.

Il avait parié qu'elle l'aimait assez pour agir ainsi.

Mais pour l'instant, la lame s'enfonçait toujours, et il était incapable de parler. Même s'il avait prévu d'être blessé, le choc le paralysait.

Il devait dire à Kahlan d'arrêter! Lui révéler que c'était lui qu'elle tentait de tuer.

Au minimum, il fallait qu'il réussisse à crier son nom.

Mais aucun son ne consentait à sortir de sa gorge.

Alors qu'elle cherchait Richard, Nicci avait vu deux silhouettes s'affronter. Un frère et quelqu'un qu'elle ne reconnaissait pas, mais qui lui semblait étrangement familier.

Elle avait également éprouvé un curieux sentiment. En temps normal, elle l'aurait identifié, mais là, elle avait autre chose en tête.

L'homme vêtu d'un manteau avait perdu son épée. À l'évidence, le frère allait le tuer. Nicci aurait voulu intervenir, mais pouvait-elle se permettre de perdre du temps ?

Quelqu'un lui avait dit que Richard était à l'intérieur du palais, et elle devait le trouver.

Devant elle, l'inconnu venait de dégainer une seconde lame accrochée dans son dos. Quelque chose ne collait pas dans tout ça, mais Nicci ne parvenait pas à mettre le doigt dessus…

Puis le frère avait commis une erreur grossière.

En profitant, son adversaire lui avait enfoncé son arme dans le ventre.

Submergé par la douleur, le frère avait incliné la tête en arrière, exposant son visage à la pâle lumière de la lune.

Alors Nicci avait tout compris.

Et hurlé de terreur.

— Kahlan, arrête ! parvint enfin à crier Richard.

L'Inquisitrice se pétrifia, puis vit enfin le visage de son « adversaire ».

Au même instant, Richard entendit le hurlement de Nicci.

Kahlan recula, lâchant la garde de l'Épée de Vérité comme si elle lui brûlait la paume.

Richard saisit la lame de l'épée – son épée – pour la stabiliser et éviter qu'elle lui déchire les entrailles en s'inclinant vers le sol.

Kahlan n'avait pas frappé doucement. La lame était enfoncée presque jusqu'à la garde, et un geyser de sang jaillissait entre les doigts du Sourcier.

— Richard ! cria Kahlan. Non !

Le Sourcier se laissa tomber à genoux. Il n'aurait pas cru qu'avoir une épée dans le corps faisait si peu mal. C'était le choc, pas la douleur, qui lui avait embrouillé l'esprit. Dans un tel moment, il était difficile de penser clairement. Pourtant, il restait assez lucide pour s'efforcer de ne pas basculer en avant. Sinon, l'épée risquait de provoquer des dommages irréversibles…

— Retire la lame…, souffla-t-il.

Il voulait qu'on lui enlève cette affreuse chose du corps. Même s'il se souvenait que c'était terriblement dangereux, à cause des risques hémorragiques, il refusait de sentir plus longtemps en lui un objet étranger.

Paniquée, Kahlan s'agenouilla, saisit la garde de l'arme et tira – comme si elle espérait, en agissant ainsi, réparer ce qu'elle avait fait…

— Qu'est-il arrivé ? cria Cara en émergeant des ombres. Qu'avez-vous fait ?

Alors que le monde tournait follement autour de lui, Richard sentait son sang imbiber de plus en plus ses vêtements.

Cara le prit par les épaules pour le soutenir.

— Richard ! s'écria Kahlan. Par les esprits du bien, ce n'est pas possible ! Une chose pareille ne peut pas arriver !

Le Sourcier se demanda vaguement ce que sa femme faisait dans l'Ancien Monde. Et comment était-elle arrivée dans les sous-sols du palais de Jagang ?

Malgré son hébétude, il parvint à sourire à sa bien-aimée. Avait-elle vu la statue, avant qu'il la détruise ?

Était-elle…

Non, toutes ces questions n'avaient plus d'importance ! Ce qui comptait, c'était son plan, qui…

Un si bon plan que ça, tout bien pesé ? Oui, parce que c'était la seule chance de libérer Kahlan de l'emprise de Nicci.

Qui arrivait enfin…

— Nicci, aide-moi…, croassa Richard. Il faut que tu me sauves. Je t'en prie, Nicci !

Même si la voix du Sourcier n'était plus qu'un murmure, la Sœur de l'Obscurité entendit sa supplique.

Nicci n'avait jamais couru si vite de sa vie.

Devant ses yeux, Kahlan avait transpercé le ventre de Richard. Une véritable horreur ! Avec ses absurdes machinations, Nicci avait attiré le malheur sur la tête de deux innocents.

Tout était sa faute ! Mais elle avait un moyen de se racheter.

Guérir Richard était possible. Kahlan étant à proximité – pour une raison qui dépassait l'entendement de Nicci –, neutraliser le sort de maternité ne risquerait pas de la tuer. Son pouvoir revenu, elle soignerait Richard…

Oui, elle allait le sauver, et tout irait bien ! Ce drame ne serait plus qu'un mauvais souvenir.

Pour une fois, elle allait agir dignement et aider pour de bon deux personnes qui le méritaient.

Alors qu'elle approchait du couple, un bras s'enroula autour de sa gorge, et son agresseur l'entraîna dans une pièce obscure.

L'homme était musclé et il empestait. Heureux de changer de résidence, ses poux sautaient déjà sur la tête de la Sœur de l'Obscurité.

La terreur la paralysa. N'ayant plus eu peur depuis des décennies, Nicci en perdit toutes ses facultés mentales.

Elle se débattit d'abord comme une idiote, puis pensa au dacra glissé dans sa manche et tenta de l'en faire sortir. Devinant le danger, l'homme lui saisit le poignet et lui retourna le bras dans le dos.

Puis il la frappa à la gorge, lui coupant le souffle, et la souleva de terre.

Incapable de respirer, Nicci dut se laisser porter par son agresseur dans le dédale de couloirs obscurs des sous-sols du Fief.

Juste avant que quelqu'un l'attaque, Richard avait eu le temps de croiser le regard de Nicci. Et dans ses yeux, il avait lu qu'elle allait le secourir.

Mais elle n'était plus là !

De plus en plus faible, le Sourcier se laissa tomber contre la poitrine de Cara. Les mains de la Mord-Sith lui semblaient brûlantes. Sans doute parce que sa propre peau était déjà glacée…

Portant les mains à sa gorge, Kahlan recula en titubant. Elle ne pouvait plus respirer !

— Mère Inquisitrice, cria Cara, que vous arrive-t-il ?

Richard parvint à saisir la Mord-Sith par la nuque, et il la força à tourner la tête.

— Quelqu'un a attaqué Nicci, et doit tenter de l'étrangler. Cara, il faut la sauver, sinon, Kahlan mourra. Et moi aussi, parce que personne d'autre ne pourra me guérir… Dépêche-toi !

Cara hocha la tête.

— J'ai compris, dit-elle tout en déposant doucement son seigneur Rahl sur le sol glacé.

Puis elle partit au pas de course.

Richard sentit de l'humidité dans son dos. Parce qu'il y avait de l'eau par terre, ou à cause de son sang ? Grâce à la lumière qui filtrait du plafond encore en cours de construction, il apercevait Kahlan, occupée à lutter contre un ennemi invisible.

Elle aussi gisait sur le sol détrempé. Car c'était de l'eau, pas du sang. Avec la proximité du fleuve, il semblait logique que les sous-sols soient inondés…

— Kahlan… Accroche-toi, je t'en prie !

La jeune femme ne répondit pas.

Les mains serrées sur sa plaie, pour empêcher ses entrailles de s'en échapper, Richard rampa dans l'eau croupissante. Désormais, la douleur l'avait rattrapé, et chaque mouvement le mettait à la torture.

Il battit des paupières pour chasser de ses yeux les larmes de souffrance et la sueur glacée qui ruisselait de son front. Il ne devait pas baisser les bras ! Et Kahlan, comme lui, n'avait pas le droit d'abandonner le combat.

Tendant une main poisseuse de sang, Richard parvint à prendre la main de sa femme, qui bougea les doigts pour lui faire sentir qu'elle vivait toujours.

Aucune nouvelle n'avait jamais autant soulagé Richard.

Son plan était bon, il l'aurait juré ! D'ailleurs, il avait fonctionné. Sans ce qui était arrivé à Nicci, tout serait déjà rentré dans l'ordre.

Oui, c'était vraiment un bon plan…

Et maintenant, Kahlan et lui allaient mourir absurdement dans les sous-sols humides d'un palais ? Pour eux deux, il avait toujours rêvé d'une fin plus grandiose.

Il fallait qu'il dise à Kahlan qu'il l'aimait, et qu'elle ne l'avait pas tué, parce qu'il avait manigancé tout ça. Pour la sauver, et se sauver aussi, il avait imaginé un plan qui…

— Kahlan, souffla-t-il, ignorant si elle l'entendait encore, je t'aime. Je suis heureux de tout ce que nous avons vécu ensemble, et je n'échangerais contre rien au monde ces moments-là…

Émergeant du néant, Richard ouvrit les yeux et gémit de douleur. Il avait sombré dans une bienheureuse inconscience, mais c'était terminé.

À présent, il voulait que ça s'arrête ! Il souffrait trop, et seule la mort lui semblait désirable. Son foutu plan n'avait pas marché, et il devrait en payer le prix. Mais l'agonie ne pouvait-elle pas être plus rapide ?

Combien de temps était-il resté inconscient ? Il n'en savait rien… Près de lui, Kahlan ne bougeait plus.

Soudain, une ombre voila la pauvre lumière de la lune.

— Mais c'est Richard Cypher ! s'écria le frère Neal. Quelle heureuse coïncidence ! Puis-je savoir qui est la femme qui gît à tes côtés ?

Dans sa torpeur, Richard sentit la magie de l'Épée de Vérité, qui devait être tombée non loin de là. S'il pouvait tendre la main…

— Je n'en sais rien…, souffla-t-il. Une des vôtres, puisqu'elle m'a embroché…

Oui, l'arme était là, à portée de ses doigts ! Il ne lui restait plus qu'à…

— Non, non, tu ne l'auras pas, dit Neal en posant un pied sur la lame. Tu as déjà provoqué assez de troubles comme ça…

Une lueur blanche crépitait autour des doigts du sorcier. Un sort mortel en préparation…

À peine conscient, Richard était dans l'impossibilité d'invoquer sa propre magie pour se défendre. Bizarrement, il ne s'en lamentait pas. Au moins, la fin serait rapide, et Kahlan, si elle survivait, ne devrait pas vivre avec l'idée qu'elle l'avait tué.

Un bruit d'os brisé déchira le silence.

Neal tituba et tomba à genoux.

Refermant les doigts sur la garde de l'Épée de Vérité, Richard la tira de sous les jambes du frère et la lui enfonça dans le cœur.

Neal baissa sur sa poitrine des yeux déjà vitreux. Apparemment, il était au bord de la mort avant que la lame lui ait traversé la poitrine.

L'homme qui ne succéderait jamais à Narev s'écroula sur le côté tandis que Richard dégageait sa lame.

La femme que le Sourcier avait aidée se tenait derrière Neal. Sa jambe bandée, elle brandissait encore la main brisée de la femme de marbre sculptée par Richard.

C'était avec cette arme improvisée qu'elle avait fendu le crâne du frère Neal.

Chapitre 69

Richard entendit des bruits de pas dans le couloir. La vieille femme était partie chercher du secours, et elle en avait peut-être trouvé. Dans le lointain, le Sourcier captait des cris sporadiques et des explosions magiques. Les combats continuaient, et de pauvres gens y laissaient la vie…

— Richard ? lança une voix féminine.

Le Sourcier tourna les yeux vers la silhouette qui approchait de lui.

— Qui êtes-vous ? parvint-il à souffler.

La femme s'agenouilla près de lui – et lâcha un petit cri en apercevant Kahlan étendue sur le sol.

— Qu'est-il arrivé à la Mère Inquisitrice ?

— Qui êtes-vous ? répéta Richard, méfiant.

Comment cette femme pouvait-elle connaître Kahlan ?

— Sœur Alessandra… Je suis en ville depuis un moment, à la recherche de Nicci, et… Laissons ça pour plus tard, c'est une trop longue histoire ! J'ai croisé dans le couloir une femme qui m'a demandé de secourir l'homme qui a sculpté la statue. Je voulais te contacter depuis longtemps, mais… Oh ! voilà que je recommence à bavasser ! Où es-tu blessé, je peux essayer de te guérir.

— Une épée m'a traversé le ventre… La plaie est sous mes mains.

Alessandra ne dit rien pendant un moment, puis elle examina la blessure… et marmonna une prière.

— Je vais pouvoir t'aider. J'avais peur que…

— Non, il faut que ce soit Nicci !

— Nicci ? Mais où est-elle ? Anna m'a envoyée à sa recherche, et…

Richard tourna les yeux vers Kahlan.

— Et elle, vous pouvez l'aider ?

— Hélas, non… Un sort la lie à Nicci. Je le sais parce que la Mère

Inquisitrice me l'a dit, l'hiver dernier. Le sortilège de Nicci ferait écran à mon pouvoir.

— Est-elle encore…

Alessandra se pencha sur Kahlan et l'examina.

— Oui, elle vit toujours.

Richard en soupira de soulagement – au prix d'une explosion de douleur.

— Ne bouge pas, lui conseilla Alessandra.

— Mais il me faut Nicci pour…

— Tu saignes beaucoup, Richard. Dans quelques minutes, tu auras perdu trop de sang. Si nous attendons, je ne serai plus en mesure de t'aider, car tu seras trop près du royaume des morts pour que la magie puisse te ramener. Il faut agir maintenant!

» De plus, je suis ici pour neutraliser Nicci, et je la connais mieux que personne au monde. Comment peux-tu songer à mettre ta vie entre ses mains? Elle n'est pas digne de confiance.

— Ce n'est pas une affaire de confiance. Je suis certain que…

— Nicci est une Sœur de l'Obscurité. Je le sais, parce que c'est moi qui l'ai entraînée sur le chemin des ténèbres. Aujourd'hui, j'ai l'intention de la ramener vers la lumière. Avant que j'y sois parvenue, il sera impossible de se fier à elle. Richard, le temps presse! Veux-tu vivre ou mourir?

Tout ça pour rien… Accablé, Richard sentit une larme perler à sa paupière puis rouler sur sa joue.

— Je choisis la vie, dit-il.

— Je m'en doutais, parce que j'ai vu la statue. Allons, retire tes mains, que je puisse travailler!

Richard écarta les bras pour révéler sa blessure. Vaincu par la douleur, il ne parvenait plus à penser à autre chose.

Quand le pouvoir s'infiltra en lui, il dut serrer les dents pour ne pas crier.

— Courage! dit Alessandra. C'est une sale blessure. Tu vas souffrir, mais ça ira mieux bientôt.

— Je sais…, souffla Richard. Allez-y!

La magie d'Alessandra lui brûla les entrailles comme si on l'avait forcé à avaler des boulets de charbon chauffés au rouge. Au moment où il allait hurler de douleur, son calvaire cessa d'un coup. Les yeux fermés, il se raidit, certain que ça allait recommencer. Mais il sentit les mains de la sœur s'écarter de son ventre…

Ouvrant les yeux, il vit l'expression stupéfaite d'Alessandra. Un instant, il se demanda ce qui lui arrivait.

Puis il aperçut la pointe de l'épée qui dépassait de sa poitrine. Portant les mains à sa gorge, la sœur tenta de crier, mais le flot de sang qui jaillit de sa bouche l'en empêcha.

Une main squelettique la poussa sur le côté.

Alessandra avait été tuée par l'épée dont Richard s'était servi pour affronter Kahlan. Terrorisé, il tenta de saisir la garde de l'Épée de Vérité, mais, d'un coup de pied, l'assassin de la sœur la propulsa loin de lui.

—Tu es un fauteur de troubles, Richard Cypher, dit une voix grinçante sinistrement familière. Mais par bonheur, c'est terminé.

Le frère Narev baissa sur le Sourcier un regard méprisant.

—Ta minable révolte sera bientôt écrasée, je t'en donne ma parole juste avant ton départ pour le royaume des morts. L'émeute ne durera pas, et les gens reprendront leurs esprits. Tu es un extrémiste, Cypher! En cela, tu ne peux convaincre que des fanatiques. Les citoyens ordinaires savent qu'ils doivent se dévouer pour les autres. Tous tes efforts n'auront servi à rien!

Narev fit un grand geste circulaire, comme s'il guidait des visiteurs dans le nouveau palais.

—Un endroit parfait pour mourir, n'est-ce pas? Ces pièces seront des salles d'interrogatoire, quand le Fief sera achevé. Tu as évité le pire une fois, mais ce soir, tu ne t'en sortiras pas.

» Moi, je résiderai longtemps ici – assez pour voir l'Ordre imposer un comportement moral au monde. Dans ces sous-sols, les subversifs comme toi avoueront leurs crimes et dénonceront leurs complices. Je voulais que tu le saches, avant d'aller rejoindre le Gardien.

Narev recourba les doigts pour invoquer sa magie. Conscient que le coup de grâce ne tarderait plus, Richard reprit la main de Kahlan.

Une lumière blanche auréola les mains du frère. Bientôt, un éclair mortel en jaillirait.

Mais la lueur changea de couleur, tournant au jaune foncé.

Hurlant de rage, Narev secoua frénétiquement les mains.

—Tu es un sorcier! cria-t-il. Ta magie te protège. Qui es-tu donc?

—Ton pire cauchemar, Narev... Un homme lucide que tes mensonges ne peuvent pas tromper, et un sorcier que tes sortilèges ne réussiront pas à tuer.

Narev essaya d'écraser le visage du Sourcier d'un coup de pied. Avec ses dernières forces, Richard parvint à dévier l'attaque, puis à saisir au vol la cheville de son agresseur.

Narev réussit à ne pas tomber et il se débattit pour se dégager, imposant au blessé un effort qui lui donna le sentiment que ses entrailles se déchiraient de l'intérieur.

Richard tenta de ne pas lâcher prise. En vain.

Une fois libre de ses mouvements, Narev se pencha et referma la main sur la garde de l'épée enfoncée entre les omoplates d'Alessandra. L'arme étant coincée, il dut s'y reprendre à plusieurs fois, ses bottes glissant sur le sol trempé.

Une fois armé, comprit Richard, le guide spirituel de l'Ordre serait un bourreau très efficace.

Avec l'énergie du désespoir, le Sourcier se jeta dans les jambes de Narev, qui bascula en arrière. Le ventre littéralement en feu, Richard roula sur son adversaire pour l'empêcher de se relever.

Narev lui griffa le visage, décidé à lui crever les yeux. Détournant la tête, Richard referma les mains sur la soutane du frère, se hissa à la force du poignet le long de son torse, puis le saisit à la gorge.

Narev imita sa manœuvre. Haletant sous l'effort, les deux hommes tentaient de s'étrangler, et le premier qui lâcherait prise aurait perdu la partie.

Plus aguerri au combat, Richard réussit à poser ses pouces sur la trachée-artère de son adversaire. Maintenant, il lui suffirait d'appuyer pour…

Narev essaya de rouler sur lui-même pour se débarrasser de son agresseur. Plaçant ses jambes de manière à l'en empêcher, Richard pesa de tout son poids sur la poitrine du vieil homme. Après avoir manié une masse et un burin pendant des mois, il était beaucoup plus fort que le frère. Mais sa blessure l'affaiblissait, et il ne tiendrait plus longtemps…

Par bonheur, Narev semblait se fatiguer encore plus vite que lui. Peu à peu, ses doigts se faisaient moins puissants sur la gorge du Sourcier.

Quand ils la lâchèrent enfin, Richard comprit qu'il avait gagné. Les muscles bandés, il ne lui restait plus qu'à attendre la mort de Narev.

Les mains du frère s'accrochèrent à ses épaules. Un ultime geste désespéré…

Soudain, retrouvant toute leur vigueur, elles volèrent jusqu'à la tête de Richard et se refermèrent sur ses cheveux.

Narev parvint à dégager sa jambe gauche et enfonça son genou dans le ventre de Richard.

La douleur explosa, submergeant son champ de vision…

En reprenant conscience, la tête encore dans un brouillard, Nicci entendit un rire mauvais qu'elle reconnut aussitôt.

La puanteur lui rappelait également quelque chose.

Kadar Kardeef!

Puis la Sœur de l'Obscurité entendit le crépitement caractéristique d'une torche. Ouvrant les yeux, elle vit que l'ancien militaire lui passait la flamme devant le visage, si près que la chaleur était insupportable. C'était sans doute ça qui l'avait réveillée.

De la poix brûlante tombait de la torche. Quand un morceau s'écrasa sur sa cuisse, Nicci hurla de douleur.

— On dirait que la vengeance, ce soir, est un plat qui se mange chaud, ricana Kadar.

— Je me fiche de ce que tu m'infligeras ! Te faire rôtir m'a enchanté l'âme, et je me suis réjouie de t'entendre supplier.

— Vraiment ? Eh bien, ce sera ton tour, dans pas très longtemps. Tu n'imagines pas ce que le feu peut faire à quelqu'un. Mais tu ne tarderas pas à le savoir. Toi aussi, tu imploreras ma clémence.

Nicci se débattit, mais Kardeef était trop fort pour elle. Si Kahlan avait été plus près, elle aurait pu neutraliser le sort de maternité. Là, c'était impossible.

La flamme qui dansait devant ses yeux la terrorisait. Pour échapper à son sort, il lui suffisait de couper le « cordon » qui la reliait à l'Inquisitrice. La seconde d'après, son pouvoir redeviendrait disponible, et c'en serait fini de Kadar Kardeef. En tuant Kahlan, Nicci pouvait s'épargner un calvaire.

Mais pour cela, il lui fallait commettre un meurtre.

— Dois-je commencer par ton beau visage, Nicci ? Ou par tes superbes jambes ? Choisis, je t'en prie ! Tu sais que je suis un gentilhomme…

Nicci se débattit de plus belle. Elle méritait de finir ainsi, c'était évident, mais l'idée de brûler vive la poussait au bord du gouffre de la folie.

Tuer Kahlan la répugnait. Cela dit, l'Inquisitrice subirait le même sort qu'elle, et elle était donc condamnée dans tous les cas. Pourtant, il y avait une différence…

Celle qu'elle avait apprise en vivant aux côtés de Richard !

— Puisque tu ne te décides pas, dit Kadar, je vais commencer par le bas. Ainsi, tu crieras plus longtemps.

Il baissa sa torche, la passant sur l'ourlet de la robe noire, qui s'embrasa aussitôt.

Nicci cria de terreur. Avoir peur ainsi était une sensation nouvelle. Pour la première fois depuis qu'elle était toute petite, elle possédait quelque chose qu'elle refusait qu'on lui prenne. Sa vie !

À cet instant, malgré sa panique, Nicci comprit qu'elle ne briserait pas le lien, si affreux que soient les moments qui l'attendaient. Elle ne tuerait pas Kahlan, parce que Richard lui avait apporté la réponse qu'elle cherchait depuis toujours. Après une longue vie de prédatrice – au nom du bien commun, mais ça ne changeait rien –, elle ne finirait pas sur une dernière infamie.

À cause du lien, Kahlan partagerait son agonie, c'était inévitable. Mais ce serait Kadar l'assassin, pas Nicci. Sans le savoir, il aurait tué deux femmes, dont une qui ne lui avait jamais rien fait. Mais ce crime-là ne retomberait pas sur les épaules de Nicci !

Kardeef s'esclaffa en regardant la robe flamber. Tenue par des mains d'acier, Nicci ne pourrait pas échapper à son sort…

Soudain, une silhouette sombre jaillit de nulle part puis percuta Kadar et sa victime. Propulsée sur le sol, Nicci roula sur elle-même… et constata que l'eau croupissante avait éteint sa robe.

La femme qui venait de la sauver s'était déjà relevée et secouait la tête comme pour s'éclaircir les idées. Nicci reconnut Cara, la Mord-Sith de Richard.

Kadar aussi se releva. Furieux, il sauta sur la femme, sa torche encore allumée brandie comme une épée.

Nicci s'interposa, s'empara de la torche au vol et l'écrasa sur le visage du colosse. La poix carbonisant instantanément sa chair boursouflée, la flamme ne tarda pas à embraser sa chemise et ses cheveux.

Kardeef hurla à la mort. D'après ce qu'on racontait, une chair déjà brûlée faisait dix fois plus mal si on l'exposait de nouveau au feu. À voir la réaction de l'ancien commandant, ce devait être exact.

—Vite! cria Nicci à Cara. Je dois rejoindre Richard.

Laissant Kadar dans la pièce étroite où il brûlerait cette fois jusqu'au bout, les deux femmes sortirent dans le couloir.

Mais la Mord-Sith saisit Nicci par les cheveux et lui brandit son Agiel devant les yeux.

—Donnez-moi une raison de croire que vous voulez vraiment sauver le seigneur Rahl!

—Cara, j'ai vu sa statue, et j'ai compris que je me trompais depuis toujours… N'avez-vous jamais été dans l'erreur? Au point de commettre des atrocités? Pouvez-vous comprendre ce qu'on ressent en découvrant qu'on a aveuglément servi le mal et nui à des personnes dignes et respectables? Richard m'a montré que la vie valait la peine d'être vécue. Mais bien entendu, tout ça vous passe au-dessus de la tête…

Quand Nicci et Cara arrivèrent, Richard gisait sur le dos, pratiquement inconscient. Bizarrement, en guise d'oreiller, sa tête reposait sur une main de marbre…

Agenouillée près de lui, Kahlan pleurait en le regardant mourir.

Nicci sursauta en découvrant les cadavres éparpillés sur le sol. Sœur Alessandra, Neal, Narev…

Dès qu'elle vit Richard de plus près, elle sut que le temps pressait – s'il n'était pas déjà trop tard.

Nicci s'accroupit près de Kahlan, qui touchait le fond du désespoir. Au péril de sa vie, elle avait fait un long voyage pour rejoindre Richard. Et maintenant, il agonisait d'une blessure qu'elle lui avait infligée…

Nicci prit l'Inquisitrice par les épaules et la tira en arrière.

—Kahlan, je dois neutraliser le sort de maternité. Nous n'avons pas beaucoup de temps…

—Je n'ai pas confiance en vous! Au nom de quoi voudriez-vous nous aider?

—Parce que je le dois à Richard. À vous deux, en réalité…

—Vous nous avez fait du mal, et maintenant…

—Mère Inquisitrice, coupa Cara, vous n'êtes pas obligée de vous fier à elle. En revanche, vous devez me faire confiance! Je vous jure que Nicci est en mesure de sauver le seigneur Rahl, et je suis certaine qu'elle fera de son mieux. S'il vous plaît, laissez-la intervenir!

—Pourquoi devrais-je remettre entre ses mains le peu de vie qu'il reste à Richard?

—Pour qu'elle ait une chance de se racheter, comme celle que m'a offerte le seigneur Rahl.

Kahlan soutint un moment le regard de Cara, puis elle se tourna vers Nicci.

—J'ai été aux portes de la mort, comme lui, et j'ai choisi de vivre. Maintenant, c'est à son tour. Que dois-je faire?

—Richard et vous avez déjà assez donné… Restez tranquille, et laissez-moi agir.

Kahlan ne protesta pas. Tremblante, couverte de sang – celui de Richard –, elle avait conscience de ne plus rien pouvoir faire pour sauver son bien-aimé.

Nicci s'en chargerait à sa place!

Alors que l'Inquisitrice la regardait dans les yeux, elle embrasa le cordon magique qui les liait, en priant pour que cela ne prenne pas trop de temps.

L'Inquisitrice se raidit, tétanisée par la douleur. Nicci ne s'en étonna pas, car elle éprouvait exactement la même chose.

Un serpent de lumière unit les deux femmes, reliant directement leurs cœurs. Alors qu'il brillait de plus en plus fort, la souffrance augmenta au-delà de l'imaginable.

Ses beaux yeux verts écarquillés, Kahlan ouvrit la bouche pour pousser un cri qui s'étrangla dans sa gorge.

Les racines de la magie profondément enfouie dans le corps des deux femmes vibraient en réponse à l'appel de la lumière.

Nicci posa les mains sur son cœur, au sein même du cordon incandescent, et rappela à elle son pouvoir.

Chapitre 70

Richard prit une inspiration saccadée, puis il ouvrit les yeux. Étrangement, il reposait dans une position où aucune partie de son corps ne lui faisait mal. Craignant que ça cesse, il redoutait de bouger.

Mais comment pouvait-il se sentir si bien après qu'une épée lui eut traversé le ventre ?

Autour de lui, dans l'obscurité, tout était tranquille. Très loin, il captait les échos d'une bataille, et le sol tremblait parfois sous lui. L'onde de choc d'explosions distantes.

Des gens l'entouraient, et des cadavres gisaient près de lui. On l'avait étendu sur une planche, pour le mettre à l'abri de l'eau, et il était enveloppé dans une épaisse couverture.

La garde de l'Épée de Vérité reposait sous ses doigts. Puisqu'il ne sentait pas la rage de la magie en lui, le Sourcier conclut que l'arme devait être dans son fourreau.

Levant les yeux, il sonda le ciel entre les divers niveaux de planchers et le toit inachevés et constata que l'aube se levait.

— Kahlan ? appela-t-il.

Trois silhouettes se levèrent d'un bond et la plus proche se pencha sur lui.

— Je suis là…, murmura l'Inquisitrice en prenant la main de son mari.

À contrecœur, Richard tâta sa blessure avec sa main libre. Bizarrement, il ne trouva rien…

— Seigneur Rahl, vous êtes réveillé ? demanda une deuxième voix féminine.

— Kahlan, qu'est-il arrivé ?

— Richard, je suis désolée ! C'est moi qui t'ai blessé. Je suis impardonnable. Avant de frapper, j'aurais dû essayer de savoir qui j'affrontais.

—Ne te désole pas, je t'ai laissée gagner…

Un long silence suivit cette révélation.

—Richard, dit enfin Kahlan, il est inutile d'alléger mon fardeau. Je suis coupable, et voilà tout!

—Non, insista le Sourcier, je t'ai laissé une ouverture.

—Bien sûr seigneur Rahl, dit Cara en tapotant l'épaule de son protégé. Bien sûr…

—Non, tu te trompes, c'est la stricte vérité…

Quand la troisième femme se pencha vers lui, Richard serra plus fort la garde de son épée.

—Comment vas-tu? demanda Nicci de la voix douce qu'il connaissait si bien.

—Tu as neutralisé le sort?

Nicci leva une main et imita des ciseaux avec l'index et le majeur.

—Il n'existe plus…

—Alors, je suis en pleine forme!

Richard tenta de s'asseoir, mais Nicci l'en empêcha.

—Je ne te demande pas de me pardonner, dit-elle, parce que je ne pourrai jamais te rendre ce que je t'ai volé. Mais j'ai compris à quel point je me trompais, il faut que tu le saches. Toute ma vie, j'ai été aveugle. Ce n'est pas une excuse, crois-moi, seulement un moyen de te dire que tu m'as rendu la vue. En me fournissant la réponse que je cherchais, tu m'as offert la vie, et une raison de continuer à exister.

—Et que vois-tu depuis que tu n'es plus aveugle?

—La vie! Tu l'as si bien sculptée que même ceux qui servaient le mal aveuglément, comme moi, ont pu la voir. Tu n'as plus rien à me prouver, Richard. À présent, c'est à moi et à tous ceux que tu as inspirés de te démontrer notre valeur.

—Eh bien, vous avez tous commencé, sinon je ne serais plus en vie.

—Vous allez redevenir une Sœur de la Lumière? demanda Kahlan à Nicci.

—Non, je serai moi-même, et rien de plus. Mon pouvoir de magicienne m'appartient, et il fait de moi ce que je suis. En aucun cas il ne doit m'enchaîner aux autres sous le prétexte qu'ils en ont envie. C'est ma vie. Elle n'est à personne d'autre que moi – à part peut-être à vous deux.

» Parce que, ensemble, vous m'avez montré la valeur de l'existence et l'absolue nécessité de la liberté. Si je dois servir *aux côtés* de quiconque, dans l'avenir, il faudra que ces personnes partagent les mêmes valeurs.

Richard posa sa main libre sur celle de Nicci.

—Merci de m'avoir sauvé… Pendant un moment, j'ai bien cru avoir commis une erreur en me laissant embrocher par Kahlan.

—Richard, dit l'Inquisitrice, tu n'es pas obligé de soulager ma culpabilité en racontant ça!

Le regard plongé dans celui du Sourcier, Nicci répondit à sa place.

—C'est la stricte vérité. Je vous ai vus combattre, de loin, et il vous a laissé délibérément une ouverture. Il voulait me forcer à le sauver, et donc à neutraliser le lien de maternité. Richard, je suis navrée que tu aies dû subir tout ça. Quand j'ai vu la statue, j'ai pris la décision de vous libérer tous les deux.

Le Sourcier tenta de s'asseoir, mais Nicci l'en empêcha de nouveau.

—Il te faudra un moment pour te rétablir… La blessure a disparu, pas tous ses effets. Tu es vivant et tu te sens bien, mais ça ne te dispensera pas d'une convalescence. L'épreuve a été dure, tu as perdu beaucoup de sang, et tu dois reconstituer tes forces. Montre-toi imprudent, et tu risques d'y laisser la vie.

—D'accord…, capitula Richard. (Il s'assit quand même, mais prudemment, et avec l'aide de Kahlan.) Je tiendrai compte de tes conseils, mais il faut quand même que je remonte sur l'esplanade. (Il se tourna vers sa femme.) Au fait, comment es-tu arrivée ici? Comment as-tu su que j'y étais? Et où en est le Nouveau Monde?

—Nous parlerons de tout ça plus tard… Sache simplement que je voulais être avec toi… Ma vie est à moi, et j'entends la passer près de toi. Au sujet de la guerre, tu avais raison. J'ai mis du temps à le comprendre, je l'avoue… Ensuite, j'ai décidé de venir ici, parce que c'était la seule solution qu'il me restait.

Richard regarda la Mord-Sith.

—Et toi, Cara?

—Vous savez bien que j'ai toujours rêvé de voyager…

Richard sourit puis se leva avec le soutien de sa femme et de sa meilleure amie. Il se sentait étrangement euphorique, mais il préférait ça à ce qu'il avait éprouvé ces dernières heures.

Kahlan lui tendit son épée. Passant le baudrier autour de son cou, il cala le fourreau contre sa hanche. Maintenant qu'il la connaissait… intimement…, il respectait plus encore l'Épée de Vérité.

—Tu ne peux pas savoir à quel point je suis heureuse de te la rendre, dit Kahlan. (Elle eut un sourire penaud.) De cette façon-là, en tout cas…

Au bout du couloir, Kamil attendait impatiemment en compagnie d'une foule de gens que Richard ne connaissait pas.

—Salut, Kamil! Je suis rudement content de te revoir.

—Richard, j'ai vu ta statue… Quel dommage qu'elle ait été détruite…

—Ce n'était que du marbre, mon ami. Sa vraie beauté venait de l'idée qu'elle illustrait.

Toutes les personnes présentes dans le couloir hochèrent la tête. À cet instant, Richard reconnut dans la foule la vieille femme à la jambe bandée. Quand il lui sourit, elle lui souffla un baiser du bout des doigts.

— Merci d'avoir eu le courage de sculpter cette œuvre, dit-elle. Nous sommes tous contents que vous ayez survécu à cette nuit, Richard.

Le Sourcier remercia ses nouveaux amis d'un signe de la tête.

Soudain, le sol trembla de nouveau.

— Que se passe-t-il encore ? demanda Richard.

— Les statues, répondit un homme. Les gens les détruisent toutes…

Pendant que certains insurgés abattaient les statues et les murs, d'autres continuaient à se battre partout en ville, comme Richard put le voir à la pâle lueur de l'aube. Apparemment, tout le monde n'adhérait pas à l'idéal qu'incarnait la création du Sourcier. Certaines personnes redoutaient la liberté, et préféraient ne pas avoir à penser par elles-mêmes…

Le site du palais, lui, était sous le contrôle des insurgés. La flamme de la liberté brûlait, et elle continuerait à se propager…

Sur l'esplanade, on n'avait pas touché aux colonnes et au mur d'enceinte. Cet endroit était différent, parce que la statue s'y était dressée. Par respect, les révoltés ne détruiraient pas cette partie du complexe.

Richard passa une botte dans la couche de poussière blanche qui marquait l'éphémère emplacement de son œuvre. C'était tout ce qu'il en restait, car les fragments avaient été emportés. De précieux souvenirs d'une glorieuse journée…

— Richard ! cria une voix familière. Richard !

C'était Victor… Ayant aperçu le Sourcier, Nicci et Kamil, il courait vers eux en compagnie d'Ishaq.

Soutenu par Cara et Kamil, Richard ne trouva pas la force de crier. Souriant, il attendit que ses amis l'aient rejoint.

— Richard, nous avons gagné ! lança le forgeron dès qu'il fut arrivé à la hauteur du petit groupe. Les dignitaires de l'Ordre et les frères survivants sont partis, et…

Le forgeron se tut, car il venait d'apercevoir Kahlan. Près de lui, Ishaq aussi en était bouche bée.

— Vous… vous…, balbutia Victor. Vous êtes la femme qu'aime Richard.

— Comment le savez-vous ?

— Eh bien, j'ai vu la statue…

Malgré la chiche lumière, Richard remarqua que son épouse s'empourprait.

— Moi aussi, et elle ne me ressemblait pas tant que ça, dit-elle, délicieusement modeste.

—Physiquement, c'est vrai, mais son… caractère… Vous avez la même force intérieure.

L'Inquisitrice sourit, touchée par le compliment.

—Victor, Ishaq, dit Richard, je vous présente Kahlan, mon épouse.

Stupéfaits, les deux hommes se tournèrent vers Nicci.

—Comme vous le savez, fit l'ancienne Sœur de l'Obscurité, je ne suis pas une personne très recommandable. Avec mes pouvoirs de magicienne, j'ai forcé Richard à vivre près de moi. Mais comme à vous tous, il m'a montré la noblesse de la vie.

—C'est donc vous qui l'avez sauvé? demanda Victor.

—Kamil nous a raconté que tu étais blessé, dit Ishaq à Richard, et qu'une magicienne t'avait guéri.

—Oui, Nicci m'a soigné, confirma le Sourcier.

—Eh bien, fit Victor, on peut être pardonné, quand on a sauvé la vie de Richard Cypher.

—Richard Rahl, corrigea le Sourcier.

—Comme tu dis, mon ami! Aujourd'hui, nous nous appelons tous Richard Rahl!

—Mais lui, c'est le vrai, maître Cascella, intervint Nicci.

—Le seul et l'unique, ajouta Kahlan.

—Et quand on lui parle, marmonna Cara, on dit « seigneur » Rahl. Montrez le respect requis au Sourcier de Vérité, maître de l'empire d'haran et sorcier de guerre qui a eu le bonheur d'épouser la Mère Inquisitrice en personne. (La Mord-Sith tendit la main vers Richard avec la délicatesse d'une habituée des grandes cours.) Le seigneur Rahl, dans toute sa gloire!

Agacé, Richard haussa les épaules. Puis il souleva la garde de son épée, montra à tous le mot « Vérité » qui l'ornait, et laissa l'arme retomber dans son fourreau.

—Quelle merveille! s'écria Kamil.

Ébahis, Victor et Ishaq mirent un genou en terre et inclinèrent la tête.

—Vous voulez bien arrêter ça? grogna Richard en foudroyant Cara du regard.

Le forgeron releva prudemment la tête.

—Nous ne savions pas… Seigneur, j'espère que vous ne nous en voulez pas de…

—Victor, c'est moi, ton ami Richard, avec qui tu aimes manger du lardo et des oignons!

—Du lardo? répéta Kahlan. Vous savez le préparer, Victor?

Le forgeron se releva d'un bond.

—Vous connaissez cette spécialité?

—Bien sûr! Quand j'étais petite, les marbriers qui travaillaient parfois au Palais des Inquisitrices en mangeaient pendant leurs pauses. Souvent, je venais en déguster avec eux. Ils disaient qu'avec ça je deviendrais assez grande et forte pour porter un jour la robe de Mère Inquisitrice. Si je me souviens bien, ils préparaient le lardo dans des moules en marbre…

— Exactement comme moi !

— Vous le laissez vieillir un an ? C'est indispensable pour qu'il soit bon.

— Bien entendu que je respecte la recette ! Pour qui me prenez-vous ?

— Dans ce cas, j'aimerais bien goûter votre lardo, un de ces jours.

Victor passa un bras autour des épaules de Kahlan.

— Et pourquoi pas maintenant, chère épouse de Richard ? J'ai une faim de loup !

Le regard noir, Cara posa une main sur la poitrine du forgeron et, de l'autre, retira le bras qu'il avait osé poser sur Kahlan.

— À part le seigneur Rahl, personne ne touche la Mère Inquisitrice.

Sans s'émouvoir, Victor jeta un regard un rien perplexe à la Mord-Sith.

— Vous avez déjà mangé du lardo ?

— Non.

— Alors, venez aussi ! (Tout joyeux, le forgeron tapa amicalement dans le dos de Cara.) Vous verrez, quand on a goûté mon lardo, on reste ami avec moi pour la vie !

Soutenu cette fois par Kahlan et Victor, Richard prit avec plaisir le chemin de l'atelier.

Chapitre 71

Verna se réchauffa un moment les mains au-dessus de la bougie, puis elle regarda le livre de voyage posé sur la table. Tout autour de sa petite tente, le camp bruissait d'activité, comme toujours. Habituée à ces bruits, la Dame Abbesse finissait par ne plus les entendre.

En D'Hara, les nuits d'hiver étaient glaciales. Mais au moins les réfugiés des Contrées étaient en sécurité dans ce pays.

Verna comprenait parfaitement les angoisses de ces gens. Pendant longtemps, ils avaient ignoré l'existence de D'Hara, qui était ensuite devenu un ennemi terrifiant. Depuis, tout avait changé, mais il faudrait du temps pour que les esprits s'y habituent.

Dehors, des loups hurlaient à la mort sur le flanc des montagnes couvertes de neige.

Dans cette atmosphère de fin du monde, Verna se demanda si elle allait oser ouvrir le livre de voyage. Depuis des mois, elle vérifiait régulièrement, sans jamais découvrir de message. Ce soir, elle n'espérait plus en trouver un. En jetant dans le feu le livre d'Anna, Kahlan avait coupé la communication entre les deux Dames Abbesses…

Mais Anna était pleine de ressources, et avec elle, il ne fallait préjuger de rien. De toute façon, jeter un coup d'œil ne pouvait pas faire de mal…

Verna ouvrit le livre.

Et ce soir, il y avait un message !

Verna, si tu me lis, j'attends de tes nouvelles…

La Dame Abbesse en exercice sortit la plume spéciale glissée dans la tranche du livre et se mit à écrire.

Dame Abbesse, vous avez réussi à restaurer votre livre ? C'est formidable ! Où êtes-vous ? Tout va bien ? Vous avez trouvé Nathan ?

La réponse arriva presque immédiatement.

Verna, je vais très bien… J'ai réussi à sauver le livre avec l'aide… hum…

de gens que tu ne connais pas. L'essentiel, c'est qu'il soit de nouveau – plus ou moins – fonctionnel. Je cherche toujours le Prophète, mais j'ai de solides indices, et je suis sur sa piste. Et toi, où en es-tu ? Comment tourne la guerre ? Warren et Kahlan vont bien ? Et Zedd, toujours aussi casse-pieds ? Cet homme pourrait énerver un rocher. As-tu des nouvelles de Richard ?

En voyant le nom de Warren s'afficher sur la page, Verna ne put retenir ses larmes.

Dame Abbesse, répondit-elle, *des choses horribles sont arrivées.*

Là non plus, la réponse ne tarda pas.

Je suis désolée, mon enfant… Ce soir, je ne bougerai pas d'où je suis, alors, raconte-moi tout. Je me fais tellement de souci. Tu sais que je t'aime comme une fille…

Verna hocha la tête. Désormais, elle ne doutait plus de l'amour d'Anna.

Je vous aime aussi, Dame Abbesse. Mais j'ai bien peur d'avoir le cœur brisé…

Debout sur la jetée, Kahlan et Richard contemplaient la ville, au-delà du fleuve. Le calme était revenu, désormais. Pendant des semaines, diverses factions s'étaient affrontées pour le pouvoir, puisque la place restait vacante depuis la déroute de l'Ordre Impérial. Bien entendu, tous les groupes juraient qu'ils défendraient les intérêts du peuple, édicteraient des lois équitables et amélioreraient le sort de tous en s'assurant que chacun contribue au bien commun.

Après des décennies de tyrannie à vocation « altruiste », la décadence et la mort étaient les seuls résultats visibles. En dépit des cimetières pleins d'innocentes victimes et de la misère générale, les chefs potentiels servaient le même discours frelaté au peuple. Pas mal de gens les croyaient, les jugeant sur leurs bonnes intentions apparentes…

Beaucoup de frères et de responsables de l'Ordre étaient morts, d'autres s'étant échappés. Mais certains n'avaient pas quitté la ville, et ils tentaient de reprendre les rênes du pouvoir, avec l'idée d'étouffer peu à peu la flamme de la liberté, afin que les choses redeviennent comme avant.

Les citoyens libres d'Altur'Rang, dont le nombre grossissait chaque jour, écrasaient impitoyablement ces groupuscules chaque fois qu'ils mettaient le nez hors de leur tanière. Sur ce point, Nicci avait beaucoup aidé les insurgés. Connaissant les méthodes de ces hommes, elle savait où ils aimaient se terrer et les dénichait avec le flair d'un chien de chasse.

Aujourd'hui, les forces qui complotaient contre la liberté craignaient plus que tout le fléau qu'elles avaient créé, et qu'on nommait la Maîtresse de la Mort.

Cependant, nul ne pouvait dire si la flamme de l'insurrection se propagerait dans tout l'Ancien Monde. Pour l'instant, c'était encore une minuscule étincelle dans un océan d'obscurité. Mais Richard affirmait que de telles lueurs se voyaient de très loin.

Pour le moment, le Sourcier et sa femme n'avaient aucune nouvelle de ce qui se passait dans le Nord. Le lien n'étant plus brouillé par la magie de Nicci, les D'Harans devaient de nouveau savoir où était leur seigneur, et ils lui enverraient sans doute des messagers.

En tout cas, Cara était soulagée de sentir son seigneur à travers leur connexion magique.

Richard avait écouté avec intérêt les nouvelles que lui apportaient sa femme et son amie. La guerre n'avait pas bien tourné, comme il le prévoyait, forçant les citoyens d'Aydindril à un exode vers D'Hara, avant l'arrivée de Jagang, au printemps ou à l'été prochain. Apprendre que le seigneur Rahl avait porté un coup puissant au cœur même de l'Ancien Monde redonnerait du cœur au ventre aux soldats et aux civils. Sans nul doute, ils se réjouiraient d'apprendre que la Mère Inquisitrice, en pleine forme, vivait aux côtés de son mari.

Des dizaines d'hommes s'étaient proposés pour aller porter ces précieuses nouvelles dans le Nord.

Bientôt, tout le monde, dans l'empire d'haran, serait informé de la grande victoire obtenue dans le Sud. Plus que des nouvelles, les messagers transmettraient de l'espoir aux peuples en guerre.

Bien entendu, Richard avait également envoyé des courriers à son grand-père.

La mort de Warren, un très cher ami, continuait à lui sembler irréelle. Son chagrin, il le savait, serait long à disparaître.

Nicci lui avait parlé de l'importance du frère Narev pour l'empereur. Formé par le fanatique, Jagang partageait sa vision de l'humanité et de l'avenir qu'elle méritait. Quand il entrerait en Aydindril puis investirait le Palais des Inquisitrices, une surprise attendrait le conquérant : la tête de son mentor, plantée sur une pique et coiffée de son calot.

Nicci avait jeté un sort au crâne pour qu'il ne se décompose pas et que les charognards s'abstiennent de le dévorer.

Depuis que la paix et la liberté régnaient en ville, la vie refleurissait. Des boutiques s'ouvraient chaque jour, et on trouvait désormais de nombreuses variétés de pain.

Bien entendu, les affaires avaient repris. Ishaq gagnait des fortunes avec sa compagnie de transport, mais des concurrents pointaient déjà le bout de leur nez. Nabbi travaillait maintenant pour le premier employeur de Richard, qui avait supplié le Sourcier – en plaisantant, bien sûr – de revenir à l'entrepôt dès qu'il se serait refait une santé.

Le charbonnier Faval avait chargé Ishaq d'inviter Richard à un dîner en famille. Le brave homme s'était acheté une charrette, et ses fils se chargeaient désormais des livraisons.

Accoudé au muret de la jetée, Richard baissa les yeux sur l'eau, comme s'il espérait lire l'avenir dans ses profondeurs.

Les quais, la jetée et l'esplanade étaient à peu près tout ce qui restait du Fief, dont le bâtiment principal avait été rasé. Richard s'était personnellement assuré qu'on retire les runes magiques qui ornaient certaines colonnes. Pour plus de sécurité, Priska les avait refondues.

Le Sourcier était pratiquement rétabli, et sa femme lui paraissait plus belle que jamais. Pourtant, elle avait changé, son visage gagnant en maturité pendant leur année de séparation. Dès qu'il la regardait, Richard brûlait d'envie de s'emparer d'un marteau et d'un burin pour graver à jamais ses traits dans le marbre.

La transmutation de la pierre en chair…

Se retournant, le Sourcier regarda un long moment l'esplanade. Sur une proposition de Victor, elle se nommait désormais l'Esplanade de la Liberté. Le Sourcier avait suggéré «Esplanade de la Vie», mais le forgeron – premier homme à se déclarer libre à Altur'Rang – avait bien le droit à ce petit plaisir.

— À quoi penses-tu? demanda Richard à Kahlan, qui regardait dans la même direction que lui.

— Eh bien… Richard, je ne sais pas… Je trouve… bizarre… de la voir si grande.

— Ça te déplaît?

— Non, pas du tout, mais elle est si haute!

Kahlan parlait de la nouvelle statue qui ornait l'esplanade à la place exacte de celle du Sourcier. Des sculpteurs y travaillaient encore, ravis de créer autre chose que des horreurs. Kamil était avec eux pour faire son apprentissage. Pour le moment, cela se limitait souvent à jouer du balai…

Richard payait les artistes de sa poche. Avec la fortune gagnée en aidant l'Ordre à bâtir le Fief, il pouvait s'offrir cette petite folie, et ses anciens collègues étaient très contents de travailler pour lui.

Ils mettaient en ce moment même la dernière main à une reproduction géante de Bravoure, la statuette que Richard avait offerte à Kahlan quand elle avait besoin de vitalité, de courage et de combativité. Taillée dans du marbre de Cavatura, Bravoure avait une rudement belle allure.

Le cadran solaire, intact après sa chute, serait ajouté sur le socle, où les mots gravés par Victor marqueraient à jamais le souvenir d'une fantastique journée.

Kahlan adhérait au projet. Mais après avoir vécu plus d'un an avec la statuette, elle était désorientée par sa version géante. De plus, elle avait hâte que les sculpteurs en terminent et lui rendent le modèle, qu'elle aimait par-dessus tout.

—J'espère que partager Bravoure avec tant de gens ne te dérange pas, dit Richard.

—Non, je trouve ça très bien.

—D'ailleurs, elle a un grand succès.

Kahlan eut un petit rire de gorge.

—Et il faudra bien que je m'habitue à ce que tu exhibes à tous les vents mon corps et mon âme !

En silence, les deux époux regardèrent les sculpteurs prendre des mesures pour s'assurer que leur reproduction était vraiment à l'échelle. Avec des compas, ils relevaient des angles sur le modèle et les comparaient avec les points de référence – matérialisés par des entretoises – sur la copie agrandie.

—Comment te sens-tu ? demanda Kahlan en massant les épaules de son mari.

—Très bien. Maintenant que tu es avec moi, je ne pourrais pas aller mieux.

—À condition que je ne t'embroche plus ?

Richard sourit, heureux de voir que Kahlan pouvait plaisanter au sujet de ce sinistre souvenir.

—Quand je dirai à nos enfants que leur mère m'a traversé le ventre avec une épée, tu n'auras pas l'air très fin.

—Tu crois que nous aurons des enfants ?

—J'en suis sûr !

—Alors, je veux bien passer pour une idiote…

Richard se pencha et posa un baiser sur le front de sa femme.

Regardant ensuite les arbres, dont les feuilles brillaient au soleil, le Sourcier suivit les évolutions d'un vol d'oiseaux qui longèrent les berges du fleuve, puis vinrent tourner en rond au-dessus de l'esplanade et de ses colonnes.

Libres comme l'air, ils s'amusèrent ensuite à survoler la grande pelouse qui s'étendait sur l'ancien emplacement du Fief.

Appuyée contre Richard, Kahlan savoura également ce spectacle.

Un vent nouveau soufflait sur Altur'Rang.

L'ancien cœur de l'Ordre Impérial battait désormais au rythme de la liberté.

Novembre 2007

TERRY GOODKIND

L'Épée de Vérité - livre sept

Achevé d'imprimer en décembre 2006
par Liberdúplex Sant Llorenç d'Hortons (08791)
Dépôt légal : décembre 2006
Imprimé en Espagne
94017-1

born of shadows

SHERRILYN KENYON

piatkus

PIATKUS

First published in the US in 2011 by Grand Central Publishing,
a division of Hachette Book Group, Inc
First published in Great Britain as a paperback original in 2011 by Piatkus

A CIP catalogue record for this book
is available from the British Library.

ISBN 978-0-7499-5473-4

Printed and bound in Great Britain by
Clays Ltd, St Ives plc

As always for my boys and husband and to you the reader for taking another journey with me into another universe.

PROLOGUE

"Watch out!"

Caillen Dagan barely got out of the way before three blaster shots whizzed past his head. His heart thumped wildly as he realized he and his father were trapped by what they assumed were loaners out to collect money. It wasn't the first time his father's debts had caused them to be chased. The men after them seemed to be everywhere. And they seemed to be multiplying...

Terror made his breathing ragged as tears welled in his young eyes.

What are we going to do?

His dad grabbed him by the front of his shirt and hauled him into the shadows to crouch down behind him.

Caillen looked around, his entire body shaking as he tried to find an escape for them. There didn't seem to be one, but he had faith. No one was better at getting through tough situations than his dad.

His father shook him roughly to get his attention. "Listen to me, boy. I need you to take care of your sisters. You hear me?"

Even though he was the youngest of the Dagan children and

only eight years old, it was something his dad always said to him. "Yeah, I know."

"No, Cai, you don't. You're too young to comprehend what I'm trying to tell you, but you have to try." There was a sadness in his father's eyes that scared him. A resignation that had never been there before and it made him want to cry. But Dagans didn't cry and he wasn't about to let his dad see him act like one of his sisters.

His father cupped his face in his calloused palm. "It'll be years before you understand what's happening—if even then. But I need you to listen to me and trust me. I won't be here to protect you anymore."

Caillen frowned. "What are you talking about?"

"Listen! Don't speak. We only have a few more seconds. What I need is for you to make sure that you never get into any system for any government for any reason. Keep a low profile. Live off-grid. Don't let anyone have a way to track you. Ever. Not your address. Your likeness. Nothing. Especially not your retina, fingerprints or DNA."

His father's insistence scared him almost as much as the men with blasters looking for them. "Why?"

"They'll kill you. You understand? Governments use that to track people and they will hurt you if they find you."

Those words terrified him even more. "Who will hurt me?"

"My enemies. They'll come for you too. It's why I've never treated you like a kid and why I've made you train so hard. I knew this day would come, but I'd hoped it wouldn't be until you were older. Unfortunately they've found me. Just take what I've taught you and use it to stay alive. I need you to live, Cai. For me. I've risked everything to keep you breathing. Don't let it be for nothing. Not after all I sacrificed for you. I know I did the right thing. I know it. Now run home. Let no one follow you and keep your sisters safe. Okay? I know it's a lot of responsibility for a little boy, but I have faith in you."

"Dad—"

"Just do it, Cai." His dad pulled him tightly to his chest and held him close. "I love you, boy. You've been a good son. Better than I ever deserved. Watch over your sisters, especially Shahara. She'd be lost without you. You're the only one she'll have to depend on now." He kissed Caillen on the head before he released him. He pulled out his wallet and handed it to him. "There's enough money in there to bribe the doctors. Tell them to say I died of pneumonia."

"I don't understand."

"I know, son. Just do exactly what I tell you. Okay? If any-one thinks I died of anything other than a natural cause, they'll come for your sisters and hurt them. You can't let that happen. Remember. Pneumonia. You have to keep my face off the news."

Caillen hated the tears that started falling. He wiped them away with the dirty sleeve of his shirt. His father was right, he didn't understand any of this, but he would obey. "Okay."

His father kissed him again. "Now scurry like I showed you."

"But—"

"Don't argue!" His voice shook as tears gathered in his eyes too. "Just stay alive, Caillen."

Caillen nodded before he darted into a hole in the side of the building to their right. He'd just stood up to run when he heard voices that made him stop and listen.

"Dagan... you treacherous bastard. Where's the money?"

"I never got the money."

A blaster shot echoed.

Caillen heard his father cry out. Even though he'd promised not to stay, he crept back toward the hole in the wall to see his father on the ground, cursing the man who'd shot him as he tried to crawl away.

There was a group of men and women behind him who watched with an apathy that was sickening.

The man kicked his father over and held him in place with one foot planted solidly against his father's bleeding chest. He angled the blaster at his heart. "You're a crafty bastard. I'll give you that. Spent six years of my life trying to find you. Now tell me what you did with our package."

"I don't know. It got away from me...It-it vanished. I didn't get the money for it. Someone else took it. I swear to you. Please...I have little girls who—"

The man killed him.

Caillen clapped his hand over his mouth to keep from screaming out as pain racked him.

His father was dead.

Dead.

Just like his mother.

Tears fell down his face as he wished he was big enough to go out there and kill the ones who'd taken his father from him. But he knew he couldn't fight them. He was just a kid. And if he tried, his sisters would be alone without a man to watch over them.

"Protect my girls for me..."

He'd promised his dad and he wasn't about to let him down.

"That was stupid." A woman moved forward to glare at the man as he holstered his weapon and wiped the blood on his shoes against his father's pants. The others withdrew, leaving just the two of them to spit on his father's remains. "You should have made sure he wasn't lying before you killed him."

"I doubt he has the money. You saw his ship. He doesn't live like someone who stole ten million credits."

She sighed. "That wasn't the most important part of this and you know it. If—"

"Even if the package escaped him, it won't last long on the street. Trust me. We eat our young out here. I doubt it's even around now. Garbage always burns."

A clap of thunder sounded an instant before the rain that had been threatening to fall all day poured down over them. The man and woman ran off toward the street to seek shelter.

Caillen didn't move. Not for a long time as he sat there, staring at his father's lifeless body while the rain pelted it and made the ground run red from his blood.

What were he and his sisters going to do now? They were just kids...

He tightened his grip on the wallet. *I will do what Dad said.* Even though he didn't understand the reasons behind his orders. It was to protect his sisters. That was good enough for him. He just hoped Shahara never found out that he'd used money to bribe a doctor 'cause she'd be really mad at the waste when they had so little.

He sniffed back his tears. *I'm the man of the house.* There was no one else...

"I'll keep them safe, Daddy."

His only question though was who would watch after *him*?

1

Twenty-two Years Later

"Thank the gods you're here. I've been running arou—"

Without flinching or breaking his stride as he walked down a filthy, dark alley, Caillen jerked his blaster out and fired straight into his sister's shoulder, cutting her words off before she wasted his time.

Not to kill her or hurt her. Just to shut her up before she made things worse for both of them.

Right now, he didn't have time to listen to her bullshit. He was here to save her life.

And hopefully his too.

Gasping, she crumpled toward the trash-laden street. In one smooth move that caused his light-armored brown coat to flare out around his feet, he caught her against him and lifted her into his arms. He groaned under her weight. "Damn, Kase, quit working out so much and lay off the frigs. I've carried men who weighed less." Not that he made a habit out of carrying men, but still . . .

Even though she was six inches shorter, she outweighed him

by a good twenty pounds and *he* carried less than two percent body fat on a lean six-foot-four frame. His muscles screamed out in protest of his heroics as he heard the Enforcers moving in.

This was getting bad.

He glared down at her unconscious body while her brown hair spilled over his sleeve. Her plain features were so peaceful in spite of the hell she'd unleashed that it really made him want to hurt her.

But he couldn't do that.

Blood was blood.

Sighing, he moved fast to stash her behind a Dumpster and to cover her with his coat. On top of that, he added enough trash to keep the Enforcers from seeing her. Yeah, she'd bitch-slap him later for the stench...and the headache his stun blast would leave her with but it would keep her safe and right now that was all that mattered to him.

Well, there was the urge he had to wring her neck until she turned blue—that mattered to him too, but that could wait.

A beep from his wrist alerted him that his hacked paper-work for her ship and cargo had gone through. Kasen's IDs were removed from everything and his were registered in her place.

I'm a fucking idiot. By doing all of this, he'd just put his neck in a noose and he knew it.

What the hell? *Who wants to live forever?*

For the record and in case any higher deity was listening and taking notes, *he* did. But he was definitely going to cut his life short if he kept rescuing his sisters. Or at the very least cut his freedom down to the size of a ten-square-foot cell.

Yeah well, at least then I'd get three meals a day instead of six a week.

Pushing that thought away, he pulled his blasters out and set them to stun to do what he did best.

Survive and escape.

"Drop your weapon!" an Enforcer shouted from his left.

Yeah, right. Like he'd ever followed orders. Caillen opened fire as he dodged into a vacant alley that was as run down as the one he'd stashed Kasen in. Their return fire and the holes it left in the walls, street and trash around him let him know fast their blasters weren't set for stun.

They were trying to kill him.

He considered resetting his to return the favor, but he didn't want to kill the drones out to make rent. They didn't deserve to die for supporting a corrupt system. Even the mindless needed to eat and it took more guts than most people had to stand and fight against the League and its sycophantic governments. He wouldn't hold their cowardice against them.

Much.

Jerking his head to the right, he felt the heat from a blast that narrowly missed his face. Strangely enough, he was completely calm as he fought. His sister Shahara called him Eritale—a Gondarion term that meant made of ice. And he was. Since the day he'd seen his father killed, he'd never panicked again in a confrontation.

No idea why. It was like the fear inside him had shattered that day and left something freakishly copacetic in its place, something that set in during a fight and left him totally rational.

He shot at three Enforcers before he holstered his right blaster and launched a grappling hook to the roof of a decaying building. The further he could get them from his sister the less likely they were to find her unconscious body and question her.

9

The hook caught and set.

Caillen pushed the recoil button on the hook's handle and fired at the Enforcers with his left hand as he sped toward the roof. Return blasts came close to him, but none hit the mark as he quickly zigzagged up the chipped brick wall to the top. Thankfully none of the drones were bright enough to shoot his cord—that would have left an ugly stain on the street and ruined his already screwed up day.

At the top, he scrambled over the lip, dislodged the hook, recoiled it completely, then took off running toward the river across the roofs, jumping from one to another with the grace and flexibility of a gymnast—something he trained hard every day to maintain.

The deep whirring of an engine overhead let him know air support was on its way and it was coming in low and fast. From his vantage point, he could see the number of Enforcers after him. And it was impressive. They ran on the streets below and across the rooftops, all trying to get a shot at him.

What? Was it a slow day? Didn't this place have any real criminals?

No, let's go after the smugglers 'cause they were so much more dangerous than, say, a rapist or murderer.

"What the hell was in your ship, Kase?"

He should have checked the manifest because this was looking bad.

Real bad.

More shots rained down as the airlift spotted him and came in as fast as it could fly. Damn the bright daylight of a double sun. It left him totally exposed without a single dark shadow to crawl into.

Ducking the door gunner's shots, he took off at a dead run as he dodged fire.

Caillen jumped to a roof and rolled to his feet an instant before the door opened and six Enforcers spilled through, aiming and firing at him. He turned to go back, but there were more coming in behind. The gunship was on his right and about to pin him into one seriously nasty situation. Dodging left, he sucked his breath in at the distance to the next rooftop. If he missed that, it was going to hurt.

Who wants to live forever?

Ignoring his favorite motto whenever a dose of extreme stupidity was called for, he pulled his javelin off his belt and extended it so that he could use it to pole-vault over. He held his breath as he soared over the street so far below.

Thankfully years of dodging authority and living his life one half step this side of death had left him with enough skill to make it to the other side. As soon as he was safe on the rooftop, he collapsed the javelin and kept going as shots whizzed past him. Several grazed off his armored shirt and backpack, and would have brought him down but for their protection. Still, it stung like hell and a couple burned his arm.

You know, a sane man would be wetting his pants.

Good thing he was crazy as hell.

He ran to the ledge and in a well-practiced move, planted the hook into the wall. Without pausing, he jumped over the side and rappelled down to the street where he'd have some cover. He jerked the hook free and let it recoil back into the case on his forearm.

At least the city was more crowded here.

Yeah, but it's hard to melt into them while your coat's lying on top of your sister.

True. Without its camouflage, his weapons were out and visible. Something that caused the people around him to cringe, scream and flee as they saw his short-sleeved armored shirt that was covered with light bombs, ammunition clips, four blasters (in addition to the one in his hand), his rappelling gear and all the other "just in case" things he carried in addition to his backpack. Leather straps crisscrossed both of his arms from wrist to biceps.

Badass came at a price and today that price just might be his freedom.

Or his life.

He ran with the crowd which panicked the innocent people even more—no doubt because they were afraid he'd take one of them hostage.

As if. The only life he gambled with was his own.

The Enforcers flanked them, trying to get an aim on his head which he kept low. He could hear from the earwig he had tuned to their frequency that they were setting up blockades around the city.

But that wasn't what concerned him...

They had a Trisani tracker with them that they were about to drop in on the chase.

Damn.

Unless it was Nero, he was a dead man. Trisani had psychic powers that pretty much no one except another Trisani could fight. Nero could actually get into someone's head, shut down all brain activity and, if he was really pissed, melt it and leave his vic a vegetable, sucking his thumb on the floor.

Luckily, Nero was one of Caillen's few friends and no matter what they might have paid him, Nero wouldn't bring him in.

He hoped.

Every life has a price...

And he knew that better than most.

Caillen felt the fissure of power as the Trisani stepped out of a transport and eyed the crowd, reading them as he sought Caillen's position.

Yeah it wasn't Nero... He'd never seen this tracker before.

Shit.

Caillen slowed as he saw the dark blond man with sharp features dressed all in black. Curling his lip as he locked gazes with Caillen, the tracker sent a plasma blast at him that barely missed his head. It ignited then exploded the transport behind him.

Hope no one was in that. Otherwise they were having a worse day than he was.

Caillen pulled out another blaster and opened both up all over the tracker. But the bastard threw up a force field to block it.

"I hate the Trisani." No wonder most of them had been hunted down to a small handful. At the moment, he'd like to add one more to their extinction list.

But that was all right—he still had tricks up his sleeves. Literally. He holstered his right blaster and jerked a light bomb off the chain. He lobbed it at the Trisani and then followed it with a pulse grenade.

The light temporarily blinded the Trisani and the pulse exploded against the force field. Even though it didn't break through it, it was enough to send the Trisani reeling backward.

Yeah, don't screw with someone whose closest friend was an explosives engineer renowned for making the best toys in the universe. Darling lived and breathed for one purpose only. Making shit blow up.

Before the Trisani could recover, Caillen ducked into the next alley.

Which was crawling with Enforcers.

Damn. Damn.

Double damn.

Grinding his teeth in frustration, he turned to head back to the street.

He couldn't. They'd closed in on him and the air transport was directly above with snipers taking positions on the building's roof.

"Surrender!"

Ah now this was just galling.

"Lay down your weapons!"

That was easier said than done. He was covered in them. Took him two hours to get all this gear on...

Only thing that could induce him to take it off fast was a hot naked woman in his bed, clawing at his back. Definitely not one of those here and he had no interest in being defenseless with this much artillery pointed at him.

A warning blast shot over his head.

"The next one will be right between your eyes." Targeting lasers let him know exactly what they were aiming for. Honestly it wasn't the one at his forehead that gave him pause as much as the one at his crotch.

"Put your hands behind your head!"

Caillen frowned. "If I put my hands behind my head, I can't drop my weapons, people. Someone needs to make up their mind here. What do you want me to do and in what order?"

"Drop the weapon in your hand, then put your hands behind your head!"

He did as instructed.

They moved in closer.

Yeah, come to Papa, baby. Closer...closer...
Don't be shy.

When one of them went to cuff him, Caillen grabbed him and used him as a shield. Three sniper rounds went into the man's chest. Caillen flung the body at the Enforcer coming in at his back. Twisting, he grabbed another man, disarmed him and knocked him flying. His morals on killing drones out the window under this assault, Caillen used his spring loader to pop his fighting knife into his palm and took out five more before the Trisani grabbed him by the neck without touching him and paralyzed him where he stood.

The Trisani tsked at him. "I almost hate to hand someone with your skills over to the drones."

"Fuck you."

The Trisani laughed. "Sorry. In this the only one getting screwed is you."

Caillen locked gazes with the Trisani. The moment he did, he felt the surge of power that Nero had taught him. It was the only weapon anyone could really use against the Trisani species—unless this guy was as strong as Nero this would work.

Here's hoping he's not.

He focused it with everything he had. One second the Trisani had him, the next, Caillen was free and slamming the Enforcers into each other. He shot his cord up the wall and started to leave them in his wake...until he heard something in his ear that gave him pause.

"There's an unconscious woman here in the street, under some garbage. Not sure if she's with our perp or not. But she is covered up by what appears to be a man's coat."

Fu-fu-frick.

They'd found Kasen. If he escaped, they'd take her in and she'd never stand up to their questioning. She was the kind of witness who spilled more guts than a butcher.

Of all the flying-ass bad luck.

Caillen sighed as he flicked his wrist to miss the shot and allowed the hook to fall back to the pavement. He let them think they'd done it when the truth burned deep inside him. But for Kasen's discovery, he'd have made it out.

They cuffed his hands, then carefully disarmed him over the next twenty-eight minutes.

"Damn, boy," one of the officers said as they continued to find weapons hidden on him. "It's like disarming an assassin. You sure you ain't in the League?"

He had to force himself not to lash out and escape again. Submission was not in his nature.

Think of Kasen...

Yeah, what he was really thinking about her was how badly he wanted to beat her.

The Enforcer jerked his cuffed hands. "Who's with you?"

Caillen met the Enforcer's gaze without flinching or hesitating. "No one. I fly alone. Check the logs." Thank the gods he was good at what he did. They wouldn't find a trace of anyone except him.

"What about the woman?"

"Nameless vic. I stole her wallet. You check my pocket, you'll find it." He always had a fake ID and wallet for his sisters with aliases.

Just in case.

The Enforcer pulled it out, then lifted his arm to speak into the mic in his cuff. "She's innocent. Get her to a hospital."

"You want me to take a report from her?" the voice asked.

"No. We have a confession and mugging is the least of what we're taking him in for. Just dump her and go."

Caillen met the Trisani's frown. The bastard either suspected he was lying or knew it for a fact, but for whatever reason, he kept it to himself.

End of the day, the Trisani was definitely right about one thing. He was royally screwed and they hadn't even fondled him yet.

That was bad enough.

Worse than bad came as they were hauling him toward the transport and they began reading him his charges.

"...and for smuggling prillion."

He felt his stomach shrink. Shit.

His sister's contraband carried a death sentence...

2

Three Weeks Later

How bad would decapitation hurt?

From the window of his pathetically small, sparse cell that barely accommodated a bunk, sink and toilet, Caillen stared out across the yard teeming with people, at the heavy electronic blade that was being charged and sharpened in preparation for his execution.

Yeah, that was definitely going to leave a mark.

Don't worry, Cai. In just a few more measly minutes your problems will be over.

Forever.

His neck tingled in expectation of the coming blow, which would end a life that really hadn't been all that great. Strange thing though, bad as it was, he wasn't ready for it to be over. Not by a long shot.

I could have been something.

Ah hell, who was he fooling? He was a third-generation smuggler with a gambling problem his family knew nothing about...

Yeah? So what? He was still the best damned pilot in all the United Systems. There was nothing he couldn't fly and no one he couldn't outmaneuver when he was in a ship.

He never missed a target. Ever.

None of that matters now. Not while he was standing toe to toe with death.

What a way for a warrior to go...

Forget a last meal, what he really wanted before he checked out was a good lay. One last bang to end all others.

He laughed evilly under his breath as he remembered the look of dumbfounded shock on the warden's face when they'd asked him for his last request.

"Any of your daughters horny?"

That had been answered with a vicious head slam to the wall. Not that he wouldn't have done the same, or more to the point, worse, had someone asked *him* that about one of his sisters. But...

He was ever a thorn in the ass of those he hated and that was basically anyone who had any kind of authority.

Yeah well, that's about to end too.

He sighed as he stared through the small open window covered in bars, watching the soldiers outside rush around in last-minute prep. There was a part of him terrified about dying. Okay, there was a lot of him terrified about dying. He'd always hoped it would be when he was really old and in his sleep. But practically speaking, the alternative druther would have been in a brutal fight where he took out as many of his enemies with him as he could.

At least you're not dying alone in the gutter.

He flinched at a memory he always did his best not to think about. If he lived a thousand years he'd never forget watching his father die alone like he was nothing but trash. And in all the

19

morbid scenarios he'd conjured over the years for his own death never had execution entered his mind.

Even now he could hear his sister's desperate call. "Cai, I'm in the Garvon sector and running from their Enforcers. Can you help me?"

Kasen had omitted the fact she was transporting prillion—an antibiotic so potent it was outlawed by every government that took payoffs from the medical communities who feared the dent it would put into their profit margins. But to smugglers like him and his sister, it was pay dirt. One shipment would leave you flush for at least a year.

And it was a death sentence to carry it through certain systems.

Garvon happened to be one of them.

Even if she'd told him when she called what she had on board, it would have changed nothing. He'd have still taken her place in the noose.

Altruism sucks.

Right now he was thinking he should have learned some self-preservation and been about ten minutes late. But at the end of the day, his sisters were his world and even though he might like to pretend otherwise, he wouldn't have been able to live had he let one of them die.

Even Kasen's crabby ass.

He checked his chronometer and felt sick again. Thirty more minutes and everything was over.

Thirty minutes.

He remembered times in the past when that had seemed like an eternity and now...

He wished he had the power to stop time. To teleport himself out of here and see his rat-infested dive one more time. To have his sister Shahara tell him he was an idiot.

Well, at least he wouldn't have to stare at the drab tan walls and that nasty crusted-over toilet anymore.

Boy, are my creditors going to be pissed. He still owed two years of payments on his ship that had been impounded by the Garvons after his arrest. And face it, he'd dogged the absolute shit out of it and it still had blast marks down both rear stabilizers from his last run-in with the authorities.

He sighed again.

His friends and family had tried everything to negotiate a stay of execution. But the Garvon governor had been adamant that they make an example of him.

"This is to stand as a lesson to any outsider who thinks they can travel through our system and not obey our laws. We might be a small system, but we are big on intolerance."

Caillen shook his head as the governor reiterated those words he was obviously proud of just a few feet away from his window to the news crews surrounding him. What an effing idiot. Whatever aide was supposed to keep the governor on a leash was failing epically.

One of the female reporters panned her camera Caillen's way to catch a shot of his reaction to the governor's speech while he watched from his cell.

Caillen flipped the camera off.

The governor sputtered in indignation, letting Caillen know he'd struck a nerve with his silent defiance.

Big mistake on the governor's part. That was like baiting a wild predator and the little brother in him kicked into overdrive.

Never let me see your underbelly.

Flashing a wicked grin, Caillen couldn't resist shouting to them. "It's not my friends in high places you need to worry about, Gov. It's the low ones who are going to crawl up from the sewers to cut your throat. You know, my brother assassins who'll be honor bound to come after you and the rest of your sycophantic morons while you sleep. Forever Sentella! We're cleaning the gene pool one fatality at a time."

The mention of the phantom rogue agency of assassins out to challenge the corrupt governments that were led by the League and her goons sent the media into a frenzy and made the governor look around as if trying to find an assassin in the crowd. Like he'd be able to ID one. Beautiful thing about Caillen's friends— by the time you saw them coming for you, your head was already rolling across the floor.

But as much as Caillen wanted to pretend otherwise, he knew his friends couldn't help him today. He'd gotten himself into this and for once there was no escape.

I'm dead. Completely. Utterly...

Painfully.

Twenty minutes and counting...

Might as well accept it. It was what it was and he'd volunteered for it.

"I'm so sorry, Cai." Kasen's tear-filled words whispered through his mind from her last visit.

Not half as sorry as I am. Darling always said his sisters would be the death of him. Little bugger had been right.

C'mon. Better you than her. You know that.

Yeah, that thought not really comforting right now. *I should have drowned her when she broke my favorite toy fighter as a kid.* It'd been the only toy he'd had and she'd stomped it into pieces in a fit of anger because he'd stuck his tongue out at her.

It's all right, Cai. Calm down. You've faced worse.

Yeah, but I didn't die *then.*

There was that and he was getting tired of his brain bitching at him over things he couldn't change. He'd kept his promise to his dad. Kasen was safe.

Him, not so much.

Sliding down the wall to crouch in the small space between it and his bunk, Caillen banged his head against the wall, welcoming the distracting pain. Why couldn't the bastards just come and kill him already? The waiting was the worst part. No doubt that was their intention. Make it as miserable as possible.

Closing his eyes, he rubbed his hand over his face. At least he wasn't leaving Shahara in a bind. Now that she was married, she had someone else who could protect and take care of her.

Which was what really pissed him off at Kasen. There'd been no sense in her making that run. Yes, money was good. But it wasn't worth your life and it wasn't like they were in dire straits for it. Not like they'd been in the past. Their freakishly rich brother-in-law would have gladly given her the money had she only asked Syn for it.

Stupid moronic idiot.

Selfish—

"You ready, convict?"

He dropped his hand and opened his eyes to see the warden in front of his cell with six guards. He was flattered they thought he'd be that much trouble. And his spirit was certainly willing to give them a fight and then some. However, they had a neuro-inhibitor on him that prevented him from doing anything other than glaring at them. If he tried to attack, the inhibitors would bite down, flood his body with pain, lock his muscles tight and send him straight to the floor.

Worst of all, it'd make him piss his pants.

They would never have *that* satisfaction—not until he was dead and couldn't control his bladder anymore. After all, he was a Dagan and Dagans, no matter the poverty or situation, were proud people.

Show no fear to your enemies. Only contempt. Never let anyone look down on you. You're just as good as any of them. I don't care who they are. Better in fact. In our world, Dagans are royalty and you, my son, are a prince.

His father had trained him on that and he held those words tight as he faced them.

Activating the electromagnets in his cuffs that caused his hands to lock together behind his back, the guards lowered the force field that kept him inside his cell.

Caillen curled his lip as he looked at them. "You could have waited until I stood up, guys. Kind of hard now."

The warden returned his smug glare with one of his own. "We'll wait."

He snorted. Were they really that afraid of him that he couldn't even stand up without them sweating?

Wow, Cai, even a hard-ass assassin like Nykyrian would be impressed with that feat.

Then again, they had good reason to fear. But for the inhibitor, he'd already be free and they'd all be bleeding or dead.

But not today.

Caillen leaned his back against the wall and wiggled his shoulders until he made it to his feet. The guards moved forward with trilassos—a noose attached to the end of a three-foot pole—to put around his neck so that they could drag him forward and keep him six feet away from them.

He laughed at them and their fear. "Bloody wankers."

They tightened the noose around his neck until he was coughing from lack of oxygen.

"Careful, men. We don't want to kill him in here."

The warden might feel that way, but the look on the guards' faces said they'd be more than happy to send him to death fifteen minutes early.

Caillen wheezed and coughed as they dragged him down the lackluster hallway and out into the common ground where spectators, dignitaries and newspeople waited to catch a glimpse of the legendary smuggler who, until now, had been more myth than real. The networks would make a fortune charging for this show.

Ironic really. He'd had to fight every minute of his life to scrape together two credits, but his death would make some asshole a nice rent payment for a few months.

I should have taken them up on the offer for a tranq. 'Cause right now as he walked up the platform and neared that gleaming blade, his panic was seriously setting in.

Ignore it.

How? Look around you, moron. You're about to die. And there was at least a hundred people here to witness and gloat. Damn them all for their sadistic entertainment.

Don't think about it.

Something hard to do since he was being forced to kneel under a ten-foot blade that was shining with metallic bloodlust over his head.

You can do this…

I don't want to die. I don't. I need to live. I got plans. Well, not really, but I could make some. Some that don't include my head rolling into a plastic bucket that still bears stains from the last execution.

He ground his teeth together to keep from begging for his life. He wouldn't give them that satisfaction either.

"Any last words?"

Caillen glared at the warden. "Yeah...See you in hell." He looked over to the group of three giggling young women standing in the dignitary section. One of them bore a striking resemblance to the warden. "And for the record...your daughter has a hot ass."

She let out an excited shriek.

The warden's face flushed with rage.

The guards tightened the noose again, choking off the rest of his words.

Caillen's sight dimmed as his ears buzzed. Oh yeah, much better to strangle to death.

Not.

They forced him to his knees, then bent his head down on the arc that had been designed to cradle necks and hold them in place until the blade fell. Still, he choked as the guards refused to loosen the noose. He heard something loud, like maybe someone shouting, but he couldn't tell what it was or where it came from.

It was almost over.

A few seconds more.

Just let go.

Relax...

He was too much of a fighter for that. He tried to hang on to every gasping, ragged pain-filled breath. But the fight was useless as he heard a loud clattering sound.

In the end, the darkness took him under.

3

Caillen came awake to a vicious pain throbbing around his throat and a worse one pounding in his head. Yeah, he was in hell. He had to be to hurt this badly.

"Is he coming around?"

He didn't recognize the concerned tone that belonged to an older man.

Someone pried open his eyelid and rudely flashed a light in his eye that made his headache pound even harder. Groaning, he flinched, moving his head away.

Gently, the doctor turned his head back and held it in place while he continued to test the dilation of his eye. Good thing Caillen's arms were strapped down or the man would be bleeding over the intrusion and that light would be shining out of an orifice the gods had never meant to hold it.

"He's conscious." The doctor lowered his voice as he stepped back from the bed and gave Caillen a reprieve from that vicious light. "Do you know who you are, son?"

He licked his dry lips and cleared his sore throat before he answered raggedly. "Caillen. Dagan." Or rather that was who he'd been before they beheaded him.

Did the keepers of hell not know who was sent to them?

"How many fingers am I holding up?"

Caillen had to blink several times before the doctor's pudgy phalanges came into focus. At least he hoped that's what he was seeing...

If not, that man was real popular with women.

"Three."

The doctor turned to his right and bowed low. "He's awake and alert. But he's still weak from the asphyxiation and the subsequent resuscitation."

Resuscitation? From beheading? What the hell had they done to him and why would they bring him back?

More torture?

Gah, what did I do now?

Oh wait, that was too much to count. The point was what had they *caught* him doing now...

Caillen scowled as an older man stepped out of the shadows and approached his bed. Clean-shaven and well-kempt, he had finely boned features and vivid blue eyes. There was an air of refinement that seemed to emanate straight from the man's DNA. Yeah, he was definitely an aristo. A major one at that.

Why would someone so high ranking be here to see a common piece of condemned filth?

The man's lips trembled as his eyes misted—that concerned Caillen more than anything else. Was the man that angry or that upset?

Oh shit, don't tell me I slept with his wife.

Or worse, his daughter.

The other thing Darling always complained about was that one day Caillen's wandering penis was going to get him killed...

Was this the day?

"Do you remember me?" the man asked hesitantly. "Even a little?"

Did he owe him money? Caillen searched his mind, but couldn't think of any time or place he'd have seen this man. "Uh...no. Should I?"

The old man's lips quivered as he took Caillen's hand that was bound in a padded leather cuff to the bed rail and held it in a cold grasp.

Completely weirded out by that, Caillen jerked his hand away from his grasp and balled it into a fist. But because of the restraints, he couldn't move it far.

"You're my son, Radek. Don't you remember?"

Oh yeah. The man was high. He had to be sucking in some kind of serious fumes for that delusion. "I'm Caillen Dagan. My father was a smuggler."

"No." There was no missing the anger underlying his defensive tone. "You are Kaden Radek Aluzahn de Orczy," he carefully enunciated each name as if trying to impress it on Caillen, "and you are *my* son. You were only a toddler when you were kidnapped. I paid the ransom they demanded. All of it. I followed every stipulation they made but they never returned you. My security detail assumed they'd killed you. Even so, I searched relentlessly for some sign of you for years. Nothing was ever found. Not a single trace...Not until now."

Baffled, Caillen turned to the doctor. "Bullshit."

The doctor shook his head. "You're a lucky man. When the prison staff ran your DNA to see if you were a match for any unsolved crimes, it popped up your old kidnapping report and the DNA that was on file from your childhood hairs they'd collected. You are indeed his missing son."

No, no, no, no, no.

"I came as soon as they notified me they'd found you," the man interjected.

The doctor inclined his head respectively before he continued. "His Majesty arrived right before they issued the order to behead you. One more second and it would have been too late."

Majesty...That title permeated the fog in Caillen's mind. If this guy was an emperor and he was his son...

That would make him a...

Oh yeah, right. They were so screwing with him. This was complete and utter crap. "I'm not a prince." No krikkin way. Fate would not be that bored today.

Nah, this was some shit one of his friends was pulling. "Who put you up to this? Nykyrian or Darling?"

The doctor smiled. "You are indeed a prince, Your Highness. We double-checked your DNA against your father's when you were brought in and there is no doubt whatsoever. You are Emperor Evzen's son. His *only* son."

Caillen's mind reeled. He might not recognize the man, but he knew the name Reginahn Evzen Tyralehn de Orczy. Emperor to both the Garvon and Exeter systems, his name was synonymous with power and wealth.

Was it really possible?

No. No way. His sisters and parents had always said he was family. If he'd been a foundling, wouldn't they have told him?

Given how poor they were why would his father take in another mouth to—

"You are the son I always dreamed of. I'm so glad to have you as part of my family..." His father's often uttered words now took on a whole new meaning. All his life he'd assumed his dad was grateful for the additional Y chromosome in their all-female home. But if he'd taken him in...

"I've risked everything to keep you alive. Don't let it be for nothing. Not after all I've given to keep you with us." Was that what his dad had meant when he'd said that one day Caillen would understand?

Was that why his father had been so adamant that he never disclose his DNA? Why his father had been so damn paranoid about everything? When it came to conspiracies, the man was as creative as he was psychotic. But if he'd known who Caillen really was...

It all made sense.

Caillen couldn't breathe as reality assaulted him.

Holy crap. I'm a prince.

Now ain't that a bitch? All the times in his life he'd had to scrape for every credit and here he was related to one of the richest men in the Nine Systems.

Yeah, that would be my luck.

The emperor took his hand again. "Don't you remember anything about your life before you were kidnapped?"

"No. Sorry. Are you sure you have the right person?"

He let go of Caillen's hand to pull out his wallet. He flipped it open to a picture and pressed it.

There was a beautiful woman in royal robes holding a bald baby boy who couldn't even sit up on his own. She was smiling and waving the baby's hand. "Radek...say, 'Hello, Daddy.' " But what held Caillen entranced was how much the woman favored him. They had the same coloring, the same eyes, nose and lips. Same dark hair...

Something he'd never shared with his sisters or parents. His dad had told him he took his coloring from a great-grandparent who'd died before his birth.

Now he knew that had been a major lie too. He saw his real mother's face and there was no denying it.

She was his mother.

And with that came a forgotten memory of his sister Kasen telling him once when they were kids and she'd been angry at him that he'd been found abandoned in a garbage dump. That had garnered her the worst beating of her childhood. He'd written it off as typical sibling harassment and a stressed parent's overreaction.

But if he really had been found in the garbage, that explained why his father had gone ballistic over her taunt.

Weird as it was, a lot of things he'd questioned over the years now made total sense.

Shit...

I am royalty.

Overwhelmed by his new reality, he looked up at the father he'd never met and wondered about the rest of his blood family. "That's my mother?"

His father nodded as sadness darkened his gaze. It was obvious that even after all this time, the event still hurt him. "She died trying to fight off your kidnappers. I found her in your nursery, and..." He clenched his eyes shut as if trying to blot out that memory. "I lost everything that mattered to me that day. And I do mean everything. What good is it to rule the world when you can't even protect the ones you love?"

Caillen turned his attention back to the smiling image of the mother he'd never known—he'd been just a kid when his adoptive mother had died. Even though he'd lived with her, he barely remembered her either, and he had no memory whatsoever of the woman who'd given him life and then died trying to protect him. He didn't know which one of those scenarios saddened him most.

His father blinked back his tears and swallowed hard. "I loved your mother, Radek. She was beauty incarnate. And I've never remarried. No woman ever came close to her in any way and I didn't want to shame her memory by marrying someone else to fulfill an obligation. Even a royal one. Not when she gave her life for us." He closed the wallet and held it over his heart. "I wish she'd lived to see this moment. To see *you*. You favor her so much that it's like I have you both back at once. I can't believe I finally found you after all these years."

What should he say to that?

Thanks?

Yeah, no, that was stupid. For the first time in his life, words failed him.

It was so surreal. Things like this didn't happen to people like him. Kicks in the groin. Imprisonment. Clients turning you into the authorities. Collectors shooting you dead in the street...that was what happened to third-generation smugglers.

They didn't wake up from an execution to become a prince. It just didn't happen.

Caillen tried to reach for the photo wallet and cursed at his bound hands. "Why am I restrained?"

The doctor came forward to free him. "Sorry, Your Highness.

It was only a precaution. We didn't want you to wake up and hurt yourself."

Right...more likely they were afraid he'd wake up and attack them.

As soon as his arms were freed, Caillen rubbed his wrists and stared at his father. "This isn't some weird-ass joke or prank one of my friends is pulling on me, right?"

There was no feigning the sincere offense on his father's face or in his stance. "I would never joke about something like this."

No, he guessed not. Still, it was a hard fact to accept. Everything he thought he knew about himself was now brought into question. It was such a strange, lost feeling. Everyone he'd ever trusted had lied to him. His parents. His sisters.

He wasn't who and what he thought. Everything he'd been told about his family and his past was a lie...

Everything.

But for one freak event that'd happened at a point in his life he couldn't remember, his entire childhood and past would have been completely different. *He* would have been completely different. There would have been no poverty. No hiding.

He wouldn't have had any of his teen trauma. He wouldn't have been there to help his sisters...

It was overwhelming to contemplate that he was now someone else.

Someone he didn't know.

I have a father...

Caillen glanced to the doctor before he returned his gaze to his father's. "So what does this mean exactly?"

His father smiled. "This means you're about to have a whole

new world, my boy. You're finally going to live the life you were born to."

Caillen wasn't sure that was a good thing. In his experience, change came in with a furry harbinger that usually sprayed crap all over him. Seldom was change for the better.

But at least he wasn't dead.

Yet.

One second more though, according to the doctor, and he would have been.

I'm a prince. That reality kept circling in his head.

You thought you had enemies before? Buddy, you ain't seen enemies yet. This kind of money made people stupid. Most of all, it made them mean. Angry. Jealous and cruel. Everybody wanted to take rather than earn. When they couldn't do that, they just wanted to spew venom and animosity.

Yeah, he was definitely cursed and things were going to get ugly.

Fast.

4

Two Months Later

"Sit up straight in the chair."

What am I?

Five?

Grinding his teeth to keep from lashing out, Caillen did as instructed. A little belligerently, granted, still he did obey as he'd promised his father he would. But it was hard to sit up straight when what he really wanted to do was give the pompous ass in front of him a goblet enema. He felt like he was drowning in nine million layers of heavy fabric. Honestly, how could any aristocrat be fat if they carried this much clothing weight on their bodies all the time? How much food would you have to eat to gain weight? Forget the gym, he felt like he was bench-pressing a ton.

And it wasn't even weight you could use to blow shit up. *That* he could understand hauling around. This? This was ridiculous. He rubbed at his neck where hives were forming from the high starched collar.

At least you still have your head.

Yeah, but that wasn't as appealing right now as it'd been a few months ago. He glanced over to two of his best friends who watched him and the cultural advisor with a stoicism that didn't match the amused gleam in their traitorous eyes. Little bastards were enjoying every minute of his misery.

Eat it up, assholes. My vengeance will come. And you will bleed.

But he knew the truth. He'd never hurt either of them. He'd only imagine the strangulation. They'd been through too much together for him to hold something like this against them.

Lean with dark red hair, Darling Cruel was as reserved and regal as any monarch could be which made sense since he was from one of the oldest aristocratic families. He was immaculately dressed in a black suit trimmed with white that was covered with a lightweight, flowing black dignitary robe. The son of a royal governor and a high prince himself, he was used to crap like this. Yet for all of Darling's breeding, Caillen knew the truth of his renegade friend—a rebellious side no one would ever suspect of him. Darling's shoulder-length hair covered one side of his face and hid a bad scar that Darling never spoke about. Caillen was one of the few who knew how he'd gotten it.

With perfect, unblemished features that would make any woman proud, Maris Sulle was much more flamboyant. His long black hair was tied back and braided with silver beads running through it. He wore a vibrant orange-and-yellow robe that trailed on the ground and pooled in a graceful mess around his red-booted feet. Obviously Maris wasn't concerned about mobility 'cause he'd never had to run a day in *his* extravagant life. Rather he ordered other people to run for him.

Maris's and Darling's friendship went back to early childhood.

Caillen had met Maris about ten years ago and had hated him at first because of that spoiled arrogance that bled out of every gesture he made and from every piece of expensive fabric he wore. But Maris was like Gondarion spiderweed—he clung to you and after a while you learned to appreciate the strange beauty that was his quirky sense of humor and his uniquely skewed take on the world around him. Now Caillen treasured his friendship as much as he did Darling's.

The two of them were a vivid contrast to the stone-faced, drab-dressed cultural advisor—Bogimir—who glared at him with open disdain. The man didn't think much of Caillen which was okay by him. He didn't think much of Boggi either.

Bogimir cleared his throat. That sound was really starting to tread Caillen's last nerve into hash meat. "Are you paying attention to me, Your Highness?"

Caillen let out a long breath of annoyance. "Yeah, yeah, Boggi." It was a moral imperative that he use the nickname he knew drove Bogimir insane. "I'm with you."

Bogimir narrowed that beady little gaze that made Caillen want to put his foot in a highly uncomfortable place on Boggi's body. "You mean to say, yes, I see."

Caillen ground his teeth before he corrected his enunciation and words. "Yes, I see." *Asshole.*

Boggi gestured to the table. "Now take a sip of your wine."

His biceps screaming over the weight of his clothes and his gall begging him to toss the contents into Boggi's contemptuous face, Caillen reached for the cup and picked it up.

Instantly, Boggi started that agitated dance that would only come in handy if walking barefoot on coals or trying to stomp out a nest of fire snakes. "No, no, no. The correct way to hold your goblet is like this." He snatched it from Caillen's hand to demonstrate the proper use.

Caillen rolled his eyes. Damn pathetic when even drinking something was a production. What the hell was wrong with these people? Did it really make a difference how he picked up a krik-kin cup and drank out of it? Was that really all they had to worry about in their worthless, overprivileged, overindulged lives?

Boggi set the cup down and glared at him. "Try again."

Caillen curled his lip. "Ah screw this shit." Yanking his blaster out from under his robes, he shot the cup. He laughed as it spun up from the table so that he could shoot it again three more times. On the last round, it shattered and rained fragments all over the floor before the bowl landed upside down at Boggi's feet.

Now *that* was entertaining.

But Boggi didn't think so. He huffed and puffed, then scur-ried for the door no doubt to tell on him like one of his sisters had done when they were kids.

Whatever. With three older sisters, Caillen was used to being bitched at. And honestly, his father was an amateur compared to his sisters.

Darling didn't make a sound until they were alone with Maris. Once the room was clear, he and Maris burst out laughing. "You are evil to your worthless rotten core."

"Abso-krikkin-lutely." Caillen blew across the hot tip of his blaster before he bent over and divested himself of the stifling clothes by twisting them off his body to land with a thump on the floor. Bare except for his black pants and boots, he holstered his weapon, then met Darling's amused expression. "How are you people sane? Really? I grieve exponentially for the childhood you must have had. *Don't touch this. Don't do that. Hold the cup like this,*" he said in a high-pitched, mocking tone as he crooked his hand into a claw. Then he dropped his voice to its usual baritone. "Never thought I'd be grateful for poverty. But you know what? I pity the rich. Y'all don't know how to live."

Darling smiled. "There's a reason I hang out with riffraff like you."

Maris shook his head at both of them. "Your father's going to have conniptions over this."

Leave it to Maris to use a girl word like conniptions.

"Maris is right, Cai. You only have two days to master this before your debut into society. God help us all and especially you." Darling pulled his lightweight robe off and handed it to him. "Trust me, you can't be shooting defenseless goblets at the dinner table in front of emperors and governors. You could cause an interstellar incident."

Caillen snorted. "Didn't realize goblets were a protected class of species. Fine. Can I shoot tableware or is it protected too?"

Darling laughed again, but didn't respond to his sarcasm.

Caillen shrugged the robe on so that Boggi wouldn't call him a savage...again. "This"—he gestured to the ornate palace room that was bigger than most of his former apartment building—"isn't my style. I don't belong here and we all know it." He belonged on his ship, running through blockades and giving cardiac arrests to authorities. Most of all, he belonged in the bed of a woman who was more into keeping rhythm with him than not messing up her hair.

He wanted to leave this place behind and go home so badly he could taste it.

But it wasn't that simple. He actually liked his newfound father.

And worst of all, he'd made a promise to the man that he'd try this for a year before he made up his mind about leaving.

Why did I pick a krikkin year?

Much like that thirty minutes in his cell, it hadn't seemed all that long at the time. Now it stretched out into infinity and he hated it. He barely saw his father and when he did all they talked about was how unacceptable his behavior was.

Suck it up, Cai. You signed on for the mission. And he would see it through.

Even if it killed him.

"I told you, Sire. He's an animal that doesn't belong here. I realize he's your son, but honestly, you need to send him back to the gutter that created him."

Evzen shook his head at Bogimir's condemnation as he watched in front of the monitor bank in his office. Caillen laughed with his friends while he stood with his hand on the grip of his blaster as if ready to defend at a hair's notice. It was a cocky stance that belonged to a rogue outlaw. Not a prince.

But a prince he was...

And it was *his* job to make his son realize that destiny.

"He's not an animal, Advisor. And you would do well to remember that he is a prince of this empire and as such deserving of a deferent tone when you refer to him."

While Bogimir blanched from overstepping his position, Evzen glanced at the monitor where Caillen was still grinning with proud satisfaction over the destruction he'd wrought. He, too, was amused by his son's aim. Rude but impressive though it was. "Granted he's a little rough around the edges—"

"Sire, please...He has the manners of a ruffian and the sense—"

"He is my son." One he'd thought dead for these last long years. Dead because he'd failed to keep the boy safe.

To have his son back and alive...

It was a blessed miracle and it was one he didn't take lightly. He didn't care that his son knew nothing of the aristocracy or diplomacy.

Actually that wasn't true and he knew it. "Caillen speaks thirty-eight languages and most of the dialects of each one. Fluently. Not just tutored versions learned through instructional vids and teachers. He knows the idioms and the culture as well as the natives. He understands the intricacies of their politics and laws better than *I* do." He cast a meaningful stare at Bogimir. "Better than most cultural advisors I've known."

More than that, Caillen knew how to fight better than the top ops of his elite forces. The first day Caillen had been in the palace, he'd found twelve holes in their security and had shown them how to shore up their defenses.

His son was brilliant.

"Sire—"

"Don't." He held his hand up to cut off Bogimir's words. "You will train him and you will treat him like the prince that he is. I want no more arguments."

"Yes, Sire." Bowing, Bogimir left him.

Evzen sighed as he turned toward the mic on his desk where he'd been talking to his brother before Bogimir had interrupted them. "Did you hear all of that?"

"I did indeed."

"And what do you think?"

Talian took a minute to consider his words before he spoke.

"You want my answer as your top military advisor or as your devoted brother?"

"Both."

"As your brother, I agree with you completely. Even though he's less than diplomatic, Caillen is brilliant at assessing situations and determining how to handle them—if not always at defusing them. You couldn't ask for a better successor."

"And as my advisor?"

"He's impulsive and brash with an overdriven libido that has him chasing anything with breasts. Left unchecked, he'll drag us into war over something completely stupid like shafling someone's daughter and wife, probably at the same time. He has potential, but I think Bogimir is correct. He lived in the gutter too long. Had we found him sooner, he might have been salvaged. Now...he doesn't belong in our world and he isn't adjusting to it at all. Truthfully, I don't think he wants to. Let him go home, Ev. For all our sakes."

Evzen's chest tightened at those words as grief choked him. He couldn't bear the thought of losing Caillen again. Yes the man was rough around the edges, but he was funny and highly intelligent.

He's my son. Most of all, he had faith in Caillen. In time, he had no doubt his son would adjust.

Yet Evzen was owned by his people. His first priority had to be their safety and welfare. It was a mantle of responsibility he wanted to bequeath to his son. But if Caillen refused...

I have to try.

Evzen met his brother's gaze on the monitor. "Let's see how he does on the *Arimanda*."

Talian heaved a sigh of remorse and disgust that said his

brother was nowhere near as thrilled to have Caillen back in the line of succession as he was. "I'll assign an extra detail to him."

"Why?"

"The Qillaqs? Remember them? They're sending an entire quorum for the assembly. And I can see this disaster coming. You know how their women dress...or more to the point, don't. Whatever we do, we have to keep Caillen away from them."

His brother was right. The Qillaqs were a warring race who tolerated no one easily and especially not offworlders or men. One wrong glance and they'd attack.

And so would Caillen.

Evzen frowned. "I thought they had declined the summit."

"They did originally. But I received word this morning that their queen herself will be joining us. Apparently there's something of great import she wishes to declare before the council. Our luck, it's probably an act of war. Let's just hope your son doesn't make it one against us."

Evzen watched while Caillen argued with Bogimir in the room. Maybe he should leave Caillen home while he attended the summit. But he didn't want to be away from his son for two weeks. Not when they were still getting to know each other. Not to mention the fact that Caillen was an expert in negotiating with the Krellins and was even well acquainted with their crowned prince. They desperately needed a trade agreement with them that he'd been working on for three years with no progress. If he didn't get that to go through during the summit and be ratified by the council, it would be three more years before he could attempt it again. By then, their colony, which needed supplies and protection, would be destroyed and all her citizens enslaved. His people couldn't wait six more months, never mind three years.

Caillen was the only hope they had.

Therefore he'd take his son and watch him.

Closely.

He had all faith that everything would turn out just fine.

Until he remembered Caillen's favorite saying. *Never underestimate a Dagan's ability to screw up the best-laid plans.*

And right now, his son still considered himself a Dagan.

Every time Evzen heard that name it enraged him. His son was a de Orczy. One of the oldest and finest of the ruling houses. His was a legacy people had killed for.

But not Caillen. He was the only man who honestly didn't care about wealth and its trappings. While his son was happy to have the finer things, he was just as happy, if not happier, without them.

Baffling.

And that made him want to weep. His son was a complete stranger and he was trying to understand him. He was. But the more time they spent together, the more Evzen had to face the truth.

When all of this was over, he would most likely lose his son all over again...

Caillen breathed a sigh of relief as Boggi took off in a huff again and left him alone with his friends. The moment the door sealed shut, he twisted out of the stifling robes and threw them to the floor. Then he jammed the signal in the room so that neither his father nor his father's security detail could spy on them. He really hated that crap.

Maris tsked at him. "It's just plain cruel the way you flash that hot body of yours at me all the time, Cai. I swear I've never wanted to be a woman more so than I do right now." Biting his lip, he looked at Darling. "Those abs...it's criminal to look that good and be straight. Couldn't you just lick those muscles all night long?"

Darling screwed his face up in distaste. "Uh, no. He's too much like a brother to me. I honestly find that thought repugnant."

Maris snapped his neck and wrist in a purely feminine gesture. "I am yanking your membership card." He returned his attention to Caillen and made a purring growl in the back of his throat. "One night, baby, and I could change your religion."

Caillen gave a good-natured laugh. "You keep saying that, but I know you better. You like to be the pursuer, Maris. The moment someone chases you, you run for the door."

Laughing at the truth, Darling shrugged his outer robe off and tossed it back to Caillen. "You know, Maris is right. You can't keep undressing every two seconds and especially not on a ship during a summit meeting where they'll be monitoring all the rooms. You do that there and it'll end up on the news and you'll be tainted by it forever."

Caillen wasn't worried about that. "I'll jam them."

Darling shook his head. "Take it from the weapons and explosives techspert. It ain't going to happen. You jam anything there and it'll set off all manner of alarms. Not even Syn could break in without getting busted."

Now that gave him pause. His brother-in-law could crack into anything without detection and that told him all he needed to know about his voyage to hell. "So keep it in my pants, huh?"

"Unless you want to be the next viral porno feature. I know it'll be hard—"

Caillen arched a brow at Darling's choice of words.

Darling rolled his eyes. "Your mind is always in the gutter."

"Yeah, well, you know it's got a lot of friends it likes to play with there and I happen to like the view."

Maris made a light "heh" sound. "Give it up, Dar. You have to remember you're talking to the only man I've ever seen who can walk up to a woman he's just met and tell her he needs to have his manhood serviced and instead of getting bitch-slapped or arrested for it, gets to take her home."

Darling crossed his arms over his chest. "That's because most men have more sense than to say that out loud."

Yeah, right. Caillen knew better. "That's 'cause most men lack my boys and my skills. You may know how to handle explosives, Dar, but I know how to handle women. When it comes to the female population, *I* am the master."

"Please," Darling said with a laugh. "I've seen you with your sisters. You don't handle them at all. You're completely whipped."

"Totally untrue. I just let them think that. That, my friends, is the beauty of it. There's not a woman born I can't manipulate and wrap around my little finger."

Darling shook his head. "And one day you're going to meet a woman who's immune to your charms." There was an odd note in Darling's voice that said he commiserated, but since he knew Darling had never been in a serious relationship he ignored it.

"Never happen. I can even charm a baby out of her rattle *and* milk."

Maris chuckled. "I'm with you, Dar. I'd like to see him get some karmic paycheck, but in this I have to side with Cai. Like he said, I've seen too many women, of all ages, fall at his feet as soon as he gives them that come-here-and-strip-for-me teasing smile."

Darling refused to cede his opinion. "And I'm saying that there's always that one person who will knock you off keel. Always when you least expect it. Trust me, if Nykyrian and Syn can find women to tolerate them and their psychoses, you will too."

Caillen didn't argue because he knew better. He'd spent his entire life having to answer to his sisters for everything and having to watch after them and deal with their drama. Not to mention the one time he'd tried to be serious with a woman...

Yeah, that had taught him and killed any thoughts he might have ever had about commitment. Women were crazy.

It was why he had no interest in settling on one female. Ever. Or even letting one near him for more than the couple of hours it took to relieve a biological itch. He didn't want the trauma of it. All women wanted to domesticate the male and he was too wild for that. He didn't want kids or a wife. He just wanted to live his life on his own terms and answer to no one but himself.

Freedom. That was what he craved. He lived for the blood-pumping danger of smuggling. Flying fast. Living on the edge, one step away from death. Not even his sisters, who were the toughest females he'd ever met, could keep up with him. If they couldn't he knew there was no one else who could.

Wanting to change the topic, he directed them back to the matter at hand that had caused him to jam the vid surveillance. "Look, you guys know I don't give two shits if I'm a flaming dork in public—which I am most of the time. My philosophy is simple. You want to be my friend, let's take a drink. You want to judge me, duck. But this isn't about me. In spite of the fact that he's an aristo, my dad seems to be a decent man and I don't want to humiliate him in front of his pretentious crew by doing something stupid like thinking the hand-washing bowl is soup and trying to eat it... again. Or breaking some other protocol I don't know about. So can you show me how to be like one of you?" That actually came out easier than he'd thought it would. He'd barely choked on his dignity.

Darling clapped him on the back. "Don't worry, brother. We'll be with you every step of the way."

Maris flashed a devilish grin. "And laughing continuously at your expense. However we do promise to keep it on the inside... most of the time."

Caillen laughed at the way Maris said that. He was lucky to have two friends he could trust. Four if he counted Nykyrian and Syn. He'd had enough people stab him in the back that he knew better than to take their loyalty for granted. There weren't many people who'd lay down their lives for someone else. But any of the four of them would do it for him.

And he'd die for them just as quickly.

Darling wagged his eyebrows at Maris. "I don't know. A flaming dork in public might be highly entertaining."

Caillen shoved at Darling who laughed as he stumbled sideways. "You're both pervs. I don't know why I hang out with you."

Darling snorted. "Probably because we're the only ones who'll hang out with *you*. Not to mention, I was a good innocent child unsullied by depravity until I started running with you and your crew."

Maris nodded. "I can attest to that. You guys seriously corrupted my little buddy."

Darling stiffened. "Little buddy? I sound like your pet."

Maris threw an arm around Darling. "I keep trying for that too, but you're no more game than Caillen is. I swear you should don a monk's cloak."

Caillen clapped his hands together. "And on that note, I'm going to find that cute maid I saw earlier and see if she's single." He made a double-clicking noise with his tongue as he winked at them. "See you guys later."

His thoughts already fantasizing on the maid's charms, he left them to drift down the hallway toward the conservatory where he'd last seen the petite blonde who'd given him a most salacious smile earlier.

"Come to Papa, baby." He was definitely in the mood to find some alone time with her and that feather duster she'd been using on his father's statues. There was something else hard he wanted her to tease with it.

As he walked past the glass door that let out into the rear gardens, his senses picked up on an ephemeral disturbance. It was a small, subtle smear on one pane. Most people wouldn't pay it any heed, but then most people weren't used to scrounging for survival and having to guard their backs every moment they breathed.

It shouldn't be there.

Caillen frowned. The maids had been in here this morning cleaning everything thoroughly...

He pulled back the curtain to look at the electronic lock. It'd been deactivated and left slightly ajar for a quick exit.

Yeah, someone was in here who shouldn't be.

That calm, dead cold came over him as he went into soldier mode. He knew the perp hadn't gone toward the study where he'd been. The other direction led to his father's private wing.

C'mon, Cai. Don't be ridiculous. There's security all over the place. One of them could have been doing rounds and touched the pane.

Yeah, but when you'd grown up with people who broke into

places like this to kill and rob its occupants, you knew just how worthless that security was. Alarms were only for the honest. Professional assassins and thieves picked their teeth with them.

Better safe than sorry...

He followed the wide ornate hallway that was lined with state portraits of ancestors he couldn't keep track of, but didn't see anything out of the ordinary. The white walls and floors glistened to such an extent, he could see his black clothes outlined like a mirror. The scent of the myriad of fresh flowers draping from elaborate bronze vases hung in his nostrils.

You're being stupid. There's nothing here. Just an overactive imagination fueled by gross paranoia.

He was outside his father's bedroom and about to go find his maid after all when he heard something fall.

A second later, his father called out for help.

5

Caillen tried the door. It was locked. He could hear them fighting on the other side as his father called for security. Grinding his teeth, he kicked the door open. His foot stung from the impact as the door slammed back against the wall with a resounding crash. The force of his strike caused the door to leave its hinges and clatter against the checkered black-and-white marble floor.

Inside, a masked assassin had his father against the wall as they fought.

Without hesitation, Caillen shot across the distance and grabbed the assassin from behind. The assassin turned on him with a curse and slashed out at him with a dagger.

Caillen jumped back and caught his wrist as the assassin tried to stab him. With a quick glance down at their entwined hands, he curled his lip. He knew the black-bladed dagger well. A League weapon, the blade was coated with a toxin so potent one scratch would kill him. Head butting the assassin, he made sure to keep his hand locked on the man's wrist and the blade away from his skin.

The assassin stomped his foot.

"Pansy puss. What kind of girl move is that?" Caillen threw his arm up and punched him in the throat.

The assassin wheezed.

Caillen snapped his wrist so hard, he felt the bone break in his grip. The knife hit the marble with a thud as the assassin cried out in pain. Kicking it toward his father, he flipped the assassin onto his back and pinned him to the floor. The assassin tried to squirm or punch out of his hold, but it was one Caillen had used many times on Kasen.

No one could break out of it.

Well, maybe Nykyrian. But thankfully this asshole wasn't as lethal.

His father called for security over the intercom.

Caillen grimaced at his father's compassion. "Be easier if you let me kill him."

The assassin continued to struggle against him like a dying fish trying to get back into water. Caillen held him fast.

Coughing to clear his bruised throat, his father shook his head. "I want the pleasure of seeing him executed."

And he'd rather have the pleasure of gutting the bastard on the ground like a pig. "You know if he has a League contract on you, you can't do that. But if I kill him before we find out about it, it's legal. You sure you don't want me to slip and accidentally plunge my knife into him a few dozen times?"

"While I admire your planned accident, son, I'd rather interrogate him."

Caillen heard a muffled pop two seconds before the assassin started convulsing. "Shit!" He shot to his feet and grabbed his father, then pulled him out of the room.

"What's going on?"

Holding his breath, Caillen didn't answer until they were outside and the door was shut tight. "Suicide cap. I don't know if it's airborne or strictly ingested. Either way, he's dead and we don't need to inhale it until someone not us does a hazmat analysis."

Security guards came running down the hall, but Caillen stopped them from entering. "You need a hazmat expert to go in there. The perp just offed himself with a cap."

The captain nodded before he pulled his people back and notified his superior. Then the captain met his father's gaze. "Do I need to call for a medic for you, Your Majesty?"

"I'm fine." His father clapped Caillen on the back. "Thanks to my son. How did you know I was being attacked?"

He didn't answer what to him was a rhetorical question. "My question to you is why didn't your security know about it?"

His father straightened his robes with an imperial tug. "For an obvious reason, I don't have cameras in my bedroom. It's the only dark area of the palace."

Flaky excuse in his book. Better a porn video for the guards than a dark area that left his father open to assassination. But what did he know? "Shouldn't they have seen him in the hallway?"

His father offered him an indulgent smile. "Of all people, I think you know how easy things like this happen. Those who want in will find a way."

Caillen ground his teeth at his father's lackadaisical tone. "You're awfully ambivalent over it."

"Hazard of *my* business. Since the moment I took the throne, I've had attempt after attempt on my life. You get used to it after a while."

He would argue that, but in his life and business it was so

common that like his father he only found it odd when someone wasn't trying to kill him.

His father met his gaze. "You were incredible, by the way. Where did you learn to fight like that?"

"Three older sisters who kept wanting to put dresses on me and paint my nails. Since I couldn't outrun them, I had to learn to outfight them and unfortunately for me, they don't hit like girls. If that's not bad enough, they all fight dirty too."

His father laughed. "Thank you."

He shrugged the gratitude away. "You saved my life, it's only fair I save yours."

Evzen fell silent at those words that cut him deep inside. It wasn't what he wanted to hear from his son. He wanted to hear Caillen say that he'd saved him because he loved him.

Just once.

He's a man and a tough one at that. Men like Caillen didn't admit to tender feelings for anyone. He understood that, but the father in him who remembered holding his son as a newborn was desperate to have his son accept him.

It's a fool's dream. He knew it and yet he couldn't stop the ache inside that yearned for a relationship he feared would never happen. If he could only lay hands on the ones who'd deprived him of seeing his son grow up. Of being there when Caillen had needed him.

He wanted blood over the gulf that separated them.

Caillen still didn't accept him as family. Not really. His sisters were the only ones he admitted to. *Damn you bastards for taking him from me.*

But at least he had his son now. Though it wasn't the close, tight relationship he desired, Caillen was still here. For the time being, he wasn't running for the door and so he would accept that and hope for a time when Caillen felt like this was his home too.

And that he was his father, not a Dagan smuggler.

Darling and Maris came rushing up to them.

"What happened?" Darling asked as soon as he stopped by Caillen's side.

Caillen's answer was short and clipped. "Assassin." Nothing more than that was needed to explain the commotion.

Darling let out a sound of exasperation. "League?"

Caillen shook his head. "He had on civs, but he carried a League weapon—don't know if it was a trophy or he was a contractor. As soon as they clear the room, I'll have them run the DNA and see if we can find out if he was solo or attached and if there was a contract issued."

Maris scanned Caillen's body with a worried frown. "Are both of you all right?"

Caillen scowled. "I am so offended that you'd even ask that question. I'm sorry but if third-rate shit like that can take me out, I deserve to die."

Maris scoffed at his righteous indignation. "Forgive me for questioning your fighting prowess. However, I do remember having to pull you out—"

"I was drunk."

"And you were bleeding all over my new shoes."

Caillen's scowl melted under a smile he was trying to keep hidden as he remembered the event and didn't want to cop to it entirely. "Yeah well, there was ten of them and one drunk me. Actually now that I think about it, I was so flagged, I thought there was twenty of them. My vision was just that screwed up."

His father sighed heavily. "Oh the stories I overhear. I shudder at how many close calls you've had in your life."

Caillen gave him an arch stare. "I wasn't the one who almost had my head pinned to the wall a minute ago."

He was right about that and while Evzen prided himself on being intelligent with his safety and cautious by nature, he realized how much he lacked when compared to the child he'd fathered. Whatever had caused fate to take his son from his side, it had given his boy life skills that could definitely come in handy for an emperor.

Now if he could only train and hone Caillen's civility to the sharp point of his fighting skills he'd have a legendary leader.

Caillen flagged down the hazmat workers as they came to extract the body. He divested the first one to reach him of her mask and gloves, then went to investigate the assassin's remains.

The man was lying right where they'd left him. A greenish cast to his skin let Caillen know the death had been quick and about as painless as it could be. But that wasn't what concerned him.

Kneeling down, he retrieved the League dagger and searched for the assassin's reader. He found it and rose to his feet.

The worker stopped him from leaving. "That's evidence."

He stared down at the woman's peeved glare. "Indeed it is and I'll hand it over after I look through it." He stepped away from her.

She moved to block him again until her boss cleared his throat and shook his head. Her expression furious, she finally let him pass.

Moving out of their way, Caillen turned the reader on and started scanning the open files. They all confirmed his suspicions.

Typical hired hack. Nothing really to differentiate him from any of the other scum-sucking bastards eager to earn a credit at the cost of some poor soul's life. At least not until Caillen bypassed the security on his device and started going through his secure files.

While they searched the body, he isolated himself in a corner to review what their little hemorrhoid had been up to. Typical credit transfers that any butcher would have. Wanted postings where the perp had searched for victims...

Encryption just difficult enough to keep a low-level expert at bay and one interesting nugget he hadn't been expecting.

He stepped out onto the balcony to make a call he didn't want anyone to overhear.

Nykyrian Quiakides picked it up a few seconds later. "I can't imagine what trouble you're in now, Dagan. How many you need for an evac and how covert?"

Caillen snorted at Nyk's dry, thickly accented tone. And for all of his bravado, the last time Caillen had told him he needed an evac, Nyk had told him to suck it up since he'd have started a war to pull him out of the Garvon prison. "Not that kind of trouble."

"Who is she then?"

"That either. Damn, can't I explain before you jump to conclusions?"

Nykyrian let out a dry laugh—something that had never left the former assassin's lips before he'd married a few years ago. "By all means enlighten me. If this isn't about a woman or your ass in jail, I'm definitely intrigued."

Yeah, okay, Nyk had a point. Caillen glanced inside where they were putting the assassin into a body bag. "What is a tirador?"

"Context."

Obviously the word had a multitude of meanings, so Caillen kept the explanation of his circumstances short and sweet. "I have a hitter on the floor with a League dagger who tried to off my father. His reader has him listed as one."

"Listed by whom?"

Only Nykyrian would revert to formal language in such a hostile situation. "Can't read that part—language unknown and the translator is unable to ID it. I'm forwarding it to you now."

Nykyrian paused to read it. "He's a civ-con under League orders acting as an instigator to cause conflict for your father."

"Meaning?"

"Someone wants a war and they want to start it by assassinating your father. League doesn't want it traced back to them, so they hired your stain to try. Bad thing is, he won't be solo. Another will rise to the greed and take the shot."

"Shit."

"Exactly."

Caillen fell silent as he contemplated how many assassins would want to be a million credits richer...yeah...that was one long list. "So what do I do?"

"Duck."

"Tired of the one-word answers, Nyk. I need a course of action here."

"There's nothing to be done, Dagan. You'd have to know who wants the war and why. I can guarantee you that all the stain might—and I use that word with all due sarcasm—have known was who hired him, and that would be a juiceless flunky who would die before he or she talked."

"So in other words, don't bother looking."

"It would be a waste of time."

Easier said than done. Caillen didn't operate that way. "I can't do nothing."

"Fine," Nykyrian said in a strained tone. "I'll look into it, but I can't make any promises. Just because the League gave me amnesty doesn't mean I have friends there." Nykyrian was the only League assassin who'd ever left the corps and lived. The latter being a testament to the man's incredible fighting skills. To this day, the League wasn't happy about it and if not for the fact that Nykyrian was heir to not one, but two, major empires and married to the daughter for a third, he'd still have a death sentence on his head.

Caillen paused as he saw Darling on the other side of the door. He motioned his friend outside where his father was talking, then closed the door so that the others wouldn't overhear his conversation.

Frowning, Darling stood across from him and crossed his arms over his chest.

"What can I do to protect my dad?" Caillen asked Nykyrian.

"Not much. Tiradors are pretty hostile. More than that, they always frame someone for their actions—it's what they're paid to do."

"How do you mean?"

"I meant what I said. He was there to not only kill your father but to pin the crime on an innocent. You search him, you'll probably find evidence he was going to plant."

"I did search him and found nothing."

Nykyrian paused before he responded. "Then that's a good sign. It means whoever hired your assassin is probably close enough that they wanted to plant the evidence themselves and didn't trust him to do it."

"To protect their identity?"

"Exactly."

Which meant the person who wanted his father dead could easily be one of the people standing on the other side of the glass. Caillen narrowed his gaze at his uncle and the other advisors who surrounded his father.

One of them was a traitor...

He met Darling's gaze that reiterated his own thoughts. "I need proof."

Nykyrian scoffed. "Of all people, you know how hard that is to come by. These people unfortunately aren't stupid."

He was right about that. And Caillen's mind whirled as he tried to think of how best to protect his father. "What language was that note in?"

"Ancient Pralortorian."

No wonder his translator had been useless. It also made him feel better that he hadn't been able to identify it. "What the hell is that?"

"It's a language the Trisani spoke about four hundred years ago." Only Nykyrian would know something that obscure.

"Why would his orders be in a dead language?"

"League protocol. They use dead languages to communicate so that any mundane who happens on their missives won't be able to understand them." Which was no doubt why Nykyrian had been fluent in it. That assassin training came in handy in so many ways.

Caillen sighed. "So it all goes back to the League."

"Not necessarily. The League might have nothing more to do with it than issuing termination orders. Remember, they're corrupt. Anyone who can afford to bribe them could have gotten this done."

"In other words, guard my back."

"Yeah. 'Cause no offense, this is going to get ugly. If I was the hitter, my next crack at your father would be at the summit."

Caillen arched his brow as he looked at Darling and remembered what Darling had said earlier. "What about their security?"

Nykyrian laughed. "Amateur night."

"Darling told me that it was so tight even Syn would get caught."

"He seriously underestimates our Rit. Trust me. Even *you* could breach it."

Now that was just insulting. "Thanks for that."

"Ah, don't get your feathers knotted. You're one of the best contractors I know. That wasn't meant as a slight. Only saying you could."

Caillen still felt insulted by it. His thoughts went to the summit and how best to protect his father while there. "Are you going to be there?"

"No. Kiara's about to give birth any second. There's nothing this side of hell or the other that could pry me away from being here right now. Sorry."

He couldn't blame Nyk for that either. The man had literally given his life for his wife. "It's all right." He didn't need help when it came to surviving. "Thanks for translating for me. I'll talk to you later."

Nykyrian hung up.

Caillen let out a tired breath as he turned his attention to Darling who'd waited patiently through his call. "What's up?" he asked Darling.

"I found something you missed."

He arched a brow at that. "Pardon? *I* missed something?"

Darling nodded. "He was transmitting right before he attacked. I routed it back and was able to get a twenty-second loop."

"Okay. What did it say?"

Darling pushed the small transmitter in his hand. A deep, accented voice spoke. "Don't worry, Your Highness. I'll kill your father for you and then you'll be emperor."

The blood faded from Caillen's face. "What the krik..."

"You're the one being framed, Cai. I barely got that out before the guards found it." He dropped it on the ground, then crushed it beneath his boot heel. "Someone plans to remove both you and your father from the line of succession."

No shit.

The only question was who.

And when.

6

Royal Qillaq Training Arena

"Cover your back!"

Circling her sister in the dirt practice ring inside their over-sized stadium, Desideria Denarii barely ducked out of the way before her older sister's sword strike separated her head from her shoulders. She countered the blow with one of her own. One that drove her sister back and into a defensive stance.

And that set Narcissa's temper into overdrive. Shrieking, she went at Desideria with everything she had. But with her furious attack, she unbalanced herself and Desideria disarmed her with one stroke which only made her sister madder as her sword was slung ten feet away from them.

It landed in the dust with a loud clatter.

Throwing her head back and spilling her black hair across her shoulders, Narcissa let loose a fierce battle cry, then charged at her. Desideria barely caught herself before she stabbed her own sister through the heart—that was what she'd been trained to do when someone attacked her and they were stupid enough to leave her an opening. Yet even though it was their warrior's code, she refused to kill Narcissa during a practice fight.

Even if it meant days of starvation for her.

They'd already buried two sisters from training mishaps. Desideria had no desire to bury a third.

Instead she allowed Narcissa to shove her to the ground where her sister rained blow after blow on her face. Desideria kicked her back, then flipped up to land on her feet. She moved in to retaliate.

"Enough!"

They froze at the shout from their trainer. At six feet in height, Kara was a well-trained soldier. Her short, slicked-back black hair matched Narcissa's and they all shared the same sharp, exotic features and black eyes. Muscular and curvaceous, Kara and her twin sister had once been members of the High Guard for their queen. A queen who just happened to be Desideria's mother and Kara's older sister. Once Desideria and her four sisters had reached a trainable age, Kara had honorably quit the Guard to be their private instructor.

Kara had been merciless to them ever since.

Kill or be killed—that was her aunt's only motto and it was one she strove to drive home to her nieces.

"Narcissa, hit the showers. We'll talk later about your outburst."

Narcissa curled her lip as she wiped the blood from her nose and glared at Desideria. Without a word, she headed across the ring for the stairs that would take her into the shower rooms.

Her aunt turned that deep, fierce scowl on her. "You..."

Desideria sighed in resignation as she ignored her bleeding lip and swelling eye. "Punishment. I know." Well at least the good news was she'd lose some of the extra weight her mother always complained about her carrying. Not the way she wanted to do it, but...

Kara glowered at her. "Why didn't you strike when you had the chance?"

Because Cissy may get on my nerves to the nth degree, but at the end of the day, she's still my older sister and I love her. I would never really hurt her, never mind kill her. Desideria knew better than to even breathe a hint of that sentiment out loud. Kara would never understand it.

She was Qillaq and they didn't have those weaknesses.

When she didn't answer right away, her aunt grabbed her by the shirt and jerked her until they were nose to nose—an impressive feat since Desideria was a full six inches shorter. The force of her jerk caused Desideria's braid to fall over her shoulder and dangle loosely down her back. "No mercy. Ever. No matter who it is. When you fight, *any* fight, your opponent is your enemy. Do you understand?"

Desideria nodded.

Her aunt shook her. "Do. You. Understand?"

"Yes."

Kara slung her away and she barely caught herself before she went tumbling into the dirt. "Pathetic waste. Just like your worthless mongrel father."

Those words resonated deep inside her and before she could rein herself in, she attacked.

Laughing at her audacity, Kara sidestepped her charge and unsheathed her own sword to engage her.

Desideria hesitated as she realized what she'd done. But it was too late. She couldn't back down. A challenge issued was a challenge met. To withdraw now would be an official and public beating.

True to the nature of her people, her aunt was ruthless as she tried her best to kill her.

But Desideria didn't want to hurt her aunt any more than she'd wanted to kill her sister. *It's your father's blood tainting you.* That accusation had been made by everyone around her. And it was true. Unlike her sisters, she was only half Qillaq which made her less in the eyes of all.

You are my delicate rose—the most precious thing I have. She could still hear her father's last words to her. Delicate rose was what Desideria meant in his language. He'd talked her mother into naming her that even though he'd had to lie about the meaning at her birth in order to get his way. Her mother thought it meant "strong warrior."

The name Desideria was his inside joke on her mother's warring people who'd enslaved him.

And he'd died under questionable circumstances.

Now no one was allowed to even speak his name out loud and she'd been forbidden to mourn him.

To this day, she wanted blood over that too. But right now, as she fought her aunt, she didn't feel like she was part Gondarion. She felt the heat of her mother's people and she wanted to hear Kara cry for the insult she'd given Desideria's beloved father.

Delving deep to tap every bit of her training, she swung her sword and twisted it, catching Kara's blade. In one deft move, she disarmed her. Desideria caught the sword with her left hand and angled both of them at Kara's throat as she circled her.

There was nothing Kara could do without getting her throat sliced.

"Yield?"

Kara narrowed her dark gaze. "Only because this is a training exercise and you're still to be punished."

Of course she was.

But she'd won the fight and that was the most important thing. "You may punish me, but we both know the truth. I'm no longer your pupil." Not after she'd defeated her. Now she was a master and deserving of her aunt's respect.

Mixed blood or not.

Kara inclined her head to her and held her hand out for her sword.

Desideria paused before she handed it over. It wasn't going to be that simple. Not this time. Making sure to keep her expression blank, she broke the blade in half across her thigh before she handed the hilt back to Kara.

Kara's cheeks turned bright pink as her anger no doubt mounted to a murderous level. The sword had been a coming-of-age gift to her from her own mother when she'd advanced from pupil to master. But that was what happened when you lost. The victor chose whether or not to snap the blade or return it intact. Intact was an act of respectful civility. Snapping it was the ultimate act of punishment and a very personal slap. Since her aunt had insulted her father, she would be ruthless in this. Sentimentality be damned.

My father was a good man. And she'd fight to the death for *his* honor.

Sheathing her training sword, Desideria headed for the showers while her aunt went the opposite direction. No doubt planning her demise every step of the way.

Better yet, my punishment. She sighed in resignation of what would be coming to her all too soon.

As she reached the door that led to the dressing rooms, she saw her mother step forward from the shadows of the seating area. That made her suck her breath in sharply. Her mother didn't often attend their training, except to tell them what a massive disappointment they all were and how their skills lagged far behind hers and her sisters' when they'd been their ages.

An older version of Desideria with the same dark hair, deep tawny skin and black eyes, Queen Sarra looked more like Desideria's older sister than her mother. Her body well toned and sleek from her own countless hours of martial practice, her mother could easily pass for a woman in her early thirties.

Fierce and stern, Sarra had no king to co-rule by her side— the law of their people said that no woman could marry a man who couldn't defeat her in battle and no man had ever bested her mother.

No woman either.

But that didn't mean her mother lived without companionship. In fact, her mother's three male consorts stood two feet behind her and each one of them, just like Desideria's father, had been won through battle. In the case of her father, he'd been a slave who had crash-landed here and been stranded. A border patrol had picked him up and he'd been donated as the prize for a competition.

Her mother's other three consorts were Qillaq born and as such had been trained from birth as warriors, the same as the Qillaq women. But because of their perfect beauty, they'd been auctioned off instead of being sent into battle to be scarred. The only time her mother's consorts had been allowed to fight was when her mother had claimed them.

One battle only to see if they were worthy of being a king. All of them had failed. Now they were nothing more than pampered pets who were at the mercy of her mother's whims.

Her mother's eyes glowed with a pride Desideria had never seen in them before. "Kara cherished that sword above everything."

Desideria made sure the regret she felt over those words didn't show in her demeanor or expression. "Then she should have fought harder to keep it."

Her mother laughed. "You continue thinking like that and you may yet be my successor, tainted bloodline and all."

Desideria pressed her lips together to keep from saying something that might get her banished. After all, her mother had chosen to sleep with her father and allowed herself to become pregnant by him. If there was anyone to blame for her faulty bloodline, it was her mother and not her.

But her mother didn't want to hear that.

"You did me proud, Desideria. And since you're no longer a student or a child, I want to offer you Kara's former position in my Guard."

Those words took her by complete surprise. Not hard to do since she was more accustomed to her mother's condemnation than praise. "Pardon?"

"You heard me and you know how much I hate to repeat myself."

Desideria barely caught herself before she hugged her mother as excitement raced through her. That wouldn't be received well. The only emotions Qillaqs were allowed to show were anger, but never during battle, and occasionally humor. The rest of the time, they were to be stern and serious.

She cleared her throat and inclined her head to her mother.

"I accept your offer, My Queen, and am honored that you think enough of me to make it."

Narcissa gasped behind her as she must have come out of the dressing area.

Turning, Desideria saw her sister stalk toward them.

Her sister raked her with a repugnant sneer. "What of me? I'm older. If anyone deserves to stand in your Guard, Mother, surely it is I."

Their mother's eyes were cold and empty. "And you are still a student. You have never defeated your aunt and as such you're unworthy to be in my Guard."

"But—"

Her mother held her hand up fast in a gesture that cut Narcissa off. "You heard me, *child*." That one word was a slap in the face and a reminder that their mother didn't see Narcissa as an adult yet, but rather as a little girl who needed more instruction and discipline. "Now tend your place."

The look on her sister's face was fierce and it promised Desideria a rematch. Furious at them both, she spun around and left.

Desideria hated the fact that she'd just made a vicious enemy. This was not what she wanted.

But her mother didn't care. If anything, she fostered their resentment toward each other and reveled in it. "Report in the morning for your uniform. I'll make sure that Coryn knows to put you on the summit detail, so prepare to leave with us."

In spite of her sister's anger, that really made her want to jump up and down in excitement. She'd never left their planet before. As a child she'd spent hours listening to her father tell her about all the places he'd visited before being captured and all the incredible things he'd seen and done while there.

Now she'd finally see some of them. She couldn't wait.

Maintaining her exterior calm, she gave her mother a tight-lipped smile. "Thank you, My Queen."

Her mother held her hand out to her.

Desideria bent over and kissed her ring before she bowed low and took her leave. She didn't let her happiness show until she was in her dressing room.

As soon as the door closed, her best friend and servant, Tanith, waylaid her.

"Oh my God! I can't believe what you did! You crushed that bitch and made her eat all her years of insulting you. Congratulations!" Squealing, Tanith grabbed Desideria's arms and jumped up and down.

"Sh, sh, sh," Desideria breathed, refusing to jump with her even though she really wanted to. "Don't let anyone overhear you." They'd both be punished and now that Desideria had earned the rank of adult, it would be much worse than her punishments of the past.

Tanith settled down. "I'm sorry. I'm just so thrilled for you! Narcissa on the other hand...I wouldn't be drinking out of an open cup anytime in the near future if I were you. There's no telling what she might do over this."

"Believe me, I know." Her other sister, Gwenela, would be furious when she found out too. They were still in training and Desideria was the youngest. How dare she be the first to gain adult status...

They would both be out to take her head now.

"I can't believe I won."

Tanith beamed. "I do. In spite of what they say, you are ten times the fighter the inbreds are."

She cringed at an insult that would have Tanith executed should anyone ever hear it. "You shouldn't say that."

"It's true and you know it. Your father was a hero and he was a good man...unlike the others. All they do is sit around and whine, waiting for someone to wipe their butts."

And that was why she loved Tanith. She alone believed what Desideria did. Her father hadn't killed himself like a coward. It wasn't in him any more than it was in her. While it was true that other people were weaker than the Qillaqs, he'd possessed the heart of a warrior and the strength of a cyborg. His fighting spirit flowed through her too.

I will do my mother proud. She would prove her breeding to all of them and she would redeem her father's name. Even if it was the last thing she did.

"What do you mean the assassination failed?"

"The newfound prince has skills we didn't count on. He's unfortunately not incompetent and I can't stress just how well trained he is."

"How is it he survived all these years? He was just an infant when we kidnapped him. I still can't believe he returned after all we did to ensure he wouldn't."

"I know. Both he and Evzen are the luckiest bastards ever born. Every time we think we have them, they escape."

"We cannot fail again. Things here are unraveling fast. After today, we don't have a moment to waste. We cannot allow the line of succession to change."

"I hear you and I will make sure that the next—"

"No. We need to rethink our plan. When next we strike, it must be with purpose. Most of all, it must be fatal.

"And what of our other problem?"

"I have a perfect plan for that as well. Are you sure you can handle your side of the matter?"

"Absolutely. And you?"

"I have it under control. But we must strike during the summit."

"Are you sure you can get past security?"

"Don't insult me with that insipid question. Of course I can. Two weeks and we will live the lives we were meant to and they will be nothing more than bad memories we laugh about having endured."

"And Desideria?"

"Just another casualty. Let her name be banished the same as her father's. Then we will be the only ones left worth remembering."

7

Two Weeks Later

Caillen adjusted the small comlink that was inside his ear so that no one would know Darling and Maris were feeding him instructions on how to behave. *Gah, I really am an effing five year old...*

Just don't drool down my shirt. At least not while he was sober.

Not to mention he still felt like he was drowning inside the heavy layers of fabric. He'd tried his best to talk his father into rearranging five hundred years of royal de Orczy dress code, but his father refused. Apparently it was a mark of honor to look like a ten-ton walking freak of nature.

Boggi kept passing a warning glare toward him.

Oh the urge to make an obscene gesture was so strong that he honestly didn't know how he kept himself from doing it.

But he wouldn't embarrass his father today. Today he was going to look and act royal if it killed him.

And it damn well might. Especially if their assassin decided to make a move while his limbs were weighted down. Then again, all he had to do was throw his clothes at the man. The weight of them alone would crush him.

"Don't worry, Cai. We're with you."

Since he was in public and around so many other dignitaries, he didn't respond to Darling's encouraging words in his ear. His father had taken up an official stance just inside a doorway so that he could greet territorial governors, ambassadors, senators and other representatives from the various planets that made up the highest rank of the Nine Systems—last time he'd seen this many aristos in one place, his head had been under a ten-foot blade that was about to come rattling down and kill him.

Yeah, it felt about the same way today. But at least no one had made a move on his dad. So far the assassin was lying low.

Cowardly bastard.

He stood to his father's right while Boggi remained on the left to introduce the men and women wanting to speak to his father. The lights were turned up so bright that they washed everyone with a halo effect. Most of all, they made the shiny fabrics and jewels glitter. A jewel thief would be in nirvana to see this.

Whereas normal ship walls were most often drab gray, these had been overlaid with gold so that they shimmered. Servants mingled among the elite with gold trays filled with finger foods from numerous worlds and alcohol, which seemed to be a bad idea. Several of the people were imbibing a little too much and speaking way too freely.

Caillen swept the room doing what he always did in a crowd—looking for someone out to kill him or attack. But there was no visible threat. At least not yet. Well, none other than Darling and Maris off in a far corner, laughing at him as he stood with his feet together and his hands folded stiffly in front of him.

What a stupid gesture. He looked like he should be standing in a box on the shelf of a toy store.

Hello, people, I have no genitalia and I can only repeat three things programmed into my chip.

"It's killing you, isn't it?" Darling let out an evil snicker as he intruded on Caillen's silent tirade.

Maris joined him in the taunt. "I have to say only you could make that garish outfit look sexy." He purred like a contented cat eyeing a piece of meat it was craving.

Caillen made a low "heh" sound before he brushed his hand through his hair and made a subtle obscenity at them.

"Ah, now that's just rude." Darling tsked. "You keep that up and we'll abandon you to this."

Maris scoffed. "Speak for yourself. If that's an invitation, I say sign me up in the backroom, baby. So not fair to tease me like this, Cai, when you know how big a crush I have on you."

"Isn't that right, Caillen?"

His father's question startled him as four pairs of eyes looked at him expectantly. Shit. What had been said and who were the elderly couple in front of him?

Luckily Darling had been paying attention. "They're Ferryns. Ambassador Torren and his wife. Say, yes. Absolutely. And smile like you want her in your bed."

He had no idea why that last bit was thrown in, but he did exactly what Darling said.

The older lady blushed. "You're very kind, Your Highness. It's such a pleasure to meet you. I've heard only wonderful things about you."

Really? That had to be a first. It definitely hadn't come out of Boggi's mouth.

His uncle's either. In fact, his uncle had done everything he could to make Caillen stay behind. But since he was convinced the assassin would make his attack against his father at the summit, Caillen had insisted he stay by his father's side.

"Kiss her hand," Darling whispered.

Caillen obeyed. She blushed even more before she and her husband left them.

His father frowned. "You seem a bit preoccupied. Are you all right?"

"Not preoccupied. Just not used to having this many aristos around me without them checking their wallets or calling for my arrest."

Darling choked in his ear. "I notice you left out some of the other more choice times."

Caillen gave him a scathing glare.

His father clapped him on the back. "You're doing fine, my boy. Just as I knew you would."

Yeah... He hadn't pissed on the rug yet.

But another glass of liquor and he might.

Wishing he were anywhere else, Caillen made himself pay more attention to what was being done even though he felt like a flaming overdressed moron in a tacky suit.

Desideria stood to the far back of her mother's Guard. She had yet to earn a forward spot, but that was okay. She would do so in the next few weeks. Of that she had no doubt. Especially since the other members kept treating her like she was somehow lesser because she was related to their queen. They assumed her appointment came from nepotism.

As if her mother had ever possessed an ounce of that. *Go ahead and sneer at me.* All they did was fuel her anger and make her that much more determined to challenge them once this ended. The only thing that had kept her from issuing a challenge the last two weeks had been her inexperience with social functions. Because she'd been considered a child until two weeks ago, she'd never attended anything like this and she preferred to stand back and get her bearings before she took the lead.

But before the year was out, she would advance to Head Guard and they would all learn that it was respect for her abilities and skills that had landed her where she was and not her blood relationship to their queen.

"Look at them," her mother said in their native language through a fake smile to Pleba—one of her oldest Guard members. "Preening peacocks, all of them and not a cock among them."

Desideria arched a brow at her mother's insult. Unfortunately, it was true. Even her mother's pampered consorts who were extremely womanly by Qillaq standards were far more masculine than anything Desideria had seen since leaving home. While she would have never considered her father effeminate, she now understood why her friends and family were so harsh toward off-worlders like him.

They just didn't measure up. It was really scary. Not that she was interested in finding a lover—she'd have to spend a year as an adult before she'd be allowed to even consider one and then only if she earned the right in combat.

Definitely not something that appealed to her at the moment. She had a lot more things on her mind than anything to do with the male species.

Sex could wait. Men were okay, but nothing...

Her thoughts scattered as she rounded a corner and actually stumbled.

Oh. My. God.

Breathless, all she could do was stare at the last thing she'd expected to find on board this ship.

A full blown masculine god...

He was without a doubt the finest-looking man she'd ever seen and she wasn't the only one to think so. Every woman in the room was throwing covert lust-filled glances at him as he stood oblivious to the gapes. Several groups of women stood apart, making lewd comments about what they'd love to do with and to him.

But it wasn't his looks alone that caught her attention. It was the force of his presence. Even though he was covered by so many heavy robes they obscured whatever shape his body was in, he stood with his weight on one leg, head low, eyes intense...

A soldier's stance.

More than that was the stony look on his handsome face as his gaze swept the crowd. Sharp. Alert.

Predator. It was obvious he was assessing everyone in the room as a potential threat. An aura of lethal killer clung to him, warning all that he would only strike once and it would be fatal when he did.

A chill went down her spine as her heartbeat sped up with a fierce adrenaline rush.

He was absolutely gorgeous. Short dark hair framed a sculpted face that was so delicious it was hard to look at him. It sent a foreign tremor through her.

And when his dark eyes met hers, she felt a shiver of appreciation that caused goose bumps to raise the length of her body.

Oh yeah . . . For *that*, she'd be willing to fight and then some.

"Caillen! Relax your face. You're scaring the natives."

Caillen blinked as Darling's voice in his ear startled him. His friend was right. He had that deep, intense scowl that he wore like armor around the undesirable crowds that haunted his usual gathering places. It was his basic default whenever he left home or felt uncomfortable with his surroundings. Look tough and no one messed with you.

Look homicidal and they avoided you entirely.

Which wasn't a good thing around the geriatric crew who ran with his father. His luck he'd give one of them a coronary and get sued for it.

"Now you look like you're on massive antidepressants."

Caillen sighed. He couldn't win for losing. At least that was what he thought until he felt that familiar tingle warning him someone was watching him.

A quick sweep honed in on . . .

Oh yeah. *Now that'll brighten your day.* She was exquisite. Dressed in a tight, and he meant t-i-g-h-t, burgundy leather Armstitch suit that was trimmed with some kind of military designation, her lush curves made his mouth water. Her dark hair was scraped back from her exotic face and coiled into a stern bun at the nape of her neck. It was hard for a woman to look good in a hairstyle so severe, but she wore it well and that made him wonder how much better she'd look naked, with that hair falling loose around her shoulders.

Her skin was a deep tawny color and so smooth it made him ache for a taste of it. But it was her lips that called out to him. A perfect bow, they begged to be swollen from his kisses. Yeah, he could just imagine the sensation of her nails on his flesh, digging in deep, her head thrown back as he—

Darling's voice in his ear was sharp with his reprimand. "Put it in your pants, Cai. She's off limits."

Like hell.

"Seriously, Caillen," Maris inserted. "Down, boy. She's Qillaq."

He grimaced in distaste. Ah damn. That wasn't right. Qills were the worst sort of man-hating, ass-kicking I-have-a-chip-on-my-shoulder women ever bred. From what he'd heard, they'd been normal until about two hundred years ago when a war had depleted a large portion of their population and virtually all of their men. The women who survived had basically bombed their enemies into oblivion and then taken enough of the enemy men as slaves to repopulate their planet. The next generation had purposefully bred men and women so fierce that they'd never again be defeated by another army. In fact, martial arts and law were the backbone of every part of their civilization.

They'd also pulled into themselves and rarely ventured into other planets' politics. While they did have some men in government, it was rare. Their males were reserved to be soldiers and kept breeders.

Yeah well, I wouldn't mind being kept by that for a night or two.

Yet he knew better. As delectable as she was, he hated women who felt the need to order him around. Too many years of living with three older sisters who vacillated from being his mom to his wardens had left him with a bad taste in his mouth where those kind of women were concerned. He wasn't threatened by strong women. He preferred them. But he didn't want them trying to run his life or tie his shoes either. As long as they kept their determination aimed at others, he was fine. When they decided he needed help cutting his food...

He wanted blood.

Damn shame. 'Cause that woman there was a fine piece of ass he wouldn't mind spending a few hours with.

But he wasn't dumb enough to chase after something he knew would only make him crazy. He'd also traveled that road one time too many. So instead, he offered a smile to the elderly cougar who was eyeing him like the last steak in her kennel.

Help me...

Desideria felt a shadow fall over her. Blinking, she focused on her mother's angry stare.

"Are we waiting on you now? Did I miss the memo designating you as queen?"

Heat stung her face as she realized that she'd stopped completely to stare at the handsome man in the corner. *I can't believe I'm so stupid.*

Yet he was compelling and irresistible. As was evidenced by the senator running her hand down his chest while he tried to talk to her.

"Forgive me, My Queen. I thought I saw something."

"You appeared to be daydreaming to me, Desideria. Did I make a mistake by promoting you?"

Those words drove all the desire right out of her and hit her like a blast of ice water. "No, ma'am."

Her mother's glower intensified. "Then you'd best pay attention or you'll find yourself headed home on the next shuttle."

In shame. That would make her sisters and aunt deliriously happy.

Desideria wanted to crawl into a hole as she saw the snide smirks from the other Guard members. To them this just confirmed that she didn't belong here.

And for what? A nameless man? Yes he was sexy and hot, but he wasn't worth her career or her reputation. No man was.

She wanted to die of embarrassment. No matter what, she couldn't let herself be distracted again. She couldn't afford to. Falling in behind her mother, she followed them out of the room, determined not to pay any more attention to anyone, male or female.

Not even if they were on fire and running around calling themselves the devil.

Yet she couldn't resist a quick glance back before she left. At the same time she looked at him, he looked at her and their gazes locked tight.

One corner of his mouth quirked up into the most alluring and yet strangely taunting smile she'd ever seen. It was like he had a secret and he was inviting her to hear it. And damned if she didn't want to go over to him and ask what it was.

I've lost my mind.

If she didn't get her head back where it belonged, she was going to lose her job and what little bit of respect she'd finally managed to carve out of her mother's hard heart.

Nothing was worth that. Nothing.

Breaking that temporary connection with him, she left the room.

Caillen felt a flutter of disappointment that the unknown Qill was gone. He had no idea why. She was not his type. Not by a long shot.

Yeah but at least she wouldn't be boring. Which the pampered women around him were. Yes, they were intelligent and beautiful. But they had no idea what the real world was like, and he found that not only abhorrent and irresponsible for the people who made the laws that governed everyone, he found it naive. They mistook leisurely travel and overpriced education for worldly experience. In his existence, worldliness meant being able to scrape together a handful of beans to make ten meals that fed four people. Being able to repair your home and transportation with minimal parts at a minimum cost.

These people thought they knew what troubles were and yet they were as clueless as a three-year-old babe crying over a petty broken toy because to them *that* was the end of the world. True reality had never once touched them. Not really. Their money isolated them behind a protective wall that kept everything ugly on the outside.

Not having Mummy's and Daddy's love or getting into the right school or having the highest level of a job wasn't a tragedy. He considered it a damn shame their selfish parents couldn't make room in their overindulged hearts for their kids, but it wasn't the catastrophe they made it out to be. Tragedy was watching a loved one die because you couldn't afford one more day of a hospital stay after you'd already gone broke and homeless trying to pay for their treatment, or knowing people who'd sold their bodies just for their biweekly meals. It was having to bury your parents before you were ten and then having to make rent. Having to sell blood to pay for your sister's medicine to treat an incurable illness that would kill her if you didn't. It was going without food for days just so that same sister could have a necessary trip to the doctor that was weeks overdue and then hoping you could talk the doctor into taking a partial payment and not throw your ass out on the street in front of a waiting room full of people.

Those were real horrors. Not being able to buy the painting you "loved" because someone beat you to it wasn't. But to the people around him, the latter was a tragedy of epic proportions.

I don't belong here.

Honestly, he didn't want to.

Feeling sick to his stomach, he cleared his throat to get his father's attention.

His father looked at him expectantly and it hit him like a fist in his abdomen. Even though he'd only known his father a few months, he'd learned to love and respect him in spite of the world he lived in. The man cared about him and he didn't want to disappoint him.

But this...

He just needed a break. "I'm not feeling well—"

"Are you all right?" The concern in his father's eyes tightened his stomach even more.

"I will be. May I be excused?" He hated sounding like that. In his world, the exchange would have been completely differ-ent... "*Hey, Dad, think I'm gonna puke. Gonna hit the head and snatch a nap, 'kay?*"

But both his father and Boggi would faint dead if he said that out loud around this group.

His father waved a bodyguard over. "Take your time. Please let me know if you won't be able to make dinner so that I can inform the others."

"Yes, sir." Caillen turned and headed away from the crowd with that annoying guard behind him. Like he needed anyone's help protecting himself. *Want to wipe my chin while you're at it?*

Darling and Maris met up with him in the hallway.

86

"You okay?" Darling frowned. "You look like you're about to hurl."

At least Darling used real speak. "How are you so normal having come from this shit?"

Darling gave him a lopsided grin. "My hellbent friends. I owe all my sanity to you guys." Yeah, and what Darling failed to mention was the double life he lived. To everyone here he was royal. To their friends, he was a wanted renegade who protected the innocent victims chosen by the League. One who had a staggering price on his head.

Caillen glanced at Maris. "I know you're not normal."

Maris laughed. "I actually like the pomp and decorum. I find it refreshing to have civility in a universe where people routinely kill each other for profit."

"Yeah, but in case you haven't noticed, all this civility is fake."

Maris arched a haughty brow. "Fake is pretending to deliver flowers to someone and then shooting them in the face when they answer the door. It's smiling at someone while listening sympathetically to their problems and pretending to be their best friend and then doing everything behind their back to ruin them. Taking that gleaned confidential information and turning it against them. Exposing their personal secrets to others for no other reason than sheer meanness and cruelty. Or even worse, lying about them after they've done nothing but try to help you because you're jealous and know you can never accomplish what they have."

Maris indicated the people they'd left with a thumb over his shoulder. "Everyone knows the aristos are out for themselves and are ruthless. They don't pretend to care about you and you know not to tell them anything you don't want made public. We make no bones about it. Yet we still respect each other and all the political machinations that go on. It's honest treachery in my opinion. No one is ever surprised when one senator ruins another. Or one emperor orders the death of his rival. Yet people are always stunned when their best friend talks about them behind their back or tries to ruin them for no real reason other than petty jealousy or just sheer meanness."

Now Caillen was actually scared as he realized that Maris was right. "You know in a fucked up way, that makes sense. Only you could put it all into perspective."

Maris shrugged. "It's all about perspective, my friend. That and the ability to duck fast when life throws excrement at you."

Caillen laughed at his unexpected comeback as he entered his room and his guard remained in the hallway. It was extremely out of character for Maris to talk like that. "I think we've finally corrupted him, Darling."

Before Maris could respond, Darling cut him off. "You want us to stay or do you need some downtime?"

"I need some time."

Darling gave him a sympathetic pat on the shoulder. "It will get easier. I swear."

Caillen didn't believe it for a minute. But he appreciated the kindness. Then again if anyone knew about leading a double life, Darling was it. "Thanks."

He waited until they were gone before he jerked the robes off and let them fall into a heap at his feet. He had a childish urge to kick them. Saddest part? Those damn things cost as much as his ship and would have fed him and his sisters for about six years back in the day.

Raking his hands through his hair, he headed for his closet where he had his backpack stashed. Black and worn, it'd been his security blanket for years. A gadget for every occasion. This was his magic sack that had seen him through many a hairy ordeal.

He smiled as he opened it and rifled through the stuff that belonged to his past. Weapons, dehydrated food, garb...

And finally...

"There you are." He pulled his old link out and cradled it in his palm. This was what he needed...

Exchanging it with the one in his ear, he called his sister. He was still mad at Shahara and the others for never telling him he was adopted, but he understood.

To them he was family. It didn't matter how it'd happened. The moment their father had shown up with him in his arms, the three of them had welcomed him into their hearts and never looked back.

"Cai?" Shahara had a deep, husky voice for a woman, which had been great as a kid 'cause she hadn't been able to scream at him in shrill tones—unlike Kasen and Tess. "Is that you, pook? I've missed you so much! Why haven't you called and updated me on what's going on in your new life?"

He smiled at an endearment only his oldest sister could get away with. "Hey. I've been busy as hell with all the...stuff my dad has been strangling me with. So what's up with you?"

"Nothing." A clipped response that quickly led to her voice dropping two octaves. "Tell me what's wrong."

He licked his dry lips as his gut knotted even more over the sound of her sweet voice in his ear. Gods, how he'd missed her. "Who says anything's wrong?"

"Honey, I know you. I know that tone. You're sad and hurting. What's going on, baby? You need me to come and kill someone for you?"

He smiled at his sister's not-so-empty threat. As a former bounty hunter, she'd probably killed more people than he had. "I don't need you to fight my battles. I just wanted to hear a friendly voice."

It sounded like she was opening something up on her end. "You know we're always here for you."

"Same." It was so wonderful to know that even though she was on the other side of the universe, she would fight to the bitter death for him. He could see a perfect image of what she must look like in his mind. Her long red hair and gold eyes that were always filled with motherly love whenever she looked at him. She most likely would have one side of her hair pulled back from her ear while she talked to him and she'd keep one hand up near her link. No reason for it, just a strange quirk she had. And she was probably wearing a flowing floral dress that would make her appear soft and gentle. A total contradiction for a woman who could take down the nastiest scum the universe had ever spat out of hell.

"Are you going to talk to me or just keep breathing in my ear?" she asked.

"I like breathing in your ear."

"You're a sick man, Cai. I thought I raised you better."

Normally he'd find that humorous, but not at this moment. Right now, those words cut him. "Don't do that."

"Do what?"

"Fault find with me. I know you're joking. I just don't want to hear you bitching at me, okay?"

"That's it. I'm officially worried. Do I need to come get you?"

Would he ever grow up in her eyes? "I'm not a kid, Shay."

"I know you're not. You're the only human being in my life, other than my husband I've ever been able to rely on. And I can't stand to hear you upset. It makes me want to hurt someone for you. I love you, Caillen. I want you to know that."

He held those words like a lifeline. "I love you, too."

Then he heard Syn in the background. "I have his coordinates. I could get us there within two hours. You want me to fuel my ship?"

That succeeded in making him laugh. "Tell your crazy-ass husband that I definitely don't need his help. If I so much as see his shadow, I'll shoot him myself." It was so nice to have a conversation without pretense or worrying about vocabulary, syntax or enunciation. "Here, I won't keep you guys. I only wanted to check in."

"All right." Her tone was reserved and by that he knew she was still concerned about him. "Stay safe and remember I'm only a call away when you need me. And if you change your mind, my crazy-ass husband can get me to you in two hours."

He shook his head as he reached for the shut off button on the link. "Thanks." He hung up and sighed even while a smile continued to tease the edges of his lips over her last words.

How had his life become so complicated? He'd had many times in the past when he'd wanted to lie down in the gutter and let the universe take his soul back. Times when the crap he had to deal with had rained down on him with a fury so foul it'd left him temporarily bitter.

This was nothing like those times and yet he felt so defeated. Lost.

Hurt.

He couldn't explain the emotions that shredded him. They were there, tearing at his confidence. Making him wish his father had never found him.

Enough whining. Damn, Cai, you are turning into an aristos. Gah. What is wrong with me?

This was absolutely not him. He had money and power. There was nothing wrong with him other than stupidity.

Not wanting to think about it anymore, he closed his backpack, then lay down on the couch so that he could stare out the portal window at the stars that had guided, protected and soothed him every day of his adulthood. What he wouldn't give to be back on his ship, making a deadly run through a hostile sector...

But as he stared at them, his thoughts turning blank, an image jumped into his mind from some place he couldn't even begin to fathom.

It was the sight of a dark-haired Qill with a sassy walk that said she'd rather kick his ass than kiss his lips. Actually he wouldn't mind the former if he could get the latter.

Yeah.

I am a seriously sick bastard. He had no idea why she appealed to him, but in the end, he knew one thing.

He was going to be stupid for her and she was definitely going to get him into a world of hurt.

Some temptations were just more than a mere mortal could deny and she was one of the biggest ones he'd ever come across. Yeah, next time they met, he was definitely going to allow her to lead him astray.

Desideria entered the large suite of rooms to find her mother's migraine meds. A migraine her mother swore was brought on by being surrounded by men who possessed what she called manginas.

She reached the nightstand and searched through several bottles until she found the right one. As she closed the drawer, the small bottle slipped from her hand.

"Great," she breathed. She'd had a bad case of dropsies since she'd awakened. No doubt it was from her nerves and the fact that she was so wary of making even a single mistake for fear of her mother insulting her again in front of the others.

Worse, the bottle rolled beneath the bed to the far side, out of easy reach. She bent down to pick it up, then froze the moment her head was near the vent that ran under the bed. She heard a faint voice saying the most shocking thing she'd ever heard in her life.

"Sarra will be dead before she leaves that ship. If you can get Desideria in the process, all the better. I'm even willing to have her become a state hero who died valiantly while trying to save her mother if you can deliver both their heads to me."

"It's harder than you thought. There are cameras and security everywhere."

"Are you telling me you're too incompetent to bypass them?"

"Never."

"Then I suggest you get started. The sooner this is over with, the better for all of us."

"It will be done."

"Good because if the next transmission isn't a newsfeed saying they're dead, there will be one about how a certain someone had a mishap of her own and was flushed out an air lock."

Desideria pulled back, her heart hammering. Someone was going to kill her mother . . .

Her own life didn't matter to her. Well, not entirely true. She didn't want to die, but her life was insignificant compared to her mother's. As part of the High Guard, she'd taken an oath to lay down her life to protect her queen. Should she fail to keep her mother safe, her own life would be forfeit too.

All members of the Guard would be executed should the queen die by assassination during their watch.

She had to warn her mother before it was too late. Leaning in closer, she tried to hear more of their plotting, but the voices were too faint. Muffled as if they realized someone might be listening.

Desideria moved closer to the vent...

Now the voices were gone entirely.

Damn.

Grabbing the medicine, she quickly made her way back to the ship's forward deck where her mother was talking to Pleba while the other aristos drifted near them. She didn't know why, but the bright clothing reminded her of birds preening around each other.

Except for her mother who was dressed in dark brown and black. The Qillaqs believed the body was a work of art and that it should be displayed and appreciated—why work to perfect something only to hide it beneath layers of fabric? Which was why her mother's dress was made up of leather straps that barely covered the parts of her body other races found vulgar when exposed.

Even so, Desideria was very conservative compared to the rest of her group. While she was proud of her body, she was still shy about flaunting it. She was extremely muscular, but compared to the other women in her family, she was rather heavyset and too many years of her mother and sisters insulting her weight had made her very self-conscious over showing too much of it lest they start in on her again.

Her mother paused as she saw Desideria approach. She held her hand out for the medicine in an imperious gesture that irritated her.

Desideria hesitated. "May I have a word with you, My Queen?"

"Speak."

She swept her gaze over the Guard, making a mental note of who was missing. "Where are Xene and Via?" One or both of them had to be the muffled female voice she'd heard through the vent. No one else would be allowed close enough to her mother to kill her.

"They had to go to the restroom. Would you like to join them?" She held her hand out again. "My medicine."

"Mother—"

Her mother cleared her throat sharply at Desideria's use of a title that was forbidden whenever they were in public.

She clenched her teeth in frustration. "Beg pardon, My Queen, but my news is extremely important."

"Then speak it and give me my medicine to cure my headache instead of adding to it."

"I..." She bit her lip in indecision. What if the killer wasn't working alone? Another member of the Guard could very well be in on it. Right now, she didn't dare trust anyone until she knew where their real loyalties lay. "It's of a private nature."

"There is nothing private from my Guard. You know this."

Why was her mother being so ridiculously stubborn? Was it to keep the others from thinking she had favor toward her daughter? Or was her mother just that stupid?

Desideria debated what to do. Ultimately, she had to speak. The longer she kept silent, the closer the killer could get to striking distance. Taking a deep breath, she handed her mother the bottle and told her what she'd heard. "I have reason to fear for your safety."

Her mother went perfectly still, then cackled. "While we're

here? Please. I know you want to prove your worth. But there's no threat here unless they plan to bore me to death."

Several of the Guard laughed.

Desideria was humiliated by her mother's rough dismissal.

Peria, the Head Guard, stepped forward. "Why don't you take a small break, child?"

And Desideria really could have done without that slap. Honestly, she wanted to cry, but she wasn't about to give them the satisfaction.

"I just now overheard a plot to kill you."

That at least got her mother's attention.

Until she burst out laughing again. "Don't be a fool, child. No one here has the balls to come after me. Now go take your break and leave us."

Desideria was mortified as she summoned what tiny bit of dignity she could find and turned away while they laughed at her.

"An attempt at a summit?" Peria's mocking tone sent a wave of nausea through her body. "Really? What was she thinking?"

"Perhaps I was impulsive to appoint her so soon." Her mother sighed. "I had such ambition for her. Oh well. I only hope Narcissa and Gwenela don't turn out to be disappointments too. I should never have bred with her father. So much for thinking of adding to our bloodline with an offworlder. I should have known better."

Those words were like a kick in her gut. *I hate you, you sanctimonious bitch.* But she didn't hate her mother. Not really. She was hurt and lashing out.

It was bad enough when other people mocked her. When her mother did it, it was so much worse. All she wanted was to make her mother proud of her. Why was that such an impossible task?

How will I ever face the others again?

None of them had any respect for her at this point. They thought her inept.

Worse, they thought her weak.

Lost in her thoughts, she didn't pay any attention to where she was going until she collided with a solid wall. At least that was what she thought it was until she realized it was a man.

A huge, powerful man with a body so hard it was like touching granite.

Gasping, she looked up and froze.

Dark brown eyes glowed with warmth as a slow smile spread across the face of the devastating male she'd noticed earlier. And her collision laid to rest any speculation about the body obscured by his voluminous robes. He was as honed as any warrior she'd ever seen.

The teasing light in his eyes faded into a look of deep concern. "Are you all right?"

It was difficult to think of a response when the pleasant masculine scent of him was thick in her head and his eyes captivated her so. Oh, he was gorgeous. "Fine."

His intelligent gaze sharpened. "You don't look fine...I mean, you do look F-I-N-E, but something's bothering you. Can I do something to help?"

She hated to be that transparent to anyone. *Great. Just great. Now I'm humiliating myself with strangers too.* That was all she needed. "You're right. You are bothering me. Now move out of my way." Her tone was sharper than she meant it to be, but she couldn't control her anger over her own stupidity and embarrassment.

He held his hands up and stepped aside to let her pass. "Pardon me for trying to help."

Desideria took three steps, then turned back to apologize for her rudeness.

He was already gone.

Weird. And fast, not to mention silent. She wouldn't have thought he could move like that, especially while swathed in that much material.

Part of her was bothered that she'd been so curt with him. He didn't deserve it. She hated whenever she took her anger out on the wrong person—like her mother always did. She tried so hard not to do that to others. And here, she'd slapped at someone who was just trying to be nice.

"This is not my day." At this point, she really wanted to crawl under something and die.

Die...

She'd blurted out to her mother what she'd overheard. If whoever the killer was caught wind of that...

Dying was a very real possibility. Drek... What had she done? Her actions might very well have facilitated things. *I've got to find out who it is. Immediately.*

Because if she didn't, both of them would die.

8

Caillen sat with his father in the summit chamber, surrounded by nobles and officials, bored out of his mind. The room was round so that they could all see each other should someone give in to the need to yawn, the sadistic bastards, with dim lighting that seemed to suck all the energy out of the very marrow of his bones. Yeah, there was definitely something being emitted by the bulbs that was dimming his intellect. He could feel his IQ slipping at least one point per minute.

Maybe more.

At this rate, he'd be reduced to a vegetative state within the hour.

It explained much about their current leadership...his father notwithstanding.

In the center was a chair that was occupied by the officials and reps who'd come to beg council attention to certain matters regarding their worlds.

Gods what I wouldn't give for one of the senators to go mental and pull out a blaster and kill someone.

Hell, at this point, they could kill him. Anything to get him out of this. But at least he'd helped his father get a treaty with the Krellins. That had pleased the man exponentially.

"We're a small system and the rights to our crops..."

Caillen zoned out again so that he wouldn't have to hear the sharp, nasal whine of a governor wanting more funding for his wardrobe. Oh wait, he wanted funding for his poor people. Yeah...that was what the man was pitching.

He arched a brow at the two million credits' worth of rocks sewn onto the governor's jacket and adorning the man's corpulent hand—wouldn't those help his country's finances just a bit?

And he knew exactly what those stones were worth. Appraising them even at a distance was a talent he'd acquired from a friend of his who was a pirate and jewel thief. After spending years around Chayden and his pirate friends, *he* could price a stone faster and more accurately than most experienced appraisers.

How bored am I that I'm trying to guess carat weight visually?

Shoot me.

The governor finished his plea, then left the senior officials to decide his fate. Unfortunately, the leader of those senior officials was his father, which meant Caillen was stuck in this room until hell froze over.

I feel my life ticking away... C'mon, assassin. Please strike.

Boggi cleared his throat. "Next are the Qillaqs who are here to inform the council of their intentions toward the Trimutians."

Well at least he'd have his hot babe Guard to stare at for this one. That should help a little even if she'd snapped his head off earlier. So much for his promise to get her into his bed. She'd effectively nipped his erection.

At least for the moment. There was still dinner and if he played his cards right...

Dessert.

Yeah, he could just imagine her spoon-feeding him what he needed most to turn this shitty day around. And if what he suspected about her was right, she'd chisel a smile on his face not even the League could remove.

His father sighed as an apprehensive tremor ran through the room. It was so thick, it was tangible.

Leaning toward his father so that he could whisper, Caillen frowned. "What's up?"

A tic worked in his father's jaw. "It's the way the Qillaqs negotiate. It's embarrassing, really."

He'd opened his mouth to ask him to elaborate when the door opened to show the Qillaq delegation. For one split second, all the blood drained from his brain to one part of his anatomy as the queen and her Guard entered in outfits so skimpy they didn't really cover anything.

Oh yeah, he could see straight to the business end of the queen's body, and her breasts were only covered by a thin gauze that highlighted the fact she'd rouged her nipples to make them more prominent through the material. He knew many places in the universe where going out like that in public would get you arrested.

Or laid.

His tongue thick, he looked past the queen to the woman he'd spoken to earlier in the hallway.

With her hair now braided down her back, she was dressed more sedately in a burgundy halter top and tight pants. Still, that top plunged deep between her breasts making him wish she'd dressed more like her queen.

Yeah, gimme a bite of that…

He'd say that if the other officials had dressed like this it would have kept him awake, but honestly their bodies were best covered. No need in making everyone sick.

These on the other hand made him wish he was a Qill.

Slap my ass and call me yours. She could lock him to her bed and keep him there as long as she wanted.

Baby, what is your name? He wouldn't be able to sleep tonight until he knew it.

He wouldn't be able to focus on anything until he knew her scent.

The men in the room shifted uncomfortably while the women curled their lips in distaste. Yeah, jealousy was a bitch.

Never one to let anything interfere with his decorum, Boggi cleared his throat. "Queen Sarra, please state your case to the council."

She came forward to sit on the chair with a seductive gait that was probably causing the older members to wheeze. When she sat, it was with an open posture that made him want to laugh—poor queen had no idea that he was used to negotiating with women a lot hotter, sexier and more naked than she was at present. If she wanted his mind numb, she should have sent in her little Guard woman dressed like that to speak for her.

He doubted he'd be able to even remember his own name if Ms. Cutie back there were naked. He caught Darling's amused smirk from the other side of the room. There was a challenge in that stare and it was one Caillen planned to meet.

The queen cleared her throat. "Members of the council, I have a dire matter to discuss. The Trimutians are on our borders and are mercilessly pressing into our territory. We have issued restraints and they ignore them. Our next step is to declare war. I'm here today, per League orders, to let all of you know our intentions."

His father scowled. "Why have you waited to tell us this? You should have sought counsel to help police the Trimutians."

"We are a private nation. Proud. We don't seek help when we can deal with the matter on our own."

What that...?

Caillen told himself to keep silent, but as the council began to back her war, he couldn't. He saw through her plan as easily as he saw through her clothes and he couldn't stand by and let an innocent nation be victimized by a profiteering bitch. "The Trimutians are on your borders you say?"

She passed him the most scathing glare of his life—an impressive feat, really, considering how many people he managed to piss off on a daily basis. "I don't like to repeat myself."

"I can respect that. But I am curious, Your Majesty. Can you tell me how long they've been pressing you?"

"Almost a year."

Really? Caillen scowled as he digested that. Seemed odd and off. Then again, she was lying and he knew it. "How many of their armada would you say have been harassing your borders?"

"The majority of it. Every time we turn around, one of them is attacking. They've taken up refuge on one of our colonies and have been holding its inhabitants as hostages, demanding we pay or they'll kill them."

Oh yeah...Bull. Shit. It was so thick, they could grow a garden.

Caillen looked around at the faces of the senators whose glares were silently telling him to shut his mouth. But he couldn't.

Nothing she said made sense in his world. A colony of Qills would be armed for war and woe to anyone dumb enough to try and take them hostage. It would have been a bloodbath so severe, they'd still be running news segments on it. "For a year?"

"Is that not what I said?"

Nice tone there and if his father wasn't sitting to his left, he'd elevate it up a notch. As it was, he kept his tone level, nice and calm. "It is indeed, Your Majesty. However, I find it odd that they'd be on your borders and occupying a foreign colony when the bulk of their armada is in the Brimen sector for training and has been for the last six months. Their borders are manned by a skeleton fleet that has its hands full dealing with runners and pirates. Therefore, I'm baffled by this phantom group holding your people hostage. Have you considered they're rogues and not backed by the Trimutians?"

Her cheeks flushed as she realized he'd caught her in a lie. "Are you daring to question me?"

The Gondarion governor cleared his throat sharply as he glared at him. "Prince Caillen, we don't speculate here. We only discuss facts."

Caillen took offense at the man's censoring tone that said he thought Caillen was an idiot. He narrowed his gaze and spoke slowly so that the imbecile could follow him. "And I'm giving you facts, Senator. Look it up. The Trimutian territory is the shortest run from Starken to Altaria. Pirates call it the Golden Lightyear because for the last two years, it's been the easiest payday they've seen in decades. It's why the Trimutians have sent their armada in for training. They're trying to come up with some way to catch the pirates and rout them out of their system without losing their entire fleet. The major revenue stream for Trimala has always been shipping and their cargoes are easy pickings. Their colonies are rich in resources, so it doesn't make sense that they'd go after Qillaq territory which only has a pittance of raw materials and open another front to their war while their armada is stretched perilously thin by the thieves plaguing them. However, it makes total sense for the Qillaqs to declare war on them and attack while they're weak and then claim their resources as their own."

The queen shot to her feet. "How dare you!"

Desideria pressed her lips together as the Exeterian prince held his cool against her mother. It wasn't often that anyone got the better of their queen and she was impressed that he'd managed to do so. He was intelligent and courageous to speak his mind when it was obvious the others wanted him to remain silent.

Even with her mother's fury, his eyes held a teasing light in them that said he was used to conflict and found the sparring entertaining. How odd…

"There's no need to be angry, Your Majesty. We all under-stand profiteering. Me more than the others. I respect your plan. Good luck getting it past the League."

"I already have their backing."

Desideria cringed at her mother tipping her hand. No doubt that was Prince Caillen's intention.

One corner of his mouth turned up into an evil grin. "Then you better attack quick because the minute I leave here, I'm mak-ing a call to a friend. I assure you, the League might back you, but the Trimutians won't be as weak as they were before and when my friend hears about this, the League won't be so nice either."

Sarra's gaze left Caillen and went to his father. "You allow a child to speak for you?"

To Desideria's surprise, his father didn't back down. "My son is far from a child and he has more battle experience than the commander of my armada. I always take his advice...as should you."

The look of hell wrath on her mother's face said that they should tighten their borders too. "I'm done here." Her mother stormed from the room.

Desideria stood quickly, but not before she caught a wink from the prince.

Oh what a moron. Had he no idea what he'd just done? Stupid fool. Her mother wouldn't rest until she had him in chains. In the end, it would be her mother laughing, not him.

Once the room was cleared of the Qills, every eye turned on Caillen who suddenly felt like he'd sprouted a second head.

The Gondarion governor curled his lip. "Sarra will want all of our lives after this. None of us are safe. Why couldn't you keep your mouth shut? Better the Trimutians than us."

"What have you done?"

"You idiot! How could you do this?"

"Damn it, Evzen, did you have to bring him here?"

Flabbergasted by their assault, Caillen couldn't hear the rest of the attacks because they all melded together into a cacophonous amalgamation of insults. But it was the disappointed look on his father's face that cut him. His father looked ashamed.

And that set his temper on fire.

That's it. He'd had enough. No more of this shit. How dare they attack *him,* a lying, smuggling thief, for having morals. They were supposed to be the ones who kept the laws. The hypocrisy made him sick.

Rising to his feet, he flung his robes to the ground and glared at them. "Shame on you. *All* of you. I have met some of the lowest life forms in the universe. Beings who would sell their own mothers and children for the right price. And I have to say that I'd rather swap watered-down drinks with them in the back dive of hell than sit here and listen to you whine about the fact that you're all willing to throw an entire system into war because you're all afraid to stand up to one queen from one tiny empire. What kind of cowards are you? If this is your idea of diplomacy, then why have you bothered to sign League treaties? Why not just let the governments go back to the free-for-all they were before the League took power? No wonder the League runs over all of you." He raked them with his own disdainful sneer. "This isn't civilized. It's selfish and it should be criminal. And with all due offense, I'd rather hang with the criminals than any of you. At least they have a moral code, fucked up though it is."

Disgusted, he stormed from the room and left them there to condemn him for it.

If he was going to be judged, it would be for who he was. Not who he was trying to be. And if the Qill queen wanted his head. Let her take a number.

In the meantime, he had places to go, a life to live and a universe to set on fire . . .

9

Desideria watched as the Slexan governor bowed low before her mother. For the last half an hour, he'd apologized profusely for Prince Caillen's actions and had assured her mother that the rest of them did not support the prince's position.

Bloody cowards. She had no respect for them. At least Caillen had spoken his mind and the fact that he stood alone made him even more heroic in her eyes.

The governor had also promised her mother that the prince would be adequately punished for insulting her.

I'd pay money to see that. Prince Caillen didn't seem like the kind of man to bow down before anyone. Never mind coming here to apologize in person like her mother demanded.

It should be entertaining.

After the governor left, her mother rose from her desk to stare angrily at them. She was still seething over her public set down and had ranted nonstop since their return to her office suite. "I'd leave this place, but I refuse to give that bastard the satisfaction of thinking he was the cause of it. I will remain if for no other reason than to be a thorn in his ass." But it was obvious that staying here was the last thing her mother wanted to do. Not that she blamed her.

She didn't want to be here either and a small part of herself that she didn't want to acknowledge had enjoyed seeing her mother receive a little bit of what her mother been shoveling at her for years.

Go, Caillen, go.

The door opened to admit Pleba back into the room. She'd left right before the governor had shown up to attend some mysterious errand her mother had sent her on.

Pleba bowed low before she spoke words that shredded Desideria's entire world. "As per your orders, I've sent for Desideria's replacement, My Queen. Burna will arrive within the next four hours to relieve her of her post."

Desideria pretended not to hear the words that stung so deeply they might as well be hitting her soul. Worse were the smug and snide looks the others turned in her direction. They were thrilled to see her sent home in disgrace. *I should have stayed in my room.* But she'd thought to prove herself by rejoining them for the earlier meeting and taking her post here.

Big mistake.

Obviously her mother had already made the decision to relieve her.

Fine. No doubt her mother would demote her back to child status as soon as they reached home. And for what? Trying to protect her? Yeah, that did make her feel a childish urge to scream out that it was unfair.

Whatever. There was nothing she could do.

Look on the bright side, if they kill her while you're gone, you won't be executed for it.

True. But she wasn't that petty and as she stood flanking the room with the rest of the Guard, she knew at least one of them was a traitor. One of them was plotting her death and that of her mother. Right now. While that person pretended to do her job, she was one step away from attacking.

The hypocrisy of that churned inside her.

But who?

How?

Most of all, when would the betrayer attack?

Her mother's bedroom would be the most likely place. As per her mother's request there were no cameras there. Only a panic button. But if her mother couldn't get to it ...

Or if it was deactivated ...

A bad feeling went through her. She needed to check the wiring to make sure no one had messed with it. *Think what you will of me, I won't neglect my duties.* She would protect her mother no matter what. So long as she was on this ship, she would do her due diligence even while they all laughed at her for it.

She cleared her throat to get her mother's attention. "May I be excused, My Queen?"

Her mother didn't even bother answering verbally. She waved at her dismissively. Desideria balled her hands into fists to keep from returning that gesture with an obscene one of her own that would get her into even more trouble.

Without another word, she left the room and headed down the hallway, toward their bed chambers to check her mother's personal quarters. And after that, she needed to pack to return home.

In shame.

Profanity danced in her thoughts as she imagined what she'd like to do to her mother over this latest humiliation. Honestly, she was sick of it. She wasn't a child and she was through being treated like one. Too many years of humiliation and condemnation left a raw bitterness in her heart. She didn't deserve this.

Not when she'd been doing her duty.

Desideria had almost reached her mother's chambers when a door opened behind her. For the tiniest moment her heart skipped a beat as an image of Prince Caillen popped into her head. She could just imagine what he'd look like with his eyes dancing in fury as he stalked toward her with a warrior's lethal grace to apologize to her mother...

Before she could think better, she turned her head, hoping to catch a glimpse of him again.

It wasn't Caillen.

Instead a figure in a hooded dark gray cloak moved past her with quick strides. Not thinking anything about it, she started forward only to find her way blocked as the figure stopped and turned as if heading back toward his or her room.

"Excuse me." She tried to pass the stranger.

The person stepped in front of her, intentionally blocking her way.

A sudden flash of silver caught her attention as a blade came out from under the cloak's folds to dart toward her throat. Her training kicked in. She caught the attack and head butted her assailant. Another knife came up in the other hand, slashing for her arm.

Desideria dodged and went low to sweep at the legs. But the moment she did, someone came up behind her and caught a garrote around her neck. Gasping, she was jerked back, off her feet, and dragged down the hallway toward her room. She tried to call for help, but the tightness around her throat kept her from making anything more than a hoarse croak.

"We need her dead. Remember, it has to look like she committed suicide in shame."

Her vision dimmed as she kicked her feet, fighting for her freedom and her life. She would not die. Not like this. Not at the hands of a coward who attacked from behind. Desperately, she clutched at the hands holding on to the garrote, but she couldn't get a good grip on them. Rage scorched her. She couldn't stand someone getting the better of her. The fact that they were going to kill her if she didn't win made it all the worse.

Her vision dimmed.

She was losing this fight...

Suddenly her attacker went flying into the wall beside her. The cord dropped from her throat, allowing her to breathe again. The sudden rush of unencumbered air into her lungs left her lightheaded and faint. She wheezed and coughed, trying to get her bearings as she turned over on the floor. But all she saw was a dark blur as it attacked her assailants and threw them every which way.

It wasn't until he caught the first attacker and rebounded the masked figure into the wall that she realized it was Caillen who'd saved her.

And just as she suspected, he fought like a seasoned soldier, not an aristos.

She'd barely pushed herself to her feet when she saw Pleba and Tyree rushing down the hallway to assist them. Now her attackers would pay and her mother would know she wasn't stupid for trying to protect her.

But her relief was cut short as they went for Caillen and not her attackers.

Holy gods...

They were in on the plot!

Caillen saw the assassin's eyes narrow past his shoulder. Since the Qill Guard was in front of him, he knew it meant reinforcements were coming at his back. He turned just in time to catch the first one and launch her into the assassin.

The second one lifted a blaster. He dodged the blast an instant before it would have exploded his head.

The one he'd thrown picked up her link and shouted into it for security. "Help! We're being attacked by the Exeterian prince! He's mad. He's trying to assassinate our princess. We need immediate assistance." She leveled her own blaster at him as she muted the link. "Give my regards to the gods."

He gaped, then dodged her blast as he realized they were setting him up to die. "You harita!" he snarled at the cute Guard he'd thought he was saving when he entered the fray. How could he have been so stupid as to think a Qill would be hurt?

Idiot!

Not only had he embarrassed his father—again—he was about to be charged with a crime he hadn't committed. And all because of *her*.

Nice revenge from their bitch queen.

Desideria was baffled by his insult and the look of hatred blazing in his eyes as he glared at her. But her confusion died as she saw Pleba set her weapon for kill and open fire on them. She had to do something or they were both dead.

Reacting on instinct, she launched herself at Caillen and knocked him into the wall, out of the line of fire. The moment she did, the wall shimmered and opened, dumping them into an escape pod.

Thank the gods for small favors. She hadn't realized a portal was there.

Now she had to seal it before Pleba and the others shot through it. Unable to read the panels which were in a language she didn't know, she made a guess as to which button would shut the door and notify security. Red most likely would launch them, so she hit an orange button in the center of the console. The door shot down, protecting them from the others.

Relieved she let out an elongated breath and sat back to wait for security.

Until she realized the engines were firing and the pod was launching while they were trapped inside it.

Crap...

10

His head throbbing from being slammed into a hard steel wall by a woman he wanted to throttle, Caillen cursed as he regained his equilibrium and realized what was happening.

They were launching away from the *Arimanda*.

Mobilizing, he climbed over his female annoyance who appeared frozen in horror by her actions, but by the time he reached the console, it was too late.

They were adrift and the ship was leaving them in its wake. *Son of a…*

Would the misery of this day never end? He sat down in the black leather chair next to hers and shook his head as deep aggravation filled him.

There was nothing he could do to stop this. Nothing. He let out a slow, agitated breath and cursed his crappy luck that had betrayed him yet again. Of all the flipping shit…

"Can't we catch up to the ship?"

Oh yeah, there was an award-winning question of the day and it set his temper boiling.

He gave her a withering glare. Not even the vulnerable look

on her face that made her extremely attractive could cut through his need to want to launch her out an air lock head first. Still, he forced himself to keep his tone even and his sarcasm at an acceptable level that wouldn't quite motivate her to murder—no need in both of them being pissed in tight quarters. "We have one small thruster that's only strong enough to safely land us on a planet."

Caillen pointed out the window to the ship that was quickly becoming a silver dot in the darkness. "In case you haven't noticed, they're moving a lot faster. I don't know about the laws of physics on your planet, but where I come from an object moving at subclass speed can't catch up to one running at starclass. But if you know something about turbines, thrusters and engines, quantum or classical physics that I've somehow missed, then please enlighten me." Yeah, okay, so he'd never been the best at corralling his sarcasm.

At least he'd tried. That counted for something, right?

She curled her lip. "You don't have to be an asshole."

Now the gloves were off. "Oh, baby, this ain't asshole. Trust me. There's a hole keg of asshole I haven't even begun to tap yet."

The expression on her face was so scalding he felt the burn of her anger even from his seat. Another time and place, they'd be getting naked.

But this wasn't the place and it definitely wasn't the time. All he wanted right now was to finish what her fake attacker had started. Choke her until her eyes bulged out. "Don't even give me that look. Not after what *you* were planning."

She scowled at him as if she were baffled by his words. It'd be a nice expression if it were real. "What? Protecting my mother?"

What the hell was she talking about? She hadn't appeared to be protecting anyone while she'd lain on the floor being strangled. "Yeah, no. That whole act of setting me up for your queen so that she could get her vengeance on me for calling her crap crap. Nice move. But I'm not *that* stupid." At least not today. And definitely not for her.

"Are you on something?"

She was good. He could almost believe that innocence she was trying to sell. But he'd been around actresses and grifters before who were much more convincing.

"Like you don't know what I'm talking about."

She shook her head. "I have no clue and you're wasting my time." She pointed toward the sector where the *Arimanda* had vanished. "We have to get back to the ship before the assassins go after my mother. It's imperative."

He paused in confusion. Was her mother one of the Guards or someone else? "What are *you* talking about?"

Desideria had never been more frustrated in her life. The man was insane. Did he have some kind of mental problem that he couldn't recall what had happened right before they fell into the pod? How hard had the imbecile struck his head?

"Hello? Remember the fight you broke in on? Me on the floor being choked? The bad guys who attacked you . . ."

"I didn't break into a fight. You were setting me up by allowing them to choke you."

He really was mentally defective. Did he honestly think she'd allow herself to be choked like that? On purpose? What kind of people did he run with that such an idea would even enter his mind? She pointed to the nasty burn on her throat she was sure was bruised if not bleeding. "Does this *really* look like I was pretending?"

Caillen paused as he focused on the purple welts that belied his accusation. Actually it did look painful and authentic. Not to mention the fact that it would probably scar and most women he knew resisted permanent disfiguration.

Still, there were people who'd maimed themselves before for a lot less reason and Qills weren't normal in any sense of that word. For her queen's pleasure, she just might be insane enough to ruin her neck, scar her face or even eat small babies for breakfast. "You were serving your country well. I'm sure they'll decorate you for it." That was, after all, what her people lived for.

She screwed her face up in disgust. "What do you think was happening when you barged in?"

Barged in? Yeah, she was a piece of work. In his neighborhood it was called helping someone. Which just proved what he knew, she wasn't really in any danger.

"I don't think. I know. I heard your boss lady call security and say that I was trying to kill your princess. That is a cold, hard fact."

"And which of the women in that hallway do you think the princess was?"

Caillen went over the people who'd been there. Two robed figures whose gender was unknown and the three Guards. A princess wouldn't have Guard duty so it left the other two he'd been fighting. "I assume one of the people in the robes or no one at all. The bitch just lied."

She rolled her eyes. "You understand quantum physics and you can't rationalize this? *I* am the princess, nescient."

Yeah, right. Sure she was. That didn't even make the least bit of sense. He'd seen the way the others had looked at her and treated her—like dirt. If she was the daughter of their sadistic queen, they wouldn't have dared such. Not to mention one small other thing... "I wasn't trying to kill *you*." Though he might if she didn't bring that attitude down a notch.

She gave him a duh stare.

And that made him feel like a total fool as he got what she was trying to tell him. "*You're* the princess."

She nodded.

"They were trying to kill *you* and frame me for it... you fice." He wasn't about to let her insult slide without adding one of his own.

By the light in her eyes, he could tell she'd like to beat him into little bloody nuggets. "All right, stop with the high-end insults."

"You started it."

She raked him with a repugnant sneer. "What are we? Four? Please cease before you call me a doodie head. I really don't think in my current mood that I could survive such a juvenile attack. *That* might actually undo me." Curling her lip, she flicked her nails at him—an obscene Qill gesture. "You need to respect the fact that at the moment it's taking every ounce of willpower I have to not hurt you."

He laughed at her threat. While she was muscular, she was tiny in comparison to his size. So long as he kept his cock guarded, there wasn't much she could do to hurt him. "Baby, I'd like to see you try. Believe me, I've had men and women who eat your lunch try to kill me and here I am. Still standing. Still kicking ass."

She scoffed. "Explain to me how is it possible that the three of us actually fit into this pod?"

Now he was the one who was baffled. Did they do math differently on her planet too? "Three of us?"

"You, me and your extremely overdeveloped ego."

He opened his mouth to speak, but she put her hand over his lips.

"Enough," she said in an imperious tone that verified her breeding. "My mother is on that ship and they're going to kill her. Can you understand the written console language enough to help me find some way to let her know what happened? Or at the very least to alert security to guard her?"

Ignoring the fact that her hand was incredibly soft and felt good on his skin, he snatched it away from his lips and returned it to the arm of her chair. "We're in an escape pod, babe. It's not designed for communication of any kind."

"Well that's stupid. How are we to alert them that we're—"

"An emergency pulse is emitted every six seconds. It goes out on the EBF to let the authorities know there are living occupants in the pod who need rescue."

She let out a relieved breath. "Then they'll come back for us."

"No. They won't."

"Why?"

He gestured toward the darkness where the *Arimanda* had vanished. "It's a ship filled with politicians and royalty. They'll notify a League patrol to check on us. But there's no way in hell they'd come near us for fear we're setting a trap for them. For all they know, someone packed this bad boy with enough explosives to disintegrate a subclass planet with a life form just big enough to register, and the minute they near it..." He ended with the sound of a nasty explosion. "Trust me. They won't chance it."

She raked her hands through her hair as if frustration filled her too. "I can't believe this is happening."

"You? I was planning to leave our little soiree, but not like this." And definitely not with her. This was what he got for changing his mind about leaving and heading back to his rooms to apologize to his father.

Caillen growled as he sat back on the chair and started running over their settings to see where the pod was taking them.

"What are we going to do?"

Like he would tell her that? It wasn't any of her business. Not to mention the small fact that he still wasn't one hundred percent convinced this wasn't a setup on her part. For all he knew, she was still playing him. They might very well be accusing him of kidnapping her right now. Something that also carried a death sentence.

Even for a prince.

Her people were ruthless and he'd insulted their queen. Publicly. There was no telling what they'd do to retaliate. His father had said as much.

"Don't worry about it." He moved his hand over the monitor and brought up the star chart on their main display. He would use his link to call for backup, but without a booster signal it was useless. They wouldn't be able to call anyone until they landed. Damn.

She scowled at the brightly colored chart that showed him every corner of their current sector. "What's that?"

He pointed to a planet on the right and touched it, then dragged his finger diagonally to enlarge it for her to see. "We're heading there and should reach the surface in a little over an hour."

"An hour?"

He gave her an arch look over her despondent tone. "We're in the middle of space, far away from the gravitational pull of large masses of rock and self-luminous spheres of gas. It makes landing a bitch, but it keeps us from crashing into something uncomfortable. Sorry if that offends you."

"You're what offends me."

He had to stop himself from responding to that imperious tone with something even more juvenile. There was just something about her that got right up under his hack and made him want hurt her. Gods, if he had to be trapped with a woman couldn't it have been one who would make passing time with her enjoyable?

"Oh well...next time I see someone choking you, I'll leave them to it." Or help them. "Especially now that I understand what it was that motivated them. Too bad I didn't bring the garrote with me."

"You're not funny."

"Really not trying to be." He fell silent as he pulled up information on the planet they were headed toward.

Desideria didn't want to be impressed, but the ease with which he navigated the intricate computer and read the foreign language was something to be envied. It made her wish she'd paid more attention to the classroom portion of her education. "What language is that?"

"Universal. Same as we're speaking. Can't you read it?"

She felt her face heat at a truth that embarrassed her. "If I could, I wouldn't have hit the wrong button."

His eyes widened in surprise. "No one ever taught you to read Universal?"

She glanced away, grateful that it wasn't entirely her fault that she was ignorant of it. "I was to start learning the written part of the language next year. It's not considered a priority to my people. But I am literate in Qillaq."

Caillen backed off criticizing her over that. Since her people were so reclusive that made sense and he could tell by her sudden reservation that she was bothered by the lack of education. Hell,

122

he wouldn't have known it either but for the fact that the more languages a smuggler knew the less likely he was to be caught. "Well be glad you can't read it."

"Why?"

"Because it says we're heading toward an Andarion planet."

She cocked her head. "Is that a bad thing?"

He laughed low in his throat. *Is that a bad thing?* Yeah… "Do you know *anything* about them?"

"No. Not really. My people don't interact with them. Why?"

Lucky them. Then again, the best course of action with Andarions was to keep your head low and put as much distance as possible between you and them. "Simply put, they make your people look like frilly-dressed pansies."

The fire returned to her eyes. "You are shardridden if you think that."

He didn't know why, but he loved the way she looked when she was riled. It made her eyes sparkle and added a becoming blush to her cheeks. "I am so not full of excrement, dearest. It's the truth. They stand around seven feet tall on average, have fangs, night vision and train from birth to kill any and everything that gets in their way. Oh and lest I forget, their favorite delicacy happens to be human meat. Lucky us."

She scoffed at him. "You're just trying to scare me."

He pulled up an encyclopedia in her language and showed it on the monitor. "See for yourself."

Desideria had to force her eyes not to widen as she read words that confirmed his dire prediction. He was right. A warring race in the purest sense of the word, the Andarions did make her people look like pansies. Normally she'd be more than ready to take them on and prove her worth. But the two of them had no weapons that she knew of and suicide didn't appeal to her in the least. "Can we not divert?"

He leaned back in his chair and narrowed that cocky stare at her that she was beginning to loathe. It didn't help that the lights of the console highlighted his arrogant smirk. "See the problem with escape pods...they're designed to run even if you're completely incapacitated. Once you're in it and you hit the magic orange button that you so nicely discovered, it takes care of everything for you. It summons help and steers you to the nearest habitable planet that matches whatever breathing mixture is in the pod."

"But it's stupid to not have an override of some sort."

He scratched the side of his mouth while his eyes silently laughed at her. "I suggest you take that up with the designer when next you see him. That is if we survive long enough to be rescued."

"We will be rescued."

"How can you be so sure?"

"Because I won't allow my mother to die. The traitor happens to be part of the Head Guard. My mother trusts her implicitly. If I don't get to her and warn her about Pleba, she's as good as dead."

Caillen started to point out that he really didn't care about her mother who had intended to subjugate an entire race when his attention was drawn to the display. His stomach hit the floor as he recognized their next obstacle. "Yeah and we have another problem."

"That is?"

He enlarged a portion of the star chart that showed the area where the *Arimanda* had vanished. He pointed to the glowing orb that was quickly getting larger. "I'm really hoping I'm wrong, but judging from the size and speed, that looks like a fighter to me."

Her entire face lit up with hope. "Is it coming to rescue us?"

Wow, he'd sell his soul to be that naive. Without responding to her question, he slid out of his chair and ducked underneath the controls to open a panel so that he could access the wires. "It's a fighter," he repeated.

Desideria was baffled by his single obsession with that one statement. To her, this was a good thing. "Meaning?"

"It can't hold more than two people and it's flying solo." His deep voice was muffled by the metal he was underneath. "They're designed to kill, not rescue. And unless I miss my guess, which I never have yet, I'm pretty sure that one's headed this way to finish what was started in that hallway."

Pah-lease...

There was no reason to think that. It could merely be a scout. Especially if, as he'd said earlier, they thought this might be a trap. It made sense to send a single fighter to see if they were hurt or needing rescue. It might be nothing more than an escort for them. Could the man never be optimistic? Must he always see the worst in every situation even when it didn't warrant it? "You're being paranoid."

Those words had barely left her lips before a blast of color shot across space, straight at them.

They were under attack.

And they were completely defenseless.

11

The blast slammed into the rear of their pod and knocked them spinning. Desideria cursed as she was thrown against the arm of her seat, bruising her ribs. She watched Caillen continue to dig around, underneath the console. He lay on his back with his legs bent and wide apart to keep himself balanced and stable while the pod rocked from its assault. Unused to the motion, she fought down her nausea, then frowned at the sight of his old, scuffed work boots that were tied with laces that had been broken and then knotted back together. Those boots looked like they'd been put through hell—like they were the only pair of boots he owned. She'd never known any prince to deign to touch something so ragged never mind actually wear them. And now that she thought about it, his clothes were the same way. Clean, but worn. His brown jacket even had what appeared to be blaster burn marks on it.

His head and shoulders were completely obscured by the steel panel while he worked in silence. And in his hurry to get under the console, his jacket and shirt had ridden up, exposing his tanned abdomen. With every breath and move he made, his toned muscles contracted, making them all the more pronounced. Yeah, okay, that part of him was totally lickable. And if she didn't miss her guess, his left side seemed to have a tattoo on it that covered a nasty looking scar.

On an aristos? They considered those things vulgar and common...

Why would he have such marks? It didn't make sense. Prince Caillen was definitely a man of complete contradictions.

Another blast hit them hard.

Grimacing in pain, she righted herself in her chair. "Let me guess. No guns on this thing either?"

There was no missing the disgust in that deep baritone. "Which I think is particularly stupid. If you're using an escape pod to... you know, *escape,* nine times out of ten, you're escaping because your ship's under attack and you had to evacuate. What kind of krikkin idiot thought it smart to make an escape device that leaves its occupants defenseless moving targets while they're being attacked? Oh wait, don't answer. I've met too many design engineers whose IQs are smaller than my shoe size"—he tilted his head out from under the console to give her a pointed glance, then added—"which for the record is actually larger than most men's except for Syn who's a mutant sonofabitch"—he returned to working—"but as far as IQs go, it puts them on the same level as protozoa. My number one peeve in life. Think it through, people. Think it through." He paused to curse as one of the wires shocked him. "Just so you know my ship has a gunner pod with enough juice to take down a starcruiser. This one... really sucks."

She couldn't agree more. "You have a bad case of Attention Deficit Disorder, don't you?"

127

He wiped his hand on his pants leg, then moved it up to hold something she couldn't see. "Just a little. Luckily it's mostly verbal." He hissed sharply as if he'd hurt himself again. "Damn it, I've lost all feeling in my right hand."

"So what do we do?" she asked, trying to keep him focused on the danger.

Another shot rocked them.

Desideria groaned as she slammed into the arm again and it rebruised her ribs. "Besides die painfully." She was trying to stay calm, but it was getting harder and harder. She hated feeling helpless and this situation was really starting to anger her. "I'm about ready to throw my shoes at them," she mumbled under her breath. "I know it won't hurt their fighter, but it would make me feel better." At least if she did, she'd have done something other than sit here and watch.

Caillen laughed as if he admired her spunk. "Cross your fingers."

Desideria was confused by his words as he finally slid out from under the panel. "Why?"

Without answering, he shot into the front seat, then his hands flew over the computer. Schematics and diagrams flashed on the monitor so fast she couldn't even identify what he was looking at or adjusting before he moved on to the next one.

Another blast headed right for them. She sucked her breath in, bracing herself for impact.

It didn't come.

Instead, the pod turned sharply and lurched forward while the blast shot harmlessly past them by a narrow margin.

Caillen let out a jubilant shout. He kissed his fingers, then smacked them down near the controls. "That's my girl. C'mon, baby, don't be fickle with your love. You know you want to do me right. Stay tight and fly where I tell you." He made more adjustments on the computer and the pod responded.

Desideria was so happy they had some form of control over their craft that she could kiss him. He might be a complete and utter jerk, but, lucky for her, he knew his way around spacecraft.

The fighter changed course and headed straight for them at an accelerated speed.

She cringed as she saw more bright orange flashes in the darkness. "There's another blast coming."

"I know. Hold on in case this doesn't work."

He turned the pod again, but not enough to miss all of it. The force of the shot slammed her back. She struck her head hard against the panel. Wincing in pain, she didn't speak or cry out for fear of distracting him.

To her utter amazement, Caillen dodged the next blast.

"C'mon, baby. Go. You know you want to. Just keep humming and don't stop." Their pod lurched forward again and this time, finally, it made contact with the planet's gravitational pull.

It sped up dramatically as they fell toward the surface.

The fighter opened up more fire, spraying across space in a last-ditch effort to kill them. Luckily Caillen dodged most of it.

But not all. The lights blinked and sparked as the pod rocked to the point she feared again she might be sick. Or worse that the pod would come apart.

Caillen flipped a switch over his head. "We're going in hot."

"Meaning?"

"The blasts took out our brakes and homing beacon. I'm going to try and find us something soft to land on. However, I make no promises. My control of this thing isn't the best and...well, if you're religious in any way, now would be the time to summon some divine intervention 'cause, no offense, the gods don't think much of me most days. However, they might listen to you."

Desideria started praying. She held her breath as he struggled with short-circuiting electronics. The scent of burning wires was pungent and she hoped the wires were the only thing burning and not their fuel lines.

Caillen appeared completely unshaken by everything that was happening. Other than the occasional mumbled obscenity when their frying electronics shocked or burned him. "I'd kill for one ion cannon. Just one."

She knew the feeling.

Caillen ran over their settings as he assessed their coming situation. The good news? They could breathe on the surface. The bad news? There was no information on this planet at all. No maps, nothing on culture. Nada. Not even the name of the place.

Those were things usually reserved for penal colonies and it explained why the pod hadn't chosen this site for their landing.

Why hadn't he left them on course? At least with the Andarion planet, he'd known what he was getting into.

This one...

An image of them crashing into a prison with giant man-eating aliens went through his mind. Yeah, that'd be his luck. Couple thousand pissed-off superhuman, psychic aliens with an ax to grind against smugglers and royalty...

Why didn't I stay in my room?

He glanced over his shoulder at the princess. Her face was pale and drawn, and she had a death grip on the arms of her chair. But at least she wasn't screaming or having a real girl moment. She was holding it together and he really appreciated that.

Even though she was dressed as a Guard, her posture was that of royalty. She was planning to die with dignity and that caused a wave of respect for her to swell inside him. If he admired anything in life, it was those who could stand brave while terrified.

If I'd stayed put, she'd be dead.

Yeah, okay, he felt better about being here, but not by much. Wouldn't do any good to save her from that only to have her die on impact or from the assassin chasing them.

Or get eaten by giant flesh-craving alien prisoners...

Gods, how do I get myself into this shit? Whatever unlucky constellation he'd been born under had been working overtime lately.

The pod started shaking around them.

"What's that?" Desideria asked with a note of panic in her voice.

Warning lights blinked, letting him know that their engine was failing, meanwhile there was a gash in the back stabilizer that was widening. But only one of them needed to be terrified, so Caillen downplayed the severity of their situation. "Turbulence. Sit tight and brace yourself for the landing." Unless the pod disintegrated before they made it that far.

"Why are you lying to me?"

Her question surprised him. Glancing over his shoulder, he saw her staring straight at his back. "Who says I'm lying?"

"The tone of your voice. It dropped an octave."

Damn, she was good. He returned his attention to the catastrophe at hand. "Fine. The pod is coming apart." He flipped the computer to the external monitor just in time to show her one of their stabilizers being ripped off the right side and with it went the last thing he wanted to see go. "FYI, we needed that. It was the remains of our landing gear. I was trying not to scare you, but since you insist..."

Desideria swallowed. She wished now she hadn't asked. "Would shifting our weight help guide it?"

"You don't weigh enough to affect anything."

"So what do we do?"

"Grab your ass, and hang on like you want to keep it." He was making more mental calculations as the surface of the planet drew rapidly closer.

They were flying so fast Desideria didn't see how they could land and not become a stain on the planet's surface.

Well, her aunt would be happy.

Her, not so much.

She cringed as they started slamming into the upper limbs of trees. It made the pod buck so hard she could barely stay in her seat even with straps. Her heart was pounding as fear held her close and mutilated her hope for living through this.

Suddenly, Caillen turned, unbuckled her belt and wrapped his body around hers, pulling her onto the floor. The pod slammed down hard. The only cushion she had was Caillen's body. Although honestly, it was almost as hard as the steel walls surrounding them.

Her breath left her as they were thrown against the steel and the pod rolled over and over. They tumbled like a stone in a cylinder and still Caillen held on to her, trying to keep her safe.

For a moment, she thought they'd live through the crash until her head struck something so forcefully it made her sick. Her vision dimmed. She fought the darkness as best as she could, but in the end the blackness took her under.

The ship finally stopped.

Caillen remained still, waiting for more—they'd had such a rough landing that it felt like they were moving even though he could see they weren't.

But they stayed put. The pod snapped and hissed around him. Everything in it had been shaken loose to the point that it looked like the thing had been gutted. Wires, straps and pieces of steel swung and sparked, but at least the fires provided some form of light in the dark interior. The area where their seats had been was completely destroyed. He lay on his back with Desideria draped over him. Her breath tickled his skin, letting him know she was alive even though she was completely motionless. Pain reverberated through his body and head with every heartbeat.

I can't move. But at least by unbuckling them, he'd saved their lives.

The sudden smell of engine fuel hit him...like it was gushing out of something and pooling nearby. It mingled with the harsh odor of burning wires.

Shit. The pod's going to explode.

True to that prediction, he saw flames spread across the floor. They licked at his boots. The heat was searing. Grinding his teeth, he forced his ravaged body to move and move fast. But it was hard. Nothing wanted to work as he stamped out the fire at his feet.

"Princess?"

She was unconscious and bleeding profusely from a head wound. With a loud groan, he pushed her back enough so that he could roll out from under her. On unsteady feet, he picked her up and cradled her close. She really was tiny. Something that was easy to lose sight of when she was awake and bitching at him. Then she seemed larger than life.

His body rebelling against any act that didn't involve him

133

lying down, he carried her out of the craft and took her to a safe distance from the pod before he laid her down on the ground.

He sat back on his heels, grateful to be out of the pod and able to breathe fresh, nonburning air. Brushing his hair back from his forehead, he saw the blood on his hand. Yeah. Just what he needed. A head wound of his own. He took inventory of his condition and hers. Instinctively, he reached for his backpack to get a cloth to stop her bleeding only to realize it was still in the pod.

Shit. He needed that. It would have medical supplies, food and other things they'd need if they planned to survive this.

He looked back at the burning pod. Only a flaming, krikkin idiot would run into something that was about to explode...

Good thing I'm an idiot.

Before his common sense could override his stupidity, he dashed back to the pod. The metal was hot from the flames— which he discovered as his hand accidentally brushed a wall and was burned. Coughing, he covered his mouth with his shirt and held it there with his burned hand while he tried to see into the small compartment. Ah man, everything had been tossed around to the point he couldn't identify anything. Getting down on his hands and knees, he searched the wreckage as fast as he could. He choked and coughed, struggling to breathe. Just as he was about to give up, he saw a black strap on the floor.

His pack was underneath the crushed-in front console. He scooted forward and grabbed it, then paused as he heard something whine.

The roof lining was caving in.

Damn it! Jerking the pack to him, he scurried for the door. Just when he thought he was free, a part of the ceiling fell across his back and slammed him to the ground. He tried his best to crawl out from under it, but he was trapped. Flames blazed higher and brighter. The stench of fuel was making him light-headed. His lungs struggled to find oxygen.

Crap...I'm going to die.

Right here. Right now.

Still he fought even though it was futile. After all, he was a Dagan and Dagans never surrendered to death. Not without a bloody battle.

Desideria came awake just in time to see Caillen running back to their burning pod. What was the moron doing now? Hadn't anyone ever told him that the correct protocol was to run *away* from burning objects?

Her head throbbed so badly that she feared she'd vomit. More than that, her vision was blurry. She reached up to wipe the sweat from her forehead. The moment she touched it, she realized it wasn't sweat. She was bleeding all over the place.

It's a concussion.

Her stomach lurched as more pain pounded through her body. Rolling to her side, she saw Caillen vanish inside the pod. *He's going to kill himself.*

Let him.

Unfortunately, she couldn't. He'd pulled her out twice now and saved her life. She'd still be inside the burning pod but for him.

Get up, soldier. Time to save the heroic idiot.

As she came to her feet, she heard a loud crash from the pod. There was no sign of Caillen. A bad feeling went through her.

He was dead or trapped.

Only a complete imbecile would run into a burning pod...

Bad thing was, she was an imbecile. Especially since she owed

Caillen her life and even if it was only a small chance he was still alive, she couldn't leave him there to burn.

Forcing down her nausea, she headed for the pod on unsteady feet.

The smoke was so thick as she neared it that she could barely see. The stench did nothing for her nausea. *You're a Qillaq. Stop whining.*

Over the loud popping and roar of the fire she heard something... A string of obscene profanity.

She couldn't help smiling as she used his angry tirade against the gods to find him trapped under burning debris. His wrath was palatable as he tried to free himself.

"I hope you melt into oblivion! Stupid, stupid son of a—" His words broke off as he saw her. For an instant, his entire face lit up, then it turned to a dark scowl. "Are you out of your krikkin mind? Run!"

She did, but it was toward him.

Caillen was astounded as she knelt down to help him get free. "There's a tank about to blow. You have to leave. We only have a few seconds. I can smell it."

"Not without you."

"Princess—"

"Not without you," she enunciated each word sharply, letting him know that he was the one wasting their time with a useless argument. She pulled as hard as she could against the hot metal that pinned him to the floor. "I'd already be dead if not for you. I'm not about to leave you after that. Now shut up and help!"

Caillen smiled at her sharp command. Only a sick bastard like him would find that amusing, especially given his circumstances. But they didn't have long.

He growled as she lifted the burning beam where his leg was trapped. He slid his foot free and grabbed the pack. But not before he could hear the tank whine and whistle.

It was about to go. Their time could only be measured in heartbeats now.

Even though his foot felt broken, he grabbed her hand and his pack and ran with her from the pod.

Still they weren't safe. The shrapnel would blow out for yards and could very easily pierce them. Tightening his hand on hers, he pulled her toward a copse of trees that would hopefully offer some protection.

They'd only made it halfway there before the pod blew. The shock wave of the explosion pitched them forward, causing them to tumble. All Caillen could do was try to protect his head as he rolled and fragments rained down all around them.

He came to rest on his stomach.

Desideria lay a few feet away from him, on her back. Unmoving.

A sick feeling of dread constricted his stomach. "Princess? You alive?"

"No," she groaned.

"Me either."

A second explosion sounded. Caillen cursed as he saw more shrapnel heading for them, including a sizable chunk of the door. Grabbing Desideria, he barely made it behind a fallen log before the door impaled itself upright in the ground right where she'd been. Small fires burned all around them.

Her face pale, she looked up at him in awe. "Thank you."

Letting out a long breath in relief, Caillen laid his head on the ground and did his best not to whimper from the pain that was tearing through every single inch of his body. He felt like he'd been run through a compactor. The last thing he wanted was to move, but he needed to check on her and tend the long gash in his leg. His luck it'd turn to gangrene and he'd lose it if he delayed treatment.

"Any time, Princess. But really, we have to do something about these near fatal interactions of ours." Bracing himself for the pain, he sat up.

She glared accusingly as she shoved at his shoulder. "Don't you dare blame me for this. What the hell was so important that you had to go back for it and risk our lives?"

"I only risked *my* life. You're the loon who came back for me."

She rolled her eyes. "I couldn't agree more. Now why would you go back?"

He held his pack up.

She gaped at him, then glared as if she could murder him herself. "You almost killed us for a stupid backpack?"

"Not a backpack, baby. It's a survival pack."

"I would comment on the irony of you almost dying for that, but right now I really ache too much to bother."

He laughed as he rifled through it. Until he heard the soft whir of an engine drawing near. That sobered him fast. "Someone's coming."

Her face lit up with relief. "Oh please, God, let it be a rescue crew...one with a clean bathroom."

He didn't share her optimism. Instead, cold dread weighed heavy in his gut. "C'mon." He pulled her toward the tree line, deeper into the woods.

She dug her heels in and slowed him down. "What are you doing?"

"We don't know where we are or who they are. They could be our friendly assassin or an accomplice. Until we know for sure, let's not be seen."

Desideria wanted to scream in frustration at his paranoia. But not so deep inside she knew he was right and until they discovered the intentions of whoever was coming, they did need to keep a low profile. "I really hate you."

"Hate you too, babe." He gave her a charming grin and a wink that managed to be adorable even though she wanted to kick him some place that counted. "Now, c'mon."

Desideria groaned as she forced herself to run after him. How could he move on that busted leg of his? Did the man not feel pain? She glanced to the woods and winced. It looked so far to those trees...

Caillen doubled back to try and carry her.

She stopped him. "You're injured too and I can walk. I am *not* helpless or weak. I'm simply pissed," she growled.

He held his hands up in apology. "Fine, but we need to hurry." He jerked his chin to the sky where she could see the craft almost on them.

Run!

They barely made it to the trees before the hovercraft came in. It hesitated over the remains of their pod for several minutes as if the occupants were photographing the area or conducting some kind of test or evaluation.

Caillen scowled as he tried to figure out what they were doing. Normally, they'd be out and scanning the ground on foot. But these...

They had a separate protocol that deviated from the norm, which meant he had no idea what to expect. Damn.

"Can you tell anything about them?" Desideria whispered.

"They're Andarions."

"How do you know?"

He pulled his FVG out of his pack and held it to his eyes so that he could see the pilots in the cockpit who were scanning the ground and talking to each other. "Style of the craft. It's an older Andarion model S10-B60. Most humans are too short to pilot it. And now that I can see them, they're definitely NHL." Non Human Life forms.

"Is that good or bad for us?"

Caillen sighed. "Depends on their intentions."

"You're not funny."

"Not trying to be."

The craft descended until it was on the ground. As the door opened, Caillen motioned for her to be quiet while he shoved an amplifier into his ear so that he could hear their conversation even from this distance. Luckily it only amplified voices and not ambient noises, otherwise his hearing would have been blown out by their hovercraft's engines.

Two officers came out of the back to investigate the crash site while the two pilots remained inside.

Desideria opened her mouth to speak, but he cut her off with a fierce head shake. One thing about the Andarions, those bastards could hear for miles even without an amplifier. They'd be lucky if the soldiers didn't hear them breathing.

And what they were talking about was making his stomach shrink.

No, they hadn't landed on a penal colony. This one was worse. *Much* worse.

12

Caillen grabbed Desideria's arm and pulled her back, deeper into the woods. Every time she opened her mouth to speak, he motioned for her to be quiet. Something that was beginning to really annoy her. He made other gestures that she couldn't even begin to identify in a way that said he thought she should understand them too. She only hoped they weren't obscene because if they were, he was going to be limping even worse than he already was.

It wasn't until he found a cave that he allowed her to stop moving. He sent her in deeper before he set the pack on the ground and pulled out two devices she couldn't identify. Frowning, she watched as he attached one to each side of the small opening, then turned them on. A low-frequency hum started and the devices caused the light in the cave to darken even more. She could barely see in front of her.

Without breaking stride, he pulled a light stick from the bag and snapped it, then shook it hard before tossing it on the floor so that it landed not far from her. Everything was bathed in a dull purple glow as he picked up the pack and moved toward the back of the cave where she was waiting beside a monstrous black stalagmite that shimmered from the light.

Only then did he let out an elongated, audible breath.

Can I speak? She mouthed the words.

"Yeah, but keep your tone low," he whispered.

"Why?"

He wiped his chin against the back of his hand in a gesture that was an odd mixture of little boy and all-sexy, rugged male. "Andarions have supersonic hearing and I'm not completely sure my dampeners will work against it, especially if they're using any kind of amp." He gestured with his thumb over his shoulder to the opening of the cave. "Those guys out there . . . they're not your usual crew. You and I hit the mother lode of bad luck. We didn't just land on an Andarion planet. We landed on one of their colonies." He pulled a small device out of his pocket and put it in his ear.

Call her stupid, but she didn't see what the big deal was. The Andarions were members of the council, subject to the same laws as anyone else. Why was he freaking out? "Meaning what?"

"Their colonists are under martial law. Any offworlders caught without proper papers, visitation passes and authorizations are automatically marked as spies, especially human ones. And prosecuted as such. Standard practice is to lock us up and leave us there to die without ever notifying anyone that we've been taken. In fact, if ever asked, they'll deny all charges. Bastards are good at that."

She lifted her chin at his ridiculous fear. "We're royalty, they can't do—"

"They can do anything they want," he said, interrupting her. "Someone has to prove we were here, and since the only person who knows our whereabouts is an assassin out to kill us, I don't think he or she's going to be real chatty trying to save us should we be captured."

"Can't we explain or even offer them a reward?"

He laughed out loud. "Have you ever been around an Andarion?"

"Well...no."

"Then take my word on this. They can't be bribed. I have several Andarion friends. One of them was born their crowned prince, but because he has some human features, his own bio-logical grandmother sent him to a human work home where he was kept beaten, chained and declawed and raised like an ani-mal. You don't ever want to know what was done to him. Suffice it to say, if they won't protect their own prince, you and I are, pardon the pun, royally screwed. They won't care about us and if it means war? What the hell? Again, they make your people look like pacifists. A war to them is the bonus fun round they live for." He raked his hand through his hair. "This is why you pray to the gods you never get stranded on foreign soil. One wrong battle, one foul landing and your entire life is forever screwed up or ended."

Like her father.

He'd been a pilot who'd crash-landed on Qilla. Taken as a war prize, he'd never been allowed to contact his people or family. His only shot at freedom had been one battle, which he'd been forced to fight while wounded. After that, her mother had never allowed him another chance to let his family know what had happened to him.

For the first time in her life, she understood the real horror that had been her father's existence.

"There's a whole universe out there, Daria, where your mother doesn't rule. A universe of diverse people and experiences. Promise me when you grow up, you'll take time to visit them and learn that though we might be different on the outside, inside we all want the same things. Safety. Love. Family. And peace."

As a child, she'd thought the peace part made him weak. But now she understood what he meant. He wasn't talking about peace from war. He was talking about the inner calm that she'd never known. That comfort that came with understanding who and what you were, accepting your limitations. With being comfortable in your own skin.

Instead all she heard internally was the constant criticisms of her mother, aunt and sisters. If there was one thing in life she knew, it was every shortcoming she possessed.

What was strange to her was that Caillen had the same inner peace her father had always held. That ability to be calm under duress and chaos.

Not wanting to think about those uncomfortable comparisons, she turned her attention back to their current situation. "So what do we do?"

Caillen paused as he considered his options. None of them were stellar.

They couldn't stay here too long or they'd be found. Since there weren't any bodies in the wreckage, the Andarions would comb this area until they found them. Andarions were, unfortunately, a tenacious species who would be itching for a fight.

Not to mention, they had to get off this rock and let his father know what was going on. And as much as he hated to admit it, the Qill queen needed to know too.

Maniacal bitch.

Desideria's dark eyes burned into him. Thank the gods she didn't look anything like her mother. Her features were much softer and kinder. Far more attractive. If she'd been a ringer for her mother, he might have left her in the pod to burn.

"We have to get out of here. Now," Desideria insisted.

"I know, Princess. I know." But first, he had to get them out of the cross hairs. "We have to find whatever civilization they have."

She scowled at him. "You said we couldn't do that."

He dropped his pack on the ground beside her. "I said we couldn't do it as humans."

Desideria was now completely confused. Had he inhaled too many fumes before she rescued him? "Apparently I'm missing something. How do we not look human when, last time I checked, we're humans?" Grubby, bloody and beat up, but still undeniable in their species. "You have a secret you need to impart to me?"

Caillen dug through his pack and pulled out several items.

Bemused, she watched him open a bottle of water and a foil packet. The packet contained a small pink tablet.

I knew it!

He *was* on drugs.

"What's that?" she asked suspiciously.

He popped the pill into his mouth and used the water to wash it down. "In about twenty hours, it'll grow my hair to my shoulders and turn it black."

They had such things? Her father had told her of many marvels, but this was a new one on her. "Is that safe?"

He wiped his mouth with the back of his hand before he

secured the top on the bottle. "God, I hope so. I've never had to use it before, but unfortunately I don't have a wig in my magic bag. Not that I'd use one even if I did. Learned the hard way a long time ago that those things have a nasty tendency to come off at the worst possible moment." He opened a small vial that contained two contact lenses.

Intrigued and confused, she watched as he put them in. Oh yeah, they were odd. It made his pupils red and his irises white with a red rim. "Can you see with those?"

He blinked three times, then widened his eyes as if allowing them to settle into place. "Not as well as I can normally, but enough to get by. So long as no one gets too frisky from my peripheral I'll be fine." Next, he pulled out a small round case and opened it to show what appeared to be two elongated teeth. He took them out and covered his canines with them to give him a fanged smile.

She hated to admit it, but he was actually attractive in a freakish sort of way. "What are you supposed to be?"

He unzipped an outside pocket to reveal a mirror he used to examine his handiwork. "An Andarion. Once my hair grows and darkens, I'll be able to pass as a native. The shorter hair will be a bitch since their males wear theirs longer than yours, but I can make something up as to why I had to cut it. Hopefully they'll buy it without bloodshed." He gave her a thorough once-over. "You on the other hand..."

She held her hands up and backed away in fear of what that look on his face meant for her. "I'm not taking that pill and sprouting another arm."

"I doubt you'd grow another arm... Might lose one though." He flashed an evil grin at her that was even more sinister given his fangs. "Don't worry. I'm not going to offer you one. You're too

146

short and your features are wrong. No one would ever believe you're one of them. Not to mention I don't have another pair of fangs or contacts." He jerked a hooded cloak out of his pack and tossed it to her. "We'll keep you covered and I'll tell them you're my daughter. Just make sure no one sees you uncovered."

"If they do?"

"Then we should have just laid down and let the assassins on the ship have our throats. Believe me, that would have been a lot less painful."

Desideria grimaced at the cloak. "Well, I'll say one thing. Hanging around you isn't boring."

He laughed. "Don't I know it. My first name should have been Catastrophe and I swear in some language, somewhere, that is what Caillen means. Now come over here and let me check out your head wound. Last thing we need is for you to have brain damage."

"I already have brain damage. Why else would I be here?"

He snorted. "Yeah, I resemble that remark."

Desideria sat down beside him while he rooted through his pack. She half expected him to pull a ship out of it. He hadn't been joking when he called it a survival pack. He appeared to have some of everything in it.

Except for a black wig...

As he dug, his hair fell forward over his bruised forehead. His leg looked bloodied and painful through the torn fabric, but he ignored the pain as if he were one of her people. Right now, dressed in those worn-out boots and leather jacket, there was nothing about him that reminded her of royalty. He was more like one of the rogue pirates her mother hired to cause trouble for her enemies.

And a part of her that scared her was actually attracted to that darker side of his personality. More than that, it reminded her of how yummy his stomach had been while exposed and that led her to wonder at the rest of him...

What would he look like naked?

Don't be stupid. Men are not on your menu. At least not for a year, until the anniversary of her adulthood.

But she couldn't help it. He was compelling. Resourceful. Strong. Intelligent.

Insane.

A heady concoction no matter how hard she tried to not think about it.

He returned to her side, carrying medical supplies that he set down next to her before he handed her a bottle of water and knelt. Resting on his good knee, he gently pulled the hair back from her face to examine her injury. His nearness disturbed her and made her heartbeat quicken. More than that, the scent of his skin filled her head with the most pleasant masculine scent. She'd never been this close to a man before except for her father and her mother's consorts. While those consorts were attractive, they'd never enticed her.

Not like this.

Was this the hunger she'd overheard her sisters talking about? While she'd studied and done as she was told, they'd snuck online and collected photos of naked men during their study hours. Late at night, once everyone else had gone to bed, they'd get together and giggle about what they would do once they were able to have consorts of their own.

That had never been her dream. She didn't want a kept pet enslaved to her. Her father had told her stories of how men and women were a team on his world. How they worked together as equals. She didn't know why that appealed to her, but it did. She wanted a partner at her back not someone who resented her power over them and who would have sullen fits like her mother's consorts. They'd always seemed more like children to her than men she'd want to father her offspring.

Caillen looked up and caught her gaze. He arched a brow as a sly, knowing half smile curled his lips. "You imagining me naked, Princess?"

Heat scalded her cheeks at his teasing arrogance—and the fact that he had caught her doing just that. Caillen was definitely not the kind of man a woman with a brain would put at her back or anywhere else in a five-thousand-mile radius. "Hardly. You look really creepy like that."

He laughed good-naturedly. "I've been called worse and that by people who claim they love me."

"You have people who actually love you?"

His smile widened. "Hard to believe, ain't it? But yeah, I do. At least that's what they say when I'm in the room."

She couldn't understand how he took an insult with such grace and humor. In her world, people had killed over less. "Do you ever get angry?"

"Of course I do."

She winced as he wiped the disinfectant along the marks on her neck. "Over what?"

He lowered the linen pad to redampen it. "My sisters and cruelty. And cruelty to my sisters is a double-ass beating to anyone dumb enough to try it."

She pulled back to look at him. "I thought Emperor Evzen only had one child. You."

"He does."

When he didn't elaborate, she prodded him. "Are they from your mother, then?"

"Why do you care?"

Her temper ignited, but she held it back. There was no need to get angry over a simple question. That was something her mother would do. His tone had been inquisitive, not confrontational. So when she spoke, she forced herself to be pleasant. "I'm just curious. When you mentioned them, there was so much emotion in that one word that I can tell they mean a lot to you. In my experience it's unusual for someone to feel that way toward half siblings."

He licked his lips before he continued treating her neck. "Where I come from, family's defined as those who don't screw you over a paycheck. Blood makes no difference. If you can trust them with your life and know that they'll be there come whatever hell rains down, then they're your family."

In her world, family meant they had the good grace to stab you while looking you in the eyes. She couldn't imagine her sisters standing by her side for any reason.

Unwilling to go there, she changed the subject to something a little less painful. "You really think you can fool the Andarions into believing you're one of them?"

"I know I can. Like I said, I have friends who are Andarion."

And that meant nothing. She had a father who was Gondarion and she knew nothing about his people or their culture. "You speak their language fluently?"

"All nineteen dialects."

That was unexpected. While most princes were well educated, most relied on their advisors or electronics for translations. "Impressive."

"Not really. I've spent a lot of time making runs through their system. Since they don't like outsiders, I've learned to fake it, hence the fangs and contacts in my bag. When I was making heavy runs, I even grew my hair out and dyed it to blend in with them. But I'm not a fan of long hair on me."

"Why not?"

"Gets in the way when I'm having sex."

That unexpected answer actually made her laugh out loud.

Caillen paused at the sound of the first real laugh he'd heard from her. It was a pure, light sound that made his cock twitch. Combine that with the way her eyes sparkled and he wished he could keep her laughing. It relaxed her features and made her absolutely irresistible. Damn, she was attractive and he hated that most of all. He didn't want to feel anything for a woman. Especially not one from a world where men were considered beneath them and whose mother wanted him horsewhipped in the worst sort of way.

She wiped at her eyes. "I'm sure that's not the real reason."

"I promise you, it is."

She shook her head. "You're terrible."

"Again, I've been called worse." He brushed his hand over her head, checking for swelling. She winced as he touched the lump where she was bleeding. "Sorry." He reached into his bag and dug out a chemical ice pack. He broke the seal, shook it and then handed it to her to put on the swelling. "The cut doesn't appear to need stitches. Let's get the swelling down and then I'll put a coagulant on it."

Desideria cocked a brow at his authoritative tone. "You're a doctor too?"

He didn't respond. By the look on his face, she could tell she'd inadvertently hit a nerve, though she had no idea how.

Ignoring her, he pulled back the leg of his pants to tend his own wound.

She watched in silent awe as he stopped the bleeding, cleaned and then wrapped it like a pro.

"How is it a prince knows so much about field dressing and medicine? You said you'd made runs into the Andarions' territory. Were they mercy missions?"

He scowled at her. "I thought you knew."

"Knew what?"

Scratching at the whiskers on his face, he snorted. "You must live under a rock on the most back-ass planet in the universe to have missed the news."

She ignored his insult—it was so mild compared to what her family gave her that it didn't even register. And for once, she actually agreed with his summation. Qillaq was rather backward compared to other worlds. "What news?"

"I was kidnapped when I was still a baby and raised as a pleb. I didn't know I was a prince until a few months ago when a DNA test identified me."

That stunned her. "Really?"

"Yeah, really."

That explained the dichotomies she'd noticed. Why he held that feral quality to everything he did. His worn-out clothes and his ever changing syntax that went from royal dialect to street slang. "Were you shocked when they told you?"

"Still am. Not exactly something you expect to learn about

yourself. Hey, kid, your parents weren't your parents and by the way, did you know you're a prince and heir to a major empire?"

Very true. And it also explained about his sisters. "Your sisters belonged to your adoptive parents?"

He fell silent as he returned to putting things back in the pack. After a few seconds he spoke again. "Don't worry. I am housebroken. I might not be as refined as the rest of the aristocracy, but I won't crap on the floor either." His tone was dry and even. Still, she understood the pain those words betrayed and knew why he'd said them.

Like her, others had been judging him.

"My people aren't like the other aristos. Hence why I'm in the Guard. Nothing in my world is given to anyone. Everything is earned. It's not how you start in life that matters. It's how you finish."

The look he passed to her was cold enough to make her shiver. "No, your people just accuse others of crimes they don't commit."

"I had nothing to do with that."

He scoffed. "I'd like to believe you, but I don't know you well enough for that. I've had people I trusted implicitly come at me. So you'll have to forgive my mistrust."

"Again, I understand. Trust, like everything else, has to be earned and I have yet to gain it. I get it."

Caillen hesitated. He wanted to believe her. Yet he didn't dare. Too many memories surged inside him. Partners who'd turned on him when he least expected it. "Friends" he'd put at his back who'd knifed him so hard he still felt the burn of it. Most of all was the bitch who continued to come at him for no good reason at all.

People were treacherous by nature. And Desideria was a stranger—one he was attracted to.

That made her deadlier than most.

He moved away from her. "I've got minimal food and water. Enough to hold us today. Tomorrow we'll have to scavenge."

Agitation creased her brow. "We have no time to dawdle with inconsequentials. Every minute that ticks by is one my mother could be slaughtered."

His father too. But that knowledge didn't change their circumstances. "Let me lay this out for you, Princess. We are on a hostile planet with natives who will *eat* us if they catch us. Our pod is no longer transmitting a homing beacon which while it keeps the natives from identifying our origins and the assassin after us from finding our exact location, it also keeps our allies from rescuing us. And while your mother's life really doesn't matter much to me, my father's does, so don't think for one minute that you're even an edge more motivated than I am. Because you're not. However, if we die, it's over for all of us and believe it or not, I'm doing my best to make sure we all survive. Body parts intact."

She narrowed her gaze on him. There was no missing the shadow that hung heavy there in those dark eyes. "What aren't you telling me?"

Her questions caught him off guard. "What do you mean?"

"You're holding something back. I can tell by the look in your eyes. What is it?"

Caillen hesitated. Damn, she was perceptive—like his sister Shahara. She'd always had an uncanny ability to read him too.

He started to tell her nothing, but why lie? She needed to know and if she betrayed him here, she'd be cutting her own throat.

Andarions didn't play and they didn't tolerate offworlders—especially him. "I'm a wanted felon by the Andarions. While it's technically been repealed by their prince and heir, I'm not about to trust a colony not to carry out my death sentence without notifying the capital government before I'm dead—they have a nasty tendency that way."

All the color drained from her face. "What did you do?"

Caillen sighed. Again he started not to tell her. It was so stupid really. But if he didn't answer her question, she'd probably assume him a rapist or something even more vile. "I'm housebroken, okay? But I don't heel well. Prince Jullien grabbed my sister inappropriately and had trouble understanding the *no* word when she said it forcefully, so I busted loose a few of his teeth. Nykyrian repealed my death warrant when he was crowned, but, as I said, I don't trust their government. And while I know Nyk would bail me out, he has to know about it first and since Jullien still has a hard-on for me over my assault, I'm not betting that these colonies have the most current wanted list—Jullien's vindictive that way. My luck, the bounty for killing me's even tripled."

She gaped at him. "Surely Jullien would have something better to do than worry over a fight, especially if they're anything like my people. That's to be expected."

Yeah, right. "Jullien isn't a warrior and given the ass-whipping I gave him and his pompous arrogance, he definitely would leave it in place. That slimy bastard is the worst sort of scum."

"Why do you hate him so?"

"Aside from him trying to rape my sister, he traded his own twin brother's pregnant wife to his brother's enemies so that they could kill her. And we, including me, almost lost our lives getting her out. That's nothing compared to what he's done to others. He's a total scabbing bastard. The only reason he hasn't been executed is that he's royal and his grandmother has paid a fortune to the League to keep him breathing."

He could see in her eyes that she was trying to understand Jullien's crimes, but couldn't quite mentally grasp them any more than he could. The man's cruelty was only surpassed by his stupidity. "Their grandmother did nothing to him for betraying his own brother?" she asked.

"No. But believe me, Nyk did and I'm still amazed Nyk's beating didn't kill him. That being said Jullien will limp for eternity. Officially though, Jullien wasn't punished except that he's been removed from the line of succession. Which I guess to him is probably a fate worse than death. But in my opinion, he got off light."

She shook her head. "And I thought my family was screwed up."

"Yeah...Mine have their problems, but the worst thing I can say about my sisters is they're self destructive...or in Kasen's and Tess's case, fatally stupid. The damage they've done to me was never intentional. The pry bar incident notwithstanding."

Desideria paused at that last bit, curious about it. "Pry bar incident?"

He paused putting the things back in his pack and let out a long suffering sigh. "When we were kids, I made Kasen mad enough, she threw a pry bar at me." He pointed to the scar above his left brow. "Eight stitches."

That had to hurt. "What did you do?"

An unexpected blush colored his cheeks. How strangely becoming even in his disguise. "In my defense I was six."

Oh now this had to be good for him to be that embarrassed and to make excuses. "What did you do?"

He was actually bashful about it. "She refused to play court ball with me, so I burned down her dollhouse."

She gaped at his disclosure. No he didn't... "You burned down her dollhouse?"

He pointed to his scar. "I was adequately punished."

"But you burned down her dollhouse? That's *so* cold."

"So's bashing your little brother in the head with a pry bar. I could have lost an eye that day and I think my recent death warrant while protecting her from her latest bout of supreme stupidity more than makes up for it."

She scoffed at his indignation. "It was a flesh wound, you big baby."

Caillen started to respond, then caught himself as he realized he enjoyed her teasing.

She was charming him...

Crap. That he couldn't allow. Not until he knew what her real loyalties were. She was her mother's daughter.

And they were framing him.

Desideria saw the veil come down on his face, changing it to a mask of seriousness. For some reason, it felt like a blow to her sternum. *Don't be ridiculous.* Yet there was no denying what she felt.

It hurt.

She liked the teasing, fun Caillen a lot more than the serious prince who was guarded.

I've lost my mind. He was all kinds of irritating.

He's all kinds of sexy.

And when he teased and his eyes sparkled, he was all the

hotter. Licking her lips, she watched as he returned to the backpack to pull out another item.

This one made her gasp.

It was a subspace link.

Joy exploded through her. "We can call someone?"

"Let's hope. But if we can, we can't talk for more than thirty seconds. Any longer and it'll be traceable. I don't know how high tech this place is. So for now, I'm erring on the side of not getting disemboweled." He tried to hail his sister.

Nothing. The call wouldn't go through.

Growling in irritation, he looked at Desideria. "Either we're too far inside or it's jammed. I'll try again in the morning."

"What if they kill my mother tonight?"

"What if they kill my father? You're not the only one taking a risk here. This shit bites both ways."

She ground her teeth as more frustration burned through her. "I can't believe there's nothing we can do."

"Well we can go out there and let them find us. That is if they don't already have something that can read through my mirrors. If they have that, we're screwed."

She cocked her head at his use of a word that didn't belong in that sentence. Mirrors. "Is that what you placed at the opening?"

"Yeah. It emits a pulse to anything that scans us saying there's nothing inside. No heat signature, no signs of life. To my knowledge nothing can breach it. But technology changes faster than the skin on a rodalyn lizard. So the colonists might be able to find us here." He winked at her. "Let's hope not, shall we?"

Desideria rubbed her head that was starting to ache as she ran over everything that had happened to them and how much danger they were in. "What a day."

"Yeah. I have an assassin running loose after my dad and you now have one after your mom. The only reason I agreed to attend that sanctimonious stratiotes was that I'd hoped the assassin would make a move on my father and I'd be able to capture him on the ship where the escape routes would be limited."

"Strat... what was that word you used?"

"Stratiotes. It means a collection of morons. Is that really all you got out of my tirade?"

"No, it wasn't. It was just the part I didn't understand. Just like I don't understand who's trying to kill my mother."

He snorted. "Motive, baby. It's all motive and that usually leads back to cash flow... Personally, I think it's my uncle after my father. My father thinks I'm insane. But my uncle is the only one who makes sense."

"Why would your uncle want your father dead?"

"Only one who has something to gain if both my father and I die. First blood law: follow the money. It always leads you home."

She considered his words as she remembered meeting his uncle many times since her birth. The man had seemed extremely mild and unassuming. "You don't really believe that, do you?"

"Yes, I do." There was no missing the sincerity in that gaze. "So what about your mom? Who stands to inherit the most with you and her out of the way?"

"My sisters." Her stomach heaved as she rose to her feet. "Oh my God. It's Narcissa. She's the one who killed my other two sisters in training accidents."

And she'd tried to kill *her* just two weeks ago. She'd even made threats against her...

Narcissa had always been ambitious. *When I'm queen, you'll*

all bow down to me. But don't worry. You can both serve in my
Guard like Kara used to for Mother.

How many times had her sister said that? Yet Desideria had always assumed she was joking or wishing.

What if she hadn't been?

Dear gods, how could she have been so stupid as to miss that? Of all the people she'd suspected of being behind this, the most obvious had eluded her until now. Panic consumed her at the thought.

Unable to stand it, she started pacing as the horror of it all raced through her mind. That was why the Guard was backing her sister and helping to assassinate her mother. If her mother was murdered, Narcissa, as their next queen, would have the power to pardon them and spare their lives.

Suddenly, it all made sense. It was insidious and cold, and it came hard on the heels of her being promoted to adult status. That made her the heir apparent over her older sister. Yes, she'd have to fight for it, but she would be the one challenged. If she survived the fight, she'd be queen.

Narcissa wouldn't even be eligible to try for the crown. But if both Desideria and her mother died, Narcissa would rise to heir status even as a minor and could fight to be queen...

And why was her mother's Guard backing her sister? Because they all thought Desideria was the dirt under their feet. A cross-bred mongrel that the Guard resented breathing their air. Of course they'd back her purebred sister over her.

And cheer when she died.

Suddenly, Caillen was beside her, pulling her into his arms. "Shh...it's all right. I know it's a shock. You'll get used to it."

She would push him away, but honestly it felt good to be held while her world unraveled itself and she was faced with a harsh reality she didn't even want to contemplate. She was alone in the universe with no one to rely on. No one to turn to.

Her own family was trying to end her life. And no one knew the truth except her.

"How can you cope with the thought of your uncle trying to kill you?"

He shrugged. "I'm only surprised when people don't try to kill me."

"Well, I can understand that. You *are* annoying."

He smiled at her and that expression made her feel a little better for reasons she couldn't even guess at. "If you don't like the thought of your sister coming for you, is there anyone else you can think of?"

"No."

"Are you sure?"

She nodded. No one else made any sense. "My mother has two sisters, but one married an offworlder, so she can't rule so long as she has a foreign husband, and my other aunt was removed from succession when my mother defeated her in combat for the throne. Kara could rule as a regent, but never as a full queen and she would be replaced as soon as one of us was skilled enough to challenge her."

"Then it is what it is. Your sister's a self-serving bitch out to collect your heads—sorry. My father keeps telling me it's an enemy after him, but I don't believe it. An enemy would gain nothing other than personal satisfaction. And while I can understand that motivation, it wouldn't lead them to me. If both my father and I die, his brother takes the throne and right now, his brother is his chief advisor which means none of the laws would be changed. If it is one of his enemies after him, no reason to risk prison or execution for something that wouldn't affect them at all. They'd be trying to take out his brother too so that they could change things. I've run through a thousand scenarios, but all of them lead straight back to my uncle with no side roads."

Just like all of hers led back to Narcissa... "My mother will *never* believe me."

No one would believe them.

"I know. We have to find evidence. It's the only way to save their lives."

She opened her mouth to speak, but Caillen motioned her to be silent. He stepped back and drifted toward the front of the cave while hugging the wall.

At first she thought it was more of his paranoia until she heard the soft whir of a motor. Her heart stopped beating as a shadow fell over the entrance.

It was a military prober and it was scanning for life forms...

13

Probers were small, electronic scanning devices that checked for living organisms and reported back to a search force. Desideria had no doubt that she and Caillen were the target of this one. If that thing picked up even the smallest trace of their presence, the Andarions would swarm all over them.

Move slowly, Caillen mouthed to her. *Get against the wall.*

She did exactly what he told her to. She focused on her heartbeats to keep from panicking. Any little sound might be detected...

Even her breathing.

Time stretched out like an arthritic snail before the prober finally pulled back.

She started to move, but Caillen motioned subtly for her not to.

Sure enough, another prober popped up from the ground and scanned for several minutes more. Only after it left did Caillen inch his way back to her. He stood between her and the door, shielding her. He was so close that she could feel his body heat.

"Are we safe?" she whispered in his ear.

"We'll know in a few minutes." His breath tickled the skin of her cheek and his warmth went a long way in soothing her ragged nerves.

They stood right beside each other, waiting. And she didn't miss the fact that he was protecting her with his body. Though whether he did it out of habit or on purpose, she couldn't tell. Yes, she could take care of herself, but she found his actions sweet and unexpected.

Most of all, she found them strangely endearing.

Caillen glanced down at Desideria to make sure she wasn't panicking.

She definitely wasn't. Her lips were parted while she stared past him, toward the entrance. But that wasn't what held his interest. It was the deep cleft between her breasts. Her top was so tight, it pushed them up to the point it appeared that even the slightest breath would spill them out.

Sneeze, baby, sneeze.

Unfortunately, she didn't. Damn. He'd like to have some good come to him after the freight load of crap that'd assaulted him today. Even if it did mean the Andarions would find them and he'd have to battle his way out.

Some things were just worth it.

And he had a gut feeling seeing her naked was definitely one of those things.

Just a tiny taste...

Desideria went rigid as she realized Caillen had his head practically buried in her hair. "Are you sniffing me?"

His warm, low laugh sent chills over her. "I prefer to say I'm admiring your scent, but yeah, I guess you could say I'm sniffing you and you smell really good."

Normally that would creep her out. Instead, she was actually aroused by the gesture. Or maybe it would be more accurate to say she was aroused by his presence. Even dressed like some phantom creature, he was sexy. Only Caillen could pull off that look. And she had a strange curiosity about what his fangs would feel like grazing her skin.

As if he could hear her thoughts, he dipped his head closer to hers. But before he could make contact with her lips, a loud voice sounded outside.

Desideria listened intently. Nothing was remotely familiar to her. Not a single syllable. "What are they saying?" she whispered in Caillen's ear.

He placed a gentle finger against her lips as he listened. That sensation sent a chill over her and made her wonder what it would have been like to kiss him. *I shouldn't be attracted to him.*

Yet she was...

He didn't move until the voice had drifted out of her hearing range. When he spoke, he whispered low in her ear, raising even more chills along her body. "They're calling in search animals that will be able to sense past the mirrors. We'll have to get out of here."

"And go where?"

"Wherever there's something that can mask our scent." He moved away from her to retrieve his backpack. "We'll need a cover story should we cross paths with the natives. I'll be using the alias Dancer Hauk. Call me Hauk around other people."

She curled her lip at his choice of alias. What a stupid name. Surely that would get them caught faster than her appearance. "Dancer Hauk?"

He held his hands up in surrender. "Believe me, I know

the name's a freakfest. But he's actually a real person and he's Andarion. With any luck, they'll know his name and not his face. If we're really lucky, they'll have heard about his fearsome reputation—which will definitely buy us some prestige." He slung the pack over his shoulder. "If they know his face, well... we'll deal with it. Let's just hope we catch a break at some point today."

Her jaw went slack at the way he moved through the darkness. Light of foot, with the fluid moves of a trained dancer, he picked the light stick up and extinguished it before sliding it into his pocket. It was obvious this was his natural habitat—hiding from enemies...not cruising on board a ship full of aristocrats.

In a few heartbeats, he eliminated all traces of their presence, then sprayed something she assumed would mask their scent from the animals. He crooked his finger for her to follow him. At the opening, he removed his mirrors, returned them to the pack and led her back into the woods. He sprayed more of his bottle's contents, but she couldn't detect anything at all coming out of it.

"What is that?" she asked.

"Aquibrade."

He said that like she should know what he was talking about. It was gibberish to her. "And it does...?"

"It's erackle pheromones."

Her head was starting to ache from his unfamiliar vocabulary. "What's an erackle?"

"One of the ugliest-looking animals you'll ever meet. But they secrete a scent that if inhaled by another animal screws up their olfactory glands for days. One whiff and they won't be able to find us."

"Should we bathe in it?"

He gave her a charming grin. "We could, but if we happen upon an erackle, it would try to mate with us. Trust me, that would get ugly fast."

Yeah, but that might not be a concern for them. "Do they have those here?"

"No idea." He handed her the bottle. "If you're willing to risk it, I'm willing to film it and make a lot of money from it online."

She glared at him. "You're not funny."

"Not trying to be. Simply an opportunistic entrepreneur in the purest sense of the word."

She scoffed at his light tone as she made sure to keep her voice to a whisper like him. "How many sisters did you say you have?"

"Three. Why?"

"Tell me how it is they let you live this long?"

He pointed to the scar on his head. "I assure you, there was no lack of trying to kill me. I'm just really resilient."

She followed him over a fallen tree. "Apparently."

He slid something into his ear as he led her through the thick overgrown weeds, deeper into the forest.

She gestured toward his ear. "What is that?"

"An amp for sound, so please don't scream or shout. It'd take out my eardrum."

Which would be bad. Last thing she needed was for him to go down since she couldn't show her face on this planet without being imprisoned or eaten. That thought made her draw her cloak tighter as she rushed to keep up with his long strides. "Is that what you were trying to tell me with all the earlier hand gesturing?"

Holding back a low-hanging limb, he paused to let her pass in front of him. "You don't know League sign language?"

"Never heard of it."

He shook his head as he retook the lead. "It's a hand language soldiers and assassins use to communicate with each other when they're on missions."

That explained why she'd never seen it before, but not how he knew it. "Were you in the League?"

He laughed out loud, then instantly lowered his voice. "No. I learned it so that I could tell what they were saying while trying to capture me."

Now that was interesting. What kind of criminal was he? "What exactly did you do before your father found you?"

"I survived, Princess. Most days only by the skin of my eyeteeth."

She opened her mouth to ask him to elaborate, but before she could, he pointed up. She followed the line to see the hovercraft coming in.

Why wouldn't they give up?

But that wasn't what concerned her. The fact that a blast of orange shot through the clouds and into the ship did. She watched in horror as the ship disintegrated and then rained down burning debris all around them.

Oh dear Lord. The assassin had found their crash site and was coming in for a rematch.

Caillen took her arm and led her toward a small cut-out growth in a large tree. He pressed himself against her as the area around them was salted liberally with fire. "Looks like our friend decided to join the party."

Desideria grimaced as a part of the bark cut into her back. "How offended do you think he or she would be if we rescinded the invitation?"

"Well since their home-warming gift for us was an exploding Andarion hovercraft, I'd say they'd be real upset. They'd probably want to hurt us."

She rolled her eyes at his sarcasm. "Do you have any weapons in your pack?"

"Not a one."

She was stunned by that. He'd been so prepared for everything else. What kind of lunatic wouldn't have at least one weapon at hand?

He winked at her, then unzipped his jacket to show her an arsenal strapped to his body.

Now that amazed her, especially given the close proximity she'd had to his body over the last few hours. "How have I not felt those?"

"I'm used to wearing them. And it wouldn't do much good if a frotteur or pickpocket could feel them on me."

Yet another word she didn't know. "Frotteur?"

"Someone who takes sexual pleasure from rubbing their body up against another." He clicked his tongue at her. "Frottisse is the female version. Feel free to partake of it with me anytime you so choose. I promise you I won't mind in the least."

How could he even contemplate sex while they were being fired on? The man was completely insane. And still, she was impressed with him. "To have been raised on the streets, you have an amazing vocabulary."

"I have my sister Tessa to thank. Unlike me and my other two sisters, she liked to insult people so that they didn't realize she was being cruel. Hence Kasen's favorite phrase, 'I'm gonna break Tess on your ass and call you names you'll have to look up in order to be offended.'"

She laughed in spite of the danger. "Your sisters sound... interesting."

"That's a polite way of saying they're all effing nuts. But it's okay. Sanity waved good-bye to me a long time ago too."

The fighter flew back over them. The sound of the engine was so loud Caillen jerked the amp out of his ear. He sucked his breath in sharply.

So much for not being able to pick up ambient sounds.

Damn.

Desideria glared up at the fighter that opened fire on the ground again as if the pilot knew they were here. "You wouldn't happen to have anything to shoot that down, would you?"

"I could try your shoe theory, but I doubt it would do anything more than land on our heads and give us a concussion. And I think we've both had enough head injuries for one day. What I carry isn't quite that strong. However, I can poke out his eye should he come near us."

"What is it with you and this eye-poking business?"

"Another thing I picked up from my sisters. They never fought fair, especially not Tess." He held his hand up to midchest. "And she's only this tall. Vicious little thing. Reminds me of you."

"I think I'm insulted."

"Don't be. I admire strong women...most days." He cursed as the fighter went over and dropped a smoke bomb on the ground. "Hold your breath."

She did so without question while he pulled out two small masks from the pack and handed her one. Coughing, she covered her face. Still her eyes burned. "How do they know we're here?"

"I don't think they do. The pilot's flying too wide a radius. Bastard's just hoping to get lucky." He made an adjustment on the GPS on his wrist. "We need to get out of here before he locates us."

"How far do we have to go?"

Caillen coughed twice before he answered. "The nearest town's a haul. But there are outlying burbs and he won't be able to fly over them. Sooner or later another Andarion patrol is bound to get here and take him on." He held his arm out so that she could see the satellite photos on his chronometer of the nearest town.

Lightly settled, the houses were rather advanced for a colony. "Are you sure about where we are?"

"Yeah. I think the town we're looking at must be where the local governors and politicians live. Which is not a good thing if we get caught, but if we can get there and snag some sleep, everything should be all right come morning."

Now he decided to turn optimistic? That was almost more frightening to her than the assassin bombing the forest around them. She pointed up at the ship as it zoomed past again. "What about our friend?"

"Once we hit town, he'll have to land, and then he'll have the same problem with the authorities that we will."

"I hope you're right."

"Me too. And if I am wrong…It's all right. There's only one assassin I think I might not be able to defeat and Nyk's not here. The rest are just target practice."

She rolled her eyes again at the ego in those words. "You are so arrogant."

"Not really. I know I'm the best in a fight. It's a fact. Plain and simple."

Yeah, right. "I'm sure you've lost a few rounds."

"Only when I wasn't trying to win. I've never once lost a fight or a battle against an enemy when it counted. Ever." With those words spoken, he stepped back from their cover as if daring the fighter to shoot him.

She watched in stunned silence while he tested their safety. Once he was sure the fighter couldn't see him, he motioned for her to join him. She'd only taken four steps when she heard a new set of engines barreling down on them. Looking up, she realized more Andarion craft were moving in to pursue their "friend."

Never had she seen a more welcome sight. But that caused Caillen to pick up his pace.

"We need to put as much distance between them and us as we can while they're distracted."

She couldn't agree more.

The two of them ran for so long that she couldn't even begin to keep up with how much distance they'd gone. Her lungs ached and her legs were starting to protest. Still Caillen ran with an endurance that was as frustrating as it was impressive.

I can't believe I can't keep up.

But her pride wouldn't let her slow down. By the gods, she'd keep running until she died. And at the moment, it really, really felt like she would.

How could he keep running on his wounded leg? How? Her injuries were throbbing and aching to the point she feared she'd be sick from it. All she wanted was to lie down. Just for a minute.

Still he ran... *Gah, I could kill him.* It was tempting to shoot him just to make him stop.

Caillen ground his teeth as every step sent a fierce wave of pain through him. Damn his leg. He wanted to scream it hurt so badly, but he was used to pain. He'd been hurt worse. Although at the moment, he was hard pressed to remember a time in his life when he'd ached more. But he was sure that he had.

The only thing that kept him going was the knowledge that his father and Desideria would die if he failed them.

He glanced back over his shoulder to check on her.

She was keeping pace with him at a small distance, but her face was pale. Her features drawn tight. Shit. She looked like she was about to hurl. Slowing down, he allowed her to catch up to him. "You all right?"

Her eyes sparked with pride as she gasped for air. "Of course."

The indignation and challenge in those words made him smile. He fell back under cover so that the ships wouldn't see them should they happen by. "Let's take a second to catch our breath."

"If *you* need to..."

He grimaced as the male pride in him reared up and demanded he make her pay for that. Yeah...the little brother in him was desperate to run her until she puked from it. But he wouldn't be that cruel.

Not at the moment.

He pulled out a bottle of water and handed it to her. There was no missing the gratitude in her eyes or the relief that danced across her features. For the merest instance, she looked at him like he was a hero and something about that made his cock and stomach jerk. Never had a woman, other than his sisters, made him feel that way.

"Thank you," she said, taking it from him. Her hands shook as she tried to open it.

"Here." He held his hand out for her to return it to him.

She hesitated before she complied. He could tell it wasn't often she allowed anyone to help her.

He popped the top and this time when she took it her hand brushed against his in the tenderest of caresses. For the merest slip of a heartbeat, he wanted to take her hand into his and kiss those soft knuckles, and tell her it was all going to be okay.

I am insane. He was in excruciating pain. They were in the middle of a chase and all he could focus on was how adorable she looked with her skin glistening from sweat. How cute the dirty streaks and windblown hair were on her.

Yeah, he must have hit his head harder than he thought. Women had never caused him anything except trouble.

Pushing those thoughts aside, he pulled out the bottle he'd opened earlier and finished it off.

Desideria sipped her water slowly while Caillen guzzled his so fast she was amazed it didn't make him ill. He pulled a cloth out of his pack and wiped the sweat from his brow. She didn't know why, but she had a sudden urge to want to do it for him.

"How much further do you think?" she asked, trying to distract herself.

"Couple of miles."

She had to force herself not to whine in protest. *You can make it.* At least that's what she hoped.

"You think the Andarions caught our assassin?"

Caillen shrugged. "I hope so, but my luck says the bastard will be back to hound us when we least expect it."

She took another drink of water. "Is your luck really that bad?"

He gave a sarcastic laugh. "My luck is the stuff of legends. The badness of it is such that if you were to do an analysis of its regularity, they'd say that it is impossible to have it. And yet, it craps on my head every chance it gets. Statistical anomaly and all."

She shook her head as he started forward again at a much slower pace. He continued to lead her through a rough patch of the woods. They didn't speak much for the next few hours as they made their way to the upscale neighborhood he'd charted.

By the time they neared the houses, it was almost dark. She was aching all the more, exhausted and hungry. Given the injuries on his leg, Caillen had to be hurting even worse, but he said nothing about it.

He stopped just outside the yard of a house whose back end was hidden from the road and from its neighbors by a giant hedge. Completely dark inside, it looked to be unoccupied. But of course, there was only one way to know for sure.

One of them would have to break in and see.

Caillen winked at her. "Chin up, Princess. We're almost able to lie down. I'm going in first. If I make it in and don't get caught, I'll motion you over."

She nodded even though she didn't like the idea of breaking into anything. Any other time, she'd decline. But this was a special circumstance and sometimes you had to do things you didn't want to to protect the ones you loved. Her mother better appreciate this.

Caillen paused by the hedge and had a moment of doubt as he saw the exhaustion in Desideria's eyes. For the last hour, he'd expected her to keel over and leave him to carry her. It was a testament to her strength that she not only kept going, but that she kept up with him and didn't bitch while she did it. If ever there was a woman he could see at his back, she was it. But he knew better than to make that mistake. On her world, men were property and no one would *ever* own him.

He handed her another bottle of water and squeezed her hand

175

comfortingly before he skimmed his way around the hedge in the yard to come out near the house's outbuilding. About four hundred square feet, it looked like a typical storage unit. While the house appeared unoccupied, he wasn't willing to chance it. Even vacant, it could have all manner of security and right now he was too tired to screw with trying to disarm any system. He just wanted to lie down for a few and relax.

Hoping the outer building didn't have a camera pointed at it or was wired, he left the cover of the hedge to reach the rear door. He jimmied the electronic lock, then slid inside.

Luckily it was empty except for a few tools and a pile of grass seed bags. Unfortunately, it was so bare that it offered them no cover whatsoever should anyone come in. Damn. Glancing around, he finally saw a small loft area over his head that would give them a tiny bit of cover.

Grateful for small favors, he went to the door and motioned Desideria forward.

She'd just left the cover of the trees when a light danced across the yard.

Caillen cursed.

Desideria hit the deck and flattened herself against the ground. For several seconds neither of them moved as they waited for discovery.

But the light didn't return.

He listened with his amp and heard nothing. Assuming it was safe, he waved her toward him again.

She sprang to her feet and ran so fast that he barely saw her before she launched herself at him. The impact of her body sent them both tumbling into the building. It gave him a new appreciation for what it would take to defeat her in battle. She might be short, but she was strong and sturdy.

He lay on his back, staring up at her. "You know this would be infinitely better if we were both naked."

She screwed her nose up at him. "You're a pig."

"Not really, Princess. Just a man. If you'd ever been around a real one and not the whelps who dote on your women, you'd understand that better. See what you've missed by drowning in the estrogen pool?"

She scoffed at him. "I happen to like the way the water there feels."

He arched a taunting brow. "Is that why you have yet to climb off me?"

Desideria was horrified as she realized she hadn't moved. Every bit of her body was lying against his hard, muscled one. And honestly, it felt good. *Real* good. Her face heating, she practically jumped away.

"Ah now that's just rude," he groused. "You know I did take a bath and everything. Several hours ago, but still." He flipped to his feet, then grimaced as if he'd struck his leg the wrong way before he limped over to secure the door.

Even though she felt bad for his new ache, she didn't respond as she looked around the stark interior of their new shelter. "How safe do you think this is?"

"Not very since the owners could walk in on us at any second." He pointed up to the loft. "That shouldn't be too bad though. It ought to keep us hidden until morning."

"Do you really think the house is occupied?"

He gestured to a stack of boxes in the corner of the shed.

"Yeah, it looks like someone's been using it. Not to mention there's no rodents or spiderwebs. Someone's been keeping it clean."

Figured.

He indicated the loft with a jerk of his chin. "I'll help you up."

Part of her was thrilled by his offer, but her pride wouldn't let him think her weak. If he could move and act like he wasn't in pain, so could she. "Thanks, but I don't need help."

Caillen watched her jump up, grab the rope and lift herself to the small opening, then climb through so that he couldn't see her. Not one to be shown up for anything, he shot his grappling hook into the top crossbeam and let it jerk him from the ground to the loft, where he swung in next to her.

She tsked at him. "Show-off."

He laughed as he recoiled his hook. "When you got it, baby. Flaunt it."

Desideria pressed her lips together to keep from smiling at him. The last thing he needed was encouragement. But she had to admit he was adorable when he was being aggravating.

I must be high on pain. Only that would explain the bizarreness of her last thought.

Shrugging the backpack from his shoulder, he set it down and pulled out a small metal envelope of dehydrated food. "It's not the best tasting, but it'll keep us going."

"I'm too hungry to even taste it."

"Good. That'll help." He handed her a small foil pack of wine. "Save this to the end and then use it to kill the taste of the other."

She arched a brow at his serious tone. "Done this a lot, have you?"

When he didn't respond, she realized he had a habit of that

whenever she brought up his past. Something about it really bothered him. He'd talk about his sisters, but not anything else.

What was back there that he was hiding?

She'd ask, but she knew it wouldn't do her any good. So she tore into the foil and took a hesitant bite. Before she could stop herself, she shuddered.

"Yeah," he breathed. "Soldiers affectionately call this S.S."

"S.S.?"

"Shit shingles. And for more entertainment, they then try to say it three times fast."

She laughed. "I would accuse you of lying, but I doubt that you are."

"I'm not creative enough to make that up." He took a bite and swallowed without the grimace she couldn't help making at the mere thought of tasting it again.

All of a sudden, his comlink buzzed.

They exchanged a happy, stunned stare.

Caillen quickly jerked it out of his pack, put it in his ear and answered it. "Dagan here."

"Thank the gods, boy. Where have you been?"

Caillen smiled as he heard Darling's sharp castigation. "I'd say you wouldn't believe me, but yeah, you would. We're on an Andarion outpost."

"We?"

"Me and the Qillaq princess. We were attacked and—"

"Don't say anything more. We've only got a few words before this is traced. Her people think you kidnapped her. Right now all authorities are being told to shoot to kill if they see you."

Caillen clenched his teeth as his fury settled deep in his stomach. Oh yeah, her mother was a major bitch. "Guard my father and her mother. The assassins after us are after them. Her mother's Guard are traitors."

"You sure?"

"Absolutely."

Darling cursed. "No one will believe that."

"I know. Guard her until we have proof."

"Will do. Smooth journeys, brother." Darling hung up on him.

He'd be offended by the abruptness except he knew it was to protect them.

Desideria held an expectant glint in her dark eyes. "What did he say?"

"Your mother has put a call out for my head. Shoot to kill. Apparently I've kidnapped you."

She scowled. "Why would they—"

"Her traitors can kill us both now and say that I killed you and that they killed me while I was being apprehended. It's the perfect way to silence us both at once and leave them free to murder your mom."

Desideria let out a sound of deep frustration as he stowed his comlink. "What are you doing? Why did you turn your link off?"

"If it's on and they find my UIN, they can track me. I don't want any surprises, so until I need it, it's off."

That made sense and she was grateful he knew about such things. Funny, she'd always counted herself as being extremely educated, but as her father had pointed out, there were a lot of things her people didn't know. Luckily Caillen's experience made up for her lack of knowledge. "Thank you, by the way."

"For what?"

"Telling whoever you were talking to to protect my mother.

You have every reason to hate her and want her dead. But what you did was decent and I appreciate it."

He scoffed at her praise. "Oh don't worry, Princess. My reasons are purely selfish. I want her to live. I don't want anything to happen to her—not even a hangnail—until I have the chance to choke the life out of her personally."

"You know I can't let you do that."

He raked a measuring gaze down her body. "Then you better start practicing 'cause, honey, you ain't big enough to stop me."

That went down her spine like a razor and made her hackles rise. "I assure you, I'm more than capable of handling *you*."

Still his eerie eyes mocked her. "Whatever lie feeds your ego, babe."

She curled her lip at his derisive tone. At the moment she wanted to slap that arrogant look off his face. Gah, if he was one tenth the soldier his ego thought he was, they wouldn't have been caught in this situation. After all, he'd have been killed by her mother's Guard had *she* not shoved him into the pod.

Come to think of it, he had yet to thank her for *that*.

Yeah...and that made her even angrier at him.

"You are so insufferable."

"At least I wasn't spawned by the she-bitch."

She clenched her fist to keep from punching him in their tight quarters. Oh, how she wished she could get away from him or give him the beating he deserved. But that might get them taken and knocking that smug look off his face wasn't worth her life or her freedom—though it was hard to keep that in mind while he ate his crappy food in a way that really annoyed her. *I hope you choke on it, you arrogant prick.* Why had she thought for even a nanosecond that he was decent or handsome or anything other than a repugnant oaf?

Unable to stand it, she lay down and turned her back to him so that she wouldn't have to look at him for even a trifle of a moment longer.

Caillen was strangely amused by her angry response to his insulting her mother. Surely she had to know the woman was a bitch. How could she not want to choke her herself?

She's her mother. No matter what, people tended to be forgiving of those who birthed them. He probably would have been that way too had he ever had one.

And as he chewed, he tried his best to remember his adoptive mother's face. But all he could remember was Shahara looking so tired as she took care of him, Kasen, Tess and their mother. Of his sister holding him in her arms and weeping the night her mother died. He'd been too young to really understand it. Their dad had gone out on a drinking spree that had lasted for days. Meanwhile Shahara, just a child herself, had been left to make all the arrangements for burying her mother.

If he lived to be a thousand years old, he'd never forget the sight of her young face and the sad bravery in her eyes as she picked out the clothes their mother would be buried in. *"I wish we had something nice for her. She deserves something pretty. Just once."*

Life had been so brutal to all of them. But for Shahara, it'd been far more cruel.

Because I failed to protect her. The pain of that one night when he'd let her go to the market alone still haunted him. Yeah, he'd only been a kid and had worked all day at the hangar repairing heavy equipment—all he'd wanted was to sit for a single minute without someone yelling at him that he was stupid and slow.

Had he just found the strength to walk down the street with her...

I'm such an asshole. And he would never forgive himself for what had been done to the one person in his life he'd always been able to depend on. The only person who'd ever told him that he was worth something.

He'd failed her so badly.

His gaze went to Desideria's stiff back. Another woman whose safety was dependent on him. The Andarions wouldn't be a bit kinder to her than Shahara's attacker had been. Desideria had no idea just how brutal life could be. She thought she knew, but she'd never seen someone strong broken by brutality. That look of haunted misery and shame that never went away. The fear that lingered forever afterward. Shahara had never fully recovered from her attack. At least not until Syn. He didn't know what his brother-in-law had done, but somehow Syn had finally taken away the ghost in his sister's eyes.

It was why he'd die for the man even though he still didn't like the idea of Syn being married to his sister. Mostly because he lived in fear of Syn hurting her either accidentally or intentionally. He never again wanted to see Shahara look the way she had those first two years after her rape. Defeated and afraid of everyone and everything, she'd leaned on him so heavily at a time when he'd been nothing more than a gangly kid who needed someone to take care of him. It'd been at a time when Kase had been her sickest and Tess, rather than help, had drawn tight into herself and acted as if she'd been the one who'd been brutalized.

No, Caillen, I can't do anything on my own. Someone might grab me. Help me, Cai! I don't want to get hurt.

Tess had always been an attention whore and she'd refused to do anything for herself. Those years had been so fucking hard on him. The three of them had relied on him so much, he still wasn't sure how he'd managed to hold it together for them.

Yet here he was . . .

Still screwing up.

And before he realized what he was doing, he reached out to touch a lock of Desideria's hair that was spilled on the boards between them. The dark silken strands teased at his flesh. It was ever his curse to be attracted to women. He loved the way they smelled and the sensation of being held by someone. His mother had been too sick to hold him when he was young and Shahara had ceased to touch him after her attack. The worst part of that had been the way she'd looked at him for the next few years—as if she was afraid he'd attack her too. That had killed him most of all.

As for Tess and Kase, they'd never been affectionate that way. So he'd been forced to find affection with strangers who really couldn't care less about him. People were cruel by nature and he'd seen the ugliest side of them more times than he'd wanted to.

He had no doubt whatsoever that Desideria would hand him over to save her own ass. All lives had a price tag and his was pretty low most days.

Still there was a part of him that he didn't want to acknowledge that wanted what Shahara and Syn shared. That one person who would stand at his back and protect it no matter what. It was a part of him he hated and yet it was still there, needing. Aching. Wanting.

Why are you whining? You're scarred. So what? Everyone's a veteran of a fucked-up universe.

He was no different from anyone else. And as he lay there, twirling her hair around his finger while she held herself rigid, he wondered what scars she carried. Who had screwed her over and hurt her?

After all, her mother was a grand bitch who appeared to be lacking any kind of human decency. The fact that Desideria was serving in her Guard where others looked down their noses at her said that her mother treated her like crap. What kind of parent would needlessly put their child in harm's way like that?

Honestly, her loyalty to the viper was admirable. And before he realized what he was doing a single word slipped out of his lips. "Sorry." Wow, there was something he never did. To him an apology meant weakness, and he was anything but weak.

He wouldn't have thought it possible, but somehow she managed to stiffen even more. "No, you're not. You meant every word."

"Yeah, but I'm sorry I offended you."

"Why?" Her tone was brittle.

He answered her question with the simple truth. "Have no idea."

"I'm still not speaking to you."

He smiled at the ridiculousness of that comment. Whatever. He could probably charm her into forgiving him, but he wasn't really in the mood. He ached too much to try.

This day had sucked in so many ways he couldn't even begin to catalog all of them. Right now he was too tired to care about anything other than catching some sleep.

Rubbing his eyes, he stretched out on the cold floor and tried not to think about her. Unfortunately, the sweet scent of her skin hung in his nostrils and made him so hard he couldn't concentrate on anything except how close she lay beside him and how easy it would be to slide his hand down her warm cleavage and touch skin he knew would be incredibly soft and tasty. If she rode him with even half the passion she put into everything else, she'd be one incredible lover.

I'm in hell.

Not really true. He'd been in real hell and this wasn't it. But this was close.

Think about tomorrow. They had a lot to do to get off this rock and back to the *Arimanda*. At least he knew Darling would take care of his father even if he had to out his Sentella identity to do it. So long as his friend was on board, no one would be able to get near Evzen.

And as he ran over all the technical difficulties of what they'd have to do in the morning, he fell asleep.

Desideria came awake to a light gentle snore in her ear and a warm, heavy weight completely surrounding her. It was like being wrapped in a hard, heavy blanket. At first she had no idea what it was until the scent of Caillen hit her forcefully and she realized her pillow was his left biceps. For the merest instant, she allowed herself to enjoy the novelty of waking up in someone's arms. He smelled so good and the sensation of his body surrounding hers...

Until she felt something strange pressing against her hip. Was that...?

Oh my gods...

Horrified by the intimacy of what it was, she jumped away

from him with a mortified squeak. He woke up ready to fight. Out of nowhere a knife appeared in his hand as he looked about for an enemy.

His gaze focused on her before he gave her a fierce scowl.

A shiver went down her spine at his new, sinister appearance. True to his words, his hair fell just past his shoulders. Jet black, it made his Andarion eyes all the eerier. He looked nothing like the rogue she'd come to know...

Until he grinned.

Yeah, she'd know that cocky twist of the lips anywhere. "You are a total freak of nature. You know that?"

His laugh was as dark as his aura. "Yes, but you're going to be grateful I look like this when we run into the natives."

She wasn't so sure about that.

Yawning, he stretched, then scratched at the whiskers on his chin in that familiar gesture she was coming to know a little too well.

She jerked her chin toward his hand. "You always come awake with a knife?"

"No. Usually it's my blaster and normally I'm shooting. Be glad I'm still tired."

She scoffed at his bravado. "You expect me to believe that?"

"Believe it or not, it's the truth." He slid the knife back into a sheath that was hidden in his sleeve.

If he had any memory of cuddling her while they slept, he showed no sign of it as he stretched his body and went through a series of graceful movements that showed her just how flexible he was for a man.

Once he was done, he pulled his backpack up. "You hungry?"

"Not for another round of ick. Sorry."

"I understand." He took a small band from the pack and pulled his hair back from his face to secure it into a becoming ponytail. "Now that I look semi passable, let's get off this rock and find something decent to eat."

Her stomach grumbled a reminder that she hadn't really eaten the day before. "Don't they have edible food here?"

"Probably, but the first rule of survival. Don't stop to eat or get laid. I've known more people to get killed because they let their stomach or hormones dictate evac. I don't know about you, but I don't want to be a cautionary tale for anybody."

He had a point.

Caillen handed her the cloak. "Remember to stay covered no matter what."

Desideria pulled her hair back and coiled it into a bun before she raised the cowl. "How's this?"

"Perfect." He slung his pack over his shoulder, then led her down to the ground level.

They crept out of the shed and back toward the woods where they had cover from any stray glance. Moving quickly and gracefully, Caillen skimmed the yards, heading toward a more densely populated area.

Desideria was surprised at the difference between this town and her native Qilla. The houses here were narrow and long, their roof lines cut at sharp angles. Qillaqs used mostly untinted glass and windows with a lot of circular designs. The Andarion homes had small windows that were kept covered up.

"Do they have an aversion to daylight?" she asked, wondering about the custom.

"Their eyes are more sensitive to it than ours."

Even their transports were radically different. Her people traveled in groups, but the Andarion vehicles seemed designed for speed and few occupants. Yet what struck her most was the lack of toys and children on the street.

"Where are all the kids?"

Caillen stepped over a fallen limb. "Probably in training."

"You mean school?"

"No, training. School is attended at night and usually online. They spend the daylight hours in physical and martial training. I cannot emphasize the point that they make your people look like wimps enough. While you're a warrior culture, you're female dominated. Andarions are male dominated and vicious to an unfathomable level."

"They subjugate their women?"

"No. The only thing more dangerous than an Andarion male is an Andarion female. Their women, as a rule, aren't very feminine in anything they do. There are exceptions to this, but very rare ones. All of them are tough sons of bitches."

She didn't know what he meant until they left their cover and started walking down the street, toward an intersection.

Caillen cleared his throat before he spoke. "Don't meet anyone's gaze. Keep your head down at all times."

He, however, didn't follow that advice. In fact, he stared down every person they passed as if daring them to speak. It was like every passerby was sizing him up for an opponent and he was begging them to try something.

At the biggest intersection they found, Caillen paused next to a red-marked pole and hailed an autotran for them. He allowed her to enter the small egg-shaped vehicle first, then he got in and closed the door. She started to lower her cowl, but the fierce look he gave her made her pause. He cut a sharp glare to the corner. She followed his line of sight to see a camera there.

So she pretended she was only adjusting it while he swiped his card and entered their destination on the electronic keypad. When he didn't explain the language or his actions, she took that to mean that they also had a mic in the car that was monitoring them.

True to her suspicion, a deep voice spoke to them in what must be the Andarion language. Caillen responded, his tone calm and even. They talked back and forth for several seconds until Caillen, his tone never showing any stress, jerked his blaster out and shot the camera in the car and the one on the street.

He moved so fast and unexpectedly that she gaped. "What's going on?"

"We've been made."

14

Caillen growled in the back of his throat. "I seriously under-estimated their tech. Bastards have a face and retinal scanner that notified them that I wasn't who I claimed."

Terror filled her. "What do we do?"

He answered by kicking the electronics panel in front of them so hard that it broke open and exposed the wires. Desideria was dying to know what he was doing, but didn't want to distract him while they were in a crisis situation. The most important thing was for them to get out of here as quickly as possible.

Caillen cursed in a language she couldn't identify as if every-thing was hopeless.

She started to open the door to run for it, but he caught her arm and held her inside.

"On foot, we're dead. If you want to escape, stay with me."

But did she trust him enough for that? He hated her mother and he didn't seem to think all that much of her.

What if he was lying?

For all she knew, he might be. All of this fiasco and drama could be caused by his fear of them killing *him*. Maybe the

Andarions wouldn't do anything more than set her free and let her go home. They might honor her diplomatic immunity.

But what if he wasn't lying? What if they did imprison her like her mother had done her father? Then she'd be trapped here forever. Or eaten alive.

That would be bad and her mother would be dead.

At the end of the day, she didn't know Caillen at all. Didn't know his moral code or really much of anything about him other than he'd been raised as a commoner who had some impressive thief-like skills...

And he was a wanted felon to the Andarion government.

None of that gave her a reason to trust him even the slightest bit.

But if she had to choose between devils, she'd rather choose the one known than the one not. She was too ignorant of other races and cultures to even begin to argue against Caillen about the Andarions and their customs. They could have fat flying spiders who lived on cake trained to capture her for all she knew.

Hoping she wasn't being stupid or fooled, she grabbed his blaster and readied herself for the fight.

Sirens blared and drew nearer as he rifled through the wires and tore out connections only to make new ones. He glanced at the blaster in her hand. "FYI, don't shoot the Andarions with that. It'll only piss them off."

Great. What were they supposed to do if they couldn't fire on them? "Then what..."

The transport shot forward at three times its normal cruising speed. The unexpected lurch sent her flying back into the seat and caused her to drop her weapon as Caillen took control of their vehicle and sent it careening through traffic at a pace that was horrifying and disorienting.

That being said, he was good at controlling it as he narrowly missed hitting bystanders, obstacles and other vehicles. He might lack all manners and social graces, but when it came to communicating with electronics, she doubted if anyone could be better.

Two Enforcer transports stopped in front of them, cutting off their escape route.

Without slowing down the least bit, Caillen skidded their transport sideways and somehow managed to wedge it through the Enforcers who opened fire on them. He righted their transport and kept moving forward. The back window shattered under the heavy shots, spraying glass fragments all over them.

He started to push her toward the floor out of harm's way, but she stopped him.

"I know how to fight."

She saw the respect in his dark eyes before he nodded. He went back to driving while she shot out the remaining pieces of the back window, then laid down cover fire for them. The transport skidded as he narrowly avoided slamming into a large fuel hauler, then straightened and lurched forward again.

"Air support's coming in," he warned as he did something with the wires that made the transport speed up even more. Now they were flying.

Desideria crawled out of the back window before she fired up at the hovercraft that was tailing them. Her shots glanced off the craft and did nothing more than burn their paint. It didn't even cause them to swerve to miss her blasts. Cursing her weapon, she slid back into the transport. "You got anything with more kick?"

He pulled a smaller blaster out of his boot and handed it to her.

Was he serious? It looked like a child's weapon.

He grinned at her. "It has a plasma recoil. Be careful."

Yeah, it'd hurt her to fire it, but with the right hit, it should bring the craft down. She leaned out the side window only to have Caillen jerk her back in before she could shoot. She started to yell at him for his actions, until she realized that he'd kept her from being flattened by a cargo transport that roared past them.

Had he delayed even a nanosecond, she'd have been cut in half. The thought made her stomach shrink.

"Thanks."

He inclined his head as the air support opened fire on them again. She ducked down as blasts narrowly missed her and cut through their transport. Now her anger was forefront and the taste of bloodlust was heavy in her mouth. Determined to pay them back for the assault, she leaned out the window and braced herself. Then she opened fire. The shots sizzled up, shattering the hovercraft's glass and taking out their upper rotor blade. But instead of falling back, they fell toward them, heading at them so fast all she could see was her death.

"Heads up!" she shouted as she returned to the transport's seat and ducked for cover.

But it was too late. The hovercraft hit the ground right beside them, slinging sideways and catching the transport with its tail section. It sent them careening down the street before they rolled over and over again. Her stomach pitched as dizziness consumed her. Pain slammed into every part of her while she tumbled around the transport, banging into Caillen and everything else in the vehicle.

I'm going to die. She knew it. There was no way they could survive a wreck so vicious. She waited for the darkness to take her, but to her amazement she remained conscious.

When they finally stopped rolling and skidded to an abrupt halt, she was completely disoriented. Her stomach was contracting with such ferocity that she waited for the indignity of spilling its contents. Somehow she managed to keep it in as Caillen tried to open the door that had been crushed by their wreck. The transport was so damaged that there was no escape that she could see. It had them cocooned in a twisted metal pod.

"Get down."

She didn't question his order. The moment she ducked, Caillen pulled out a tachyon charge. He set it on the door, then covered her body with his as it blasted a hole in the side of the transport.

He got out first, then pulled her with him.

As she ran away from the transport, she noticed that she was covered in blood. It was on her clothes, her skin and in her hair. Her heart stopped as panic consumed her. Where was she injured? Every part of her body ached so there was no telling.

It took her a full minute to realize she wasn't the one hurt.

Caillen was.

Still he didn't slow down. He led her into an abandoned warehouse and slammed the door shut behind them and locked it, then fried the lock so that no one could enter easily. His hands shaking, he shrugged the pack off and gave it to her. "Keep running. Darling knows where we are. He'll send help as soon as he can. Just stay hidden until they find you."

She frowned at his calm tone and the fatal determination she'd heard in his voice. "What about you?"

He grimaced. "I'm not going to make it." He opened his

jacket to show her that the hovercraft's shots hadn't missed him. His entire left side was riddled with blast wounds.

For the first time, she saw fear in his eyes that overrode his pain. His cheeks were smeared with dirt and blood that was streaked by sweat. There was a tic in his jaw and blood ran from the corner of his mouth.

He pulled out his reserve blaster and held it tight in a bloodied grip. "I'll cover you while you run."

She watched the blood flowing from his hand to make small splatters against the dirty concrete floor. "Caillen—"

"Don't argue. You're wasting valuable time you need to get clear of this place."

Even though she hated it, she nodded. He was right, she had to get out of here. Her mother's life depended on it. Kissing him on his bruised cheek, she turned and ran to find a back way out.

Caillen listened to the sound of her retreating footsteps as he limped away from the door and made sure to cover his bloody tracks to find some place where he could hole up and take out a few of their pursuers before they killed him. For some reason he couldn't name, it saddened him that she'd left him to die.

She's a stranger, what do you care?

Yet he couldn't shake the image of his father dying alone in the filthy gutter like he was nothing but trash.

Like he was about to do.

So be it. Unlike his father, he wasn't lying down to be executed. He would die fighting with everything he had, taking as many of the Andarions with him as he could.

Your father died protecting you...

The guilt and pain of that ripped through him as it always

did when he thought about it. Which was something he tried to avoid. He knew the truth. His father was a fighter and he'd only surrendered to their pursuers to give Caillen enough time to escape and live.

Again like he was doing for Desideria.

I'm such an effing idiot.

He didn't know her and yet here he was laying down his life to keep her safe. Not wanting to think about that either, he turned his attention to the street, where he saw through a dirty window that the Enforcers were gathering their numbers before they came in to search for him.

"Come on, you bastards. Don't be bashful." He crouched low and braced his arm so that he could fire on them the moment they entered.

A hand touched his shoulder.

He whirled, expecting it to be one of the Enforcers.

It wasn't. Instead, he saw a beautiful angel who had blood and dirt smeared across her dark skin. Her hair was a tangled mess and there was a determination in her eyes that said she wasn't about to be argued with.

"I can't leave you here, Caillen. We got into this together. Together we'll get out of it or die."

He was stunned by Desideria's heartfelt words. "What about your mom?"

"Your friend knows about her and I'd be dead if not for you. Now move it before *I* shoot you."

He scoffed at her order. "You're an idiot."

"Apparently so." She pulled his arm around her shoulders and helped him move through the dark, vacant building. "Any bright ideas for an escape?"

"Not really. Every time I try to think of something, the pain asserts itself to the forefront of my attention. Kind of blows everything else out of the way."

She growled low in her throat. "Oh this is irritating. I hate it when someone gets the better of me. I can't stand to lose."

Desideria paused as she saw an opened trapdoor in the floor. It offered very little chance of nondiscovery, but it was the only one they had. "I have an idea."

Caillen hesitated as he saw it too. "It'll never work."

"Do I crap all over your plans even when they're stupid? No. Now unless you have a better idea, get in there."

He mumbled something under his breath that sounded like death to bossy women as he snapped a small light stick and tossed it into the small room so that they could see. Ignoring him, she helped him down, then went to make sure there was no blood trail leading to their hiding place.

The Enforcers were just outside, working on breaking into the rusted-out door he'd locked. Their electronic torch made a loud hiss as they shouted to each other. Any second they'd be inside and shooting...

Please let this work.

Following Caillen into the hole, Desideria closed the trap-door barely one heartbeat before the Enforcers stormed inside to search for them. The empty room was bathed in a dull blue light from his stick—a much more somber and dim light than the one he'd used in the cave. He must have chosen it for that reason.

She went to Caillen who'd passed out on the dirty floor that was encrusted with spiderwebs and rodent droppings. Probably for the best—not the nasty spiderwebs and other things, but being unconscious given their situation. If they were taken, he'd have no idea.

Unfortunately, she wasn't so lucky.

She heard the Andarions above opening up their equipment and talking to each other in angry tones as they tried to locate them. Damn it, why didn't she have a translator? It was so frustrating to not be able to understand a single word they spoke.

Biting her lip, she glanced at Caillen's backpack and remembered his mirror devices from the cave. Would that work to jam their scanners?

Better than nothing. She searched out the devices until she had them in her hand. Her heart pounding, she carried them to the small trapdoor and placed one piece on each side of it before she turned them on.

Please let that be the right way to position and operate them. If not…

She didn't want to think about that as she went back to try and stop Caillen's bleeding. In his pack, he had bandages and all kinds of things she couldn't even guess the function of—gadgets, medicines, weapons. They were all marked, but she couldn't read even one character of the highly stylized writing.

Why didn't I learn Universal?

Because her mother had thought it a waste of time. Yet another reason she shouldn't have listened to the woman.

She clenched one of the bottles in her hand and hesitated as she debated whether or not to give a dose to Caillen. Better not guess on what it was or the dose since that might very well kill him.

Fine. She'd stop the bleeding with pressure.

The voices above her head grew louder and angrier. Had they found the door? Were they summoning troops to enter?

She held her breath in nervous fear, waiting for discovery.

Her gaze went to Caillen. His handsome face was so pale and his skin was covered in sweat. *Don't bleed out.* If he died, she had no idea how she'd get out of here.

But it wasn't just that. She owed him and if not for her, he wouldn't be here wounded right now. This was all her fault. He could have been like other nobles and ignored her attack. Or he could have called security.

Instead, he'd risked his life and saved hers without a second thought. Something very few would do. A foreign tenderness filled her until a sound jerked her attention back to their pursuers.

Someone knocked on the trapdoor.

They're coming in.

She grabbed the blaster, ready to fight it out. They weren't going to take Caillen. Not if she could help it.

Above her head, it sounded like two people were arguing. After a few minutes, the voices drifted away out of her hearing range.

Were they gone?

Or was it the same trick they'd used at the cave with the probers?

She looked back at Caillen who would have probably known the answer.

Either way, she needed to tend him before he lost any more blood. Setting the blaster aside, she peeled his coat back, then raised his shirt. Her lip curled involuntarily at the sight of his mutilated chest. She'd never seen anything more gruesome and it amazed her that he was still alive.

How could anyone survive something so brutal? It said a lot about his will to live and his ability to handle pain. What had he been through that he was able to remain so calm in a fight? The skills he had weren't innate. They were the kind that had to be honed by years of experience and she should know since she'd studied her whole life and hers were nowhere near as sharp.

As gently as she could, she took a bandage from his worn-out pack and pressed it against the worst-looking wound that was in the middle of the ornate tattoo he had running the length of his left side. It appeared to be a foreign bird whose face was painted on his shoulder.

Caillen's eyes flew open as he let out a fierce breath. He grabbed her wrist so hard that she was sure it'd leave a bruise. But as soon as his gaze focused on her, his hold turned gentle.

He dropped his hand away from hers. *Are they still here?* he mouthed the words to her.

She nodded.

He pointed to his pack.

She handed it over to him and watched as he removed several items. The first thing he did was pull out a rubber stick that he put between his teeth. She scowled, wondering what it was for. Was it some kind of painkiller?

He grabbed a large foil pack and opened it, then spread the granules over his wounds. He bit the stick so hard, she heard it snap. By the rigidity of his body, she could tell it had to burn and ache. Still, he made no sound at all.

She took the foil pack from him and started applying it to all of his wounds. His muscles contracted every time she touched him. Poor guy.

But he was one hell of a soldier. He took it like a man.

Once she was finished, she handed him a bottle of water before she started bandaging his side. While she worked, he pulled an injector out and took a dose of pain meds.

Caillen sipped the water slowly as he did his best to not scream out from the sheer agony that pulsed through him with every heartbeat. He didn't need to make himself sick, but he had to stay hydrated. Gah, it hurt.

Closing his eyes, he focused on the softness of Desideria's hands as she bandaged him and let that soothe him as much as it could. He still couldn't believe that she'd come back for him. Most people lacked that honor and decency.

Hell, most of the "friends" he'd had in his life would have tied him up while he was wounded and stolen his wallet before they left him for the Enforcers to find.

But she'd come back . . .

Like an angel.

She took the water from him long enough to wet a cloth that she then used to clean his face. Her hand was so cool and soft against his skin that before he realized what he was doing, he captured it and kissed her knuckles.

Desideria froze at the sensation of his lips on her flesh. No one had ever been so tender with her. The feathery touch made her stomach contract sharply. Her gaze locked with his and for a moment she forgot everything except for the beauty of his real eyes, the sensation of her hand in his. Without thinking, she touched his soft lips with her fingertip. They were the only part of him that wasn't rock hard. And before she realized what she was doing, she dipped her head down to taste them.

Caillen sucked his breath in sharply at the unexpected kiss. Damn, if he didn't hurt so badly, he'd take advantage of this fire.

But right now, he could barely breathe. Still the heat of that kiss seared him. What she lacked in experience, she more than made up for in enthusiasm and it sent a wave of pleasure through him that eased the pain.

At least for a few heartbeats.

Desideria pulled back as she came to her senses and realized what she was doing.

I'm kissing a man. And she wasn't allowed to do that. Not yet...

Her mother would kill her if she learned of this. Worse, she'd have to wait an additional year before she could take a consort. Qillaq beliefs were that if a woman couldn't control her lust, then she wasn't mature enough to handle a lover. What she'd just done would shame her mother and herself.

Heat flooded her face. "Sorry."

His cocky grin was adorable for once. "Don't be," he whispered. "It's the best thing that's happened to me all month. Feel free to fall against my lips anytime you get the urge."

She shook her head at him. "You're awful."

Caillen cupped her cheek in his hand. "Rotten to my core."

He was also charming in a most devastating way. "Just how many women have you seduced anyway?"

He shrugged, then grimaced sharply. "I don't count because it doesn't matter."

Now that offended her. What a callous pig! "How can you say it doesn't matter?"

"Because it was never the right one."

Those words gave her pause. Could he be less piggish than she thought? Was it possible there really was a gentleman hiding under those layers of heartless rogue? "What do you mean?"

"Mmm," he breathed. "Pain meds are kicking in with a vengeance. Yeah, I almost feel semi human again."

She turned his head until he was looking at her. "You didn't answer my question."

"Simple." His words were slurred now. "If there's a selfish bitch to be had, I gravitate straight for her. Women only want to use me, own me or kill me. Not once has a woman ever wanted to keep me." Then he closed his eyes and passed out again.

Those words and the heartfelt emotion she'd heard behind them touched something deep inside her. It made her wonder what the women in his life had done to him to make him feel that way. Of course, her experience with women was similar. The women around her had been petty, judgmental, cutting and jealous. They thought by tearing others down that it elevated them. They were wrong, but it didn't stop them from it.

She had no real experience with men. Except her dad and she'd loved him like no one else. He'd been the only person in her life who'd ever accepted her as she was. He'd never judged her or even criticized her.

Caillen was nothing like her father, but in some ways he did remind her of her dad. The way he was dependable and caring— willing to sacrifice himself for others.

She frowned at the bloody rag lying beside him. "You are such a mess."

What if he died?

Desideria refused to think about that and the foreign ache it caused. She couldn't afford to. As she began putting things back into the pack, she found a small laptop.

What the...? Why hadn't he used it? Or at least mentioned that he had one?

She opened it to turn it on, then thought better of it. If the Andarions were electronically sweeping the area they'd hone in on the signal. That was probably why Caillen hadn't used it before now. He was too much of a survivalist to allow something like this to go unused unless there was a good reason for it.

You're completely cut off.

She'd never been alone before. Even though she was twenty-six years old, her family had viewed her as a child up until a couple of weeks ago. She'd been surrounded by guards and servants. Her sisters and aunt. It was a lost feeling to not be able to reach out and summon them now. Or anyone else who could lend her a hand. Her mother had never experienced this isolated sensation either.

But her father had. Stranded on a foreign planet with foreign beings who'd seen him as a weaker entity who only deserved their disdain and abuse.

Caillen had assured her that she'd receive the same treatment from the Andarions if they discovered them. They'd be pawns with no way to escape and no hope. She glanced around the bare gray walls as panic set in. How had her father stood being a prisoner for all those years?

It was terrifying. For the first time, she fully understood everything he'd given up.

Suddenly, Caillen's link rang.

Krik! That could get her discovered. Her heart hammering, she picked it up, then froze. Caillen had turned it off. She'd seen him. How could it be ringing?

Was it a trick?

What if it wasn't? It could be help.

Maybe.

Hoping for the best, she answered it before it rang again.

"Who is this?" It was a gruff, accented male voice.

"Desideria," she whispered. "Who are you?"

He hung up.

She quickly did the same as her gut knotted and this time she made sure it was turned completely off.

And then she heard it ... the sound of the Andarions returning to the warehouse in force and they were a lot more animated this time.

I've just given our position away.

They were going to come for them and it was all her fault. Damn it! Why had she answered the link?

15

Desideria held her breath as the voices came closer and closer. There were animals with them and it sounded like a lot of them. She could hear them whining and barking as the Andarions searched through the building.

As fast as was possible, she grabbed the spray that Caillen had used earlier out of the bag, and turned it loose on the door and on them. *Please don't have an erackle in that hunting herd.*

According to Caillen, that would be bad. And since he had yet to be wrong about anything to do with their pursuit...

Yeah, a horny erackle would most likely ruin her day.

What she hated most about all of this was her feelings of vulnerability. She'd always prided herself on being self-sufficient— on being able to handle anything thrown at her. And she was.

But this...

This was way out of her realm of experience and expertise. She was in an alien culture with an unconscious stranger. Here, she didn't know the rules or the climate. She didn't even know what foods were safe to eat or how to find them. It now struck her as peculiar that her aunt had taught her to fight to survive, but never how to scrounge and use resources. Not the way Caillen did.

She glanced to him. For some reason she couldn't explain, his presence soothed her. Yeah, it made no sense whatsoever. He was completely out of commission. Would be worthless in a fight or even if they had to run and yet...she could hear his sarcastic voice in her head, giving her tips on what they needed to escape and survive.

What is wrong with me?

Desideria had been taught to trust no one. Not even family. And right now, when she needed to listen to that training, she didn't hear her aunt's careful instruction.

She heard Caillen's.

Without thinking, she took his hand into hers. Even though it was filthy and calloused, it was beautiful—just like the rest of him. He had long, tapered fingers with nails that were clipped but not manicured the way other noblemen's were. Caillen's were rugged work hands. Masculine hands.

And they, too, comforted her...

Something struck the trapdoor. Hard. She bit her lip to keep from making a sound as she tightened her grip on Caillen's hand and her blaster, waiting for them to break through.

They hit it again.

An animal barked, then ran off making unfamiliar noises that sounded like a whine. There was a huge ruckus before the Andarions followed the creature. After a few minutes, everything was quiet again.

Still, she held her breath and kept her grip tight, waiting for them to return and discover their lair.

Hours and hours went by slowly as her heart beat a fearful

rhythm. Finally she allowed herself to relax and accept the fact that they were safe.

Even if it was only for a moment.

Sighing, she leaned her head back against the wall and laid the blaster down. The muscles in her arm were tight and strained from having held its weight for so long. She laced her fingers with Caillen's and sat in silence as she let the roughness of his skin soothe her even more. It felt so good to know that she wasn't completely alone in this. Even though he was unconscious.

Thank the gods the Andarions were gone. This one moment of peace was worth a fortune to her.

Please don't let it end.

She'd had enough excitement for one day, or actually fifty thousand. Really, she didn't need any more. Relieved to the point she could almost cry, her gaze fell to Caillen who hadn't moved in so long she became worried about it. When he'd slept earlier, he'd had a faint snore.

Now nothing...

Had he died? Was he breathing? Sudden panic swelled inside her as her mind conjured all manner of bad scenarios.

Please don't be dead. Don't have bled out. Not while she'd been worried about them when she should have been tending him...

She inched forward to place her hand under his nose so that his breath could tickle her skin.

Thank the gods, he was still alive. That was almost as big a relief as the Andarions leaving the building. And as he lay there sleeping, she couldn't help but notice how handsome he really was in the faint blue light. How boyish and relaxed.

How completely out of commission he was and how dependent they were on her for their survival...

Yeah, that was a scary prospect.

Caillen, you're so screwed. She'd never taken care of anyone before. Not even a pet. Honestly, she was afraid she might kill the poor man out of ignorance. She knew some field medicine, but not much and all of it was in theory. She'd never had to actually use it. It just hadn't been taught as part of their lessons.

Come on, Desideria, you can do this. Her people prided themselves on their survival abilities. But then survival to them was synonymous with fighting—being able to protect yourself.

Her gaze went to the ragged backpack...

A pack that carried everything a person would ever need to live through just about anything. Curious about its contents, she pulled it to her and opened the worn leather. She paused as she caught an unexpected whiff of Caillen's scent. Warm and all masculine, it made her heartbeat speed up. She didn't know why she adored the smell of his skin, but she did. In truth, she'd love nothing better than to bury her face in his neck and just inhale him.

Pushing that disturbing thought aside, she started sorting through the contents of his pack to take inventory in case she needed something before he woke back up. He really did have the most bizarre combination in it. Socks, sunglasses, medicines, dehydrated food and water.

Prophylactics...

She didn't even want to think about that one. Well, not entirely true. For some reason, she did have a strange curiosity about what he'd look like naked. What it would feel like to hold him in her arms and have him kiss her like a hungry lover. To have his hair fall forward in his face as he lay on top of her, look-ing down with that devilish grin of his...

He probably was great in bed.

Oh, what is wrong with me?

Then again, Narcissa would say there was something wrong with her if she didn't want to have sex with him. That made her feel a *little* better.

Still...

She was in the middle of a chase. Her enemies could find her any second and if that wasn't enough reason to keep her thoughts off his body, there was the small matter of him being a prowl-ing rogue who carried prophylactics in his bag, scamming for an easy lay. Definitely not her type of male at all. Not even a little bit. She wanted someone who could be loyal and sweet. Someone dependable to be there when she needed him who could support but never overshadow her.

Someone like her father.

That thought solidified her conviction as she continued to make her way through the pack's contents which included an obscene amount of small condiment packages.

What in the world? Did one human really need this much sauce or crackers? Really?

All of a sudden, she paused. In the bottom of the pack she found the most amazing thing of all. Something she would have never suspected a man like Caillen to carry.

A small vidframe.

How very strange.

Sitting back on her heels, she turned it on and waited for the photos to load. In the darkness, she flipped through the images that spoke volumes about the man next to her. There was one of a beautiful redheaded woman and a tall dark-haired man standing beside her. They looked so happy and sweet. The love they had for each other as they embraced was more than evident and it was breathtaking.

Both of them were dressed in white for some kind of ceremony she didn't recognize. The man's shoulder-length hair framed his handsome, clean-shaven face. His skin was a much darker tone than Caillen's, more like hers, and his eyes were so black she couldn't tell where the iris ended and his pupil began. He had two small gold hoops in his left earlobe. The woman's dress was strapless and as stunning as she was. It fell in light layers around her skinny body and she had white flowers braided into her long hair.

Desideria pressed the play button.

They immediately kissed.

"Hey, guys, stop. Stop! You're making me sick. Seriously, I'm about to splash shoes here and since Shay splurged to buy hers, I don't want to get hurt." She recognized Caillen's voice, castigating them. Judging from the loudness of the tone, she assumed he was the one holding the camera. "Syn, that's my sister you're tonguing and I'm going to beat your ass again if you don't get away from her. I mean it. I don't care that you're married now. She's still my sister and you're a dead man."

Syn scoffed, his dark eyes sending a challenge. "You didn't beat it the last time, giakon. As I recall, I sent *you* packing."

The camera bounced to show the rapidly shifting ground as Caillen headed for him.

The woman came between them and pushed Caillen back. The camera went swinging around her body until she righted it and forced Caillen to move another step away from Syn. "You touch my husband again, Cai, and I'll paint your rear stabilizer red. Now behave and show Syn that I raised you right." Laughing, she took the camera from Caillen and turned it on him.

Desideria's breath caught as she saw not a rigid aristocrat, but a man so unbelievably handsome that it was hard to even look at him. Dressed in a black formal suit and freshly shaved, Caillen was absolutely stunning even though he was fuming angry. Only he could pull off that amount of hotness and rage at the same time.

"Annoying, isn't it, little brother?" Shahara asked as she moved so close to him that Desideria could almost see up his nostrils.

Recovering his usual good nature, he flashed that charming grin and stepped away from her. "You'll be glad you have these pictures one day."

"Doubt it. I see you act a fool enough. Why would I want to capture it for all eternity?"

Two more women came up and wrapped their arms around Caillen before he could respond.

"Here, Shahara, let me have it." She heard Syn off camera. "Get over there with your brother and sisters and let's get all the Dagans together. It'll be the only still you have of Kasen in a dress."

"Hey!" the heavier of the two sisters snarled. "I'll remember that, Syn. What are you saying about me?"

"He's saying you don't dress like a woman." Caillen scoffed at her. "And you don't. Worst day of my life was when I caught up to you size wise. You've been stealing my clothes ever since and stretching out all my shirts."

She punched him hard on the biceps. "You better remember

I don't hit like a woman either and I know where you sleep. Shay and Tess will weep in agony when they find your bloody remains after I exact my revenge."

"Oh yeah right. Like you'd kill me before I pay off my ship. I know better. You live in fear of that kind of debt and without me you'd get arrested anyway."

"Enough bitching." Shahara held her hand up in an imperious gesture that miraculously kept them from arguing further. Then she moved to the other side and slid in between Caillen and Kasen.

Desideria paused the clip to study Caillen and his three sisters. They looked nothing alike. But there was no missing the love between them. Caillen had his arms wrapped around Shahara and Kasen, and the third, Tessa, held on to Shahara like a lifeline.

All of them smiling. It was such a sweet, tender moment that she felt like she was intruding just to see it. And it made her ache that she'd never once had a moment like that in her own life. Never once had her sisters held her like Caillen held his. They didn't share laughter or gentle teasing. Only caustic, vicious retorts.

She and her sisters would have fought to the death over the words Kasen had said to Caillen or vice versa.

Her heart aching with the cold truth of how little her family cared about each other, she traced the lines of Caillen's smiling face on the screen and wondered if he'd be like her father... when she'd been a child and on nights when her mother hadn't required his presence, he would sneak out of his chambers to visit her in the wee hours after everyone was asleep. They'd gone on midnight rides, and walks, and had held many a campout under the stars.

Out of sheer jealousy Narcissa would report it anytime she discovered them and her father would be punished severely for it. But it never stopped him from coming. No matter how savage the beating.

"You're worth it, my little rose. No one will ever take you from me and nothing will stop me from seeing you. Not even your mother." She could still feel the warmth of his hug. There were times even now when she was sure he was with her. Times when she liked to pretend that she could feel his gentle presence.

But that wasn't Qillaq.

She glanced over to Caillen and her heart lurched as she saw how badly damaged he was from trying to protect her. Deep inside, she was sure he'd be like that with his own daughter.

That thought brought a foreign tenderness to her. And a part of her, to this day, was still angry at the gods who'd taken her father's life. It was so unfair for him to die and leave her alone, to abandon her to a world where no one would ever again think she was good enough for anything. No matter how hard she tried, she couldn't blot out the memory of her mother and aunt's constant criticisms. If only she could have had a few more years of her father telling her that she wasn't stupid, fat, ugly and worthless...

But there was nothing she could do.

He was gone and she was alone.

Her gaze went back to Caillen, making her wonder what it would be like to laugh with him the way his sisters did. Closing her eyes, she imagined a wedding for them similar to Syn and Shahara's.

A Qillaq marriage ceremony was nothing like theirs. There was no peaceful taking of the hands and telling witnesses how much they meant to each other. On her world, the woman claimed the man by battle. If he defeated her, they were equal. If not, she ruled him and he was forced to obey her orders. In theory, the man had an advantage, but Desideria had a bad suspicion that the men were drugged. No one had ever told her that. Yet she remembered her father once talking about how sick he'd been when he'd fought her mother. It was cruel and unfair.

I would never do that to someone.

If she couldn't defeat the man honestly, she didn't want to rule him.

And that's why you're such a disappointment to your mother.

That thought brought back all her self-doubts and the angry voices in her head that she tried so hard to squelch.

Needing a reprieve from it, she flipped through more pictures of Caillen's family. She only saw a handful of other people. His sisters were in there repeatedly in all manner of candid shots. Along with Syn, two Andarions—one of whom was blond and never smiled—Darling Cruel, and the next to the last was a beautiful lady holding an infant in her arms. The woman looked so much like Caillen that Desideria realized this must be his real mother. Odd that he didn't have a single picture of his adoptive parents or Emperor Evzen.

Just his mother holding him as a baby.

Very strange.

The final photo was one of a beautiful woman who didn't appear related to anyone else. Though she was smiling, her eyes were cold. Calculating. Something about her sent a shiver over her.

Desideria put the frame aside and continued to take inventory of what they had. She found a small shaving kit, toothbrush and other personal hygiene items, but nothing that said anything more about him.

She wondered why.

Obviously, there'd be no answer while he was unconscious. Only more questions.

Her stomach growled as she put the small frame away. She ignored it. Besides the crackers, the pack contained two more packages of food and she didn't want to eat it while Caillen was down. He'd need it to keep his strength up.

Leaning her head back against the wall, she closed her eyes and said a small prayer that her mother would be safe and that they'd both make it off this planet alive.

Yeah well, if she can't defend herself, she deserves to die.

It was a bloody harsh thought for her mother. One that would probably make her mother proud.

But it shamed her and she didn't know why. Needing comfort, she again took Caillen's hand in hers. It was a minor point of contact and yet it did wonders for her spirit. And as she sat there, she remembered those nights where she'd dreamed of being hugged and held by a man.

Over the years, she'd forced those memories down and banned them. Now they were back and a part of her that scared her craved that kind of warm intimacy.

With Caillen. She wanted him to look at her the way Syn had looked at Shahara. Like he lived and breathed for her. Like she was his entire universe.

What are you saying? She was tired. Yeah, that was it.

Get me out of here soon. If they didn't...

Maybe being eaten by the Andarions wouldn't be so bad after all.

*　　*　　*

Caillen woke up slowly to find himself still in the hole they'd crawled into to hide. He was sore and aching, but not as much as he'd been when he passed out. His body was now down to a dull, constant pain not the violent throbbing he'd had earlier.

It was dark with only the faintest bit of light coming off the blue stick. For the merest instant, he thought he was alone until he heard the sound of a light snore.

That sound quickened his pulse as he saw Desideria lying behind him asleep. She was curled against his spine like a kitten with one hand tangled in his hair. The gesture warmed him and made his body roar to life as he imagined her naked and kissing him. Oh yeah, he'd love nothing better than to bury his nose in the hollow of her throat and breathe her in until he was drunk on her scent while he slid himself deep inside her.

He couldn't remember the last time he'd wanted a woman this badly. It took everything he had not to bend over and kiss her, but that would startle her and he would never, ever touch a woman without her explicit invitation. Her body was her own and he had no right to encroach on it in any way.

Damn it...

He shifted ever so slightly to alleviate some of the pain of his raging hard-on that now overrode the rest of his body.

Desideria shot to her feet and jerked around as if expecting to be attacked from all directions. Had she not been so terrified, he'd have laughed at her panic.

But he wouldn't be so cruel.

"Sorry." The word came out as a hoarse croak from his parched throat. "Didn't mean to startle you."

She jerked toward him and the relief and tenderness for him on her face stole his breath. No woman not related to him had ever given him a look like that. "You're awake." That one word carried a bucketful of joy. She acted as if she'd expected him to wake up dead.

Which begged one really important question. "How long have I been out?"

She rubbed the sleep from her eyes as she calmed down. "Two days."

Her words stunned him. Was that possible? "Two days?" he repeated in disbelief.

"Yeah. I was beginning to fear you'd never wake up."

He was stuck in a state of complete denial. She had to be wrong about that. She had to be. There was no way he could have stayed unconscious for that long and left her to fend for herself. It amazed him that she was still alive.

More to the point that she was still here.

"How?"

She scowled at him. "How have you been unconscious?"

"No. How did you survive?"

That brought the color into her cheeks as she stiffened, ready to battle. Indignation lit a titanic fire in the dark depth of her eyes. "I'm not helpless."

"I wasn't implying that you were by any stretch of the imagination, but I know our supplies were almost nonexistent. How did you find more food?"

That seemed to defuse her anger a bit. "I rationed the food between us and you no longer have any crackers or sauce packets in your backpack—they're actually not so bad when you combine them. You didn't really eat, but I gave you most of the water to keep you from dehydrating."

He was floored by her actions. "Why would you do that?"

"Like I told you, we're in this together."

"That's not very Qillaq of you. I thought you guys were all about screw everyone's survival but your own."

Desideria looked away from his piercing gaze as the truth of that seared her. It *was* their code. It'd been preached to her since the hour of her birth.

But it hadn't been her father's. He'd taught her better and she'd much rather subscribe to his loyalty than her mother's treachery.

"I owe you."

Caillen saw a ghost in her gaze. A haunted memory caused by something he'd said, but he had no idea what it was or what had triggered it.

In truth, he was completely stunned by her words and actions. They were so uncharacteristic for her race...

Let it go. It was obvious it bothered her and she didn't want to talk about it. So he switched the topic to something safe. "Have the Andarions been back?"

"A couple of times. I put your mirror devices on the trapdoor and I sprayed your pheromones around. I think they know we're here, but that seems to be keeping them confused as to our exact location."

Caillen grimaced as he moved and pain lacerated his chest and arm. Glancing over to the mirrors, he saw that she'd positioned them correctly, which was impressive. They weren't always the easiest thing to work with.

"Good, the mirrors should hide the opening even from their eyes and block all their scanning equipment—even the most advanced ones."

"Really?"

He nodded. "One of Darling's better toys." Bracing for more pain, he lifted himself up on his uninjured arm.

Suddenly Desideria was there, helping him. An unfamiliar tenderness pierced him through his chest. A foreign sensation he wasn't used to. He leaned against the wall as she reached for the water beside him. The bottle was only half full.

She held it out toward him like a peace offering. "This is the last of it, so you might want to sip slowly."

Caillen hesitated. Yes, he was thirsty, but he wasn't about to slight her. Not after what she'd done for him. "When was the last time you had some?"

"A few hours ago."

Yeah, right. He saw the way she glanced down and left when she spoke—a sure sign that she was lying. "Why don't I believe you?"

"'Cause it was yesterday?" The expression on her face was adorable. Her smile was impish and her hair tousled. It was all he could do not to kiss her.

But that would probably get him bitch-slapped.

He handed the bottle to her. "Drink."

She shook her head. "You need it more."

"Yeah, no. I'm not being altruistic here. If you collapse, I can't exactly carry you right now. I need you mobile so that you can carry me when I fall over."

Shaking her head and laughing, she took it from him and drank very slowly as if she was still rationing it.

While she did that, Caillen pulled his pack to him to dig through it. She watched as he pulled out three tablets and held them in his palm.

She swallowed, then lowered the bottle. "What are you doing?"

"One's for the pain and the other two are a healing accelerant I wish I'd taken before I passed out."

She capped the bottle. "I wish you'd shown me a translator so that I could understand labels and people speaking." She gestured with the bottle toward his pack. "A lot of the stuff in there I had to guess at."

He froze as fear went through him. If she...oh crap. "Did you turn my computer on?"

"No. I didn't want them to peg our location."

Good girl. That alone was probably why they were both still breathing. "Yeah, I'm pretty sure they would have too." He let out a deep sigh of resignation before he stood up.

She scowled up at him. "What are you doing?"

Caillen took a minute to catch his breath and to ignore the sharp, shooting pain that begged him to lie down.

But he couldn't do that. He had duties to attend and a small shot of adrenaline would allow him to get it done. *Gah, I hate those shots.*

You gotta do what you gotta do. That had been the whole history of his life.

He offered her a kind smile. "You haven't eaten in days and we're out of food. I'm going to get supplies."

She gaped. "You can't do that. They'll catch you."

That was a quick reminder that she didn't know him all that well. The only way to catch him was when he allowed it. "No, they won't. Trust me, baby. There are three things in this life that I excel at. One, I can pilot anything that can be flown— with or without wings. Two, I'm the best lover you'll ever have, and three, scavenging for supplies even when you think they don't exist. Spent my entire childhood scrambling to help feed my sisters and talking pitiless doctors into helping my sister with her medical problems. When it comes to finesse, no one's better."

She snorted at his braggadocio. "I seem to remember that finesse when we were being chased by the Enforcers. Real smooth there, Sparky. Definitely admirable."

Okay, she had a point, but he wasn't willing to cede it. "We were trapped and I wasn't expecting them. Things are different now."

"Yeah, you can barely stand."

"Not the first time that's happened and at least this time I'm sober."

She gave him a droll stare. "Not amused."

"Wait a few minutes and it'll sink in, then you'll laugh."

"You're not as charming as you think you are."

"Of course I am. If I wasn't, my sisters would have killed me long ago. Now, you wait here and—"

"I'm not about to stay here." There was a hint of fear underlying her determined tone.

But his leaving wasn't what she should be afraid of. The bogeyman was alive and well, and most likely waiting for them just on the other side of that small trapdoor. "You have to. You can't pass for an Andarion and you don't speak their language. I now know what to watch for and how to deal with them." He paused and narrowed his gaze at her. "Don't worry. You didn't abandon me and I won't abandon you."

Still there was reservation in her expression. "You can barely stand. Are you sure you'll be all right?"

He winked at her. "I'm a Dagan, baby. We're street survivors."

"I thought you were a de Orczy."

223

He screwed his face up at her reminder. "Don't be saying that evil shit to me, hon. You'll jinx me."

At least that succeeded in lightening her doom and gloom.

Resisting another urge to kiss her, Caillen grabbed the injector and a small bottle of adrenaline out of his pack. No need to take that around her. Some things he didn't like sharing. He started to leave.

"Wait."

He turned back to her. "Yeah?"

"I took your contacts and teeth out while you slept. I was afraid they might hurt you."

And that was a really good thought. Though it was also creepy to think about someone handling him like that while he was unconscious. "Where'd you put them?"

She pointed to the outside pocket of his backpack.

Caillen dug them out and put them back on. "Thanks."

She inclined her head to him. "Good luck."

"Don't need it."

He hoped. But no need in stressing her out any more.

Desideria watched as Caillen climbed up and out of their hiding spot. His movements were slow and methodical, and lacked his usual grace but really, if one didn't know how fluidly he normally moved, they'd never be able to tell he was injured. But she knew he was still in pain. She started to tell him he was a lunatic for doing this, but she didn't want to make any sound in case some of the Andarions were around.

"Good luck," she whispered, hoping she'd see him again. Because in the back of her mind was an image of him being hurt and her being killed. God, she really hoped that wasn't a premonition.

Caillen took a moment to wince as he stood up in the warehouse and got his bearings. There was a slight chill in the air that cut through his coat and sent a shiver down his spine. Man, he was in pain. The last thing he wanted was to hunt down supplies, especially given how bad his head throbbed.

You've had worse wounds.

True. Very true. And at least it was night and this outpost only had one moon. Instead of bitching, he needed to be grateful it wasn't worse.

Adjusting his backpack, he started forward, making sure to keep to the shadows.

As he walked along the quiet street, he reprogrammed his debit card for Fain Hauk, Dancer's older brother. The good thing about the last name Hauk, it was so common for Andarions as to be ridiculous and Fain, unlike Dancer, was also a common name for them. While Fain, as a criminal, *was* notorious, the name itself was generic enough to not raise many, if any, questions over it.

And if they did confuse him with Dancer's brother, their fear of Fain's ruthless reputation would be such that none should question or bother him.

He slid the card into his back pocket. If he dared to turn on his computer, he could reprogram his facial recog too, to match the name, but that would be begging for trouble. He'd have to wing it and hope they didn't bother to check his facial recog. If they did...

Please let me have that one more small favor.

With any luck at all, the darkness would continue to cover him enough that he wouldn't have to make a mad dash in his busted body or use the adrenaline shot. But as he crept forward, he saw a shadow mimic his movements.

Yeah, it was definitely following him.

16

Desideria started to follow after Caillen even though he'd told her to stay put. She didn't like being left behind. What if he didn't come back?

Or if the Andarions found her while he was gone?

You turn yourself in and hope they don't eat you. Yeah, getting eaten would definitely stink. And it was strange that while he was unconscious that fear hadn't been as potent as it was now. Now it was palatable.

What is wrong with me?

She could fight the Andarions on her own. It would be easier now since she wouldn't have to cover someone who was unconscious. She tightened her grip on her blaster as she plotted various escape and fighting scenarios in her head. Luck always favored the prepared. One thing her people knew how to do was plan for battle.

Caillen had left her with two weapons, but he'd taken his backpack. She hated that. Over the last few days, she'd come to rely on it as much as he did. There was something weirdly comforting about its contents. No wonder he'd risked his life to go back for it.

I've gone insane.

Who would consider a backpack worth their life?

Besides Caillen.

And with every second that passed, she sensed more of her sanity slipping away. In fact, time stretched out to the point she had to get up and pace around the cramped, empty space. Odd how it hadn't bothered her to be here when Caillen had been unconscious. Even passed out, he had such a commanding presence that it'd soothed her and kept her patient.

Yeah, okay, I am losing it for real this time.

'Cause all she could focus on was how much she'd enjoyed using his body as a pillow at night and dragging her finger down the line of his whiskered jaw right before she went to sleep. He'd probably kill her if he realized she'd done that. But he'd been irresistible and it'd led her to thoughts that she shouldn't have about any male. Especially since she couldn't mate for at least a year.

That was if her mother didn't fully degrade her back to child status once she was home.

Don't think about it.

She continued to pace the small area as she waited. It seemed like years had come and gone before she heard a sound above.

Her heart stopped. Pulling out the blaster, she braced herself for a fight and aimed it to shoot whoever was about to pounce on her. The rusted lock turned with excruciating slowness as someone fumbled with it.

Finally, the door creaked open to show her Caillen. Unconcerned about the heart palpitations he'd given her, he lowered himself into their space. He ignored the fact she had a blaster aimed at his head, as if it were a normal occurrence for him, then shut the door tight.

Handing her a small bag as she holstered her weapon, he grinned. "You a cannibal?"

She scowled at his peculiar question. "Beg pardon?"

"Do. You. Eat. Humans?" he repeated, carefully enunciating each word.

"Not. That. I. Know. Of." She mimicked his staccato rhythm and dry tone.

"Didn't think so." He dropped his backpack in the corner, then took out a new light stick that he snapped and shook. He dropped it on the floor before he faced her. "Any idea how hard it is to score nonhuman meat in this place? Really, the League would have a shit fit to see the menu items on this rock."

She would have been amused, but for his new appearance. There was a cut above his eye and his clothes were even more rumpled than they'd been before he left.

Had he been in a fight? Surely not and yet...

"Are you bleeding?"

He scratched at his chin in the most adorable sheepish action she'd ever seen. "Flesh wound." Oh yeah, that tone was completely defensive.

"What happened?"

He let out a tired sigh. "Would you believe some psycho dumb ass tried to mug me? Me? At first, I thought it was the authorities with a lucky strike. Nah. Moron. He's having a worse day than we are."

"How so?"

"I switched IDs with him."

She was both horrified and amused by what he'd done. If they found the ID, they'd know they were here. "Are you out of your mind?"

"Yes. But it gets the Enforcers off our backs for a bit and hopefully our frenemy assassin won't have a brain either. They'll be chasing the mugger every time he tries to use it which will hopefully be a lot—and if he's good at eluding them, he could buy us a lot of time. And best of all, I picked his pocket and got a pretty good wad of cash from him. The idiot didn't even know what I did. What kind of thief can't feel his own wallet being lifted, I ask you? You know, it's time to just surrender the occupation when you suck that much." Laughing, he pulled a hot sandwich out of the bag and held it out toward her.

She could kiss him for his kindness. The delicious smell made her stomach cramp so hard that for a moment she thought she'd be sick. Forcing it down, she took the sandwich from him with a calmness she didn't feel and unwrapped it even though part of her wanted to start eating it, wrap and all.

"If I start biting on my fingers, don't stop me."

He gave her a knowing grin as he ate his own.

She bit into the sandwich and savored the sweet meat taste. Oh yeah, this was good and she was unbelievably grateful to him for bringing it back. "Thank you."

"No problem." He swallowed his bite before he spoke again. "By the way, just so you know, I'd normally be charging a fee for this service."

"What service?"

"Feeding you."

She didn't know why, but that offended her. "Excuse me?"

His dark eyes glowed with wicked warmth as he raked his gaze slowly over her body as if savoring every inch. For some reason she couldn't name, it made her stomach flutter. "Oh yeah, baby. A meal for a beautiful woman...at least a kiss for it. It's

229

mandatory. But since I know how hungry you are, I'm letting it slide. Next time . . . it *will* cost you."

Her anger vanished under the weight of his gentle teasing.

"I don't know. If I were you, I'd hold out for something better."

His eyes widened. "Really?"

"Mmm . . . yeah, hell to freeze over."

He laughed good-naturedly before he returned to eating his sandwich. "There's more food in the bag and drinks. Just so you know. I got plenty to feed even my sister Kasen, and believe me, she eats like an overweight torna."

Now that *was* impressive. It was said a torna ate three times its two-hundred-pound body weight a day.

Desideria fell silent as she tried to eat in spite of her cramping stomach. She was starving, but at this point her body was so used to being hungry that it wanted to reject her offering. Never had she been more miserable.

It was several minutes before her body calmed down enough that she could focus on anything else. She glanced over at Caillen. He sat in the corner, on the cold ground without so much as a thought about it. The laces on his left boot were untied. He was such a beguiling combination of rogue and gentleman.

His sister had definitely raised him right.

And that thought led her to the memory of the woman in the vidframe she couldn't identify. She didn't even know why, but there was a bitter pain in her every time she thought about why he kept that woman's photo with the rest of his family and friends.

Before her brain could interfere with her mouth, she found the last question she wanted to ask falling out and breaking the silence. "Who's the woman in the last still when you turn on your frame?"

He froze midchew before he leveled a murderous glare at her. That menacing look actually sent a shiver over her body and she saw the killer that resided inside him. For one nanosecond, she half expected him to leap at her throat. "You went through my stuff?"

"It was a long two days."

That only seemed to anger him more. "You went through my stuff?"

She sighed irritably. "Are you going to keep repeating that question?"

His glare intensified and the venom in his voice was chilling. "I *hate* for anyone to search my things without my permission. It gets so far under my skin that it might as well be a DNA marker."

"Sorry," she said honestly. "I didn't realize it was such an issue for you."

He scoffed before he took a drink. "You grow up in a six-hundred-square-foot box and have three older nosy-ass sisters in your business all the time, claiming it's for your own good, then you'll see what a big deal privacy is. I cannot stress enough how much I hate the thought of my belongings being touched without my consent. By anyone but me."

Obviously they'd searched his things a lot and left him very bitter from it. "I said I'm sorry and I really am—I promise I won't do it again now that I know how much it bothers you. Now who is she? I figured out your sisters and your mother. But she doesn't seem to fit." The unknown woman was much taller than his sisters and even more beautiful than Shahara. He'd only had one photo of her standing near a rundown cargo ship Desideria had assumed was his. In spite of her cold eyes, the woman had looked angelic and so sweet that it'd sent a wave of unfounded jealousy through her.

Caillen didn't respond for a few minutes as he glared at the floor as if it, too, had offended him somehow. It was obvious he still had very strong and very ill feelings toward the woman—at least she hoped it was toward the woman and not her for her snooping. "Her name's Teratin."

He used the present tense which meant the woman was still alive—another thing that really annoyed her when it shouldn't. *You can't kill her, Desi.*

The peculiar thing was that she did want to hunt her down and at least punch her.

But she had no intention of letting Caillen know that. "That's a pretty name."

"Yeah well, lots of poisonous things have pretty names." There was no missing the venom that shot daggers toward her as he met her gaze. He hated that woman with a passion that was staggering.

That degree of animosity surprised her and in a part of her that would make her mother proud she was glad he hated her. "If you don't like her why do you keep a picture of her in your frame?"

The heat in his gaze was scorching. "To remind me not to trust anyone. Ever. That no matter what comes out of someone's mouth—no matter how much they say they'll never betray you— one tiny, insignificant thing can turn them against you forever."

Her heart clenched at the pain she heard beneath his angry tirade. Given the decent, honorable man he'd shown himself to be, she couldn't imagine someone hurting him.

Had he done something to deserve it?

"What'd she do to you?"

Caillen glanced away as old memories surged. Teratin had

seemed like such a decent person when he'd met her. Unassuming, even sweet. Bashful just enough to be endearing, but not off-putting. Little had he known at the time that all of that was well-practiced affectation. Hell, she'd even been easy to talk to most days.

A snake hidden underneath a pretty cover. Damn him for being stupid enough to be deceived.

He felt the tic in his jaw as he took a drink of water and tried to squelch the need he still had to hunt the bitch down and kill her. "We were together casually for about three years."

She arched her right eyebrow northward in an expression that would have amused him if they weren't discussing the Great Evil. "Define casually."

Yeah, that was the crux of it. One word, many definitions. Too bad his perception of their relationship had been completely different than her psycho ass.

"We had sex a couple of times, dinner a few more and hung out from time to time whenever she was in town. I never sought her out. Not once. But she'd come see me for no particular reason. Said she just liked hanging out with me, and I felt sorry for her that she didn't have anyone else to be with—in retrospect I should have realized anyone who travels from one planet to another just to spend an afternoon with you is krikkin insane. But I like to give lunatics the benefit of the doubt and if I have one flaw in life it's that I too often take people at face value even when I should know better. I swear, one day I'm going to learn to be jaded with the loons and underdogs too." Something easier said than done. He knew to be jaded around takers and grifters. But he was a sucker for anyone with a sad story. Loners who had no one. People who weren't liked by others. Any underdog could take him.

Most were decent. But a handful...

They were nuts to a level that defied human understanding.

He tightened his grip on the bottle as he took another drink and rode hard herd on his temper. Gods help Teratin if he ever came across her again. Most likely, he'd kill her.

And he'd relish her death rattle.

Probably celebrate it too and that was what scared him the most.

"Let me reiterate, it was nothing serious. Or so *I* thought. One day I get this hostile voice mail from her because I forgot her birthday. Hell, I hadn't thought anything about it—you know, three years and I'd never wished her a happy birthday before. Didn't know three was the magic number and if I failed to acknowledge it on that particular year, Crazy Bitch would rain down hell's wrath on my head. At that time I was being slammed with a massive shitfest every which way I moved. My sister Tessa was being chased by loaners who'd already landed her in the hospital for her debt, Kasen was in the hospital with another round of stop-the-blood-disease-from-killing-her and Shahara was after a target and missing in action—I was terrified she was dead and that we'd find her body somewhere gruesome. One of my regular jobs had just dried up completely and another was pushing me to the wall with regulations and equipment requirements I was struggling to meet. Little preoccupied with family and work at the time which any normal, sane human being would have understood.

"Instead, she goes mental on me and the next thing I know the bitch has called the authorities in an attempt to get me *and* my sister Kasen arrested. She's contacted my business associates trying to ruin my reputation any which way she can. She even called my best friend and tried to get him to turn on me. Never have I seen anything like it. And for what? A fucking birthday wish? Hell, I don't even know when Kasen's birthday is and I was not only raised with her, I love her—anyone who knows me, knows this about me. Failure to acknowledge a birthday doesn't mean I don't love you. I believe in celebrating the life of the people you love every day—not just on one particular day. All it meant was that I was up to my neck in crap to deal with and the last thing I needed was one more pain in my ass. Little Miss Give-Me-Attention-Cause-I-Have-No-Real-Friends needs to be schooled on the fact that the universe doesn't revolve around her and when other people are barely hanging on by their fingernails, a real friend would have helped and not added to the stress."

Desideria let out an elongated breath as he finished his diatribe. Not that she blamed him. He was right. Any human who would hurt another and try to ruin them over something so petty was sorry beyond belief and she hated that he'd been forced to go through that. It made her want to hurt the woman for him.

Like Caillen, she didn't keep track of that sort of thing either.

But it left her with one question. "And you judge all women by her actions?"

He shook his head. "No. I judge *all* people by that. I've seen too many spaz out over absolutely nothing, not quite to her dangerous extent, but enough that it's taught me to be wary of everyone, especially when they're trying to play the victim role. And she's an extreme reminder that no matter how well you think you know someone, they can turn on you for the dumbest reasons imaginable. Male, female, whatever. I mean, shit. Happy Birthday, bitch. Didn't she have anyone else in her life that mattered? I mean really, my sisters and friends don't call me on mine and I'm good with that. Never have I held it against them. I wish my life was so pathetically uneventful that all I had to get torn up over was the fact that some casual friend didn't wish me a Happy Birthday. My own family forgets mine about half the time and none of my friends know when it is and never once have I doubted their loyalty to me. What's the big deal?"

Desideria bit back a smile. Not because it was funny—it was actually very tragic—but because his over-the-top tirade was so out of character that it amused her to see this side of him.

He did indeed have a temper.

However, she didn't want to offend him, especially over something that had left a lasting scar and changed the way he dealt with people. It angered her that anyone would be so needlessly vicious.

"Obviously to her, it was a big deal. But I agree with you. She had no right to do that to you."

"No kidding and do you know to this day, and it's been over four years now since it happened, she's still taking swipes at me? Any chance she can get to try and damage my reputation or interfere with my business, she takes. I've never seen anything like it in my life, and believe me, I've seen some shit."

She was aghast. "Are you serious? Four years later?"

He held his hand up in indignation. "Right hand to the gods and I swear to you I did nothing to her at all. Nothing. I was never anything but nice to her no matter how weird she'd get around me and even while her supposed real friends criticized and mocked her behind her back. I guess I should have done what they did. Then she would have loved me forever."

Desideria actually believed that. He'd been nice to her and

that after her mother had tried to harm him and she'd gotten him shot. "I'm so sorry, Caillen."

"Yeah, don't be. It is what it is. I just don't understand people who are cruel without justification. People who try to tear down someone over petty nothings." He leaned his head back as he reached for a small bag of food. There was something boyish in his manner. Something that belied the ferocity and power. The more she was around him, the less threatening he appeared.

Weird. Very weird. She knew he could kill her and yet, she liked being with him.

She licked her suddenly dry lips as a wave of desire ripped through her. "I admire that about you though. I think it's a great thing you can't understand that kind of cruelty."

Caillen paused as he realized what she was saying to him. The tender look she gave him made his heart speed up as a part of his anatomy jerked to life and wanted something a little more intimate than this chat. "You admire me?"

She raked a playful glance over his body that sent chills through him. "Don't let that go to your head. If it grows any bigger, we'll have to find a larger place to hide just to accommodate it."

He laughed and that amazed him most of all. He'd never been able to laugh about Teratin's PMS until now. Not even Shahara had ever been able to cheer him on the topic. Anytime her name came up, he went into a fume for days. Yet Desideria had done the impossible. "So are you another deranged woman out to ruin a man over forgetting your birthday?"

She picked at her food in a dainty way that was incongruous with her tough aura. He didn't know why, but there was something about her right now that was almost vulnerable. Something that called out to him and made him want to brush his hand through her hair and taste those moist lips and sample other, more lush parts of her body.

But she wouldn't welcome that and he would die before he ever pressed himself on any female. He only proceeded when they were jumping on him.

And yet it was hard to sit here and not do anything when she was so close to him that all he had to do was reach out and touch her. Oh to have the ability and right to close the distance between them and kiss those gorgeous lips. Damn. The more he was around her, the more he wanted her. It was slowly driving him crazy.

She glanced at him again, then stared at a space by his side. "Birthdays are unimportant to my people."

"Because you celebrate accomplishments?"

She nodded. "Being born is a state of the natural order. Why should you celebrate something that happens to everyone and everything?"

That was harsh and it made him glad he wasn't a Qill. While he might not care about them as an adult, some of his best memories of childhood had been his sisters decorating their small house with signs they'd made for him. Of Shahara bringing him a small treat whenever she could. It was why he didn't sweat when people ignored it. *Don't stab me in the back and we're all good.* "Your people are seriously screwed up."

She arched a brow at him. "Like yours aren't?"

"Oh, I never said they weren't. We invent other ways to be total assholes to each other."

She laughed, then sobered. "It wasn't all bad though. Unlike my sisters, when I was little, my father would sneak gifts to me on my birthday and he always remembered the date."

He caught the way her voice softened as she spoke about her dad. It was obvious she loved the man. "That was nice of him."

"You have no idea."

Desideria fell silent as a surreal out-of-body experience came over her. She was sharing stories of her past with Caillen like he was an old friend. More than that, she became aware of how much physical pain he had to be in from his injuries and yet he managed to tease and not snap at her. He never took his emotions out on her.

Poor baby. And she appreciated his control. It meant a lot to her that he was being pleasant when he had no reason to.

She leaned forward and wiped at the blood on his bruised forehead. "Do you ever have a fight where you don't bleed?"

"All the time."

She held her hand so that he could see how much damage he'd done to himself with his latest run-in with the mugger. "Not since I've met you."

He gave her a napkin to wipe her hand on. "Yeah, you're like an unlucky charm for me."

Feigning indignation, she tossed the bloodied cloth at him. "You need to be nicer to me. Remember I'm the one who tends your wounds."

"Uh-huh. And if you're true to your gender, you'll salt it anyway and kick me in the teeth on your way out the door."

She scowled at him as her humor fled. He was serious with that comment. "Why would you say that?"

He cleaned away the remnants of his food. "Simple. Women only want to jump my bones or take my money. Outside of the bedroom, they don't really think that much of me and most of them are only after a quick take."

"Your sisters aren't like that. They love you."

"Yeah, but they think I'm mentally challenged. They still try to cut my meat for me most days."

That surprised her. He was without a doubt the most capable man she'd ever met. Why would they treat him like a child? "Really?"

"Yeah, it's the most screwed-up thing you've ever seen. They really think I'm a kid until one of them gets into trouble, then I'm the first one they call to bail them out. Insanity, right?"

She didn't want to agree, yet he was correct. It would be weird to be treated like a child and then be relied on so heavily by the very people who refused to see her as an adult. "So what do your sisters do for a living?"

He rose to his feet before he stretched. The tightness of his shirt over his chest distracted her from the question as she became fascinated with the way his muscles played.

"Shahara's the oldest. She was a tracer until she married a couple of years ago. Now she runs a charitable organization for her husband. Kasen's my business partner and I use that term with all due hostility and sarcasm. She mostly sucks off my share of our profits by making me feel guilty over her medical condition."

"Which is?"

"Diabetes and a rare blood disorder. She's spent most of her life in and out of hospitals and you have to be really careful with what she comes into contact with or you can kill her—which has occasionally crossed my mind. And lastly there's Tessa." He let out a long breath as if the mere thought of her gave him an ulcer.

"What about her?"

"I love her, don't get me wrong, but she's constantly in trouble with loaners. Not that I can say much. I have a nasty tendency to gamble too. But I stop before I go into debt doing it. She doesn't. Since she was sixteen, we've all had to chip in to save her ass. Over and over again. But she married last year and seems to be doing better now. She works as an admin for the Ritadarion press corps." He came back to help her clean up her food. "What about you? What do your sisters do?"

"I only have the two still living. They either train to fight or plot ways to embarrass me in front of my aunt and mother—usually during training."

Caillen paused at the lackadaisical way she said that. As if it was so normal for them to attack her that she thought nothing about it. "Seriously?"

She wrinkled her nose. "Sad, isn't it?"

Yes it was. But he refused to say that out loud and hurt her any worse when it was obvious this topic bothered her.

She shook her head. "I don't know why they bother really. My mother practically hates me most days anyway."

"Why?"

Her gaze went back to the floor, but not before he caught a glimpse of how much pain she kept inside herself. "I'm only half Qillaq."

That stunned him. Her people were such isolationists that it was rare they bred with anyone else. There had to be a juicy story behind her conception. "Really?"

"Yes and they don't think much of me because of it. Everyone considers me tainted by my father's inferior blood."

"Which was?"

"Gondarion. He was a pilot who'd been shot down in battle. He crash-landed and was taken prisoner."

Caillen winced at the thought and the irony that Desideria had followed in her father's footsteps by crashing here—while dragging *him* along for the ride. "That's tough for both of you."

"You have no idea. Everyone stares at me like I'm a mutant. Like I don't belong. You have no idea what it's like to be judged for a birth defect you can't help."

"Oh not true," he corrected. "We're all judged for things we can't help. Whether it's our clothes, our birth, our social class or our appearance. I swear sometimes it's like people just look for a reason to hate each other."

"I don't do that."

Caillen snorted in contradiction. "I seem to recall the first time you saw me. There was judgment in those beautiful brown eyes when you looked my way."

Her cheeks turned a becoming shade of bright red. "I should say I *try* not to. But it is hard."

"It is indeed."

Desideria fell silent as she realized that Caillen didn't judge like that. At least he didn't seem to. "How do you not do it?"

He shrugged. "People are people. I've been kicked enough in my life to not want to return the favor to others. Like you said, it's hard and I'm not perfect. When you've been beat down all your life it's a natural inclination to want to strike the first blow. But I learned to fight that instinct. Sometimes I'm more success- ful than others and in cases like Teratin, I wish I'd been more judgmental. It would have saved me a universe of hurt."

She frowned at his words. It was like he described someone

else entirely. "You don't seem like you've ever been beaten by anything." He was too proud and strong for that.

He handed her another drink. "See that's the thing...You can't look at someone and tell what they've been through. The scars that hurt the most are never visible on the surface. You're a princess and everyone would assume you've had a life of luxury with servants doting on your every whim."

"So not true."

"My point exactly. And that's one of the things I really hate about being with my real father. His crew of people have turned me into something I don't want to be."

She was baffled by his words. "A prince?"

"No. That I don't mind. When I'm around them, they make me a judging snob. Sad thing is, it's not the poor I'm judging like they do, it's them."

That she understood more than she wanted to. "It's odd, isn't it? The poor hate the rich for having a life they think is easy and for the fact that they think the rich only got the money by screwing them. The rich think the poor are all rustics lacking manners and grace who are unwilling to work as hard as they do to get the money. Both groups see each other as thieves out to steal everything they've earned."

He nodded. "You're right and what I find most ironic...I've never been screwed over by anyone who was rich. Judged, but *never* screwed. It was always the poor or middle-class people I've known who've fucked me over for money. My poor friends have always been the ones who were jealous and petty. If I have two credits more than they do, they start in on the 'it must be nice' and then feel justified to tear me down because they think I'm getting a big head and that they need to bring me down a notch. People with money have too many other things to worry about than what I have or don't have in comparison with them. In fact, it's people like Darling, Nyk, Syn and crew, the ones who are seriously loaded, who've helped me while all my working-class friends have either abandoned me or tried to take what little I've earned."

"People see their own sins in others."

"Yeah, I guess." He returned to sit closer to her.

Desideria tried to remain nonchalant, but his nearness was so distracting that it was hard to focus on anything other than how much she wanted to curl up in his arms. "So what's the worst thing that's happened to you?"

He pulled away.

"Caillen?"

She saw the veil that came down over him, shielding him from what he obviously thought was a probing question. "I have many to choose from and really don't want to talk about any of them."

"I'm sorry."

He scoffed. "Don't be. As my bud Nyk says, life makes victims of us all." He took another drink. "So what about your father? Is he on the ship with your mom?"

"No. He died a long time ago."

To her shock, he put his arm around her and gave her a tender squeeze. "I feel your pain. It sucks to lose someone you love when you're too little to really understand why they're gone."

"Do you ever really understand?"

Caillen paused as he considered that. "No. Death sucks always."

Yes, it did. And she really didn't want to think about that right now either. Instead, she went back to something he'd said earlier. "Do you really think my eyes are pretty?"

He flashed her a wicked grin. "Baby, if it wasn't for the fact you'd slap me, I'd show you exactly how beautiful I think all of you is."

She blushed. "I am so not used to being around someone as outspoken as you." Or anyone who complimented her on anything.

"Yeah. I'm told I'm unique unto myself."

"That you are."

He pulled his arm back to his body. They sat on the floor, their hips barely touching. Her legs were stretched out before her while his were bent at the knees and he kept one arm braced on his leg. It was a decidedly masculine pose.

His eyes flashed as he offered her an odd half smile. "You are not what I expected the first time I saw you."

She gave him an arch stare. "I think I'm closer to what I appear to be than you are."

He laughed. "True. I'm not much of a prince."

There he was wrong. He was closer to one than anyone she'd ever met before. And that turned her thoughts back to what they needed to do. "Shouldn't we be leaving and getting—"

"Too much activity right now. I'd wait at least another two hours and then we'll try for it."

That made sense. "What did you find when you went out?"

"A *lot* of Andarions."

And he certainly looked the part. Though to be honest, she was getting used to his long black hair and those creepy weird eyes. Even the fangs were starting to grow on her.

"Does it hurt to eat with the fangs in?"

"Only if I bite my cheek."

She laughed.

His gaze turned suddenly serious as he went back to their earlier topic. "So what's the worst thing that ever happened to you?"

Her heart dropped at the unexpected question. Now she understood his defensiveness. But in her case, she had nothing to hide. She lived with her pain every day. "Watching my sister die in my arms."

The color drained from his face as he let out an audible gasp. "What happened?"

"Training accident." Her throat tightened as the familiar pang of grief choked her. "My aunt had been pushing us on an obstacle course. Shayla went to climb over a spiked barrier while Narcissa was fighting her and the rope broke. I can still hear her scream as she fell in front of me. I tried to grab her, but she weighed too much to hold. She slipped right past me and was impaled before I could stop it. I did my best to save her even after she'd fallen. But the spikes had cut through her femoral artery and she bled out in a matter of minutes."

A muscle worked in his jaw as if he felt her pain too. "I'm so sorry."

She blinked several times, trying to banish the sting in her eyes. She wouldn't weep in front of him. It was forbidden. Still, the pain of losing her sister bit deep and she would give anything if she could have kept her from dying. To have that one moment back and to undo it. Why was life so unfair?

"You know my mother didn't even cry. When we told her about Shayla's fall, she glared at us and said that's what happens when you're incompetent. She said a real warrior would have been able to save herself, and if I'd been stronger and quicker, I might have been able to spare her. She claimed it was the will of the gods that Shayla died for her weakness. But I don't believe that."

"How old was she?" he asked.

"Sixteen."

He let out a low whistle. "And you?"

"Fourteen."

Caillen wanted to beat her mother for the cruelty. Not just in her sister's death, but for the coldness of not comforting Desideria. Telling a kid that it was her fault her sister had died in front of her...What a bitch. That was just so wrong. "What happened to your other sister?"

That too was forever etched into her memory. Even now, it played out in slow motion in her mind. "Narcissa killed her in a practice match. They were sparring and Cissy's sword strike cut her throat when she accidentally tripped over a piece of broken tile in the ring."

Looking back now, she wondered how much of an accident it'd been. If Narcissa was trying to kill their mother to rule, it would make sense that she'd sabotaged the tile and then used it to kill Bethali.

He curled his lip. "How old was she?"

"Seventeen."

His scowl left deep lines in his forehead. "Why were you using real swords for a practice match?"

She didn't comprehend his anger. "You don't use fake ones in battle. Why would you use them in practice?"

"Because it's stupid to use something that could kill the person you're training. They don't even do that in the League at that age, and believe me, those bastards seldom pull punches."

247

His words offended her. "They're not training Qillaqs."

"Do you really believe what you're saying?"

She wanted to keep her bluster up and defend her people. But the truth was very different. "No. I thought it was ridiculous to kill them over simple mistakes and I hate that they're no longer with me. I like to think that when I have a child, I'll be kinder to her and protect her better." But she lived in fear every day that she'd wake up as heartless as her mother and sister.

As heartless as her aunt.

And that brought out another memory that she did her best to keep to herself. Yet, sitting here with Caillen, it came tumbling out of her mouth before she could stop it. "You know I had a brother."

His jaw went slack. "Really? What happened to him?"

"I don't know. He was born before I was and sent away. My aunt would use his disappearance to motivate us. She'd say that if we didn't please her or my mother, we'd be sent away too."

Her gaze burned him as all those threats and fear of what had become of her brother poured through her. "I've never told anyone about this before. Talking isn't exactly something we do and shared confidences are the worst sort of suicidal act. Whatever is said will be used against you at the worst possible time."

"Then why tell me?"

She shook her head as she tried to understand that herself. "I don't know. Weird, huh?"

"Not really. We're in a bad situation, stuck in a hole for a few hours alone. People do all kinds of strange things when they're under fire."

The way he said that...it made her wonder what experience

of his had prompted it. "So what's the strangest thing you've ever done while being chased?"

"Strangest or stupidest?"

"Is there a difference?"

He paused then smiled. "Not really. My strangest probably was my dumbest move of all time."

"Which was?"

"I shot my sister."

She gaped at his words. "What? Which one? Why?"

He laughed at her stupor. "Relax, sweet. I did it to save Kasen's life so that I could go to jail for her."

It was noble.

Foolish, but noble. "Why would you do that?"

"I told you. Stupidity." He feigned a moment of innocence before he answered. "With her health and crappy personality, I knew she wouldn't be able to survive jail. The inmates there would cut her head off three minutes after incarceration. I, on the other hand, am a little tougher and can take whatever they throw at me."

Still... she couldn't imagine having someone love her so much that they'd put their own life, their freedom, on the line to protect her. "That was a nice thing to do."

He shrugged it off. "Where I come from, it's what family does."

Caillen checked his watch, then stood up. "You ready to get out of here?"

"You think we've passed enough time?"

"God, I hope so. Otherwise this will be a short trip." He winked at her.

She made a "heh" sound at him before she pushed herself to her feet. "What's the plan?"

"While I was out, I found the local bay. It was pretty bustling then, but I'm hoping it's calmed down by now. If it is, we should be able to commandeer a ship."

Commandeer...she adored his word choice. "You're not suggesting we steal something, are you?"

His expression turned impish. "Stealing is such an ugly word."

"Stealing is wrong."

Still those eyes teased her. "Look, Princess, survival has no morals. You do what you have to or you die."

Perhaps, but she'd been raised differently. "I disagree. The depth and strength of our character is defined by our moral code. People only reveal themselves when they're thrown out of the usual conditions of their lives. That's when the truth of who they are is revealed and I am not a thief."

"Neither am I, but I see nothing wrong with borrowing something we need for a bit. If not for the fact they'd eat my head, I would ask. As it is, I'll make sure they get it back once we're safe."

"Sure you will." She didn't mean to be such a bitch, but this *really* offended her.

He stiffened, his humor completely gone. "Now who's judging whom? Fine. Stay here. Give my regards to the Andarions. I'd rather get back to my father and make sure he lives."

Desideria watched as he headed for the trapdoor and removed his mirror devices. Part of her wanted to hold her morality close. But in the end, she knew he was right. She couldn't stay here and let her mother be hurt.

Disgusted with herself and what they were about to do, she got up and followed after him.

He arched a taunting brow as she caught up to his side.

She glared at that smugness. "Not one word or I swear I'll

gut you where you stand. If my mother's life wasn't in danger, I would *never* agree to this."

"Love is the greatest corruptor ever known and has been the number one downfall of mankind since the first creation."

She didn't comment as they kept to the shadows while navigating through the empty streets. Lifting her cowl into place around her head, she realized that he was moving a lot easier this time than he'd been when he left earlier. Even so, it was a miracle he could move at all given the severity of his injuries.

She was still sore from the crash, but nowhere near as badly hurt as he'd been.

They kept to the back alleyways, out of the sight of the people on the street or surveillance cameras. Caillen seemed to have an uncanny ability to see them and stay out of their range.

Desideria hesitated as she saw another camera on the street that was too close for comfort. "We're being watched."

"No. I've got a jammer. By the time they realize we were here, we'll be gone. All they see is static."

"Is that why you're avoiding them?"

"Better safe than sorry."

He was probably right about that. And as they drew closer to the bays, the amount of cameras and activity picked up exponentially. But at least it wasn't people bustling about. The bay seemed to be fully automated. Machinery buzzed and whirred as they slipped inside the hangar.

Caillen froze instantly, causing her to run into his back.

She scowled up at him. "What are you doing?"

He didn't speak for several heartbeats as he stared at a black ship in the rear corner. From the style, she knew it to be a fighter class—an older model. The paint was streaked by what appeared to be a blast mark. Other than that, it looked like all the other ones here.

Why would he stare at it?

Unless...

She swallowed as fear gripped her. "Is it the assassin?"

Again, he refused to answer as he skimmed around the wall toward it.

Frustrated, she trailed after him, dying to know what was going on and why he was acting so strangely.

Caillen ducked his head as he slid toward the cockpit entrance. Just as he reached the fighter's ladder that deep, sinister voice she'd heard on his link spoke out of the darkness.

"Move and die."

17

That thick, deeply accented voice was ominous and cold. It sent chills up and down Desideria's spine. She turned her head slowly to see a...

Oh my God. He was huge! A full head taller than Caillen, the Andarion dwarfed them both. But it wasn't just his massive, muscular size that was terrifying. His black hair was liberally laced with white streaks and matted into dreadlocks that fell to the middle of his back. A black cloth mask with some kind of spooky symbol painted in a blood red that matched the rim on his eerie irises covered the lower part of his face so that all you could see were those white demonic eyes that glared in anger. He'd smeared green paint with a black-dotted pattern over his forehead and temples, and down the bridge of his nose to give himself an even more sinister appearance.

Boy did it work.

It sent her stomach straight to her feet and made her instinctively reach for her weapon in trepidation.

Until he clicked back the release of the blaster, letting her know silently that if she moved again, he'd shoot her.

Dressed all in black, he reminded her more of a malevolent phantom than a living, breathing person. An image that was heightened by the sharpened silver claws on both of his hands and the weapons that covered every inch of his body and especially the large blaster that was aimed right at her heart. Any doubt about his intent was laid to rest by the bright orange targeting dot hovering right between her breasts.

We're so dead...

Never one to be intimidated, Caillen moved so fast that she hadn't even seen him do it until he had the Andarion's blaster in his hand and aimed at the creature's head.

The Andarion grabbed him and shoved him toward a large shuttle with an open hatch before he disarmed Caillen.

With a gymnastic twist, Caillen came up from below and swept the weapon from his hand again. He angled it at the Andarion's chest. "You better be glad I don't overreact to things, Fain, or you'd be dead right about now."

Fain snorted as he knocked the blaster out of Caillen's hand and slid it gracefully into his holster before he took a step back. "Didn't your sisters ever teach you not to mess with your betters, food?"

"Yes, but there aren't any betters here." He raked a smug look over Fain's body. "Just you, witling."

A twitch started in Fain's eye at the insult. He didn't respond to it. Instead, he crossed his arms over his chest. An action that caused the veins on his arms to bulge as he swept a frown over Caillen's body. "Out of curiosity, why do you look like a cheap Andarion hooker?"

"Spend a lot of time trolling for them, do you?"

Fain made a low growl that conveyed his annoyance. "I have a lot of friends in their community. They're more loyal than most, so don't go there unless you really want to toss down with me. Which is why your garish appearance offends me for them." Yeah, Fain was definitely lacking in tact and manners.

Caillen shrugged his insult aside. "I was trying to blend."

He scoffed at Caillen's answer. "Yeah...okay, that explains a lot about your current predicament. For the record, giakon, you don't blend here—you smack of offworlder—and you're lucky the natives haven't eaten you. I still can't believe you were dumb enough to get made in a transport of all things. What the hell were you thinking?"

"I was hoping they'd think I was you."

Fain sighed. "All I need. A human riding my reputation. Thanks. Appreciate it. Might as well hang a sign around my neck calling myself a wuss. Pisses me off. A lifetime to build my reputation, three seconds for you to destroy." He narrowed his gaze on Desideria. "So who's your trim?"

Caillen stiffened right along with her at the derogatory word that meant she was nothing more than a mindless adornment for his arm. "I seriously object to that term, Fain."

He held his hands up in surrender. "Forgot you're from the all-estrogen nest. No offense meant to your woman or you, but if you are offended, I really don't care. Don't have time to deal with something as petty as human emotions while under fire. So given all that, I'm going to assume this is the princess you're accused of trying to kill."

Caillen made the introduction. "Fain Hauk meet Princess Eternal Pain in my Ass."

Desideria gaped at him. She couldn't believe he'd introduced her that way.

Fain laughed, then nudged her toward the shuttle hatch that

was open. "Yeah, well, you and Princess Pain in the Ass need to get on board quickly."

Caillen hesitated. "Why?"

Fain pulled the blaster out again and acted as if he'd captured them. "Move. Now." Then he spoke between clenched teeth. "Get on board the damn ship or I'm leaving you here."

Caillen jerked his hands up as if he was surrendering in the most sarcastic manner imaginable. Last thing he wanted was to feed Fain's ego by having a tape of him being taken into custody. "Bite me, asshole."

"I would, but your greasy ass wouldn't be worth the indigestion."

Caillen snorted before he led her up the ramp. Fain would pay for this, but obviously the Andarion had concerns about them being monitored and wanted this to look authentic if that were indeed the case. So for now, he'd play along.

Once they were inside, Fain followed them in and closed the hatch. Only then did he relax and return his blaster to its holster. He activated the link in his ear. "Got them. You were right. Dagan headed straight for us when he saw Nyk's fighter." He paused to listen. "I've got the scanners running already. See you when you get here."

Caillen ran his thumb along the edge of his lips as Fain's patient tone amused him. A ruthless killer who'd been thrown out of the house by his parents when he was just a kid and forced to grow up hard on the streets, the Andarion had little tolerance for anyone except the younger brother he guarded like treasure. "Only one person I know you'd be that civil with. Dancer?"

"Yeah, and you better be glad you're friends with him. There's no one else who could have called in this favor, especially for a human." Fain sneered the word as he shut the link off and ran over the shuttle's settings. "After your suspicious exodus from the *Arimanda*, Darling deployed Dancer out to look for you and he called me as soon as he realized where you were. You're lucky I happen to live on this hell rock."

"Since when? I thought you lived on Kirovar."

Fain scoffed as he pulled back from the console and moved to make a systems check. "Too many humans wetting themselves whenever I walked down the street. Got tired of the mamas grabbing their kids up like I couldn't control myself and was going to snack on one of those repulsive creatures. Have you seen what human kids eat? Gah, most of them munch their own mucus. Disgusting little parasites." Shivering, he flipped several switches.

Caillen laughed out loud at Fain's uncharacteristic rant—normally he didn't do much more than growl at anyone near him. This was probably only the third time he'd ever said more than a handful of syllables around him.

And it was highly unusual for Fain to show any form of weakness. The Andarion didn't believe in ever exposing his underbelly in any way. "Wow, that's all it takes to make you, Captain Badass, squeamish? I had no idea you were so easily cowed. Forget trying to shoot you. All someone has to do is send a kid into your general direction and you'll run for cover."

Fain slid a threatening grimace at him. "Don't go there. And my habitat and repulsion triggers aren't the daily topic. You two are."

"Yeah, I know. We have an assassin after us."

Fain snorted in derision. "That's the least of *your* problems given what you're accused of."

Those words set his temper on fire as he remembered what

else he was facing and he slid an irritated glare at Desideria. He was still livid over the stunt her crew had tried with him. He couldn't wait to get back and set the record straight. "Again, I know. The Qills have accused me of trying to kill Princess Pain."

She gave him a glower that would shrivel a lesser man. "Would you stop calling me that?"

Fain ignored them. "That's still nothing."

Now that got Caillen's attention. That and the deadly look emanating from Fain's eyes. "What do you mean?"

Desideria frowned as a bad feeling went through her. Obviously something had happened that they didn't know about.

Fain pulled the mask down from the lower part of his face so that it lay against his neck. His handsomeness actually caught her off guard. If he would wash the makeup from his face, he'd be every bit as devastating as Caillen...

In a freakish kind of way.

When he spoke, his fangs flashed in the dim light cast by the control panel. "Your father was killed and so was the Qill queen. The entire universe is now after the two of you for their murders."

Desideria couldn't breathe as that news tore through her like a dagger. Her mother was dead?

No...It couldn't be.

It wasn't possible.

And yet she could tell by Fain's expression that he wasn't lying. Her mother was dead.

I'm too late.

She wanted to cry, but Qillaqs didn't weep. Not about death.

They got even.

And still the pain of her mother's loss washed through her

entire being. It hurt much worse than she would have ever thought possible. Until this moment, she hadn't realized just how much she'd loved her unlovable parent.

She wanted to see her mother again. To hear the sound of her voice even if it was criticizing her.

I'm an orphan.

It was a stupid thought really, especially given what was going on and what was at stake. She was a grown woman and yet she felt abandoned and alone in a way she wouldn't have thought possible.

What am I going to do?

Her life would be forfeit once they found her.

Over and over, she saw images of her mother boasting about how no one would ever be able to defeat her—how she could take down any assassin who dared to look askance at her. That she was the strongest of warriors. But beneath that was the memory of her mother's happy smile when Desideria had joined the Guard. There for one tiny moment, her mother had been proud of her.

And she'd failed her in the worst sort of way.

Her mother was dead.

This can't be happening.

Her people were without leadership and she was wanted for her own mother's murder. Her emotions were so tangled. She was angry, hurting and most of all there was a deep, dark hole inside her that felt like it would swallow her up until she lost herself completely.

Her life would never be the same.

If she lived...

The horror of it all washed over her in a tidal wave of pain. She couldn't breathe as panic set in.

What am I going to do? How would she survive?

As if he understood her rising panic, Caillen pulled her against him and held her close. Normally, she'd shove him away for intruding on her personal space, but right now she appreciated the comfort.

No, she needed it. The sound of his heart under her cheek... the sensation of being cocooned by his warmth. He gave her strength even while her entire world was spinning out of control.

Glancing up, she saw the same look of grief-stricken shock on his face that she felt. "What happened?" he asked Fain.

"Your father was executed in his room. They found his body right after you'd left—when they'd gone in to tell him what had happened to you. I don't know what their evidence against you is, but there's a standing League contract out on both of your lives. And we are talking *major* bill-kill."

She winced at a term that meant the bounty on their heads was so steep that most people would sell their own body parts for it.

Never had she felt more lost. How could she prove her innocence? No doubt her mother's Guard would kill her the moment they saw her again. It would be expected.

Yes, she could demand a trial which would pit her in a death match against her aunt or her sister. But she had no doubt her mother's killers would terminate her before she had a chance to clear her name. They wouldn't allow her a chance to prove her innocence.

And even if she was found innocent, it wouldn't change the outcome. As a Guard member on duty at the time of her mother's death, she'd be held accountable. The only person who could pardon her would be the next queen.

Narcissa.

Yeah...

I'm so dead.

Caillen tightened his arms around her as he spoke to Fain. "Darling told me my father was all right when I spoke to him."

Fain leaned back against the seat. "Darling didn't want you to panic. According to him, your father had his throat slit and Princess Pain's mother was left in little bloody chunks all over her bed."

The bile rose in her throat at those unexpected cold, brutal words. A vivid image of her beautiful mother was blotted out by what he'd described.

It was more than she could take.

Before she could stop herself, she ran to the bathroom barely in time and lost what little contents she had in her stomach. Her spasms were violent and loud as her entire body shook.

Suddenly, Caillen moved in behind her while she was sick. Without a single word, he stayed with her until she was finished. Then he silently flushed.

Weak and spent, she wanted to crawl in a hole and die of embarrassment. She was acting like a child, not the warrior she'd been trained to be. Worse, tears glistened in her eyes while she did her best to not give in to emotions she knew she shouldn't have.

I won't cry. I won't.

Her mother would be disappointed in her if she did and the last thing she wanted was to shame her mother any more. But Caillen wasn't looking at her like she was an embarrassment or weak. There was compassion and something that might even be respect. But now?

Caillen handed her a cool, damp towel. "Are you all right?"

She nodded. "I'm so sorry about that."

"Don't be. Believe me, your strength has impressed the hell out of me and that's something that's hard to do where I'm concerned." He brushed a stray strand of her hair back from her forehead. The warmth of his hand on her skin sent a comforting chill through her.

His gaze was kind. His touch gentle. She wanted this moment to last until it drove out all the pain she felt.

Most of all, she wanted *him*.

That thought terrified her.

Yet, he'd been with her through all of this. Strong. Protective. Comforting. Dependable.

Everything a man should be. Things as a Qillaq she shouldn't want. Things as a woman she needed.

She swallowed as she pushed those thoughts away. "Thank you."

He inclined his head to her.

A furious light sparked in his eyes as he returned to where Fain watched them. "You are such an insensitive ass. You know you don't just blurt out someone's parents are dead and then describe it."

Fain wasn't the least bit contrite. "Why? You didn't vomit. Besides, I'd kill to have someone give me news that good." He glanced back to where Desideria was pushing herself to her feet. "By the way, is she going to do that for long? If she is, I say we leave her in the head and flush her out the air lock once we're launched."

Caillen tossed a knife at his head which he caught without hesitation.

"What?" Fain was truly baffled by Caillen's indignation and her sympathy for her mother. "It's not my fault I forget how sensitive you humans are. Our women don't cry."

"Oh trust me, Fain. Any living Andarion female who's forced to bed down with you weeps hysterically at the mere thought of that horror."

Fain threw the knife back at him.

Caillen caught it without blinking.

Desideria had barely pulled herself together when another Andarion male entered the shuttle and quickly closed the door behind him. This one she recognized from Caillen's pictures.

It was Dancer.

Dancer scowled as he felt the tension between them. His gaze went from his brother to her and then to Caillen who still looked like he wanted to shoot Fain. "What'd I miss?"

"Your brother's an idiot," Caillen snarled.

"Yeah, I know."

Fain scoffed at Dancer's calm acceptance. "You don't have to agree with him."

"You don't have to be an idiot either. But I notice that doesn't stop you from it. And I've seen you actually use your brain, so I know you have one." Dancer glanced back to Caillen. "So what'd he do?"

Fain gestured toward them. "I just told them their parents were dead and she threw up."

"Ah, krik, Fain..." He broke off into Andarion and for several seconds the two of them argued back and forth while gesturing wildly.

Caillen whistled to get their attention. "You two can play a round of Insult My Gene Pool later. Right now, we need to focus on getting us out of here."

Fain snorted. "Not so easy, brother. Anyone leaving here will be scanned for hijackers. I don't think you understand that there's a ten-million-credit bounty on each of your heads. For that kind of money, you're lucky I'm not handing you in."

Caillen was stunned by an amount that was usually reserved for traitors, pedophiles and rogue assassins...and now two royal members of the council. "Ten million credits?"

"Each," Fain reiterated.

"Shit. For that, I'm tempted to hand myself in."

Dancer, who normally only went by his last name Hauk, because face it, Dancer sucked, was a smaller version of his older brother. But no less fierce. Aside from their difference in height and build, it would be hard to tell them apart. "Don't be so hasty, Cai. Alive, you're only worth three."

Now that was just cold and wrong. But it also told him that they were being framed by someone who wanted to make damn sure the truth never came out. "Are you kidding?"

Hauk shook his head.

"Who issued the bounty?" Caillen asked.

"The League," Hauk said snidely. "They're forcing each of your planets to cough up the money."

Great. So much for hoping the one leading the investigation would help him find the truth. He should have known it wouldn't be that easy. All the League would want was closure and if they had to kill two innocent people for it, they really couldn't care less. "Did anyone defend us?"

Hauk shook his head again. "Threw you to the wolves." He flipped on a monitor and did a quick search to show Caillen the cold, harsh truth. News article after news article had them convicted. Everyone they'd interviewed said they weren't surprised by either of their actions.

Even Desideria's two sisters.

You have Darling and Maris. No one had interviewed them and they hadn't betrayed him, but then given the severity of the crime they were charging them with that was probably for the best. Had they stepped forward at this point to defend them, they would probably be charged as accessories.

Which meant he might have other allies he didn't know about. He held that thought tight.

Until he watched as his uncle showed up on a vidclip to speak to the news agencies from the *Arimanda*. If he didn't know better, he'd swear the man actually looked grief stricken while he addressed the vultures who'd come to cash in on his pain. "It is with a sad heart that I'm forced to step into a place I never thought I'd occupy. My brother was a great emperor and I know I'm a shallow substitution. We are still reeling from the actions of my nephew. I can't understand how anyone could be so ruthless and unfeeling, especially toward their own father who loved them so much. I tried to tell Evzen that no one can tame a wild animal. True to the generosity of his spirit, he refused to believe it and he let the love of his son guide him to suicide. I don't know what madness infected the prince, but I can assure all of you that he will be held accountable for his actions and I will not rest until he's behind bars where he belongs and is executed for this heinous crime."

Love you too, you old bastard.

Caillen shut the browser off. Last thing he wanted to see was any more allegations directed toward him. "Why do they think I did it?"

Hauk pulled up another clip. This was security footage on board the ship. And there in his father's room, standing over his body, was a man who looked so much like him that even he doubted his innocence.

Holy...

Hauk nodded as his expression mirrored the sick horror Caillen felt. "You want to live. We've got to find this asshole and expose him as the killer or whoever doctored the footage. Nyk, Syn, Shahara and Jayne are already on it."

"What about my mother?" Desideria's features were pale from her grief. She was still beautiful, but she looked so tired that all he wanted to do was make this better for her.

If only he could.

"That's where it's really odd," Fain said, directing their attention back to the monitor and a new clip that was filled with static. "There's no footage from your mother's room, Princess. Someone tampered with the camera. But two members of her Guard swear they saw you running out of there right before her body was discovered and that they pursued you only to find you fighting with Caillen. At first, they claim they thought he was attacking you. Then when you two turned on them to fight and then escaped together, they realized you were working as a team to kill your parents."

She gaped at how preposterous that was. "I'm sorry, but that's the dumbest story ever conceived. Are you telling me anyone is stupid enough to believe it?"

Hauk scoffed. "Two words. League bureaucrats. Thinking waved bye-bye to them a long time ago."

He had a point.

"I can't believe this," she said, wanting to hunt down her mother's Guard and carve her initials into their useless brains.

Caillen reviewed some of the data that Fain was still calling up.

Desideria moved to stand so close to him that her breath fell against his skin, tickling his flesh and making him wish he had a spare moment so that she could do that to his entire body. "They can't honestly believe this."

Caillen met her gaze, wishing he could be so naive. But he knew better. "Greed makes people stupid. Always. It stands to reason in their world that we would kill our parents to inherit their positions. Face it, it's a common enough occurrence. Why should anyone doubt it?"

Hauk nodded in agreement. "Darling said that you'd already been suspicious of your uncle."

"I was."

Fain gave him an arch stare. "Was?"

Caillen took over the search as he reviewed the news reports about his father's death. "Something's not adding up to me." It was too easy a jump to his uncle.

Wasn't it?

But then he'd seen people do far worse for a lot less. He didn't want to believe that the brother his father had loved and trusted would be so cold.

However, that was as cliché as kids killing parents for inheritance. His uncle made sense.

Fain scoffed at his doubt. "What are you? Trisani now? You want to give me the winning lottery numbers while you're on a roll?"

He ignored Fain's sarcasm as he rethought his earlier conviction. "I'm telling you, something's wrong. How did both get killed on a ship with that kind of security? And so close to us leaving? At basically the same time?"

Hauk answered before Fain could. "Obviously the assassination was in place and they sped it up after you guys evaced so that they could frame you."

He just couldn't make himself buy Hauk's explanation. It just didn't fit. There was something more here. Something they didn't know about.

To his amazement, Desideria backed his position. "Caillen's right. It's too convenient and two well executed to be pulled off by two independent parties. Why would they both strike right at that same time? It smacks of collusion."

Caillen pulled the clip where his uncle was being notified of his father's death. The man actually stumbled from the weight of the news and had to be held up by his guards.

Could he be that good an actor?

It was possible and yet...

Why would his uncle want to kill Desideria's mother? Aside from the fact she was a roaring bitch, he had nothing to gain by killing her too.

But who did?

Caillen stepped back. "I need to talk to my uncle."

"Are you insane?" Hauk's jaw went slack. "He'll have you arrested if not executed on sight. The man either thinks you killed his brother, or, and more to the point, he knows for a fact you didn't and doesn't want you to talk and expose him."

Hauk was right, but Caillen refused to listen to reason. Why should he start that bad habit now when he'd never listened to it before? "Work with me, Hauk. Let's say for a minute that my uncle's not behind this... that means his life will be in danger too. The more I think about this, the more it's looking like some kind of coup."

Fain frowned. "But why would the Qills lie about—"

"Would you stop using that term?" Desideria snapped, cutting him off. "We don't like it. We're Qillaqs not Qills."

Caillen admired her temerity, especially against Fain who was known to gut people for glancing at him askance.

Fain passed her an annoyed look, but true to form, refused to apologize. "Why would they lie?"

"I don't know." Caillen sighed. "But why hit both the Qillaqs"—he stressed the word to let Desideria know that he was trying not to insult her—"and the Exeterians? There has to be some connection."

Hauk scratched his chin. "Maybe it has to do with the fact that the queen was about to start a war with your allies?"

Caillen sifted through more data. "There's some vital something here that we're missing."

Fain sighed. "I think you're giving it too much credit. No one says the two have to be connected. Weird shit happens. Trust me. I'm usually its favorite victim."

Desideria narrowed her gaze as if she was still thinking it all through. "When I overheard them plotting to kill my mother, there was no mention of your father or you. Maybe it *is* coincidence."

Caillen shook his head. "I don't believe in coincidences."

Hauk exchanged a wary look with Fain. "You said your uncle's been a total bastard to you since you started living with your father. Maybe he's the one who hired your kidnappers to kill you as a kid to get you out of the way so that he could inherit."

That was just dumb, but he wasn't about to say it to Hauk and start a fight. "Why wait to seize the throne then?" Had his uncle done that, he would have killed his father years ago and seized power.

No. Something else was going on here. He just needed to find out what.

"We're onto something." Caillen breathed. "I just don't have enough pieces to put it together yet."

Hauk let out a low growl as if he was as frustrated as Caillen. "First thing is to find the shooter, then, and question him."

Caillen agreed. "Just don't let Nykyrian interrogate him. We need the hitter capable of speech."

Desideria frowned as she thought more about it too. "Wouldn't it be better to talk to my mother's Guard? They were trying to kill me and set us both up. You think they would know something about all this?"

"Princess Pain has a point," Fain said.

She glared at him. "And could you please stop calling me that? My name's Desideria."

"But I like Princess Pain. It has a nice ring to it."

Desideria barely resisted the urge to choke him. He was so much taller she'd be lucky if she could even get her hands around his throat. "It was bad enough when there was just Caillen. Now I have his friends to irritate me too. Gods save me."

The words were barely out of her mouth before something struck the side of the ship.

Hard.

All of a sudden, a gruff voice rang out. "Open up! We're detecting unauthorized heat signatures and weight in your ship."

Fain let out a foul curse. "Ding-dong, children. The authorities are here."

18

Hauk groaned audibly at the sound of the Enforcers firing on their door hatch, trying to break in. He met Caillen's gaze. "For the record, it's a death sentence to anyone caught helping you guys. Just so you know."

"Appreciate the IFO update, pun'kin." Caillen made that strange clicking noise with his tongue at him. "And that's new for us how?"

Hauk sighed heavily. "I hate you, Dagan. I really do."

"Know you do." Caillen started flipping switches over his head. "Now pucker up, baby, you're about to have to kiss my ass for saving yours."

Fain snorted as he pulled his mask back into place. "I'll get the engines fired. May the gods be with us. This has all the markings of a very short trip."

Caillen smirked with a nonchalance Desideria definitely didn't feel as he took over the controls and did a prelim check. "Who wants to live forever?"

Actually, she wouldn't mind a small dose of immortality. The concept worked well for her.

Fain muttered as the engines roared to life, "Yeah, but no one said I wanted to die today."

In spite of the danger and her racing heart, Desideria laughed at his dry words. Normal men would be terrified, but Caillen, Hauk and Fain seemed to thrive on imminent danger. Their attitudes were infectious and it brought the warrior in her to the forefront and made her ready to fight to the bitter end. "Where are the guns?"

All three men turned to her with curious stares that annoyed her. "I know how to fight, boys. I am Qillaq." She narrowed her gaze at Caillen. "You might be able to fly anything with wings. I can shoot anything with a trigger and if it can be aimed, I can use it to maim."

He did a charming sweep of her body that turned her body strangely hot. It also made her feel very feminine and desirable. "Baby, I never doubted you for a minute."

Fain jerked his chin to Hauk. "Take her up and don't get hurt. I'd have to kill your ass if you did."

She didn't even want to comment on the oddity of that particular threat. Hauk inclined his head to Fain before he pulled Desideria toward the rear of their ship.

Caillen slid gracefully from the navigator's into the pilot's chair as an ion cannon blast struck the shuttle so hard it caused it to rock. Just like old times for him—it wasn't a launch unless he was under massive local fire. The steel around them squealed in protest, but lucky for them it held. They only had a few seconds before the authorities were in and they were dead.

Really, it would be impossible to fly a shuttle with a giant hole in the door and he ought to know since he'd tried to do it on more than one occasion.

The good news was, he'd actually succeeded in doing it.

Once.

Don't go there. Some memories just needed to be purged.

Fain arched a brow as he took the con. "You going to jerk my guts out?"

"Probably."

Another loud blast rocked the craft.

"Now that's just rude." Caillen flipped another switch over his head which generated a pulse shield. He heard the soldiers curse and whine as it knocked them flying.

Good, you little bastards. I hope it leaves a mark and ruins your sex plans for at least a week.

He did the final sys check and felt the blood pick up its pace in his bloodstream. The ship was ready to launch.

Except for the fact that the hangar bay door was still closed and reinforcements were arriving by the dozens to keep it blocked and them from leaving.

"That don't look promising," Hauk said through the intercom.

All of a sudden, blasts shot from their ship to the Enforcers. The authorities scrambled for cover as the bright color bursts exploded around them and left marks all over the walls of the bay.

Putting the mic in his ear, Caillen grinned at Desideria's precision. She nailed everything she aimed for which wasn't the soldiers. She blasted close enough to keep them down or scatter them away from the exit, but not enough to kill.

Go, baby. He respected her mercy and it said a lot about her that she wasn't gunning them down.

While she did that, Fain hammered the hangar door with their cannons. The hole he created wasn't that big, but Caillen should be able to squeeze through.

Unless he sneezed. The slightest miscalculation would kill them faster than the Enforcers.

Caillen dropped the grav weights and held the throttle wide open as he headed for the opening at full speed—a fool's pace indeed and one he was famed for.

He scowled at the angry voices from the Enforcers' open channel that echoed in his ear. "Is my Andarion rusty or did they just call us the ass of a dung beetle?"

Hauk laughed over the intercom. "You're an idiot. They said they're launching fighters to come at us."

"Ah. I think I like being called a dung beetle's ass better. Guess we better go, huh?"

"Nah, let's sit around and invite them for tea." Fain's voice dripped with sarcasm.

Caillen activated the ship's force field to the max. "Hold tight, kids. We're going out hot and we're staying that way until we either escape or end up as a bright burst of flaming fuel. I hope someone remembered the marshmallows. Just in case. We might as well go into paradise with a sweet taste in our mouths."

"You're a sick bastard, Dagan." Fain took up the navigator's position. "You know we won't be able to jump. They'll have your drive jammed."

Caillen laughed at his dry, dire tone. "Oh ye of little faith. You ain't with some run-of-the-mill pilot, giakon. You're with a Dagan. There's not a wormhole in this sector I'm not dating tight."

"Incoming!" Hauk warned.

Caillen saw the ships hovering right outside the door with their cannons locked on the shuttle. He charged the front shields and headed straight for their pursuers. "Give them everything you got, Desideria. And get ready to toss your shoes in too."

Desideria laughed as if she was as thrilled with the prospect of a fight as he was. She and Hauk sprayed fire all through the bay and on top of the patrols coming in.

The ships tried to block their exit for several heartbeats before they realized just how suicidal Caillen really was. He'd slam into them before he'd yield. In a game of header, he refused to blink or swerve.

Fuck them. If he was going to die, so were they.

Just as he would have hit them, they veered off sharply, out of the way.

Laughing from his adrenaline rush, he flew out and up at such a climb that a lesser pilot would have lost consciousness.

Hauk groaned in his ear as Fain adjusted their fuel levels to give the engines the juice they needed to surpass escape velocity. But it wasn't that easy. The fighters turned to give chase, shooting cannons the whole way after them.

Oh to have his ship or anything that was more maneuverable than this crate. At least that was his thought until he took notice of Desideria's competence.

Damn to have had her as his partner all these years instead of Kasen who'd be screaming by now that they were going to die. Not a peep came out of his little Qill as she reloaded and laid down more fire.

Fain shot a vid to his lower left quadrant for him to see. "Cruiser moving in on port aft."

"Got it." Caillen dropped low and spun out of the line of fire.

"Tractor beam pulse," Fain warned.

He sent a fierce glare at Fain. "You going to give me play by play every time they twitch?"

"Want to make sure you don't miss anything."

He snorted at the Andarion. "Only thing missing here is my sanity."

More ships came in for them. Caillen kept his eye on the scanners as he made numerous calculations in his head and on the con. He needed a few more minutes to get to a wormhole.

C'mon, baby, don't fail me now...

Desideria backed off as she saw their cannons overheating. Designed to be a passenger transport, the shuttle didn't want her using so much fire power and it was straining with her efforts. The guns were merely a precaution and not meant to defend for any longer than it would take for a backup patrol to come save them.

Oh to have that backup right now...

She leaned to the side so that she could check Hauk's status in order to verify her dread. Unfortunately, she'd been right. Hauk's cannon was already out of commission.

The Andarions were still coming after them.

She tapped the link in her ear. "Caillen, we're in an overheat situation."

"I need a couple of minutes."

She squeezed the trigger.

Nothing happened.

Cringing, she exchanged a concerned look with Hauk. "We don't have a couple of minutes, dearest."

"Then you better start kicking off those shoes, sweetling."

He wasn't funny in the least. Especially as she watched the Andarions gathering a force that stunned her. But it was the one fighter that concerned her most...

One she'd hoped to not see again.

"Our assassin's back and he looks determined."

"I'm on it."

Desideria held her breath as they dropped low and spun away from their pursuers. Even the assassin.

Hauk tapped her shoulder and pointed to a dark cloud they were headed toward. "Wormhole."

Relief poured through her. If they could make it to that, then it would propel them out of the sector and leave them a ghost to the Andarions and assassin. There would be no way for them to track them at all.

Just a little ways to it...

Almost.

There.

Holding her breath, she wished she could get out and push. But all she could do was imagine herself there with everything she had.

Caillen let out a whoop as they approached it.

Just as she thought they were safe, a net shot out in front of them, cutting them off. The force of impact brought them to an abrupt halt and sent her flying against the straps of her seat. The leather dug into her, bruising her hips and shoulders.

They were caught.

"Surrender!"

She didn't need a translator for that word.

Worse, the assassin flew in and took advantage of their disabled craft to fire torpedoes at them. The Andarions opened fire on the assassin, but it was too late.

She saw the light bomb coming straight at them.

We're dead...

Not even Caillen or his magic backpack could work a miracle great enough to save them now. Sucking her breath in, she waited for the fatal impact.

Caillen cursed in her ear. "No one move. We're pulling a Nykyrian."

"What's a—" She paused midsentence as the shuttle went completely dark.

One second she was strapped into her chair. In the next, she was standing in the center of an unfamiliar bridge. The explosion from the shuttle was so bright through the main bridge portal that it temporarily blinded her.

Until a cry rang out from the engineer on her right, alerting the crew that they had intruders.

Caillen, Hauk and Fain leapt into action. Desideria spun and tried to disarm the first crew member who reached her. But disarming an Andarion was something easier said than done. He didn't react to pain at all.

Did they not have the same nervous system?

He picked her up, literally, and threw her against the wall. The impact knocked the wind out of her as pain exploded through her entire being. In all the fights she'd had in her life, none of them had prepared her for this amount of damage. While she'd been bludgeoned and punched, no one had ever thrown her across the room before.

She tried to push herself to her feet, but she couldn't. *Oh my God, I'm helpless.* That feeling horrified her.

Dazed, she felt the Andarion grab her from behind. He wrapped his arm around her throat and choked her until her ears rang and her vision dimmed.

Suddenly, she was free. She turned to see Caillen beating the Andarion so hard she wasn't sure how he kept standing. It was fierce and impressive.

Fain whistled to get Caillen's attention. "Enough! We have control of the ship. Focus, drey, focus."

Caillen appeared to calm down, except for the wild look in his eyes. It was obvious he was more than ready to continue the fight. But somehow he maintained control of himself.

Hauk and Fain directed the four-man crew toward the escape pods with their blasters. "Take the controls, Cai, while we toss out the trash."

Caillen held his hand out to her to help her to her feet. "You dead?" The humor in his voice undercut the dead seriousness of his gaze. If she didn't know better, she'd think he was worried about her.

"Close, but not yet. Thanks for the assist."

There was a softening in his gaze that made her stomach flutter. She didn't know why, but she had a feeling that his anger was actually over the Andarion attacking her...

"Anytime." With an adorable and sheepish dip of his head that was completely out of character, he turned and went to the controls. It was only then she realized that at some point over the last hour, he'd removed his contacts and had his normal dark eyes. Most likely because it limited his peripheral vision in a fight and while flying.

But when had he removed them?

And why did the sight of his real eyes do such peculiar things to her body? She was both hot and cold. Shivery. Not wanting to think about that, she took a moment to push her pain into submission and to watch as Caillen slid into the chair to begin working the controls as if he'd been born to them. As much as she hated to feed his overbloated ego, he really was a great pilot.

Every bit as skilled as he'd claimed and the fact he was piloting a ship with controls and monitors that weren't his native tongue or Universal was even more impressive.

Before she even realized she'd moved, she was standing behind him, watching his hands fly over the controls and computer in a way that brought chills to her. How could he process an alien language so easily?

And that turned her thoughts to the last few days. So much had happened to her since she'd met him.

Almost all of it horrendously bad.

And yet somehow he'd managed to be a bright spot through the hell that had been this trip. How strange was that?

Right now, his presence was the only thing that kept her holding on to a life that had become a nightmare. Panic swelled inside her as she tried to come to terms with what was happening to her and the speed with which her life had unraveled.

Her mother was dead and she was being blamed for it. Every known government was looking to arrest and then execute them. Public humiliation and death.

My life is over and I'm innocent...

Caillen froze as he felt a hesitant hand brush through his hair. He turned his head to see Desideria staring at him with a look in her eyes that was both vulnerable and sexy.

He let out a relieved breath. "Oh thank the gods it's you. It would have seriously messed up my day to have Hauk or Fain start coming on to me in the middle of all this shit."

She laughed. "You are not right."

"So they tell me. Often." He jerked his chin to the seat beside him. "Lend us a hand?"

"I'm not a pilot."

"I just need you to key in a sequence with me to unlock the controls so that I can get us out of here."

"I can't read Andarion," she reminded him.

"You won't need to. It's a simple sequence. You move your hands with mine to the same place on your panel and we'll be fine. Or we'll explode, but I'm hoping you have more rhythm than Hauk."

Cringing over what she hoped was more humor and not a true prognosis, she sat down and ran through it with him. She had no idea what she was doing, but his patient, calm voice walked her through every stroke and made it as simple as he'd promised.

Luckily they didn't blow up.

Just as she finished, Hauk and Fain returned. There was a satisfied gleam in Fain's eerie eyes that said he'd thoroughly enjoyed tossing the other Andarions off the ship.

Hauk moved to stand behind her chair as he went over her settings. Then he looked at Caillen. "We'll have about two more minutes until the Andarions realize we're alive and on this ship."

Caillen nodded, punching in coordinates. "You know the drill. Strap tight what you don't want to lose."

As soon as they did, Caillen banked the ship and spun it straight toward the wormhole. That alerted the Enforcers who instantly gave chase.

Fain cursed as the Enforcers opened fire on them again. "You could learn a little subtlety, Dagan."

Caillen scoffed. "Subtlety is for those who lack the skills and the balls to be bold."

Fain's glare was murderous. "Subtlety is for those with the brains to not get a fleet chasing after them."

Caillen snorted a denial. "I'm in a real ship now, boy. You forget that this is what I do for fun. There's no danger here."

Desideria would argue that, but instead she gripped the arms of her chair as Caillen narrowly flew between two fighters, shooting the whole way.

A warning light flashed.

Fain cursed. "Ah now you've gone and broke the damn ship, Dagan. Can't we let you do anything?"

Caillen made an obscene gesture at him.

Just as she was sure they'd be caught again, Caillen did a hard right and dip that slid them straight and smoothly into the wormhole. For a merest slip of time everything went dark. All power vanished before it came back on and they shot forward with a force so strong, it plastered her against the seat.

As they leveled out, Caillen turned a smug smirk at all of them. "And you actually doubted me." He tsked chidingly.

"Every minute you live and breathe," Fain muttered. He took the controls by slapping Caillen's hands away. "Now get away from there before you do any more damage to my limited sanity."

Caillen started to protest, but Hauk stopped him. "We have a couple of hours before we make it to Sentella VII. Why don't you two take a breather?"

Fain agreed. "And a bath while you're at it."

"I don't stink." Caillen's tone was completely offended.

Fain raked a contradictory grimace over Caillen's scuffed appearance. "Trust me, human, you reek. When was the last time you washed anyway?"

Caillen tucked his hands into his back pockets before he recovered his usual good humor. "Yeah, all right. So I *might* resemble that remark. You still don't have to be so rude about it."

"You think this is rude—"

"People!" Hauk said, breaking up their argument. "Let's

stow the attitudes and take a moment to be grateful we're alive and intact which given Caillen's suicidal tendencies and limited piloting abilities is amazing. You know, we did just live through a miracle."

Caillen would argue that it was a testament to his skills and not an esoteric being, but as he caught the grief that hung heavy in Desideria's eyes, he decided to heed Hauk's words. She could use a break and honestly, so could he. "Fine. We'll be in the crew quarters if you need us."

Hauk took over his chair the minute he left it. Relinquishing the controls—which was a really hard thing for him to do—Caillen led Desideria down the narrow hallway, so designed to keep any outside attackers in single file and to limit their movements, to the small bunk room where the normal crew could take their breaks should they be on a long patrol. There wouldn't be much of a shower there, but it would be enough for a quick rinse and hopefully one of the original Andarion crew members would have had a penchant for soap. Maybe even shampoo.

He opened the door to the room and let Desideria enter first. The lights came on automatically as she headed to the corner where a small round table and two padded chairs were set next to a cooling unit and food cabinet. Three narrow, stacked bunks lined the opposite wall next to the small shower stall. "You okay?"

Her eyes were haunted. "Not really. I'm . . . weirdly numb."

"Yeah. Me too. It's a lot to take in and we've been hammered with it over a very short period of time. The mind tends to shut down so that we can cope." Unfortunately, it would hit them both later and be even harder to deal with.

Like when his adoptive father had died when he was a kid.

He'd been completely normal for three days as he bribed

the doctors and helped his sisters cope, then after the funeral when he'd been on his way to school, something inside him had snapped. In a back alley alone, he'd cried until he made himself sick.

No one knew about that and they never would. It'd taken him hours to pull himself back together.

"Don't worry, Princess. I'm here if you want to talk about it."

Desideria didn't respond as the reality of her predicament hit her all over again. There was no escape for them. No hope. All of her dreams of a future were gone. This could very well be the last day she'd live...

Fear and grief choked her. "I'm not ready to die yet."

"You won't."

How easy he made that sound. But not even his conviction could sell that lie to her. The truth was cold and harsh.

And it was in her face.

I'm the walking dead. They would condemn her for this and there was nothing she could do.

He held his hand out to her. "C'mon. Take a shower and you'll feel better."

She scoffed at his useless optimism. "A shower won't cure my problems."

"No, but it'll help your mood. I promise."

"Yeah, right. It won't—"

He silenced her words with a kiss so hot it set fire to her blood. Her head spun at the warmth of his hard body pressing against hers. Of the sensation of his arms wrapped around her waist. Her raw and ragged emotions were so overwhelming and confusing.

No one had ever held her like this before.

Like she was precious. Like she mattered.

Like she was loved . . .

In that moment, something inside her burst. All her repressed emotions flooded through her with a ferocity so intense that it left her as breathless as his kiss.

But the one thing that held her grounded fast and kept her sane during this insanity was the taste of his lips. The scent of a man who had walked her through hell and had stood by her every step of the way.

A man who had protected her even when they'd been fighting against each other. No one had ever shown her that kindness or consideration.

One way or another, her life would be forfeit. Even though she'd lived her entire existence with her singular purpose to be dutiful and to make her mother proud—all of that was for nothing now.

Absolutely nothing.

But if she had to die, she wanted something for herself. Something uniquely hers.

She wanted Caillen. She wanted to go to her grave with the memory of his touch forever branded on her skin. To know what it was like to be with him, just the two of them with no pretense or regrets.

For the first time in her life, she felt like she was making a choice not out of duty or obligation. She was making a choice for her because it was something she wanted.

You're Qillaq, bound by the laws of your people.

Yes, and part of that was knowing herself. Deciding her own fate and not allowing anyone to rule her. Ever. Her mother was dead. It was up to her to find the killers and bring them to justice. Only she could do that. But until they landed, there was no way to pursue her traitors. Nothing to do except claim the only man who'd ever made her feel like she was human.

A man who touched a part of her no one ever had before.

Caillen growled as he felt the change in Desideria's kiss and in her mood. She clutched him against her, taking control of the situation in a way he'd only dreamed about. His senses spun as she explored his mouth and teased his lips with her teeth.

Oh yeah, baby...

This was what he'd been craving since the moment he first saw her. Every hormone inside him was salivating, dying for a taste of her body. When she pulled back to stare up at him, he felt his cock harden even more. He waited for her to speak, but she didn't. Instead, she opened his shirt and splayed her hands over his chest, brushing against his bruised flesh. Her caress sent chills down the entire length of his body.

In that moment he was undone and he knew there was no going back.

"Don't start this fire, Desideria. Not unless you intend to see it through."

She leaned in to nip his chin. "I'm willing to see it through."

He kissed her quickly, then moved toward the shower so that he could start the water.

She frowned at him. "What are you doing?"

"In the event Fain is right for the first time in his life, I don't want to offend you with my body odor."

Laughing, she shook her head. "As you would say, I think I resemble that remark. It's been a few days for me too."

"Yes, but you smell a lot better than I do. Believe me, my sisters tutored me well on the fact that men stink more than women."

"I don't know. I'd run my sisters up against the smelliest beasts in the universe. In fact, Cissy is always complaining that if we could bottle Gwen's sweat we'd have an entirely new biological weapon capable of dropping entire armies after one sniff. And I have to say, it's pretty potent."

Desideria sobered as Caillen undressed and he exposed more and more of that delectable flesh for her hungry gaze. Okay, her sisters weren't crazy. There was definitely something to be said for a man's naked body and Caillen's was exquisite. From his broad, muscled shoulders to the flat, tight stomach she could do laundry on, down his long, hairy legs all the way to his feet. Yes, he was bruised and wounded, but it didn't detract from the beauty of him at all.

She reversed her gaze and heat exploded across her face as she saw the part of him that was uniquely male. God love him, he was totally unabashed by his nudity. What she wouldn't give to be so secure in her own looks. And she was both fascinated and terrified by that stiff male part of him. It was alien and strange, and at the same time beautiful and beguiling.

His gentle laughter teased her as he reached out and pulled her closer to him. "It won't bite you, sweet, and neither will I...at least not without an invitation."

She shivered as he started opening her shirt and her old insecurities slammed into her. Would he find her unappealing? "You know I've never been with a man before."

He froze before those sharp eyes narrowed on her. "How is that possible?"

"I haven't earned the right yet."

He scowled at her. "Then why would you—"

She cut his words off by placing the tip of her finger against his lips. "We're not on Qilla now. I think I want to try your customs for a while."

He nibbled her fingertip, savoring the salty taste of her skin. "Are you sure about this? Sex is the one thing you can't undo. The last thing I want to be is a mistake that eats on your conscience."

She stared at him in awe. "Are you always so concerned about your lovers and their feelings?"

Caillen swallowed as those words took him back to the day he'd found his sister after her rape. She'd been so shattered and hurt. So damaged both mentally and physically. That one moment in time was forever branded into his heart and mind. The way Shahara had clung to him, then cursed him for being male. The way she'd cut her hair and then refused to be touched by anyone for years afterward. All the times she'd been afraid to leave their apartment. Even now, after all this time and her extensive combat training, she'd cringe if he came up behind her when she wasn't paying attention. And she still rarely hugged or touched him.

He would never do that to another human being. Never tear a woman down to that level, especially not one who meant as much to him as Desideria did. "I don't want to be something you regret. Ever."

Desideria's eyes teared up. In that moment, she made a horrifying discovery.

She was falling in love with a lunatic rogue who lived with a death wish. One who had an amazing smile and an irritating ego. That realization floored her.

Love. Such a stupid emotion. She'd never understood it. Not until right now as she stared into the dark eyes of the only person she'd ever trusted with her safety. The only person she'd ever taken care of even though she didn't know how. This man who was grating, arrogant and annoying.

And perfectly wonderful.

She wanted to cry from the fierce emotions that swelled inside her. A part of her wanted to devour him. Another part just wanted to hold him until everything was good again.

Unable to stand it, she pulled him into her arms and just let the sensation of his body soothe hers. It felt so good to be so close to him.

Caillen sensed something different about the way she held him this time. She clung to him with her face buried against his neck. Not moving, just holding on for dear life like she feared he'd shove her away.

Had she snapped a wheel? Had all the bullshit of the last few days finally broken her?

He didn't know why, but that thought actually angered him. He couldn't stand the thought of anything bad happening to her. "Are you all right?"

She nodded, then stepped back to shrug out of her top.

His throat went dry at the sight of her bared breasts. He'd known she was beautiful, but the bounty in front of him was more than he'd expected. Oh yeah, those would overfill his hands and leave him completely satisfied. Growling, he dipped his head down to taste a piece of heaven.

Desideria shivered at the warmth of his breath on her naked flesh. And each stroke of his tongue sent a wave of heat through her. Never in her life had she felt anything like it. Her embarrassment fled under the assault of her desire and her need to please him.

Before she even realized his hands had moved, he had her completely naked. For the merest instant, she was bashful, but Caillen didn't leave her any time for that as he pulled her into the shower. He pressed her up against the wall while the hot water pelted them.

Only he could be that gorgeous with this long black hair plastered against his skin. Biting her lip, she brushed it back from his face and smiled as she remembered what he'd told her when he took the medicine to grow it. "Is this going to get in the way?"

He flashed that playful grin that made her stomach contract and a part of her throb. "Yeah, but you're worth the pain." He caressed her cheek with his, allowing his stubble to raise chills along her body.

She sucked her breath in sharply as she touched the scars on his back and the deeper one on his abdomen. His scrolling bird tattoo blended with them in a way that made her curious. "Did you get the tattoo to cover your scars?"

Caillen froze at an astute question no one had ever asked him before. He started to lie, but he didn't want a relationship with her that was built on that. "Yeah. I've always been self-conscious about them."

"Why?"

He brushed his hand down the worst one on his left side where it appeared someone had carved him open. "Women like perfect bodies and I've been around enough of them to know that the number and depth of scars I have can be a turnoff."

She ran her hand along the one he'd traced. "I don't mind it at all. It just proves you're insane."

The warmth in his eyes scorched her. "That I am."

Biting her lip, she saw the new scar that was forming where he'd been shot. And it made her wonder about the others. "How did you get them?"

"Shahara has always said that I can only learn by screwing up first. Each scar serves as a permanent reminder to me that that which doesn't kill you will just require many stitches."

Caillen tried to keep his tone light, but the truth was, he hated the damage he'd done to himself. The toll his stunts had taken on his body. But that being said, he didn't see even the faintest trace of disgust in her beautiful dark eyes.

A deep frown creased her brow as she touched the scar on his forehead. "I can't believe your sister hit you with a pry bar."

"You said I deserved it."

"I didn't mean it."

Those words warmed him as he kissed the tip of her nose and took her hand into his. With his gaze locked firmly on hers, he led her hand until she cupped him where he was most desperate to feel her touch.

Desideria held her breath as she allowed Caillen to show her how to stroke his body. She was amazed at how soft his skin was over the hardness. But what thrilled her most was the look in his eyes as she explored him. There was so much passion and desire. Such tenderness for her. He traced circles over breasts, teasing them until she feared she'd melt. No one had ever looked at her like he did—like he could devour her. It made her feel powerful and strong in a way nothing ever had.

His murmured sounds of pleasure filled her ears, making her even bolder with her caresses. She reached down and squeezed him tight.

He jumped back with a hiss. "Careful, love. Too hard and we'll both be disappointed."

She clenched her hand into a tight fist. "I'm sorry. I didn't mean to hurt you."

He kissed her hand before he led it back to his cock. "It's all right. You'll just have to rub the pain away. Kiss it and make it better."

"You're devious." She wrinkled her nose at him.

"Absolutely." Cupping her face, he kissed her again while she ran her hand down the length of his shaft. It was so strange to her that she was completely unbodyconscious. All her life, she'd been so careful to stay covered up so that her mother and sisters wouldn't belittle her. But with Caillen, she felt beautiful. He didn't seem to mind the fact that she was muscled and larger than other women. If anything, he enjoyed it.

In fact, he bathed her slowly, his hands sliding over and into her. Every stroke and caress made her tremble. It was like electricity ran through her body. And when he knelt down in front of her and replaced his hand with his mouth she cried out in pleasure. Her senses exploding, she buried her hand in his slick hair as he teased and tasted her.

Rational thought fled her mind. How could anything feel so incredible? In all her fantasies, she'd never considered this. All of a sudden, she felt her body explode into wave after wave of ecstasy. Her eyes widened as she cried out again.

Caillen held her close and continued to taste her until her body finally floated down to a semblance of sanity.

Her breathing still ragged, she stared at him in wonder. "What did you do to me?"

He nipped gently at her thigh. "That, my sweet, is an orgasm."

No wonder people risked death for it. She finally understood why people craved sex. It was incredible.

Caillen's eyes darkened as his expression turned serious as he stood up in front of her. He took her hand into his and lifted one of her legs to wrap around his hip.

Her body was still quivering and pulsing as he slid himself deep inside her. She sucked her breath in sharply at the foreign sensation of him filling her completely. A piercing pain overrode her pleasure for several seconds until he began stroking her with his hand. The pain fled as he pinned her against the wall and kissed her. She wrapped both of her legs around his lean waist, reveling in the sensation of him pressing against her while he filled her body.

"You feel so good," he breathed in her ear.

Her reply ended in a small gasp as he thrust against her hips. More pleasure rippled through her body as he rode her slow and easy. The intimacy of this moment stunned her in a way she'd have never imagined. She was naked with a man inside her. There was no one else in the universe but the two of them. Nothing but the sensation of them sharing their bodies while the hot water showered over them.

He dipped his head down to nibble her breast as he continued to thrust against her. She cupped his head to her as emotions confused her even more. She was now a woman in every sense of the word. And Caillen, a wanted fugitive, was her lover.

That one word whispered through her mind and for a moment she felt like she was outside of her body looking down on them as they stood in the small cubicle. Connected. Not just by a physical act, but by something much deeper. Much more profound.

Caillen buried his head against Desideria's neck as the hot water pelted his back. She raked her nails gently over his skin, raising chills the length of his body. Never in his life had he felt like this. He didn't know what it was about her that had slid past his defenses, but he'd let her into a place where only she could do him harm. It wasn't just that he was her first, there was something more.

The way she made him feel... Not like a loser or a player. She made him feel heroic.

How stupid was that?

She'll betray you. Sooner or later, everyone does. He didn't want to believe that. Not even for an instant. For the first time in his life, he could see past the possibility of a betrayal.

He could see...

A lifetime spent like this—lost in her arms.

Don't be stupid. You're both dead if you're caught. That was a big *if.* And right now, he wanted to make sure nothing happened to spoil this.

To hurt her.

She was the most important thing to him. And with that thought, he felt his body tilting over the edge. Throwing his head back, he let his orgasm take him to the highest level.

Desideria held him close, her breath tickling him as she tightened her legs around his waist. Yeah, he could definitely stay like this for eternity.

Two hours later, Caillen lay naked on the cold floor of the crew members' lounge listening to Desideria's quiet snore as she rested on top of his chest. He was every bit as exhausted as she was and for the first time in months he wasn't completely stressed out even though he should be. Her breath tickled his skin as he tried to plot through everything he'd have to do once they landed. He still had no idea how to get the evidence he needed to clear his name and find his father's killer.

Unless he found the assassin and could get that bastard to talk. That was much easier said than done. The most unfortunate thing—freelance assassins were more common than grains of sand on a beach. Finding any particular one...

That was more luck than skill.

And then there was the matter of Desideria.

The mere thought of her name made his heartbeat race. The scent of her hung heavy around him and all he wanted was to stay like this with her forever.

That fact terrified him. He didn't want to be attached to anyone. It brought too much drama and crap into his already screwed up life.

Yeah, but wouldn't it be great to have a relationship like Shahara's and Syn's? Like Nykyrian's and Kiara's?

He wanted to tell himself that he didn't care about that at all, but deep inside he knew the truth. He'd love to have a woman whose face would light up the way Desideria's did whenever she looked at him.

I wonder if she even knows she does it.

Could I really mean something to her? He was too used to women telling him he was worthless and a waste. Women who wanted to claw his eyes out over unintentional slights. Such as forgetting a birthday while his entire life fell apart.

To have one who might love him and be there when he needed her...

Stop acting like a woman, you moron. You have way too many other things to focus on right now and if you both get killed fat lot of good love will do you when you're dead.

True, very true.

My father's gone. That reality kept coming back to him and kicking him hard in the stomach. He hadn't known his real father any time at all really, but the man had come to mean a lot to him. He still couldn't believe he wouldn't see him again. Wouldn't hear the note of exasperation in his father's voice as he said the dreaded words "I've spoken to Bogimir."

Maybe he should have tried harder to be a prince. To make his father proud. The man had loved him, and in truth, he'd learned to love the old man himself.

I should have told him that.

Of all people, he knew how fleeting and fragile life was. Every time his father had told him he loved him, he'd seen the expectation in his father's eyes, waiting for Caillen to return the sentiment. And he never had.

I'm such an asshole.

Why hadn't he said it to his father? Just once? It would have made the man's day and cost him nothing. *I can't believe I didn't tell him.* Guilt and grief choked him. But there was nothing he could do to rectify it now.

It was too late.

Sighing, there were a lot of things in his life he regretted.

Except for being with Desideria.

Looking down at her on his bare chest, he smiled. Yeah, he'd never regret her.

"Hey, Cai?"

He frowned at Hauk's strained tone that echoed from the intercom. "Yeah?"

"We got a little situation up here. I think you need to come to the bridge. Fast."

"Why?"

It was Fain who answered. "Oh nothing really. We're just about to be attacked, that's all. Thought you might want to see the death blast coming before it turned us into a flaming ball of twisted metal."

19

Caillen was still pulling his jacket on as he rejoined Fain and Hauk on the small bridge. "What's going on?"

Hauk pointed to the monitor. "Look familiar?"

Caillen's jaw went slack as the computer brought up the image and schematics of a black fighter and enhanced it. It was one he'd become a little too acquainted with lately. "What the hell? How could he have followed us through a wormhole?"

Fain shrugged. "Well hell if I know. Why don't you go on out there and ask him? I'm sure he'll be willing to share. We could have a whole group therapy session and talk about all of our negative feelings and deepest-held secrets while we're at it too."

Hauk rolled his eyes at Fain's sarcasm. "Technology is ever evolving, my friend."

"Evolving my ass." Caillen switched to the ship's markings just to be sure. And yes, there was no denying the bastard's identity. It was the same assassin who'd been following them since the beginning. "This is ridiculous. No one can trace through a wormhole. There's too much distortion."

Hauk shrugged. "Ridiculous or not, he's on our tail and our weapons are still down."

Caillen growled low in his throat as he motioned Hauk out of his seat so that he could take the controls from him. It was time he—

A blast of orange lit up the space in front of him. His blood pumping, he saw the new addition to their party. Small, sleek and blood red, the fighter shot past their nose so close he could feel the vapor trail. It flew in a familiar erratic pattern...

Fain headed for the guns to try and repair them.

Caillen stopped him as he had a gut suspicion about the pilot's identity. *Please let me be right.* If he was, this was a good thing.

Maybe.

God, don't have a long memory. Was it too much to ask for a small concussion to forget just that one little incident...? Opening a channel, he hailed the new fighter. "1-9-8-2-6 is that you, Aniwaya?"

When the answer came in, the deep baritone voice made him smile. If lethal ever had a proper name, it was Chayden Aniwaya. That rogue bastard was many things to many people. Assassin. Self-serving pirate. Thief. Brutal fighter when crossed. But to Caillen he was known by one simple thing.

Friend.

At least some days.

Please gods let this be one of those days.

"Dagan, you worthless bastard, what are you doing in my sector and in the company of an unauthorized fighter no less? Don't you know that's suicide here? You're lucky my boys haven't raked your basement."

"Bleeding mostly," Caillen said, answering his first question before he addressed the latter. "That UF you noted happens to be an unidentified assassin on our tail. Any chance of an assist?"

"Depends. You going to sleep with my girlfriend again while you're in my sector?"

Gah, so much for a concussion. Why did Aniwaya keep bringing *that* up? Make one little mistake and damned if you couldn't ever live it down. It was doubly annoying since Aniwaya basically agreed with him. Any woman who'd snake around when attached wasn't worth grieving over. "How many times do I have to tell you that I had no idea you two were together?"

"Until the day I actually believe your sorry hide."

Caillen scoffed. "Hey now, I only lie about my cargo, *never* my women."

"Sad thing, Dagan, I actually believe that." Chay broke off their conversation as he engaged the fighter.

"Hey, hey, hey," Caillen said in rapid succession as Chay went to the fight like he always did...with everything he had. "I don't want him dead. I'd like to haul him in for questioning if you can refrain from execution for a few."

"Lazy krikkin pacifists wanting to save the bunnies when they need to be skinned..." Chay grumbled under his breath before he called in for his fellow band of miscreants to help trap the assassin. "We'll let him live, but you owe me, Dagan."

"Bullshit. This is me claiming a debt *you* owe me."

Aniwaya let out an annoyed breath. "Fine...asshole."

Hauk arched a brow at Caillen as he closed the channel between their ships to keep Aniwaya from hearing their conversation. "Who's our new friend?"

"One of the surliest pirate warlords in the business. Chayden Aniwaya." He jerked his chin toward Fain. "Do you know him?"

"Why would I?"

"You're both Tavali. I figured you might have run across him at some point in your travels." The Tavali were an interstellar organization of pirates who flew under one single banner—their symbol was the same one Fain had on the mask he normally wore. A mask that also marked him as Tavali. It was a warning to others that if you messed with one of them, you messed with them all. They might be liars, thieves and riffraff, but they were loyal to each other to the end. No matter who you were or where you came from, if you bore their mark, you were family and they would all fight to protect you whether they knew you or not.

Fain snorted. "In case you've had massive damage to your temporal lobe, there happens to be a lot of us. There's no way to know them all."

"Yeah I know. You breed like rodents."

Hauk cleared his throat to get Caillen's attention back on his inquisition. "His girlfriend? How did you get hooked up with her?"

That was a long story so he shortened it. "She went to school with Kasen back in the day."

"And you slept with her?"

Caillen let out a disgusted breath at his own rank stupidity. If he could only change that... "Four years ago and in my defense she was seriously hot—even you'd have slept with her." Hauk wasn't fond of human women as a rule. "Lethal harita forgot to tell me she was engaged to Aniwaya who almost had both of my heads for it when he found out." Not that Caillen blamed him. He'd have been pissed too. But really, it wasn't his fault.

301

"How'd he find out?" Fain asked.

"She told him as soon as she crawled out of my bed. Apparently, I was a tool she wanted to use to strike at him and stupid me, I let her. She thought it'd be funny to betray him with a friend. Lucky me, huh?"

Hauk shook his head. "Yeah, some women will do it to you."

And Hauk would know. It was amazing he'd even go near a woman again after what had happened to him.

Then again, sex was one hell of a motivator and they were dumb enough to let it rule them... "Tell me about it." Caillen turned his attention back on the action outside.

Within seconds, Aniwaya and his band of pirates had the assassin routed and captured in a tractor beam. Damn, the renegade bastard made it look easy, but then when you had five people to move as a team it was a whole lot easier than when you only had yourself and one overemotional sister trying to do it. Aniwaya's team moved like they shared a single mind. They knew each other so well that half the time they finished each other's sentences.

It was the kind of team Caillen would kill for. Unfortunately, he'd never been able to find that many people who wouldn't knife him in the back as soon as he let his guard down. Aniwaya had a rare team and they all knew it.

Chayden opened the link between ships. "Where you want him?"

Dead, but that wasn't an option quite yet. "Sentella VII."

Aniwaya let out a scoffing laugh. "Uh...yeah. Negatory, Captain. We're not exactly welcomed there. So I think I'll keep my head and my distance away from those psychos."

Caillen was surprised by that. Usually the Sentella welcomed any pirate who preyed on the League and her allies which was what Chayden and his crew lived for. There was only one thing he could think of that would have them skittish of the Sentella. "Who'd you kill?"

"No one. We captured one of their extremely loaded and enticing supply ships a few months back and they've been a little cranky with us ever since."

Yeah, that would do it. The Sentella didn't like to be victimized in any way. "Chay..."

"Don't give me no lip, Dagan. You'd have done it too if you'd seen what they carried and I can still shoot you down and no one would care."

Well, he was right about that at present. In fact, his enemies would reward him mightily for it.

Hauk took over the conversation. "For the record, *I* would care if you shot us down. And don't worry about going to the station. I'm one of the core Sentella members."

"Yeah, right. I've heard that before. How stupid do you think I am?"

Hauk passed an irritated look at Caillen.

Caillen held his hands up in surrender. "I don't control the pirate brigade. Chay's a paranoid sonofabitch—and deservedly so given the people out to slay him—so don't cut those freaky eyes at me, looking for help with him. I got nothing useful."

Sighing, Hauk opened the channel. "On my honor, the soul of Akuma, no harm will come to you or those who fly under your banner."

Aniwaya's voice dripped with suspicion and ridicule. "You telling me you're the infamous Akuma wanted by the League and all the United Systems combined? Flying in that hunk of shit with

303

a lowlife like Dagan? Boy, find another gullible fool. This one isn't taking."

Hauk growled in the back of his throat as frustration must have strangled him. Not that Caillen could fault Aniwaya for his skepticism.

Akuma meant demon. Each one of the five founding members of the Sentella had an alias they used to protect their identities and to keep their families safe from the wrath of the League and her allies.

Nykyrian was known as Nemesis or vengeance. Darling went by Kere or death. Jayne was Shinikuri, the spirit of death, and Hauk had chosen Akuma.

Because all of his family was dead, Syn had refused a moniker claiming he didn't care if they hunted him down and killed him. But now in order to protect Caillen's sister, he went by Shinikami—death wolf.

But only a tiny handful of people knew those names and who they belonged to. Divulging their real identities wasn't something any of the Sentella did lightly which was why Chayden was crying foul. Caillen only knew them because he didn't believe in betrayal in any way and they trusted him implicitly.

When Hauk spoke, his tone was that deadly tight one that effectively conveyed his ire. "Trust me, pirate. No unauthorized being would ever dare use my name." He glared at Caillen who'd actually done that on the colony—oops. Good thing the Andarion loved him or they'd be locked in a death match over it.

"Sanctum Sentella, Aniwaya. On that you have my word and that is sacred." With those two phrases, Hauk offered Aniwaya safe passage.

Aniwaya hesitated before he responded. "Thanks, Akuma. I'm trusting you with the safety of my men. If you back out on your word, take my life, not theirs."

Hauk arched a brow at Caillen. "You're right. He's not real trusting is he?"

"He's Tavali," Fain said. "We're no more trusting than the Sentella is. The price on our heads is every bit as staggering as yours and like you guys we tend to make more enemies than friends."

Hauk nodded. "I get it."

And that was why Caillen flew unfettered. While there was some safety that came from being aligned to a specific group such as the Tavali or Sentella, there was also a lot of crap and internal politics that could easily drag a smuggler or pirate into a mess faster than sleeping with an aristos's wife. As a free agent, he could be "friend" to anyone without politics intervening.

The bridge door pulsed open.

Desideria finally rejoined them—wearing Caillen's one clean shirt that he'd left out for her. For some reason he couldn't name, he liked seeing her in it even though it swallowed her whole. It sent a strange surge of possessiveness through him.

Yeah, she could definitely borrow his shirts anytime she wanted and he hoped her scent stayed in the fabric...

Pausing by his chair, she yawned. "What's going on? I heard a strange voice over the intercom, but I couldn't understand what you were saying."

Hauk grumbled a humorless laugh. "Nothing much. You just missed another near-death experience."

Her eyes widened. "Excuse me?"

Fain indicated Caillen with a jerk of his chin. "Luckily your boy knows people who carry a lot of guns. As long as he doesn't sleep with anyone's girlfriend again, we should be fine."

Oh yeah, if they could freeze the smoldering look on her face as she glared at him, it could be sold as a lethal weapon on the black market and make them all rich. "Pardon?"

Caillen let out an annoyed breath. "Fain has a mental disorder that causes him to spout random stupidity for no apparent reason. It's been a source of constant embarrassment for his brother since they were kids. Ignore him."

Fain snorted in response. "I'll remember that next time you need help, food."

"Good thing I have Hauk's number on speed dial then, huh, pun'kin?"

Hauk laughed.

Fain appeared to want to say something, but then seemed to change his mind.

Good, he was learning...

Desideria took a seat beside Caillen as they handled the landing. True to their words, she saw the familiar black fighter that appeared to be held by a brigade of pirates. "Are those what I think they are?"

Caillen winked at her. "Aye, Princess. They be pirates indeed."

"And I take it they're on our side."

"Yes."

Okay...She didn't understand it, but if the men were good with it, who was she to argue?

How long did I sleep? Obviously, she'd missed something important. Turning her thoughts back to the renegade at hand, she watched Caillen with a new awareness of him. It wasn't just that his scent was branded into her memory or the way his eyes lit up with that childlike spirit. She felt connected to him in a way she'd never been connected to anyone.

What was it about him that had made her love him when she'd never loved anyone else? Of all the men in all the universe, why Caillen Dagan?

It didn't make sense and yet she knew she'd die to keep him safe. What a shocking realization. She'd never really thought to feel this way about anyone and she knew her mother had never loved her consorts. Not like this. Yes, she was fond of them, but when Desideria's father had died, her mother hadn't even reacted. She'd taken the news with the same degree of stoicism as she did the morning news from her advisors. Cold. Calculating. Distant.

If something were to happen to Caillen, she had no doubt it would devastate her entire being. The mere thought of losing him was enough to drive her to her knees.

A swell of emotions she couldn't even identify choked her.

I love you.

Three simple words that seemed so inadequate for what she felt for him. How could anyone convey so much emotion with mere words? And yet she knew they could never be together. Especially not if they cleared their names. He was the prince and heir of his empire and she was the heiress to hers.

Their countries and politics would never allow them to unite. Two rulers couldn't marry. It was a conflict of interest. One of them would have to step down and she knew it couldn't be her. There was no one else to take her mother's place. Gwen would never be able to handle the responsibility.

And Caillen wasn't the kind of man who would willingly

subjugate himself to the role he'd have to play on her world. Nor could she ask that of him.

Maybe he could beat me…

The truth was, she didn't want to fight him for it. The thought of taking arms against him and bruising him…

She couldn't do it.

There was no future for them. None. That reality cut through her as she realized just how hopeless all of this was. It wasn't fair. No matter what, she would lose him.

Caillen turned in his seat to flash that familiar devilish grin at her. "You all right back there? You're being awfully quiet."

Fain snorted. "It's okay to admit you're sick from his lack of skill at the helm. No one here would think less of you for it."

Caillen shot Fain a lethal glare. "You're just jealous I'm a better pilot than you are."

"Yeah, that's so it. I live in fear of the comparison." The dryness of that tone would rival a dust bowl.

Desideria smiled at their banter as she tried not to think about the fact that she'd have to leave him soon. "I'm fine, and Caillen is a fabulous pilot."

All three of the men appeared shocked by her compliment. Honestly, it shocked her too. Since she'd grown up with nothing but criticism, any kind of compliment was hard for her to give to someone else. Yet she couldn't help it. She wanted Caillen to feel good.

Girl, don't feed that *ego. The gods know, it's the last thing you should do.*

Yeah, okay, that was probably true.

Heat stung her cheeks as Caillen carefully guided them into a well-secured space station. A calm, smooth approach that was a nice change from their frenetic launch.

As they entered the bay and continued forward, guided by a tractor beam, Desideria's eyes widened at the impressive display of artillery that followed them all the way to the landing pad. If there was any doubt about how serious the occupants were when it came to their safety, the red targeting dots put it away. If those cannons went off, there would be no escape.

She let out a low whistle. "Wow, they're not playing around with that, are they?"

Hauk shook his head. "The Sentella can't afford to. The League has too big a price on the head of anyone associated with them. You put one of us down, we're taking you with us."

Obviously.

Hauk took over the communications from Caillen as the controller gave him explicit orders to safety lock all of his weaponry. "This is XN-8-2-1 requesting clearance."

There was a moment's hesitation. "Voice analysis match. Welcome, drey," said the smooth computer voice.

Drey? That word confused her as she moved to stand closer to Hauk. "What does drey mean?"

"Brother," they answered in unison.

"What language?"

Hauk's fangs flashed as he spoke. "Syn's. It's a corruption of Ritadarion and Andarion."

Syn... Caillen's handsome brother-in-law she'd seen in his vidframe. Desideria tucked that knowledge away as Caillen ordered her to strap herself in. She quickly took a seat and did as he asked.

Caillen made a smooth landing on the back pad while the pirates and fighter followed suit nearby.

It only took a few minutes to lock the ship down and open the hatch. Before Caillen could do more than unbuckle himself from his chair and stand, three women ran on board and practically tackled him to the ground. Desideria would have been jealous had she not recognized them as his sisters.

They each took turns scolding and adoring him in a variety of pitches. Their words came so fast and furious that it actually made her dizzy trying to follow them.

"How could you be so reckless?"

"Have you any idea how much trouble you're in?"

"What brain were you attempting to use?"

"How dare you put us through this, you selfish little worm."

"We've been so worried about you!"

"Thank the gods you're all right."

"When was the last time you ate? You look thinner."

"What happened to your face? Do you need a doctor?"

"I swear, you're such an idiot! How do you get yourself into these things?"

A loud whistle split the air and silenced them.

Desideria cringed at the shrillness and plugged her ears. She looked to the source to find the infamous Syn. Dressed all in black, he was dark and deadly. His long black hair was secured with a band at the nape of his neck. With at least a day's growth of whiskers, his face was roguishly handsome and finely boned. Those black eyes took in every detail of the situation with an eerie astuteness that only Caillen's could rival. One corner of his long coat was pulled back, out of the way of his holstered blaster so that he could get to it if he had to.

But there was no need. A person would have to be an absolute imbecile to confront someone with an aura this lethal. Syn's sternness made her appreciate the fact that Caillen's fierce aura was tempered by his humor and good nature. It would have to be hard to live with someone as grim as Syn.

He strode forward with a predator's lope as his gaze went to each of Caillen's sisters in turn. "Dagan women, down. The poor man can't even breathe with all of you stifling him so badly."

Kasen curled her lip as she raked Syn with a less than kind smirk. Oh yeah, Caillen was right. His sister was insane to confront Syn with anything except devout respect. "The imbecile's lucky I'm not choking the breath out of him right now."

Caillen snorted. "Love you too, sis."

Kasen sneered at him. "Don't you dare get lippy with me after the week you've put us through, you little worm."

Desideria's temper flared at the insults and the way Kasen treated him. How dare she! Especially given all the messes she'd gotten Caillen into over the years...such as the stunt that had almost resulted in his execution.

Before she realized what she was doing, she stepped forward to confront her. "Excuse me, but in case you haven't noticed this really isn't about you, cupcake. For all the misery you think you've suffered, I assure you it pales in comparison to what we've been through over the last few days. So before you continue to jump on him, you might want to steer down and step back. In the mood I'm in right now, I *will* do damage and unlike your brother, I don't mind hitting women. Live for it, point of fact."

Shahara gaped, her expression astonished, then she laughed as Tessa and Kasen glared at her for it. "Oh, Cai, I *really* like her. You done good, little brother."

Kasen's nostrils flared before she started toward Desideria.

Caillen caught her by the arm and held her back. "Girl, don't even. Trust me when I say the little dumpling can take you down. Remember, it's not the size of the dog in the fight, it's the size of the fight in the dog and Desideria has more fire in her than any I've encountered. She *will* hurt you."

The light in Kasen's eyes said she was willing to test them both.

"Kase," Shahara said with a sharp, commanding note. "Be nice for once. It's not often we find a woman who can tolerate your brother, never mind actually defend him."

Hatred flared deep in Kasen's eyes as she shrugged off Caillen's grip. "Fine. Whatever. She's just a passing fancy for him anyway. Just like all the others. I'll be here long after she's gone and he's moved on to his next lay."

Those words viciously slapped her and brought home the fact that Caillen, for all his tenderness with her, was nothing except a player who changed women more often than she changed her mind. Oh yeah, that reality slammed into her and burned.

Caillen felt his own temper rise at Kasen's cruelty. "You need to shut up. Fast. I've about had it with you."

She shoved him back, then invaded his personal space, daring him with her smug expression to hit her. "What are you going to do?"

He wanted to punch her. Hard. But she was right. Other than shooting her to protect her from the authorities, he hadn't laid a hand on any of his sisters since his adoptive father had died.

Before anyone could react or he even realized her intent, Desideria pulled Kasen back and slugged her, then flew into a round of what he assumed must be heavy Qillaq insults. Unfortunately or perhaps fortunately, his Qillaq wasn't fluent enough to know them.

Kasen moved in to retaliate.

Caillen scooped Desideria up in his arms and physically removed her from harm's way at the same time Shahara blocked Kasen's path. While he had no doubt Desideria could take his sister, Kasen was by no means unskilled and she not only outweighed, but out-towered Desideria by a full head's height. Last thing he wanted was a knock-down, drag-out bloodbath between the two of them.

"Put me down!" Desideria growled between her clenched teeth.

"Nah, I don't think that's a good idea. Both of you need a time-out."

She glared at him. "You're not funny."

"Really not trying to be at the moment. Just trying to protect two women I care about from a mutual ass beating."

Desideria froze as those words broke through her anger and calmed her substantially. She stopped fighting his hold. "You care about me?"

Caillen felt as if all the air had been sucked completely out of the shuttle as every eye turned to him and a silence fell so loud that it was deafening. Yeah, he was like a Gondarion antler beast stuck under a microscope for some kind of genetic mutation.

Tell her yes. You care about her.

Yes, asshole, yes.

He knew it was the wise thing to do.

The *honest* thing to do.

But everyone from Syn to Fain to Hauk and his sisters were watching. Not the ideal place to make a first declaration of affection. Those were for private time between a man and a woman.

His vocal cords seized up so that all he could get out was a very weak "Um…"

That had the same effect as setting fire to a foul mood feline. Desideria literally jumped out of his arms and turned loose more Qillaq that was probably questioning not only his paternal status, but his species and manhood. Even though she'd never been here before and had no idea where anything was, she stormed off the shuttle.

Caillen let out an audible groan as his stomach tightened enough to form a diamond. *I'm so screwed.*

Putting her hands on her hips, Shahara sighed heavily and rolled her eyes so far back in her head it was a miracle they didn't stay there. "I swear I raised you smarter than this." She looked helplessly at Syn. "I swear I did."

Hauk slapped Fain in the stomach. "Gah and I thought *you* were inept with female feelings." He shook his head at Caillen. "Damn, boy, you might as well have told her those pants made her ass look fat."

He was right and Caillen felt like crap over what he'd done. There was only one thing to do…

Desideria stalked through the hangar as her temper boiled. She wanted to beat Caillen until he bled. She wanted…

"You all right?"

That had to be the deepest male voice and the most exotic accent she'd ever heard before. She paused to turn and see a man so perfectly formed he'd rival Caillen in looks. With a mask similar to Fain's pulled down to cover his Adam's apple, he wore his dark brown hair cut short, but long enough to form a beautiful mess of curls around his face. With hazel brown eyes that were tinged with a haunting ferocity, he was devastating. At the same time, there was something eerily familiar about him. Yet she'd never seen him before.

"Who are you?"

A set of perfect dimples flashed in his cheeks as he answered. "Chayden Aniwaya."

Her gaze fell to the patch on his black flight jacket that matched the symbol Fain had on his mask. In the back of her mind, she was trying to think of how she knew this man and why he seemed to be a familiar stranger.

Before she could ask him about it, Caillen came running up behind her.

And with that, her anger overrode everything else. "I'm not speaking to you."

Caillen let out a tired sigh while Chayden laughed.

"Damn, Dagan, what is it with you and women?"

"Don't ask. In the mood I'm in, I might actually tell you."

Chayden shook his head as he laughed again. "As an FYI, we surrendered the assassin to the Sentella who took him to a holding room for you when you're ready. But I should warn you... getting any information is going to be damn near impossible."

He figured as much. Bad thing about assassins, even paid ones, they seldom gave info or intel, even under torture. But Caillen had a way for getting what he wanted. "Did you check for a suicide cap?"

There was no missing the offended expression on Chayden's face. "Do I look like an infant?"

"You're still a little wet behind the ears."

Desideria waited for the pirate to slug Caillen for that. The expression on his face said he really wanted to.

Instead, Chayden's verbal response was in a language she

couldn't understand, but she was pretty sure it was an insult even though Caillen grinned in response.

"So are you heading out now?" Caillen asked him.

Chayden's gaze went to her and something strange flickered in the depths of his eyes.

What was that look? He was hiding something, but she didn't know what. "I sent my men on before the Sentella changed their mind and decided to arrest them. But I think I'll hang around for a bit."

A tic started in Caillen's jaw as he looked at her, then locked a glare on Chayden. "You're not planning on a payback, are you?"

Chayden held his hands up in surrender. "Absolutely not. I promise you."

Desideria wasn't sure what their vague conversation was about, but she had a bad suspicion that she was the subject at hand and that Chayden might have just insulted her. Great. That was all she needed to feel worse.

Chayden gestured over his shoulder with his thumb. "I'm going to go find the head. I'll catch you two later. Buzz me when you interrogate the assassin."

Desideria watched him leave. Still that nagging sensation was there. She knew him from somewhere. "Is he famous?"

"Only if you travel with a lot of outlaws or hound the bounty posts. He's extremely notorious there. But all in all, he keeps a low profile. Why?"

"There's something about him that's so familiar…I can't place it. It's like I know him somehow." Her gaze sharpened as she pierced him with a malevolent glare. "And I'm still not speaking to you."

Caillen squelched his smile before he made her any angrier.

He adored the fact that she was incapable of giving someone the cold shoulder. Unlike Kasen who could freeze a star. "I wanted to apologize about what happened."

She held her hand up in a sharp gesture. "Oh don't even go there. I'm done. Okay? I didn't expect you to like me. That's fine. But did you have to embarrass me in front of everyone?" It was something her mother or sisters would have done and she was tired of being publicly humiliated and ridiculed. She'd expected better from him and the fact that he'd disappointed her cut so deep that she couldn't stand it. "Especially after—"

He interrupted her words with a fierce kiss.

She kneed him in the groin. Not hard, but enough to make him pull back and cup himself. "Next time, I won't be so gentle."

Caillen cursed under his breath as she stalked away. "You don't know where you're going," he called after her, wanting her to come back so that he could explain.

She didn't even pause her gait. "Don't care."

I told you what to say. Did you listen? No. Idiot. Why couldn't you say you cared about her?

Because it would have been an admission of weakness.

No, that wasn't the truth and he knew it. He wasn't ready to be with one woman forever. Especially not someone so hard-headed and irritating.

And yet as he watched her head out of his sight, all he could remember was how good she'd felt in his arms. How much he wanted to go to her right now, strip her naked and make her beg him for mercy.

He took a step toward her, intending to apologize.

One heartbeat later, an explosion ripped through the bay. The force of the blast literally picked him up and slammed him into the wall. Pain tore through his entire being as he looked down and saw the nasty piece of twisted shrapnel embedded in his thigh. He tried to pull it out, but the gushing blood made it too slippery.

Chaos erupted as techs and Sentella members rushed to put out the fire and prepare for the possibility that there might be another blast coming.

Caillen didn't care about that. No more than he cared about his injuries. He had to find Desideria and make sure she was all right. *That* was his only concern.

But as he tried to walk forward to find her through the flames, something hit him from behind. His legs went numb. His vision dimmed.

An instant later, everything turned black.

20

Desideria saw Caillen go down. Everything moved in slow motion as her world came to an end. He hit the wall with such force, there was no way he could live through it.

None.

Unable to breathe, she ran for him with everything she had while images of his death tore through her. *Don't you dare die. Don't you dare.*

She couldn't stand the thought of it. Not after they'd fought.

Why had she fought with him?

Suddenly, nothing mattered to her. Not her mother's death. Not her standing.

Nothing.

All of that paled in comparison to losing him. She slowed as she drew near. Caillen lay on the ground, covered in blood, completely unmoving. This wasn't like he'd been on the outpost. His features were so pale...

Tears blinded her.

Qillaqs don't cry. Yet, she couldn't stop herself. "Caillen?" She sobbed, falling to her knees. She pulled him into her arms and held him close. "Don't you leave me." Not after he'd taught her to depend on him. Not after he'd made her want something she knew she couldn't have.

"Caillen, please open your eyes."

He didn't.

"Desideria?"

She heard his sister's voice, but didn't respond. She couldn't. Images of Caillen's teasing smile haunted her. The way he'd felt when he made love to her earlier. The sound of his voice.

I need you. Please, please don't die. Not like this. Not with the last words I said to you . . .

Shahara pulled her back. "You have to let him go."

She started to argue until she saw the medics. Her entire body quaking in fear, she released him to their care. Syn and Shahara were saying something to her, but she couldn't understand them. Not through the painful haze that shredded everything.

"We'll meet you at the hospital."

She inclined her head to them, knowing that wasn't where she was headed.

First, she had someone to kill.

Caillen came awake to the sound of whispering voices nearby. He opened his eyes to find himself lying on a sterile hospital bed, hooked to monitors in a small room. It took a full minute before he remembered everything that had happened.

The explosion. His leg.

Desideria!

She'd been ahead of him. Right in the line of fire . . .

Fear seized his heart as he sat up and started to leave the bed to find her.

Shahara stepped out of the shadows to catch him. She refused to allow him to put his feet on the floor. "Don't you dare." She hadn't used that tone with him in a long time.

A tic started in his jaw as he locked gazes with his tiny sister. If she honestly thought she could keep him here, she'd need a lot more backup than Syn who stood behind her. "Where's Desideria?"

She exchanged a nervous glance with Syn over her shoulder that did nothing to help his terror. Oh God...Desideria was hurt.

Maybe dead. Why else wouldn't she answer the question?

Unimaginable pain slammed into him as he struggled to breathe. Their last words had been a fight. Of all people, he knew better than to let someone leave angry.

Why hadn't I been faster?

Why hadn't he apologized?

"Where is she?" he demanded.

Shahara cringed.

He felt tears sting his eyes as unimaginable grief tore through him. How could he have failed to protect her? How? "She's dead, isn't she?"

All the color drained from her face before her cheeks turned bright red. "Good Lord, child, no! I swear you get the most bizarre ideas sometimes."

Relief poured through him. Desideria was alive. He could finally breathe again.

At least a little bit. "Then where is she?"

Syn grinned evilly as he moved closer. "Locked up at present."

Caillen scowled in confusion. "What? How? Why?"

Syn let out a low laugh. "You remember the explosion?"

How could he forget it? His ears were still ringing.

Caillen sat back on the bed as he tried to figure out how that related to Desideria being locked up. Surely they didn't think she had any part in the explosion...

Did they?

"Of course I do. Was she caught in the blast?"

Syn shook his head. "No. She was clear, but she ran back to you when you hit the wall."

"She was hysterical," Shahara interjected. "And worried sick about you. Just like us. She barely beat us to you and she threatened our lives if *we* hurt you."

Syn snorted. "Yeah, she was impressive in her rage and she didn't budge from protecting you until the medtechs arrived. Once you were stabilized and ready for transport, we thought she'd follow us to the med center. She didn't."

Caillen's frown deepened. "Where'd she go?"

Shahara let out an annoyed breath. "Your little bunny headed over to lockup, forced her way in and then damn near killed the assassin who's been following you."

That didn't make sense to him. "Why would she do that?"

Shahara picked at the lint on his hospital gown before she smoothed over a wrinkle. "He was the one who'd set a trap on his ship that the techsperts accidentally set off while trying to see if the ship was wired to detonate. Since you were hurt by the blast, she wanted his head in the worst sort of way."

"And she got it too," Syn said with a hint of laughter in his voice. "Damn, boy, I thought your sister had a temper on her. I do believe you've found the only woman alive with one worse than—hey!" he snapped as Shahara popped him on the stomach. Grimacing, he rubbed the area where she'd hit him. "See what I mean? She's brutal to live with."

"Anyway," Shahara continued after she passed one last malevolent glare at Syn, "she got information out of the assassin, but not before she almost killed him during the interrogation. And she wasn't beating him for answers. I swear, she hit him twice as hard when he answered her correctly as she did when he didn't. I take it the Qills don't instruct their people on the fine art of interviewing prisoners."

Syn laughed again. "Yeah, it looked like she went to the School of Nykyrian for that."

Caillen wasn't sure if he should be amused or appalled by what they described. In the end, he was flattered that he meant enough to Desideria that she'd come back to check on him and then had decided he was worth breaking someone's ass over. On the other hand, he definitely didn't want her questioning *him*. Especially after their fight. "And you locked her up?"

Syn shrugged. "Had no choice. She was planning on heading to Exeter to beat the crap out of your uncle's advisor. We thought it best to confine her until her sanity returned... or they died of natural causes. Whichever comes first."

Caillen shook his head. "Good call. So what did she find out?"

Shahara's gaze turned grim and deadly. "The assassin was hired by your uncle's primary advisor to kill you and your father. Then after you escaped, he was to make sure you didn't return alive."

He winced at the confirmation of his worst suspicions. "So it's true. Talian purchased the contract on my father's life."

She nodded. "That's what it looks like."

"What about Desideria's mother?"

Syn passed a sympathetic glance to Shahara. "He claims he knows nothing about that at all. He was only after you and your father."

But that didn't go with what Caillen had heard... "The two are tied together. I know they are."

Syn continued to contradict him. "I've searched through every League database and every contract server I could find." Which was impressive since information was what Syn excelled at. "Nothing has the two related. I think it's just damn bad luck that the two of them were together at the time they died."

Maybe Syn was right. Coincidences happened, but...

Something just didn't seem right. It was too pat and too ironic. Caillen refused to believe that it was all happenstance.

He glanced to Shahara. "Can I get up now?"

"You're not supposed to, but there's really no way to stop you, is there?"

"Depends on how much fire power you're carrying."

She rolled her eyes. "I worry about you, Cai. All the time. But you know, I saw the look in your eyes just now when you thought Desideria was dead and I saw how insane she went when you were hurt and the anger she broke on the one who'd harmed you. I don't know what's between the two of you, but from the outside it looks pretty real and pretty fierce. I just want you to always remember that feeling you had a minute ago whenever you think of her. That desperate choking sensation you had when you thought you'd never see her again and that she was gone forever."

She cut Syn a gimlet stare. "Relationships aren't easy. Some days they don't even seem tolerable. Especially when a Dagan's involved. There will be times when she'll make you mad enough to murder her and it's usually over something truly stupid."

"Like leaving the seat up at night or forgetting to tighten the cap on bottled water," Syn muttered.

Shahara ignored him. "But don't ever let yourself forget that the person you care about fills an emptiness no one else ever has and that while life with them can seriously suck at times, those moments when it doesn't are worth all the aggravation of falling into the toilet and getting soaked when you're half asleep."

"What about the water?" Syn asked hopefully.

Shahara glared at him. "You ruined my computer and lost my data. Don't even go there, Syn. I'm still mad enough to choke you for that one."

"I bought you a new one and I got most of the data restored... just a few things I couldn't salvage." Now that was a new tone from Syn that Caillen had never heard before. Petulant like a kid, it would have amused Caillen except he'd lived with his sister enough to feel pity for Syn for having incurred her wrath.

She flung her hand up to silence him.

Caillen laughed. "You two have a twisted marriage."

"And I'm grateful every minute of my life for it and for Syn." There was no mistaking the conviction in her golden eyes. "I couldn't live without him."

And he knew she was right, especially given their pasts. The ghosts that lived inside the best of childhoods could be fierce to fight. The demons that stalked them from theirs...

Those were debilitating.

To have someone who would brave those demons and stand beside him was a miracle he wouldn't forget.

Shahara stood back so that he could leave the bed.

As he reached the door, Syn's voice gave him pause. "Just FYI, bud, you might want to put on some pants before you go see her. Hard to sweep a woman off her feet and look badass in a hospital gown when your bare ass is hanging out."

Caillen slowed his steps as he neared the holding cell where they'd locked up Desideria. Hauk, Fain and Chayden sat in front of the monitors, watching as she paced back and forth in her room like a caged predator.

Chayden laughed nervously. "You know, one of you is going to have to let her out of there eventually."

Fain scoffed. "For the record, it ain't going to be me. My parents killed the dumb ones."

"Yeah, well, you don't see stupid stapled on my forehead either. I think *you* should do it." Hauk gave his brother a pointed stare.

Fain's expression was one of abject horror. "Why?"

"You didn't put her in there. She might still like you." He gestured to himself and Chayden. "Dumbass there is the one who threw her in head first and I'm the idiot who locked the door."

Caillen's eyes widened as a wave of anger went through him. "What did you do?" If they'd manhandled her, he was going to make them limp their way to old age.

Chayden stood up and braced himself as if expecting a fight. "I didn't do nothing. I just picked her up and carried her inside over my shoulder before the Sentella sentries tackled and cuffed her. Believe me, I saved her that horror. And by the way, I do not envy you that relationship. She is hell in high heels and she fights like an eight-armed Prostig."

That wasn't good enough for him. "You better not have hurt her."

"Relax." Chayden gestured toward the cell. "Go see for yourself. She's pissed, but fine and unbruised."

"Yeah," Hauk added. "And let her out of there while you're at it. I like having my balls attached to my body so I don't intend to go near her for a while. At least a century or two. Maybe five...dozen."

Caillen disregarded Hauk as he headed for the door. Maybe he should guard his boys too...

With his little Qill, one could never be too careful.

As soon as he entered the tiny bare, steel-walled room, Desideria spun around and by the look on her face he fully expected a kick to the groin like Hauk had feared. But the moment her gaze focused on his face and she realized it was him, a beautiful smile curved her lips and added fire to her eyes.

Two heartbeats later, she ran to him so fast that he staggered back from her assault. She kissed him desperately.

The taste of her combined with the sweet scent of her hair and breath drove all thoughts out of his mind for several seconds as his body roared to life and craved her so badly that it was all he could do to remember they were being watched. Even so, he couldn't focus on anything other than how good she felt in his arms.

She pulled back to stare up at him with a look of such concern that it made his stomach clench. Now this was something he could definitely get used to. "Are you all right?" There was a note of desperation in her voice.

"Am I not supposed to be?" he teased her.

She cupped his face in her hands. "Not the way you hit that wall. I've never seen anything more terrifying. I thought I'd lost you."

"Just damaged my leg. Probably rattled my brains. It hurts, but I'll limp. As for the brains...never used them enough to miss them anyway."

Letting out a frustrated breath, she shook her head at him. "I swear I'm wrapping you in a padded, blaster-proof suit and locking you inside a shielded bomb shelter."

He didn't know why, but that threat made him smile. Gods, how glad he was to see her alive and well. He kissed the tip of her nose. "Am I forgiven then?"

"For what?"

He started to remind her of the "um" mistake, but luckily his errant common sense finally tackled him to the ground and told him to shut his mouth before he ruined this moment. He quickly searched for something a little more intelligent to say.

"For scaring you."

She fisted her hands in his shirt and pulled his head down to hers. "No. Don't ever do that to me again."

He smiled at her angry tone. "I heard you put a major ass whipping on our assassin friend."

"He'll be feeling it for a while. I would have ripped his heart out had Fain not stopped me."

"Why?"

Desideria barely caught the answer before it rushed past her lips. Maybe she should tell him she loved him. But fear of his reaction kept those words locked tight. He might be happy about it or it could make him run for the door. Caillen was a complicated man and this was definitely not the time or place.

Especially after his "um" comment earlier. He might think she'd forgotten about it, but she hadn't. At the end of the day, he was a player and what little she knew about such people was that they were phobic when it came to any kind of commitment or emotions.

Never be the first to lay your heart on the table . . .

First man in was always slaughtered at the door and she didn't want to be hurt or rejected.

She cleared her throat before she answered. "He had information and I needed it."

There was a light in those beautiful dark eyes that said Caillen didn't believe her. But at least he didn't call her on the lie.

This time.

Instead, he gave her that cocky grin. "Shall we go see an advisor then and give him a concussion or two?"

She laughed at his overexuberant tone. "Absolutely." She gestured with her thumb toward the surveillance camera that was mounted high on the wall over her head. "Provided the crew of lackwits allow us to leave that is."

"I heard that," Hauk said over the intercom. "Didn't anyone ever tell you to be respectful of the man who holds the key to the lock on your cage?"

She scoffed. "Qillaq, Hauk. I was taught to kick him in the groin or the teeth until he handed it over."

Caillen laughed as the door lock buzzed open.

Fain and Chayden were waiting for them just outside the door. "By the way, we're going with you."

What the...?

Those words seriously offended his ego. Mostly because it was something his sisters would say and he was not helpless by any means. "I don't need help."

Hauk scoffed as he joined them. "Yeah right. Every time we leave the two of you alone something bad happens. You get lost or blown up or some other shit. I'm tired of cleaning up the bloodstains. So we're taking up a post at your back."

"Great," Fain muttered. "Now the blood will splatter us."

Caillen would argue with Hauk, but he knew better. Hauk was as stubborn and crazy as they came. Any attempt to discuss this would only delay them.

Not to mention the small fact that Hauk happened to be right.

Things hadn't exactly gone right since he'd met Desideria. Another pair of blasters, or in this case, three, might come in handy.

"Fine. Your funerals."

Chayden snorted. "Not so loud. The gods might oblige." He led the way down the hallway.

In no time, they were rounded up in Chayden's ship and headed for Exeter to make an unannounced meeting with Talian's head advisor. If ever there was hope of getting to the bottom of this, the advisor should be able to give testimony about who'd ordered him to hire the assassin and why Caillen and his father had been targeted. That would be enough to get the League involved and allow Caillen to clear his name.

Yeah, payback was coming and it was going to be bloody.

Caillen left everyone on the bridge and went to the head so that he could check the wound on his leg. He could feel it bleeding again, but he didn't want the others to know. Better to camouflage it now before it became obvious.

As soon as he was finished and had left the room, he met Desideria in the hallway. Concern lined her brow as she scanned his body with an interest that made him go instantly hard. An image of her naked flashed through his mind and did nothing to help his sanity.

Yeah, that sucked the pain right out of him.

She paused her gaze on his thigh as if she somehow knew what he'd been about. "How's your leg holding up?"

Currently better than his groin...

But he didn't want her to worry about him. "It's throbbing, but I'll live."

She appeared less than convinced. "How do you manage your pain so well?"

"I focus on other things."

"Such as?"

He dipped his gaze to her breasts that he was dying to sample again.

Heat stung her cheeks. "You're awful."

Like he regretted telling her the truth. "You're the one who asked."

She growled at him in the back of her throat. "Why is it I don't think it's quite so simple?

Shrugging, he decided to give her a reprieve from his lecherous tendencies. "Because it's not. You want the truth?"

"Always."

Caillen swallowed as old memories haunted him. He wasn't much into sharing with anyone, but for some reason he never minded allowing Desideria inside him. Not even something as personal as the unspoken past that always hovered right on the edges of his conscious thought. "What keeps me going is this image I have in my head of my adoptive father dying alone in the gutter. I was there that day, hiding and watching him through a small crack as his enemy rolled him over and ended his life with one cold, brutal shot. It was the second worst day of my life." Shahara's rape had the designation of being in first place.

Desideria choked on the sympathetic grief that swelled up inside her. She heard the pain in his voice as he spoke of something she knew had to give him nightmares to this day. "Caillen, I'm so sorry. Why were you there?"

There was no missing the agony and torment in his eyes as he looked down at the ground. "It was Kasen's birthday and my father had sold his wedding ring so that we could buy her something special since she'd been really sick that year. We'd just picked up her present when my father noticed we were being followed. I'd never in my life seen him afraid until then. He forced me to rush ahead and then he ordered me to run home. I hid instead, thinking... I don't even remember. I was too terrified to think straight. But what haunts me every night when I close my eyes is the image of my father on the street, bleeding and hurt. The sound of the final blast that killed him and the faces of the people who did that to him. I wish to the gods, just once, to be able to give to them what they gave to him."

She wished he could too. It was what they deserved. "Maybe you will one day."

He shook his head. "No. Even if I kill them, nothing will ever make amends for me staying there in that hole, scared and traumatized, and then having to tell my sisters that we were orphans."

She covered his hand with hers. "I wish I could take that memory from you."

"Yeah... it blows, right? And now you know why I hate birthdays so much. Nothing good has ever happened on one. They always end up just a big kick in my teeth. And that's my secret. Whenever I feel physical pain, I remember the day the life drained out of my father and I hold on to that. So long as I feel pain, I know I'm alive and life, even when it sucks sideways, is so much better than death, that I embrace even the agony of it."

How different his view was from what she'd been taught. Her people embraced death. There was nothing more glorious than to die in battle. "Do you not believe in an afterlife?"

"I do. But I'm a pragmatist. This life I know is real. The other... I'm gambling on. So for the time being, I'll take what I know even when it hurts."

How was it that he always surprised and amazed her? Just

when she thought she knew him, he exposed a depth and strength that she hadn't even guessed existed. At first glance, Caillen seemed like a simple hedonist. But there was nothing simple about him.

And while he was definitely hedonistic, he wasn't selfish or sociopathic.

She squeezed his hand. "I like your logic."

"Hey, Dagan," Chayden's voice came through the intercom, interrupting them. "We're approaching the Exeterian port in Mykonia. Stay low and we'll let you know when we're scanned and docked. So long as you stay put, they won't be able to pick up any residuals from you."

That was the beauty about pirates she was learning. Their ships had all manner of interesting jammers and devices that helped them to elude authorities and their equipment.

For once, they landed without incident.

Chayden and Fain came to collect them while Hauk stayed on board as a guard for their ship.

Both men had their Tavali pirate garb on, including the mask over their faces so that all anyone could see was their eyes. It gave them a feral, intimidating appearance, especially Chayden's mask which was made of a brushed silver-colored metal. No wonder they wore them. Well that and it kept people from seeing their faces and identifying them on wanted posters.

Chayden passed them both masks that included eye shields. "So long as we're together, they'll think we're here for a shipment and that you two are part of my crew."

"You're not wanted here, are you?" Caillen asked before he pulled the mask over his face.

Chayden snorted. "Like that would be a concern given the

333

fact that the two of you are plastered all over the media right now? Please. Don't insult me." Then his eyes turned a bit sheepish. "But to answer your question, there is a reason I'm wearing the mask." And he quickly lifted his cowl to cover his head.

Caillen laughed. "Looking real brave there, pun'kin."

Chayden made an obscene gesture at him before he led the way off the ship. Desideria kept her head covered as she traveled behind Caillen and in front of Fain. The men walked with that predatorial grace that was unique to soldiers and assassins. The gait of someone who had no doubt they could win any battle or fight.

The collective power sent a shiver over her.

Since it was well after dark, the street traffic was relatively light. Still, every transport gave her pause as she waited for the authorities to be notified and for someone to try and arrest them.

Their luck held as they approached the royal palace. Caillen pulled them to a stop in an alley across the street. Keeping to the shadows, he made sure they were out of sight for the cameras and guards.

"There's a back way in through the servant entrance."

Fain arched a brow at Caillen's words. "You know this how?"

"I crawled through their security while I lived there. I had my father plug most of it, but his head asshole thought he knew better than me, so he left a few holes intact. That one happens to be large enough for me to sneak through."

Desideria shook her head. "Not without me."

Caillen paused at her determined tone. "It'll be faster if I go in alone."

"You're wounded and I've got as much at stake in this as you do. There's—"

"Children, rest it," Chayden snapped. "All of our necks are in the gallows on this one. Caillen, lead. We follow."

"Yeah, but don't get used to it," Fain muttered.

Caillen started to argue, but realized every delay was costing them. "Fine. But keep up and follow exactly in my steps. Otherwise we'll be seen and I really don't feel like running away right now."

He crept along the wall, into the back gardens. There were several dark zones in the surveillance. Part of him was disgusted that they were there after the attempt had been made in this very place on his father's life, but the other part was grateful since it allowed them to slip inside and make their way to his father's office.

Caillen paused at the door he'd entered dozens of times to meet with his father.

Not wanting to think about it, he cracked it open and slipped inside. Completely dark and empty, it looked just as it had when they'd left for the *Arimanda*. Any minute, he expected to see his dad walk in.

Clenching his teeth against the agony of that thought, he went to the monitors and pulled up the surveillance for the palace. His father had everything wired to this room so that he could monitor it and see what was going on.

It only took a few seconds to locate his father's advisor. Ironically, he was in the war room and appeared to be reading over some reports. Good. There was very little surveillance there since it was where his father met with military commanders.

Without a word, he led his small group through the servant halls that were hidden. These should be monitored too, but Bogimir and the others had thought it rude and unnecessary.

We have never in our history monitored them. Why should we start doing so now?

Yeah...

Caillen paused outside the hidden war room door to meet Desideria's gaze. He had no plan on what he was going to say or do once he confronted the advisor. *Oh hell, just wing it.* That was how he flew through his life and he was too old to change his ways now.

He opened the door and snuck inside. His anger rising, he crossed the room silently and nudged the chair. The instant he touched it, the advisor fell out of it and went sprawling into the floor where he landed with a thud.

What the...?

"He's dead," Desideria breathed.

Caillen's gaze narrowed on the trail of blood near the chair. A trail that led to the next room. Instinctively, he moved his hand to his blaster as he followed it.

On the other side he found his uncle.

Equally dead.

Shit. *It's a setup.* No sooner had that thought gone through his mind than an alarm blared.

Fain cursed as he pulled his own weapon out to cover them. "Move it!"

They could hear guards coming from every direction. Caillen pulled out a blaster for each hand, preparing to make them regret their decision to come after them.

"Meet up back at my ship," Chayden said before he ran down the hallway alone.

Caillen inclined his head before he grabbed Desideria by the arm and dragged her behind him.

She frowned. "This isn't splitting up."

"Yeah, but you don't know where you are or how to speak or read the language. Do you really want me to leave you to your own means?"

He did have a point. "Fine."

Caillen led her to the guard station where there were several transports parked. Bypassing the guards who were patrolling the area, he quickly commandeered one, then wired it so that he could "borrow" it to get them back to the hangar. The moment he started the engine, the guards scrambled, shooting at them.

Desideria held her breath as Caillen careened out of the lot and then eluded them. A few minutes later, they were the first ones to reach Chayden's ship.

Notifying Hauk who was manning the guns about what was happening, Caillen rushed to fire the engines and do the prelim checks as he waited for Fain and Chayden to join them.

She went to eye the hatch so that she could allow Fain and Chayden inside. Glancing back at Caillen, she saw he'd frozen in place as he stared at the small monitor in front of him.

"Desideria?"

"Yes?"

He enhanced what he was looking at and put it up on the main display. "Any idea why Chayden has an entire file on you and your mother? One that dates back decades?"

21

Desideria was so stunned that she didn't move even to blink until Chayden and Fain had run onto the bridge.

Chayden came to a hesitant stop as he saw what had her transfixed. Even with the mask in place, it was obvious the color drained from his face and panic filled his dark eyes.

Rising to his feet, Caillen drew his blaster and aimed it straight at Chayden's head.

Fain skidded to a halt as he scowled at them both. "What's going on?"

Ignoring the question, Chayden held his hands up. "Whoa, buddy. It's not what you think."

Caillen moved the setting on his blaster from stun to kill with his thumb. The targeting laser never wavered from Chayden's forehead.

Never in her life had she seen anyone with a steadier hand. Caillen cut a sexy, fearsome pose as he glared in angry retribution over Chayden's invasion of her privacy. "It better not be."

Desideria dragged her gaze away from the screen that held

every tiny detail of her life and her mother's as well as her sisters' to Chayden. "Why do you have all of that?"

Chayden lowered his cowl and the mask over his face so that she could see the sincerity in his expression. "You're not going to believe me, I know you won't, but I swear to the gods I worship that it's the truth. She's my mother too." He gestured toward the files. "Obviously, I've been collecting all of—"

"Why?" she asked, interrupting him. "Why would you spy on us like this?"

He didn't answer until Caillen tightened his grip on the trigger, pulling it back to let him know that he had no qualms about taking his friend's life if Chayden had betrayed her. "You need to answer, Chay. Now. No lies."

A tic started in Chayden's jaw. "I wanted to feel connected to my family even if it was only from a distance. It was stupid, I know. But when you're alone in the universe, you reach out even when it doesn't make sense to do it."

Turmoil filled his eyes as he stared at her. "You have no idea how isolated you feel when your own mother hates you for something you couldn't help and wants nothing to do with you. You don't want to crave her or the rest of your family because you know they'll never accept you, so you stay at a distance and imagine what it would be like if your family could just be normal, even for one nanosecond." He glanced up at the photo of her mother. "Once I heard she was dead and I realized you weren't the one who killed her, I pulled the files I had so that I could put together a suspect list. Unfortunately, it's long—no one should have that many enemies. But knowing our mother, I'm really not surprised."

Desideria couldn't breathe as all of those unexpected words slammed into her like fists. That was the absolute last thing she'd expected to hear from him.

There was no way he was her brother...

Was there?

"Bullshit," Caillen blurted out. "I don't believe a word of it."

Chayden inclined his head toward the monitor. "My father's photo is in there too. Flip through the files and Desideria will know the instant she sees him."

With his blaster still on Chayden, Caillen stepped away from the con so that she could take his place and scan through the files. The moment she began opening them, she grew even more suspicious. Chayden had every single thing about her family catalogued. Honestly, it was creepy and disconcerting...it definitely reminded her of the dossier an assassin would put together to use against a target. He even had her old test scores from school and her recent promotion. Articles about her mother and private transmissions between her mother and some of her advisors. Everything he'd need to kill them all.

It took several minutes to find a male photograph buried in the multitude of others of her, her mother and sisters. But just as he'd predicted, she knew the minute she'd found his father. There was no doubt whatsoever.

How had she not noticed the similarity before? But the most heartbreaking one was the photo after it...

Chayden had manipulated a picture of her and her sisters so that he was in it too. Pain for him swelled inside her that he'd had to go to such a degree to have a family. She didn't mention it to Caillen or the others. There was no need to embarrass him. She closed the file.

Her heart pounded as she turned toward Chayden and the reality of his identity slammed into her so hard it was all she could do to breathe. She reached out and lowered Caillen's arm so that his blaster wasn't centered on Chayden's head any longer.

Chayden dropped his hands.

She stared at him in disbelief.

He was her *full* brother.

Her mind whirled as she struggled to put all these new pieces together and the reality of who he was sank in with a force that was dizzying. "I don't understand."

"Yes, you do. I'm a male heir. Firstborn and only half Qill. Mom couldn't afford to have me hanging around lest I bring her legitimacy into question or confuse the chain of inheritance."

But that wouldn't make him an heir. Only his daughter would be eligible to rule.

Suddenly she felt stupid. His daughter, should he ever have one, would be able to petition and fight for the throne. Another "non" Qillaq to embarrass her mother and one who would have even less Qillaq blood than she did...

Yeah, it made sense. Her mother would never want the daughter of her son to rule. Her mother wasn't exactly tolerant of men. Especially those as strong as Chayden. If he'd exhibited any of the predator aura that bled from him now as a child, she could easily see her mother banishing him over it.

Still, she didn't understand how her brother could end up as a renegade pirate. "How did you become Tavali?"

Sadness tinged his eyes. "I ran away as a kid and was taken in by one of their order. He was the closest thing to a parent I'd ever known. I learned the business from him and carried it on after he died."

"But why would you run away?"

He gave a bitter laugh that said he thought her question was ridiculous. "If you'd ever seen how they treat the males who're banished, you wouldn't ask that question. Suffice it to say, it was easier living on the streets than in the camp where Mom had me dumped."

That she could definitely believe. Given what they'd done to her and her sisters, she could only imagine how much worse his hole had been. But that still didn't explain why he was here and his actions these last few hours. "Why are you helping me?"

He shrugged. "You're my sister."

Like that meant anything. "You don't even know me."

"No, and when I first realized who you were, I was ready to let the League have you and then some. I'll be honest. I've hated all of you for most of my life. But you're not like the others and that's a compliment." He jerked his chin toward the monitors. "However, right now isn't really the time to hash all of this. We need to get out of here while all of our body parts are still attached, especially our heads."

Caillen stepped back more to allow him to take the controls as she moved out of his way.

Desideria didn't speak as this new knowledge chased itself around in her head. She'd known about her brother, but she'd never expected to meet him. Especially not like this.

There were so many questions. So many things she wanted to know about him and his life. What he'd done. How he'd survived...

He really is my brother.

One who bore a striking resemblance to her father.

It boggled her mind.

Caillen scowled at Desideria's continued silence. She appeared shell-shocked and pale. "You all right?"

"I'm not sure."

"I know the feeling. You have the same sick look on your face that I'm pretty sure I had when they told me I was a prince. Nauseating, isn't it?"

Yes. Definitely.

And she didn't know what to think of her brother who was risking his life to save hers. Narcissa would never do such. Most days she hated her guts and Gwen wasn't that much better. But now that she knew the truth, she understood why Chayden had seemed so familiar to her. He had their mother's eyes and their father's build. There was also something about his movements and mannerisms that reminded her of her father.

The cadence of his voice.

Their accents were different, but the inflections and tones were similar.

He's my brother. That one fact kept echoing in her head.

Fain gently brushed past them to take his seat while Hauk stayed topside, near the guns—just in case—something that was becoming their new mantra.

"Strap in," Fain warned.

She and Caillen complied while Chayden engaged the engines then launched and flew between volleys of fire as the Exeterian Enforcers caught up to them. She groaned while he spun the ship to make it through the narrow opening of the bay's doors. "You know, I used to enjoy flying until I met all of you. Now, I'm not sure I'll ever want to do it again."

Caillen laughed. "Think of it like a carnival ride."

"I would, but those make me sick too."

Fain pitched a small bag at her. "Make sure it all goes in. If you miss, nail Caillen and not me. Otherwise I'll be joining you."

"And I'll be launching all of you out an air lock," Chayden muttered as he arced the ship up. "Big bunch of pansies."

She shook her head at his earnest tone.

Hauk returned the fire while Chayden dipped between their pursuers and shot them into hyperspace. Her head spinning from their wild ride and her recent shock, she saw the expression on Caillen's face that said he was trying to digest this newest twist as much as she was. Forget about Chayden for the moment, they had a larger problem with his uncle dead.

No one would ever believe they hadn't done this too. Who could clear their names now?

"What do we do?" she asked Caillen.

"I honestly have no idea. That was my best thought. Right now...I'm empty."

Chayden snorted. "Normally, I'd take that opening. Good thing for you, I'm preoccupied with the near-death experience in front of me."

Fain cursed as he sat back in his chair. He pulled up a news segment and flashed it on the main screen so that all of them could watch it. "I was scanning for our arrest or assassination warrants to be issued and look what I found." He opened the channel.

The female commentator was brunette, petite and held a wicked gleam in her eye that said she was enjoying her job a little too much. "This is streaming in live, right this very second... All of you are the first to hear it, just as it's happening on Exeter. Prince Caillen was spotted only moments ago leaving his father's palace where his uncle, the acting emperor, was found slain along with his head advisor. Apparently His Highness is on a major killing spree with the League scrambling to identify who his next target might be and to stop him before he kills again."

Desideria gaped. "How could they have that so fast?"

"Nothing moves faster than the media." Fain changed the screen over to another report on a different frequency. "I swear, they hired a publicist to convict you both. I couldn't get this much coverage if I painted myself pink and ran naked through the League's main hall with a bomb strapped on my back, screaming 'death to sycophantic pawns.'"

Desideria would have laughed if the situation had been a little less dire. She frowned as a woman around her age who was dressed in royal Exeterian robes stood in front of the media with a dour expression. Behind her were several of Desideria's mother's Guard, but the most shocking was Kara's presence...

Why would her aunt be there? And dressed so strangely? Kara looked more like one of Caillen's people than hers. The younger woman's expression was bitter while she addressed the gathered reporters. The stripe under her face identified the woman as Leran de Orczy.

"It is with a sad heart that I report my cousin's actions. My father was a good man and didn't deserve this any more than my uncle Evzen did. If it's the last thing I do, I swear I shall see justice met and I won't rest until I hold Prince Caillen's heart in my fist. The League is issuing the bounty on his head and we've already backed it with Exeterian funds. Whoever ends his killing spree and his life will be rich indeed and I will owe them my eternal gratitude."

Stunned, she looked at Caillen whose face was as pale as hers had to be.

Had she heard that correctly?

He met her gaze and she saw the anger smoldering in the dark depths of his eyes. That fury made the hair on the back of her neck stand up. It was the look the angel of death had to wear whenever he went to take someone's soul.

Without a word, Caillen unbuckled himself to take over the con where Fain sat. He isolated Kara out of the crowd and enlarged her photo.

"Anyone know who this is?" he asked in a tone so cold it was a wonder it didn't give them freezer burn.

Baffled by his fury, she frowned. "My aunt. Why?"

Before he could answer, Chayden spoke up. "She's the woman who hired me as a tirador against the Qills."

Caillen felt his heart stop as that unexpected bomb smacked him in the face. "What?"

Chayden pointed to her image. "She came to the North Tavali a year ago and gave a hefty payment for us to make runs against the Qills using a Trimutian flag."

Desideria was aghast. "Why would you do such a thing?"

"'Cause it was a lot of money and I'm a mercenary bastard. Not to mention, I took a lot of pleasure raiding Qill lands and ships. Payback's hell and I was her willing bitch for it."

Caillen gave him a droll glare. "Did you not ask her why she wanted you to do that?"

"Didn't really care. I recognized her as my aunt, but didn't say anything since she didn't recognize me. I assumed her payout was authorized by my mother to start a war so they could raid Trimutian resources with the League's backing."

The same thing Caillen had thought, but now . . .

There was a whole lot going on here. He turned back to the

face that had haunted his nightmares for years. "For the record, that's the bitch who murdered my father when I was a kid."

All four pairs of eyes turned to him.

Fain gaped. "What?"

Caillen stared at the cold face of the woman from his childhood. Yes, she was older, but those features were emblazoned on his memory. How could he forget the woman who'd torn his childhood apart and had ruined his sister and murdered the only father he'd known as a child? "She was in the alley when my father was killed. She and the assassin went off together."

"Are you sure?" Chayden asked.

He gave a slow nod.

"It can't be." Desideria scowled. "Kara wouldn't have..." Her voice trailed off as the young woman took her aunt's hand and pulled her closer before she answered a reporter's question.

Leran's next words made all of them suck their breaths in sharply. "My mother and I are committed to honoring my father's work. I've already spoken to my cousin Narcissa who is acting regent for the moment until a new Qillaq queen can be crowned and she's put her best people on helping us to track down our parents' killers and to bring them to justice as swiftly as possible. Blood or no blood, Desideria and Caillen will pay for their crimes."

Desideria went cold as she realized who the woman really was. "That's not Kara. It's her twin sister, Karissa." The one who'd married an offworlder...

"Your aunt married my uncle?" Caillen's tone was low and sinister.

"Yes, she did," Chayden confirmed. "I had no photo of her, and never thought much about it, but I remember it now."

Hauk's voice spoke through the intercom. "Are you thinking what I'm thinking?"

"Yeah," Fain said wryly. "We're screwed."

It took Caillen a full minute before he could answer that question. His thoughts whirled through his mind with a dizzying effect. "Karissa paid to have me killed as a kid."

Hauk cleared his throat. "Yeah, we're thinking alike."

Desideria's scowl deepened. "Why?"

Pausing at her question, Caillen rubbed his brow as everything came together and he finally understood a lifetime of weirdness. Things that had seemed like coincidences now made total sense to him. "Don't you see? With me out of the way, her daughter would be in line to inherit my father's empire."

Desideria shook her head in denial. "Look at her. She's younger than I am. Her daughter wouldn't have even been born at the time you were kidnapped."

Chayden cursed. "Not this one, but..." He pulled up an obituary and put it on the screen beside Karissa's photo. He turned his attention to Caillen. "She had another daughter. An older one who, as a teenager, died in an accident about the time you would have been three."

"Not long after I was kidnapped."

Chayden gave a curt nod. "I never realized Kara had a twin sister. All I'd ever seen was that the queen had another sister who was married off. There was no record of their birth or of them being twins because the Qills don't think of births as significant. They don't register them the way we do. They only register when someone becomes an adult which the two of them didn't do simultaneously because of Qillaq law." He smacked himself on the forehead. "I can't believe I never thought to double-check the identities of the women in the pictures."

But who could blame him? As he said, if you didn't know they were twins, there was no record.

Desideria let out a long sigh. "It wouldn't have mattered if you had checked. Karissa's entire history, like yours, would have been erased the moment she left Qilla for Exeter. Likewise, no one ever told us what planet she'd gone to. To our people, it's irrelevant."

Chayden's expression said he thought he was an absolute imbecile for not seeing through it. "Since I didn't know they were twins, I assumed Kara was the one who'd hired me on my mother's behalf to start the war. But now I'm going to bet it was Karissa trying to wage war on them. Frame the Trimutians and then strike while the queen is preoccupied with a war. What an effing idiot I am..." his voice trailed off as his brows came together into a fierce frown. "Unless..."

"Unless what?" she asked.

"We're assuming Karissa was working alone with her daughter. What if she wasn't?"

Desideria went cold as she realized the full extent of this nightmare and her overheard conversation came back to haunt her. Chayden was right. The more she thought it over, the more it made sense. Why would Karissa be working alone? "She and Kara could have been plotting this coup for years." Her mind raced with implications as she replayed a lifetime of abuse at her aunt's hands.

What if Kara hadn't volunteered to train them out of the goodness of her heart? What if she'd volunteered to murder them and shred their egos so that they wouldn't be fit to take their mother's place? Yes, it was Narcissa who'd been there, but Kara had set the scene for those deaths. Maybe Cissy was just her instrument.

"What if Karissa is working with my aunt Kara too?"

Why hadn't she thought of this before?

Fain made a low whistle. "Twins to rule dual empires. Together, they'd be one hell of a force to be reckoned with. No one would be able to fight them. Not even the League."

Chayden shook his head. "Especially with Trimutian resources to call on if they'd taken over their empire too. They'd own the entire Frezis sector."

Desideria raked a tired hand through her hair as reality tore through her. "But how do we prove this? No one will ever believe us."

Before anyone could answer, a blast rocked the ship.

Caillen went flying as Chayden straightened in his chair to engage the new ship that was firing on them. "How the hell do they keep finding us?"

Fain's gaze went to Desideria. "Are you tagged?"

"Pardon?"

"Do you have a tracing chip in your body?" he asked again.

Caillen let out a foul curse. The fact she didn't know what it was said it all.

She wasn't the carrier. The Qills didn't use that technology. His people on the other hand...

"Not her. Wanna bet I do?"

Fain's eyes widened as he got it. "When you were arrested."

Caillen nodded. "You know they tagged me." It was standard operating procedure. "I didn't even think about it." Damn it, he should have. But then he'd never been arrested before and he'd had a lot of other things on his mind the last couple of weeks.

His father. The assassination attempts. And then Desideria's finer and extremely attractive attributes. All of those had combined to keep his thoughts on anything other than the possibility he was tagged.

Chayden shook his head in denial. "Yeah, but my jammers should still keep it blocked so that they couldn't find us."

Caillen wasn't so sure about that. "What are you running?"

"X-Qs. Why?"

They were the best, Caillen admitted. But they weren't perfect. "If my chip's on a TR frequency..."

Chayden growled. "That's it. That's how they keep locating us."

It was how the assassin on the Andarion outpost had kept track of them too. Gah, how stupid for not seeing it sooner. That was how the assassin had been able to get a location for them in the field. But for the frequency his mirrors ran on, they'd have been dead.

And all because he was a moron.

"Is there a medical scanner on board?" Caillen asked.

Chayden indicated the wall with a jerk of his chin. "Med panel behind you. There's a bag in it that should have one."

Caillen moved to it while Chayden did his best to outmaneuver their newest addition and Hauk tried to blow their enemies out of space.

Desideria came forward to help Caillen locate the right bag and to find the scanner inside it so that they could escape this latest nuisance and hopefully prevent any more. How wonderful it would be to have five minutes of peace from the people trying to kill them.

Caillen paused as he caught the traumatized look in her gaze.

How could any woman be so beautiful and vulnerable at the same time? It made him want to protect her. To take her away from all of this and just hold her and make love to her until she smiled again. "I'm sorry."

"For what?"

"Getting you into this mess."

She offered him a kind smile that made his cock come alive in spite of the danger they were in. "It was my aunt who did it. Not you. She'd have been after both of us anyway. Honestly, I'm glad I threw you into that pod and jumped on top of you."

Smiling, Caillen leaned in and inhaled the sweet scent of her hair as an image of her naked beneath him tormented him with the most precious memory of his life. Even in the middle of all this chaos, and in spite of the fact that they could die any second, he found comfort in her presence.

She was his breath.

His world.

And he didn't want to lose her. She'd come to mean so much to him in such a short period of time. He didn't understand it, but there was no denying the fact that he couldn't even think about her leaving without a vicious pain stabbing him in the chest.

You know she can't stay with you.

Refusing to think about that, he handed her the scanner he'd finally found underneath and not *inside* the bag Chayden had mentioned. Figured Chayden would be wrong. "Find the chip, my lady."

She took the scanner and hovered it over his body. Caillen waited for the signal to tell them where it was located, but he didn't hear it.

After a few seconds of scanning all the way down his legs, Desideria straightened. "It's not registering anything."

Caillen frowned. "It has to."

"See for yourself." She handed him the scanner.

He looked through the readings, trying to find anything that she might have missed. But in the end, he had to admit the truth.

She was right.

There must be one inside her after all. He cleared the reading and then scanned her body.

She was also negative.

No way...

"This can't be right." He looked over at Chayden. "Your scanner's broken."

Chayden bristled. "My scanner's *not* broken."

"Obviously it is since neither of us is registering anything at all."

Chayden gave him a droll stare. "Nothing's wrong with the scanner. I had it calibrated a few days ago."

"Wow, you really have no life, do you?"

Chayden made an obscene gesture over his shoulder at Caillen before he dipped the ship to avoid fire. "Did you check your ass?"

He rolled his eyes at the mere suggestion. "It wouldn't be there."

"Yeah it would." Chayden laughed in an evil tone. "Think about it. Where's the one place a prisoner on the run couldn't dig it out and the one place you could put it without them knowing it? Fat of the ass, my friend. Fat. Of. The. Ass."

Caillen groaned in pain as he realized Chayden was right. What better place to put one?

His ass. In fact, the fat there would actually help strengthen the signal.

Yeah, that made sense.

Cursing his luck, he returned the scanner to Desideria and turned around for her to scan his back. There was nothing as she hovered it over his shoulders and spine.

A second later as she neared his buttocks, he heard the sound of it locating the chip.

Unbelievable. It was right in the fleshy part of his left cheek. Of course. Where else would it be? And now that he thought about it, he remembered waking up with his ass sore the day after they'd arrested him. At the time he'd assumed they'd kicked him or dumped him hard on the ground.

He should have known better.

A krikkin tag.

"Will the degradations never end?"

Fain snorted. "Hey, just be glad you have your woman here. Otherwise we'd throw your carcass out the air lock before we went digging on your cheek for it."

Sad thing was, he believed they would.

He handed Desideria a small laser scalpel from the medical pack and inwardly cringed at the thought of what she was about to do to him. "Can you do this?"

"So long as we don't get hit by a blast."

He cut a meaningful glare to their pilot. "Hold it steady, Chay."

"I make no promises and bear no liability for your lunacy, her clumsiness or any injury my unfortunate luck, uncharacteristic ineptitude or continual stupidity may cause."

Nice legal disclosure. Rotten bastard. He should have been a lawyer instead of a pirate. "I'm still going to take it out of your sorry hide if you screw me up for life. And if I die, I'm going to haunt you and shatter all power circuits whenever you need them most."

Then he returned his gaze to Desideria whose brow was lined with worried concern. Damn, she was the most beautiful woman he'd ever seen. Never before had he trusted anyone the way he was trusting her right now. With his life. "For God's sake, please don't sneeze and if you're holding a grudge against me for anything I did, real or imagined, I apologize profusely and swear I'll never do it again."

"Don't worry, Caillen, I'll be careful."

He definitely hoped so. But the wicked gleam in her eye and slight smile on her lips made him wonder if he'd lie down as a rooster and get up as a hen.

Stop being paranoid. You can trust her.

After lying on the floor, he opened his fly and slid his pants down to his hips. Desideria held the scalpel so tight, her knuckles whitened. She was terrified and he hoped that meant she felt at least a little bit for him what he felt for her.

He winked at her to give her encouragement. "Just kiss it later and make it better, baby, and I'll be all good with whatever you do."

Desideria let out a low annoyed sound at his teasing. Would he never take anything seriously? But all things considered, she adored that about him. Her heart pounding over the task to come, she slid his pants down far enough that she could reach the area where the chip was embedded and yet still keep him dressed enough not to be embarrassed in front of the others. "So how big is this thing anyway?"

Chayden made a sound of irritation. "You know, that's not really a question I want to hear my younger sister ask a man, especially not one I consider a friend, while he's lying bare-assed on my floor."

Hauk and Fain laughed.

Desideria was less than amused. "Remember, brother, I'm currently the only one holding a weapon."

Caillen glared at him. "Really, Chay, why don't you concentrate on the people trying to kill us right now? 'Preciate it, pun'kin." He turned his attention to her. "About the size of your smallest fingernail."

Fain laughed again. "Damn, I should have been taping that response and using it for playback at every party from here until I die."

Desideria couldn't believe how awful they were being given how dire this was.

Caillen glared at him before he finished his instructions. "It shouldn't be more than a few centimeters in. Anything deeper and it wouldn't transmit a strong enough signal to trace."

She moved to make a small incision on his flesh. Just as she neared his skin with the scalpel, the ship spun sideways from a blast. She let out a small squeak as she narrowly missed slicing into Caillen. She'd barely pulled back in time. A second more and she could have really hurt him.

I could kill him by doing this...

That thought made her hands shake.

How could she do this? One slip and...

Caillen reached out and covered her hand with his. Those dark eyes seared her with the one thing she knew he didn't give easily.

His trust.

"You can do it, baby. I have all faith in you."

Those words choked her because she knew how rare and sincere they were. It was a trust she had no intention of betraying. Nodding, she moved closer again. If she didn't get the chip out, they'd be a moving target from now on. All of them.

They'd be able to find Caillen and kill him whenever they wanted to.

I have to do this.

Steeling herself for it, she made the incision.

Caillen went rigid, but he didn't make a sound as she very carefully extracted the chip from his body. Ew. It looked like a bloodied silver bean. Just as Caillen had said, it was about the size of her smallest fingernail and held a tiny wire sticking out of the top.

Fain tossed her a small packet of sterilized coagulant for the wound. She applied it, then gently patted Caillen on his undamaged right cheek so that she wouldn't hurt him. "All done, sweetie."

He screwed his face up in distaste as he pulled his pants up and fastened them. "Well after that testosterone-shattering experience, I have no more dignity to worry about. Ever. Anyone have a cushion I can sit on? A really big fluffy one? Hell, let's even make it pale pink with bows on it just for good measure." He took the chip from her and crushed it under his boot heel while she went to wash her hands.

Fain gave him a cocky grin. "Look on the bright side, drey. You've never had much dignity anyway. I know. I've seen the P.O.S. ship you pilot."

"Thanks, Fain. Your personal support means so much to me. Glad I can rely on it."

"Hang tight," Chayden said an instant before he banked sharp left and slung Caillen into a control panel.

Cursing, Caillen banged his injured leg and butt cheek. Pain exploded through him with such ferocity that for a moment he thought he might pass out. But as soon as he caught his breath and glanced to the right, his heart stopped beating.

Desideria.

She was lying sprawled on the ground, half in and half out of the head.

Please be all right. Please be all right.

He ran with a limping gait to where she lay on the floor. Terrified, he turned her over as gently as he could. Her features were pale, but she was still breathing. To his instant relief, she opened her eyes and frowned up at him.

"You okay?"

She nodded slowly before she pressed her hand against her forehead.

Caillen held her tight until his rage took hold of him. "Good, 'cause I'm going to kill that bastard brother of yours." Rising from the floor, he reversed course so that he could reach Chayden and beat him down until he whimpered for death.

That was the plan that went to hell when he saw what Chayden was flying through. All in all, the man was doing a phenomenal job on the horde that had descended while Desideria had tended him. There were League ships everywhere. All of them armed and loaded for pirate.

Crap.

Without conscious thought, he tried to take the controls.

Chayden slapped at his hands. "Sit your ass down. I can handle this," he said between clenched teeth. "Both of you strap in."

Angry at the bitch-slap, Caillen wanted to hurt the man. Normally he would. But now wasn't the time.

Desideria sat in her chair and called out to him. "C'mon, Caillen. Let's not distract the pilot while he's fighting for our lives."

Galled to the center of his soul that he was having to trust his life to someone else's piloting abilities, he followed suit. "I don't like being a passenger."

"Yeah, now you know how I feel," Fain muttered. "Sucks to be back here. However it could be worse."

"How so?"

"You could be the pilot."

Caillen rolled his eyes at the Andarion. But honestly, he had to give Chayden credit. The man twisted through the gauntlet and came out between two cruisers with the narrowest of margins—it was a miracle they didn't scrape metal. Chayden pulled back and they shot up at the steepest of angles. Just as the alarm sounded that they were target-locked and about to be blown apart, Chayden maneuvered into a wormhole.

The ship went dark, then exploded in speed as the natural opening propelled them across the universe.

For the moment, they were safe again.

Caillen let out a long breath. "I think we're probably running out of luck at this point and I know my underwear can't take any more abuse—not that I wear underwear, but if I did it would be soiled. How many more near misses do you think we have in us?"

Hauk laughed over the intercom. "Collectively or individually?"

Chayden leaned back slightly in his chair. "I don't know about the rest of you, but I always run at an extreme deficit."

Hauk came through the door and joined them on the bridge. "So what's the plan now?"

Desideria answered before he could even part his lips. "We need to get to my sisters."

Caillen widened his eyes at her insanity. Heading into her palace was as crazy as breaking into his, the only difference, he knew the security where he'd lived. He was going to bet she had no idea about hers. "Okay, why?"

"My aunts will be after them. Even though they're minors under our laws, they can still petition for the crown, especially since Narcissa is acting as empress. My sisters will be the next obstacle and target. I'm sure it's why Kara hasn't seized the throne. She's waiting for the assassin to take them out, then come after us with all justification. And trust me. A Qillaq tribunal is not something you want to go through."

Chayden backed her stupidity. "She's right about all of that, especially our sisters. If it is a combined plot between Karissa and Kara, they're unprotected victims waiting to happen—just like your uncle. We have to get to them as soon as possible." He laid in the course for Qilla. "Once they're safe, we can sort this out."

"I don't know," Hauk said. "We're extremely high profile right now. The best course might be to get some of the Sentella in there to secure them and for us to lie low and let some of this die down before we're spotted again."

Desideria gave him a withering glare. "The Sentella didn't keep my mother or Caillen's father or uncle safe, so you'll have to excuse me if I'm lacking a bit of faith in them. Besides that doesn't matter. My sisters wouldn't go with them anyway. They trust no offworlders and would fight to the death if one tried to take them from their dormitory."

Hauk raked a sneer over her. "What makes you think they'll go with *you?* Especially since they think you killed your mother?"

Desideria backed down as he brought up something she hadn't considered. There was no reason for either of her sisters to trust her right now.

None whatsoever.

But that didn't matter to her.

Keeping them safe did.

"I'm hoping they'll listen to reason." She did her best to make Hauk understand. "Either way, I have to try. I'm the best shot at getting them out of this alive. Without me, they're dead."

Fain scoffed. "Oh I don't know. I think I could knock them unconscious and carry them out pretty quick."

She was horrified by his suggestion. "I don't want my sisters beaten." She passed a probing stare to Hauk. "Would you be able to lie low if your family was in the line of fire?"

Hauk glanced over to his brother. "Depends on the day of the week and the mood I'm in."

She knew better.

And he confirmed it a few seconds later after he let out an aggravated breath. "All right, the name of stupidity right now is us. Let's go fly into certain death to help people who will most likely try to kill us and claw out our eyes."

Fain laughed. "Sounds like a typical assignment to me."

"Yeah, well, there is that."

Caillen sat back as he ran through all the new information they now had and tried to come up with a reasonable plan of action.

Save the sisters. Clear their names.

Don't die.

Simple list. Impossible odds. What the hell was he thinking? They were screwed. Every government was out to capture or kill them...

C'mon, don't give up. You've lived through worse odds than this.

Yeah, right.

His gaze drifted to Desideria, who sat lost in her own thoughts. There was a smudge of dirt across her left cheek. Her clothes were crumpled and she looked completely exhausted. Still, she carried on with a warrior's persistence and her presence gave him strength. Most of all, it gave him a reason to fight to the bitter end. He wouldn't let her die. Not over something she was innocent in.

Even though there was no chance now of his clearing his own name, he would see her through this no matter what and make sure that when this was done, she was queen.

The one thing she wanted most. He would do everything in his power to give her that dream.

"We're going to make it," he promised her.

She smiled at him. "I can almost believe that when you say it."

"Oh well, paint my ass pink," Fain groused. "'Cause I don't believe it. I think we're going to prison or graves. But hey? What do I know?"

Hauk shoved playfully at his brother. "Stop being an asshole."

"Impossible task. Besides, I enjoy it." Fain turned back around so that he could continue scanning the news reports for anything else they needed to know.

The rest of them didn't speak much over the next few hours. They were too tired and too worried. They knew what they were up against and it was debilitating.

Caillen tried to stay focused, but over and over his gaze went to Desideria. He wanted to pull her into a back room and make love to her so badly he could taste it. But she wasn't the type of woman to welcome that. One thing he'd learned about women, their sex drives were radically different.

They didn't respond well when they had dire matters pressing on them. Women liked to be wooed and romanced. Something that was a little impossible at present.

Gah, to have her lay her hand on his skin right now…

But he was used to putting other people's needs before his own. So instead, he savored the memory of her. And wished for a better ending than the one he saw coming.

As they neared Qilla, Chayden kept the ship back, out of the atmosphere. One of the advantages they'd learned while en route about Desideria's planet was that they didn't monitor anything outside their upper stratosphere. It was only when something broke their official air space that their forces were notified and they pursued the invaders.

Let's hear it for an isolationist planet…

Chayden set the autopilot and prepared the Verkehr to transport them to her palace. "I'll send you guys down and be on standby to get you back."

Caillen arched one brow. "Whatever you do, don't fall asleep on the job."

Chayden yawned. "Now that you mention it, I am a little tired."

Caillen glared at him. "You're not funny."

"Oh please. I'm a riot. You're just incapable of appreciating me."

Ignoring his joke, Caillen took Desideria's hand as he faced Hauk and Fain. "You two really have gone above and beyond."

"Trust me," Fain snorted, "we know."

"Thanks." Caillen's tone was thick with sincerity. "For everything."

That sincerity seemed to embarrass Fain, who inclined his head before he covered his face with his mask. "All right, Princess Pain. Lead us into suicide."

Desideria took comfort from the warmth of Caillen's hand holding hers as Chayden teleported them from the ship down to the back courtyard of the palace where the high brick walls would protect them from cameras and guards. She wasn't far from the training ring where she'd spent most of her life.

How weird to be back now. So much had happened to her since she'd left with her mother's Guard that she felt like a stranger in her own home. Unwelcomed. Unwanted.

Foreign.

She wasn't the same person who'd left here. Everything was different now. Her faith in her mother and her aunt shattered. More than that, she had a newfound strength and confidence in herself that hadn't been there before.

All because of Caillen. He'd shown her that she could survive even in an alien environment where she knew nothing about the people or customs and that she was capable of taking care of herself no matter what her aunt or mother thought. She was a woman, not a child.

For the first time in her life, she actually believed that.

But she didn't have time to focus on that right now. She had her sisters to save and the lives of the three men she'd learned to trust and care for were in her hands. She had to get them in and out of there before they were attacked.

Releasing Caillen, she led them into the east wing where her sisters should be. This time of day, they were normally in their room resting for the next training session that would start after dinner. With any luck, that wouldn't have changed.

Yet.

As she led them through the back palace rooms, she shivered. The hallway had always been cold, but never as frigid as it seemed today. It was like the palace knew her mother was dead and in its own way, it, too, was grieving.

Her heart pounded in her ears as she strained to listen for any sound that could denote detection for them.

Luckily it didn't take long to reach their apartments and yet it seemed like eternity had passed before she made it to Gwen's room. There was a light beneath the dark wood door and inside, she could hear someone violently throwing things around. It sounded like a war was going on in there.

They're killing her!

Her vision dimming, Desideria swung open the door, prepared for battle.

But there was no army inside.

She froze at the sight of Narcissa who'd also stopped mid-tantrum at her intrusion. For a moment, everything appeared like someone had pushed pause as they stared at one another in mutual shock. While she stood in the open doorway, Narcissa held one of the clay pots Gwen had collected since early childhood in her hands. One of the few that hadn't been shattered during Narcissa's apparent fit.

Terror replaced the shock on Narcissa's face as she took in the sight of Desideria and the three armed men standing behind her, ready to kill if necessary. "What are you doing here?"

Holstering her blaster, Desideria stepped into the room. She held her hands up so that her sister wouldn't panic any worse and to let Narcissa know that she meant her no harm. "I've come to save you and Gwen. Kara's trying to kill you."

Narcissa scowled. "What?"

"It's true," Caillen said. "She's framed all of us. We're here to help and protect you."

Stunned disbelief hung heavy in Narcissa's dark brown eyes. It was obvious she was struggling with what to believe. "Are you sure about Kara?"

Desideria nodded. "Think about it, Cissy. She's always pushed us to fight, even to the death. She pushed us all beyond our abilities and then never wept when one of us died. She never thought Mom should have been in power. You know that. I overheard her talking to one of her conspirators. She and Karissa have teamed up so that they can rule the two empires jointly...after all of us are dead."

Narcissa swallowed. "You think she's killed Gwen?"

That question sent a chill over her. "Why do you say that?"

"I came in here to talk to her and she's gone." She gestured to the shards of pottery on the floor. "I was so angry at her for being stupid that I let my control slip."

That was what happened when anger was the only emotion their people sanctioned. Violence erupted over the smallest of offenses.

Now Desideria remembered why Caillen and company were such a welcome relief to her. It was so nice to be around people who had a variety of emotions, most of them pleasant and amusing. People who could tease each other and not go to war over it. People who didn't answer every insult with a punch.

Caillen moved forward. "Have you any idea where she is?"

Narcissa shook her head. She locked gazes with Desideria. "If what you've said is true, we have to find her. Fast. There's no telling what could happen to her."

She was right, but Desideria had a bad suspicion about her sister's whereabouts. "Where's Kara?"

"I haven't seen her since the press conference. She vanished while I was talking to the reporters...you don't think she's harmed Gwen, do you?"

It would make sense, but she didn't want to panic her sister. "We'll find her." With a calmness she really didn't feel, Desideria ran through her mind where her sister might be. It was dizzying really. The palace was huge with more rooms than their small group could search through before being caught.

But if Gwen had felt threatened...

There was only one place she'd go for safety.

"The crypt."

Narcissa screwed her face up. "What?"

Since Gwen was eight, she'd been drawn to the crypts, claiming the old tombs made her feel safe. For some reason Gwen had refused to share, she'd always believed that the spirits of their ancestors would watch over and protect her any time she was there. While Desideria had thought the dark, dismal tunnels were creepy and damp, Gwen had considered them her solitary haven. Probably because it was the one place Kara would never go. She thought the crypts were haunted and they weirded her out even more than they did Desideria.

"I know it sounds peculiar, but it's where Gwen always goes when she's upset." Not that Narcissa had ever cared whenever Gwen had sought refuge.

"That's idiotic."

Desideria had to force herself to remain patient with her sister's ire.

Caillen ignored Narcissa. "Lead the way, Princess."

367

Inclining her head to him, Desideria went to the bookcase to her left. Like most rooms in the palace, there was a secret passage behind it that allowed the royal family to escape in the highly unlikely event that they should ever be overrun by enemies. All of them had been forced to learn the access points as children—a task Narcissa had balked at, but it was something Desideria and Gwen had enjoyed learning. More to the point, they'd enjoyed exploring down there too.

The one in Gwen's room was the quickest way to the crypt which lay on the outermost corner of the palace lands. That was the main reason Gwen had chosen this room to be hers. At night, she'd often left the passage door open, wanting the spirits to come visit her.

Yeah, and they all thought I *was the strange one...*

Not wanting to think about that either, she used one of Caillen's light sticks to lead them into the winding darkness. While dank and depressing, at least there were no animals in the tunnels. The exterior access portals were airtight and undetectable to even the smallest creatures.

Closing her eyes, she forced herself to remember where Gwen preferred to hide. The northern crypt that was their great-grandmother's tomb. Since Gwen had favored her most out of their family, she'd chosen that as her special place.

It didn't take long to reach it.

Desideria opened the iron door to the room that had been carved from stone to provide an eternal resting place for the marble sarcophagus. Most of the women buried in the crypt were in wall tombs. Only war heroes such as her great-grandmother who had kept them independent during the Ascardian Revolt were allowed to have rooms dedicated to them. It was an honor all queens aspired to.

On the far wall set in a recess that was decorated with the royal insignia and coat of arms was an eternal flame that paid homage to Eleria's life and reign.

That light cast a dancing shadow through the room. One that highlighted a sight that made her freeze as her gaze fell to Kara who was kneeling beside an unmoving Gwen. Blood pooled around her sister whose features were so pale she was sure Gwen was dead. Horrified, she couldn't breathe.

Someone shoved her from behind, forcing her into the room. She turned to see Narcissa slamming the door in the face of the men before she locked it tight.

"What are you doing?" Desideria demanded angrily.

Narcissa tapped the communications band on her wrist. "There are intruders in the north crypt led by Desideria. I think they're trying to kill Gwen and me. Rally all guards immediately. Help!"

Desideria scowled at her sister while Kara rose to her feet. Her aunt started to attack, but Narcissa leveled her blaster at her and fired. It struck Kara and knocked her back against the wall.

Gasping at the attack, Gwen rolled over and tried to crawl under the sarcophagus.

Dodging the blast Narcissa directed toward her, Desideria moved to shield Gwen with her own body. Even though there was no denying what was happening, a part of her still couldn't believe it. Surely something else was going on here.

Please, don't be the killer...

"Narcissa?"

Her sister sneered at her. "You didn't really think Kara was bright enough to pull this off, did you? Stupid cow. Both of you. The throne is mine, you bitch, and I'm not going to share or fight for it. But I will kill you both to get it." She fired again.

Using a move she'd learned from Caillen, Desideria dropped to the floor allowing the shot to narrowly miss her. She pulled her own blaster out and returned the blast.

Narcissa dove under a statue of their high goddess and continued to spray fire at them.

Desideria covered Gwen. She knelt by her side to check on her injuries. Her shoulder and side were bleeding and there was a big bruise forming on her right cheek. "Are you all right?"

Her sister was tucked up tight against the stone base as if she was trying to merge with the sarcophagus. "Wounded, but Kara tended most of it."

Desideria glanced over to where her aunt lay unmoving. There was no help there. "Are you armed?"

"No. Narcissa disarmed me before she wounded me. I barely escaped her."

Desideria clenched her teeth as she realized by trying to save her sister, she'd endangered her all the more. Fine. She could handle this alone.

"It's over, Narcissa. Lay down your weapon."

As expected, Narcissa fired more shots. "My Guard will be here any moment and your friends will be dead or captured. Once I kill the two of you, *I* will be queen."

Desideria would ask why, but then, she knew. It was the Qillaq way. *Take what you want.* If someone was in your way, kill them. If they weren't strong enough to fight you off, they deserved to die.

370

Even family.

Nauseated, she wanted to weep over her sister's psychosis. Later, she definitely would. But right now, she had to keep Gwen safe.

A low moan sounded from Kara. It wasn't much. Just enough to make Narcissa pause and glance in her direction.

Desideria seized the moment to leap out and throw herself against Narcissa. Entangled, they rolled across the cold stone floor, punching at each other. She managed to knock the blaster from Narcissa's hand, but not before she lost her own grip on her weapon.

Krik!

She heard more blasts coming from the other side of the door, out in the hallway.

Narcissa laughed in triumph. "Told you my Guard wouldn't let me down."

Rage, dark and deadly, settled over her as a newfound strength welled up inside her at the thought of her friends being attacked. "They're not your Guard, bitch. They're mine." With a bellow of rage, she kicked Narcissa into the wall with everything she had. It was enough to stun her sister who slid to the floor.

As she went for the blasters, Narcissa launched herself at her back.

Desideria rolled to the floor, away from her, grabbed the weapons and landed in a crouch, both blasters drawn and aimed right at the area of Narcissa's body that should hold her heart. "Don't."

Narcissa froze.

Keeping her gaze on her traitorous sibling, she moved to the door and opened it.

371

The men stood on the other side like they'd been in the middle of trying to open it. She started to ask about the Guard, but they lay sprawled on the ground, scattered throughout the hallway.

"Are they dead?"

Caillen flashed her that familiar shit-eating grin. "Stunned. But don't think we didn't consider killing them. What about you?"

"Definitely not dead." She indicated Narcissa with a jerk of her chin. "It was my sister behind this like I originally thought, not my aunt."

Hauk tsked as he moved forward to cover Narcissa with his own weapon. For an instant, Narcissa looked like she was about to try and fight him, but since he literally towered over her, she thought better of it. He cuffed her hands behind her back while Caillen and Desideria went to check on Gwen and Kara.

To her complete amazement, Gwen pulled her into a tight hug. Until she went ramrod stiff. "You didn't kill Mom, right?"

"You heard Narcissa. I had nothing to do with it."

"Just checking." She pulled her back into her arms and held her. "Thank you, Des. Thank you!"

Caillen helped Kara to her feet. "Are you sure we shouldn't be taking this one into custody too?"

Desideria looked at Gwen. "Well?"

"Kara saved my life. Had she not pulled me out of Narcissa's line of fire, I'd be dead now."

Her aunt lifted her chin as if she was mortally insulted. "Unlike Narcissa, I take my oaths seriously. I am Qillaq and I would never kill someone in cold blood. Only in fair combat."

Narcissa curled her lip. "Oh shut up, you sanctimonious whore. I'm sick of all your—"

Hauk stunned her with his blaster.

Narcissa cried out before she slumped to the floor.

Hauk made no moves to break her fall. Instead, he holstered his weapon and met Desideria's gaze unabashedly. "My mother always said that if you can't improve the silence, you shouldn't be speaking."

Fain let out a low whistle. "You stunned a girl, bro. Then let her hit the floor. Damn, and I thought I was callous."

Ignoring Fain, Caillen left Kara's side to stand by Desideria's. She could tell by his expression that he'd been worried about her. Without a word, he pulled her into his arms and kissed her with a passion that ignited that part of her that craved him most. And it made her hungry for so much more. Closing her eyes, she inhaled the warm scent of his skin and just savored this one moment of peace.

It was over.

Her sister and aunt knew she had nothing to do with her mother's murder.

I'm free...

Caillen tensed ever so slightly before he pulled back and turned her to face her sister and aunt who were kneeling reverently on the floor.

"My Queen," Kara said. "I will serve you every bit as faithfully as I did your predecessor."

Gwen looked up and actually smiled at her. "As will I. Long live Queen Desideria."

Strange how those words weren't as important to her now as they'd been before. Indeed, unlike Caillen, they left her completely cold.

Caillen draped his arm around her shoulders. Leaning down, he whispered in her ear. "You're back where you belong."

Why didn't it feel that way?

She looked up at him. "But you're still not off the hook. Karissa and her daughter are after your throat."

"Karissa?" Kara scowled at them. "My sister, Karissa?"

Desideria nodded. "She's the one who killed Caillen's father and blamed him for it. It appears she and Leran have been behind all of this madness."

Kara winced. "I should have known this would happen."

"How so?" Desideria asked.

"I knew Karissa hated us for the fact that she was forced into a political marriage. To her, it was beneath her and she resented the fact that your mother had won the throne. She swore to me that she'd live to see her daughter as our queen." Kara glanced to Narcissa and sighed. "Stupid child. They would have killed her too and Karissa would have been the one to rule here. Never would they have allowed Narcissa to keep this throne."

Because Karissa's offworlder husband was now dead...

That would clear the line of succession. She could easily return to Qilla and claim her former rank. The plan hadn't been to divide and share rulership. Karissa had wanted it all for herself and her daughter. And since Kara couldn't fight for the throne, with Desideria and her sisters out of the way, no one would have been able to stop her. Cold, but clever.

Caillen sighed. "It was a brilliant plan."

Kara let out a long sigh. "When you spend years plotting and executing it, it usually is."

Gwen shook her head in denial as she stared at Narcissa's unconscious form. "I still don't understand how they seduced Narcissa to help them. Why would she betray us?"

"Remember five years ago when I went to visit Karissa?" Kara asked her.

"You took Cissy with you."

She nodded. "They must have started their plans with her then and kept in touch with her after that."

And that explained why Narcissa's attitude had turned so cold at that time. Why she'd been so vicious toward her and Gwen. Not that she'd ever been particularly kind. But after that visit she had returned very different.

How tragic for all of them.

Gwen passed a pleased smile toward Caillen before she looked back at Desideria. "You'll be able to take a consort now, My Queen."

Yes, but inside she knew Caillen would never submit himself to her as a pet. It wasn't in him and she loved him too much to even ask it.

You could fight him. He would win and be her equal.

But she knew better. She would never take the chance of hurting him and if she didn't fight him with all her strength, the fight would be nullified by their laws.

All she wanted was to protect him. "If you stay here, Caillen, I can offer you political asylum."

He stroked her cheek with his thumb before he dropped his hand away from her face. "Appreciate it, but the League and her assassins would always be after me to finish this. They'd be in your affairs and could hurt any one of you in the crossfire. I have to clear my name and make Karissa pay for killing both my fathers and uncle. I owe them that much."

And once he did that, he'd be a ruler. Then they could never be together.

Her heart shattered with the cold reality.

"How are you going to do that?" Kara asked.

He shrugged with a nonchalance that made her want to beat him. "No idea whatsoever."

Forever by the seat of his pants. Her smuggler would never change.

"When do we leave?" she asked him.

He looked over at Kara and Gwen. "You're a queen, Desideria. Your place is here and your people need you. I finally understand that."

She hated the fact that he was right. She had to stay.

He had to go.

Pain hit her so hard, it was crippling. But she was Qillaq and they didn't show emotion. Especially not a broken heart. "I guess this is good-bye then."

He nodded. "You can always call me when you need someone to yell at."

"You're not good at taking that abuse."

"True, but I've learned to accept it from you."

Her throat tightened at his teasing tone. She'd miss that most of all.

Don't leave me, Caillen. Not here in this cold place with people who don't know how to laugh.

How to love.

She couldn't stand the thought of not seeing his smile every day. Of not listening to him banter with her and his friends.

I can't make it without you.

Those words hung on her lips. She wanted so desperately to say them. To beg him to stay with her and not leave.

But she couldn't. He belonged to a world she didn't understand. One where he needed freedom and independence.

Him and that backpack...

"Take care of yourself, Caillen." She was proud of herself for keeping the pain out of her voice.

"You too." He took her hand in his and placed a tender kiss across her knuckles. But she wanted so much more from him than that...

Tears gathered to choke her as she savored the warmth of his hand on hers. The softness of those lips that had soothed and pleased her. She would never know that warmth again.

And when he let go of her, she felt her world shatter. The loss of his touch was more than she could bear.

Only the knowledge of Kara watching her...judging her, kept her from running after him and begging him to stay with her no matter the laws or the consequences.

She watched him leave with the others. He paused at the door to look back at her. She saw the agony in those dark eyes. The tangled emotions that said he wasn't any happier about this than she was.

With one last gentle smile, he left her and the agony she felt inside was enough to drive her to her knees.

You could abdicate. The words hung on her tongue as she met Kara's stern expression.

But that wasn't what a Qillaq did either. Her mother would be so disappointed in her.

So would her father. As queen, she'd be able to pardon her father at long last. Salvage his name for their records.

I want Caillen.

But life wasn't about wanting. It was about surviving and following your duty. When those things conflicted, obligation always won out.

Children followed their wants.

Duty commanded adults.

Funny, she'd spent her entire life wanting to be an adult and yet right now, in this moment, all she wanted was to be a kid again. To be able to follow her heart.

And the name of that heart was Caillen Dagan. Renegade. Smuggler. Pirate. Prince.

Hero.

Kara stepped forward. "So tell me, My Queen. What is your first command?"

With every step Caillen took that carried him farther away from Desideria, he felt a part of himself die.

Go back.

The call was so strong that it was almost impossible to resist. But he couldn't. He had to avenge his fathers and make sure the bitch who'd killed them paid for her crimes. No matter what his heart wanted, he had other obligations that took precedence right now.

Besides, they didn't belong together. Desideria was queen in a world that would never accept him and he was . . .

Outlaw. Scoundrel.

Worthless.

Your problem, Cai, is that you lack all ambition. Really, is this all you want out of your life? Yeah, Kasen's voice rang out loud and clear in his head. *"I don't know how you can be content smuggling hand to mouth all the time.*

"You're just such a waste, little brother."

He was everything a queen was told to avoid. Everything that would taint her reign. Yet his heart belonged to Desideria and there was no denying that one single truth. The only time in his life when he'd felt worth something had been in her arms.

378

If only he could go back...

Don't.

He had a mission to complete and once it was done, he'd be an emperor.

That thought made him shudder. But the one thing his real father and Desideria had taught him—noblesse oblige.

Chayden slowed as they neared the opening of the crypt. "Are you sure about leaving? Sanctuary's a hard thing to give up."

Caillen scoffed. "You turning craven?"

He narrowed his gaze at Caillen's emotionless question. "You know better." Sighing, he shook his head. "You are an idiot, Dagan. But far be it from me to point that out since going back to her means you'd be with my sister and that mere thought disgusts me. All I'll say is that if I had someone who would fight by my side, I wouldn't let her go. But that's just me and I've never had anyone worth fighting for. Damned if I'd turn my back on her if I did."

Caillen was about to go for his throat when all of a sudden his link buzzed. He started to ignore it and engage Chayden more. Until he caught the ID listed.

It was Darling.

Part of him was angry that Darling had lied to him about his father, but the other was still loyal to his friend no matter the aggravation. So he put the link in his ear and activated it. "Dagan here."

"Hey, drey. We have a little problem."

His gut knotted. What catastrophe now? "Does the League have our CL?"

"No." Darling's tone was completely dry. "That would probably be better."

Dread consumed him even more. "What then?"

"While your father was about to call a press conference, Desideria's mother took advantage of the distraction to escape my custody."

Caillen scowled as he tried to understand what Darling was saying. "My father's dead."

Darling sucked his breath in sharply. "Um...Not exactly."

"What is 'not exactly' dead, Darling?"

"Don't get mad. It's why I sent Hauk to you instead of coming myself. We wanted to flush out the traitors, so I talked your parents into pretending to be dead long enough for the real traitors to expose themselves. The footage you saw of their supposed assassinations was something I had Syn fake. It was all digital animation."

He would call him a liar, but he knew exactly how skilled Syn was on a computer. There was nothing that man couldn't do.

Darling cleared his throat before he continued speaking. "I convinced both of them that if their enemies thought they were dead, you two could stay ahead of them long enough for us to find out who's behind all of this. Her mother caved before your father did, by the way. Said she'd love to test her daughter's mettle even if it meant throwing her to the wolves. Your dad took a lot of convincing. The last thing he wanted was to see you hunted or hurt."

Yeah, that sounded like his father.

"Both of them have been with me the entire time. However, I had to stand hard on your father to keep him hidden and safe while you've been under fire. Believe me, it was no small feat. That man is wicked insane when it comes to you."

Caillen glared at Hauk. "Did you know my father was alive?"

Hauk actually blushed.

Damn them for that. "You lied to me?"

Darling let out an irritated breath. "Let's not argue semantics right now. That's not important."

The hell it wasn't...

"What you need to focus on is that we achieved our objective," Darling continued—it was a good thing the little bastard was nowhere near him right now or he'd make him limp. "The traitors revealed themselves. The problem is your father found out about your uncle's murder—"

"Not my fault. I didn't know he had news access," Maris said over Darling.

Darling took a second to shush him before he continued. "Your father wanted to call for the press so that he could clear your name before someone killed you for something you didn't do. While I was locking him in his room, Desideria's mother took off on her own. She wants the blood of her sister and niece over this treachery, and she won't stop until she has it."

Caillen's concern for his father's safety far outweighed his anger and irritation over their deceit. That familiar battle calm settled over him. "Where's my father?"

"Nykyrian's palace, surrounded by security. I couldn't think of anywhere safer."

He was right about that. Since Nykyrian's wife and children were there, that place was without a doubt the most secured building in existence.

"And Desideria's mother?"

"Commandeered a ship out of the hangar. Since she was leaving and not coming in, security didn't realize they'd screwed up until after she was gone. I hacked her flight plan and she's headed straight to Exeter, no doubt to execute her sister and niece."

Oh yeah, this was bad. And he had no doubt that Darling's speculation was right. Sarra wasn't exactly known for her calm rationale.

She'd be out for blood.

Caillen growled as his thoughts kept coming back to one truth. "They'll kill her if she comes out of hiding."

"Yes, they will."

And if she wasn't Desideria's mother, he'd say good riddance. That kind of stupid needed to be strained out of the gene pool. But in spite of everything, she was Desideria's mother and he couldn't let her die.

"Where are you?" he asked Darling.

"In my fighter, heading after her. I'm hoping I make it in time to stop her from committing suicide. If not, I plan to go down fighting beside her stupid ass."

Saddest part? He knew Darling would stay true to those words.

Which meant they were all heading to the gallows.

22

"You should tell Desideria our mother is still alive."

Caillen arched a brow at Chayden's comment. "You need to pilot and not worry about it. We need to tel ass as fast as possible."

"Yeah, but—"

"Chay, what good will it do to tell her her mother's alive if her mother gets herself killed in the next hour? Really? Call me provincial, but to me it seems cruel to say, guess what? Your mom's alive. Oh wait. She *was* alive. Now she's dead again 'cause our worthless asses couldn't save her. Sorry, hon. Hope you're okay with me jerking your emotions around and stomping on them. And while I'm at it, you got a newborn puppy I can kick too?"

"He has a point."

Chayden glared at Fain for that last comment. "Stow it, Hauk." Then he glanced at Caillen. "Fine, but when she wants your head over the fact you neglected to tell her about this, remember *I'm* the one who tried to save your hide."

"And here I thought I screwed up metaphors." Caillen focused all of his attention on catching up to Darling. Honestly, he didn't want to give Desideria any more bad news. He wanted to be able to tell her that her mother was alive and well. To see the joy and relief on her face, not the sadness.

I can't believe I'm out to save the life of a woman I detest. It would be a public service to let the bitch die.

But Desideria's happiness meant more to him than that.

Fain cursed, drawing their attention to him.

"What is it?" Chayden asked.

"A hornet's nest." He pushed his images up to the main monitor for all of them to see what he was looking at.

Caillen winced as he saw a sizable army heading straight for them. "League fighters?"

"Can't make the markings. But I don't think so. They're not shooting at us."

Chayden hailed the newcomers.

No one spoke or even breathed while they waited for the response. At first all they had was static.

Until a soft voice broke through the stillness. "We're here to assist."

Caillen gaped at the last thing he'd expected to hear.

Desideria's face showed on their com screen.

Amazed, he gave her an arch stare. "What are you doing, sweetie?"

Her smile warmed him. "I'm saving you. You can't go in there alone. I mean, you can. But I don't want to see you hurt. After you left, it dawned on me that I have an army at my disposal. So here we are, assisting you until your name's cleared."

He shook his head at her. "Don't you have a government to run?"

"It'll be okay for a few hours. With Narcissa arrested, there's no immediate threat."

Chayden muted them. "You better tell her."

He was right.

This time.

"Feed the transmission into the bunk room." Caillen unstrapped himself and headed off the bridge to talk to her alone. There was actually a lot of stuff he wanted to talk to her about. But this wasn't the time or place.

The one thing though was the tenderness in his heart for a woman who put everything on hold to come to his aid. She didn't know about her mother or the fact that his name was cleared because his father was still alive.

She had no reason to be here.

Except to keep him safe like she'd said.

And this time he knew what name to give the confusing feelings he had inside him where she was concerned. He loved her. Loved her in a way he would never have thought possible. He trusted her and he would give his life to keep her safe.

Those thoughts hung heavy in his mind as he turned on the link in the bunk room and saw Desideria's beautiful face again. Oh yeah, that was what he needed.

No, what you really need is her naked in your bed.

There was that...

"Hey, beautiful. I have some news for you. Are you alone?"

She gave him a droll look. "Fighter only sits one."

He arched a brow at her dry tone. "I didn't know you could fly. You've been holding out on me."

She smiled. "Only Qillaq fighters. I know nothing about other craft."

Yes and no. Flying was flying. But he could understand her reservation, especially if she couldn't read the language for the gauges and controls. That was a one-way trip to the hospital.

Or morgue.

And as he stared at her, he realized how much he liked being around her. Even when she made him crazy.

"Are you just going to stare at me?"

He grinned at her question. "I might."

"Not really productive."

"But highly entertaining. At least from my perspective."

She shook her head that was covered by a flight helmet. He had to admit he much preferred her open-face style to the League and Sentella's closed helmets. This way he was able to enjoy seeing her.

"Okay," she stretched the word out. "If I cut you off, it's because I need to lead my people and—"

"That's what I wanted to talk to you about."

She frowned at him. "Not sure I like your tone of voice."

"That's because I'm not sure how you're going to take this news."

She screwed her face up in distaste. "More bad news?"

"From my perspective, definitely. From yours, probably not so much."

Fury darkened her eyes. "Stop playing this game with me, Caillen. Spit out what I need to know."

"Your mother's alive."

Both of her brows shot up this time. "Pardon?"

"She was in hiding to draw out the traitors. Now that she knows who they are, she's headed for them to kill them."

"Is she insane?"

He laughed, grateful she saw it the same way he did. "I'm not touching that one since she's your mother."

"Is she alone?"

"Darling should reach her . . . hopefully in time."

She cursed with a word that shocked him. "There's no way to teleport there, is there?"

"Not if you want to be intact when you arrive. The distance is too great and there's too much interference."

"Can Darling fight?"

"Oh yeah. Don't let his diplomatic demeanor fool you. He's as skilled and fierce a fighter as any assassin the League ever trained. More skilled than most. Something I tend to forget too until I see him in action. He might be shorter than most of us, but he can kick ass with the best of them."

"If he reaches her in time."

"Yeah."

The sudden sadness in her eyes was like a punch to his gut.

"When did you find out she was alive?" she asked.

"A few minutes ago. We were heading to intercept her and Darling when you showed up."

Disbelief etched itself into her features. "You were going to protect my mother even though you hate her?"

"Only for you, baby. Nothing and no one else could motivate me for this suicide venture I promise you."

Desideria swallowed at those words that tightened her chest. She'd never loved him more than she did right now. "Thank you."

He kissed his fingertips, then held them out to her in a sign of respect and caring. "Do me one favor."

"Sure."

"When the fighting starts, hang back. I know it flies in the face of your entire being. But for me, hang back."

Right...he was out of his mind if he thought she was going to send him in and then stay back while he put himself in harm's way. "What if I asked the same thing of you?"

"Yeah, but—"

"No buts, Cai. I can't stand the thought of you being hurt and you're already wounded. It's not fair of you to ask me to abstain from the fight when you're not willing to do the same for me."

"I really hate it when you make sense."

She smiled. "I know. I feel the same way about you."

"So should we blow this whole thing off and go grab coffee? Or preferably a bed?"

She rolled her eyes at him. "You're terrible."

"True." He took a deep breath. "Okay so we go with Plan B. Both of us get our asses kicked. Then we limp to a bed where I kiss your boo-boos and you kiss mine. Yeah. That still works."

She laughed. "What am I going to do with you?"

"As long as it involves our mutual nakedness, I'm up for it."

"Cai—"

"Really," he said, interrupting her. He looked down at the bulge in his pants. "I'm definitely up for it."

Yes, he was adorable in a completely irritating way. "I'm cutting the transmission now."

"Don't."

Desideria hesitated at the grave tone of his voice as he said that single word. "Give me one reason why I shouldn't."

"Because when I look at you, I can see into infinity."

Frowning, she wanted to understand what he was saying. "What does that mean?"

"I love you, Desideria."

Now he said that? She sucked her breath in sharply at words she'd never expected to hear.

"That was why I said 'um' earlier. I couldn't get the words out in front of other people."

"Why are you telling me this now?"

"I have no idea. I know we can't be together. Your destiny is completely different from mine. But should something happen to one of us, I wanted you to know how I feel. I never thought I'd find someone who makes me as crazy as you do. Someone who could mean so much to me."

She knew exactly what he meant since he did the same thing to her. "I love you, too."

Caillen froze at those precious words. "Really?"

She nodded. "Why else would I be here?"

"You live to fight."

"Not really. I hate fighting. But don't tell anyone."

"I would never betray you."

She placed her hand against the camera. "I hate you for not telling me this when we were together."

"Yeah, I suck that way."

"You don't suck...much."

He flashed a grin at her. "Fly safe."

"You too. I'll see you on Exeter." She cut the transmission.

Caillen stood there for several minutes as the reality of what he'd done slammed into him.

He'd made a commitment. A declaration. Never in his life had he ever professed love to anyone not related to him. Not even his own father. It wasn't what he did and yet he wanted to tell her again and again.

I'm such a sappy dumb ass. Too many years with his sisters had corrupted him. All his life he'd prided himself on being able to manipulate any woman in the universe.

Until Desideria.

She controlled him completely. There was nothing he wouldn't do for her. He'd sell his soul just to make her smile.

So why did their relationship have to be impossible?

Not wanting to think about it, he returned to the bridge where Chayden and Fain were arguing over the best course of action. Normally, he'd join in but right now his thoughts were on the army following them and the woman who'd brought them to him.

If I could only have one more day alone with her...

By the time they reached Exeter, Caillen was mentally pacing the floor. They'd tried several times to reach Darling, but he hadn't answered. That could be good.

Or *really* bad.

Caillen was the first one off the ship. He didn't wait for Desideria, Hauk, Fain or Chayden. He went straight for the Exeterian palace. With any luck, they might be able to end this before Desideria landed. Something that would keep her safe and him sane.

But as soon as he left the hangar closest to his father's palace, he knew it wouldn't be that simple. There were flames spiraling from the remnants of the front gate. Soldiers were mobilized, yet no one seemed to be in charge. Plain and simple, it was a chaotic war zone where the soldiers wandered around as if looking for someone to tell them what to do. So much so that no one even recognized him.

His heart hit his stomach.

What the hell had happened? There were bleeding soldiers in the street, firefighters trying to control the flames on the north quadrant of the palace and civilians crying and rushing around while medics tried to tend the wounded.

Caillen flipped on his wrist link and ran the locator for Darling. "C'mon, buddy, be in Sentella gear." Each of their suits was equipped with a chip that would allow them to find a fallen comrade. Only the Sentella and those approved by Nykyrian were allowed to know the tracing frequency.

Luckily, Caillen was one of the trusted few.

For a handful of seconds, nothing showed up. But as he rounded a corner, he saw the small, faint dot that indicated Darling's location. Caillen followed it quickly toward his father's office in the palace.

As he neared the main hallway, he saw a familiar form on a stretcher.

Maris.

His heart pounded as he made his way toward him. Covered in blood, Maris had an oxygen mask over his face. His eyes widened the instant he recognized Caillen.

"What happened?"

Maris pulled the mask down. "We got here right behind the queen. She came in with her Guard and…it was a bloodbath. Not long after the fighting began, Darling shoved me out the door and before I could move, something exploded and shattered it all over."

"Where's Darling?"

"He was fighting beside the queen's Guard. Then I lost consciousness and when I came to, he was gone. I haven't seen him since."

Caillen bit back a curse as he put the mask back in place on his friend's face. "You better be all right, Maris. Don't make me buy a suit for your funeral."

He laughed, then winced in pain. "Find Darling. Tell me he's okay."

Caillen inclined his head to him, then went back to following his tracer. As he got closer to the study, the damage was more profound. The alabaster had black blast mark scars. All the furniture was shattered and he could see where the fire had licked and scorched the walls and ceiling. A dozen investigators were in the office, taking notes and conferring.

He followed the locator past them, out into the courtyard where bodies lay all around. This was where they were identifying and storing the dead until they could be transported to a morgue.

Pain and guilt rose up to choke him. Darling was his best friend. The one person he could always rely on whenever he needed anything. They'd been through hell together more times than he could even begin to count.

How could Darling be dead?

The dot started moving. For a second, hope flared. *They're just moving his body to a new spot.* It was the most likely explanation.

Heartsick, he closed the distance to where the largest groups of bodies were piled. The sight sickened him. Darling was here somewhere.

" 'Bout time you got off your lazy ass and made it."

For two seconds he couldn't breathe as he heard that refined accent that spoke his language and syntax. A dichotomy fitting only one aristocrat he knew.

Darling.

He saw the dark shadow leaning against the wall. In full Sentella gear, there was nothing on the outside to betray Darling's identity.

"Your voice distorter's broken."

"I know. It's why I haven't said anything while the Enforcers have hovered near me. I doubt they'd ID me, but not worth the risk."

Caillen scanned the bodies around them. "What happened?"

"The Qill queen is a fucking idiot."

He gaped at a word he'd never heard Darling use before. "Someone's a little pissed."

"Someone's a lot pissed and bleeding all over himself." That was the good and the bad about Sentella uniforms. They were designed to hide injuries. The only person who knew the wearer was wounded was the wearer. It was also what led to the rumor that the Sentella members were immortal and invincible.

"You need a doctor?"

"Yeah. Know one who can treat me without removing my helmet?"

There was that. Since they were wanted outlaws, exposing their real identities was a moron's move. "Hauk's with me."

"Too bad Syn isn't." Syn had once been a doctor. But while Hauk had no official training, he was as good as most of the medics Caillen had dealt with.

Caillen urged him toward a bench. "You need to sit."

Darling balked and moved away from him. "Hell no. I don't want any of the yahoos to think I'm injured. They'd be all over me." To collect the massive bounty on his head.

That was something Caillen could definitely understand. "C'mon, I'll walk you out to him."

Darling scoffed. "You've got nerve being here uncovered. They still think you killed your father."

"Yeah, but they're not paying attention to me."

"All it takes is one and you're screwed. No offense, I'm over my stupid quota for the day and I really can't take another battle right now, so I'll just stand here bleeding until Hauk makes it to me."

"Your call." Caillen's gaze paused on the number of soldiers who'd gone down with obvious human wounds. "How much of this was you?"

"Most of it. The Enforcers have no idea what happened. Yet. The bomb Karissa set off took out about half the palace staff, hence the bodies around us. The moment she heard Sarra was coming for her, she had her daughter declare war on the Qills and they called in every trooper they could get. I give Sarra credit, she and her people cut through them in a way a League assassin team would envy."

"How many did you take out?"

"Not enough, hence my wounds."

He let out a "heh" sound at Darling's droll tone. "Where are the women now?"

"That's where it gets interesting."

"Interesting how?"

"I was side by side with four members of the queen's Guard when the bitches turned on me."

Caillen scowled, not sure he'd heard that correctly. "What?"

He nodded. "They killed the three members who were on the queen's side, then captured Sarra before she realized what was happening. As they were making their way out the back and scrambling for cover, I knew exactly what Karissa had planned—

to kill all of us and buy herself time to escape. I tossed Maris out the doors and tried to save the men who were wounded."

"Of all people, you know how explosives work. You don't run toward them, buddy."

"Yeah and I knew your father's office would be shielded. The same thing that keeps a bomb from blowing it up on the outside also works for containing a blast when it occurs inside."

True, but Caillen didn't like his friend committing suicide either. "Why didn't you get out before the blast?"

"He pulled out six men and saved their lives."

Caillen turned to see Hauk joining them.

"I found one of the rescuees on my way here and he told me he owed his life to the Sentella." Hauk shook his head at Darling. "How wounded are you?"

"Enough that it hurts to breathe. But I've had worse." Darling turned his attention back to their conversation. "I have no idea where the women went. But I give them an A+ on Chaos Theory. They covered their tracks well. No one's going to be hunting them for a while."

Caillen let out a tired breath. Was this ever going to end?

"Hauk, get him out of here and patched up," Darling breathed.

Hauk hesitated before he complied. "What are you going to do?" he asked Caillen.

"Track them."

"I would laugh at your arrogance, but aside from your sister, you're the one person I know who could pluck the right particle out of dark energy." And given the fact that dark energy made up 70 percent of the universe, that was saying something. "Good luck, Cai."

"You too."

Darling wouldn't let Hauk help him so long as there were Enforcers around, but his slow methodical movements confirmed the fact that he was in some serious pain. Caillen admired him for carrying on in spite of it all.

"It's total chaos still. They're trying to sort through bodies."

Caillen froze at a deep, gravelly voice that had haunted his nightmares. A chill went over him as he scanned the people around him, trying to locate its source.

That bastard was here somewhere.

"I will see it done and call you back as soon as I can."

His gaze narrowed on a thin, balding man a few feet to his right. Though he was much older, the features were the same. Even now, he could see the man kicking his father over and shooting him dead.

A dark cloud of rage seized him. Before he even realized what he was doing, he'd crossed the distance in the yard and pinned the bastard to the wall by his neck.

Recognition widened the man's eyes as he struggled to breathe while Caillen held him in place with his forearm over his throat.

"You're only alive because I know you know where my aunt is. If you don't give me her location right now, I'm going to yield to the need I have to carve you into pieces."

There was no missing the fear in his eyes. "I don't know what you're talking about."

Caillen pressed even harder against his neck. "I was there, hiding, when you killed my father in a back alley."

His face went pale. "What?"

"I saw and heard everything said between you and my aunt. And you were wrong. The garbage didn't burn. It grew into one seriously pissed-off man who's about to kill you."

The man started wheezing from his pressure.

Caillen backed off only a degree. He couldn't kill him yet. Not until he had the intel he needed. "Tell me where she is."

"They're waiting for me in the east bay."

"And the Qillaq queen?"

"She's with them as a hostage."

"Cai?"

He looked sideways as Fain joined him. "Perfect timing."

"For what?"

Caillen slung the man toward Fain. "Hold him. Watch him. Don't let him make a call or a text."

"Why?"

"Because if he's lying to me, I'll be back in a few minutes to kill him."

Before Fain could speak another word, he left them to head to the hangar. It didn't take long to reach it, mostly because he ran the entire way.

Until he reached the north bay where they'd landed. It was virtually empty. There were several large cargo ships and a dozen shuttles docked. But it was the craft with diplomatic markings that drew his interest.

All in all, a dumb choice. However, it fit his aunt's ego nicely.

Blood surged through his body as he headed for it. But after two steps, he rethought the sanity of charging straight in there and confronting them. *Don't let your temper lead you.* Because when it did, it always led to the grave.

He needed to let his battle calm take control. Yet for some reason, it had abandoned him. All he could see was his father dying. See his family struggling to survive with no parents. And why? Because of needless greed.

Let it go.

Something much easier said than done. Closing his eyes, he thought of Desideria. The moment he did, his anger dissipated. He found the peace he needed.

This time, he approached the ship from the back, through the shadows that had birthed and succored him. Even if they were scanning, they wouldn't pick him up. The main hatch was up which would stop most people from getting on board without notifying them. But the beautiful part about being a smuggler was that he knew ships inside and out. Best of all, he knew access points where cargo could be loaded or removed even under the nose of the best-trained Enforcers.

While this was a diplomatic ship, it still had a small hatch that allowed food to be brought on board so as not to disturb the aristocratic passengers. Located in the rear, under the left wing, it was a perfect place to sneak on board.

Making sure they couldn't see him, he quickly made his way to it and pried it open. It didn't take long to crawl through it and into the galley. He slid into the ship, then closed the hatch. Pulling his blaster out, he went to the door and listened. The ship was so quiet that all he could hear was the beating of his heart.

But as he crept further down the corridor, he started picking up on a conversation.

"We should leave him."

"Don't you dare start this ship. He'll be here in a minute."

"Gah, what is wrong with you, Mother? You're supposed to be Qillaq. Why would you risk our safety for a man?"

"Sit down, you little ingrate. But for me, your father would have married you off years ago for political gain. Just like *you* did me."

Obviously that last comment was directed at Desideria's mother, which meant she was still alive.

That was always a good sign.

For Desideria anyway.

"Mother, you're impossible. We need to leave. Now!"

Caillen veered into the bunk room. As quietly as possible, he went to the crew station and hacked into the onboard computer so that he could use the video system to scout out the bridge.

His aunt sat in the captain's chair while her daughter was to her left. Two pilots were in the forward seats and Desideria's mother was bound and gagged in the seat behind his aunt.

The odds were definitely in his favor. But he had a better idea rather than barging in there and knocking their heads together.

Sealing and locking the bunk door, he opened an audio channel. "Nice move, ladies. But it won't help you."

Gasping, his aunt and cousin shot to their feet and drew weapons. "Where are you?"

"Close enough to be your innermost hemorrhoid."

His aunt motioned for the two pilots to get up and go search for him. Caillen locked down the bridge access doors tightly so that all they could do was pound on the unresponsive portal. The sight of their anger amused him.

Leran ran to the con to fire the engines only to learn that he had complete control of the ship. Not them. There was nothing they could do to retake it.

Not unless they were Syn. Which, luckily, they weren't.

Take that, you bitches.

His aunt cleared her throat. "Look, we don't have to be enemies. If you want we could split—"

"The only thing I'll split with you is your skull. I'm not dumb enough to fall for any lie out of your mouth."

She held her blaster at the queen's head. "Surrender to us or we'll kill her."

"Then kill her. I really don't care. You're the only one I want and I don't care how many bodies I have to crawl over to get to you."

His aunt looked around in disbelief. "Am I really the only one you want?"

"Yes."

She lowered the blaster. "Then you won't care if I kill my niece, Desideria?"

His heart stopped. He didn't dare say anything that might betray him.

She held a remote up in her right hand. "All I have to do is press this button and Desideria's throat will be cut. Stupid chit is surrounded with my people who are more than willing to kill her on my command. Did you really think I planned all of this alone?"

Caillen scrambled to isolate the trigger's frequency. But he couldn't. Whoever had designed it had skills and it made his temper snap.

There was nothing he could do.

His aunt curled her lip in smug satisfaction. "If you're trying to jam my signal, don't bother. You'll never find it. Now be a good boy and surrender yourself or I'll see Desideria dead within the next minute...maybe two."

Caillen knew she would too. She'd already killed off her family. What was one more niece to her?

But that niece was everything to him.

What am I going to do?

In the end, he knew he had no choice. He couldn't let Desideria die.

"All right. Don't press it."

She laughed. "Just like a man. Weak to the end."

Yeah, he'd like to show her just how weak he was. But he wouldn't kill Desideria for his ego.

"Unlock the ship, then you'll have ten seconds to get up here. One second more and my niece will be nothing other than a bad memory."

Even though it galled him, he did exactly what she said. As soon as he'd reprogrammed the computer, he ran to the bridge where his aunt waited with a blaster aimed straight for his head. "Can't you *ever* die? You have been a pain in my ass since the moment you were born."

He raked a cold glare over her. "Yeah, well, you haven't exactly been the light of my solar system either, bitch."

"You pathetic lovesick fool. But that's all right. We can go ahead with our original plan. You killed the Qillaq queen and then we killed you as you were fleeing from the murder scene."

"No one will ever believe that."

"Sure they will. People are sheep. They believe whatever lies they're told, especially when it comes from the media. After all, the news never lies."

Sad thing was, he agreed with her. Most of the time they did.

"Get on your knees."

Caillen refused. "I kneel for no one. I'll die exactly how I've lived. On my feet." Defiant to the end.

"Fine." She flipped the switch from stun to kill an instant before the targeting dot centered on his forehead.

Caillen glared at her as he waited for the sound that would end his life.

A second later, another dot appeared over her heart. Frowning, his aunt looked down as puzzled by its appearance as he was.

"Only *I* get to shoot him."

His jaw went slack as he recognized Desideria's voice coming out of the pilot's mouth...

No, it couldn't be.

Could it?

It was obvious the pilot was female, but the suit gave no indication as to the wearer's identity.

Stunned, his aunt stepped back and aimed for Desideria. Leran started forward to attack her, but the other pilot engaged her.

His aunt went to shoot, but Caillen rushed her before she could kill Desideria. Something not too bright since the blast hit him hard in his chest. Even so, he refused to go down. He wasn't about to let her hurt Desideria.

Desideria rushed forward as she saw Caillen fighting her aunt for the blaster. The moment she reached them, she realized her aunt's shot hadn't missed him. Blood covered his chest and abdomen as he fought her with everything he had.

Anger and terror mingled inside her to form a deadly combination. All the rage of her lifetime built up—the betrayal her aunt had given them both. The fear that Caillen would die as a result of it.

Before she even knew what she'd done, she grabbed her aunt by the neck and snapped it with a sound that went through her like glycerin on glass.

For a full minute after Karissa slid to the floor, no one moved.

Horrified by her actions, Desideria felt dizzy—like something had snatched her out of her body.

I killed someone.

No, she'd killed her own aunt...

"Mom!" Leran's shriek finally broke through their shock as she ran to her mother's side and sank down on the floor. "Mom...please speak to me." She pulled her mother against her as she cried and begged her to be alive.

Caillen staggered back.

"Cai?" Desideria went to him while Kara crossed the bridge to release her mother from her ties.

His handsome features were pale and drawn tight by the pain. "I swore I'd never risk my life for any woman other than my sisters. What is it about you, pun'kin, that makes me stupid whenever someone threatens you?" His legs buckled.

Desideria grabbed him and helped him sink to the floor so as not to injure him more. She tore open his shirt, then gasped as she saw the damage done. The blast had torn through his left side and left it raw and gaping.

"You fucking whore!" Leran let her mother go and rushed for Desideria.

Without a second thought, Desideria was on her feet. She caught her cousin and slammed her down so hard on the ground that it shook the entire vessel. "You killed your own father, you piece of shit. Next time you come at me, you better bring a body bag. You *will* need it."

Both her mother's and Kara's eyes widened at her words.

Desideria cuffed her, then returned to Caillen. "Stay with me, baby."

He swallowed against his pain while she called for a medic evac.

She cut the link, then pulled him against her while her cousin screamed for vengeance.

"Oh shut up, you whiny child." Sarra snatched the blaster from Kara's hand, then switched the setting from kill to stun and shot her.

Kara looked surprised. "You didn't kill her?"

"Oh no. I want the pleasure of seeing her in prison, of torturing her until she begs for a mercy I have no intention of giving her."

Desideria ignored them while she focused on what mattered most. Caillen's blood was all over her as she tried to slow his bleeding. "Where's your backpack?"

"I was so busy trying to end this before you got here that I forgot it."

She felt the tears sting her eyes. "I should have told you our plan. But I didn't know who among our troops could be trusted and I was afraid a traitor would warn Karissa." Now she wished she'd chanced it. She'd much rather be the one on the floor. "If I'd only known you were going to do something so stupid..."

He smiled, then grimaced. "I'm only stupid for you."

And he'd traded his life to keep her safe. "I love you, Caillen. Don't you dare die on me. So help me, I will chase you to hell to beat you if you do."

"Only a worthless bastard like me would find that endearing."

"You're not a bastard and you're not worthless. You are everything to me." She grabbed the link again. "Where the hell are the medics?"

Caillen cherished the sound of concern in her voice. If he had to die, he was glad it was in her arms. He could think of no better way to go into eternity than staring into the beautiful eyes that had given him his soul back.

For her, he fought for his life harder than he ever had before. He'd waited too long to find someone like her to give up now.

She didn't let go of him until the medics arrived. Only then did she pull back and allow them to work on him.

His gaze never wavered from hers. Not even when they put the oxygen mask over his face.

Desideria choked on a hidden sob at the sight of Caillen lying on the gurney. He looked so weak and pale.

Even so, he winked at her. When he spoke his words were muffled by the mask, but still discernible. "I'm not going to die on you, cupcake. I've got too many boo-boos for you to kiss and you owe me a big one for the hole in my chest."

She laughed through the tears that tightened her throat. "I don't find you amusing." She stepped back to give them more room. "I'll follow you to the hospital and let your sisters and father know."

The medics took him out. She started forward only to find her way blocked by her mother.

Some emotion she couldn't name darkened her mother's eyes as she locked gazes. It was like her mother was looking at a stranger and she didn't know what to think of her. "What happened to you?"

Desideria wasn't sure how to answer that. She'd been chased, beaten, shot at.

And she'd learned to love in a way she'd never thought possible.

"I don't have time for this." She brushed past her mother and headed for the door.

"You don't have my permission to leave."

Those words and that hostile tone of voice went over her like an acid bomb. Her days of cowering were over. She'd blame it on her hour as queen, but she knew the truth.

Caillen had given her this gift.

She turned to meet her mother's glare with one of her own. "I'm no longer a member of your Guard, Mother. Remember? You dismissed me."

"Let her go, Sarra," Kara said. "She's only half Qillaq anyway."

Desideria lifted her chin as Kara's words angered her more. "And proud of it." She narrowed her gaze on her aunt. "My father wasn't a traitor. He was a damn good man and I'll cut the throat of anyone who says differently. You should also remember, Kara, that I spared your life once and saved it another. I'm not a child anymore and I will not be treated as one by any of you ever again. You don't run my life. *I* do."

Her mother pulled on the gold chain that she always wore around her neck, a chain she kept tucked right over her heart. As it came free of her body, Desideria saw that a ring dangled from it. The deep purple stone carved with a coat of arms gleamed in the light. Her mother paused to look at it before she held it out to her.

Frowning, Desideria wasn't sure she should take it. "What is that?"

Her mother grabbed her hand, placed the ring in her palm and closed her fingers over it. "That was your father's insignia ring. He was a prince on his world and yet he chose to stay with me even though he knew he'd never be respected again. Even though he knew he'd never see his family." To her complete shock, her mother's eyes teared. "You're right, Desideria, he didn't betray our people, but he did betray me. He swore he'd come back and instead he was killed in a ridiculous accident when the fuel line in his ship ruptured."

Desideria couldn't breathe as she realized her mother had lied to her about his death. "He wasn't fighting?"

She shook her head. "My son ran away from his training facility. He was all alone and I was terrified of what would happen to him. Your father went to bring him home to me. He swore he could find him and he was the only one I knew who could, so I let him go."

"Why did you lie to me all this time?"

"You were too young to understand and I didn't want you or anyone else asking me questions when the mere thought of his death was more than I could bear. You were the only one who loved him as much as I did and I didn't want you to hate him for leaving us. I'd rather you hate me and cherish his memory. He deserves that much more than I do."

She was appalled by her mother's twisted logic. "You allowed everyone to call him a coward. How is that love?"

Her mother winced as if the question hit her like a blow. "I'm not perfect and I hated him for years afterward. I kept thinking if he'd been stronger he would have lived. I know it doesn't make sense, but I thought if other people insulted him, it would keep me strong."

That had to be the most screwed-up thing she'd ever heard. And to think, they allowed her mother to lead their planet...

Part of her felt sorry for her mother, but the other part wanted to slap her for what she'd done to her father, her brother and her.

"I don't understand why you're telling me this now."

407

Her mother glanced at Kara before she spoke. "I was stupid when I was young. I put duty ahead of family. And what did I get for it? One daughter who tried to kill me. A son I'll never see again. Two sisters who despise me, one so much she was planning on blowing my head off, and the only person who ever really loved me died because I lacked the temerity to stand up to a law I knew was stupid and keep my son where he belonged. At my side. Chayden should have never been in harm's way and your father should have been allowed to be the king he was born to be."

She reached out and cupped Desideria's cheek in her hand. "I've done a lot of thinking since you left and I've worried about you every step of the way. I wanted to see how you would fare on your own and you more than surpassed my expectations. Never have I been prouder of you."

Her mother sighed heavily. "All my mother ever gave me was the mantle of responsibility. What I want to give you is the freedom you need to not make my mistakes. You are your father's daughter. Only he ever stood up to me. And now you." She dropped her hand. "Go to your prince, daughter. Be with him."

"She'll be abdicating her place in our line if she does."

Her mother curled her lip. "So what if she does? Being queen has never brought me anything except misery." She turned back to Desideria. "You stood up for him when I tried to stop you a few minutes ago. Never stop doing that." She stepped away to let her pass. "Consider yourself disinherited."

Desideria felt the tears start to fall. For the first time in her life, she didn't try to hide them. "I love you, Mother." She took her hand and pulled her toward the door.

Her mother frowned. "What are you doing?"

"I have a surprise for you."

Her mother dragged her feet. "I don't know if I can take any more surprises today."

Desideria smiled. "Trust me, you're going to like this one." She looked past her mother to Kara. "I trust you can take care of Leran and Karissa's body?"

"Don't insult me with such an insipid question."

Desideria would have answered with an insult of her own, but it wasn't worth it and she didn't want to waste another moment when she could be with Caillen.

She took her mother out of the hangar and hailed a transport while she called Caillen's family and let them know what was happening.

It didn't take long to reach the hospital. But with the explosion her aunt had caused, it was total chaos. Fain and Hauk were in the bustling waiting room. At least they didn't appear to be wounded.

The moment they saw her, they got up and allowed her and her mother to have their seats. She skimmed the bloody areas of their clothes, but none of it seemed to be theirs. "Were you hurt?"

Hauk shook his head. "No, we're fine."

"So how did you know about Caillen?" She hadn't had a chance to call them.

They exchanged a confused frown. "What about Caillen?" Fain asked.

"He was seriously wounded. Aren't you here for him?"

Hauk cursed. "No. We're here for Darling. He was wounded protecting her." He gestured angrily at her mother. "Because she couldn't listen to anyone."

Her mother glared at him. "How dare you take that tone with me."

"Lady, if either of my friends die because of you I'm going to take a lot more to you than my tone. That you can bank on."

Desideria stepped between them. "Let's not kill each other right now."

With a regal lift to her chin, her mother took a seat while she continued to give both Hauks a snarled lip that said she didn't think much of them.

Before she could say anything else, Chayden came into their area with a drink carrier. Her heart pounded as she feared what reaction he might have.

You should have thought of that before now.

Yeah, she should have.

"They were out of dairy, so you guys'll have to man-up and drink it..." His voice trailed off as he saw her. A slow smile curled his lips. "Hey, sis. Where's Dagan?"

Her vocal cords froze as her mind debated what to do. How to tell him.

With no real idea and no better thought, she stepped aside so that he could see their mother. As she did so, Fain took the drink carrier from Chayden's hands so that he wouldn't spill the hot drinks on them or himself.

Silence rang out as her mother rose slowly to her feet.

The expression on Chayden's face said he was torn between wanting to hug her and kill her. Her mother's face was completely stoic. Desideria had no idea what she was thinking or how she would react.

Until her mother crossed the small distance and drew him into a tight hug.

Chayden stood there with his arms out, still not touching her. His confused gaze went to the Hauks and then to her.

Still their mother held him and rocked slowly back and forth. "You look so much like your father. For a minute, I thought I was seeing him again."

That was the wrong thing to say. Chayden all but shoved her away from him. "Don't even come at me with that shit." He turned his angry glare at Desideria. "You had no right bringing her here without clearing it through me first."

"I thought you'd be excited."

"Like having my fingernails peeled back . . . which I had done a couple of times when I was on Qilla."

The color drained from her mother's face. "What?"

"Oh don't give me that. You didn't think I left because it was warm and toasty. Surely you're not that stupid." He took another step back. "I'm out of here. Hauk, call me later with a report on Darling." He turned around and headed for the door.

Her mother ran after him.

Desideria started to follow, but Fain caught her by the arm.

"Let them settle this on their own."

"Yeah, but—"

"No buts, Princess. Take it from someone who was disowned by his family, Chayden has to come to terms with this. It's hard to let someone back in your life after they've kicked you in the teeth."

Since she had no experience with what Chayden was going through, she deferred to Fain. But after her mother was gone for more than twenty minutes, she began to get worried again. "You don't think he's killed her, do you?"

Hauk tossed his cup into the wastebasket. "I was beginning to have that same thought. C'mon. Let's go check on them."

411

He led her across the room and back out the electronic doors. At first she didn't see them. But as one of the transports moved, she saw them standing together by the side of the building. Her mother appeared to be doing all the talking while Chayden listened with an unreadable expression. The only clue to his mood was the tic in his jaw.

Her mother turned and looked at her, then said something more to Chayden.

He nodded before he walked away.

Crossing her arms over her chest, her mother headed back to them.

"Is everything all right?" Desideria asked when she rejoined them.

"All right would be a stretch. But he is willing to talk to me in a few days, so maybe it's not all bad. How did you find him?"

She shrugged. "He's a friend of Caillen's."

Her mother shook her head. "So I owe him for keeping my daughter alive, saving my throne and now for giving me a second chance with my son...What other miracles is he capable of?"

Hauk rumbled a deep laugh. "Trust me, Dagan's no saint."

That was most certainly true. "No, but he is a war hero. He saved two thrones..."

Fain came running up to them. "Dagan's out of surgery and he's asking for you."

Desideria wasted no time heading back inside and finding a nurse to take her to Caillen's room. Sterile and cold, the room wasn't any bigger than her small bedroom. Caillen lay on the bed, hooked to more monitors than she'd ever seen before. A white blanket covered him.

"Don't get him excited," the nurse warned. "We need to keep his blood pressure down."

She inclined her head to the nurse before she crossed the room.

Even though his face was covered with a clear mask, he smiled at her. "Hey, sunshine."

Relieved that he was alive and alert, she took his hand into hers. "How are you feeling?"

"Like I got one leg shredded, sliced in the ass and then shot in the chest." He frowned as he saw the ring on her hand. "You get married while I was out of it?"

"It's my father's. My mother gave it to me."

"Really?"

She nodded. "I think she's coming around to things."

"Ah God, I'm dead, aren't I?"

She let out an irritated breath. "Stop being so melodramatic, you big baby."

"I'll stop if you promise you won't."

"Won't what?"

"Stop loving me." The tone of his voice brought tears to her eyes. She heard the deep vulnerability and fear.

"Don't worry, Cai. There's no way I could live without you."

He pulled his mask off and kissed her hand. "I'm going to hold you to that."

"Is that the only thing you're going to hold me to?"

He laughed evilly. "No. I still have boo-boos to be kissed."

"Well in that case...I better start with your lips."

Caillen's head spun the moment she kissed him. In all the misadventures of his life, he'd never expected to find someone like her. Never expected to feel this alive while he lay one step from death. But as he tasted her, for the first time in his life he looked forward to the future.

He now had a goal. To keep her with him to the day Death separated them. No one would ever come between them again. "Marry me, Desideria."

She nuzzled her cheek against him before she whispered in his ear. "Absolutely."

EPILOGUE

Six Months Later

Bogimir danced around Caillen's desk in silent aggravation as he screwed up the paperwork he was supposed to be filling out. "Boggi, I swear to the gods if you don't stop doing that, I will shoot you where you prance."

Huffing and puffing in indignation, Bogimir made a hasty retreat to the safety of Evzen's office. Whatever. Caillen had actually learned to enjoy his father's lectures. Better to be yelled out than to stand over the man's grave.

Sometimes you just had to suffer for your family.

Like right now. He wanted to burn all the crap on his desk. He felt like he was drowning in it.

Or worse, going snow blind.

Yes, he still had a small itch to climb into his ship and return to his old life. But all he had to do was think of Desideria in harm's way and it quelled his desire immediately. Nothing was worth risking even a hair on her head.

Kasen still wasn't happy with the arrangement. However,

Desideria's sister Gwen was more than grateful that Desideria had decided to live on Exeter as his wife.

He glanced to the wedding band on his hand and smiled. It still felt weird to have it there, but it served as a reminder of all she'd brought into his world. Every day they had together was better than the one before it.

A knock sounded on his door.

No doubt it was his father to bitch at him. "Come in."

To his delight, it was Desideria. Dressed in a cream gown that highlighted her dark complexion, she had a lovely blush on her cheeks that made him instantly hard.

Yesterday when she'd disturbed him, they'd had a hot interlude on his desk that had sent papers flying everywhere. It'd taken him hours to resort them, but he was more than ready for it again.

"What's up?"

She frowned. "I have a strange question."

"No, I'm not the one who ate your candy. It was Darling. I swear."

Laughing, she rolled her eyes at him. "It was both of you. I saw it on playback from the security monitors."

"Damn. I should have erased that." He pulled her down to sit in his lap so that he could feel her warmth.

"But that wasn't my question." She looked at the door and scowled. "Are you sure Darling's gay?"

"Yeah, why?"

She bit her lip before she answered. "I swear I just caught him ogling Maris's new female secretary."

Caillen scoffed at the mere thought. "You must have been mistaken. He's my best bud in the universe. I'd know if he wasn't."

"If you say so, but I know what I saw. Maybe he's bisexual."

"Again, I'd know."

She held her hands up in surrender as she straddled his waist. Oh yeah, this was what he needed.

"Fine. That wasn't what I wanted to talk to you about anyway."

His blood heating at the thought of tasting her, he slid his hand under the hem of her dress and skimmed it over her soft skin so that he could cup her bare bottom. "No?"

She slid closer to him until she pressed against his hard cock in a way that drove him insane. "No. Do you know what was six weeks ago?"

He searched his memory, but couldn't place it. "Baby, I barely remember what I had for dinner last night. Was it important?"

She leaned down to whisper words in his ear that hit him like ice water. "My birthday."

Caillen cursed at his stupidity. He'd wanted to remember it so that he could make it extra special for her.

How could he have forgotten?

I'm such an asshole.

"I am so sorry, Desideria. I can't believe I forgot. I swear I'll make it up to you. Tell me what you want and I'll get it. Anything."

She placed her soft hand over his lips to stop him from speaking. "It's all right. I promise I won't hold it against you. Besides you did give me the best present of all time."

Again, he tried to think of what he'd done six weeks ago. "What?"

She reached out and took his hand into hers, then led it to her stomach. "A baby."

His breath caught in his throat as those two words hung in the air between them.

A baby.

"Are you serious?"

Biting her lip, she nodded.

Caillen pulled her against him and held her close. Sheer ecstasy pounded through him. He was going to be a father. And the de Orczys would have a new heir.

Desideria smiled at the happiness she saw mirrored in his eyes. Strange, she'd always known she'd be queen one day. She just hadn't thought it would be on a world not her own. Caillen had given her everything she'd ever wanted.

But never the way she'd envisioned it.

That was his gift. He was unpredictable and wonderful...at least most of the time.

Still that was all right by her. As her father had so often said... Laugh as much as you breathe and love as long as you live. So long as she had Caillen and their baby, she knew she'd be laughing constantly.

And loving, and, most importantly, being loved forever.

Still hungry for more?

Turn the page for a sneak peak
at another thrilling
Sherrilyn Kenyon novel

Blood Trinity

Welcome to the dark side . . .

TWO YEARS AGO
UTAH ... BENEATH THE SALT FLATS

Similar in height and size, they were different as night and day in skin color and the way they dressed. The one with nothing on but jeans had been conscious when she'd regained her wits twenty minutes ago. Completely still, he hadn't made a sound since then—like a snake lying low until it saw an opportunity to strike. Arms outstretched and legs spread apart, his gaze now cut sideways at a rustle of movement.

The fair-haired guy on his left struggled to reach lucidity.

Being imprisoned with two Beladors would normally fill her with hope for escape because of their ability to link with each other and combine their powers. When that happened, Beladors fighting together were a force only the upper echelon of preternatural creatures could touch. They were damn near invincible.

But linking required unquestioned trust. And right now, she couldn't offer trust so easily. Not after a Belador's telepathic call for help had lured her into this hole—into the hands of Medb warlocks. Her tribe had fought this bunch for two thousand years.

Burn me once, shame on you. Burn me twice . . .

Die with pain.

Even so, could she refuse to help these two warriors—members of *her* tribe—if there was a chance to save them? Beladors were a secret race of Celtic people connected by powerful genetics and living in all parts of the world. She'd only met a few.

Never these two.

But every member of the tribe had sworn an oath to uphold a code of honor, to protect the innocent and any other Belador who needed help.

If a warrior broke that vow, every family member faced the same penalty as the warrior, even the penalty of death.

Evalle had no one who would be affected by her decisions. The only person she'd had was an aunt who'd died that Evalle didn't mourn. Not after what that woman had done to her.

But even without having someone to worry about she'd upheld her vows since the day she'd turned eighteen. Not because she had to, but because she wanted to. And—until now—she'd always supported her tribe without question.

If only she knew which side of the lake those two across from her swam on. Hers or the Medb's?

She had one chance to answer that question correctly.

Live or die . . .

What else was new?

"Anyone know who called for this delightful little meeting?" the fair-haired male grumbled in a smooth voice born of enhanced genetics and a hint of British influence. The sound matched the urbane angles of his European face, which could be Slovak or Russian. He straightened his shoulders as if that would smooth the creases in his overpriced suit, obviously tailored to fit that athletically cut body that James Bond would envy. She'd put him in his early thirties and at close to six foot three.

Bad, black and wicked next to him might be an inch shorter, but he balanced out the difference with a pound or two of extra kick-your-ass muscle.

"Introductions appear necessary . . . unless you two know each other." The blond guy looked in her direction, then at the other male, but she doubted he could see a thing in this blackness.

Then again, who knew what powers he had as a Belador? That thought sent another chill down her spine.

Evalle fought a smirk over pretty boy's dry tone and well-honed nonchalance. She'd never met a Belador male who wasn't alpha to the core. But she had no intention of jumping in first to answer after deceit had landed her here.

One of these two could very easily be a Medb surveillance plant.

Tonight's betrayal had put a serious damper on her "team" mentality, and it burned raw inside her.

"I suppose I shall have to open," pretty boy continued, undeterred by the rude silence. "I'm Quinn."

The other prisoner still hadn't twitched since being hauled into the cave by four Medb warlocks and slammed against the wall. He'd been the last one captured. Blood that had trickled earlier from gashes in his exposed chest had dried . . . and the gashes were gone. Rumors had surfaced that a few of the more powerful Belador warriors could self-heal some wounds overnight, but she'd never heard of one healing so quickly. Odd.

His head was completely bald, which added a lethal edge to his face. Ripped muscles curved along his arms. All that body flowed down to the narrow waist of his jeans. He cleared his throat, and even that sounded dangerous. "I'm Tzader."

"The Maistir?" Quinn's gaze walked up and down the other warrior, sizing him up.

"Yes."

Truth or lie? Evalle had never met Tzader Burke, commander of all the North American Beladors. If he was Maistir, that might explain why *he* was here. He would be a coup in any Medb's career.

She slashed a look at the self-appointed cave host, waiting on Quinn to make the next move.

He shifted his head in Evalle's direction. "I can see another faint aura glowing across from us. A woman, I presume from the look of it."

How come other Beladors could see auras, but not her? What had she done to tick off the aura fairy?

When she didn't pick up the conversation thread, Quinn asked, "You would be?"

"Pissed off." Evalle opened her eyes all the way.

He smirked. "Love the name, darling. Should I refer to you as simply Pissed?"

She ignored his sarcasm. "No offense, I'm going to need a little more information before I'm ready to buddy up to *anyone*. Especially two who could be lying to me."

First again to keep the ball rolling, Quinn nodded. "I had assumed only Beladors answered the call, but your aura is—"

"—not Belador," Tzader interjected.

Quinn's moment of hesitation spoke louder than his words. "I see."

Snubbed again. What else was new? Even though she'd heard the traitor's call for help telepathically just like this pair of full bloods had and felt the sizzle of their tribe's connection on her skin, they still didn't consider her one of them.

Raw fury roiled through her veins. What would she have to do to be considered one of the group? Too bad their hazing wasn't as simple as eating a few live goldfish. But then, why was she surprised or even hurt? Her own family had wanted nothing to do with her. Why should anyone else?

Still, she refused to be discounted so easily. "You two may be able to see *auras,* but I doubt that either of you *see* anything else in this pitch dark. Not like I can."

"That explains it." There was no missing the disgust in Tzader's tone.

"What precisely does that explain?" Quinn allowed his annoyance to come through that time. Not the happy cave host after all.

"She's an Alterant." Tzader stared her way, studying on something. "The only one *not* in VIPER protective custody."

Evalle released a sharp stream of air from between clenched teeth. "Right. *Protective custody* sounds so much more civilized than being *jailed,* which is what really happened to the other four Alterants. I'm not there because I don't deserve to be there and I refuse to live in a cage—just like you would if you were me. So deal with it." She'd been there, done that and burned the T-shirt reminder, and it would take more than the entire Belador race to put her back in one.

And she had no doubt how he'd vote if she shifted into a beast in front of him.

Thumbs down. Hang the Alterant.

Yeah, the pendulum was buried on the side of them being her enemies.

Tzader frowned. "You work for VIPER?"

VIPER—Vigilante International Protectors Elite Regiment—was a multinational coalition of all types of unusual beings and powerful entities created to protect the world from supernatural predators. Beladors made up the majority of VIPER's force, and if that really was Tzader Burke across from her, he'd know the only free Alterant worked with VIPER. Might as well cop to it. "I'm in the southwestern region."

Quinn cleared his throat. "I'm with VIPER as well and was on my way to investigate a Birrn demon sighting in Salt Lake City when I heard the call. What about you two?"

"Meeting an informant in Wendover," Tzader replied, mentioning the small gaming town at the Utah-Nevada border. "What were you doing in this area tonight, Alterant?"

Following a lead I have no intention of sharing with you . . . dickhead.

When she didn't answer, Tzader chuckled in a humorless way that brushed a ripple of unease across her skin. "Listen, sweetheart. We might have another couple hours, or we might only have a couple minutes. The Medb don't ransom. They trap, plunder minds, use bodies in hideous ways and toss the carcasses into a fire pit. I could reach Brina even this far below ground, but I can't get through the spell coating these walls. So there's not going to be a Belador cavalry charging in to save us. You either join up and help us find a way to escape, or prepare for the worst death you can imagine."

As if she didn't know the stakes. . .

And hadn't already lived through a fate worse than death. They had no idea who and what they were dealing with.

"I quite agree, love," Quinn added. "I can understand your resistance to trusting anyone after being caught in this trap. I, too, want that traitorous Belador's head as a hood ornament on my Bentley, but none of us will have any chance to discover his identity if we don't survive, and that endangers all our people."

Evalle would give him that, but hanging here manacled to a rock wall by majik didn't exactly instill a sense of camaraderie in her. More like, it brought back memories that made her seethe.

She held the key to possibly overpowering the Medb—a physical ability to shift into a more powerful form that might afford the three of them the combined energy to fight their way out of here. But using that ability would expose the secret she'd shielded for five years and give the Tribunal, the ruling body of VIPER, all the reason they'd need to lock her up.

Adult Alterants did not get a second chance for any infraction. The four male Alterants with unnaturally pale green eyes like Evalle's had shifted into hideous beasts over the past six years and killed humans—and Beladors—before being imprisoned.

Do you love fiction with a supernatural twist?

Want the chance to hear news about your favourite authors (and the chance to win free books)?

Keri Arthur
S. G. Browne
P.C. Cast
Christine Feehan
Jacquelyn Frank
Larissa Ione
Sherrilyn Kenyon
Jackie Kessler
Jayne Ann Krentz and Jayne Castle
Martin Millar
Kat Richardson
J.R. Ward
David Wellington

Then visit the Piatkus website and blog
www.piatkus.co.uk | www.piatkusbooks.net

And follow us on Facebook and Twitter
www.facebook.com/piatkusfiction | www.twitter.com/piatkusbooks

piatkus